AF218677

ACCESO GRATIS a la Lectura en la Nube

Para visualizar el libro electrónico en la nube de lectura envíe junto a su nombre y apellidos una fotografía del código de barras situado en la contraportada del libro y otra del ticket de compra a la dirección:

ebooktirant@tirant.com

En un máximo de 72 horas laborales le enviaremos el código de acceso con sus instrucciones.

ESTUDIO INTEGRAL DE LA VIOLENCIA DE GÉNERO:

UN ANÁLISIS TEÓRICO-PRÁCTICO DESDE EL DERECHO Y LAS CIENCIAS SOCIALES

ESTUDIO INTEGRAL DE LA VIOLENCIA DE GÉNERO:

UN ANÁLISIS TEÓRICO-PRÁCTICO DESDE EL DERECHO Y LAS CIENCIAS SOCIALES

Directora
MARÍA MARTÍN SÁNCHEZ

Autores

Almudena Rey Martín	María Martín Sánchez
Ana Luna Serrano	Maria Teresa Bejarano Franco
Cristina Rodríguez Yagüe	Mª Elena Rebato Peño
Enrique Belda Pérez-Pedrero	Mª del Pilar Molero Martín-Salas
Estefanía Esparza-Reyes	Mª Isabel Herrera Rodríguez
Francisco Javier Díaz Revorio	Mª Josefa Ridaura Martínez
Jesús Gil Trujillo	Nunzia Castelli
Jesús Mª Martín Tabernero	Patricia Fernández Montaño
José Miguel Fernández Imedio	Rosario Serra Cristóbal
Laura Alicia Camarillo Govea	Tomás Bastarreche Bengoa
Lorena Sales Pallarés	Víctor Eduardo Orozco Solano
María Acale Sánchez	Víctor Manuel Parada Picos

tirant lo blanch

Valencia, 2018

© María Martín Sánchez

© TIRANT LO BLANCH
EDITA: TIRANT LO BLANCH
C/ Artes Gráficas, 14 - 46010 - Valencia
TELFS.: 96/361 00 48 - 50
FAX: 96/369 41 51
Email:tlb@tirant.com
www.tirant.com
Librería virtual: www.tirant.es
DEPÓSITO LEGAL: V-996-2018
ISBN: 978-84-9169-730-5
IMPRIME: Guada Impresores, S.L.
MAQUETA: Tink Factoría de Color

Si tiene alguna queja o sugerencia, envíenos un mail a: *atencioncliente@tirant.com*. En caso de no ser atendida su sugerencia, por favor, lea en *www.tirant.net/index.php/empresa/politicas-de-empresa* nuestro procedimiento de quejas.

Responsabilidad Social Corporativa: http://www.tirant.net/Docs/RSCTirant.pdf

ÍNDICE

PARTE PRIMERA
IGUALDAD, CONSTITUCIÓN Y PERSPECTIVA DE GÉNERO: LA DISCRIMINACIÓN COMO GÉNESIS DE LA VIOLENCIA DE GÉNERO

Capítulo 1
LAS DIMENSIONES CONSTITUCIONALES DE LA IGUALDAD
Francisco Javier Díaz Revorio

Capítulo 2
VIOLENCIA DE GÉNERO: VIOLENCIA "UNIDIRECCIONAL" HACIA LAS MUJERES

María Martín Sánchez

Capítulo 3
MUJERES CON DISCAPACIDAD: INCIDENCIA DE LA VIOLENCIA DE GÉNERO Y VALORACIÓN DESDE EL PUNTO DE VISTA DE LOS DERECHOS HUMANOS Y DE LA ACTUACIÓN DEL ESTADO CONSTITUCIONAL

Enrique Belda Pérez-Pedrero

Capítulo 4
EL SENTIDO ACTUAL DE LA LEY ORGÁNICA DE MEDIDAS DE PROTECCIÓN INTEGRAL CONTRA LA VIOLENCIA DE GÉNERO

Mª Josefa Ridaura Martínez

Capítulo 5
EL PRINCIPIO DE IGUALDAD. REVISIÓN HISTÓRICA Y PROPUESTAS EDUCATIVAS
Maria Teresa Bejarano Franco

Capítulo 6
VIOLENCIA DE GÉNERO Y CONSTITUCIÓN: UNA MIRADA DESDE LA JURISPRUDENCIA DE LA SALA CONSTITUCIONAL Y DE LA CORTE INTERAMERICANA DE DERECHOS HUMANOS
Víctor Eduardo Orozco Solano

PARTE SEGUNDA
VIOLENCIAS "EN PLURAL": DISTINTAS MANIFESTACIONES DE LA VIOLENCIA MACHISTA

Capítulo 7
LA VIOLENCIA PATRIARCAL: UNA PARADIGMÁTICA VULNERACIÓN A LA NO SUBORDINACIÓN

Estefanía Esparza-Reyes

Capítulo 8
LA VIOLENCIA DE GÉNERO EN EL CONTEXTO INTERNACIONAL: DESEOS Y REALIDADES

Lorena Sales Pallarés

Capítulo 9
LA TRATA DE MUJERES COMO UNA DE LAS FORMAS MÁS ATROCES DE VIOLENCIA CONTRA LA MUJER

Rosario Serra Cristóbal

Capítulo 10
LA LEY ORGÁNICA CONTRA LA VIOLENCIA DE GÉNERO: REFLEXIONES DESDE EL ÁMBITO LABORAL

Nunzia Castelli

Capítulo 11
VIOLENCIAS DE GÉNERO EN REDES SOCIALES: ANÁLISIS DESDE LA PERSPECTIVA DEL TRABAJO SOCIAL

Patricia Fernández Montaño

Capítulo 12
DEMOCRACIA PARITARIA Y CUOTAS ELECTORALES

Mª del Pilar Molero Martín-Salas

Capítulo 13
LOS DERECHOS DE PARTICIPACIÓN POLÍTICA DE LAS MUJERES: LA VIOLENCIA POLÍTICA COMO NUEVO RETO EN ESTE ÁMBITO

Mª Elena Rebato Peño

PARTE TERCERA
RESPUESTA PENAL E INSTITUCIONAL A LA VIOLENCIA DE GÉNERO

Capítulo 14
DERECHO PENAL Y VIOLENCIA DE GÉNERO: ¿UN NUEVO CAMBIO DE PARADIGMA?

María Acale Sánchez

Capítulo 15

LA EJECUCIÓN DE LAS PENAS DE PRISIÓN EN LOS DELITOS DE VIOLENCIA DE GÉNERO: ¿UNA ASIGNATURA PENDIENTE?

Cristina Rodríguez Yagüe

Capítulo 16

LA DISPENSA DE LA OBLIGACIÓN DE DECLARAR EN EL CASO DE VIOLENCIA CONTRA LA MUJER. ¿UNA PARADOJA IRRESOLUBLE?

Tomás Bastarreche Bengoa

Capítulo 17

ANÁLISIS DE LA DOCTRINA DEL RIESGO PREVISIBLE Y EVITABLE EN LA EFECTIVIDAD DE LA DECLARATORIA DE ALERTA DE VIOLENCIA DE GÉNERO EN MÉXICO

Laura Alicia Camarillo Govea, Ana Luna Serrano, Víctor Manuel Parada Picos

PARTE CUARTA
ATENCIÓN INTEGRAL DE LAS VÍCTIMAS DE VIOLENCIA DE GÉNERO

Capítulo 18

LA UNIDAD DE FAMILIA Y MUJER EN EL CUERPO NACIONAL DE POLICÍA. OPERATIVA POLICIAL EN VIOLENCIA DE GÉNERO

José Miguel Fernández Imedio

Capítulo 19

ASPECTOS MÉDICO-FORENSE Y CLÍNICOS DE LA VIOLENCIA DE GÉNERO

Jesús Mª Martín Tabernero

Capítulo 20

LA VALORACIÓN DE LAS RELACIONES INTERPARENTALES E INTRAFAMILIARES DESDE UNA PERSPECTIVA INTEGRAL E INTEGRADORA: VIOLENCIA DE GÉNERO VS. RELACIÓN DISFUNCIONAL

Mª Isabel Herrera Rodríguez

Capítulo 21

VÍCTIMAS: PROTECCIÓN, COORDINACIÓN E INTERVENCIÓN EN LA EJECUCIÓN A LA LUZ DE ESTATUTO DE LA VÍCTIMA DEL DELITO APROBADO POR LEY 4/2015 DE 27 DE ABRIL EN VIGOR DESDE EL PASADO 27 DE OCTUBRE DE 2015 (1 AÑO DESDE SU ENTRADA EN VIGOR)

Jesús Gil Trujillo

Capítulo 22

LIBERTAD DE AUTODETERMINACIÓN DE LA VÍCTIMA DE VIOLENCIA DE GÉNERO

Almudena Rey Martín

RELACIÓN DE AUTORES

María Acale Sánchez. Catedrática de Derecho penal. Universidad de Cádiz.

Tomás Bastarreche Bengoa. Abogado penalista. Profesor Asociado de Derecho Constitucional. Universidad de Castilla La Mancha.

María Teresa Bejarano Franco. Profesora Contratada Doctora Facultad de Educación. Universidad de Castilla La Mancha.

Enrique Belda Pérez- Pedrero. Profesor Titular de Derecho Constitucional. Universidad de Castilla La Mancha.

Nuncia Castelli. Profesora Contratada Doctora Interina. Universidad de Castilla La Mancha.

Laura Alicia Camarillo Govea. Profesora de la Facultad de Derecho de Tijuana. Universidad Autónoma de Baja California. México

Francisco Javier Díaz Revorio. Catedrático de Derecho Constitucional. Universidad de Castilla La Mancha.

Estefanía Esparza-Reyes. Académica Departamento de Ciencias Jurídicas. Universidad de La Frontera. Chile

José Miguel Fernández Imedio. Inspector del Cuerpo de Policía Nacional, responsable de la Unidad de Familia y Mujer (UFAM) de la Comisaría Provincial de Ciudad Real.

Patricia Fernández Montaño. Profesora de Derecho del Trabajo y Trabajo Social. Universidad de Castilla La Mancha.

Jesús Gil Trujillo. Fiscal de Violencia de Género de Ciudad Real.

María Isabel Herrera Rodríguez. Trabajadora Social del Instituto de Medicina Legal y Ciencias Forenses de Toledo y Ciudad Real (Subdirección de Ciudad Real)

Ana Luna Serrano. Profesora de la Facultad de Derecho Tijuana. Universidad Autónoma de Baja California. México.

María Martin Sánchez. Profesora Titular Acreditada de Derecho Constitucional. Universidad de Castilla La Mancha.

Jesús Martín Tabernero. Jefe de Servicio de Patología Forense del Instituto de Medicina Legal de Ciudad Real y Toledo. Profesor Asociado en la Facultad de Enfermería. Universidad de Castilla-La Mancha

María Pilar Molero Martín-Salas. Profesora Contratada Doctora (A) de Derecho Constitucional.Universidad de Castilla La Mancha.

Víctor Eduardo Orozco Solano. Letrado de la Sala Constitucional de la Corte Suprema de Justicia. Profesor Universidad de Costa Rica.

Víctor Manuel Parada Picos. Asesor Jurídico en el Instituto Municipal de la Mujer. Tijuana, México.

María Elena Rebato Peño. Profesora Titular de Derecho Constitucional. Universidad de Castilla La Mancha.

Josefa Ridaura Martínez. Profesora Titular de Derecho Constitucional (Acreditada a Catedrática). Universidad de Valencia.

A. Cristina Rodríguez Yagüe. Profesora Titular Acreditada de Derecho Penal. Universidad de Castilla La Mancha.

Lorena Sales Pallares. Profesora Titular Acreditada de Derecho Internacional Privado. Universidad de Castilla La Mancha.

Almudena Rey Martín. Magistrada del Juzgado número 5 de Toledo.

Rosario Serra Cristóbal. Profesora Titular de Derecho Constitucional. Universidad de Valencia.

PRÓLOGO

MIGUEL LORENTE ACOSTA
Profesor Titular de Medicina Legal
de la Universidad de Granada

Si hay algo que identifica a cualquier sociedad en cada uno de los países del planeta es la violencia contra las mujeres como parte de la "normalidad" definida por su cultura, y sin embargo, la violencia de género sigue siendo una gran desconocida en todos los lugares donde se produce. Es cierto que las diferencias entre las expresiones de la cultura en cada contexto modifica también la forma de llevar a cabo la violencia contra las mujeres, pero en todos ellos permanece al amparo de una especie de "necesidad" para mantener el orden dado, de ahí el recurso a la justificación, a la contextualización y a la minimización para quitarle trascendencia y dimensión.

Si no contara con esa complicidad en el origen y en el resultado no sería posible que una violencia manifestada en hechos tan graves como el homicidio, el maltrato habitual, las agresiones sexuales, la mutilación genital femenina, los matrimonios forzosos, los crímenes por la dote, el acoso hubiera permanecido a lo largo de la historia, y que aún hoy, a pesar de la conciencia introducida por el feminismo y el conocimiento adquirido, persista en todas sus manifestaciones, e incluso se haya producido una reacción llena de agresividad contra las medidas dirigidas a corregir la desigualdad y el machismo existente en el origen de la violencia de género.

En España, cada año, 60 mujeres son asesinadas de media por la violencia de género y 600.000 son maltratadas, tal y como recoge la Macroencuesta de 2011; o lo que es lo mismo, 60 hombres asesinan a sus parejas o exparejas y unos 600.000 las maltratan, una violencia que sufren las mujeres en sus casas y que ningún otro grupo de la población recibe con una intensidad y gravedad siquiera parecidas. Y, sin embargo, sólo para el 1-2% de la población es un problema grave, según aparece en el Barómetro del CIS mes a mes.

Esa distancia entre el posicionamiento de la sociedad frente a un resultado tan objetivo, indica que hay una serie de elementos situados entre la realidad y la percepción que impiden alcanzar el significado de esta violencia en toda su dimensión. La mayoría de estos elementos que actúan como pantallas están interpuestos por las referencias culturales que colocan los mitos, los estereotipos, las ideas, los valores, los prejuicios... entre las conductas violentas y su significado para presentarlo como producto de las circunstancias (de un conflicto, una fuerte discusión, una pérdida de control), y como consecuencia de determinados hombres, que son considerados como alcohólicos, con problemas con las drogas, enfermos mentales o con trastornos de la personalidad.

El resultado final es que la violencia de género se integra como parte de la normalidad a partir de esas referencias culturales, que la presentan como una situación que se puede presentar en las relaciones de pareja bajo determinadas circunstancias, y cuando su expresión alcanza cierta gravedad, entonces la presentan como un problema de ciertas alteraciones en algunos hombres o de determinados contextos ya de por sí conflictivos. Esa es la idea que se observa en la Macroencuesta de 2015 cuando el 44% de las mujeres que no denuncian refieren no hacerlo porque la violencia que sufren *"no es lo suficientemente grave"*, o lo que es lo mismo, admiten que sufren violencia por parte de sus parejas, pero sólo cuestionan su intensidad cuando la consideran "suficiente grave". Es la misma idea de lo que me repetían muchas mujeres en mis inicios profesionales como Médico Forense con la frase, *"mi marido me pega lo normal, pero hoy se ha pasado"*, la cual, como vemos, sigue presente en nuestra sociedad casi 30 años después, a pesar de todo lo que se ha avanzado y se ha conseguido, aunque ha sido más en la superficie que en la profundidad de las razones que llevan a esta violencia.

Esa percepción social y el consecuente posicionamiento, indican que el problema está en los elementos de una cultura que hace de la violencia de género una violencia estructural, es decir, que nace de las referencias propias de esa cultura y se utiliza para mantenerlas sobre el orden que considera adecuado para la convivencia. Esa misma circunstancia que la convierte en una "violencia desde dentro" es la que explica la reacción resistente que existe contra las medidas dirigidas a erradicar la violencia de género que se ha puesto en marcha a través del posmachismo.

El posmachismo es la nueva estrategia del machismo para mantener las referencias tradicionales sobre lo masculino y los hombres. Y para ello, en lugar de la reivindicación explícita de esa idea de "superioridad masculina", recurre a generar confusión sobre los problemas que se presentan para, de ese modo, mantener a la sociedad distante y pasiva por medio del desconocimiento real de la cuestión que se plantea. Lo cual no quita que desde las posiciones más tradicionales se sigan haciendo reivindicaciones explícitas, como ocurrió en el Europarlamento el pasado marzo (2017) con el eurodiputado polaco, Janusz Korwin-Mikke, al afirmar que las mujeres deben percibir menos salario que los hombres por ser *"más débiles y menos inteligentes"*.

El posmachismo evita ese enfrentamiento abierto que sabe que produce un rechazo importante en una parte de la sociedad, y lo que intenta es alejar los problemas del foco de la reflexión y la crítica social por medio de la confusión. Así, por ejemplo, en violencia de género, como no puede negarla por la objetividad de sus resultados, lo que hace es afirmar que la mayoría de las denuncias son falsas, que las mujeres también maltratan o que las medidas establecidas van dirigidas contra los hombres y la familia... El planteamiento no es inocente y juega con todos los mitos tradicionales elaborados alrededor de la perversidad y maldad de las mujeres, lo cual hace que resulten muy cercanos y creíbles, logrando su objetivo de mantener a una gran parte de la sociedad lejos de la "realidad normal" de la violencia de género, y cuestionando sólo los casos graves, los cuales a su vez contextualiza sobre los mitos del agresor relacionados con el alcohol, las drogas o los problemas psicológicos. Al final, el resultado es claro y, tal y como hemos apuntado, sólo 1-2% de la población considera que asesinar a 60 mujeres cada año es un problema grave.

Es necesario romper con este marco creado por el mismo machismo que recurre a la violencia, y para ello es necesario luz y conocimiento, que es lo que aporta este libro.

Sin duda mucha luz y mucho conocimiento, y lo hace desde fuentes muy diversas (Derecho, Educación, Medicina, sociedad, Administraciones, Trabajo Social) y perspectivas muy diferentes (locales, nacionales e internacionales), para que ninguno de los múltiples obstáculos situados entre la realidad y la conciencia, puedan levantar sombras que actúen como refugio de la crítica para dar esquinazo al conocimiento.

Una obra amplia, completa y diversa que nos aporta múltiples y novedosas referencias para seguir levantando la alternativa a la cultura del machismo, la desigualdad y la violencia de género, desde la acción y las respuestas, pero también desde la conciencia que da profundizar en las circunstancias que ocasionan la violencia de género.

Un gran trabajo que dará lugar a otro gran trabajo por parte de quienes recurran a su lectura a la hora de dar respuestas profesionales, por lo cual debemos felicitarnos, y felicitar también a la editora y a todas las personas que han dejado en sus páginas parte de su conocimiento y experiencia.

La violencia contra las mujeres sólo acabará cuando haya desaparecido la cultura que la propicia, y ese cambio cultural sólo se logrará con la implicación y participación de la sociedad, una participación que debe ser impulsada a través de las medidas políticas y las respuestas profesionales, pero que sólo se logrará con el cambio de referencias culturales que permitan desalojar la desigualdad y ocupar su espacio por la Igualdad. Una obra como esta contribuye en esa dimensión global (política, profesional y social) a la necesaria transformación que ya está en marcha.

NOTA INTRODUCTORIA

MARÍA MARTÍN SÁNCHEZ
Directora

La presente obra colectiva aborda la violencia de género como violencia ejercida unidireccionalmente sobre las mujeres, que es cosa distinta a la violencia doméstica y que va más allá del ámbito afectivo.

Se ofrece un estudio integral de la violencia machista, en el que se examinan los aspectos jurídico-penales, constitucionales, procesales y del derecho internacional, así como educativos o psicológicos, no circunscritos al estudio teórico sino también a la práctica profesional. Se abordan cuestiones tan trascendentes como la asistencia social y psicológica a las mujeres víctimas de esta violencia, la práctica policial, la asistencia jurídica y el proceso judicial, y otras cuestiones como la asistencia médica y la intervención médico-forense.

El resultado es una obra que reúne el conocimiento teórico y la experiencia práctica. Los autores son profesionales de reconocido prestigio, entre otros, expertos en Derecho, jueces, fiscales, abogados, educadores, psicólogos, trabajadores sociales, expertos en medicina legal y miembros de Fuerzas y Cuerpos de seguridad, implicados en la violencia de género.

Este 2018 que la LOVG cumplirá 14 años y recién aprobado el Pacto de Estado contra la Violencia de Género, es oportuno hacer crítica y analizar la situación actual, dando cuenta de las dificultades de su puesta en práctica y proponiendo soluciones reales. Es necesario reflexionar y concienciarnos de la necesaria implicación de todos en la lucha contra la violencia machista y en la protección de las mujeres víctimas y de sus hijos.

Este trabajo se enmarca en un Proyecto de investigación financiado por la Excma. Diputación de Ciudad Real, en el marco de colaboración con la Universidad de Castilla-La Mancha, que lleva por título: *Un estudio sobre la violencia de género y la violencia doméstica en Castilla-La Mancha*.

SUMARIO

IGUALDAD, CONSTITUCIÓN Y PERSPECTIVA DE GÉNERO: LA DISCRIMINACIÓN COMO GÉNESIS DE LA VIOLENCIA DE GÉNERO

Capítulo 1
LAS DIMENSIONES CONSTITUCIONALES DE LA IGUALDAD[1]

FRANCISCO JAVIER DÍAZ REVORIO
Catedrático de Derecho Constitucional
Universidad de Castilla La Mancha

SUMARIO: 1. LA IGUALDAD Y NO DISCRIMINACIÓN EN LOS TEXTOS IN-TERNACIONALES. 2. IGUALDAD Y NO DISCRIMINACIÓN EN LA CONSTI-TUCIÓN ESPAÑOLA: PANORAMA GENERAL. 3. IGUALDAD COMO VALOR, IGUALDAD FORMAL E IGUALDAD MATERIAL. 4. IGUALDAD COMO PRIN-CIPIO E IGUALDAD COMO DERECHO. 5. IGUALDAD ANTE LA LEY Y LA PROHIBICIÓN DE DISCRIMINACIÓN. 5.1. Principios y derechos en el artículo 14. 5.2. La igualdad ante la ley e igualdad en la aplicación de la ley. 5.3. Discriminación y Constitución. 5.3.1. Concepto de discriminación. 5.3.2. Discriminación directa e indirecta. 5.3.3. Los "motivos" de la discriminación prohibida y los efectos del trato basado en los mismos. 5.3.4. ¿Prohibición de discriminación y/o derecho a no ser discriminado? 5.3.5. No discriminación y particulares. 6. IGUALDAD, NO DISCRI-MINACIÓN Y VIOLENCIA DE GÉNERO. BIBLIOGRAFÍA.

El tema de la igualdad ha sido objeto de un amplio tratamiento por nuestra doctrina constitucional. En este texto se pretende solamente llevar a cabo un repaso de las diversas dimensiones de este valor-principio-derecho, tal y como se derivan de la Constitución y de los textos internacionales aplicables, con la idea de servir de contexto introductorio a la violencia de género, dado que este fenómeno, como es obvio, implica una evidente y frontal lesión de este capital valor de la igualdad y, más allá, de la dignidad de la persona, fundamento último de todos los derechos [2].

---

[1]   Este trabajo se inserta en el marco del Proyecto de Investigación DIPUCR-16, Estudio Sobre la Violencia de Género y Violencia Doméstica en Castilla La Mancha. Dirigido por: María Martín Sánchez, Universidad de Castilla La Mancha.

[2]   No es posible, ni necesario de cara a los objetivos de este trabajo, ofrecer una bibliografía exhaus-tiva sobre la igualdad desde la perspectiva constitucional. Sin embargo, parece procedente men-cionar algunas referencias importantes y de carácter general. Así, por ejemplo, entre los primeros trabajos de la doctrina española tras la Constitución, Enrique ALONSO GARCÍA, "El principio

1. LA IGUALDAD Y NO DISCRIMINACIÓN EN LOS TEXTOS INTERNACIONALES

Precisamente porque la perspectiva de este trabajo es jurídico-constitucional, el análisis de la consideración de la igualdad en los tratados interncionales re-

de igualdad del artículo 14 de la Constitución española", en *Revista de Administración Pública*, nº 100, 1983, pp. 21 ss.; Francisco J. LAPORTA, "El principio de igualdad: introducción a su análisis", en *Sistema*, nº 67, 1985; José SUAY RINCÓN, *El principio de igualdad en la justicia constitucional*, IEAL, Madrid, 1985, del mismo autor, "El principio de igualdad en la jurisprudencia del Tribunal Constitucional", en Sebastián Martín Retortillo (coord.), *Estudios sobre la Constitución española. Homenaje al Profesor Eduardo García de Enterría*, Civitas, Madrid, vol. II, 1991, pp. 837 ss.; Miguel RODRÍGUEZ-PIÑERO, y Mª Fernanda FERNÁNDEZ LÓPEZ, *Igualdad y discriminación*, Tecnos, Madrid, 1986; Francisco RUBIO LLORENTE, "La igualdad en la jurisprudencia del Tribunal Constitucional. Introducción", en *Revista Española de Derecho Constitucional*, nº 31, 1991, pp. 9 ss.; VV. AA., *XI Jornadas de estudio: el principio de igualdad en la Constitución española*, Ministerio de Justicia - Secretaría General Técnica - Centro de Publicaciones, 2 volúmenes, Madrid, 1991. Otros trabajos posteriores de carácter general serían los de Encarna CARMONA CUENCA, "El principio de igualad material en la jurisprudencia del Tribunal Constitucional", en *Revista de Estudios Políticos*, nº 84, 1994; Gustavo SUÁREZ PERTIERRA y Fernando AMÉRIGO, "Artículo 14: igualdad ante la ley", en Óscar Alzaga (dir.), *Comentarios a las Constitución española de 1978*, Edersa, Madrid, tomo II, 1997, pp. 253 ss.; Luis GARCÍA SAN MIGUEL (ed.), *El principio de igualdad*, Universidad de Alcalá de Henares/Dykinson, Madrid, 2000; Ramón MARTÍNEZ TAPIA, *Igualdad y razonabilidad en la justicia constitucional española*, Universidad de Almería, 2000; Miguel CARBONELL (comp.), *El principio constitucional de igualdad*, Comisión Nacional de los Derechos Humanos, México, 2003. David GIMÉNEZ GLUCK, *Juicio de igualdad y Tribunal Constitucional*, Bosch, Barcelona, 2004. Entre las obras más recientes, Antonio Enrique PÉREZ LUÑO, *Dimensiones de la igualdad*, Dykinson, Madrid, 2ª ed., 2007, Miguel RODRÍGUEZ-PIÑERO y Mª Fernanda FERNÁNDEZ LÓPEZ, "Igualdad ante la ley y en la aplicación de la ley", en Mª Emilia Casas Baamonde y Miguel Rodríguez-Piñero y Bravo-Ferrer (dirs.), *Comentarios a la Constitución española. XXX Aniversario*, Fundación Wolters Kluwer, Madrid, 2008, pp. 276 ss., o María Luisa BALAGUER CALLEJÓN, *Igualdad y Constitución española*, Tecnos, Madrid, 2010. En la doctrina italiana, que ha abordado el tema con amplitud, recomendamos el completo trabajo de Livio PALADIN, "Eguaglianza (Diritto Costituzionale)" en VV. AA. *Enciclopedia del Diritto*, vol. XIV, Giuffrè, Milán, 1965, pp. 519 ss.

De forma algo más específica, también es de gran interés el trabajo de Fernando REY MARTÍNEZ, *El derecho fundamental a no ser discriminado por razón de sexo*, McGraw Hill, Madrid, 1995; también Markus GONZÁLEZ BEILFUSS, *Tribunal Constitucional y reparación de la discriminación normativa*; Centro de Estudios Políticos y Constitucionales, Madrid, 2000, o Juan Carlos GAVARA DE CARA, *Contenido y función del término de comparación en la aplicación del principio de igualdad*, Aranzadi, Cizur Menor (Navarra), 2005.

Por último, aunque analicen el concepto de igualdad desde perspectivas diferentes y más generales, entre el Derecho, la Filosofía y la Moral (y entre tantas publicaciones que podrían mencionarse en este ámbito), cabe destacar por su interés los trabajos de Amelia VALCÁRCEL (comp.), *El concepto de igualdad*, Editorial Pablo Iglesias, Madrid, 1994; María ELÓSEGUI ITXASO, *El derecho a la igualdad y a la diferencia: el republicanismo intercultural desde la filosofía del derecho*, Instituto de la Mujer, Madrid, 1998; o Jesús PADILLA GÁLVEZ (ed.), *Igualdad en el Derecho y la Moral*, Plaza y Valdés, Madrid, 2009.

sulta imprescindible, pues es innegable la importancia que los mismos tienen en los actuales sistemas constitucionales, aunque con diferencias derivadas de las peculiaridades constitucionales de cada país. Por tanto, en las páginas que siguen daremos un repaso a las menciones a la igualdad en los tratados internacionales más relevantes, si bien con la brevedad requerida por el formato y el objeto de este trabajo.

Cabe aludir en primer lugar a la Declaración Universal de los Derechos Humanos de 1948 (DUDH), cuyo Preámbulo recalca que "los pueblos de las Naciones Unidas han reafirmado en la Carta su fe en los derechos fundamentales del hombre, en la dignidad el valor de la persona humana y en la igualdad de derechos de hombres y mujeres", y contiene, entre otras menciones a la igualdad, una importante alusión en el artículo 1, cuya inspiración en las declaraciones "clásicas" es evidente: "Todos los seres humanos nacen libres e iguales en dignidad y derechos y, dotados como están de razón y conciencia, deben comportarse fraternalmente los unos con los otros". Pero la proclamación más trascendente de la igualdad en este documento se contiene en su artículo 7: "Todos son iguales ante la Ley y tienen, sin distinción, derecho a igual protección de la Ley. Todos tienen derecho a igual protección contra toda discriminación que infrinja esta Declaración y contra toda provocación a tal discriminación". Este precepto, a pesar de su distinta redacción, se relaciona claramente con el artículo 14 de nuestra Constitución, y con otros preceptos constitucionales similares en diversos Estados, ya que contiene la enunciación del principio de igualdad ante la ley, y la prohibición de toda discriminación [3].

Por su parte, el Pacto Internacional de Derechos Civiles y Políticos, de 19 de diciembre de 1966 [4] (PIDCP) contiene prescripciones similares a las comentadas. Su artículo 3 dispone que "Los Estados partes en el presente Pacto se comprometen a garantizar a hombres y mujeres la igualdad en el goce de todos los derechos civiles y políticos enunciados en el presente Pacto". De forma aun más explícita, el artículo 26 dispone que: "Todas las personas son iguales ante la Ley y tienen derecho sin discriminación a igual protección de la Ley. A este respecto, la Ley prohibirá toda discriminación y garantizará a todas las personas protección igual y efectiva contra cualquier discriminación por motivos de raza, color, sexo, idioma, religión, opiniones políticas o de cualquier índole, origen nacional o social, posición económica, nacimiento o cualquier otra condición social". Encontramos

---

[3] Otras menciones a la igualdad en la Declaración Universal de Derechos Humanos se encuentran en los artículos 10 (igualdad en el acceso a la justicia), 16.1 (igualdad de hombres y mujeres en el matrimonio), 21.2 (acceso a las funciones públicas), 23.2 (igual salario por trabajo igual) o 26.1 (igualdad en el acceso a estudios superiores).

[4] Ratificado por España el 13 de abril de 1977 (BOE 30 de abril de 1977).

ya aquí una mención expresa de lo que se ha dado en llamar "categorías sospechosas" de discriminación [5].

De forma similar, el Pacto Internacional de Derechos Económicos, Sociales y Culturales, de 19 de diciembre de 1966 [6] (PIDESC) contiene también algunos preceptos relativos a la igualdad. El artículo 3 señala que "Los Estados partes en el presente Pacto reconocen a asegurar a los hombres y a las mujeres igual título a gozar de todos los derechos económicos, sociales y culturales enunciados en el presente Pacto". El artículo 7, relativo a los derechos laborales, contiene una importante prescripción, al mencionar, entre los mismos, "un salario equitativo e igual por trabajo de igual valor, sin distinciones de ninguna especie; en particular debe asegurarse a las mujeres condiciones de trabajo no inferiores a las de los hombres, con salario igual por trabajo igual". Se trata, como se ve, de una de las primeras y más evidentes consecuencias "horizontales" de la igualdad que vinculan directamente a particulares, en concreto a las empresas.

Dentro del ámbito universal, y además de los textos generales a los que se acaba de hacer referencia, conviene mencionar también algunos textos específicos auspiciados por Naciones Unidas y que se refieren de un modo más directo a algunos supuestos de discriminación. En particular, la Convención sobre la eliminación de todas las formas de discriminación contra la mujer, de 18 de diciembre de 1979 [7].

Igualmente, procedería ahora hacer referencia a algunos textos de ámbito europeo. El principal de ellos es sin duda el Convenio para la protección de los derechos y libertades fundamentales, auspiciado por el Consejo de Europa y firmado en Roma en 1950, cuyo artículo 14 señala: "El goce de los derechos y libertades reconocidos en el presente Convenio ha de ser asegurado sin distinción alguna, especialmente por razones de sexo, raza, color, lengua, religión, opiniones políticas u otras, origen nacional o social, pertenencia a una minoría nacional, fortuna, nacimiento o cualquier otra situación". Como es notorio, el presente artículo parece ofrecer una visión un tanto restringida de la igualdad, pues no proclama el principio de igualdad ante la ley, sino que se limita a establecer la prohibición de discriminación, referida solo a los derechos reconocidos en el Convenio. Por ello, el Protocolo número 12 amplía el ámbito de la prohibición de discriminación, al referirla no solo a los derechos del convenio, sino a cualquier derecho reconocido

---

[5]   Otras referencias a la igualdad en el Pacto Internacional de Derechos Civiles y Políticos serían las contenidas en: artículo 14 (igualdad ante la Justicia), art. 23.4 (igualdad de los esposos en el matrimonio), art. 25 (sufragio igual y acceso en condiciones de igualdad a las funciones públicas).

[6]   Ratificado por España el 13 de abril de 1977 (BOE 30 de abril de 1977).

[7]   A esta última hay que añadir el Protocolo Facultativo adoptado por la Asamblea General en su resolución A/54/4 de 6 de octubre de 1999.

por la ley [8]. Sorprende sin embargo que el articulado de este Protocolo tampoco menciona el principio de igualdad, que queda relegado a su Preámbulo [9]. En cualquier caso, y dada la existencia de un tribunal específicamente encargado de la garantía e interpretación del Convenio, los mencionados preceptos, y en particular el artículo 14, han provocado diversas decisiones del Tribunal Europeo de Derechos Humanos, aunque la jurisprudencia al respecto, no muy abundante y que ha destacado el carácter dependiente del artículo 14, ha sido calificada de compleja y poco coherente [10].

Conviene también aludir a las menciones a la igualdad y la prohibición de discriminación contenidas en la Carta Social Europea. Ya en su Preámbulo, la misma señala que "el goce de los derechos sociales debe quedar garantizado sin discriminación por motivos de raza, color, sexo, religión, opinión política, proveniencia nacional u origen social". Por lo demás, a lo largo del articulado existen reiteradas referencias a la igualdad en el ámbito de los derechos sociales y económicos, como las contenidas en el artículo 4 (derecho de los trabajadores de ambos sexos a una remuneración igual por un trabajo de igual valor), 12 (igualdad en la Seguridad Social, entre los nacionales de los Estados parte), y 13 (igualdad en la asistencia social y médica).

Por otro lado, son de gran trascendencia las referencias a la igualdad en el ámbito de la normativa de la Unión Europea. En primer lugar, hay que señalar que el artículo 2 del Tratado de la Unión Europea dispone: "La Unión se fundamenta

---

[8]   El protocolo 12, en su apartado 1, señala: "Prohibición general de discriminación.
1. El ejercicio de cualquier derecho reconocido por la ley será asegurado sin discriminación de ninguna clase, tales como sexo, raza, color, idioma, religión, opinión política o de otro tipo, origen nacional o social, pertenencia a una minoría nacional, riqueza, nacimiento o cualquier otra situación.
2. Nadie será discriminado por parte de una autoridad pública por ningún motivo, en especial por los mencionados en el parágrafo 1"

[9]   Dicho Preámbulo comienza señalando: "Los Estados signatarios, miembros del Consejo de Europa, Teniendo en cuenta el principio fundamental según el cual todas las personas son iguales ante la ley y tienen derecho a una igual protección de la ley;
Resueltos a dar pasos adicionales para promover la igualdad de todas las personas a través de un compromiso colectivo de una prohibición general de discriminación por el Convenio para la salvaguarda de los Derechos del hombre y de las Libertades Fundamentales firmado en Roma el 4 de noviembre de 1950 (en adelante la Convención),
Reafirmando que el principio de no discriminación no impide a los Estados parte adoptar medidas para promover la igualdad completa y efectiva, a condición de que haya una justificación objetiva y razonable para esas medidas".

[10] Véase al respecto Encarna CARMONA CUENCA, "La prohibición de discriminación", en Javier García Roca y Pablo Santolaya (coords.), *La Europa de los derechos. El Convenio Europeo de Derechos Humanos*, Centro de Estudios Políticos y Constitucionales, Madrid, 2ª ed., 2009, quien en pp. 737 ss. realiza un comentario de dicha jurisprudencia, citando alguna fuente en apoyo de la idea de una jurisprudencia compleja y poco coherente.

en los valores de respeto de la dignidad humana, libertad, democracia, igualdad, Estado de Derecho y respeto de los derechos humanos, incluidos los derechos de las personas pertenecientes a minorías. Estos valores son comunes a los Estados miembros en una sociedad caracterizada por el pluralismo, la no discriminación, la tolerancia, la justicia, la solidaridad y la igualdad entre mujeres y hombres". Ha de destacarse no solo la mención a la igualdad como valor fundamental de la Unión, sino la inclusión de los derechos de las personas pertenecientes a minorías, o la mención a la no discriminación y a la igualdad entre hombres y mujeres como características propias de la sociedad de los Estados miembros. También puede destacarse que el artículo 19.1 del Tratado de Funcionamiento de la Unión Europea dispone que "el Consejo, por unanimidad con arreglo a un procedimiento legislativo especial, y previa aprobación del Parlamento Europeo, podrá adoptar acciones adecuadas para luchar contra la discriminación por motivos de sexo, de origen racial o étnico, religión o convicciones, discapacidad, edad u orientación sexual".

Desde la perspectiva de los derechos fundamentales, conviene destacar que la Carta de los derechos fundamentales de la Unión Europea contiene todo un título (el III) dedicado a la igualdad. Dentro del mismo, el artículo 20 proclama la igualdad ante la ley, mientras que el 21.1 prohibe la discriminación, en términos muy amplios: "Se prohíbe toda discriminación, y en particular la ejercida por razón de sexo, raza, color, orígenes étnicos o sociales, características genéticas, lengua, religión o convicciones, opiniones políticas o de cualquier otro tipo, pertenencia a una minoría nacional, patrimonio, nacimiento, discapacidad, edad u orientación sexual". En este artículo, además de la rotundidad de la prohibición ("se prohíbe toda discriminación") cabe destacar la inclusión entre las "categorías sospechosas" de algunas que los textos más antiguos no mencionaban expresamente, como las características genéticas o la orientación sexual. El resto del título III incluye artículos dedicados a la diversidad cultural, religiosa y lingüística, la igualdad entre mujeres y hombres, así como a los derechos del niño y de las personas mayores o la integración de los discapacitados [11].

De este apretado repaso sobre las referencias a la igualdad en los textos internacionales, puede destacarse que estas pueden ser de tres tipos (aunque no

---

[11]   Por lo demás, existe una amplia normativa específica de la Unión en materia de igualdad, en especial entre hombres y mujeres. Un resumen de dicha normativa puede encontrarse en *http://www.europarl.europa.eu/ftu/pdf/es/FTU_5.10.8.pdf*. En lo relativo a la violencia de género, pueden citarse específicamente las Directrices de la UE sobre la violencia contra las mujeres y la lucha contra todas las formas de discriminación contra ellas, aprobadas por el Consejo de Asuntos Generales de 8 de diciembre de 2008, que pueden consultarse en *http:// eur-lex.europa.eu/legal-content/ES/TXT/?uri=LEGISSUM:dh0003* (fecha de consulta 3 de septiembre de 2017).

todos los textos contienen los tres tipos de referencias): como valor general, como criterio o principio general de igualdad "ante la ley", y como prohibición general de discriminación. Esta última suele venir acompañada de la mención de algunos motivos específicos por los cuales se prohíbe dicha discriminación, así como de una cláusula general que alude a cualquier otra circunstancia.

2. IGUALDAD Y NO DISCRIMINACIÓN EN LA CONSTITUCIÓN ESPAÑOLA: PANORAMA GENERAL

La Constitución española de 1978 contiene diversas menciones y referencias a la igualdad, que ponen de relieve las diferentes dimensiones que tiene este concepto. Cabe destacar las siguientes:

a) El artículo 1.1 la menciona como valor superior del ordenamiento jurídico.

b) El artículo 9.2, que recoge lo que se ha dado en llamar igualdad real o promocional, al señalar: "Corresponde a los poderes públicos promover las condiciones para que la libertad y la igualdad del individuo y de los grupos en que se integra sean reales y efectivas; remover los obstáculos que impidan o dificulten su plenitud y facilitar la participación de todos los ciudadanos en la vida política, económica, cultural y social".

c) El artículo 14, que incluye diversos principios y mandatos vinculados a la igualdad, a los que luego nos referiremos, dentro del siguiente enunciado: "Los españoles son iguales ante la ley, sin que pueda prevalecer discriminación alguna por razón de nacimiento, raza, sexo, religión, opinión o cualquier otra condición o circunstancia personal o social".

d) Otras menciones a la igualdad vinculadas a los derechos y deberes de los ciudadanos, como las contenidas en los artículos 23 (acceso "en condiciones de igualdad a las funciones y carghos públicos"), 31.1 (igualdad como principio del sistema tributario, aspecto vinculado del deber de contribuir al sostenimiento de los gastos públicos), 32.1 ("El hombre y la mujer tienen derecho a contraer matrimonio con plena igualdad jurídica").

e) Otras referencias a la igualdad, vinculadas al modelo territorial de Estado, como son las de los artículos 139 ("Todos los españoles tienen los mismos derechos y obligaciones en cualquier parte de territorio del Estado"), y 149.1.1ª, que establece la competencia exclusiva del Estado para la "regulación de las condiciones básicas que garanticen la igualdad de todos los españoles en el ejercicio de los derechos y en el cumplimiento de los deberes constitucionales".

Como se ve, y al igual que lo que sucede en otros textos constitucionales e internacionales, también en la Constitución española son numerosas las referencias a la igualdad, lo que da idea de las diversas dimensiones que la misma posee. En efecto, encontramos enunciados que adoptan la forma de principios, junto a otros que más bien parecen mandatos o prohibiciones, y otros que claramente reconocen derechos; referencias a la igualdad ante la ley, a la prohibición de discriminación, y a la igualdad real. Quizá cabe destacar como especificidades del texto constitucional español, en contraste con algunas de las Constituciones europeas, que en este caso no se ha considerado necesaria la inclusión de una cláusula específica para dar cobertura a las medidas de acción positiva o discriminación inversa que favorezcan la incorporación de la mujer a la vida política y social (en especial, las relativas a las cuotas electorales). Estas medidas, previstas en legislación específica, se han considerado conformes a la Constitución por el Tribunal Constitucional, lo que, a diferencia de lo sucedido en Francia, Italia o Alemania, ha hecho innecesaria una reforma constitucional para darles cobertura (de forma más o menos específica o inequívoca en los casos contemplados).

En todo caso, el repaso de las menciones a la igualdad en los textos internacionales y constitucionales, incluyendo la Constitución española, pone de relieve la variedad de facetas o vertientes de este complejo valor. Por ello parece necesaria una cierta ordenación y sistematización de las diversas dimensiones jurídicas de la igualdad. Se trata de un ejercicio complejo, que la doctrina y la jurisprudencia han abordado con diversos criterios de clasificación, basados no solo en las menciones jurídicas, sino también en la evolución histórica que el concepto ha experimentado. En las páginas siguientes trataremos de sistematizar las diferentes dimensiones de la igualdad desde la perspectiva jurídico-constitucional. Lo intentaremos hacer de acuerdo con un enfoque teórico general e introductorio, centrado más en el análisis de los conceptos que de preceptos concretos (aunque tenga en cuenta a título de muestra o referencia principalmente los preceptos de la Constitución española y los internacionales).

3. IGUALDAD COMO VALOR, IGUALDAD FORMAL E IGUALDAD MATERIAL

En la teoría constitucional es habitual comenzar el análisis de las dimensiones constitucionales de la igualdad partiendo de las tres menciones principales a las que aludíamos al principio, que en el sistema constitucional español se manifiestan en tres artículos distintos:

a) la igualdad como valor (artículo 1.1 CE);

b) la igualdad formal o igualdad ante la ley, a la que a veces se alude también como igualdad como principio y como derecho (art. 14), que engloba en realidad dos dimensiones que, como hemos visto, en otras Constituciones y textos internacionales se reflejan en artículos o apartados diferentes: la igualdad ante la ley, y la prohibición de discriminación;

c) la igualdad material, real o promocional (art. 9.2) [12].

Sin duda se trata de las tres referencias constitucionales a la igualdad que poseen un alcance más general, y además es evidente que recogen ideas y conceptos elaborados y tratados en otros ordenamientos y detrás de los cuales hay una importante experiencia histórico-política; por ello tiene sentido utilizar estas tres referencias como punto de partida. A continuación vamos a comentar brevemente cada una de ellas.

1) La mención a la igualdad como "valor superior del ordenamiento jurídico" parece ser la más general de todas, de manera que podría decirse que posee una intención totalizadora, en la media en que engloba todas las demás dimensiones constitucionales, e incluso podría incluir otras que acaso no formasen parte de las otras menciones específicas [13]. Desde este punto de vista, el significado autónomo de la igualdad como valor es menor, pues habitualmente cualquier vertiente de la igualdad formará parte de algunas de las otras dimensiones constitucionales, pero la referencia a la igualdad como valor es oportuna, no solo por su carácter sintético e integrador, sino también porque no es descartable que alguna faceta no cubierta por las otras menciones constitucionales pudiera integrarse solo en esta vertiente más general

2) La igualdad formal suele identificarse con la igualdad ante la ley, y sería la dimensión más "clásica" de la igualdad, presente desde los orígenes del constitucionalismo. Es habitual en nuestro sistema constitucional ubicar esta dimensión en el artículo 14 de la Constitución, que como ya hemos visto comienza en efecto proclamando que "los españoles son iguales ante la ley". Sin embargo, procede apuntar desde ahora que el contenido de este precepto es más amplio, pues junto al principio de igualdad ante la ley, se incluye una prohibición general de dis-

---

[12]   Véase, por ejemplo, David GIMÉNEZ GLUCK, *Juicio...*, cit., pp. 33 ss., Joaquín GARCÍA MORILLO, en Luis López Guerra, Eduardo Espín *et alii*, *Derecho Constitucional*, vol. I, Tirant lo Blanch, Valencia, 7ª edición, 2007, p. 181. En sentido parecido, Javier PÉREZ ROYO, *Curso de Derecho Constitucional*, Marcial Pons, Madrid, 11ª ed., 2007, p. 240. Por su parte, Luis María DÍEZ-PICAZO, *Sistema de derechos fundamentales*, Thomson-Civitas, Madrid, 3ª edición, 2008, p. 198, destaca que el "significado normativo" de las menciones constitucionales de los artículos 1.1 y 9.2 no es el mismo que el del artículo 14.

[13]   Sobre la igualdad como valor, y sus relaciones con las demás dimensiones constitucionales, puede verse Francisco Javier DÍAZ REVORIO, *Valores superiores e interpretación constitucional*, Centro de Estudios Políticos y Constitucionales, Madrid, 1997, en especial pp. 188 ss.

criminación, que implica también un derecho. Por lo demás, la relación de este precepto con el artículo 9.2 es intensa, de modo que ciertas dimensiones de la igualdad material podrían entenderse incluidas en el art. 14, tanto en su dimensión como principio como en su vertiente subjetiva. Sobre el tema volveremos.

3) El artículo 9.2 contiene un mandato a los poderes públicos para que promuevan las condiciones para que la igualdad y la libertad sean reales y efectivas. En este precepto, cuyo antecedente más inmediato es el art. 3.2 de la Constitución italiana de 1947, se ha visto la llamada "igualdad material", real o promocional, como dimensión de la igualdad propia del Estado social, según la cual no basta con dar un trato igual a los supuestos iguales, ni es suficiente con que todos sean iguales ante la ley, sino que hay que dar un trato diferente, y más favorable, a los colectivos que se encuentran en una posición inferior de partida. Ahora bien, el artículo 9.2 es enunciado en forma de mandato a los poderes públicos, de modo que quedaría la cuestión de si la igualdad real o material contiene alguna dimensión subjetiva, es decir, si puede entenderse protegido un supuesto derecho al trato diferente y más favorable, predicable de quienes formen parte de un grupo ubicado en una situación real de inferioridad.

Para aproximarnos a esta cuestión, interesa destacar la estrecha relación entre las tres dimensiones de la igualdad que se han mencionado. Paradójicamente, la igualdad formal y la igualdad material tendencialmente podrían entrar en conflicto al exigir la última un trato desigual; como se ha destacado, la igualdad formal obedece a razones de operatividad ética, mientras que la igualdad material responde a razones de operatividad económica, de modo que los conflictos entre ambas son inevitables, siendo necesario establecer una tabla jerárquica de prioridad de criterios [14]. No deberían interpretarse como conceptos enfrentados, ni siquiera tajantemente separados, sino como dos dimensiones o vertientes del mismo concepto, unidas precisamente por el valor igualdad que las engloba, y entre cuyas consecuencias pueden encontrarse determinados principios, materializados en mandatos, prohibiciones y derechos.

La doctrina ha apuntado esa relación entre igualdad formal y material (o, en términos de la Constitución española, entre los artículos 9.2 y 14), señalando, por ejemplo, que el concepto de igualdad que constitucionaliza el art. 14 exige una cierta apreciación de las premisas materiales y sociales, sin que pueda equipararse

---

[14]   En este sentido, Franciso J. LAPORTA, "El principio de igualdad: introducción a su análisis", en *Sistema*, nº 67, 1985, p. 31. Este autor propone como tabla de prioridad la siguiente: "el criterio de distribución de operatividad económica solo entra en funcionamiento una vez satisfecho el criterio de distribución de operatividad ética", si bien reconoce que este criterio puede resultar también problemático, pues si el criterio de operatividad ética se mostrara "insaciable", el criterio de operatividad económica nunca entraría en funcionamiento...

sin más con el clásico concepto de igualdad formal [15], de este modo se produce cierta integración entre los principios de igualdad formal y material, de manera que, como ha destacado algún autor [16], la mayor protección jurisdiccional de la igualdad formal puede servir para potenciar la virtualidad jurídica de la igualdad sustancial. De alguna manera, la idea de igualdad sustancial afecta a la propia esencia del principio de igualdad, que deja de ser exclusivamente formal, exigiendo el trato desigual a situaciones desiguales [17]. No obstante, la doctrina española, sobre todo en los primeros años tras la aprobación de la Constitución, tendió a ignorar o minimizar las consecuencias jurídicas del artículo 9.2, manteniendo una opinión negadora o al menos limitativa de su eficacia jurídica, y de su importancia en el sistema constitucional [18].

En mi opinión [19], ciertamente el artículo 9.2 establece un mandato a los poderes públicos, cuya realización es necesariamente progresiva, y en cierto sentido marca un objetivo que jamás se puede alcanzar en plenitud. Pero ello no es obstáculo para su carácter jurídico vinculante, pues su ubicación en el articulado de la Constitución implica una exigencia de consideración como norma jurídica del

---

[15] En esta línea, por ejemplo, Ángel GARRORENA MORALES, *El Estado español como Estado social y democrático de Derecho*, Tecnos, Madrid, 1984, p. 64 y ss., quien destaca la interpretación amplia y abierta que, tanto la Corte constitucional italiana como nuestro TC han hecho del art. 14 (3.1 italiano), para englobar en él ciertos supuestos de desigualdad en las condiciones reales.

[16] Jerónimo AROZAMENA SIERRA, "Principio de igualdad y derechos fundamentales", en "XI Jornadas de estudio: El principio de igualdad en la Constitución española", Ministerio de Justicia, 1991, vol. I, pp. 424-426, quien comenta la jurisprudencia constitucional que tiene en cuenta, dentro del principio de igualdad formal del artículo 14, criterios de igualdad material.

[17] José SUAY RINCÓN, *El principio de igualdad...*, cit., pp. 32-33. Sobre este tema, véase con amplitud el excelente trabajo de Estefanía ESPARZA REYES, *El derecho fundamental a la igualdad como no subordinación: un planteamiento de interpretación constitucional*, inédita, Universidad de Castilla-La Mancha, Toledo, 2012.

[18] Así, Fernando GARRIDO FALLA, *Comentarios a la Constitución*, Civitas, Madrid, 2ª ed., 1985, p. 156, afirma que "su eficacia jurídica es más que discutible"; Óscar ALZAGA (dir.), *La Constitución española de 1978. Estudio sistemático*, Foro, Madrid, 1978, p. 137, señalaba que el art. 9.2 "no es sino una disposición que, en buena medida viene a reiterar, con otras palabras, la concepción del «Estado social y democrático de Derecho»...", aunque admite algunas posibilidades de "interpretación socializante". Por su parte, Antonio HERNÁNDEZ GIL, *El cambio político español y la Constitución*, Planeta, Barcelona, 1982, p. 447 ss., parece cuestionar su carácter jurídico cuando afirma que el artículo 9.2 no resuelve un conflicto de intereses, ni aplica a un supuesto de hecho una consecuencia jurídica, ni está provisto de sanción, de manera que se trata de una ordenación finalista y de carácter funcional, con función promocional y transformadora.
Todavía hoy, es muy significativo el escaso relieve que se da al artículo 9.2 en algunos de los trabajos referidos a la igualdad, en los que queda excluido del análisis jurídico o es simplemente objeto de unas pocas líneas, antes de pasar a analizar la igualdad ante la ley.

[19] Véase, con más detalle, *Valores superiores...*, cit., pp. 182 ss.

máximo rango, y por tanto la inconstitucionalidad de toda norma o acto contra-dictorio con la misma. Por lo demás, el hecho de que el objetivo apuntado pueda no alcanzarse, no implica que el mandato no pueda venir acompañado de una sanción para caso de incumplimiento, por ausencia total de medidas tendentes a lograrlo o por notoria insuficiencia o inadecuación de las que se adopten. E incluso es posible que, relacionando ese mandato con el principio de igualdad y el derecho a no ser discriminado, como veremos, puedan encontrarse dimensiones subjetivas de la igualdad material. En suma, sin negar la dimensión de norma programática presente en el artículo 9.2, esta no impide su consideración normativa, ni imposibilita plantear facetas de la igualdad como derecho subjetivo prestacional, que pudieran derivar de dicho precepto.

Hay que reconocer, sin embargo, que la jurisprudencia constitucional sobre la igualdad material y sus relaciones con la formal, no es muy clara ni concluyente. Desde luego, el Tribunal Constitucional, que ha reconocido el carácter progresivo del mandato contenido en el artículo 9.2 [20], ha destacado en diversas ocasiones las implicaciones que este tiene para los poderes públicos, así como sus relaciones con el Estado social, con la igualdad del artículo 14 o con los principios rectores de la política social o económica, insistiendo así en la vinculación existente entre los artículos 1.1, 9.2 y 14 [21]. Más recientemente, el Tribunal ha destacado que la igualdad sustancial es "elemento definidor de la noción de ciudadanía" [22]. De esta manera, al menos un cierto grado de igualdad material parece estar incluido en el artículo 14; o, dicho de otro modo, este precepto permite una cierta desigualdad formal, cuando va dirigida a conseguir la igualdad real o material, ya que los supuestos desiguales —entre ellos, la desigualdad "fáctica"— han de tratarse de desigual manera. Así, por ejemplo, se ha señalado que la condición laboral

---

[20]   Así, por ejemplo, ha afirmado el Tribunal que el artículo 9.2 exige una actitud positiva y diligente a los poderes públicos, de manera que la pervivencia de una discriminación "no rectificada en un lapso de tiempo razonable" implicará la calificación como inconstitucionales de los actos que la mantengan (STC 216/1991, de 14 de noviembre, f. j. 5).

[21]   Además de las decisiones mencionadas a continuación en el texto, pueden citarse por ejemplo los AATC 862/1986, de 29 de octubre, y 33/1983, de 26 de enero, así como otras decisiones posteriores.

[22]   STC 12/2008, de 29 de enero, f. j. 5: "del art. 9.2 CE, y de la interpretación sistemática del conjunto de preceptos constitucionales que inciden en este ámbito, deriva la justificación constitucional de que los cauces e instrumentos establecidos por el legislador faciliten la participación de todos los ciudadanos, removiendo, cuando sea preciso, los obstáculos de todo orden, tanto normativos como estrictamente fácticos, que la impidan o dificulten y promoviendo las condiciones garantizadoras de la igualdad de los ciudadanos. En este punto cabe añadir que la igualdad sustantiva no sólo facilita la participación efectiva de todos en los asuntos públicos, sino que es un elemento definidor de la noción de ciudadanía". En la misma línea, STC 13/2009, de 19 de enero, f. j. 10.

o social permite una cierta desigualdad en sentido material (compatible con el artículo 14), ya que el artículo 9.2 exige un mínimo de desigualdad formal para progresar hacia la consecución de la igualdad sustancial [23]. La mencionada conexión con el art. 14 se advierte en un supuesto en que, apreciada discriminación, se establece que la igualdad debe restablecerse sin merma de las conquistas ya conseguidas por las trabajadoras, por mandato entre otros del artículo 9.2 [24]. En parecido sentido, se ha afirmado que el artículo 14 no excluye el establecimiento de un trato desigual en supuestos en sí mismo desiguales, con la función de contribuir al restablecimiento o promoción de la igualdad real, "ya que en tal caso la diferencia de régimen jurídico no sólo no se opone al principio de igualdad, sino que *aparece exigida* por dicho principio y constituye instrumento ineludible para su debida efectividad" [25].

Por su parte, la relación entre el art. 9.2 y los valores superiores se ha destacado al señalar que la diferenciación de situaciones distintas por la ley, permitida por el art. 14, puede incluso venir *exigida* "para la efectividad de los valores que la Constitución consagra con el carácter de superiores del ordenamiento, como son la justicia y la igualdad, a cuyo efecto atribuye además a los poderes públicos el que promuevan las condiciones para que la igualdad sea real y efectiva" [26]. En efecto, el artículo 14 persigue la interdicción de determinadas diferenciaciones "históricamente muy arraigadas" que han situado a "amplios sectores de la población en posiciones no sólo desventajosas, sino abiertamente contrarias a la dignidad de la persona"; en concreto, la prohibición de discriminación por sexo responde a la decisión constitucional de acabar con la histórica situación de inferioridad atribuida a la mujer en la vida social [27]. La conexión entre las diversas dimensiones de la igualdad, que venimos comentando, queda claramente de relieve cuando se afirma que la ruptura de la equivalencia entre trabajo y salario "vulnera el artículo 14 en el marco que le prestan los arts. 1 y 9 de la Constitución" [28].

Desde luego, lo anterior no supone que el art. 14 absorba o englobe todo el contenido del art. 9.2; el propio Tribunal lo ha entendido así, al señalar que del art. 9.2 no derivan derechos susceptibles de amparo [29], y no es el artículo 14 el que protege la igualdad material, de forma que ésta no tiene el carácter de dere-

---

[23] STC 114/1983, de 6 de diciembre, f.j. 2.
[24] STC 81/1982, de 21 de diciembre, f.j. 3.
[25] STC 3/1983, de 25 de enero, f.j. 3. En similar sentido, STC 14/1983, de 28 de febrero, f.j. 3.
[26] STC 34/1981, de 10 de noviembre, f.j. 3.
[27] STC 128/1987, de 16 de julio, f.j. 5; STC 19/1989, de 31 de enero, f.j. 4.
[28] STC 177/1993, de 31 de mayo, f.j. 3.
[29] Por ejemplo, STC 120/1990, de 27 de junio, f. j. 4.

cho fundamental [30], de manera que no cabe hablar de un derecho a la desigualdad de trato, derivado de dicho precepto [31]. O más en general, que el sentido en que los artículos 1.1 y 9.2 de la Constitución aluden a la igualdad no es identificable con el que ese mismo significante tiene en el artículo 14 [32].

Aunque la jurisprudencia comentada parece mostrar oscilaciones en torno a la inclusión de un cierto contenido de igualdad material en el artículo 14, podría entenderse que el Tribunal admite o incluso exige, de cara a los poderes públicos, un tratamiento desigual de las situaciones fácticas diferentes, en el sentido de favorecer a los sectores que lo necesitan, lo que implica la constitucionalidad de las leyes o medidas que imponen un trato diferente basándose en la idea de equilibrar las desigualdades de hecho. En realidad, puede decirse que cualquier medida que suponga un trato desigual y más favorable ha de perseguir un objetivo al menos constitucionalmente lícito; cuando dicho objetivo es conseguir la igualdad real, la medida encontrará justificación constitucional en el mandato del artículo 9.2, con lo cual estaremos ante una finalidad constitucionalmente impuesta, lo que es de gran trascendencia de cara a la valoración de la constitucionalidad de dicha medida (aunque la misma requerirá también el cumplimiento de otros requisitos, como la razonabilidad, la racionalidad o la proporcionalidad).

Por tanto, la relación entre el art. 9.2 y el artículo 14 se manifiesta en que, cuando se cumplan los requisitos de razonabilidad, racionalidad y proporcionalidad, *no puede considerarse discriminatoria* la acción de favorecimiento que emprendan los poderes públicos en beneficio de determinados colectivos, históricamente preteridos y marginados, "a fin de que, mediante un trato especial más

---

[30]   STC 49/1982, de 14 de julio, f.j. 2: la igualdad del artículo 14 "no comporta necesariamente una igualdad material o igualdad económica real y efectiva"; 83/1984, de 24 de julio, f.j. 3: el art. 14 no implica la necesidad de que todos los españoles se encuentren siempre en condiciones de absoluta igualdad (aunque añade que tampoco el art. 9.2, que establece la igualdad real, impide que el ejercicio de determinadas actividades suponga la posesión de determinados medios); 8/1986, de 21 de enero, f.j. 6 (el art. 14 no protege como derecho fundamental la legítima aspiración a la igualdad material o de hecho, frente a desigualdades de trato que no deriven de criterios jurídicos discriminatorios); 16/1994, de 20 de enero, f.j. 5: aunque las medidas normativas de acción directa o ventajosa para colectivos tradicionalmente discriminados pueden encontrar justificación en el artículo 14, no puede derivarse del mismo ningún derecho subjetivo genérico al trato normativo desigual.

[31]   STC 16/1994, de 20 de enero, f. j. 5: "el derecho a la igualdad consagrado en el art. 14 CE impide tratar desigualmente a los iguales, pero no excluye la posibilidad de que se trate igualmente a los desiguales. Este precepto constitucional no consagra, sin más, un derecho a la desigualdad de trato. Las medidas normativas de acción directa o ventajosas para colectivos tradicionalmente discriminados pueden resultar exigidas por el art. 9.2 CE e incluso encontrar justificación en el art. 14 (SSTC 128/1987 y 19/1989), pero no puede derivarse de este último precepto ningún derecho subjetivo genérico al trato normativo desigual".

[32]   ATC 220/1983, de 18 de mayo.

favorable, vean suavizada o compensada su situación de desigualdad sustancial" [33]. El art. 9.2 impone así un fin (la igualdad real) que puede justificar un medio (el tratamiento desigual y más favorable a ciertos supuestos o colectivos), aunque queda por precisar en qué medida ese tratamiento desigual podría articularse como un derecho.

4. IGUALDAD COMO PRINCIPIO E IGUALDAD COMO DERECHO

Más allá de las diversas menciones o dimensiones constitucionales de la igualdad, está la cuestión relativa a la naturaleza jurídica que dicho concepto tiene en el ámbito jurídico-constitucional. En particular, se trataría de determinar si la igualdad constitucional es un principio o un derecho (o ambos) [34], y qué consecuencias tendría cada una de esas vertientes.

Al respecto, es muy conocida y reiterada la afirmación del Tribunal Constitucional español en el sentido de que la referencia constitucional a la igualdad ante la ley conlleva "un derecho subjetivo a obtener un trato igual, impone una obligación a los poderes públicos, de llevar a cabo ese trato igual y, al mismo tiempo, limita el poder legislativo y los poderes de los órganos encargados de la aplicación de las normas jurídicas" [35]. Derecho de las personas, mandato y límite a los poderes públicos serían las tres vertientes de la igualdad formal del artículo 14.

Partiendo de esta idea, pueden sin embargo añadirse dos importantes comentarios. En primer lugar, las dos últimas vertientes (mandato y límite) pueden sintetizarse en la igualdad como principio constitucional, en cuya condición posee una dimensión objetiva o axiológica. Por tanto, el "carácter trifronte" de la igualdad [36] no sería en realidad algo diferente a la doble dimensión, subjetiva y objetiva,

---

[33] Por ejemplo, STC 216/1991, de 14 de noviembre, f.j. 5, que cita jurisprudencia anterior en el mismo sentido.

[34] Ya se ha señalado que la igualdad como valor englobaría todas las demás dimensiones. Por lo demás, como expliqué en *Valores superiores e interpretación constitucional*, op. cit., pp. 97 ss., la distinción entre valores y principios no es tajante sino de grado, no pudiendo hablarse en realidad de dos categorías netamente diferentes. Lo que principalmente nos interesa analizar ahora es si las distintas dimensiones constitucionales de la igualdad configuran a esta como un concepto de naturaleza objetiva, subjetiva o ambas, y si la primera de estas vertientes implica un mandato, un límite o ambas consecuencias.

[35] STC 49/1982, de 14 de julio, f. j. 2, y en el mismo sentido, muchas otras posteriores.

[36] Véase Joaquín GARCÍA MORILLO, en Luis López Guerra, Eduardo Espín *et alii*, *Derecho Constitucional*, cit., vol. I, p. 182.

que poseen todos los derechos fundamentales [37]. En suma, diríamos que todos los derechos tienen una dimensión subjetiva y otra objetiva, y que ésta última encierra a la vez un límite y un mandato positivo a los poderes públicos, con lo cual la igualdad no parece plantear especialidad en este sentido.

En segundo lugar, hay que tener en cuenta que la afirmación de ese carácter trifronte (que finalmente se resume en una doble naturaleza) solo ha sido afirmada de la igualdad formal o ante la ley del artículo 14, pero no de la igualdad real o material del artículo 9.2. Habría que plantearse si esta última también participa de esas tres facetas o vertientes. Dado su inequívoco enunciado en forma de mandato ("corresponde a los poderes públicos..."), y la imposibilidad de entender ese mandato positivo sin incluir en el mismo un mandato negativo o una limitación de actuar en contra (dado que la vertiente positiva o mandato "de hacer" incluye necesariamente una previa vertiente negativa "de no hacer" lo contrario), el problema se ceñiría a la cuestión, ya antes sugerida, de si la igualdad material incluye también una dimensión subjetiva, y en caso afirmativo, si la misma derivaría en nuestro sistema del artículo 9.2, del 14 o de ambos.

Anteriormente se han destacado algunas de las afirmaciones realizadas por el Tribunal Constitucional respecto a la relación entre ambos preceptos. De esta jurisprudencia cabría deducir que el artículo 9.2 *no incluye* una dimensión de *derecho subjetivo fundamental* de las personas pertenecientes a tales colectivos *a un trato diferente y favorable*, que pudiera gozar de las garantías del art. 53.1. Sin embargo, el artículo 14, interpretado de acuerdo con el art. 9.2, exige un trato diferente para situaciones distintas, aunque no parece que, al menos para el TC, implique un derecho fundamental al trato diferente y más favorable. Lo que sí podría entenderse incluido en el artículo 14 es el derecho a un trato no desfavo-

---

[37] Esta afirmación ha sido muy reiterada en la jurisprudencia constitucional. Véase por ejemplo la STC 53/1985, de 11 de abril, f. j. 4: "los derechos fundamentales no incluyen solamente derechos subjetivos de defensa de los individuos frente al Estado, y garantías institucionales, sino también deberes positivos por parte de éste (vide al respecto arts. 9.2; 17.4; 18.1 y 4; 20.3; 27 de la Constitución). Pero, además, los derechos fundamentales son los componentes estructurales básicos, tanto del conjunto del orden jurídico objetivo como de cada una de las ramas que lo integran, en razón de que son la expresión jurídica de un sistema de valores que, por decisión del constituyente, ha de informar el conjunto de la organización jurídica y política; son, en fin, como dice el art. 10 de la Constitución, el «fundamento del orden jurídico y de la paz social». De la significación y finalidades de estos derechos dentro del orden constitucional se desprende que la garantía de su vigencia no puede limitarse a la posibilidad del ejercicio de pretensiones por parte de los individuos, sino que ha de ser asumida también por el Estado. Por consiguiente, de la obligación del sometimiento de todos los poderes a la Constitución no solamente se deduce la obligación negativa del Estado de no lesionar la esfera individual o institucional protegida por los derechos fundamentales, sino también la obligación positiva de contribuir a la efectividad de tales derechos".

rable hacia los colectivos discriminados (que usualmente vendrán definidos por los criterios expresamente acogidos en el mismo) [38].

En la doctrina tiende a negarse también la posibilidad de que pudiera hablarse constitucionalmente de un derecho al trato desigual y más favorable, cuando se cumplan ciertas circunstancias. Suele entenderse que el artículo 9.2 no alcanza a exigir como parte del art. 14 la desigualdad compensatoria, aunque sí la permite [39].

En mi opinión, es posible que del artículo 9.2 deriven derechos a determinadas prestaciones concretas o tratos favorables para quienes se encuentren en posiciones concretas de desventaja, pero tales derechos no tienen carácter fundamental. Por su parte, el art. 14 englobaría, como veremos, el derecho fundamental al trato no discriminatorio, además de que, a la hora de valorar la constitucionalidad de las normas o de cualquier tipo de medidas en relación con el principio de igualdad, estará justificado (en realidad, impuesto constitucionalmente) aquel trato más favorable y desigual que derive de una interpretación conjunta de los arts. 9.2 y 14, como manifestaciones del valor superior igualdad (art. 1.1). Más difícil sería ubicar en el artículo 14 el derecho a un trato desigual y más favorable, si bien ciertas dimensiones del mismo no se pueden excluir, en tanto en cuanto ambos artículos han de interpretarse conjuntamente, y no cabe además descartar que la ausencia de dicho trato desigual pueda resultar en sí misma discriminatoria [40]. La igualdad real se vincula así especialmente

---

[38] Luis PRIETO SANCHIS, "Los derechos sociales y el principio de igualdad sustancial", en *Revista del Centro de Estudios Constitucionales*, n° 22, 1995, en pp. 33-35, apunta tres supuestos en los que pretensiones de igualdad material pueden formularse como posiciones subjetivas amparadas por el derecho fundamental a la igualdad: 1) cuando la igualdad material viene amparada por un derecho fundamental de naturaleza prestacional directamente exigible (por ejemplo, la educación gratuita); 2) cuando una pretensión de igualdad sustancial concurre con un derecho fundamental, aun cuando éste no sea prestacional; 3) cuando la exigencia de igualdad material viene acompañada por una exigencia de igualdad formal. Sin embargo, creemos que en los tres casos no es la igualdad material del art. 9.2 la que justifica la posición subjetiva, sino los otros preceptos constitucionales aplicables al caso. En el mismo sentido se pronuncia este autor en "Igualdad y minorías", en *Derechos y libertades*, n1 5, 1995, pp. 144 ss.

[39] En esta línea, y como trabajo reciente, puede verse María Luisa BALAGUER CALLEJÓN, *Igualdad y Constitución española*, op. cit., p. 33.

[40] Parece interesante señalar que, entre las sentencias que han tenido en cuenta el art. 14 y el art. 9.2, una parte ha recaído como consecuencia de cuestiones de inconstitucionalidad, en las que lógicamente se han de tener en cuenta ambos preceptos por igual, y su mutua relación: así, por ejemplo, SSTC 3/1983, de 25 de enero; 103/1983, de 22 de noviembre, 3/1993, de 14 de enero; 109/1.993, de 25 de marzo, 55/1994, de 24 de febrero, o 125/1995, de 24 de julio. En cambio, entre las recaídas en recursos de amparo (en las que sólo cabe examinar directamente la vulneración del artículo 14) buena parte han sido desestimatorias: por ejemplo, han denegado la extensión de un trato favorable al varón las SSTC 128/1987, de 16 de julio (plus de guardería para ATS masculinos); 19/1989, de 31 de enero (pensión), o 28/1992, de 9 de

con la prohibición de discriminación, dado que aquella pretende compensar la desigualdad de partida de los colectivos históricamente postergados; y en este sentido creo que no cabe excluir el derecho de las personas pertenecientes a éstos a un trato compensador de sus desigualdades, como parte de su derecho a no ser discriminados.

Ha de reconocerse, en todo caso, que la posibilidad de que la Constitución proteja un cierto derecho a un trato diferente y más favorable, no parece asentada en la doctrina, ni desde luego deriva de la jurisprudencia constitucional. Sin embargo, no cabe descartar por completo la existencia constitucional de ese derecho, que podría ser una consecuencia derivada del mandato contenido en el artículo 9.2, pero llegaría incluso a ubicarse en el artículo 14 (y en concreto en el derecho a no ser discriminado), interpretando éste de conformidad con los arts. 1.1 y 9.2, entendiendo que en ciertos casos la ausencia de dicho trato diferente y favorable podría llegar a convertirse en sí misma en discriminatoria [41***]. El derecho a no ser discriminado podría implicar así una exigencia de igualdad real que en ocasiones puede conllevar un derecho al trato más favorable para compensar la desigualdad inicial del colectivo discriminado. Ello no sería incompatible con el principio de igualdad (siempre que se cumplan las exigencias de razonabilidad, racionalidad y proporcionalidad derivadas del mismo) si se entiende este como una "igualdad real ante la ley".

---

marzo (plus de transporte); en la misma línea, la STC 269/1994, de 3 de octubre, deniega el amparo a una persona supuestamente discriminada por un trato favorable (reserva de plazas) a los minusválidos; estas sentencias justifican constitucionalmente un trato favorable para determinados colectivos, pero no conceden un derecho fundamental a tal trato. Por último, también en algún caso se ha concedido el amparo por vulneración de la "igualdad sustancial" (art. 14 en conexión con el art. 9.2): así, la STC 81/1982, de 21 de diciembre, que otorga el amparo a los varones (es decir, no a nadie perteneciente a un colectivo históricamente discriminado...); la STC 177/1993, de 31 de mayo, que otorga el amparo a un Comité de Empresa (el procedimiento previo era el de conflicto colectivo, lo que en realidad asemeja el supuesto a los de control de constitucionalidad de normas, aunque lógicamente la consecuencia de su anulación repercute en derechos subjetivos; el colectivo "débil" era el personal discontinuo y eventual); o la STC 216/1991, de 14 de noviembre (que otorga el amparo a una mujer a la que se había denegado el ingreso en las Fuerzas Armadas); pero conviene advertir que en estos tres ejemplos se concede el amparo ante una situación de desigualdad, que no se considera justificada, y el artículo 9.2 juega en el sentido de reforzar la idea de tal ausencia de justificación, o en el de exigir un *trato igual*; en ninguno de los casos expuestos se concede el amparo a alguien que pida precisamente *un trato diferente y favorable*, al que tuviera derecho por mandato del art. 9.2.

41   Sobre el tema, véase por ejemplo Estefanía ESPARZA REYES, *El derecho fundamental a la igualdad...*, cit., pp. 110 ss.

5. LA IGUALDAD ANTE LA LEY Y LA PROHIBICIÓN DE DISCRIMINACIÓN

5.1. *Principios y derechos en el artículo 14*

Conviene en todo caso entrar en el análisis más específico del contenido del artículo 14 de la Constitución, pues este —que además se aproxima como hemos visto a buena parte de las menciones a la igualdad incluidas en los textos internacionales— constituye el principal núcleo constitucional de la igualdad, así como el centro de la jurisprudencia constitucional recaída en la materia (no debe olvidarse que este precepto reúne una serie de garantías específicas, como el procedimiento preferente y sumario y el recurso de amparo constitucional).

Parece claro que el artículo 14 contiene dos proclamaciones distintas, aunque relacionadas entre sí. Por un lado, el principio de igualdad ante la ley; por otro, una prohibición de discriminación por cualquier circunstancia personal o social, dentro de las cuales se mencionan expresamente el nacimiento, la raza, el sexo, la religión y la opinión. La distinción entre ambos enunciados queda mucho más clara en otros modelos constitucionales como el alemán, que recoge cada uno de ellos en un apartado distinto del mismo artículo 3 (3.1 y 3.3); y, sobre todo, en la Carta de los Derechos Fundamentales de la Unión Europea, en la que son objeto de tratamiento en preceptos distintos, dado que el artículo 20 se limita a proclamar que "todas las personas son iguales ante la ley", mientras que el 21 contiene la prohibición de discriminación.

La Constitución española, siguiendo acaso el modelo del artículo 3.1 de la Constitución italiana, contiene la igualdad ante la ley y la prohibición de discriminación en el mismo apartado e incluso en la misma frase. Pero ello no es obstáculo para señalar que se trata de dos enunciados autónomos, aunque evidentemente muy relacionados: por un lado, el principio de igualdad ante la ley, y por otro la prohibición de discriminación. Esta no es, por tanto, una simple especificación del principio, sino un mandato especial que incluye la mención específica de ciertos criterios de discriminación especialmente prohibidos [42], y que tiene por tanto sus propios perfiles.

Interesa ahora destacar que ninguno de los textos que hemos venido mencionando contiene un enunciado que adopte una forma iusfundamental, es decir, ni en la Constitución española ni en los tratados internacionales se reconoce expresamente un "derecho a la igualdad" o a la "no discriminación". Sin embargo, sin gran esfuerzo interpretativo cabe entender que dichos derechos sí existen y que—

---

[42] Véase, por ejemplo, en esta línea, Miguel RODRÍGUEZ-PIÑERO y María Fernanda FERNÁNDEZ LÓPEZ, *Igualdad...*, cit., pp. 65-66.

dan proclamados implícitamente como consecuencia necesaria de los dos principios aludidos. Ya hemos visto que el Tribunal Constitucional ha proclamado sin
ambages esa dimensión subjetiva de nuestro artículo 14, y la doctrina es unánime
en el mismo sentido. Como se ha destacado, ni la cuestión de su autonomía, a la
que ahora nos referiremos, ni su objeto formal, desvirtúan su configuración como derecho público subjetivo, pues lo relevante es la posibilidad de accionar los
medios necesarios para lograr la equiparación [43]. Sin embargo, esa afirmación no
resuelve tres cuestiones de interés:

1) En primer lugar, convendría precisar si, dado que como hemos visto la
igualdad se traduce en dos principios, relacionados pero con cierta autonomía,
podríamos hablar paralelamente de dos derechos (el derecho a la igualdad ante
la ley, y el derecho a no sufrir discriminación). Veremos esta cuestión con detalle
más adelante, pero cabe anticipar la idea de que, en realidad, hoy el segundo de
estos derechos tiene algunos perfiles o dimensiones autónomos. En mi opinión,
originariamente se trataba de un único derecho a la igualdad, que resultaba vulnerado cuando alguien era objeto de un trato desigual irrazonable o carente de
justificación constitucional. De este modo, la vulneración del principio de igualdad ante la ley suponía en todo caso un trato discriminatorio. Y aún hoy podría
mantenerse esa afirmación partiendo de un concepto amplio de discriminación.
Sin embargo, el derecho a no sufrir discriminación fue adquiriendo posteriormente, como veremos, algunos perfiles propios que impiden diluirlo sin más en el derecho a la igualdad, dado que no siempre consiste en una exigencia de trato igual.

2) En segundo lugar, cabe plantearse si el derecho a la igualdad es o no autónomo respecto a otros derechos. El Tribunal Constitucional ha respondido de
forma clara indicando que se trata de un derecho relacional [44], y en este sentido
se pronuncia la mayor parte de la doctrina. No tendría, por tanto, un contenido
material autónomo, sino que el mismo se define en relación con otros derechos
subjetivos e intereses legítimos [45]. Incluso se ha rechazado la aplicabilidad de la
idea de "contenido esencial" para este derecho, precisamente por su carácter no
autónomo, sino dependiente, y carente por tanto de "vida propia" [46]. El derecho
a no sufrir discriminación solo cobra sentido en el ejercicio de otros derechos e
intereses. Ahora bien, interesa destacar que el artículo 14 no se refiere solo a la
igualdad en el ejercicio de otros derechos fundamentales, sino también en el de

---

[43]   Véase más ampliamente José María BAÑO LEÓN, "La igualdad como derecho público subje-
       tivo", en *Revista de Administración Pública*, n° 114, 1987, pp. 181 ss.
[44]   Véase, por ejemplo, la STC 76/1983, de 3 de agosto, f. j. 2: "la igualdad reconocida en el art. 14
       no constituye un derecho subjetivo autónomo, existente por sí mismo, pues su contenido viene
       establecido siempre respecto de relaciones jurídicas concretas".
[45]   Por ejemplo, David GIMÉNEZ GLÜCK, *Juicio de igualdad...*, cit., p. 36.
[46]   José SUAY RINCÓN, *El principio de igualdad en la justicia constitucional...*, cit., p. 152.

cualquier otro derecho o interés legítimo, o incluso de cualesquiera relaciones jurídicas previstas en el ordenamiento [47], de modo que no es necesario invocar otro derecho fundamental cuando se alega vulneración de la igualdad. Como vimos, otros textos como el artículo 14 del Convenio de Roma, se refieren de un modo mucho más limitado a la igualdad al prohibir solamente las distinciones de cara al ejercicio de los derechos previstos en el convenio.

3) Una tercera cuestión sería la relativa a si el derecho a la igualdad es un derecho fundamental. Naturalmente, la respuesta a esta pregunta depende del concepto de derecho fundamental que se adopte. Además, la complejidad para definir los derechos fundamentales aumenta considerablemente cuando se intenta dar un concepto de alcance general, lo que implica acudir a determinadas características más o menos "naturales" o intrínsecas de los derechos, casi siempre cuestionables (universalidad, irrenunciabilidad, mayor vinculación con la dignidad, carácter básico o esencial...). Aunque seguramente todos estos criterios no alcanzan a delimitar con precisión un concepto "general" de derecho fundamental, es probable que muchos de ellos nos condujeran a incluir claramente el derecho a la igualdad entre los derechos fundamentales. Sin embargo, las mismas dificultades para establecer los perfiles del concepto, y la escasa trascendencia jurídica si el mismo se desvincula de un concreto sistema constitucional, hacen que la pregunta tenga más sentido cuando se refiere a un concreto ordenamiento jurídico. En el caso español, donde existen diferentes opiniones doctrinales sobre el mismo concepto de derecho fundamental en la Constitución (unos lo refieren a todos los derechos del título I, otros a los del capítulo II, otros a los susceptibles de amparo, y otros, en fin, a la sección 1ª del capítulo II), encontramos también diversas posturas sobre el carácter fundamental del derecho a no ser discriminado, e incluso algunas posiciones más ambiguas o que no se pronuncian expresamente [48]. Sin embargo, par-

---

[47]   Así lo destaca, por ejemplo, Luis María DÍEZ-PICAZO GIMÉNEZ, *Sistema...*, cit., p. 199.

[48]   Así, por ejemplo, David GIMÉNEZ GLÜCK, *Juicio...*, cit., p. 35, considera expresamente a la igualdad como derecho fundamental, en tanto que está protegida por el procedimiento preferente y sumario y el recurso de amparo; José María BAÑO LEÓN, "La igualdad...", cit., pp. 184 ss., se refiere con claridad a la igualdad como derecho fundamental en la Constitución española"; Luis María DÍEZ-PICAZO, *Sistema...*, pp. 198-199, sostiene que desde un punto de vista formal no hay duda del carácter fundamental del artículo 14, pues le alcanzan las máximas garantías propias de los derechos fundamentales. Por su parte, Pablo PÉREZ TREMPS, en Luis López Guerra, Eduardo Espín *et alii*, *Derecho Constitucional*, cit., pp. 144-145, reserva la calificación de derechos fundamentales a los artículos 14 a 29, si bien los argumentos utilizados (procedimiento agravado de reforma, especiales garantías normativas en su desarrollo, garantías especiales del art. 53.2) solo en parte son aplicables al art. 14. Por su parte, María Luisa BALAGUER CALLEJÓN, *Igualdad...*, cit., pp. 58-59, destaca la evolución experimentada por la igualdad, desde un inicio en que apenas se consideraba la posibilidad de un derecho autónomo, hasta su consideración como derecho fundamental directamente aplicable.

tiendo del más estricto criterio derivado de la jurisprudencia constitucional, que se basa en el título de la sección 1ª, solo los derechos incluidos en ésta tendrían ese carácter fundamental, que por tanto no sería predicable del artículo 14 [49].

Con todo, no me parece tan importante la denominación utilizada, como destacar la idea de que el artículo 14 se encuentra en una posición muy peculiar en nuestro sistema constitucional, en lo que se refiere a sus garantías. En efecto, más allá de compartir todas las propias del capítulo II tal y como se establecen en el artículo 53.1 (vinculación directa, reserva de ley, respecto al contenido esencial), las demás le son aplicables solo en parte. Por un lado, le son predicables algunas de las más importantes que afectan a la sección 1ª del capítulo II del título I (que serían los "derechos fundamentales" en el sentido más estricto), tales como el procedimiento preferente y sumario y el recurso de amparo. Por otro lado, en cambio, no participa de otras también importantes, como el procedimiento agravado de reforma constitucional (cuya trascendencia práctica puede no ser excesiva, pero que revela desde luego la clara intención del Constituyente en cuanto a qué derechos consideraba más esenciales o definitorios del sistema constitucional), o la reserva de ley orgánica.

5.2. La igualdad ante la ley: igualdad en la ley e igualdad en la aplicación de la ley

Una vez hecho un repaso general de las distintas manifestaciones constitucionales de la igualdad, y en especial de los enunciados del artículo 14 de la Constitución (equivalentes a los artículos 20 y 21 de la CDFUE), procedería ahora desa-

---

[49]   El Tribunal Constitucional, ciertamente, ha afirmado con reiteración que los derechos fundamentales son solamente los contenidos en la sección 1ª del capítulo II del título I, si bien esta jurisprudencia se ha elaborado principalmente de cara a reservar solo para ellos el desarrollo por ley orgánica. Como ejemplo pueden reflejarse estas afirmaciones contenidas en la STC 160/1987, de 27 de octubre, f. j. 2, con cita de sentencias anteriores: "El Tribunal Constitucional, sin embargo, se ha pronunciado ya por el entendimiento de que «los derechos fundamentales y libertades públicas» a que se refiere el art. 81.1 de la Norma suprema son los comprendidos en la Sección 1ª, Capítulo Segundo, Título I, de su Texto (STC 76/1983, de 5 de agosto), exigiéndose, por tanto, forma orgánica para las leyes que los desarrollen de modo directo en cuanto tales derechos (STC 67/1985, de 26 de mayo)".
En cuanto a la igualdad, y aunque el Tribunal no haya utilizado una terminología uniforme, no ha sido infrecuente su consideración como derecho fundamental: por ejemplo, STC 8/1986, de 16 de mayo, f. j. 4: el art. 14 de la C.E. establece el principio de igualdad jurídica o igualdad de los españoles ante la ley, que constituye, por imperativo constitucional, un derecho fundamental de la persona a no sufrir discriminación jurídica alguna, esto es, a no ser tratada jurídicamente de manera diferente a quienes se encuentren en su misma situación, sin que exista una justificación objetiva y razonable de esa desigualdad de trato".

rrollar cada uno de los enunciados fundamentales contenidos en dicho artículo, y que forman parte del principio de igualdad, como son la igualdad ante la ley y la prohibición de discriminación.

Comenzando por la igualdad ante la ley, la doctrina y la jurisprudencia coinciden en señalar que esta incluye dos consecuencias fundamentales, que suelen denominarse "igualdad en la ley" e "igualdad en la aplicación de la ley"[50]. Desde una perspectiva actual, la primera se entendería referida al contenido de la ley, impidiendo las distinciones arbitrarias o irrazonables, y mientras que la segunda, en cambio, sería un principio dirigido al aplicador de la ley, y principalmente a los jueces y a la Administración.

El concepto de "igualdad en la ley" ha sido objeto de una apreciable evolución histórica que le ha llevado desde unos orígenes en los que se refería a características estructurales de la ley, como la generalidad o la impersonalidad, a incidir directamente en el contenido de la propia ley[51], utilizándose como criterio que

---

[50]   Aunque la terminología mencionada es tan frecuente que resultaría innecesaria la cita, cabe destacar que algunos autores prefieren utilizar solo las expresiones "igualdad en la ley" e "igualdad ante la ley", reservando esta última para lo que aquí vamos a denominar "igualdad en la aplicación de la ley", en lugar de para aludir al principio general, que es lo que aquí vamos a hacer. Entre los autores que utilizan la terminología aquí seguida, y por tanto dividen la "igualdad ante la ley" en "igualdad en la ley" e "igualdad en la aplicación de la ley", cabe citar a Joaquín GARCÍA MORILLO, en Luis López Guerra, Eduardo Espín *et alii*, *Derecho Constitucional*, cit., vol. I, pp. 183 ss.; Miguel A. APARICIO PÉREZ y Mercè BARCELÓ I SERRAMALERA (coords.), *Manual de Derecho Constitucional*, Aletier, Barcelona, 2009, pp. 663 ss.; José SUAY RINCÓN, *El principio de igualdad...*, cit., pp. 158 ss.
En cambio, distinguen simplemente entre "igualdad en la ley" e "igualdad ante la ley" (siendo esta última lo que aquí llamamos "igualdad en la aplicación de la ley"), Enrique ÁLVAREZ CONDE, *Curso de Derecho Constitucional*, Tecnos, Madrid, vol. I, 6ª ed., 2008, pp. 367 ss., o Antonio TORRES DEL MORAL, Antonio, *Principios de Derecho Constitucional español*, Universidad Complutense, 5ª ed., tomo I, Madrid, 2004, pp. 321 ss.
Por su parte, Óscar ALZAGA VILLAMIL, Ignacio GUTIÉRREZ GUTIÉRREZ, y Jorge RODRÍGUEZ ZAPATA, *Derecho político español según la Constitución de 1978*, Editorial universitaria Ramón Areces, 4ª edición, vol. II, Madrid, 2008, pp. 71 ss., prefieren utilizar las categorías de "igualdad ante la ley" e "igualdad en la aplicación de la ley", omitiendo la referencia a la "igualdad en la ley" que parece coincidir con la primera de ellas. En fin, Javier PÉREZ ROYO, *Curso...*, cit., pp. 254 ss., aunque entiende que las expresiones "igualad ante la ley" e "igualdad en la aplicación de la ley" son las habitualmente utilizadas, se muestra crítico con ambas, al entender que ninguna de las dos refleja una idea correcta.

[51]   Véase por ejemplo Francisco RUBIO LLORENTE, "La igualdad...", cit., pp. 24 ss.; este autor pone de relieve cómo en los orígenes del constitucionalismo la igualdad solo implica la generalidad y abstracción de la ley, pero no conlleva límites para el legislador: "El principio de igualdad exige la igual aplicación de la ley, pero en modo alguno se puede hacer derivar de él una pretensión jurídica frente al legislador" (p. 26); solo en el siglo XX la igualdad empieza a entenderse como un criterio referido al contenido de la ley y a las distinciones que ésta puede hacer. En sentido similar, puede verse Luis María DÍEZ-PICAZO, *Sistema...*, cit., pp. 195 ss.,

permite rechazar determinadas distinciones realizadas por el legislador (aunque también establecer qué distinciones legales con conformes a la Constitución).

De este modo, parece que el principio de igualdad "en" la ley, consecuencia de la igualdad "ante" la ley, es hoy ante todo un mandato dirigido al legislador para que la ley no distinga entre supuestos de hecho de forma arbitraria o irrazonable (y el correspondiente derecho de los ciudadanos a no sufrir los perjuicios de una ley de tal tipo). Como es sabido, ello conlleva la necesidad de encontrar un *tertium comparationis* que, siendo similar, reciba un trato diferente [52], así como el sometimiento del trato diferente a dos "juicios" o "tests", como son el "test de relevancia", que comprueba si la diferencia entre los supuestos de hecho que reciben trato diferente es significativa (de no serlo no habría justificación para el trato diferente), y el "juicio de razonabilidad", que analiza si el trato diferente tiene una finalidad constitucional, es congruente con la misma y guarda con ella una relación de proporcionalidad [53].

---

quien afirma que en un principio la igualdad ante la ley solo significaba la abolición de la sociedad estamental, y por tanto implicaba que la ley fuera la misma para todos, y luego que se aplicase según criterios uniformes; solo en el siglo XX el principio de igualdad ante la ley adquiere un sentido referido al propio contenido de la ley, que debe ser igualitario. Solo en este sentido cabe hablar de "igualdad en la ley" o "frente al legislador". Por su parte, Miguel RODRÍGUEZ-PIÑERO y Mª Fernanda FERNÁNDEZ LÓPEZ, *Igualdad...*, cit., pp. 19 ss., destacan que en los orígenes de la Edad Contemporánea el concepto de igualdad ante la ley implicaba solo la inexistencia de privilegios y algunas características de la ley, como la eficacia *erga omnes*, la generalidad y la impersonalidad, para más adelante aproximarse a la idea de la igual aplicación de la ley.

[52]   Sobre este tema, por todos, Juan Carlos GAVARA DE CARA, *Contenido y función del término de comparación...*, cit., pp. 33 ss.

[53]   Prácticamente toda la bibliografía sobre la materia aborda la cuestión del funcionamiento de los mencionados "tests" para comprobar si una ley es conforme con el principio de igualdad en la ley. Son de interés los trabajos ya citados de Enrique ALONSO GARCÍA, "El principio de igualdad...", cit., pp. 23 ss.; o David GIMÉNEZ GLÜCK, *Juicio de igualdad...*, pp. 55 ss., es muy interesante el análisis llevado a cabo por Ángel CARRASCO PERERA, "El juicio de razonabilidad en la justicia constitucional", en *Revista Española de Derecho Constitucional*, nº 11, 1984, que analiza este tipo de razonamiento constitucional desde una perspectiva general que trasciende el ámbito de la igualdad. En la doctrina norteamericana, es de gran interés el trabajo de Joseph TUSSMAN y Jacobus TENBROEK, "The equal protection of the laws", en *California Law Review*, vol. XXXVII, n. 3, septiembre de 1949, pp. 341 ss.
En todo caso, encontramos de nuevo algunas diferencias entre los autores. Así, por ejemplo, ALONSO GARCÍA distingue en realidad diversos "tests", como el test de la desigualdad y el de la relevancia, por un lado, y luego el juicio de razonabilidad (consistente en la existencia o no de una justificación objetiva y razonable para la diferencia de trato), que a su vez engloba un "test de racionalidad" (relación positiva entre medios y fines) y uno de razonabilidad en sentido estricto (consistente en la contrastación de los motivos o razones alegados para el trato desigual, con los valores constitucionales). Por último, analiza la "alternativa menos gravosa" y el criterio de la proporcionalidad. Por su parte, GIMÉNEZ GLÜCK entiende que la expresión

En cualquier caso, interesa destacar que la igualdad en la ley no es un principio aplicable o dirigido a los particulares, sino al creador de la ley. Las personas físicas o jurídicas no están vinculadas por la igualdad en la ley, dado que, en su condición de personas, no intervienen directamente en el proceso de creación de la ley [54].

---

[54] "juicio de razonabilidad" es demasiado general, y divide el juicio de igualdad en un "juicio de racionalidad" de la clasificación legislativa, y "juicio de proporcionalidad".

Sin embargo, cabría plantear algún posible matiz a la anterior afirmación. Si (a los efectos de determinar el sentido de la expresión "igualdad en la ley") se entiende el término "ley" en un sentido material y amplio, esto es, como norma jurídica, cabría plantear si los convenios colectivos quedarían incluidos en ese concepto y, por tanto, les son aplicables las consecuencias derivadas del principio en examen. Como es sabido, el convenio colectivo es una norma vinculante "erga omnes", pero que no procede de una potestad normativa pública, sino de la voluntad negocial de sujetos particulares. Su vinculación general deriva del art. 37 de la Constitución, que encomienda al legislador el establecimiento de dicho alcance vinculante, y ha sido reconocida por el Tribunal Constitucional. Por tanto, si el sentido de "ley" en la expresión "igualdad en la ley" comprende las normas jurídicas generales y vinculantes, habría que entender que dicho principio es aplicable a los convenios colectivos.

Parece que, en efecto, esta es la interpretación más acertada, de manera que el convenio colectivo, aun siendo una manifestación de la libertad negocial de particulares (en concreto, empresarios y trabajadores), está limitado por el principio de igualdad del artículo 14 de la Constitución. La jurisprudencia del Tribunal Constitucional confirma esta idea, y de hecho el Tribunal ha valorado la constitucionalidad de convenios con el parámetro de la igualdad. Sin embargo, y aunque esta jurisprudencia muestra algunas dudas y oscilaciones, parece que la idea antes expresada, respecto a la aplicabilidad del principio de igualdad, debe matizarse para los convenios colectivos, en virtud de que los mismos son expresión de la autonomía de la voluntad. En esta línea, véanse por ejemplo las STC 177/1988, de 10 de octubre; STC 28/1992, de 9 de marzo; 177/1993, de 31 de mayo, f. j. 2.

En suma, creo que la interpretación más correcta de las afirmaciones del Tribunal Constitucional supone entender que el convenio colectivo no puede identificarse con el resto de manifestaciones de la autonomía de la voluntad, respecto a las exigencias derivadas para el mismo del principio de igualdad; pero tampoco le son aplicables éstas en los mismos términos que lo serían a la ley. Se sitúa en una posición especial y peculiar respecto al principio de igualdad, aunque el Tribunal Constitucional no ha especificado más que consecuencias concretas se derivan de esa posición.

A mi juicio, y aunque sea aventurado realizar manifestaciones de carácter general en este terreno, parece que, desde luego, le son aplicables las prohibiciones de discriminación contrarias al orden público (en especial las expresamente mencionadas en el artículo 14), que como veremos serían en principio límites que debe respetar con carácter general la autonomía de la voluntad. Pero, a diferencia de lo que sucede con otros actos de la autonomía de la voluntad, que en modo alguno están sometidos a los juicios de relevancia ni de razonabilidad, el convenio colectivo, como fuente del Derecho, sí debe superar esos tests derivados del principio de igualdad en la ley, si bien en su aplicación habría que considerar la especial naturaleza del convenio, lo que nos llevaría al nivel de escrutinio menos intenso, y a una consideración especial de diferencias legítimas que, si bien pudieran ser rechazables en una ley en sentido estricto, pueden admitirse en una norma general que procede sin embargo de la autonomía de la voluntad.

Por otro lado, y como antes he apuntado, otra de las consecuencias del principio de igualdad "ante" la ley es lo que se ha dado en llamar "igualdad en la aplicación de la ley". Así entendido, es casi unánime la idea de que este principio se refiere esencialmente al Poder Judicial y a la Administración, aunque tenga perfiles diferentes en uno y otro caso [55].

Por tanto, el principio de igualdad en la aplicación de la ley no se refiere a los particulares. Aun cuando en un cierto sentido pudiera decirse que los mismos, cuando actúan o se relacionan jurídicamente unos con otros están "aplicando" la ley, en realidad parece más acertado decir que (dejando a un lado el necesario cumplimiento de las obligaciones positivas que pueda imponer la ley) están actuando libremente, dentro del marco permitido por la ley y con la obligación de no infringir esta. De forma mucho más acusada esta es la situación respecto a la Constitución, tal y como ha señalado el Tribunal Constitucional [56]. Por tanto, los ciudadanos no son, en el sentido que estamos viendo, "aplicadores de la ley", ni tienen ninguna obligación positiva derivada de la Constitución [57], y por tanto

---

[55]   Véase por ejemplo Francisco RUBIO LLORENTE, "La igualdad en la aplicación de la ley", en Luis García San Miguel (ed.), *El principio de igualdad*, Dykinson, Madrid, 2000, pp. 47 ss.; Joaquín GARCÍA MORILLO, en Luis López Guerra, Eduardo Espín et alii, *Derecho constitucional*, cit., vol. I, pp. 193 ss.:"el principio de igualdad *en la aplicación de la ley* impone tanto a la Administración como a los tribunales, si bien con las sustanciales diferencias que vamos a ver, la obligación genérica de aplicar la ley de forma igual a supuestos iguales..." En sentido similar, Luis María DÍEZ-PICAZO, *Sistema...*, cit., pp. 216 ss., quien, partiendo de que la igualdad en la aplicación de la ley implica que las normas han de ser interpretadas del mismo modo en todos los casos a que son aplicadas, distingue la igualdad en la aplicación judicial de la ley y la igualdad en la aplicación administrativa de la ley. En la misma línea se sitúa la mayoría de la doctrina ya citada. Por su parte, Javier PÉREZ ROYO, *Curso...*, cit., pp. 259 ss., cuestiona el sentido generalmente admitido de "igualdad en la aplicación de la ley", entendiendo que la igualdad constitucional solo se refiere al legislador, mientras que para los demás poderes del Estado no opera directamente, sino a través de la ley. De este modo, la igualdad constitucional solo significa, para el poder ejecutivo, un mandato de neutralidad en la ejecución de la ley, y para el poder judicial, uno de imparcialidad.
Respecto a la igualdad en la aplicación judicial de la ley, es interesante por ejemplo el trabajo de Tomás VIDAL MARÍN, "Jurisprudencia constitucional en torno al art. 14 de la CE: cambio de criterio y precedente judicial", en *Revista de las Cortes Generales*, nº 38, 1996, pp. 231 ss.

[56]   Véase, por ejemplo, la STC 101/1983, de 18 de noviembre, f. j. 3 "La sujeción a la Constitución es una consecuencia obligada de su carácter de norma suprema, que se traduce en un deber de distinto signo para los ciudadanos y los poderes públicos; mientras los primeros tienen un deber general negativo de abstenerse de cualquier actuación que vulnere la Constitución, sin perjuicio de los supuestos en que la misma establece deberes positivos (arts. 30 y 31, entre otros), los titulares de los poderes públicos tienen además un deber general positivo de realizar sus funciones de acuerdo con la Constitución".

[57]   Pues incluso parece que la interpretación más adecuada de los deberes constitucionales es la que entiende que los mismos son en realidad mandatos al legislador, y solo de la ley derivarían obligaciones concretas para los ciudadanos. Véase al respecto Francisco Javier DÍAZ REVO-

el principio de igualdad en la aplicación de la ley les resulta ajeno. Como se ha visto, la afirmación podría extenderse a las demás manifestaciones del principio de igualdad ante la ley, con la excepción ya aludida de los convenios colectivos. Otra interpretación, al menos en línea de principio, entraría en contradicción con el principio de autonomía de la voluntad, como ha destacado la doctrina [58].

5.3. Discriminación y Constitución

Como he destacado anteriormente, la práctica totalidad de los textos internacionales contienen una prohibición de discriminación, que la Constitución española incluye en el mismo párrafo que la igualdad ante la ley. Procede por tanto plantearse brevemente cuál es su sentido y su relación con el principio de igualdad.

5.3.1. Concepto de discriminación

"Discriminación" es "acción y efecto de discriminar"; "discriminar", por su parte, tiene dos sentidos: 1) "Seleccionar excluyendo", y 2) "Dar trato de inferioridad a una persona o colectividad por motivos raciales, religiosos, políticos, etc." [59]. Parece obvio que el primero de los dos sentidos es "neutro", dado que implica una separación entre cosas o personas para elegir una o unas de ellas, excluyendo las demás, en función de determinados criterios; mientras que el segundo de los sentidos es claramente peyorativo, dado que el trato de inferioridad que se da (en este caso solo a personas o colectivos) parece conllevar un desvalor moral de la acción.

Como se ha destacado [60], estos dos sentidos reflejan en alguna medida la evolución histórica que ha implicado un cierto cambio en la forma de entender la dis-

---

RIO, "Deberes constitucionales", en *Base de datos de conocimiento jurídico: Derecho Constitucional III*, en la web *www.iustel.com, fecha de última consulta 15 de junio de 2014.*

[58] Véase en este sentido, por ejemplo, Juan María BILBAO UBILLOS, "Prohibición de discriminación y relaciones entre particulares", en *Teoría y realidad constitucional*, nº 18, 2006, pp. 148-149. En términos más amplios (que aquí no se comparten, por lo que luego se dirá de la prohibición de discriminación), Luis María DÍEZ-PICAZO, *Sistema...*, cit., p. 201, señala que "el art. 14 no vincula, en cambio, a los particulares; y ello, sencillamente, porque la eventual eficacia horizontal o entre particulares del principio de igualdad ante la ley resultaría incompatible con la autonomía de la voluntad y, en definitiva, cercenaría la libertad en las relaciones privadas".

[59] *Diccionario de la lengua española*, Real Academia Española, vigésima segunda edición, 2001.

[60] Véanse las extensas e interesantes consideraciones que realizan Miguel RODRÍGUEZ-PIÑERO y María Fernanda FERNÁNDEZ LÓPEZ, *Igualdad... cit., pp. 84 ss.*

criminación, desde el origen latino del término [61], que significa "separar, dividir, distinguir" [62], y que está en la base del primer sentido económico y jurídico (procedente sin embargo del mundo anglosajón), hasta su actual sentido peyorativo, que encuentra su origen en la interpretación jurisprudencial llevada a cabo por el Tribunal Supremo norteamericano a la cláusula de "igual protección" introducida en la decimocuarta enmienda a la Constitución norteamericana tras la guerra de secesión, en 1868 [63]. En efecto, esta cláusula dio origen a un amplio desarrollo jurisprudencial que, pasando a finales del siglo XIX por la doctrina "iguales, pero separados", terminó por incorporar medidas positivas para la desegregación racial desde mediados del siglo XX[64].

---

[61]   Véase el *Diccionario de la lengua española*, Real Academia Española, 21ª edición, 2001, que nos remite al latín *discriminatio, -onis* como origen etimológico de "discriminación". Con más detalle, Joan COROMINAS, *Breve diccionario etimológico de la lengua castellana*, Gredos, Madrid, 3ª ed., 1973, 10ª reimp., quien en pp. 146-147, define la entrada CERNER como "separar con el cedazo la harina del salvado y otras materias sutiles", 1220-50. Del lat. CERNERE "separar", "distinguir". Entre sus derivados menciona *discriminar* amer. "separar, diferenciar", lat. *discriminare* íd., deriv. de *discrimen*, que a su vez lo es de discernire.

[62]   Véase, por ejemplo, *Diccionario ilustrado latino-español*, Spes, Barcelona, 1969.

[63]   Al respecto, entre las muchas referencias que cabría dar, es muy recomendable la lectura de Christopher WOLFE, *La transformación de la interpretación constitucional*, traducción de María Gracia Rubio de Casas y Sonsoles Valcárcel, Civitas, Madrid, 1991, pp.169 ss.

[64]   Un estudio de la mencionada evolución jurisprudencial puede encontrarse en D.E. LIVELY, "Separate But Equal: The Low Road Reconsidered", en *Hastings Constitutional Law Quarterly*, 1986, pp. 43 ss. Conviene recordar que antes de la guerra, en el caso *Dred Scott* (*Scott v. Sanford*, 19 Howard 393, 1857, citado por Christopher WOLFE, *La transformación...*, cit., pp. 101-102), el Tribunal había establecido que la esclavitud formaba parte del derecho de propiedad y que los negros no tenían ciudadanía ni derechos, pues no les alcanzaba la afirmación "todos los hombres son creados iguales". Tras la guerra y la decimocuarta enmienda, que introdujo la cláusula de igual protección, ya en *Strauder v. West Virginia*, 100 U.S. 303 (1879), el Tribunal Supremo estableció que la discriminación racial (en el caso concreto, la prohibición en Virginia Occidental de que las personas de raza negra fuesen miembros de jurados) era contraria al principio de igual protección al implicar "discriminación contra" las personas de color. Sin embargo, unos años después, en *Plessy v. Ferguson*, 163 U.S. 537 (1896), el Tribunal Supremo estableció la doctrina *equal but separate*, que estuvo vigente más de medio siglo. Fue ya en la trascendental decisión *Brown v. Board of Education of Topeka, Shawnee County, Kansas*, 347 U.S. 483, 1954 (Brown I) cuando la Corte rechazó la aplicación de esa doctrina al ámbito de la educación pública, manteniendo que la educación separada era en sí misma desigual, y privaba de iguales oportunidades a la comunidad de color, provocando un sentimiento de inferioridad en la misma, que puede afectarle de una forma difícil de reparar; por ello, la segregación en las escuelas era contraria a la igual protección. Sin embargo, fue sobre todo con "Brown II" (*Brown v. Board of Education of Topeka* 349 U.S. 294, 1955) cuando el Tribunal intervino deliberadamente en una política de reforma social, de naturaleza legislativa. En efecto, en esta decisión el Tribunal estableció la forma en que debía producirse la desegregación; encomendó la misma a los Tribunales inferiores, dando una serie de criterios para la remoción de los obstáculos que su implantación suponía, y señalando algunos elementos que habían de

Hoy parece que el concepto de discriminación, mencionado (para prohibirlo) en gran cantidad de textos constitucionales y tratados sobre derechos, incorpora plenamente ese sentido peyorativo. De este modo, la discriminación implica tratar a una persona (o a un grupo) de una manera no solo diferente, sino inferior a la que debería corresponderle, normalmente en base a una condición o circunstancia personal o a la pertenencia de la misma a una minoría [65] o a un colectivo tradicionalmente preterido. Ello nos lleva a plantear las posibles diferencias entre la prohibición de discriminación y el principio de igualdad ante la ley, que son los dos enunciados del artículo 14 CE que venimos analizando [66]. Como hemos venido señalando, este principio no impide todo trato desigual, sino solamente aquellas diferenciaciones normativas irrazonables. Por supuesto, estas distinciones contrarias al principio de igualdad, generarán normalmente discriminación, pero ésta tiene unos perfiles específicos que hacen que ambas ideas no puedan confundirse. Cabría señalar las que, a mi juicio (y reconociendo que algunas de ellas podrían ser objeto de discusión), serían características propias de la discriminación:

1) La prohibición de la discriminación se vincula directamente con la dignidad de la persona (reconocida en el art. 10.1 de la CE y en el art. 1 de la CDFUE), de manera que este valor es precisamente el fundamento de la prohibición de todo trato discriminatorio, así como de los motivos concretos por los que un trato se considera discriminatorio. En cambio, el principio de igualdad tiene unos perfiles propios y autónomos, y aparte de ser consecuencia del propio valor igualdad, se vincula acaso más propiamente con el valor justicia (e incluso con el principio de legalidad y la interdicción de la arbitrariedad). Un trato desigual irrazonable es al tiempo injusto, mientras que un trato discriminatorio es un atentado a la dignidad de la persona.

---

tenerse en cuenta (cuestiones administrativas, condiciones materiales de la estructura escolar, sistema de transporte...); permitió que la adaptación del sistema escolar dual al unitario se fuese haciendo de forma progresiva, aunque con toda la prudente rapidez (*all deliberate speed*), partiendo de un comienzo "rápido y razonable", y bajo el control de los Tribunales inferiores durante el período transitorio.

[65] Sobre el complejo concepto de minoría y su posible trascendencia jurídico-constitucional, véase por ejemplo Luis PRIETO SANCHÍS, "Igualdad y minorías", en *Derechos y libertades,* nº 5, diciembre 1995, especialmente pp. 120 ss.

[66] En relación a estas diferencias, y las peculiaridades de la prohibición de discriminación respecto al principio de igualdad, puede verse entre otros Miguel RODRÍGUEZ-PIÑERO, Miguel, y Mª Fernanda FERNÁNDEZ LÓPEZ, Igualdad..., op. cit., pp. 156 ss.; Alfonso RUIZ MIGUEL, "Reflexiones sobre el significado del principio constitucional de igualdad", en Luis García San Miguel (ed.), *El principio de igualdad,* Universidad de Alcalá de Henares/Dykinson, Madrid, 2000, pp. 168 ss.; Mª Dolores MACHADO RUIZ, *La discriminación en el ámbito de los servicios públicos: análisis del art. 511 CP,* Tirant lo Blanch, Valencia, 2002, pp. 35 ss.

2) El principio de igualdad ante la ley se dirige como hemos visto solo a los poderes públicos (con la salvedad ya referida de los convenios colectivos), mientras que la prohibición de discriminación es también aplicable a los particulares. Por descontado, esta idea va a ser desarrollada más adelante.

3) La mencionada vinculación con la dignidad implica que, mientras que el principio de igualdad ante la ley protege a personas físicas y jurídicas, la prohibición de discriminación se refiere solo a personas físicas o los grupos compuestos por ellas [67].

4) La misma vinculación con la dignidad hace que, mientras los titulares del derecho a la igualdad ante la ley sean (al menos en la dicción del art. 14 CE) los españoles, la prohibición de discriminación se predique de todo ser humano, y por tanto los extranjeros también han de ser titulares del derecho a no ser discriminado [68].

5) Acaso la diferencia más acusada es que mientras la igualdad ante la ley puede permitir un trato desigual (razonable), pero no exigirlo, a veces la prohibición de discriminación podría llegar a exigir el trato diferente. O, dicho de otro modo, como ha reconocido la jurisprudencia, el principio de igualdad exige tratar igual los casos iguales, pero no cabe reclamar amparándose en el mismo una exigencia de trato desigual de los casos desiguales. Sin embargo, esa exigencia podría llegar a derivar del derecho a no ser discriminado, pues a veces puede darse el caso de "discriminación por indiferenciación".

6) En relación con lo anterior, el mandato de suprimir la discriminación puede exigir a veces actuaciones positivas tendentes a corregir desigualdades personales o sociales para conseguir la igualdad material o real. Se trataría de las "acciones positivas" o incluso las "discriminaciones inversas" [69]. Aunque la jurisprudencia constitucional no ha sido muy clara en este sentido, y habitualmente suelen considerarse estas medidas como meras opciones legislativas (sometidas además a un juicio estricto de constitucionalidad), la prohibición de discriminación podría conllevar una exigencia de tales medidas, y el derecho a no ser discriminado podría incluir en ciertos supuestos la facultad de reclamarlas. Obviamente, ello no

---

[67] En este sentido, Miguel RODRÍGUEZ-PIÑERO y Mª Fernanda FERNÁNDEZ LÓPEZ, *Igualdad...*, cit., p. 158. Si bien, como destacan estos autores, también podrían ser discriminados grupos con personalidad jurídica (por ejemplo una iglesia) cuando lo sea el colectivo de sus componentes. Por tanto, el sujeto pasivo de la discriminación será en realidad el conjunto de personas físicas que componen el colectivo, con independencia de que éste posea o no personalidad jurídica.

[68] Véase en esta línea Alfonso RUIZ MIGUEL, "La igualdad...", cit., p. 182.

[69] Entre la amplia bibliografía, se recomienda por su interés GIMÉNEZ GLUCK, David, *Una manifestación polémica del principio de igualdad: acciones positivas moderadas y medidas de discriminación inversa*, Tirant lo Blanch, Valencia, 1999, en especial pp. 57 ss.

supone que dichas medidas no deban superar los *tests* o juicios que derivan del principio de igualdad en la ley, pero al menos en los mismos tienen garantizada una finalidad constitucionalmente exigida. De este modo, el mandato constitucional de no discriminación podría ser la "puerta" de entrada de las exigencias del art. 9.2 en el art. 14 CE.

7) Por las mismas razones, las discriminaciones indirectas y encubiertas resultan también constitucionalmente prohibidas, aun cuando en muchos casos no sean contrarias al principio de igualdad ante la ley.

8) En fin, la forma de reparar las violaciones del principio de igualdad ante la ley, y las de la prohibición de discriminación no son iguales. En el primer caso, bastaría en principio la anulación de la norma que provoca la desigualdad (habitualmente sería indiferente si la igualdad se consigue extendiendo el beneficio o "privilegio" o suprimiéndolo, aunque podría no serlo si la violación del principio procede de una omisión); en cambio, en el caso de la discriminación, suele ser necesaria la adopción de determinadas medidas para corregir esa situación de desventaja o inferioridad, que obviamente no se resuelve suprimiendo ningún beneficio o privilegio de nadie.

Dicho lo anterior, son innegables las estrechas relaciones entre igualdad ante la ley y no discriminación, de manera que, como ha destacado algún autor, aun aceptando un concepto restringido de "discriminación", la distinción entre la misma y las simples desigualdades ante la ley no puede considerarse como un salto cualitativo [70]. De hecho, la existencia de una cláusula abierta en los motivos o criterios de discriminación amplía tanto el concepto de ésta que se genera una amplia zona "de coincidencia", en la que las vulneraciones del principio de igualdad ante la ley implicarán también una discriminación constitucionalmente prohibida; aunque el concepto de discriminación es como se ha visto diferente y, desde cierta perspectiva, más amplio en tanto que puede producirse en casos diferentes a los de desigualdades irrazonables basadas en criterios vinculados a colectivos preteridos y que afectan directamente a la dignidad de las personas pertenecientes a los mismos. De este modo, a mi juicio la relación entre igualdad ante la ley y prohibición de discriminación se podría expresar con dos círculos separados pero que inevitablemente tienen una zona de intersección. Ahora bien, si se entiende que la cláusula abierta de motivos de discriminación permite incor-

---

[70] En este sentido, Alfonso RUIZ MIGUEL, "La igualdad...", cit., p. 169, quien parte de un concepto restringido de "discriminación" no equiparable a toda desigualdad injusta "sino a un tipo especial de desigualdades caracterizado por la naturaleza generalmente odiosa del prejuicio social descalificatorio, que tiende a tomar como objeto de persecución un rasgo físico o cuasifísico hasta afectar de manera gravísimamente injusta a la dignidad y, por tanto a la igualdad más básica de los portadores de tal rasgo".

porar a este concepto, en similar condición y con idénticos efectos que los motivos expresos, cualquier otra condición o circunstancia, entonces el círculo que representa la discriminación crece abarcando en gran medida lo que comprende el principio de igualdad ante la ley, de manera que éste tiende a situarse casi íntegramente dentro del de la discriminación.

5.3.2. Discriminación directa e indirecta

La doctrina distingue entre discriminación directa e indirecta [71], tomando como base una diferenciación jurisprudencial originada en la Corte Suprema de los Estados Unidos, a partir de la sentencia *Griggs v. Duke Power Company* [72]. La discriminación directa, que también puede denominarse discriminación en el trato, o discriminación jurídica, consiste en un tratamiento diferente y perjudicial basado en la pertenencia de determinadas categorías, y carente de una justificación objetiva y razonable. En cambio, la discriminación indirecta, también denominada discriminación de hecho, de impacto, o por los resultados, comprende los tratamientos formalmente neutros, pero que producen un resultado perjudicial o peyorativo para un colectivo determinado de personas por sus condiciones o pertenencia a una categoría determinada. En palabras de Esparza Reyes [73], la discriminación indirecta "rompe la igualdad de una manera relativamente encubierta, porque la discriminación no se puede notar en la norma directamente, sino que al analizar su aplicación o los resultados de ella, en este caso la norma o acto se presenta como aparentemente neutro o "indiferenciador", porque la discriminación sólo puede notarse en los hechos, en las consecuencias o resultados de su aplicación". Se trata, por tanto, de un trato formalmente igual (o cuyo criterio diferenciador parece neutro desde el punto de vista de las "categorías sospechosas" de discriminación), que sin embargo produce un efecto discriminatorio respecto a un colectivo determinado definido por características como la raza, el sexo, la

---

[71] Hoy esta distinción está bastante asentada. A título de muestra, podemos citar a Estefanía ESPARZA REYES, *El derecho fundamental a la igualdad...*, cit., pp. 245 ss., con cita de doctrina, así como de jurisprudencia del Tribunal Supremo norteamericano, que es donde se acuña la diferencia; o Fernando REY MARTÍNEZ, "Igualdad entre hombres y mujeres en la jurisprudencia del Tribunal Constitucional español", en Manuela Mora Ruiz (dir.), *Formación y objeto del Derecho antidiscriminatorio de género: perspectiva sistemática de la igualdad desde el Derecho público*, Aletier, Madrid, 2010, pp. 78 ss., centrado en la jurisprudencia del Tribunal Constitucional español que reconoce discriminaciones de uno u otro tipo, siempre dentro de la categoría del sexo.

[72] 401 U.S. 424 (1971). Un breve comentario a esta sentencia, y a la evolución posterior de la jurisprudencia norteamericana, en Estefanía ESPARZA REYES, *El derecho fundamental...*, cit., pp. 245 ss.

[73] Estefanía ESPARZA REYES, *El derecho fundamental...*, cit., p. 247.

opinión, etc., normalmente porque la mayor parte de las personas que están en la situación aparentemente "neutra" a la que se da determinado trato, habitualmente peor, pertenecen también a dicho colectivo.

La distinción sucintamente descrita ha sido asumida por la jurisprudencia del Tribunal Constitucional español, a partir de la STC 145/1991, que afirma que la prohibición constitucional de discriminación incluye también las discriminaciones indirectas, que define como aquella "que incluye los tratamientos formalmente no discriminatorios de los que derivan, por las diferencias fácticas que tienen lugar entre trabajadores de diverso sexo, consecuencias desiguales perjudiciales por el impacto diferenciado y desfavorable que tratamientos formalmente iguales o tratamientos razonablemente desiguales tienen sobre los trabajadores de uno y de otro sexo a causa de la diferencia de sexo" [74]. Si bien esta definición se centra en la discriminación indirecta por sexo, paralelamente puede hablarse de discriminación indirecta con impacto perjudicial hacia otros colectivos. En todo caso, la jurisprudencia constitucional española ha recurrido reiteradamente a este concepto para considerarlo incluido dentro de las discriminaciones prohibidas, en supuestos que han afectado habitualmente a la discriminación por sexo [75].

Posteriormente, el legislador ha incorporado esta distinción en el artículo 6 de la Ley Orgánica 3/2007, de 22 de marzo, para la igualdad efectiva de mujeres y hombres, que, siguiendo lo establecido en varias directivas europeas, dispone textualmente:

> "1. Se considera discriminación directa por razón de sexo la situación en que se encuentra una persona que sea, haya sido o pudiera ser tratada, en atención a su sexo, de manera menos favorable que otra en situación comparable.
>
> 2. Se considera discriminación indirecta por razón de sexo la situación en que una disposición, criterio o práctica aparentemente neutros pone a personas de un sexo en desventaja particular con respecto a personas del otro, salvo que dicha disposición, criterio o práctica puedan justificarse objetivamente en atención a una finalidad legítima y que los medios para alcanzar dicha finalidad sean necesarios y adecuados".

Aparte de tratarse de un artículo que en realidad incorpora meramente definiciones, referidas en este caso solo a la discriminación por razón de sexo, sorprende que la definición de discriminación directa parece exigir meramente un trato diferente y peor, sin acudir a la idea, como veremos totalmente acuñada en la jurisprudencia, de la carencia de razonabilidad de dicho trato; idea que, sin

---

[74] STC 145/1991, de 1 de julio, f. j. 2.
[75] Por ejemplo, véanse SSTC 58/1994, de 28 de febrero; 174/1995, de 16 de octubre; 198/1996, de 3 de diciembre; 240/1999, de 20 de diciembre; 253/2004, de 22 de diciembre, entre otras. Un interesante comentario a estas y otras sentencias del Tribunal Constitucional, en Fernando REY MARTÍNEZ, "Igualdad entre hombres y mujeres...", cit., pp. 86 ss.

embargo, sí aparece desarrollada en la definición de discriminación indirecta, que excluye la aplicación de esa categoría cuando exista una justificación objetiva, entendida como un fin legítimo y medios necesarios y adecuados para alcanzarlo. Sin perjuicio de lo que diremos respecto al escrutinio más estricto al que cabe someter al trato diferente por razón de sexo, no parece que el mismo pueda excluirse de plano, por lo tanto no resulta adecuado omitir dicha exigencia.

En todo caso, lo que interesa destacar es que las discriminaciones indirectas resultan hoy jurisprudencial y legalmente prohibidas (en este último caso, en España, solo por razón de sexo, aunque en principio otras discriminaciones indirectas podrían entenderse incluidas en la genérica prohibición constitucional).

5.3.3. Los "motivos" de la discriminación prohibida y los efectos del trato basado en los mismos

Cobra especial trascendencia la determinación de los motivos que convierten una desigualdad irrazonable o injusta (o más ampliamente, un determinado "trato" o incluso una situación) en discriminatoria. El análisis de esta compleja cuestión desbordaría con mucho los propósitos de este trabajo, pero al menos han de plantearse algunas ideas generales.

Como se señaló, todos los textos internacionales de derechos, y la propia CE, enumeran una serie de motivos de discriminación prohibida (en el caso del art. 14 CE son el nacimiento, la raza, el sexo, la religión y la opinión), y añaden luego una cláusula abierta que supone también la prohibición de discriminación "por cualquier otra condición o circunstancia personal o social". Se trataría por tanto de un conjunto de circunstancias que históricamente han constituido motivo habitual para la postergación o marginación de las personas y los colectivos definidos por dichas circunstancias, pero permitiendo que el elenco de las mismas sea ampliado.

Hoy existe un acuerdo generalizado en que la consecuencia fundamental de la proclamación de esos motivos, que se convierten así en "categorías sospechosas de discriminación", es someter a un "escrutinio más estricto" a las diferenciaciones que se basan en una de esas circunstancias. Como es sabido, fue el Tribunal Supremo norteamericano el primero en establecer esa consecuencia, aunque dado que la cláusula de *equal protection* no menciona expresamente ninguna categoría específica por la que se prohíba la discriminación, las mismas han debido también ser creadas por el propio Tribunal. En cualquier caso, el principal efecto es la necesidad de someter a un examen más cuidadoso de constitucionalidad a las leyes que afecten a estas categorías, lo que implica que sólo cuando tales leyes sirvan determinados fines (apremiantes o importantes) serán constitucionalmente admisibles [76]. Puede citarse como origen de estas ideas la célebre nota a pie de página número 4 de la sentencia *United States v. Carolene Products Co.* [77], en la que se plantea si el prejuicio contra "minorías aisladas y sin voz" puede justificar un examen judicial más estricto. Como se acaba de indicar, el Tribunal ha ido creando con este fundamento una serie de "categorías sospechosas": raza u origen étnico [78], extranjería[79], hijos ilegítimos [80], y sexo [81], sometidas a un escrutinio

---

[76] En realidad, como ponen de manifiesto, por ejemplo, ROTUNDA, R.D./NOWAK, J.E. *Treatise on Constitutional Law. Substance and procedure*, 4 vol., West Publishing Co., St. Paul, Minn., 1992, vol. 3, p. 14 y ss., se han utilizado tres tipos de "tests" en las decisiones sobre *equal protection*: a) el *Rational Relationship*, aplicado también en el ámbito del *due process*, y que supone que el Tribunal no realizará una revisión significativa de las leyes que clasifiquen a las personas en cuanto a la legislación económica general; en tales casos, el Tribunal considera que el legislativo está más capacitado para establecer clasificaciones razonablemente relacionadas a determinados fines, y por ello mantiene una actitud de cierta deferencia; b) el *Strict Scrutiny*, que supone que el Tribunal no aceptará cualquier propósito gubernamental como suficiente, sino que exigirá que el gobierno demuestre que la clasificación es necesaria para lograr un fin apremiante o primordial (*compelling or overriding*), o está estrechamente encaminada a él; este *test* es utilizado habitualmente respecto a la raza y el origen nacional; c) el *Intermediate Test*, que implica un término medio, en el que el Tribunal, sin conceder mucha "deferencia" al legislativo, tampoco exige un *compelling interest*; ello implica que la constitucionalidad de la clasificación se mantendrá si tiene una "relación sustancial" con un interés gubernamental "importante". Como destacan estos autores, el "escrutinio intermedio" se ha utilizado respecto a clasificaciones como sexo, ilegitimidad o ciudadanía, aunque estas clasificaciones también han sido objeto en otras ocasiones de "escrutinio estricto". Un extenso estudio del tratamiento por el Tribunal Supremo de los diversos criterios de clasificación puede encontrarse en la misma obra, vol. 3, pp. 67-297.

[77] 304 U.S. 144 (1938).

[78] Por ejemplo, *Brown v. Board of Education*, 347 U.S. 483 (1954); *Hernández V. Texas*, 347 U.S. 475 (1954).

[79] *Graham v. Richardson*, 403 U.S. 365 (1971); el Tribunal estableció que los extranjeros son una minoría "aislada y sin voz", y que sería preciso un interés apremiante para privarles de los beneficios del bienestar; *Sugarman V. Dougall*, 413 U.S. 634 (1973), invalidó una ley que exigía la ciudadanía como requisito para el acceso a determinados puestos de servicio gubernamental o civil, cuya función no requería una "lealtad" que justificase la exigencia de la nacionalidad.

[80] Así, *Levy v. Louisiana*, 391 U.S. 68 (1968), que afirmó que los hijos ilegítimos eran personas con derecho a plena protección de la cláusula *equal protection*, anulando una ley de Louisiana que les excluía de indemnización en el caso de muerte injusta de uno de sus padres; *Trimble v. Gordon*, 430 U.S. 762 (1.977), que declaró la inconstitucionalidad de una ley que excluía de la sucesión intestada a los hijos ilegítimos; en *Clark v. Jeter*, 486 U.S. 456 (1.988), el Tribunal invalidó una ley que limitaba las acciones de paternidad a los hijos ilegítimos, estableciendo formalmente un escrutinio intermedio, al referir la distinción constitucionalmente admisible en la materia a un objetivo gubernamental "importante" (a diferencia del interés *compelling or overriding* del escrutinio estricto).
Sin embargo, de la jurisprudencia y la doctrina que la interpreta no se desprende de forma unívoca que los hijos ilegítimos constituyan una categoría sospechosa: así, E.S. CORWIN, *La Constitución de los Estados Unidos y su significado actual*, Fraterna, Buenos Aires, 1987, pp.

."estricto" o, en su caso, intermedio. En cambio, parece haber rechazado dicha consideración para la pobreza [82] o la edad [83].

633-634, comentando la jurisprudencia sobre esta categoría, señala que la misma no se ha considerado como "sospechosa", a pesar de que el Tribunal se ha opuesto a varias distinciones que perjudicaban a hijos ilegítimos; Enrique ALONSO GARCIA, *La interpretación de la Constitución*, Centro de Estudios Constitucionales, Madrid, 1984, p. 290, afirma que, aunque expresamente no han sido calificados como "categoría sospechosa", sí han sido tratados como tal, aunque sometida sólo a un *intermediate scrutiny*. Para R.D. ROTUNDA /J.E. NOWAK, *Treatise...*, op. cit., p. 260 ss., aunque el escrutinio intermedio sólo se estableció expresamente a partir de 1988, ya entre 1968 y 1988 se estaba utilizando una forma equivalente de revisión respecto a esta categoría, exigiendo la demostración de que la distinción no era arbitraria, lo que no permitía mucho margen de "deferencia" hacia el legislador.

[81] Solo a partir de 1971 el sexo se ha considerado por la *Supreme Court* como categoría sospechosa (antes, fue tratado con la deferencia al legislador propia de las materias económicas); sin embargo, se ha mantenido en el ámbito del *intermediate scrutiny*. En *Reed v. Reed*, 404 U.S. 71 (1971), sin considerar expresamente el sexo como categoría sospechosa, se le concedió por primera vez efectiva protección, exigiendo que la clasificación fuera razonable, no arbitraria y referida a un objetivo legítimo; por ello se anuló una ley que daba preferencia a los varones para ser elegidos como administradores de una hacienda intestada. *Frontiero v. Richardson*, 411 U.S. 677 (1973) anuló una ley federal que concedía a los hombres, pero no a las mujeres de los servicios armados, una pensión automática para sus cónyuges; también puede citarse *Taylor v. Louisiana*, 419 U.S. 522 (1975) (la exención de las mujeres del deber de participar en el jurado vulnera el derecho de defensa), *Weinberger v. Wiesenfeld*, 420 U.S. 636 (1975) (pagos por fallecimiento de hombre a su mujer e hijos, pero por fallecimiento de mujer sólo a los hijos), y *Craig v. Boren* 429 U.S. 190 (1976), que deroga una ley de Oklahoma que prohíbe comprar cerveza de 3,2 % a los varones menores de 21 años, y mujeres menores de 18; en esta decisión, el Tribunal sitúa claramente esta categoría en el ámbito del escrutinio intermedio, al requerir que las clasificaciones basadas en el sexo estén sustancialmente referidas a la consecución de importantes objetivos gubernamentales. Un interesante análisis teórico del sexo como categoría sospechosa se encuentra en D.A.J. RICHARDS, *Conscience and the Constitution*, Princetown University Press, New Jersey, 1993, pp. 178-191.

[82] *James v. Valtierra*, 402 U.S. 137 (1971), negó expresamente que la pobreza fuese una categoría sospechosa. Sin embargo, algunas decisiones precedentes parecían apuntar hacia la posible consideración de la riqueza como categoría sospechosa: así, *Douglas v. California*, 372 U.S. 353 (1963), defendió que la negación del derecho a un abogado a los pobres para apelar trazaba una línea anticonstitucional entre ricos y pobres; *Harper v. Virginia State Board of Elections*, 383 U.S. 663 (1966), había derogado un impuesto de capitación, afirmando que cualquier tipo de tasa sobre el voto era una forma inadmisible de limitar el acceso a este derecho; *Shapiro v. Thompson*, 394 U.S. 618 (1969), estableció que el Estado no puede imponer requisitos de residencia para beneficios gubernamentales cuando los mismos penalicen el derecho a viajar entre Estados para las personas pobres.

Puede apreciarse que en estos ejemplos, y otros casos similares, hay otro derecho fundamental en juego (acceso a la justicia, derecho de voto, libertad de circulación...), además de la protección de los pobres. En realidad, por tanto, la pobreza no parece haberse configurado formalmente como categoría sospechosa. De hecho, L. H. TRIBE, *American Constitutional Law*, The Foundation Press, Mineola, New York, ed., 1988, pp. 1625 ss., señala que, a pesar del alto grado de sensibilidad del Tribunal Warren hacia los pobres, nunca consideró la riqueza

El Tribunal Constitucional español, aunque en algún caso parece haber tendido a equiparar las "categorías sospechosas" con exigencias de parificación total, más bien ha acogido la idea del "canon mucho más estricto" [84]. Ahora bien, la existencia de una serie de menciones específicas de "categorías sospechosas" en el artículo 14 CE es una diferencia significativa respecto al sistema norteamericano, que obliga a plantear la cuestión de si cabe equiparar a las mismas otros motivos o criterios de discriminación, basándose en el inciso final del precepto. El Tribunal ha destacado que la mención de una serie de prohibiciones expresas no implica "la creación de una lista cerrada de supuestos de discriminación; pero sí representa una explícita interdicción del mantenimiento de determinadas diferenciaciones históricamente muy arraigadas y que han situado, tanto por la acción de los Poderes Públicos, como por la práctica social, a sectores de la población en posiciones no sólo desventajosas, sino abiertamente contrarias a la dignidad de la persona que reconoce el art. 10 de la CE" [85].

Ciertamente, la mención de "cualquier otra condición o circunstancia personal o social" da a entender que también está prohibida la discriminación por muchos otros motivos, y de hecho el Tribunal Constitucional ha reconocido expre-

---

o pobreza como categoría en sí sospechosa, y sólo anuló al respecto las leyes relativas a denegación del sufragio o del acceso a la justicia criminal; el Tribunal Burger, junto al abandono de la "retórica" de "igual justicia para los pobres", ha utilizado con la pobreza, según este autor, el criterio de la *minimal protection*. R.D. ROTUNDA/J.E. NOWAK, *Treatise...*, op. cit., vol. 3, p. 291 ss., sitúan la pobreza en general en el ámbito del test *Rational Relationship*, que supone como vimos el mínimo grado de escrutinio.

[83]   En *Massachusetts Bd. of Retirement v. Murgia* 427 U.S. 307 (1976), el Tribunal rehusó la consideración de los ancianos como categoría sospechosa, afirmando que los mismos no han vivido una "historia de trato desigual intencionado" ni se han visto sujetos a incapacidades específicas sobre la base de características estereotipadas que no indican realmente sus cualidades. En general, no parece que la edad se haya considerado "categoría sospechosa"; L.H. TRIBE, *American...*, cit., p. 1588 ss., parece apuntar una posición intermedia para la infancia, refiriéndose a una *semi-discrete minority*, o a una categoría "semi-sospechosa"; en la misma posición sitúa las diferenciaciones hacia las personas de mayor edad.

[84]   Véase, por ejemplo, STC 126/1997, de 3 de julio, f. j. 8, con cita de sentencias anteriores: "si el principio de igualdad «no postula ni como fin ni como medio la paridad y sólo exige la razonabilidad de la diferencia de trato», las prohibiciones de discriminación, en cambio, imponen como fin y generalmente como medio la parificación de trato legal, de manera que sólo pueden ser utilizadas excepcionalmente por el legislador como criterio de diferenciación jurídica (STC 229/1992, fundamento jurídico 4.°). Lo que implica la necesidad de usar en el juicio de legitimidad constitucional un canon mucho más estricto y que implica un mayor rigor respecto a las exigencias materiales de proporcionalidad (SSTC 75/1983, fundamento jurídico 4°, 209/1988, fundamento jurídico 6°)".

[85]   Por ejemplo, STC 166/1988, de 26 de septiembre, f. j. 2, con cita de jurisprudencia anterior. En la misma línea, el TEDH ha señalado que la lista que contiene el art. 14 CEDH tiene un carácter indicativo y no limitativo (STEDH de 21 de diciembre de 1999, caso *Salgueiro Da Silva Mouta contra Portugal*, párrafo 28).

samente otros como la orientación sexual [86], la transexualidad [87], la enfermedad

---

[86]   Véase STC 41/2006, de 13 de febrero: "la orientación homosexual, si bien no aparece expresamente mencionada en el art. 14 CE como uno de los concretos supuestos en que queda
       prohibido un trato discriminatorio, es indubitadamente una circunstancia incluida en la cláusula «cualquier otra condición o circunstancia personal o social» a la que debe ser referida la
       interdicción de la discriminación. Conclusión a la que se llega a partir, por un lado, de la constatación de que la orientación homosexual comparte con el resto de los supuestos mencionados
       en el art. 14 CE el hecho de ser una diferencia históricamente muy arraigada y que ha situado
       a los homosexuales, tanto por la acción de los poderes públicos como por la práctica social, en
       posiciones desventajosas y contrarias a la dignidad de la persona que reconoce el art. 10.1 CE,
       por los profundos prejuicios arraigados normativa y socialmente contra esta minoría; y, por
       otro, del examen de la normativa que, ex art. 10.2 CE, debe servir de fuente interpretativa del
       art. 14 CE".
       Por su parte, el Tribunal Europeo de Derechos Humanos también ha considerado la orientación
       sexual como categoría especialmente protegida, insistiendo expresamente en que las diferencias
       basadas en el sexo, las diferencias de trato basadas en la orientación sexual exigen razones
       especialmente importantes para ser justificadas (entre otras, SSTEDH de 9 de enero de 2003,
       casos L. y V. contra Austria, párrafo 48, y SL contra Austria, párrafo 37, o 24 de julio de 2003,
       caso Karner contra Austria, párrafo 37, a las que se han remitido otras posteriores como son
       las SSTEDH de 10 de febrero de 2004, caso B.B. contra Reino Unido; 21 de octubre de 2004,
       caso Woditschka y Wilfing contra Austria; 3 de febrero de 2005, caso Ladner contra Austria;
       26 de mayo de 2005, caso Wolfmeyer contra Austria; 2 de junio de 2005, caso H.G. y G.B.
       contra Austria; o 22 de enero de 2008, caso E.B. contra Francia, párrafo 91). Un argumento
       adicional a favor de la consideración de la orientación sexual como categoría sospechosa de
       discriminación lo constituye hoy el art. 21.1 de la CDFUE, que la menciona expresamente
       entre el amplio elenco de motivos o circunstancias que recoge. Sobre este tema, con mucho más
       detalle, véase María MARTÍN SÁNCHEZ, Matrimonio homosexual y Constitución, Tirant lo
       Blanch, Valencia, 2008, pp. 35 ss. De la misma autora, "Aproximación histórica al tratamiento
       jurídico y social dado a la homosexualidad en Europa", en Estudios Constitucionales, año 9,
       número 1, 2010, pp. 245 ss. Véase también el muy interesante trabajo de Fernando REY MAR
       TÍNEZ, "Homosexuales", en Revista Iberoamericana de Derecho Procesal Constitucional, Nº
       13, 2010, pp. 285 ss.
[87]   STC 176/2008, de 22 de diciembre, f. j. 4: "no existe ningún motivo que lleve a excluir de la cobertura del principio de no discriminación contenido en el inciso segundo del art. 14 CE a una
       queja relativa a la negación o recorte indebido de derechos (...) a quien se define como transexual y alega haber sido discriminado, precisamente, a causa de dicha condición y del rechazo
       e incomprensión que produce en terceros su disforia de género. En relación con lo anterior, es
       de destacar que la condición de transexual, si bien no aparece expresamente mencionada en el
       art. 14 CE como uno de los concretos supuestos en que queda prohibido un trato discriminatorio, es indudablemente una circunstancia incluida en la cláusula «cualquier otra condición o
       circunstancia personal o social» a la que debe ser referida la interdicción de la discriminación.
       Conclusión a la que se llega a partir, por un lado, de la constatación de que la transexualidad
       comparte con el resto de los supuestos mencionados en el art. 14 CE el hecho de ser una diferencia históricamente arraigada y que ha situado a los transexuales, tanto por la acción de
       los poderes públicos como por la práctica social, en posiciones desventajosas y contrarias a la
       dignidad de la persona que reconoce el art. 10.1 CE, por los profundos prejuicios arraigados
       normativa y socialmente contra estas personas; y, por otro, del examen de la normativa que, ex
       art. 10.2 CE, debe servir de fuente interpretativa del art. 14 CE".

[88], la edad [89] o la discapacidad [90], e incluso cabría plantear otras circunstancias como la pobreza o la lengua [91]. Por lo demás, la entrada en vigor de la CDFUE y su alcance interpretativo a través del artículo 10.2 CE nos exige considerar otros motivos previstos expresamente en el art. 21 de la misma, en lo que puede ser uno de los más amplios y extensos elencos de motivos por los que se prohíbe la discriminación: "sexo, raza, color, orígenes étnicos o sociales, *características genéticas, lengua*, religión o convicciones, opiniones políticas o de cualquier otro tipo, *pertenencia a una minoría nacional, patrimonio*, nacimiento, *discapacidad, edad*

---

[88]   Véase STC 62/2008, de 26 de mayo, f. j. 6: "no cabe duda de que el estado de salud del trabajador o, más propiamente, su enfermedad, pueden, en determinadas circunstancias, constituir un factor de discriminación análogo a los expresamente contemplados en el art. 14 CE, encuadrable en la cláusula genérica de las otras circunstancias o condiciones personales o sociales contemplada en el mismo. Ciñéndonos al ámbito de las decisiones de contratación o de despido que se corresponde con el objeto de la presente demanda de amparo, así ocurrirá singularmente, como apuntan las resoluciones ahora recurridas basándose en jurisprudencia previa de la Sala de lo Social del Tribunal Supremo, cuando el factor enfermedad sea tomado en consideración como un elemento de segregación basado en la mera existencia de la enfermedad en sí misma considerada o en la estigmatización como persona enferma de quien la padece, al margen de cualquier consideración que permita poner en relación dicha circunstancia con la aptitud del trabajador para desarrollar el contenido de la prestación laboral objeto del contrato".

[89]   Véanse, por ejemplo, SSTC 75/1983, de 3 de agosto, f. j. 3; 69/1991, de 8 de abril, f. j. 4, o 184/1993, de 31 de mayo, f. j. 3. Esta última señala: "Aunque la edad no figura entre las causas de discriminación expresamente enunciadas en el art. 14 de la C.E., puede encontrarse entre las circunstancias personales a las que genéricamente se refiere el inciso final del precepto (SSTC 75/1983, 31/1984 y 69/1991), y por ello podrá en algunos casos ser tomada en consideración por la norma o su intérprete cuando resulta relevante desde el punto de vista de la aplicación del principio de igualdad (STC 69/1991). En materia de Seguridad Social, puede la edad suponer un criterio de distinción que responda a razones objetivas y razonables". Según este criterio, parece ubicarse a la edad dentro de las categorías por las que se prohíbe la discriminación, pero no sometida a un escrutinio estricto, sino más bien al ordinario.

[90]   STC 269/1994, de 3 de octubre, f. j. 4: "No siendo cerrado el elenco de factores diferenciales enunciado en el art. 14 CE, es claro que la minusvalía física puede constituir una causa real de discriminación. Precisamente porque puede tratarse de un factor de discriminación con sensibles repercusiones para el empleo de los colectivos afectados, tanto el legislador como la normativa internacional (Convenio 159 de la O.I.T.) han legitimado la adopción de medidas promocionales de la igualdad de oportunidades de las personas afectadas por diversas formas de discapacidad, que, en síntesis, tienden a procurar la igualdad sustancial de sujetos que se encuentran en condiciones desfavorables de partida para muchas facetas de la vida social en las que está comprometido su propio desarrollo como personas. De ahí la estrecha conexión de estas medidas, genéricamente, con el mandato contenido en el art. 9.2 C.E., y, específicamente, con su plasmación en el art. 49 CE Lógicamente, la legitimidad constitucional de medidas de esta naturaleza equiparadora de situaciones sociales de desventaja, sólo puede ser valorada en el mismo sentido global, acorde con las dimensiones del fenómeno que trata de paliarse, en que se han adoptado, adecuándose a su sentido y finalidad".

[91]   Véase, por todos, el interesante y amplio análisis realizado por David GIMÉNEZ GLÜCK, *Juicio...*, cit., pp. 236 ss.

u orientación sexual" (en cursiva he destacado los motivos que no se contemplan expresamente en el art. 14 CE).

Como se ve, los motivos de discriminación prohibida se amplían, incluyendo en general supuestos de pertenencia a colectivos tradicionalmente preteridos o marginados, y aproximándose quizá a la idea de la pertenencia a "grupos en situación de vulnerabilidad" [92]. De todos modos, no es seguro que en todos estos casos se aplique al trato diferente el mismo escrutinio estricto que a las categorías expresamente mencionadas en el artículo 14, dado que el Tribunal no ha acogido expresamente esa idea. Por tanto, toda discriminación está constitucionalmente prohibida, y de hecho la jurisprudencia ha ido incorporando otras categorías que podrían considerarse "especialmente sospechosas", e incluso ha sugerido los criterios por los que podría considerarse que una concreta diferencia puede entenderse incluida en la cláusula abierta del artículo 14 (el arraigo histórico de la diferenciación, la existencia de prejuicios normativos y sociales que ubican a la minoría en posiciones desventajosas y contrarias a la dignidad, la interpretación de acuerdo con los textos internacionales a que se refiere el art. 10.2 [93]), pero no ha diseñado con precisión las consecuencias de esas categorías en relación con las expresamente mencionadas, o la diferencia de una discriminación por esos motivos y cualquier diferenciación injusta que vulnerase el principio de igualdad ante la ley. Sería recomendable que el Tribunal Constitucional concretase los parámetros del "escrutinio más estricto" y aclarase, más allá de los criterios expresamente mencionados en el art. 14 CE, a qué otros casos podría aplicarse este, así como los requisitos para que una categoría no expresamente mencionada pueda ser objeto de dicho escrutinio. En su caso, tal vez convendría también implantar (y detallar las consecuencias) un "escrutinio intermedio", que acaso podría aplicarse a aquellas categorías que merezcan un análisis más riguroso que el derivado del juicio de razonabilidad, pero no lleguen a requerir el escrutinio más estricto.

---

[92]   Véase sobre este tema Diana LARA ESPINOSA, *Grupos en situación de vulnerabilidad,* Comisión Nacional de los Derechos Humanos, México, 2013.

[93]   En este sentido, por ejemplo, la ya citada STC 41/2006, de 13 de febrero, f. j. 4. En línea más o menos similar, los criterios utilizados por el Tribunal Supremo norteamericano serían: 1) la condición de ser una minoría social que no puede defenderse por sí sola en el proceso político de elaboración de normas (lo que implica tanto la debilidad política del colectivo, como la existencia de un prejuicio social contra el mismo); 2) una historia de subordinación que presuma una actitud de sospecha contra el legislador; y 3) que la pertenencia al grupo desfavorecido sea involuntaria e inmutable. Hemos seguido a estos efectos la enumeración llevada a cabo por David GIMÉNEZ GLÜCK, *Juicio...,* cit., pp. 230 ss.; sin embargo, el mencionado autor considera que este tercer requisito no sería aplicable a España al existir dos cláusulas expresas de no discriminación (la religión y la opinión) que no responden a este parámetro.

5.3.4. ¿Prohibición de discriminación y/o derecho a no ser discriminado?

Hasta ahora me he venido refiriendo fundamentalmente a la prohibición de discriminación, dado que el art. 14 CE (y, de forma aun más clara, el art. 21 CDFUE) contienen un enunciado en este sentido. Desde luego, esta prohibición debe entenderse como un mandato a los poderes públicos y a los particulares, que no solo tiene un sentido negativo o limitativo, sino que eventualmente puede implicar —al menos para los poderes públicos— acciones positivas para corregir o erradicar discriminaciones existentes. Por tanto, aunque podamos mantener la idea de la prohibición de la discriminación, quizá fuera más apropiado hablar de mandato de evitar (y eventualmente corregir, al menos para los poderes públicos) la discriminación. En estos términos conviene entender dichos enunciados.

Pero por otro lado hay que plantearse si, correlativamente a dicho mandato, hay un derecho de las personas a no sufrir discriminación o a no ser discriminado. Los restantes textos internacionales que comentábamos al inicio sí hablan en esos términos, aunque normalmente no lo enuncian como derecho a no ser discriminado, sino más bien como derecho a "igual protección contra toda discriminación" (art. 7 de la Declaración Universal de los Derechos Humanos), "derecho sin discriminación a igual protección de la Ley" (art. 26 PIDCP), o bien se señala que "El goce de los derechos y libertades reconocidos en el presente Convenio ha de ser asegurado sin distinción alguna" (art. 14 CEDH). En cualquier caso, parece claro que la prohibición de discriminación conlleva correlativamente un derecho subjetivo, por las mismas razones ya señaladas al referirnos al "derecho a la igualdad", del que procede y con el que en parte puede llegar a confundirse. Este es un derecho a no recibir tratos desiguales irrazonables (contrapartida del principio de igualdad ante la ley), que en el caso de las causas de discriminación prohibida implicaría un derecho a no recibir un trato diferente en función de esos criterios odiosos, salvo en los casos excepcionales que superen el escrutinio estricto. En un sentido propio, solo a este último llamamos derecho a no sufrir discriminación, pero en un sentido amplio el mismo (al menos en su configuración originaria) formaría parte de un único derecho a la igualdad. Pero la autonomía del derecho a no ser discriminado se ha ido confirmando, ya que no conviene olvidar, como ya se ha apuntado, que dicho derecho podría incluir a veces dimensiones prestacionales, es decir, conllevar un derecho a ciertas actuaciones positivas que no impliquen la exigencia de un trato igual, sino más bien lo contrario. Aunque tradicionalmente se ha descartado esa posibilidad, en la actualidad se va considerando, como ya he sugerido, que la no discriminación podría conllevar algún derecho de ese tipo.

En relación con lo anterior, cabe plantear la cuestión de la autonomía del derecho a no sufrir discriminación respecto a otros derechos. Como se ha visto, el derecho a la igualdad no tiene en principio esa característica autonomía, ya que la igualdad se predica en el ejercicio de otros derechos e intereses. Sin embargo, es más dudoso que hoy en día pueda extenderse sin más esa afirmación al derecho a no sufrir discriminación, ya que el mismo incluye facetas o dimensiones propias que no poseen ese carácter relacional. En mi opinión, la dimensión relacional de este derecho, aunque en términos generales no llegaría a desaparecer, se difumina, dado que, por un lado (y como acabamos de destacar), no siempre implica una exigencia de un trato igual en el ejercicio de otros derechos o intereses, y por otro el "término de comparación", que sigue siendo necesario para valorar la postergación del colectivo discriminado, es mucho más genérico, estando constituido por todo el resto de la sociedad que no tiene esa característica determinada, es decir, por lo que podríamos denominar "la mayoría".

Por último, y como ya se apuntó, la titularidad del derecho a no ser discriminado no coincide necesariamente con la del genérico derecho a la igualdad, ya que este puede restringirse en ocasiones a los nacionales, mientras que del derecho a no ser discriminado, por su estrecha vinculación a la dignidad, es titular todo ser humano.

En suma, el derecho a no ser discriminado surge como consecuencia del más genérico derecho a la igualdad, y muy vinculado a este, del que forman parte la mayor parte de sus manifestaciones. Sin embargo, la evolución del mismo le ha ido dotando cada vez de más autonomía, configurándose como un derecho con titularidad y perfiles propios que, a diferencia del genérico derecho que le sirve de matriz, no siempre implica el derecho a un trato igual.

5.3.5. No discriminación y particulares

Para terminar este tema, es preciso plantearse si este derecho a no ser discriminado es exigible también frente a particulares. De todo el análisis anterior se deduce a mi juicio una respuesta afirmativa, ya que si, como se ha dicho, el derecho a no ser discriminado se vincula directamente con la dignidad humana, que es su verdadero fundamento, puede comprenderse que esta no ha de ser vulnerada ni por poderes públicos ni por particulares. Como algún autor ha destacado [94], es necesario combatir la discriminación social, pues hay que erradicar las diversas formas de segregación racial, dado que la raíz del problema de la discriminación es precisamente el prejuicio social. Incuso se ha llegado a señalar que la discri-

---

[94]   Juan María BILBAO UBILLOS, "Prohibición...", cit., p. 153.

minación solo debería prohibirse cuando la efectúa el miembro del grupo dominante respecto del miembro del grupo de status inferior en la sociedad [95]. De este modo la prohibición de discriminación obliga a todos, y el propio enunciado del art. 14 CE y del art. 21 CDFUE apuntan en esa línea.

El Tribunal Constitucional se ha manifestado de forma muy concluyente en este sentido, señalando que "el respeto de la igualdad ante la Ley se impone a los órganos del poder público, pero no a los sujetos privados, cuya autonomía está limitada sólo por la prohibición de incurrir en discriminaciones contrarias al orden público constitucional, como son, entre otras, las que expresamente se indican en el art. 14 CE" [96].

Por tanto, así como los particulares no estarían vinculados en general por el derecho a la igualdad, sí les sería exigible la prohibición de discriminar a otras personas. Naturalmente, esta afirmación no supone que esta vinculación tenga el mismo carácter que para los poderes públicos, ni que implique las mismas obligaciones. En el caso de los particulares, el respeto al derecho a no sufrir discriminación debe ponderarse con otros derechos derivados de la libertad y de la autonomía de la voluntad, lo que da lugar a un amplio elenco de situaciones conflictivas cuya solución es dudosa, y para hacer frente a las cuales es necesario acudir a una serie de criterios específicos, que en algunos casos están necesitados de un mayor perfil.

6. IGUALDAD, NO DISCRIMINACIÓN Y VIOLENCIA DE GÉNERO

Como se indicó al inicio de este trabajo, su pretensión es llevar a cabo un análisis general de las dimensiones constitucionales de la igualdad, que sirva como introducción o contexto a la problemática de la violencia de género. Por esta razón, no se ha entrado específicamente en el análisis de las implicaciones jurídicas de este fenómeno. Con todo, parece evidente que tanto la igualdad, como la prohibición de discriminación, como el valor esencial de la dignidad de la persona (que está en la base de ambos) constituyen los valores fundamentales que resultan lesionados en todos los supuestos de violencia de género. Y, por tanto, son los valores u objetivos esenciales que los poderes públicos han de preservar a la hora de adoptar medidas tendentes a luchar contra esa práctica. La violencia de género supone siempre, y por definición, un acto profundamente discriminatorio

---

[95] Jesús ALFARO ÁGUILA-REAL, "Autonomía privada y derechos fundamentales", en *Anuario de Derecho Civil*, tomo XLVI, fascículo I, enero-marzo 1993, p. 113.

[96] STC 108/1989, de 8 de junio, f. j. 1.

que conlleva una vejación de una persona a la que se está considerando en una posición de subordinación o inferioridad por razón de su sexo; y es, por ello, un atentado frontal contra la dignidad humana que implica siempre una frontal violación de la Constitución y los tratados internacionales. Por ello todos los poderes públicos están obligados a adoptar las medidas necesarias para erradicar esa práctica, tratando de impedirla y de dar respuesta jurídica a los supuestos en los que se produce.

Sin embargo, no hay que olvidar que las propias medidas adoptadas por los poderes públicos, tanto si son normativas como de otro tipo, han de ser conformes con la Constitución, y pueden ser anuladas en caso contrario. En particular, deben ser acordes con las consecuencias del principio de igualdad que han sido analizadas en las páginas anteriores, de manera que no pueden resultar discriminatorias, ni implicar un trato diferenciado que no tenga un fundamento objetivo y razonable.

Como es sabido, en el caso español, y desde la perspectiva normativa, fue la Ley Orgánica 1/2004, de 28 de diciembre, de Medidas de Protección Integral contra la Violencia de Género, la que principalmente incorporó un conjunto de medidas de importancia para luchar de una forma específica contra ese fenómeno, aunque existe también una amplia legislación estatal y autonómica que tierne incidencia en la materia. Desde la perspectiva constitucional propia de este trabajo (y aunque de acuerdo con la distribución de materias de esta obra colectiva no corresponde a este texto profundizar en la cuestión), hay que recordar al menos que la citada ley orgánica del Estado incluía varias reformas del Código penal, estableciendo penas más elevadas para determinados delitos de lesiones, maltrato y amenzas, en el caso de que dichos delitos se cometieran frente a una víctima mujer que fuera esposa o lo hubiera sido, o mantuviera o hubiera mantenido una relación análoga con el agresor.

El planteamiento de diversas cuestiones de inconstitucionalidad frente a esos preceptos permitió al Tribunal Constitucional pronunciarse sobre su conformidad con la norma fundamental, que fue afirmada en todos los casos, a pesar de que dichas sentencias fueron acompañadas de diversos votos particulares [97]. El objeto central de análisis es si la imposición de una pena diferente y agravada en los casos de violencia de género, respecto al mismo delito en oras circunstancias, implicaba una vulneración del principio constitucional de igualdad, conllevando precisamente una discriminación por razón de sexo. El Tribunal, como he apuntado, entendió que no se producía dicha vulneración, ya que las especialidades

---

[97]   Se trata de las SSTC 59/2008, de 14 de mayo, sobre el artículo 153.1 del Código Penal; 45/2009, de 19 de febrero, sobre el art. 171.4 del Código Penal; 201/2009, de 27 de octubre, en relación con ambos preceptos, y otras posteriores en la misma línea.

que se producen en estos casos justifican el diferente tratamiento, acorde con el particular desvalor que conlleva la acción penalizada en estos casos. Según el Tribunal, "las agresiones del varón hacia la mujer que es o que fue su pareja afectiva tienen una gravedad mayor que cualesquiera otras en el mismo ámbito relacional porque corresponden a un arraigado tipo de violencia que es "manifestación de la discriminación, la situación de desigualdad y las relaciones de poder de los hombres sobre las mujeres". En la opción legislativa ahora cuestionada, esta inserción de la conducta agresiva le dota de una violencia peculiar y es, correlativamente, peculiarmente lesiva para la víctima. Y esta gravedad mayor exige una mayor sanción que redunde en una mayor protección de las potenciales víctimas. El legislador toma así en cuenta una innegable realidad para criminalizar un tipo de violencia que se ejerce por los hombres sobre las mujeres en el ámbito de las relaciones de pareja y que, con los criterios axiológicos actuales, resulta intolerable" [98].

A pesar de la trascendencia de la cuestión, que como es sabido no ha estado exenta de una cierta polémica y de debate en el ámbito dee la doctrina jurídica, no es posible en estas páginas profundizar en su análisis, que excedería los planteamientos generales inicialmente anunciados.

BIBLIOGRAFÍA

ALONSO GARCÍA, Enrique., "El principio de igualdad del artículo 14 de la Constitución española", en *Revista de Administración Pública*, nº 100, 1983.

ALFARO ÁGUILA-REAL, Jesús., "Autonomía privada y derechos fundamentales", en *Anuario de Derecho Civil*, tomo XLVI, fascículo I, enero-marzo 1993.

ÁLVAREZ CONDE, Enrique., *Curso de Derecho Constitucional*, Tecnos, Madrid, vol. I, 6ª ed., 2008.

ALZAGA VILLAMIL, Óscar., (dir.), *La Constitución española de 1978. Estudio sistemático*, Foro, Madrid, 1978.

APARICIO PÉREZ., Miguel Ángel., y BARCELÓ I SERRAMALERA, Mercé., (coords.), *Manual de Derecho Constitucional*, Aletier, Barcelona, 2009.

AROZAMENA SIERRA, Jerónimo., "Principio de igualdad y derechos fundamentales", en "XI Jornadas de estudio: El principio de igualdad en la Constitución española", Ministerio de Justicia, 1991, vol. I.

BALAGUER CALLEJÓN, María Luisa., *Igualdad y Constitución española*, Tecnos, Madrid, 2010.

BAÑO LEÓN, José María., "La igualdad como derecho público subjetivo", en *Revista de Administración Pública*, nº 114, 1987.

---

[98]   STC 59/2008, de 14 de marzo, f. j. 8.

BILBAO UBILLOS, Juan María., "Prohibición de discriminación y relaciones entre particulares", en *Teoría y realidad constitucional*, nº 18, 2006.

CARBONELL, Miguel., (comp.), *El principio constitucional de igualdad*, Comisión Nacional de los Derechos Humanos, México, 2003.

CARMONA CUENCA, Encarna., "El principio de igualad material en la jurisprudencia del Tribunal Constitucional", en *Revista de Estudios Políticos*, nº 84, 1994.

CARMONA CUENCA, Encarna., "La prohibición de discriminación", en Javier García Roca y Pablo Santolaya (coords.), *La Europa de los derechos. El Convenio Europeo de Derechos Humanos*, Centro de Estudios Políticos y Constitucionales, Madrid, 2ª ed., 2009.

CARRASCO PERERA, Ángel., "El juicio de razonabilidad en la justicia constitucional", en *Revista Española de Derecho Constitucional*, nº 11, 1984

CORWIN, E.S., *La Constitución de los Estados Unidos y su significado actual*, Fraterna, Buenos Aires, 1987.

DÍAZ REVORIO, Francisco Javier., *Valores superiores e interpretación constitucional*, Centro de Estudios Políticos y Constitucionales, Madrid, 1997.

DÍAZ REVORIO, Francisco Javier., "Deberes constitucionales", en *Base de datos de conocimiento jurídico: Derecho Constitucional III*, en la web *www.iustel.com*.

DÍEZ-PICAZO, Luis María., *Sistema de derechos fundamentales*, Thomson-Civitas, Madrid, 3ª edición, 2008.

ELÓSEGUI ITXASO, María., *El derecho a la igualdad y a la diferencia: el republicanismo intercultural desde la filosofía del derecho*, Instituto de la Mujer, Madrid, 1998.

ESPARZA REYES, Estefanía., *El derecho fundamental a la igualdad como no subordinación: un planteamiento de interpretación constitucional*, inédita, Universidad de Castilla-La Mancha, Toledo, 2012.

GARCÍA SAN MIGUEL, Luis, (ed.), *El principio de igualdad*, Universidad de Alcalá de Henares/Dykinson, Madrid, 2000.

GARCÍA MORILLO, Joaquín., en Luis López Guerra, Eduardo Espín *et alii*, *Derecho Constitucional*, vol. I, Tirant lo Blanch, Valencia, 7ª edición, 2007.

GARRIDO FALLA, Fernando., *Comentarios a la Constitución*, Civitas, Madrid, 2ª ed., 1985.

GARRORENA MORALES, Ángel., *El Estado español como Estado social y democrático de Derecho*, Tecnos, Madrid, 1984.

GAVARA DE CARA, Juan Carlos., *Contenido y función del término de comparación en la aplicación del principio de igualdad*, Aranzadi, Cizur Menor (Navarra), 2005.

GIMÉNEZ GLUCK, David., *Juicio de igualdad y Tribunal Constitucional*, Bosch, Barcelona, 2004.

GIMÉNEZ GLUCK, David, *Una manifestación polémica del principio de igualdad: acciones positivas moderadas y medidas de discriminación inversa*, Tirant lo Blanch, Valencia, 1999.

GÓNZALEZ BEILFUSS, Markus., *Tribunal Constitucional y reparación de la discriminación normativa*; Centro de Estudios Políticos y Constitucionales, Madrid, 2000.

HERNÁNDEZ GIL, Antonio., *El cambio político español y la Constitución*, Planeta, Barcelona, 1982.

LAPORTA, Francisco J., "El principio de igualdad: introducción a su análisis", en *Sistema*, n° 67, 1985.

LARA ESPINOSA, Diana., *Grupos en situación de vulnerabilidad*, Comisión Nacional de los Derechos Humanos, México, 2013.

LIVELY, D.E., "Separate But Equal: The Low Road Reconsidered", en *Hastings Constitutional Law Quarterly*, 1986.

MARTÍN SÁNCHEZ, María., *Matrimonio homosexual y Constitución*, Tirant lo Blanch, Valencia, 2008.

MARTÍN SÁNCHEZ, María., "Aproximación histórica al tratamiento jurídico y social dado a la homosexualidad en Europa", en *Estudios Constitucionales*, año 9, número 1, 2010.

MARTÍNEZ TAPIA, Ramón., *Igualdad y razonabilidad en la justicia constitucional española*, Universidad de Almería, 2000.

MACHADO RUIZ, Mª Dolores., *La discriminación en el ámbito de los servicios públicos: análisis del art. 511 CP*, Tirant lo Blanch, Valencia, 2002.

PADILLA GÁLVEZ, Jesús., (ed.), *Igualdad en el Derecho y la Moral*, Plaza y Valdés, Madrid, 2009.

PALADIN, Livio., "Eguaglianza (Diritto Costituzionale)" en VV. AA. *Enciclopedia del Diritto*, vol. XIV, Giuffrè, Milán, 1965, pp. 519 ss.

PÉREZ LUÑO, Enrique., *Dimensiones de la igualdad*, Dykinson, Madrid, 2ª ed., 2007.

PÉREZ ROYO, Javier., *Curso de Derecho Constitucional*, Marcial Pons, Madrid, 11ª ed., 2007.

PRIETO SANCHIS, Luis., "Los derechos sociales y el principio de igualdad sustancial", en *Revista del Centro de Estudios Constitucionales*, n° 22, 1995.

PRIETO SANCHIS, Luis., "Igualad y minorías". Derechos y Libertades, núm. 5, 1995.

REY MARTÍNEZ, Fernando., *El derecho fundamental a no ser discriminado por razón de sexo*, McGraw Hill, Madrid, 1995.

REY MARTÍNEZ, Fernando., "Igualdad entre hombres y mujeres en la jurisprudencia del Tribunal Constitucional español", en Manuela Mora Ruiz (dir.), *Formación y objeto del Derecho antidiscriminatorio de género: perspectiva sistemática de la igualdad desde el Derecho público*, Aletier, Madrid, 2010.

REY MARTÍNEZ, Fernando., "Homosexuales", en *Revista Iberoamericana de Derecho Procesal Constitucional*, N° 13, 2010.

RODRÍGUEZ-PIÑERO, Miguel., y FERNÁNDEZ LÓPEZ, Mª Fernanda., Igualdad y discriminación, Tecnos, Madrid, 1986.

RODRÍGUEZ-PIÑERO, Miguel., y FERNÁNDEZ LÓPEZ, Mª Fernanda., "Igualdad ante la ley y en la aplicación de la ley", en Mª Emilia Casas Baamonde y Miguel Rodríguez-Piñero y Bravo-Ferrer (dirs.), *Comentarios a la Constitución española. XXX Aniversario*, Fundación Wolters Kluwer, Madrid, 2008, pp. 276 ss.

ROTUNDA, R.D./NOWAK, J.E. *Treatise on Constitutional Law. Substance and procedure*, 4 vol., West Publishing Co., St. Paul, Minn., 1992.

RUBIO LLORENTE, Francisco., "La igualdad en la jurisprudencia del Tribunal Constitucional. Introducción", en *Revista Española de Derecho Constitucional*, n° 31, 1991, pp. 9 ss.; VV. AA., *XI Jornadas de estudio: el principio de igualdad en la Constitución española*, Ministerio de Justicia - Secretaría General Técnica - Centro de Publicaciones, 2 volúmenes, Madrid, 1991.

RUBIO LLORENTE, Francisco., ""La igualdad en la aplicación de la ley", en Luis García San Miguel (ed.), *El principio de igualdad*, Dykinson, Madrid, 2000.

RUIZ MIGUEL, Alfonso., "Reflexiones sobre el significado del principio constitucional de igualdad", en Luis García San Miguel (ed.), *El principio de igualdad*, Universidad de Alcalá de Henares/Dykinson, Madrid, 2000.

SUÁREZ PERTIERRA, Gustavo., y AMÉRIGO, Fernando., "Artículo 14: igualdad ante la ley", en Óscar Alzaga (dir.), *Comentarios a las Constitución española de 1978*, Edersa, Madrid, tomo II, 1997, pp. 253 ss.

SUAY RINCÓN, José., *El principio de igualdad en la justicia constitucional*, IEAL, Madrid, 1985.

SUAY RINCÓN, José., "El principio de igualdad en la jurisprudencia del Tribunal Constitucional", en Sebastián Martín Retortillo (coord.), *Estudios sobre la Constitución española. Homenaje al Profesor Eduardo García de Enterría*, Civitas, Madrid, vol. II, 1991, pp. 837 ss.

TORRES DEL MORAL, Antonio., *Principios de Derecho Constitucional español*, Universidad Complutense, 5ª ed., tomo I, Madrid, 2004.

TRIBE, L.H., *American Constitutional Law*, The Foundation Press, Mineola, New York, ed., 1988.

TUSSMAN, Joseph., y TENBROEK, Jacobus., "The equal protection of the laws", en *California Law Review*, vol. XXXVII, n. 3, septiembre de 1949.

VALCÁRCEL, Amelia., (comp.), *El concepto de igualdad*, Editorial Pablo Iglesias, Madrid, 1994.

VIDAL MARÍN., Tomás., "Jurisprudencia constitucional en torno al art. 14 de la CE: cambio de criterio y precedente judicial", en *Revista de las Cortes Generales*, nº 38, 1996.

WOLFE, Christopher, *La transformación de la interpretación constitucional*, traducción de María Gracia Rubio de Casas y Sonsoles Valcárcel, Civitas, Madrid, 1991.

Capítulo 2
VIOLENCIA DE GÉNERO: VIOLENCIA "UNIDIRECCIONAL" HACIA LAS MUJERES

MARÍA MARTÍN SÁNCHEZ
Profesora Titular Acreditada de Derecho Constitucional
Universidad de Castilla-La Mancha

SUMARIO: 1. LA DESIGUALDAD COMO ORIGEN DE LA VIOLENCIA DE GÉNERO: VIOLENCIA "UNIDIRECCIONAL" HACIA LAS MUJERES. 2. EL GÉNERO EN LA VIOLENCIA: MÚLTIPLES MANIFESTACIONES DE LA VIOLENCIA MACHISTA. 3. LA RESPUESTA "A MEDIAS" DEL LEGISLADOR. BIBLIOGRAFÍA.

1. LA DESIGUALDAD COMO ORIGEN DE LA VIOLENCIA DE GÉNERO: VIOLENCIA "UNIDIRECCIONAL" HACIA LAS MUJERES

La desigualdad entre hombres y mujeres ha existido desde siempre, en todos los tiempos, y en todos los pueblos y civilizaciones [1]. El carácter patriarcal de la sociedad ha legitimado la diferenciación en los roles atribuidos a hombres y mujeres, reservando para ellos la esfera de lo público y relegando a la mujer a lo privado, a lo doméstico. Las cuestiones relevantes y el poder de decisión han estado siempre en manos del hombre, dejando a la mujer las cuestiones meramente domésticas, subordinadas a la dominación masculina no solo de cara a la comunidad sino desde luego en el ámbito privado y familiar. Esta posición desigual entre hombres y mujeres ha dejado a éstas en una situación de discriminación persistente en los más diversos ámbitos de la vida. En la actualidad se han alcanzado cotas de igualdad inimaginables hace apenas unas décadas. Sin embargo, lejos de desaparecer, con el devenir de la sociedad han emergido nuevos modos de manifestarse.

---

[1] MARTÍN SÁNCHEZ, María, "Derechos y Exclusiones en la Constitución de Cádiz de 1812, en AAVV, *La Constitución de 1812 y su difusión en Latinoamérica. Homenaje a la Constitución de Cádiz*, Tirant lo Blanch, Valencia, pp. 177-190, 2012.

Sin duda, la más cruel de esas manifestaciones es la violencia de género, erigida en la forma de discriminación hacia la mujer más preocupante en la actualidad, por la gravedad que supone en sí misma, así como por la terrible magnitud que ha alcanzado.

Constituye una agresión directa a la dignidad de la mujer, a la que se golpea —en su sentido más amplio— por el mero hecho de ser mujer. Más allá de la problemática social o jurídica que entraña, es una cuestión de derechos humanos, de violación de los derechos más elementales de la mujer, no por otra cosa que por ser mujer. No es "violencia" sin más, la violencia de género encarna un sentimiento, una actitud de dominación sobre la mujer, de exhibición de poder sobre ella como si fuera una mera posesión, una "cosa" de su propiedad. Es un ataque a los derechos humanos. Derechos que garantizan la existencia misma de las democracias, presupuesto del Estado de Derecho, que se ve minado por la presencia de un tipo de violencia irracional y desmedida que destruye lo más sagrado de la persona, su dignidad.

La protección de la mujer y la igualdad de sexos han sido una constante en la historia de los derechos humanos. Ya en las primeras Declaraciones se proclamaba la igualdad entre hombres y mujeres como garante de la paz y presupuesto inicial en el reconocimiento de los derechos. Es preciso siquiera mencionar: la Declaración de Derechos del Hombre y del Ciudadano, de 26 de agosto de 1789; la Declaración Universal de los Derechos Humanos, de 10 de diciembre de 1948; el Pacto Internacional de los Derechos Civiles y Políticos, de 16 de diciembre de 1966; el Pacto Internacional de los Derechos Económicos, Sociales y Culturales, de 16 de diciembre de 1966. Entre otros, el Convenio para la Protección de los Derechos y de las Libertades Fundamentales, de 4 de noviembre de 1950[2]; la Carta de los Derechos Fundamentales de la Unión Europea, de 18 de diciembre de 2000; el Tratado de Lisboa, de 17 de diciembre de 2007; o la Carta Social Europea, de 29 de abril de 1980, expresamente se refieren al principio de no discriminación.

A partir de estas, se han sucedido diversas Convenciones y Declaraciones de derechos, dirigidas expresamente a lograr este objetivo, prohibir la discriminación hacia las mujeres.

"...la máxima participación de la mujer, en igualdad de condiciones con el hombre, en todos los campos, es indispensable para el desarrollo pleno y completo de un país, el bienestar del mundo y la causa de la paz.". Así comienza la

---

[2]   En protección de la igualdad real entre hombres y mujeres y de prohibición de discriminación por sexo, es imprescindible señalar la inestimable labor realizada por el Tribunal Europeo de Derechos Humanos, quien ha sentado una importante labor para la erradicación de la discriminación sexual, en interpretación del Convenio de Roma.

Convención sobre la Eliminación de todas las formas de Discriminación contra la Mujer, aprobada por la Asamblea General de Naciones Unidas, de 18 de diciembre de 1979. Se trata del primer Convenio internacional para la eliminación de la discriminación a la mujer, siguiendo las pautas dadas en la Declaración sobre la Eliminación de la discriminación contra la Mujer, aprobada por Naciones Unidas, de 7 de noviembre de 1967[3]

Por primera vez se define la expresión "discriminación contra la mujer", de manera que se delimita dicho concepto, al tiempo que también por primera vez se reconoce expresamente en un texto internacional su existencia. Así, la expresión "discriminación contra la mujer": *"denotará toda distinción, exclusión o restricción basada en el sexo que tenga por objeto o resultado menoscabar o anular el reconocimiento, goce o ejercicio por la mujer, independientemente de su estado civil, sobre la base de la igualdad del hombre y la mujer, de los derechos humanos y las libertades fundamentales en las esferas política, económica, social, cultural y civil o en cualquier otra esfera"* (art. 1).

Algunas Convenciones se enmarcan en un ámbito más específico de discriminación hacia la mujer, el ámbito conyugal —entendido como afectivo o de pareja—, espacio en el que tradicionalmente y debido a una diversidad de factores —culturales, sociales, religiosos, entre otros— la mujer ha estado subordinada a la potestad del hombre[4]. Se trata en definitiva de un espacio de discriminación de especial consideración —si se quiere, de especial gravedad—, pues no es consecuencia de la posición social predominante del hombre sobre la mujer "a secas", sino que esta relación de subordinación y superioridad se lleva a cabo en la esfera afectiva y familiar. Este tipo de discriminación se da en el seno de una relación

---

3   Entre las pautas marcadas en la Declaración sobre la Eliminación de la discriminación contra la mujer de 1967, se establece que: *"La discriminación contra la mujer, por cuanto niega o limita su igualdad de derechos con el hombre, es fundamentalmente injusta y constituye una ofensa a la dignidad humana"* —art.1—, *"Deberán adoptarse todas las medidas apropiadas a fin de abolir las leyes, costumbres, reglamentos y prácticas existentes que constituyan una discriminación en contra de la mujer, y para asegurar la protección jurídica adecuada de la igualdad de derechos del hombre y la mujer (...)"* —art.2—, *"Deberán adoptarse todas las medidas apropiadas para educar a la opinión pública y orientar las aspiraciones nacionales hacia la eliminación de los prejuicios y la abolición de las prácticas consuetudinarias y de cualquier otra índole que estén basadas en la idea de la inferioridad de la mujer"* —art.3—

4   Así, la Convención sobre la nacionalidad de la mujer casada, de Naciones Unidas, de 29 de enero de 1957, trata de eliminar la desigual posición entre el hombre y la mujer en ámbito reconociendo el derecho de la mujer casada a mantener su propia nacionalidad (art.1); o la Convención sobre el consentimiento para el matrimonio, la edad mínima para contraer matrimonio y el registro de los matrimonios, de Naciones Unidas, de 7 de noviembre de 1962, en la que se reconoce la voluntad de la mujer frente a la imposición del hombre, libre e igual a aquél, poniendo fin a usos como los "matrimonios pactados" en los que se anulaba por completo (Preámbulo).

personal de confianza en la que se presupone el respeto, pero en donde precisamente dicho vínculo la ha justificado. Al contrario de lo racional, es en este espacio donde se denota una mayor pérdida de los derechos de la mujer, de manera
que ésta —una vez emancipada de la autoridad paterna— renunciaba a muchos
de sus derechos por el hecho de contraer matrimonio[5]

La violencia de género tiene su origen en la discriminación sexual, aunque, a
diferencia de ésta, ha sido reconocida de manera reciente. En el marco internacional, hasta los años 90 no encontramos iniciativas que se dirijan expresamente a
la erradicación de este tipo de violencia. Ha sido objeto de un intenso trabajo por
parte de la Asamblea General de Naciones Unidas[6], en palabras de FREIXES: *"es
el ámbito donde se ha definido el concepto de violencia de género, se ha consagrado que los derechos de las mujeres son derechos humanos universales y se ha
proclamado que la violencia contra las mujeres es incompatible con el principio
de dignidad humana"* [7].

*"La violencia contra la mujer constituye una violación de los derechos hu-
manos y libertades fundamentales"*, así reza la Declaración de Naciones Unidas,
sobre la eliminación de la violencia sobre la mujer, de 20 de diciembre de 1993.
Afirma que *"la violencia contra la mujer constituye una manifestación de relaciones de poder históricamente desiguales entre el hombre y la mujer, que han conducido a la dominación de la mujer y a la discriminación en su contra por parte
del hombre e impedido el adelanto pleno de la mujer, y que la violencia contra
la mujer es uno de los mecanismos sociales fundamentales por los que se fuerza
a la mujer a una situación de subordinación respecto al hombre"*. Reconoce la
dimensión del problema y marca pautas de actuación a los Estados para erradicar
este tipo de violencia[8].

---

[5]   Ejemplos como la incapacidad para firmar un contrato o pedir un préstamo, o la pérdida de la
      nacionalidad, entre otros.
[6]   Que ha aprobado diversas Resoluciones para erradicarla. Por su parte, la Declaración y Progra-
      ma de Acción de Viena (A/CONF.157/23), aprobados por la Conferencia Mundial de Derechos
      Humanos de 1993, reconoció que *"la violencia sexista y todas las formas de explotación y
      acoso sexuales, en particular las derivadas de los prejuicios culturales y de la trata internacional,
      son incompatibles con la dignidad y el valor de la persona humana y deberán ser eliminadas"*
[7]   FREIXES SANJUAN, Teresa, "Las normas de protección de la violencia de género (reflexiones
      en torno al marco internacional y europeo)", *Artículo 14. Una perspectiva de género* (núm. 6),
      pp. 4-18, 2001.
[8]   Declaración de Naciones Unidas sobre la eliminación de la violencia sobre la mujer, de 20 de
      diciembre de 1993 *"Los Estados deben condenar la violencia contra la mujer y no invocar
      ninguna costumbre, tradición o consideración religiosa para eludir su obligación de procurar
      eliminarla. Los Estados deben aplicar por todos los medios y sin demora una política encami-
      nada a eliminar la violencia contra la mujer"* —artículo 4—.
      Asimismo, la plataforma para la acción de Beiging afirma que *"La violencia contra la mujer es
      una manifestación de las relaciones de poder históricamente desiguales entre mujeres y hom-*

En idéntico sentido, la Declaración de la Conferencia Mundial sobre la Mujer, de Beijing 1995. Entre las conclusiones a las que se llegó en esta IV Conferencia, se reconoció que *"La violencia contra la mujer impide el logro de los objetivos de igualdad, desarrollo y paz. La violencia contra la mujer viola y menoscaba o impide su disfrute de los derechos humanos y las libertades fundamentales, (...) la violencia contra la mujer es un problema que incumbe a todos los Estados y exige que se adopten medidas al respecto"* (punto 112)

Este tipo de violencia constituye además un problema de *salud* de la mujer. Resulta interesante mencionar la 49ª. Asamblea Mundial de la Salud (WHA49/25) sobre "Prevención de la violencia de género: una prioridad de salud pública" de 25 de mayo de 1996, declara que *"la violencia es un importante problema de salud pública en todo el mundo"* —punto 1—. Y se refiere expresamente a la violencia contra las mujeres *"haciendo suyas las recomendaciones formuladas en la Conferencia Internacional sobre la Población y el Desarrollo (El Cairo, 1994) y en la Cuarta Conferencia Mundial sobre la Mujer (Beijing, 1995) para que se aborde urgentemente el problema de la violencia contra las mujeres y muchachas y se determinen sus consecuencias para la salud"*. En el mismo sentido se pronunció la Declaración firmada en Beijing, en la que se reconoció que: *"la violencia sexual y basada en el género, incluidos los malos tratos físicos y psicológicos, la trata de mujeres y niñas, así como otras formas de malos tratos y la explotación sexual exponen a las niñas y a las mujeres a un alto riesgo de padecer traumas físicos y mentales, así como enfermedades y embarazos no deseados. Esas situaciones suelen disuadir a las mujeres de utilizar los servicios de salud y otros servicios"* —punto 96—.

En Europa se ha seguido la actividad desarrollada por Naciones Unidas contra la violencia ejercida sobre las mujeres, y se han aprobado sendas Resoluciones además de poner en marcha diferentes políticas y planes de actuación con el mismo objetivo[9]. De manera más reciente se ha aprobado el Convenio para prevenir y combatir la violencia contra las mujeres y la violencia doméstica, de 7 de abril de 2011. No se trata de la primera Convención regional contra la violencia ejercida sobre las mujeres, ya que de manera previa se aprobaron la Convención Interamericana para Prevenir, Sancionar y Erradicar la Violencia contra la Mujer

---

bres, que han conducido a la dominación de la mujer por el hombre, la discriminación contra la mujer y a la interposición de obstáculos contra su pleno desarrollo" —punto 118—.

[9]   Así, se cuenta con la Resolución de 24 de marzo de 2009, sobre la lucha contra la mutilación genital femenina practicada en la Unión Europea; la Resolución de 26 de noviembre de 2009, sobre la eliminación de la violencia contra la mujer —que propone un *"nuevo enfoque político integral contra la violencia de género"*—; o la Resolución de 5 de abril de 2011, sobre las prioridades y líneas generales del nuevo marco político de la Unión europea para combatir la violencia contra las mujeres.

(Convención de Belem do Para, de 1994), y el Protocolo a la Carta Africana de Derechos Humanos y de los Pueblos sobre los Derechos de las Mujeres en África (de 2004). Sin embargo, es pionera en su modelo de protección, pues abarca un marco integral de prevención, protección y persecución de la violencia contra las mujeres, sobre la base de los principios de igualdad entre hombres y mujeres y de diligencia debida de los Estados, obligados a intervenir activamente en la lucha contra la violencia de género. Así, se refiere a normas de derecho material y procesal, obligando a los Estados a criminalizar conductas de violencia contra las mujeres y a poner en marcha políticas globales y coordinadas para combatir este tipo de violencia; prohíbe la mediación como mecanismo alternativo e incluso tipifica estas conductas como delitos públicos. Resulta significativa la amplitud del concepto de violencia que se emplea, así como la diferenciación entre violencia de género y violencia doméstica.

A través de todas éstas, se muestra la dimensión internacional de la violencia de género y el interés por erradicarla, reconocida expresamente como un grave problema de discriminación hacia la mujer y de violación de derechos humanos.

2. EL GÉNERO EN LA VIOLENCIA: MÚLTIPLES MANIFESTACIONES DE LA VIOLENCIA MACHISTA

El término "violencia de género" muchas veces se identifica con la violencia machista en parejas en las que existe o ha existido un vínculo afectivo. En efecto, se trata de violencia de género en lo afectivo. Sin embargo, ni la violencia afectiva o familiar puede identificarse con la violencia de género, ni ésta puede reducirse a la enmarcada en relaciones afectivas.

El ámbito afectivo-familiar es un espacio especialmente proclive a la violencia machista, pertenece a la esfera de lo privado, ajeno a la intervención de lo público. Lo que ocurre en este espacio de privacidad queda oculto tras las puertas. No es fácil reconocer la existencia de conductas violentas, menos aún, cuando son las propias víctimas quienes tratan de ocultarlas. Tras las fronteras de su casa, muchas mujeres se encuentran sometidas a la autoridad del hombre, que se manifiesta a través de actitudes como la prohibición de trabajar fuera de casa, el control sobre el modo de vestir, la subordinación económica, o incluso mediante conductas violentas, que en ocasiones no son advertidas, pero que lejos de ser "lo normal", no pueden ampararse en la propia relación.

Sin embargo, no es la mujer la única susceptible de sufrirla. Los demás que conviven es este espacio también lo son, especialmente los menores, los ancianos y demás personas dependientes, por su condición de especial vulnerabilidad. Ahora bien, la violencia ejercida sobre éstos no es la misma. La sufrida por la mujer es una violencia específica en la que subyace el espíritu de dominación machista sobre ella, "propiedad" del marido, mientras aquella otra es violencia intrafamiliar a secas. Especial consideración merece la violencia hacia los hijos como "vehículo" para ejercer violencia machista sobre la mujer, constituyéndose en la más cruel forma de violencia hacia ésta, atacándola en aquello que le duele más que cualquier herida e incluso que su propia vida, sus hijos. De hecho, en el reciente Pacto de Estado contra la Violencia de Género (después se verá), se ha reconocido abiertamente a las mujeres madres de hijos asesinados por sus padres, como víctimas de violencia de género.

Volviendo a la cuestión de la violencia doméstica, aquí está el quid de la cuestión. Resulta impreciso e incluso incierto denominar "doméstica" a este tipo de violencia intrafamiliar ejercida por el hombre sobre la mujer. Esta diferencia ha sido tenida en cuenta por el Convenio para Prevenir y Combatir la Violencia contra las Mujeres y la Violencia Doméstica, que expresamente diferencia entre ambas situaciones: *"El presente Convenio se aplicará a todas las formas de violencia contra las mujeres, incluida la violencia doméstica, que afecta a las mujeres de manera desproporcionada"* (art.2). De manera autónoma afirma que: *"por <<violencia doméstica>> se entenderán todos los actos de violencia física, sexual, psicológica o económica que se producen en la familia o en el hogar o entre cónyuges o parejas de hecho antiguos o actuales, independientemente de que el autor del delito comparta o haya compartido el mismo domicilio que la víctima"* (art.3.b) [10].

Ahora bien, ¿la violencia de género afectiva agota el concepto?, lejos de lo que en ocasiones puede entenderse, no. De manera usual, la violencia de género es confundida con la que específicamente se produce en lo afectivo-familiar. Proba-

---

[10]   Artículo 3.- *"A los efectos del presente Convenio:*
a. por "violencia contra las mujeres" se deberá entender una violación de los derechos humanos y una forma de discriminación contra las mujeres, y designará todos los actos de violencia basados en el género que implican o pueden implicar para las mujeres daños o sufrimientos de naturaleza física, sexual, psicológica o económica, incluidas las amenazas de realizar dichos actos, la coacción o la privación arbitraria de libertad, en la vida pública o privada;
b. por "violencia doméstica" se entenderán todos los actos de violencia física, sexual, psicológica o económica que se producen en la familia o en el hogar o entre cónyuges o parejas de hecho antiguos o actuales, independientemente de que el autor del delito comparta o haya compartido el mismo domicilio que la víctima;
c. por "género" se entenderán los papeles, comportamientos, actividades y atribuciones socialmente construidos que una sociedad concreta considera propios de mujeres o de hombres;
d. por "violencia contra las mujeres por razones de género" se entenderá toda violencia contra una mujer porque es una mujer o que afecte a las mujeres de manera desproporcionada;
e. por "víctima" se entenderá toda persona física que esté sometida a los comportamientos especificados en los apartados a y b;
f. el término "mujer" incluye a las niñas menores de 18 años"

blemente esta confusión obedece al modo en que denominamos cotidianamente a estas situaciones, identificándolas con violencia de género cuando tienen lugar entre pareja, y de otro modo cuando se producen en otros ámbitos.

Sin embargo, la violencia de género es un concepto complejo que abarca multitud de situaciones externas a lo afectivo, en las que subyace idéntico trasfondo de sometimiento de la mujer a la voluntad del hombre. Así ha sido reconocido internacionalmente, la violencia de género puede localizarse en lo afectivo o fuera de él, y a través de las más diversas manifestaciones físicas, psíquicas y sexuales[11].

Expresamente se mencionan, además de la violencia de pareja, algunas otras como el abuso sexual de niñas, el acoso sexual[12], o bien violencias relacionadas con la multiculturalidad —hablamos de prácticas como la mutilación genital femenina o los matrimonios pactados[13], que no es otra cosa que venta de niñas—, y la

---

[11]   La Declaración de Naciones Unidas de 1993, en su artículo 3, ofrece una amplia definición de la violencia de género, estableciendo en su artículo 3 que: *"Se entenderá que la violencia contra la mujer abarca los siguientes actos, aunque sin limitarse a ellos:-La violencia física, sexual y psíquica que se produzca en la familia, incluidos los malos tratos, el abuso sexual de las niñas en el hogar, la violencia relacionada con la dote, la violación por el marido, la mutilación genital femenina y otras prácticas tradicionales nocivas para la mujer, los actos de violencia perpetrados por otros miembros de la familia y la violencia relacionada con la explotación;-La violencia física, sexual y psicológica perpetrada dentro de la comunidad en general, inclusive la violación, el abuso sexual, el acoso y la intimidación sexual en el trabajo, en instituciones educacionales y en otros lugares, la trata de mujeres y la prostitución forzada;-La violencia física, sexual y psicológica perpetrada por el Estado, dondequiera que ocurra"*.
En idéntico sentido, entre las conclusiones de Beiging: *"La expresión "violencia contra la mujer" se refiere a todo acto de violencia basado en el género que tiene como resultado posible o real un daño físico, sexual o psicológico, incluidas las amenazas, la coerción o la privación arbitraria de la libertad, ya sea que ocurra en la vida pública o en la privada. Por consiguiente, la violencia contra la mujer puede tener, entre otras, las siguientes formas: a) La violencia física, sexual y psicológica en la familia, incluidos los golpes, el abuso sexual de las niñas en el hogar, la violencia relacionada con la dote, la violación por el marido, la mutilación genital y otras prácticas tradicionales que atentan contra la mujer, la violencia ejercida por personas distintas del marido y la violencia relacionada con la explotación; b) La violencia física, sexual y psicológica al nivel de la comunidad en general, incluidas las violaciones, los abusos sexuales, el hostigamiento y la intimidación sexuales en el trabajo, en instituciones educacionales y en otros ámbitos, la trata de mujeres y la prostitución forzada; c) La violencia física, sexual y psicológica perpetrada o tolerada por el Estado, dondequiera que ocurra"*.
[12]   Véase REY AVILÉS, Ángeles, "Acoso sexual", en AAVV, *Análisis del Código Penal desde la perspectiva de género*, Instituto Vasco de la Mujer, pp. 103-104, 1998. Esta autora, de acuerdo con lo previsto penalmente, define el acoso sexual como: *"la actividad consistente en solicitar favores de naturaleza sexual para sí o para un tercero, prevaliéndose el sujeto activo de una situación de superioridad, entre otras causas, de naturaleza laboral y con el anuncio expreso o tácito de causar a la víctima un mal relacionado con sus legítimas expectativas en el ámbito de la relación laboral"*, p. 105.
[13]   Otras prácticas ajenas a nuestra cultura occidental y que también son manifestaciones de violencia de género, tal y como explica LARRAURI PIJOÁN, Elena, "Feminismo y multicultura-

mercantilización de las mujeres con fines sexuales —me refiero a la trata de mujeres y a la prostitución forzada—. Podríamos añadir el "ataque masivo a mujeres".

Ahora bien, junto a las anteriores, existen otras manifestaciones, que no son identificadas con la violencia hacia las mujeres, pero que considero oportuno siquiera referirme a ellas: me refiero a la mercantilización de las mujeres a través de la explotación laboral —esclavitud laboral doméstica—, o incluso la mercantilización de la mujer con otros fines que bien podría advertirse, al menos, como sospechosa de constituir violencia hacia la mujer —me refiero aquí al alquiler de vientres— (incluso algunos autores hablan de alguna otra forma insospechada de violencia de género)[14].

En cualquier caso, todas estas son manifestaciones de violencia machista sobre la mujer, rechazadas socialmente y tipificadas penalmente, pero la mayoría de las veces sin ser reconocidas abiertamente como violencia de género, ni por la sociedad, ni por las leyes, ni por los jueces. Si bien es cierto que no son las más habituales ni las que más preocupan en nuestro entorno, no podemos negar su existencia y cerrar los ojos ante estas realidades. A continuación trataremos de dar cuenta, siquiera sucintamente, de algunas de ellas[15].

Uno de los factores más recientes e influyentes en el incremento de la violencia machista es sin duda la *multiculturalidad*. El flujo migratorio hace que la mujer extranjera tenga una fuerte presencia en nuestras sociedades, en las que conviven diferentes grupos culturales, étnicos y religiosos, caracterizadas por la diversidad y el multiculturalismo. Esta diversidad, sin lugar a dudas, es enriquecedora, pero no deja de plantear problemas por el choque cultural que supone. En este escenario, es la mujer la que involuntariamente protagoniza muchos de los conflictos culturales, víctima de tradiciones arraigadas, de dudosa constitucionalidad[16], que

---

lismo", en AAVV, *Análisis del Código Penal desde la perspectiva de género*, Instituto Vasco de la Mujer, 1998, pp. 33-44. Son: los crímenes de honor *"marido mata a la mujer para salvar su honor herido"*, el matrimonio por rapto *"hombre rapta y viola mujer como forma de pedir la mano"*, entre otras (pp. 41-42).

14   Otros ejemplos defendidos como violencia de género por algunos autores como: el impago de prestaciones económicas a la mujer en caso de separación o divorcio, tal y como explica LARRAURI PIJOÁN, Elena, "Feminismo y multiculturalismo", en AAVV, *Análisis del Código Penal desde la perspectiva de género*, Instituto Vasco de la Mujer, 1998, pp. 217-240; o la prohibición del aborto, tal y como defiende VIRTO LARRUSCAIN, M. José, "La maternidad contestada: la derogación del infanticidio y la regulación o cancelación del aborto", en AAVV, *Análisis del Código Penal desde la perspectiva de género*, Instituto Vasco de la Mujer, pp. 115-160, 1998.

15   MARTÍN SÁNCHEZ, María, "La realidad de las mujeres en el siglo XXI", en AAVV, *El Derecho y la Economía ante las mujeres y la igualdad de género*, Lex Nova, Madrid, pp. 23-48, 2012.

16   A este respecto algunos autores hablan de la "múltiple discriminación" a que se enfrenta la mujer extranjera, así: REY MARTÍNEZ, Fernando, "La discriminación múltiple, una realidad

la denigran física, psíquica y sexualmente[17]. Un ejemplo es el caso de España, en donde este fenómeno hace que emerjan nuevos modos de violencia hacia las mujeres. Veamos a continuación algunos de ellos, así como la respuesta dada por el legislador.

La *mutilación genital femenina*, conocida como "ablación del clítoris", es una de las prácticas más denigrantes, propia de sociedades y culturas no desarrolladas, caracterizadas por la ausencia de derechos de la mujer, cuya consecuencia más inmediata es su concepción como un objeto al servicio sexual del hombre. La LO 11/2003, de 29 de septiembre, de Medidas concretas en materia de seguridad ciudadana, violencia doméstica e integración social de los extranjeros, modificó el artículo 149 del Código Penal. A partir de ésta, dicho precepto establece que: *"El que causare a otro una mutilación genital en cualquiera de sus manifestaciones será castigado con la pena de prisión de seis a doce años. Si la víctima fuera menor o incapaz, será aplicable la pena de inhabilitación especial para el ejercicio de la patria potestad, tutela, curatela, guarda o acogimiento por tiempo de cuatro a diez años, si el juez lo estima adecuado al interés del menor o incapaz"* [18] [19]. Por

---

antigua, un concepto nuevo" en *Revista Española de Derecho Constitucional* (núm. 84), pp. 251-283, 2008.

En relación al factor de la multiculturalidad, véase también Beiging: "La violencia contra la mujer a lo largo de su ciclo vital dimana esencialmente de pautas culturales, en particular de los efectos perjudiciales de algunas prácticas tradicionales o consuetudinarias y de todos los actos de extremismo relacionados con la raza, el sexo, el idioma o la religión que perpetúan la condición inferior que se asigna a la mujer en la familia, el lugar de trabajo, la comunidad y la sociedad" —punto 118—.

[17]   A este respecto, LARRAURI PIJOÁN, Elena, "Feminismo y multiculturalismo", en AAVV, *Análisis del Código Penal desde la perspectiva de género*, Instituto Vasco de la Mujer, 1998, pp. 33-44. Esta autora entiende que habría que diferenciar entre los distintos tipos de prácticas: *"debe haber un trato diferenciado pues parece claro que no es lo mismo matar a un perro para comérselo, el caso de la bigamia en los cuales el sistema normativo puede integrarlo, o la ablación del clítoris. Podemos discutir los límites de la tolerabilidad en función del daño social, pues (...) "la tortura no es cultura""*, p. 44.

[18]   Al respecto véase ACALE SÁNCHEZ, María, *La discriminación hacia la mujer por razón de género en el Código Penal*, Zaragoza, Ed. Cometa, 2006. Esta autora defiende que, si bien el precepto penal no hace alusión concreta al sexo femenino sino que hace una previsión neutra: *"si se tiene en consideración que el fenómeno contra el que intenta luchar la LO 11/2003 es (...) la mutilación genital de "niñas y mujeres", y (...) si se tiene en consideración que no es ninguna práctica extendida la mutilación de los órganos genitales de niños y hombres, por lo que no son un fenómeno por el que se deba luchar internacionalmente más allá de la lucha general contra cualquier conducta delictiva"*, p. 180.

[19]   Asimismo se prevé en el Convenio del Consejo Europeo sobre prevención y lucha contra la violencia contra las mujeres y la violencia doméstica, de 11 de mayo de 2011, cuyo artículo 38 —Mutilaciones genitales femeninas— prevé: *"Las Partes adoptarán las medidas legislativas o de otro tipo necesarias para tipificar como delito, cuando se cometa de modo intencionado: a) la escisión, infibulación o cualquier otra mutilación de la totalidad o parte de los labios ma-*

su parte, con la aprobación de la LO 3/2005, de 8 de julio, de modificación de la LO 6/1985, de 1 de julio, del Poder Judicial, para perseguir extraterritorialmente la práctica de la mutilación genital femenina, dicha protección se ha visto reforzada[20], permitiendo la persecución extraterritorial de la práctica de mutilación genital femenina cuando la comisión del delito se realice en el extranjero (normalmente aprovechando viajes a sus países de origen de quienes se encuentran en nuestro país).

El legislador español ha entendido que esta práctica es un ejercicio de violencia contra las mujeres, tal y como reza su exposición de motivos: *"La mutilación genital femenina constituye un grave atentado contra los derechos humanos, es un ejercicio de violencia contra las mujeres que afecta directamente a su integridad como personas. La mutilación de los órganos genitales de las niñas y las jóvenes debe considerarse un trato inhumano y degradante incluido, junto a la tortura, en las prohibiciones del artículo 3 del Convenio Europeo de Derechos Humanos"*

Sin embargo, a penas encontramos casos en los que se ha denunciado ante los tribunales. A modo de ejepmlo en 2010, la Audiencia Provincial de Barcelona en su sentencia 4815/2010, de 11 de mayo, ante el recurso interpuesto por mujer guineana para mantener la patria potestad de su hija menor, el tribunal desestimó su pretensión porque la madre *"minimiza la importancia de la ablación de su hija"* de manera que resulta *"evidente que existe un riesgo para la menor de ablación en caso de traslado a Guinea como pretendía su madre (...)"*.

Más recientemente, el Tribunal Supremo en sentencia 835/2012 de 31 de octubre, se ha pronunciado por primera vez al respecto, a propósito de un recurso de casación presentado contra la sentencia de la Audiencia Provincial de Teruel de 15 de noviembre de 2011, que condenaba a los padres de una menor como autores de un delito de lesiones y mutilación genital[21]. El Tribunal Supremo re-

---

yores, labios menores o clítoris de una mujer; b) el hecho de obligar a una mujer a someterse a cualquiera de los actos enumerados en el punto a) o de proporcionarle los medios para dicho fin; c) el hecho de incitar u obligar a una niña a someterse a cualquiera de los actos enumerados en el punto a) o de proporcionarle los medios para dicho fin".

[20] Se añade un nuevo epígrafe g) al artículo 23.4°. de la LOPJ: *"Igualmente será competente la jurisdicción española para conocer de los hechos cometidos por españoles o extranjeros fuera del territorio nacional susceptibles de tipificarse, según la ley penal española, como alguno de los siguientes delitos (...) g) Los relativos a la mutilación genital femenina, siempre que los responsables se encuentren en España".*

[21] Los recurrentes alegaban "error de prohibición". En relación a este, su operatividad es cada vez más limitada por la mayor información tanto sobre el carácter nocivo y gravemente perjudicial de tales hechos, como sobre el carácter delictivo de la mutilación genital como tipo penal autónomo, que hacen más difícil alegar y probar el desconocimiento como eximente de la responsabilidad penal, tal y como explica ROPERO CARRASCO, Julia, "La mutilación genital femenina: una lesión de los derechos fundamentales de las niñas basada en razones de discri-

chaza el recurso y aprovecha para pronunciarse respecto a este tipo de prácticas (haciendo alusión al *"alto grado de interculturalidad"* de la sociedad española actual*)*, afirmando que: *"el respeto a las tradiciones y a las culturas tiene como límite infranqueable el respeto a los derechos humanos que actúan como mínimo común denominador exigible en todas las culturas, tradiciones y religiones"*. Añadiendo que: *"La ablación del clítoris no es cultura, es mutilación y discriminación femenina"*. Este pronunciamiento supone una condena contundente de estas prácticas y un claro reconocimiento como delito de violencia de género (aunque el Tribunal no utiliza este término).

Por su parte, el Tribunal Supremo, en relación con el derecho de asilo, ya había tenido ocasión de pronunciarse sobre la necesidad de proteger a las mujeres frente a esta y otras prácticas ajenas a nuestra tradición cultural; así en su sentencia 4013/2011, de 15 de junio (siguiendo la jurisprudencia seguida por el mismo en sentencias previas), entiende que *"en aquellos supuestos en que se acredite la existencia de indicios suficientes (...) de que una mujer sufre persecución por su pertenencia al género femenino, que le ha supuesto la imposición de prácticas contrarias a la dignidad humana, como el matrimonio forzoso o la mutilación de un órgano genital, y que el régimen legal del país de origen no ofrece una protección jurídica eficaz, procede la concesión del derecho de asilo (...)"*. Reconociendo expresamente y de manera concreta la protección de la mujer frente a la ablación del clítoris y los matrimonios forzosos.

Los *matrimonios forzosos*, en efecto, constituyen otro modo de violencia machista sobre las mujeres —normalmente niñas—, considerándola una mercancía propiedad del hombre, a la que se pone un precio. Se trata de un atentado contra la dignidad y los derechos de las mujeres por el hecho de serlo, expresión de la dominación de los hombres sobre ellas.

El legislador penal, aprovechó la reforma del Código Penal llevada a cabo con la LO 1/2015, de 30 de marzo, para introducir estas prácticas forzadas como delito autónomo, en cumplimiento de lo previsto en el Convenio del Consejo Europeo sobre Prevención y Lucha contra la Violencia contra las Mujeres y la Violencia Doméstica[22]. Así, lo que antes quedaba subsumido en los tipos de coacciones

---

minación sexual" en *Curso de Derechos Humanos (*vol. 4), Servicio Editorial de la Universidad del País Vasco, pp. 372 y ss., 2003.
Véase también LARRAURI PIJOÁN, Elena, "Feminismo y multiculturalismo", en AAVV, *Análisis del Código Penal desde la perspectiva de género*, Instituto Vasco de la Mujer, 1998.

[22] El artículo 37 del Convenio, sobre "matrimonios forzosos" prevé que: *"1 Las Partes adoptarán las medidas legislativas o de otro tipo necesarias para tipificar como delito el hecho, cuando se cometa intencionadamente, de obligar a un adulto o un menor contraer matrimonio. 2 Las*

y amenazas, constituye a partir de entonces delito autónomo emparentado con la violencia contra la mujer: "*El que con intimidación grave o violencia compeliere a otra persona a contraer matrimonio será castigado con una pena de prisión de seis meses a tres años y seis meses o con multa de doce a veinticuatro meses, según la gravedad de la coacción o de los medios empleados*" (art. 172 bis.1), añadiendo que: "*La misma pena se impondrá a quien, con la finalidad de cometer los hechos a que se refiere el apartado anterior, utilice violencia, intimidación grave o engaño para forzar a otro a abandonar el territorio español o a no regresar al mismo*" (art. 172 bis.2).

En definitiva, es un hecho que la multiculturalidad es un factor que incrementa las conductas de violencia machista en nuestra sociedad, situando a las mujeres en una posición de enorme fragilidad y vulnerabilidad frente al hombre, sujetas a prácticas vejatorias propias de su cultura[23].

El reconocimiento de otras, ajenas a lo afectivo, resulta sin embargo más complicado. Se trata de prácticas que, a diferencia de las anteriores, son de carácter universal y no obedecen a cuestiones culturales, sino a la dominación machista sin más. Algunas ya han sido vinculadas a la violencia de género, entre ellas, las relacionadas con la mercantilización de mujeres con fines de explotación sexual y otras como el ataque masivo a mujeres —"feminicidio"— (así reconocido por la Corte Interamericana de Derechos Humanos).

La *trata de mujeres y la prostitución forzada* son una constante a través de la historia. De nuevo nos encontramos ante una exhibición de dominación machista. En el caso, mujeres que se ven obligadas a prostituirse por imperativo de hombres, a quienes se encuentran sometidas por cuestiones de índole económica principalmente, a las que se añaden factores como la falta de formación y de otros

---

Partes adoptarán las medidas legislativas o de otro tipo necesarias para tipificar como delito el hecho, cuando se cometa intencionadamente, de engañar a un adulto o un menor para llevarlo al territorio de una Parte o de un Estado distinto a aquel en el que reside con la intención de obligarlo a contraer matrimonio".

23   A esta situación a la que se exponen las mujeres migrantes, se suman los prejuicios culturales para denunciar o incluso para ir al médico para recibir asistencia, el temor a denunciar debido a su situación irregular, además de las dificultades que encuentran con el idioma. Precisamente, uno de los Objetivos de Desarrollo del Milenio (ODM) es "*promover la igualdad de género y la autonomía de la mujer*", necesaria para la consolidación y el ejercicio de la democracia. Para ello, se marcan estrategias que eviten la exclusión y la violencia y medidas que fomenten la autoconfianza, el autorespeto y la autoestima, previniendo expresamente la promoción de las condiciones socio-culturales de las mujeres en general, y de las marcadas etnio-racialmente en particular. Si bien en las sociedades democráticas se respeta la cultura identitaria de los grupos minoritarios, deben asimismo velar por los derechos, reconocidos en la Constitución y Pactos internacionales. Es obligación de los gobiernos democráticos vigilar y perseguir este tipo de conductas.

recursos. Haciendo propias las palabras de Maqueda: *"estamos, nada más y nada menos, ante la nueva esclavitud de nuestro tiempo"* [24].

"la prostitución y el mal que la acompaña, la trata de personas para fines de prostitución, son incompatibles con la dignidad y el valor de la persona humana y ponen en peligro el bienestar del individuo, de la familia y de la comunidad", así se reconoce en el Convenio para la Represión de la Trata de Personas y de la Explotación de la Prostitución Ajena, adoptado por la Asamblea General de Naciones Unidas, de 2 de diciembre de 1949[25]. En efecto, no se especifica el sexo de las víctimas, pero siempre se ha tratado de una práctica realizada con mujeres[26] —con independencia de casos aislados[27]—.

En cumplimiento de estas exigencias internacionales, nuestro Código Penal tipifica como delito el tráfico ilegal de personas y la prostitución —como delitos autónomos desde la reforma penal introducida por la LO 5/2010, de 22 de junio—. El delito de tráfico ilegal de personas, entre otras, con la finalidad de explotación sexual, se contempla en el art.177bis (revisado en parte con la LO 1/2015 de reforma del Código Penal) [28], en el que prevalece

---

[24]   Por su parte, el Convenio del Consejo de Europa sobre la lucha contra la trata de seres humanos, de 16 de mayo de 2005, añade que pretende combatir y prevenir la trata de seres humanos *"(...) garantizando la igualdad. entre las mujeres y los hombres" (art. 1)*. De manera más reciente, el Convenio del Consejo de Europa sobre la prevención y lucha contra la violencia contra las mujeres y la violencia doméstica, en su artículo 36, sobre "violencia sexual, incluida la violación" prevé que: *"1 Las Partes adoptarán las medidas legislativas o de otro tipo necesarias para tipificar como delito, cuando se cometa intencionadamente: (...); c) el hecho de obligar a otra persona a prestarse a actos de carácter sexual no consentidos con un tercero".*

[25]   A este respecto véase MAQUEDA ABREU, M. Luisa, "El tráfico de personas con fines de explotación sexual", en *Jueces para la Democracia* (núm. 38), 2000, p. 29. Idea que sostiene la misma autora en: MAQUEDA ABREU, M. Luisa, "Una forma de esclavitud: el tráfico sexual de personas", en AAVV, *Inmigración y Derecho Penal, bases para un debate*, Tirant lo Blanch, Valencia, pp. 255-272, 2002; MAQUEDA ABREU, M. Luisa, "Prostitución de las mujeres y control: una relación controvertida", en AAVV, *Análisis del Código Penal desde la perspectiva de género* Instituto Vasco de la Mujer, pp. 161-182, 1998.
En idéntico sentido POMARES CINTAS, Esther, "El delito de trata de seres humanos con la finalidad de explotación laboral", en *Revista electrónica de Ciencia Penal y Criminología* (núm. 13-15), 2011; NIETO EXPÓSITO, Rocío, "Derechos humanos y trata de mujeres con fines de explotación sexual", en *Temas para el Debate* (núm. 191, oct.), pp. 43-46, 2010.

[26]   A este respecto véase MAQUEDA ABREU, M. Luisa, "El tráfico de personas con fines de explotación sexual", en *Jueces para la Democracia* (núm. 38), pp. 25-29, 2000, p. 26.

[27]   Véase SERRA CRISTÓBAL, Rosario y LLORIA GARCÍA, Paz, *La trata sexual de mujeres. De la repercusión del delito a la tutela de la víctima*, Ministerio de Justicia, Madrid, 2007, p. 68.

[28]   Previendo en la nueva redacción del art. 177 bis.1: *"1. Será castigado con la pena de cinco a ocho años de prisión como reo de trata de seres humanos el que, sea en territorio español, sea desde España, en tránsito o con destino a ella, empleando violencia, intimidación o engaño, o abusando de una situación de superioridad o de necesidad o de vulnerabilidad de la víctima*

la protección de la dignidad y la libertad de quienes la sufren, de manera que ya no es un delito referido exclusivamente a extranjeros, sino que abarca todas las formas de trata de seres humanos, sin hacer distinción en razón a la nacionalidad o de su vinculación o no con la delincuencia organizada. Por su parte, el delito de prostitución previsto en el art. 187 Código Penal, tipifica de manera expresa la prostitución involuntaria o forzada y su explotación (proxenetismo). Así, en su nueva redacción dada a partir de la última reforma penal (antes mencionada): *"1. El que, empleando violencia, intimidación o engaño, o abusando de una situación de superioridad o de necesidad o vulnerabilidad de la víctima, determine a una persona mayor de edad a ejercer o a mantenerse en la prostitución, será castigado con las penas de prisión de dos a cinco años y multa de doce a veinticuatro meses. Se impondrá la pena de prisión de dos a cuatro años y multa de doce a veinticuatro meses a quien se lucre explotando la prostitución de otra persona, aun con el consentimiento de la misma (...)". En todo caso, se entenderá que hay explotación cuando concurra alguna de las siguientes circunstancias: a) Que la víctima se encuentre en una situación de vulnerabilidad personal o económica; b) Que se le impongan para su ejercicio condiciones gravosas, desproporcionadas o abusivas".*

El empleo de violencia, intimidación o engaño, la superioridad y la dominación sobre la mujer, así como la vulnerabilidad de la víctima, junto al hecho de que son mujeres las víctimas de este tipo de explotación sexual, evidencia que se trata de otra de las manifestaciones de violencia de género.

---

nacional o extranjera, o mediante la entrega o recepción de pagos o beneficios para lograr el consentimiento de la persona que poseyera el control sobre la víctima, la captare, transportare, trasladare, acogiere, o recibiere, incluido el intercambio o transferencia de control sobre esas personas, con cualquiera de las finalidades siguientes:
a) La imposición de trabajo o de servicios forzados, la esclavitud o prácticas similares a la esclavitud, a la servidumbre o a la mendicidad.
b) La explotación sexual, incluyendo la pornografía.
c) La explotación para realizar actividades delictivas.
d) La extracción de sus órganos corporales.
e) La celebración de matrimonios forzados.
Existe una situación de necesidad o vulnerabilidad cuando la persona en cuestión no tiene otra alternativa, real o aceptable, que someterse al abuso"
Añadiendo en el nuevo art. 177 bis.4: *"Se impondrá la pena superior en grado a la prevista en el apartado primero de este artículo cuando:*
a) se hubiera puesto en peligro la vida o la integridad física o psíquica de las personas objeto del delito;
b) la víctima sea especialmente vulnerable por razón de enfermedad, estado gestacional, discapacidad o situación personal, o sea menor de edad.
Si concurriere más de una circunstancia se impondrá la pena en su mitad superior".

Queda claro entonces, que cuando se prescinde de la libre voluntad, tratándose de víctimas de redes organizadas u obligadas a prostituirse de cualquier otro modo, entonces debe ser perseguido por la ley[29]. Las mujeres víctimas de prostitución forzada son víctimas de violencia de género, desde su amplia concepción[30]. El problema está en la dificultad para determinar cuándo estamos ante una situación de violencia contra la mujer, y cuando no. Este tipo de violencia de género se enmascara normalmente tras de una apariencia de voluntariedad inexistente, aprovechando la diversidad de situaciones que encontramos en relación a la prostitución y la complejidad para dar respuesta[31].

Otra cosa es la prostitución ejercida de manera voluntaria sin engaño e intimidación por parte de terceros. No es este el lugar para debatir acerca de la legalidad o ilegalidad de la prostitución. La prostitución, como cualquier otra actividad llevada a cabo de manera voluntaria por personas mayores de edad, con plena capacidad de obrar, podrá ser legal o no, en función de lo que determinen los legisladores[32].

---

[29]   Tal y como explica ASÚA BATARRITA, Adela, "Los nuevos delitos de violencia de género tras la reforma de la LO 11/2003, de 29 de septiembre", *Las recientes reformas penales, algunas cuestiones,* Universidad de Deusto, Deusto, pp. 201-234, 2004 (en Simposio celebrado en el Campus de Donostia, en octubre de 2012): se debe distinguir entre la prostitución realizada "*en el ejercicio de la libertad*" de la que supone una "*explotación*" para "*abrir un debate sobre su regulación*", añadiendo que esta actividad se encuentra en lo que la Magistrada ha denominado "*limbo legal*" (información recogida en el diariovasco.com).

[30]   En este sentido, MAQUEDA ABREU, M. Luisa, "Prostitución de las mujeres y control: una relación controvertida", en AAVV, *Análisis del Código Penal desde la perspectiva de género* Instituto Vasco de la Mujer, pp. 161-182, 1998, pp. 295-306.

[31]   DÍEZ GUTIÉRREZ, Enrique Javier, "Prostitución y violencia de género", en *Nómadas. Revista Crítica de Ciencias Sociales y Jurídicas* (núm. 24, 2009-4), 2009. Según afirma este autor: "*La prostitución es una forma de explotación que debe ser abolida y no una profesión que hay que reglamentar. Es una forma de violencia de género: «lo que las mujeres prostituidas tienen que soportar equivale a lo que en otros contextos correspondería a la definición aceptada de acoso y abuso sexual. ¿El hecho de que se pague una cantidad de dinero puede transformar ese abuso en un «empleo» ?, al que se le quiere dar el nombre de "trabajo sexual comercial".*

[32]   A este respecto, autores como DE MIGUEL ÁLVAREZ, Ana, "La prostitución de mujeres, una escuela de desigualdad humana", en *Revista Europea de Derechos Fundamentales "Género, Desigualdad y Violencia"* (núm. 19, 1°. semestre), pp. 49-74, 2007, sostiene que la prostitución, de cualquier manera, no es sino un modo de "*satisfacer la necesidad del hombre*". Explica que el germen de la prostitución es la desigualdad, aunque es un fenómeno consentido que se ve "normal" en la sociedad.
Algunos autores consideran que, de cualquier modo, la prostitución supone una violación de los derechos más elementales de la mujer. A este respecto véase CARMONA CUENCA, Encarnación, "Es la prostitución una vulneración de derechos fundamentales", en AAVV, *Prostitución y trata: marco jurídico y régimen de derechos,* Tirant lo Blanch, Valencia, pp. 43-70, 2007.

A este respecto, ha tenido ocasión de pronunciarse el Tribunal Supremo. En este margen de "a-legalidad", encontramos pronunciamientos en los que el Tribunal parece aceptar la prostitución por cuenta ajena entendiendo que no es forzada[33], llegando incluso a asimilarla tácitamente con una relación laboral. Así, llama la atención la STS de 14 de abril de 2009, en la que el Tribunal si bien condenó a los imputados por tráfico ilegal de inmigrantes con fines de explotación sexual, les absuelve de un delito contra los trabajadores entendiendo que: *"la prostitución no implica condiciones laborales dignas"* [34], añadiendo que: *"la cuestión de la prostitución voluntaria en condiciones que no supongan coacción, engaño, violencia o sometimiento, bien por cuenta propia o dependiendo de un tercero que establece unas condiciones que no conculquen los derechos de los trabajadores, no puede solventarse con enfoques morales (...) ya que afectan a aspectos de la voluntad (se entiende que la voluntad de las mujeres) que no pueden ser coartados por el derecho sin mayores matizaciones"* [35].

En este tipo de pronunciamientos, el Supremo parece aceptar la prostitución cuando se dan las circunstancias que mencionábamos antes (voluntariedad y no concurrencia de las circunstancias especificadas en el art. 187 CP) —incluso en ocasiones, a pesar de la dudosa voluntariedad en situaciones en que se realiza por cuenta ajena—. En mi opinión, esto supone un obstáculo en la lucha contra la violencia de género. No está tan claro que sea la mujer quien voluntaria y libremente decide ejercer la prostitución, bajo sus propias condiciones, quedando al arbitrio de terceros que deciden sobre su propia sexualidad. Si esto es así, se estarían enmascarando situaciones de violencia de género inadmisibles desde una óptica jurídico-constitucional.

Así parece haberse entendido en Europa. El Tribunal de Justicia de la Unión Europea, en su sentencia de 20 de noviembre de 2001, en la que se avaló la prostitución "libre y voluntaria" como "autoempleo": *"la actividad de la prostitución forma parte de las actividades económicas ejercidas de manera independiente (...) siempre y cuando se demuestre que el prestador del servicio la ejerce sin que exista ningún vínculo de subordinación por lo que respecta a la elección de dicha actividad ni a las condiciones de trabajo y de retribución"*.

---

[33]   Por citar algunas más recientes: SSTS 678/2012 ó 378/2011.
[34]   A pesar de lo discutible de dichas condiciones en las que mantenían a las mujeres que ejercían la prostitución en sus locales.
[35]   Al contrario, respecto a las condiciones en que se ejerce la prostitución, algunos autores entienden que: *"(...) la víctima podrá haber consentido en un inicio en el ejercicio de la prostitución pero no ha dado su consentimiento para sufrir toda suerte de abusos"*, Véase SERRA CRISTÓBAL, Rosario y LLORIA GARCÍA, Paz, *La trata sexual de mujeres. De la repercusión del delito a la tutela de la víctima*, Ministerio de Justicia, Madrid, 2007, p. 67.

El *ataque masivo contra las mujeres en razón a su género*[36], esto es, el asesinato, tortura y violaciones de forma masiva y continua de mujeres por el hecho de serlo es una realidad en la actualidad en algunos lugares del mundo. México es un ejemplo indiscutible. Miles de mujeres han sido víctimas de torturas, violaciones, mutilaciones y asesinatos a manos de hombres que, aprovechando su situación de marginación y pobreza, han quedado impunes. Casos como éste han sido llevados ante la Justicia. La Corte Interamericana de Derechos Humanos se ha pronunciado recientemente en el llamado caso "Campos Algodoneros", en el que resuelve acerca de los asesinatos de las mujeres de Ciudad Juárez, reconociendo que obedecen a la violencia machista. Recordando episodios negros de la historia de la humanidad, se trata de la desaparición de mujeres sin otra razón que la de ser mujer. Masacres como esta han sucedido y siguen sucediendo, poniendo de manifiesto la dominación y el abuso machista sobre las mujeres. En mi opinión, el trato de superioridad de los hombres sobre las mujeres que, sujetas a condiciones marginales o de pobreza, las usan con el mayor de los desprecios, violándolas, torturándolas, mutilándolas y asesinándolas, es sin lugar a dudas, un modo de violencia de género[37].

Ahora bien, junto a las anteriores, identificadas con la violencia de género, advertimos la existencia de "nuevas" prácticas cuyas protagonistas son las mujeres y que son, cuanto menos, sospechosas de constituir discriminación hacia ellas y susceptibles de ser consideradas violencia machista. En mi opinión, lo son.

Me refiero aquí, como ya adelanté, a la esclavitud doméstica y los vientres de alquiler. En ambos casos, se mercantiliza a las mujeres, considerándolas como "cosas" al servicio del interés de otros.

La *esclavitud doméstica*, localizada generalmente en sociedades desarrolladas. Es el caso de mujeres generalmente inmigrantes, sin recursos, ni formación, que se ven sometidas a situaciones laborales (generalmente domésticas) en condiciones infrahumanas y que anulan sus derechos.

Los *vientres de alquiler*, conocidos como gestación o maternidad subrogada. Es el caso de mujeres que, por cualquier motivo, da igual, alquilan su vientre. No

---

[36]   Delito de lesa humanidad. El Código Penal lo tipifica en su art. 167.bis: "*1. Son reos de delitos de lesa humanidad quienes cometan los hechos previstos en el apartado siguiente como parte de un ataque generalizado o sistemático contra la población civil o contra una parte de ella. En todo caso, se considerará delito de lesa humanidad la comisión de tales hechos: 1) Por razón de pertenencia de la víctima a un grupo o colectivo perseguido por motivos políticos, raciales, nacionales, étnicos, culturales, religiosos, de género, discapacidad u otros motivos universalmente reconocidos como inaceptables con arreglo al derecho internacional*".

[37]   En este sentido véase ACALE SÁNCHEZ, María, *La discriminación hacia la mujer por razón de género en el Código Penal*, Zaragoza, Ed. Cometa, 2006, pp. 188-189.

es el caso de actuaciones altruistas y sin ánimo de lucro, sino que media un precio. Se paga por el cuerpo de la mujer, en este caso por gestar para terceros.

Este tipo de acciones se disfrazan de una aparente modernidad que da una imagen de mujer "liberada". Sin embargo, lejos de lo anterior, entiendo que se trata de una falsa apariencia bajo la que se esconde una vez más la manipulación y la cosificación de las mujeres. De hecho, no solo media el lucro, sino que las circunstancias que rodean estos contratos de alquiler y las condiciones en las que se encuentran estas mujeres visibilizan su estado de necesidad y ponen en duda la voluntariedad de sus actos.

3. LA RESPUESTA "A MEDIAS" DEL LEGISLADOR

La violencia de género, como se dijo anteriormente, más allá de su vinculación con aspectos sociológicos y jurídico-penales, es una cuestión de derechos. Violencia de género no es otra cosa que violación de los derechos de las mujeres, reconocidos tras una dura e inacabada lucha tanto en ámbito internacional como a través de las leyes. Sin duda alguna la igualdad, y más allá de su concepción genérica como principio, la prohibición de discriminación por razón de sexo (como auténtico derecho fundamental, exigible), es el gran reto en la actualidad, para conseguir la plenitud en los derechos de las mujeres.

En efecto, encontramos desigualdades por sexo (género si se quiere, en su concepción más amplia), en cualquiera de los ámbitos de la vida, muy especialmente es parcelas aún por conquistar como la laboral.

Pues bien, una de las manifestaciones más visibles y preocupantes de la discriminación sexual es la violencia de género, sin lugar a dudas, la más grave de todas ellas. El trasfondo no es otro que la discriminación de las mujeres por hombres que, mediante la violencia, pretender hacer valer su superioridad y dominio sobre ellas. Se ataca directamente su dignidad, por el desprecio a su condición sexual, inherente, intrínseca a su propia existencia.

Este tipo de violencia anula derechos tan elementales como la *integridad física, psíquica y sexual*, por el riesgo permanente a que se ve expuesta la mujer, que no se limita al daño físico y/o sexual sino que supone tácitamente un daño psíquico difícil de evaluar pero que está presente en alguna medida; la *libertad y la autonomía de la voluntad*, impidiendo el *libre desarrollo de la personalidad*, a través de la coacción o el miedo de la víctima; la *vida*, como extremo de este tipo de violencia; la *intimidad personal y familiar*, invadiendo su esfera más íntima y personal; incluso el derecho al *honor y la propia imagen*, afectando a la imagen pública de la víctima de cara a la comunidad y exponiendo su vida privada.

Ahora bien, la diferencia marcada por el género y la prohibición de discriminación específica que recae sobre éste ¿justifica un tratamiento penal diferenciado entre mujeres y hombres?, un tratamiento penal diferenciado ¿resultaría constitucionalmente admisible o supondría una manifestación de la discriminación sexual, hacia los hombres en este caso?

En mi opinión, en esta diferenciación está la clave para distinguir entre la violencia, la violencia afectiva o familiar y la violencia de género, concebida ésta como cosa distinta de las anteriores. Por ello, me referiré a continuación a la diferenciación entre ambas conductas a partir de la actuación del legislador y de la respuesta dada por el Tribunal Constitucional.

El legislador español ha afrontado esta cuestión desde la diferenciación penal, entendiendo que la violencia de género es un tipo penal específico, si bien lo ha hecho a través de una ley no exenta de carencias que le han hecho objeto de no pocas críticas y que ha originado un intenso debate doctrinal resuelto por el Tribunal Constitucional, pero aún no cerrado.

En fin, con el objetivo de erradicar este tipo de violencia, el legislador ya había adoptado diferentes iniciativas previas[38]. Sin embargo, la complejidad de la violencia de género, así como sus magnitudes, exigen dar una solución integral y desde la transversalidad, esto es, mediante la prevención, la protección y la persecución, y en todos los ámbitos implicados. Se precisaba una respuesta integral al problema, de manera que más allá de su condena y persecución, se sentaran las

---

[38] Así, la *LO11/2003, de 29 de septiembre, de medidas concretas en materia de seguridad ciudadana, violencia doméstica e integración social de los extranjeros.* Por su parte, la *LO 27/2003, de 31 de julio, reguladora de la orden de protección de las víctimas de violencia doméstica,* aprobada con la pretensión de unificar los diferentes instrumentos existentes en la legislación nacional procesal, civil y penal, dirigidos al amparo frente a la violencia de género. Esta ley se ha visto reforzada recientemente con la Orden Europea de Protección, aprobada en *Directiva 2011/99/UE del Parlamento Europeo y del Consejo, de 11 de diciembre de 2011, sobre la "orden de protección",* en la que se hace mención especial a las víctimas de violencia de género. Y como antecedente más inmediato la *LO 14/1999, de 9 de junio, de modificación del Código Penal de 1995, en materia de protección a las víctimas de malos tratos y de la Ley de enjuiciamiento Criminal.* Además, también se cuenta con un importante elenco de leyes autonómicas, entre las que cabe citar como pionera la *Ley 5/2001, de 17 de mayo, de Prevención de Malos Tratos y de Protección a las Mujeres Maltratadas,* de Castilla-La Mancha. Son muchas las esferas relacionadas directa o indirectamente con la violencia de género, de manera que solo desde la transversalidad es posible dar una respuesta acertada. Así se reconoció en la IV Conferencia Mundial de la Mujer, Beijing 1995: *"la adopción de un enfoque integral y multidisciplinario que permita abordar la complicada tarea de crear familias, comunidades y Estados libres de la violencia contra la mujer es no sólo una necesidad, sino una posibilidad real. La igualdad, la colaboración entre mujeres y hombres y el respeto de la dignidad humana deben permear todos los estadios del proceso de socialización. Los sistemas educacionales deberían promover el respeto propio, el respeto mutuo y la cooperación entre mujeres y hombres"* —punto 119—.

bases para su prevención, comenzando desde la educación. Solo desde la adopción de acciones preventivas será posible erradicarla definitivamente. En este sentido, el *Convenio para combatir y Prevenir la Violencia contra las Mujeres y la Violencia Doméstica*, en el que por primera vez se apuesta por un modelo integral de prevención, protección y persecución de la violencia contra las mujeres.

En este contexto, se aprueba la LO 1/2004, de 28 de diciembre, *de Medidas de Protección Integral contra la Violencia de Género* (en adelante LOMPIVG). Esta ley pretendía dar un giro de la perspectiva "intrafamiliar" hacia la de "género" [39], a través de un modelo integral y transversal, previendo respuestas desde la educación, la sanidad, lo jurídico, y de ayuda asistencial y psicológica, entre otras[40]. En ámbito jurídico, con medidas que afectan a lo civil, laboral, procesal y penal, de manera que se hace efectivo su carácter interdisciplinar.

Sin lugar a dudas, era oportuna y necesaria la aprobación de una ley contra la violencia de género, en cualquiera de sus manifestaciones (física, sexual y psicológica), para proteger a las mujeres víctimas de sus parejas o exparejas, por tratarse del modo de violencia contra la mujer más extendido y que más preocupa a la sociedad. En efecto, el objetivo del legislador fue bien recibido, confiando en la ley como solución a un problema complejo y de gran magnitud.

Sin embargo, no tardaron en aparecer las críticas, sacando a la luz importantes déficits. En efecto, la LOMPIVG ha sido objeto de un debate doctrinal acerca de su constitucionalidad, principalmente por tratar de manera diferente a las mujeres que a los hombres. Sin desmerecer los éxitos alcanzados por la ley, adolece de una serie de deficiencias que de algún modo la ensombrecen. Me centraré en dos cuestiones en torno a las que considero, giran las dudas de constitucionalidad: la confusión de violencia de género con violencia doméstica (lo que trae la exclusión de otros tipos de violencia de género y la inclusión de los más vulnerables junto a las mujeres), y la consecuente dudosa justificación de la diferenciación penal que establece.

Respecto a la confusión de violencia de género con violencia doméstica[41], conlleva paralelamente una crítica por defecto, por prescindir de otros modos de

[39] SANZ MORAN, Ángel José, "Las últimas reformas del Código Penal en los delitos de violencia doméstica y de género", en AAVV, *Tutela jurisdiccional frente a la violencia de género: aspectos procesales, civiles, penales y laborales*, Lex Nova, Madrid, pp. 53-64, 2009, p. 61.

[40] En defensa de la oportunidad de esta ley, véase LÓPEZ AGUILAR, Luís Fernando, "El compromiso político contra la violencia de género", en AAVV, *La Administración de Justicia en la Ley integral contra la violencia de género*, Catálogo de Publicaciones del Ministerio de Justicia, Madrid, pp. 9-20, 2005, p. 10.

[41] Véase FUENTES SORIANO, Olga, "La constitucionalidad de la Ley Orgánica de Medidas de Protección Integral contra la Violencia de Género", *La Ley* (año XXVI, núm. 6362, 18 de noviembre de 2005), pp. 1-21, 2005. Esta autora defiende que: "*la violencia que sufren las mu-*

violencia de género (ajenos a lo afectivo), y otra por exceso, al incluir junto a la mujer, a las personas más vulnerables del grupo familiar. Para empezar, en su exposición de motivos se reconoce que: *"La violencia de género no es un problema que afecte al ámbito privado. Al contrario, se manifiesta como el símbolo más brutal de la desigualdad existente en nuestra sociedad. Se trata de una violencia que se dirige sobre las mujeres por el hecho mismo de serlo, por ser consideradas, por sus agresores, carentes de los derechos mínimos de libertad, respeto y capacidad de decisión"*, de acuerdo con lo pedido desde los organismos internacionales. Sin embargo, en su artículo 1, se dice que: *"La presente Ley tiene por objeto actuar contra la violencia que, como manifestación de la discriminación, la situación de desigualdad y las relaciones de poder de los hombres sobre las mujeres, se ejerce sobre éstas por parte de quienes sean o hayan sido sus cónyuges o de quienes estén o hayan estado ligados a ellas por relaciones similares de afectividad, aun sin convivencia"*.

Mientras la exposición de motivos se refiere a la violencia de género tal cual, el objetivo proclamado en su artículo 1 es la lucha contra la violencia de género en ámbito afectivo (de pareja). ¿Es coherente esta diferencia? Como se explicó anteriormente, la violencia de género no puede identificarse exclusivamente con la violencia contra la mujer en ámbito afectivo, pues se dejarían fuera de aquélla conductas que son formas de violencia de género (tal y como hemos tenido ocasión de repasar) [42]. Probablemente esta confusión atiende a la especial gravedad que representa la violencia de género en la pareja, por tratarse de un espacio privado, invisible y dentro de una relación de confianza.

La ley, en efecto, da protección a la mujer víctima de violencia machista en ámbito afectivo, pero lo hace de un modo cuanto menos peculiar. Identifica a la mujer con los miembros más vulnerables del grupo afectivo familiar, tales como los menores, los ancianos o los dependientes[43]. Con este tipo de regulación, el

---

jeres en el ámbito doméstico no es sino un aspecto, un reflejo o una posible manifestación de la violencia de género. La violencia de género hace pues referencia a un concepto más amplio que el de violencia doméstica", p. 3.

[42] Sobre esto véase MONTALBÁN HUERTAS, Inmaculada, *Perspectiva de género: criterio de interpretación internacional y constitucional*, Consejo General del Poder Judicial, Centro de Documentación, Madrid, 2004. Esta autora explica que: *"la implantación del concepto de violencia de género hace conveniente diferenciarlo respecto de otros términos como el de malos tratos, violencia doméstica o violencia familiar"*, añadiendo que: *"la utilización rigurosa de los términos y conceptos (...) permitirá conocer mejor la realidad y arbitrar medidas adecuadas a la misma"*, pp. 13-14.

[43] A este respecto véase MATA Y MARTÍN, Ricardo, "Algunas dificultades de la noción y de la ley de violencia de género", en AAVV, *Tutela jurisdiccional frente a la violencia de género: aspectos procesales, civiles, penales y laborales*, Lex Nova, Madrid, pp. 107-122, 2009, pp. 107-122. En su opinión: *Es necesario atender a la especificidad de la violencia contra las mujeres,*

legislador se aleja del objetivo pretendido, equiparando la protección por violencia de género a otros tipos de violencia intrafamiliares que no lo son. Incluso podría admitirse que los menores fueran protegidos junto a la mujer dentro de la concepción de violencia "de género", por entender que este tipo de violencia, en ocasiones, se manifiesta mediante los hijos o que éstos se ven afectados directamente por la violencia ejercida sobre la madre. Sin embargo, extenderla al resto de miembros está fuera de lugar.

En mi opinión, esta desmesurada previsión se aleja de la violencia de género, entendida como violencia machista hacia la mujer en la que subyace la discriminación por sexo, el espíritu de dominación y de superioridad del hombre, y motivada por el hecho de ser mujer. Si se identifica violencia de género con violencia familiar, resultaría cuestionable que la ley excluyera solo a los hombres de esta protección cuando incluso, aunque sea en casos aislados, ellos pueden ser objeto de la violencia. Cuando la víctima es la mujer, no es violencia intrafamiliar a secas, sino algo más[44], estaríamos ante "violencia de género de carácter afectivo-familiar".

Esta confusión, se podría haber evitado muy fácilmente si en lugar de denominarse "Ley integral de medidas contra la violencia de género" se hubiese hecho mención al "ámbito afectivo familiar" (de manera que no se entendieran excluidos otros modos de violencia de género) o bien si se hubiera ceñido a las relaciones de género, esto es, de pareja, evitando así su confusión con otro tipo de relaciones familiares que no lo son. En opinión de muchos *"no es la perspectiva de género —tan polémica— la que hace criticable la ley sino, precisamente, la ausencia de ésta"* [45].

---

de manera que no puede situarse junto a las manifestaciones de maltrato a menores, incapaces y otras personas que presenten especial vulnerabilidad", añadiendo que: *"habría que excluir de tal mención a otros sujetos posibles destinatarios de la violencia y que sí contempla el mencionado precepto, como ascendientes, descendientes o hermanos"*, pp. 110-112.
Resulta también interesantes algunas precisiones de ASÚA BATARRITA, Adela, "Los nuevos delitos de violencia de género tras la reforma de la LO 11/2003, de 29 de septiembre", *Las recientes reformas penales, algunas cuestiones*, Universidad de Deusto, Deusto, pp. 201-234, 2004, donde, en relación a las personas dependientes y menores, afirma que: *"(...) en estos, la vulnerabilidad y el sometimiento frente a quien le maltrata proviene de su natural posición de dependencia (por edad, por enfermedad o por discapacidad)"*, p. 112.

[44] En este sentido REY MARTÍNEZ, Fernando, "Comentarios a los Informes del Consejo de Estado sobre el impacto por razón de género", en *Teoría y Realidad Constitucional* (núm. 14, 2°. semestre), pp. 505-523, 2004, afirma que: *"la violencia de género es un tipo de violencia. Y por ello, es políticamente legítimo que se intente ofrecer una respuesta específica de política criminal"*, p. 515. En contra de la posición del Consejo de Estado que entendía que sería contrario a la igualdad no dar el mismo tratamiento a menores y dependientes.

[45] MAQUEDA ABREU, M. Luisa, "1989-2009: Veinte años de "desencuentros" entre la ley penal y la realidad de la violencia en pareja", en AAVV, *Tutela jurisdiccional frente a la*

Tal y como habíamos adelantado, la otra cuestión de fondo se refiere al ámbito penal, en relación a la dudosa justificación de la diferenciación penal que establece. En efecto, entre las medidas de carácter penal (Título IV, *Tutela Penal),* la ley hace una diferenciación en los tipos penales convirtiendo las faltas de malos tratos en delito, en función del sexo del sujeto activo y de la víctima. Se introduce dentro de los tipos agravados de lesiones uno específico que incrementa la sanción penal cuando la lesión se produzca contra quien sea o haya sido la esposa del autor, o mujer que esté o haya estado ligada a él por una análoga relación de afectividad aun sin convivencia (arts. 36 y 37). Además, se castigan como delito las coacciones y amenazas leves cometidas contra las mujeres (arts.38 y 39). Ahora bien, ¿esta diferenciación en el tratamiento penal en función del sexo es constitucional o estaríamos ante una medida contraria a la igualdad y la prohibición de discriminación?"[46].

Como adelantábamos antes, la controversia se suscita no respecto al cumplimiento del principio genérico de igualdad, sino sobre el respeto a la expresa prohibición de discriminación. Sobre la diferenciación por sexo recae una fuerte presunción de inconstitucionalidad precisamente por ser el sexo un motivo de discriminación constante a lo largo de la historia. Para justificar su constitucionalidad, no bastaría superar un juicio general de igualdad "de mínimos", el cual sería fácilmente superado, ya que sería suficiente alegar que la medida no es arbitraria, pues atiende a una finalidad razonable, la protección de la mujer. El sexo

violencia de género: aspectos procesales, civiles, penales y laborales, Lex Nova, Madrid, pp. 39-52, 2009, a lo que añade: "*Si el problema que se afirma preocupante (...) es la violencia contra la mujer, ¿por qué esos reiterados intentos de disimularla en el contexto neutro —y disperso— de las relaciones familiares o aun disimuladas*". Añadiendo una crítica más, la autora cuestiona si puede proponerse como una ley de género "*cuando abandona a la atención a otras mujeres del entorno doméstico y social, e incluye a seres vulnerables "asexuados"*" (pp. 45-46).

46   En relación con el derecho penal de género cabe citar a: MAQUEDA ABREU, M. Luisa, "1989-2009: Veinte años de "desencuentros" entre la ley penal y la realidad de la violencia en pareja", en AAVV, *Tutela jurisdiccional frente a la violencia de género: aspectos procesales, civiles, penales y laborales,* Lex Nova, Madrid, pp. 39-52, 2009, donde habla de un "*derecho penal sexuado*"; REY MARTÍNEZ, Fernando, "Comentarios a los Informes del Consejo de Estado sobre el impacto por razón de género", en *Teoría y Realidad Constitucional* (núm. 14, 2º. semestre), pp. 505-523, 2004, donde defiende que: "*si hay espacio para un derecho penal de género (...), pero(...) en diversos aspectos la ley contra la violencia sobrepasa sus límites*" (p. 34). Añade además que: "*(...) sí existe lugar para un derecho penal de género (...), pero en el contexto de un derecho penal igualitario*" (p. 38).
En la misma posición, véase también FARALDO CABANA, Patricia, "Razones para la introducción de la perspectiva de género en el Derecho Penal, a través de la LO 1/2004, de 28 de diciembre, sobre Medidas de Protección Integral contra la Violencia de Género", Revista Penal (núm. 17), pp. 72-94, 2006, en defensa del derecho penal de género.

es el factor determinante del trato diferenciado en la norma penal, por lo que tendría que superar un juicio de proporcionalidad "juicio estricto", atendiendo a sus exigencias de finalidad, adecuación o idoneidad, y proporcionalidad, que trata de blindar la protección frente a la discriminación por sexo[47]. Desde la literalidad de la ley resulta difícil superar este juicio.

Tal y como se redactó la ley, resulta complicado que esta diferencia en el trato penal en atención al sexo, pudiera superar el juicio de proporcionalidad[48]. La medida tiene una finalidad constitucional (proteger a la mujer frente a la violencia machista); sin embargo, ¿es la más adecuada para alcanzar la finalidad perseguida?, y ¿es proporcionada?, verdaderamente resulta complicado superar el test de proporcionalidad, resultaría una interpretación un tanto forzada, más aun tratándose del ámbito penal (por cuestiones penales en las que no entramos)[49].

Si, tal y como se redacta la ley, en un contexto de "violencia doméstica o intrafamiliar" se otorga un tratamiento penal diferenciado atendiendo exclusivamente al género de agresor y víctima, la medida diferenciadora sería desproporcionada pues se habría perdido la razón para diferenciar entre hombres y mujeres, esto es, el desprecio, posición dominante y afán de posesión del hombre sobre la mujer, que definen la violencia "de género" y la identifican respecto de otros tipos de violencia.

La constitucionalidad de la medida penal pasa entonces por entender que la violencia de género es cosa distinta de la violencia intrafamiliar, aunque aquella se lleve a cabo en el seno de ésta (cuando media una relación de afectividad). Así lo ha entendido el Tribunal Constitucional español cuando se ha pronunciado sobre la constitucionalidad de la controvertida diferencia en el tratamiento penal.

---

[47]   Sobre el juicio de proporcionalidad respecto a las causas sospechosas de discriminación, véase MARTÍN SÁNCHEZ, María, *Matrimonio homosexual y constitución*, Tirant lo Blanch, Valencia, 2008, pp. 35-99.

[48]   REY MARTÍNEZ, Fernando, "Comentarios a los Informes del Consejo de Estado sobre el impacto por razón de género", en *Teoría y Realidad Constitucional* (núm. 14, 2º. semestre), pp. 505-523, 2004. En opinión de este autor, la ley no plantearía problemas de igualdad en relación a los derechos reconocidos a las mujeres víctimas de violencia de género, sino en el trato penal diferenciado a tenor del sexo.

[49]   Por otra parte, se establecen diferencias también respecto a otras personas ajenas a la diferenciación por sexo. En este escenario, parecería incluso ser el hombre el discriminado respecto a todos los demás. Véase ASÚA BATARRITA, Adela, "Los nuevos delitos de violencia de género tras la reforma de la LO 11/2003, de 29 de septiembre", *Las recientes reformas penales, algunas cuestiones*, Universidad de Deusto, Deusto, pp. 201-234, 2004, a favor de la diferenciación entre mujeres y otros miembros del grupo familiar en el tratamiento penal: *"pues diluye así el contexto de la realidad criminológica y el desvalor específico de la injusticia del maltrato a la mujer en relación con la pareja"*, p. 210.

Algunos autores incluso han defendido su constitucionalidad, entendiendo que se trata de medidas positivas que pretenden igualar la situación de la mujer[50], en desventaja, con el hombre. Desde esta posición se defiende la cabida de estas medidas en ámbito penal[51], justificando su oportunidad y necesidad.

Sin embargo, considero que si la ley se hubiese formulado de otra manera, atendiendo específicamente a la violencia de género (y no a otras relaciones intrafamiliares), no cabría discusión acerca de su razonabilidad ya que estaríamos ante diferentes tipos penales: el delito o falta de lesiones, en caso de ser hombre la víctima (o cualquier otra persona ajena a la relación de pareja), y un delito de violencia de género, cuando la víctima del hombre es la mujer y concurra la intención de dominación machista y subordinación de la mujer (presupuesto de la violencia de género) [52]. Esto es, no sería una medida penal diferenciadora en

---

[50] En relación con las medidas positivas, véase RUIZ MIGUEL, Alfonso, "La ley contra la violencia de género y la discriminación positiva", en *Jueces para la Democracia* (núm. 55), pp. 35-47, 2006. Véase también, a favor de estas medidas GIMÉNEZ GLUCK, David, "Acción positiva y ley integral de violencia de género", en AAVV, *La Administración de Justicia en la Ley integral contra la violencia de género*, Catálogo de Publicaciones del Ministerio de Justicia, Madrid, pp. 21-28, 2005; GIMÉNEZ GLUCK, David y VALLEDECABRES ORTIZ, Isabel, "La constitucionalidad de la protección penal específica para las mujeres víctimas de violencia de género", en *La Administración de Justicia en la Ley integral contra la violencia de género*, Catálogo de Publicaciones del Ministerio de Justicia, Madrid, pp. 45-60, 2005. También en defensa de las medidas de acción positiva, BALAGUER CALLEJÓN, M. Luisa, "Comentario al Proyecto de Ley Orgánica de Medidas Integrales de protección frente a la violencia de género", *Artículo 14. Artículo 14. Una perspectiva de género* (núm. 16), pp. 22-24, 2004, pp. 22-24: *"El problema de la violencia de género es cualitativamente distinto en las mujeres, porque las causas que lo producen se alejan de los parámetros estandarizados de violencia social, y contienen elementos diferenciadores relacionados con la posición histórica de la mujer en la sociedad y el dominio a que han estado y siguen sometidas. Y esta diferencia justifica, y exige, un tratamiento también diferenciado por el legislador, obligado en un Estado Social (...)"* añadiendo que: *"(...) si la ley fuera igual, al no serlo las condiciones materiales de las mujeres, no se estaría persiguiendo la igualdad, sino consagrando la desigualdad"*, p. 23.
En contra de esta posición, entre otros, véase REY MARTÍNEZ, Fernando, "Comentarios a los Informes del Consejo de Estado sobre el impacto por razón de género", en *Teoría y Realidad Constitucional* (núm. 14, 2°. semestre), pp. 505-523, 2004.

[51] En este sentido véase ALGUACIL GONZÁLEZ-AURIOLES, Jorge, "Derechos fundamentales y violencia de género", *Revista de Derecho UNED* (núm. 8), 2011, p. 562., siguiendo la tesis de GIMÉNEZ GLUCK, David, *Juicio de Igualdad y Tribunal Constitucional*, Bosch, Madrid, 2004.

[52] En este sentido, véase FUENTES SORIANO, Olga, "La constitucionalidad de la Ley Orgánica de Medidas de Protección Integral contra la Violencia de Género", *La Ley* (año XXVI, núm. 6362, 18 de noviembre de 2005), pp. 1-21, 2005. Esta autora entiende que el bien jurídico protegido no es el mismo: *"actuaciones violentas que en principio, en sí mismas, cabría considerar idénticas (...), no son en modo alguno idénticas, ni siquiera parecidas: no solo por lo que se refiere a la actuación en sí (...) sino por el objetivo de la misma (...) y desde luego por las consecuencias que sufre la víctima"*, p. 10. Sin embargo, esta autora entiende que tal y como está re-

razón al sexo, sino una respuesta penal diferente ante distintos bienes jurídicos protegidos. Se justificaría la diferencia para proteger un tipo de violencia diferente y específica, la violencia de género.

Como es sabido, el Tribunal Constitucional ha tenido numerosas ocasiones para pronunciarse sobre la ley, a través de las cuestiones de inconstitucionalidad que se le han planteado. En su sentencia 59/2008, de 14 de mayo, se pronunció acerca de esta cuestión, avalando su constitucionalidad. Para ello, el Alto Tribunal no entendió que el conflicto constitucional estuviera en la posible vulneración de la prohibición de discriminación por sexo, sino en la igualdad en sentido general. Así, ha esquivado el juicio de proporcionalidad, bastándole con justificar la legitimidad de la finalidad pretendida por la norma. Siguiendo esta tesis, el Tribunal argumenta que la finalidad "preventiva" de la pena es legítima pues *"no hay forma más grave de minusvaloración que la que se manifiesta con el uso de la violencia con la finalidad de coartar al otro su más esencial autonomía en su ámbito más personal y de negar su igual e inalienable dignidad"*, añadiendo el argumento de la mayor frecuencia y gravedad de la violencia cuando es contra la mujer.

El Tribunal entiende que cuando la víctima es la mujer, hay un efecto añadido a la violencia: la seguridad, libertad y dignidad: *"(...) cabe considerar que (...) supone una mayor lesividad para la víctima: de un lado para su seguridad, con la disminución de las expectativas futuras de indemnidad, con el temor a ser de nuevo agredida; de otro, para su libertad, para la libre conformación de su voluntad, porque la consolidación de la discriminación agresiva del varón hacia la mujer en el ámbito de la pareja añade un efecto intimidatorio a la conducta, que restringe las posibilidades de actuación libre de la víctima; y además para su dignidad, en cuanto negadora de su igual condición de persona y en tanto que hace más perceptible ante la sociedad un menosprecio que la identifica con un grupo menospreciado"*. Además, añade que las consecuencias de esta diferenciación no son desproporcionadas, pues el desequilibrio (en la pena impuesta): *"no es patente y excesivo o irrazonable"*.

Dejando a un lado el concepto de violencia de género abordado en la ley y sus dudas de constitucionalidad, como cuestiones de fondo, existen otros aspectos criticables. De la lectura de la ley se desprende que, pese a su integralidad, las distintas medidas que prevé no han alcanzado el resultado deseable:

---

dactada la ley, la diferencia penal es proporcional y razonable, atendiendo exclusivamente a la gravedad del fenómeno, afirmando que: *"(...) en modo alguno pueden ser consideradas como irrazonables o poco objetivas cuando la finalidad que persiguen es erradicar un mal endémico y terriblemente arraigado en nuestra sociedad como el de la violencia de género (...)* p. 11.

Volviendo a las medidas penales, subyace en la ley un ánimo de *persecución penal*, que vislumbra una especial preocupación por castigar al hombre maltratador, tratando a la mujer como débil y situándola junto a los más vulnerables[53]. Este espíritu punitivo también se hace presente en ciertas medidas de protección en los diferentes ámbitos jurídicos: laboral, civil y procesal. Todas ellas, son sin lugar a dudas, un acierto del legislador, en cuanto protegen los derechos de la mujer en los diferentes espacios, aunque muchas de ellas son ciertamente cuestionables, de nuevo, por tratar a la mujer como "ser débil".

En este sentido, uno de los puntos más controvertidos respecto al conjunto de las medidas de *protección* previstas en la ley integral, es el espíritu paternalista que subyace en aquellas, especialmente en las relacionadas con el ámbito procesal. Se trata en ocasiones de medidas que limitan la libertad, la autonomía de la voluntad de la mujer y su libre desarrollo, tratándola como incapaz de decidir por sí misma[54]. Entre ellas: se refuerza la vía punitiva al exigir denuncia penal para acceder a las diferentes ayudas previstas en la ley, impidiéndose la solución amistosa; se prohíbe expresamente la mediación; se impide una posible reconciliación, siguiéndose el caso de oficio aun tras la retirada de la denuncia; se impone obligatoriamente el alejamiento para todos los delitos de violencia de género. Por su parte, se cuestiona también la sospecha de discriminación hacia los hombres que algunas de estas medidas pudieran suponer, habría que dilucidar si efectivamente éstas son las más adecuadas y congruentes respecto a la finalidad perseguida con ellas (erradicar este tipo de violencia sobre la mujer). Algunas de dichas medidas ciertamente pueden ser discutidas por su directa implicación con la garantía de presunción de inocencia del supuesto agresor, ya que en ocasiones la mera denuncia presume la culpabilidad del denunciado. Ahora bien, como

---

[53]   REY MARTÍNEZ, Fernando, "La ley contra la violencia de género y la igualdad constitucional", en AAVV, *Tutela jurisdiccional frente a la violencia de género: aspectos procesales, civiles, penales y laborales*, Lex Nova, Madrid, pp. 31-38, 2009, sostiene que: *"parece que, en el aspecto penal de la norma, se perseguía, simplemente y sobre todo, castigar más duro al maltratador"* añadiendo que *"el centro de gravedad de la respuesta pública a la violencia de género no debería estar sobre todo en el derecho penal, sino en las políticas sociales y en la protección real y efectiva de las víctimas, en la actualidad insuficientemente asegurada"*, p. 32.
También en contra de esta concepción de la ley, véase LARRAURI PIJOÁN, Elena, *Criminología crítica y violencia de género*, Trotta, Madrid, 2007, donde se examina las distintas opciones que la ley integral ha adoptado y se defiende la necesidad de apoyar a los grupos de mujeres de base y el resto de servicios sociales, relegando el derecho penal a un segundo plano.

[54]   ORTIZ PRADILLO, Juan Carlos, "El paternalismo del legislador en el enjuiciamiento de la violencia de género", en *Justicia* (año 2012, núm. 1), pp. 353-388, 2012. Este autor se muestra muy crítico con estas medidas procesales, entendiendo que suponen una actitud paternalista del legislador, contraria a la autonomía y capaz de decisión de las mujeres. En la misma línea véase LARRAURI PIJOÁN, Elena, "¿Se debe proteger a la mujer frente a su voluntad?", *Cuadernos Penales José María Lidón, Universidad de Deusto* (núm. 2), pp. 157-181, 2005.

decíamos, atendiendo a la finalidad perseguida por la ley y ante la ausencia de medidas alternativas que fueren más congruentes (y menos gravosas), se entiende que no son medidas desproporcionadas.

Sin ninguna duda, para acabar definitivamente con la violencia de género, más allá de la persecución penal, se necesitan medidas efectivas de *prevención*, como única vía de erradicación. En efecto, la ley incluye medidas de prevención desde cualquiera de los ámbitos implicados: la educación como origen, respecto a la que se prevé, entre otras, *"que en todos los materiales educativos se eliminen los estereotipos sexistas o discriminatorios y para que fomenten el igual valor de hombres y mujeres"* (art.6); la eliminación de la publicidad sexista en los medios de comunicación, que deberán tratar a la mujer *"conforme a los principios y valores constitucionales"* (art.11); la prevención sanitaria, estableciendo *"la detección precoz de la violencia de género y propondrán las medidas que estimen necesarias a fin de optimizar la contribución del sector sanitario en la lucha contra este tipo de violencia"* (art.15).

Ahora bien, ¿se están llevando a la práctica?, ¿realmente centran la atención de la sociedad y los poderes públicos en la lucha contra la violencia de género? Esta es probablemente la principal causa del fracaso del legislador y del resto de poderes públicos, que no han conseguido erradicar la violencia de género mediante esta ley (aunque se aprecia un descenso).

Finalmente, resulta imprescindible siquiera mencionar algunos de los problemas prácticos que está suscitando la ley en su aplicación: la especial dificultad en la denuncia de violencia psicológica, la sombra de las denuncias falsas y la imposición de tasas judiciales.

La *violencia psicológica* es la más difícil de detectar, tanto por la comunidad como incluso por las propias víctimas. A diferencia de actitudes como "la maté porque era mía" o "no es violación, sino el uso de mis derechos", en donde a pesar de lo privado de sus manifestaciones, es fácilmente detectable por las víctimas, la psicológica se esconde bajo una apariencia de normalidad más difícil de reconocer. En nuestro entorno, quizá no conozcamos casos de violencia física o sexual, mucho menos de tipos de violencia ajenas a nuestra tradición occidental o a lo afectivo, pero muy probablemente sí conozcamos situaciones de violencia psicológica que incluso hemos llegado a presenciar. Cuando el hombre se dirige a su pareja en público con malos modos y conductas que la ridiculizan; cuando por costumbre la trata a voces y le exige determinados comportamientos; actitudes como alejarla de su círculo de amigos o incluso de su propia familia; prohibir que trabaje fuera de casa o que vista de determinada manera; todas estas, a modo de ejemplo, son violencia psicológica, aunque suelen permitirse bien por considerarse "normales", para procurar un buen ambiente y evitar discusiones, especialmente por los hijos; o incluso por dependencia afectiva, como ocurre entre los más jóvenes. Es llamativo que en los últimos años este tipo de violencia ha aumentado entre los más jóvenes.

Las *denuncias falsas* son un obstáculo para el conjunto de las mujeres sobre las que, en ocasiones, puede planear la sospecha de la duda. Los únicos capaces de detectar las denuncias falsas, así como de castigarlas son los jueces, sobre quienes recae dicha responsabilidad. Sin duda, se trata de una labor de gran complejidad y de difícil solución, aunque ciertamente el porcentaje es ínfimo.

Junto a lo anterior, aunque anecdótico, resulta cuanto menos curioso referirme a ciertos obstáculos introducidos, contradictoriamente, por el legislador. Así ocurrió con la Ley 10/2012, de 20 de noviembre, de tasas judiciales, que en su primera redacción no exceptuaba a las víctimas de violencia machista del pago de las mismas. Contrariamente a lo previsto en la LOMPIVG, la ley de tasas judiciales dificultaba aún más la situación de las mujeres víctimas de violencia de género, a quienes se condenaba a pagar para acceder a la justicia. Para resolver lo anterior, el legislador decidió eximirlas del pago a través de una reforma de la Ley de Asistencia Gratuita. La cuestión es que, desde la entrada en vigor de la ley de tasas judiciales y hasta la posterior reforma de la ley de asistencia gratuita, la primera supuso un retroceso en lo avanzado contra la violencia de género.

Puestas sobre la mesa las dificultades para llevar a la práctica las medidas aprobadas con la Ley, las fuerzas políticas asumieron el compromiso de elaborar un Pacto que reforzara lo previsto por aquella y que introdujera medidas encaminadas a dotarla de efectividad.

Así, tras un largo proceso de negociación y varios intentos fallidos, se ha logrado alcanzar un pacto para luchar contra la violencia de género. Conocido como el Pacto de Estado contra la Violencia de Género (aprobado en el Congreso de los Diputados el 28 de septiembre de 2017) se presenta como el gran acuerdo político en respuesta institucional a la violencia de género como una cuestión de especial relevancia y trascendencia (pese a no haber alcanzado la unanimidad).

Se trata de un Pacto que mantiene el carácter integral y transversal, como respuesta a las dificultades observadas en la aplicación práctica de la Ley integral de 2004, y a la eficacia de las medidas previstas en la misma. Junto con una considerable dotación económica, se aprueban 213 medidas de prevención, asistencia y protección a las víctimas, y que presta especial atención a la protección de los hijos y a las situaciones de maltrato en las que se ven involucrados éstos. Entre otras, relacionadas con la exclusión de custodia compartida o del régimen de visitas a los maltratadores, protección a las víctimas incursas en procesos de sustracción internacional de menores, la consideración de víctimas de violencia de género a las madres cuyos hijos han sido asesinados a manos de sus parejas o ex parejas (padres en la mayoría de los casos), la asistencia y protección social a las víctimas aunque no presenten denuncia, o advertir la necesidad de visibilizar otras formas de violencia de género no previstas en la Ley integral. No me detendré en el análisis del Pacto pues me excedería en los objetivos de este trabajo.

Con todo, la regulación vigente dada con la memorable Ley integral contra la violencia de género en 2004, se quedó a medio camino precisamente por la ausencia de perspectiva de género en ella, "género" que da la clave para examinar su adecuación a las exigencias constitucionales de igualdad. Y, a mi juicio, aun reconociendo que es un paso más, está en manos de los políticos que el compromiso asumido con Pacto de Estado contra la Violencia de Género, se quede en una declaración meramente formal o que suponga una auténtica reforma sustantiva.

BIBLIOGRAFÍA

ACALE SÁNCHEZ, María, *La discriminación hacia la mujer por razón de género en el Código Penal*, Zaragoza, Ed. Cometa, 2006.

ALGUACIL GONZÁLEZ-AURIOLES, Jorge, "Derechos fundamentales y violencia de género", *Revista de Derecho UNED* (núm. 8), pp. 551-562, 2011.

ASÚA BATARRITA, Adela, "Los nuevos delitos de violencia de género tras la reforma de la LO 11/2003, de 29 de septiembre", *Las recientes reformas penales, algunas cuestiones*, Universidad de Deusto, Deusto, pp. 201-234, 2004.

BALAGUER CALLEJÓN, M. Luisa, "Comentario al Proyecto de Ley Orgánica de Medidas Integrales de protección frente a la violencia de género", *Artículo 14. Artículo 14. Una perspectiva de género* (núm. 16), pp. 22-24, 2004.

CARMONA CUENCA, Encarnación, "Es la prostitución una vulneración de derechos fundamentales", en AAVV, *Prostitución y trata: marco jurídico y régimen de derechos*, Tirant lo Blanch, Valencia, pp. 43-70, 2007.

DE MIGUEL ÁLVAREZ, Ana, "La prostitución de mujeres, una escuela de desigualdad humana", en *Revista Europea de Derechos Fundamentales "Género, Desigualdad y Violencia"* (núm. 19, 1º. semestre), pp. 49-74, 2007.

DÍEZ GUTIÉRREZ, Enrique Javier, "Prostitución y violencia de género", en *Nómadas. Revista Crítica de Ciencias Sociales y Jurídicas* (núm. 24, 2009-4), 2009.

FARALDO CABANA, Patricia, "Razones para la introducción de la perspectiva de género en el Derecho Penal, a través de la LO 1/2004, de 28 de diciembre, sobre Medidas de Protección Integral contra la Violencia de Género", Revista Penal (núm. 17), pp. 72-94, 2006.

FREIXES SANJUAN, Teresa, "Las normas de protección de la violencia de género (reflexiones en torno al marco internacional y europeo)", *Artículo 14. Una perspectiva de género* (núm. 6), pp. 4-18, 2001.

FRANCO REBOLLAR, Pepa y GUILLÓ GIRARD, Clara Inés, "¿Qué pasa fuera de las ciudades?", *Revista Europea de Derechos Fundamentales "Género, Desigualdad y Violencia"* (núm. 19, 1º. semestre), pp. 215-244, 2012.

FUENTES SORIANO, Olga, "La constitucionalidad de la Ley Orgánica de Medidas de Protección Integral contra la Violencia de Género", *La Ley* (año XXVI, núm. 6362, 18 de noviembre de 2005), pp. 1-21, 2005.

GIMÉNEZ GLUCK, David, *Juicio de Igualdad y Tribunal Constitucional*, Bosch, Madrid, 2004.

GIMÉNEZ GLUCK, David, "Acción positiva y ley integral de violencia de género", en AAVV, *La Administración de Justicia en la Ley integral contra la violencia de género*, Catálogo de Publicaciones del Ministerio de Justicia, Madrid, pp. 21-28, 2005.

GIMÉNEZ GLUCK, David y VALLEDECABRES ORTIZ, Isabel, "La constitucionalidad de la protección penal específica para las mujeres víctimas de violencia de género", en *La Administración de Justicia en la Ley integral contra la violencia de género*, Catálogo de Publicaciones del Ministerio de Justicia, Madrid, pp. 45-60, 2005.

LARRAURI PIJOÁN, Elena, *"Feminismo y multiculturalismo"*, en AAVV, *Análisis del Código Penal desde la perspectiva de género*, Instituto Vasco de la Mujer, pp. 33-44, 1998.

LARRAURI PIJOÁN, Elena, *Criminología crítica y violencia de género*, Trotta, Madrid, 2007.

LARRAURI PIJOÁN, Elena, "¿Se debe proteger a la mujer frente a su voluntad?", *Cuadernos Penales José María Lidón, Universidad de Deusto* (núm. 2), pp. 157-181, 2005.

LARRAURI PIJOÁN, Elena, "Feminismo y multiculturalismo", en AAVV, *Análisis del Código Penal desde la perspectiva de género*, Instituto Vasco de la Mujer, 1998.

LÓPEZ AGUILAR, Luís Fernando, "El compromiso político contra la violencia de género", en AAVV, *La Administración de Justicia en la Ley integral contra la violencia de género*, Catálogo de Publicaciones del Ministerio de Justicia, Madrid, pp. 9-20, 2005.

LORENTE ACOSTA, Miguel, "Violencia contra las mujeres: peligrosidad y valoración del riesgo", *Revista Europea de Derechos Fundamentales "Género, Desigualdad y Violencia"* (núm. 19, 1°. semestre), pp. 185-214, 2012.

MAQUEDA ABREU, M. Luisa, "1989-2009: Veinte años de "desencuentros" entre la ley penal y la realidad de la violencia en pareja", en AAVV, *Tutela jurisdiccional frente a la violencia de género: aspectos procesales, civiles, penales y laborales*, Lex Nova, Madrid, pp. 39-52, 2009.

MAQUEDA ABREU, M. Luisa, "El tráfico de personas con fines de explotación sexual", en *Jueces para la Democracia* (núm. 38), pp. 25-29, 2000.

MAQUEDA ABREU, M. Luisa, "Una forma de esclavitud: el tráfico sexual de personas", en AAVV, *Inmigración y Derecho Penal, bases para un debate*, Tirant lo Blanch, Valencia, pp. 255-272, 2002.

MAQUEDA ABREU, M. Luisa, "Prostitución de las mujeres y control: una relación controvertida", en AAVV, *Análisis del Código Penal desde la perspectiva de género* Instituto Vasco de la Mujer, pp. 161-182, 1998.

MAQUEDA ABREU, M. Luisa, "La trata de mujeres para explotación sexual", en AAVV, *Prostitución y trata: marco jurídico y régimen de derechos*, Tirant lo Blanch, Valencia, pp. 295-306, 2007.

MARTÍN SÁNCHEZ, María, "Derechos y Exclusiones en la Constitución de Cádiz de 1812, en AAVV, *La Constitución de 1812 y su difusión en Latinoamérica. Homenaje a la Constitución de Cádiz*, Tirant lo Blanch, Valencia, pp. 177-190, 2012.

MARTÍN SÁNCHEZ, María, "Mujer inmigrante: espacios de doble discriminación", en AAVV, *Estudios sobre género y extranjería*, Bomarzo, Albacete, pp. 61-90, 2011.

MARTÍN SÁNCHEZ, María, "La realidad de las mujeres en el siglo XXI", en AAVV, *El Derecho y la Economía ante las mujeres y la igualdad de género*, Lex Nova, Madrid, pp. 23-48, 2012.

MARTÍN SÁNCHEZ, María, *Matrimonio homosexual y constitución*, Tirant lo Blanch, Valencia, 2008.

MATA Y MARTÍN, Ricardo, "Algunas dificultades de la noción y de la ley de violencia de género", en AAVV, *Tutela jurisdiccional frente a la violencia de género: aspectos procesales, civiles, penales y laborales*, Lex Nova, Madrid, pp. 107-122, 2009.

MONTALBÁN HUERTAS, Inmaculada, *Perspectiva de género: criterio de interpretación internacional y constitucional*, Consejo General del Poder Judicial, Centro de Documentación, Madrid, 2004.

NIETO EXPÓSITO, Rocío, "Derechos humanos y trata de mujeres con fines de explotación sexual", en *Temas para el Debate* (núm. 191, oct.), pp. 43-46, 2010.

ORTIZ PRADILLO, Juan Carlos, "El paternalismo del legislador en el enjuiciamiento de la violencia de género", en *Justicia* (año 2012, núm. 1), pp. 353-388, 2012.

PÉREZ MANZANO, Mercedes, "El impago de prestaciones económicas a favor de cónyuge y/o hijos e hijas", en AAVV, *Análisis del Código Penal desde la perspectiva de género*, Instituto Vasco de la Mujer, pp. 217-240, 1998.

POMARES CINTAS, Esther, "El delito de trata de seres humanos con la finalidad de explotación laboral", en *Revista electrónica de Ciencia Penal y Criminología* (núm. 13-15), 2011.

REY AVILÉS, Ángeles, "Acoso sexual", en AAVV, *Análisis del Código Penal desde la perspectiva de género*, Instituto Vasco de la Mujer, pp. 103-104, 1998.

REY MARTÍNEZ, Fernando, "La discriminación múltiple, una realidad antigua, un concepto nuevo" en *Revista Española de Derecho Constitucional* (núm. 84), pp. 251-283, 2008.

REY MARTÍNEZ, Fernando, "La ley contra la violencia de género y la igualdad constitucional", en AAVV, *Tutela jurisdiccional frente a la violencia de género: aspectos procesales, civiles, penales y laborales*, Lex Nova, Madrid, pp. 31-38, 2009.

REY MARTÍNEZ, Fernando, "Comentarios a los Informes del Consejo de Estado sobre el impacto por razón de género", en *Teoría y Realidad Constitucional* (núm. 14, 2°. semestre), pp. 505-523, 2004.

REY MARTÍNEZ, Fernando, ALÁEZ CORRAL, Benito, RUIZ MIGUEL, Alfonso, y FARALDO CABANA, Patricia, "Protección penal desigual y violencia de género", en AAVV, *Cuestiones actuales de la protección de la vida y la integridad física y moral*, Aranzadi, Madrid, pp. 133-209, 2012.

RODRÍGUEZ YAGÜE, A. Cristina, "La mujer extranjera como víctima de la violencia de género en el ámbito sentimental", en AAVV, *Estudios sobre género y extranjería*, Bomarzo, Albacete, pp. 137-178, 2011.

ROPERO CARRASCO, Julia, "La mutilación genital femenina: una lesión de los derechos fundamentales de las niñas basada en razones de discriminación sexual" en *Curso de Derechos Humanos* (vol. 4), Servicio Editorial de la Universidad del País Vasco, pp. 372 y ss., 2003.

RUIZ MIGUEL, Alfonso, "La ley contra la violencia de género y la discriminación positiva", en *Jueces para la Democracia* (núm. 55), pp. 35-47, 2006.

SANZ MORAN, Ángel José, "Las últimas reformas del Código Penal en los delitos de violencia doméstica y de género", en AAVV, *Tutela jurisdiccional frente a la violencia de género: aspectos procesales, civiles, penales y laborales*, Lex Nova, Madrid, pp. 53-64, 2009.

SERRA CRISTÓBAL, Rosario y LLORIA GARCÍA, Paz, *La trata sexual de mujeres. De la repercusión del delito a la tutela de la víctima*, Ministerio de Justicia, Madrid, 2007.

VARELA MENÉNDEZ, Nuria, "Nueva misoginia", en *Revista Europea de Derechos Fundamentales "Género, Desigualdad y Violencia"* (núm. 19, 1°. semestre), pp. 25-48.

VIRTO LARRUSCAIN, M. José, "La maternidad contestada: la derogación del infanticidio y la regulación o cancelación del aborto", en AAVV, *Análisis del Código Penal desde la perspectiva de género*, Instituto Vasco de la Mujer, pp. 115-160, 1998.

VOLIO MONGE, Roxana, "Reflexiones necesarias en torno al binomio "violencia y pobreza" de las mujeres", en *Revista Europea de Derechos Fundamentales "Género, Desigualdad y Violencia"* (núm. 19, 1°. semestre), pp. 95-122, 2012.

Normas jurídicas citadas

Ley Orgánica 14/1999, de 9 de junio, de modificación del Código Penal de 1995, en materia de protección a las víctimas de malos tratos y de la Ley de enjuiciamiento Criminal.

Ley 5/2001, de 17 de mayo, de Prevención de Malos Tratos y de Protección a las Mujeres Maltratadas, de Castilla-La Mancha.

Ley Orgánica 27/2003, de 31 de julio, reguladora de la orden de protección de las víctimas de violencia doméstica.

Ley Orgánica 11/2003, de 29 de septiembre, de Medidas concretas en materia de seguridad ciudadana, violencia doméstica e integración social de los extranjeros.

Ley Orgánica 1/2004, de 28 de diciembre, de Medidas de Protección Integral contra la Violencia de Género.

Ley Orgánica 3/2005, de 8 de julio, de modificación de la LO 6/1985, de 1 de julio, del Poder Judicial, para perseguir extraterritorialmente la práctica de la mutilación genital femenina.

Ley 10/2012, de 20 de noviembre, por la que se regulan determinadas tasas en el ámbito de la Administración de Justicia y del Instituto Nacional de Toxicología y Ciencias Forenses.

Proyecto de Ley Orgánica por el que se reforma la Ley Orgánica 10/1995, de 23 de noviembre de reforma del Código Penal, de 4 de octubre de 2013.

Jurisprudencia citada

Sentencia de la Audiencia Provincial de Barcelona, de 11 de mayo de 2010.

Sentencia de la Audiencia Provincial de Teruel, de 15 de noviembre de 2011.

Sentencia del Tribunal Supremo español núm. 425/2009, de 14 de abril de 2009.

Sentencia del Tribunal Supremo español núm. 378/2011, de 17 de mayo.

Sentencia del Tribunal Supremo español núm. 4013/2011, de 15 de junio.

Sentencia del Tribunal Supremo español núm. 678/2012, de 18 de septiembre.

Sentencia del Tribunal Supremo español núm. 835/2012, de 31 de octubre.

Sentencia del Tribunal Constitucional español núm. 59/2008, de 14 de mayo.

Sentencia del Tribunal de Justicia de la Unión Europea, asunto C-268/99 Aldona Malgorzata Jany y otras c. Staatssecretaris van Justitie, de 20 de noviembre de 2001.

Sentencia de la Corte Interamericana de Derechos Humanos, caso González y otras ("Campo Algodonero") c. México, de 16 de noviembre de 2009.

Capítulo 3

MUJERES CON DISCAPACIDAD: INCIDENCIA DE LA VIOLENCIA DE GÉNERO Y VALORACIÓN DESDE EL PUNTO DE VISTA DE LOS DERECHOS HUMANOS Y DE LA ACTUACIÓN DEL ESTADO CONSTITUCIONAL[1]

ENRIQUE BELDA PÉREZ-PEDRERO
Profesor Titular de Derecho Constitucional
Universidad de Castilla-La Mancha

SUMARIO: 1. LA CATEGORÍA EN RIESGO DE DISCRIMINACIÓN Y LA PERS-PECTIVA DE ESTUDIO. 2. LA PREOCUPANTE REALIDAD. 3. ¿QUÉ PUEDE HA-CER EL DERECHO CONSTITUCIONAL? 4. LA ESTRUCTURA NORMATIVA ACTUAL COMO PUNTO DE PARTIDA PARA LA SOCIEDAD Y PARA EL OPE-RADOR JURÍDICO. BIBLIOGRAFÍA.

1. LA CATEGORÍA EN RIESGO DE DISCRIMINACIÓN Y LA PERSPECTIVA DE ESTUDIO

Desde hace unos años se ha sugerido, como foco de atención para su estudio, el caso de ciertos colectivos de personas susceptibles o en riesgo de discrimina-ción, a partir de las menciones conocidas a nivel nacional (art. 14 Constitución

---

[1]   Trabajo presentado por invitación del Proyecto DIPUCR-16, Estudio Sobre la Violencia de Género y Violencia Doméstica en Castilla La Mancha, dirigido por la Dra. María Martín Sánchez. También quiero mencionar el apoyo prestado por la Fundación CERMI MUJERES y por el Instituto para la Gobernanza. Con este último, llevaré a término en los próximos meses, varios estudios que afectan a los derechos de las personas con discapacidad (el pre-sente, introduce uno de los supuestos de hecho, relativo a la vulnerabilidad potencial com-pleja del colectivo).

Nota de accesibilidad: Se puede solicitar el contenido de este estudio en Braille, a la dirección de correo electrónico Enrique.Belda@uclm.es

española, en adelante CE[2]) o internacional (Declaración Universal de Derechos Humanos[3] y Convenio Europeo para la Protección de los Derechos Humanos y las Libertades Fundamentales[4]), para señalar el interés de aquellas categorías de ciudadanos/as que acumulan, por sus circunstancias vitales, más de una de las llamadas o alertas conocidas de discriminación. Se admite de manera pacífica para la designación de estos casos, la terminología de *doble discriminación* o *discriminación múltiple*[5]. También, en este universo, hay supuestos sujetos a discriminación múltiple que constituyen, en el encuadramiento social y legislativo, especificidades dentro de una categoría en riesgo de exclusión: en su momento me atrevía a calificar de "minorías entre las minorías" a los colectivos que, reconocidos por el ordenamiento jurídico como potenciales receptores de acciones positivas o de discriminación inversa, formaban a su vez un subgrupo con necesidades especiales (el ejemplo de las personas transexuales dentro del colectivo LGTBI[6], o el de las personas sordociegas en el colectivo de las personas sordas).

---

[2]   Artículo 14 CE: "Los españoles son iguales ante la ley, sin que pueda prevalecer discriminación alguna por razón de nacimiento, raza, sexo, religión, opinión o cualquier otra condición o circunstancia personal o social.".

[3]   Declaración Universal de Derechos Humanos. Asamblea General, Resolución 217 A (III), de 10 de diciembre de 1948. Artículo 2.I.: "Toda persona tiene los derechos y libertades proclamados en esta Declaración, sin distinción alguna de raza, color, sexo, idioma, religión, opinión política o de cualquier otra índole, origen nacional o social, posición económica, nacimiento o cualquier otra condición.".

[4]   Convenio Europeo para la Protección de los Derechos Humanos y las Libertades Fundamentales. Roma, 10 de diciembre de 1950: "Artículo 14. Prohibición de discriminación. El goce de los derechos y libertades reconocidos en el presente Convenio ha de ser asegurado sin distinción alguna, especialmente por razones de sexo, raza, color, lengua, religión, opiniones políticas u otras, origen nacional o social, pertenencia a una minoría nacional, fortuna, nacimiento o cualquier otra situación.".

[5]   REY MARTÍNEZ, Fernando, "la discriminación múltiple, una realidad antigua, un concepto nuevo", en *Revista española de derecho constitucional*, núm. 84, pp. 251 a 283, 2008. El autor estudia la utilización de esta categoría, su uso en derecho comparado, y la progresiva construcción e implementación del término desde la aceptación expresa de la forma "discriminación múltiple", de origen anglosajón, en la Conferencia de Naciones Unidas contra el Racismo, de Durban, en 2001. También la distinción con las discriminaciones denominadas como "compuesta" e "interseccional", valorando sus efectos en la sentencia del Tribunal Constitucional español 69/2007, de 16 de abril.

[6]   Por ejemplo, en *Derechos Humanos. Actualidad y Desafíos*. Luis González Placencia y Julieta Morales Sánchez (cords.), "Identidad sexual: propuesta para una intervención moderada de los Poderes Públicos que garantice la dignidad de la persona y sus derechos", pp. 269 a 276, Editorial Fontamara, colección *Doctrina Jurídica Contemporánea*, México D.F., 2012. También en las conferencias: *Minorías entre las minorías: el caso de la transexualidad*", *I Congreso Internacional de Derecho Constitucional* organizado bajo el patrocinio de la Fiscalía General del Estado de Chiapas, el Instituto Nacional de Estudios Fiscales y la Fundación Juventud Activa. Tuxtla Gutiérrez (México), 30 de agosto de 2007. *Nuevos derechos: minorías entre las*

Constatada la existencia de especificidades en el seno de las categorías señaladas en riesgo potencial de exclusión, marginación, maltrato o desigualdad; cuantitativamente es mucho más fácil encontrar en nuestras sociedades, dentro del universo de los colectivos aludidos por las normativas nacionales e internacionales sobre derechos humanos, a personas que acumulan, real o potencialmente, características personales para ser señaladas en dos o más de los grupos reconocidos como objeto de alerta (en riesgo de discriminación múltiple), requiriendo una protección suplementaria de los poderes públicos de cara a su equiparación, y a la promoción efectiva. Las mujeres con discapacidad, sin duda, reúnen este perfil, asumiendo, al menos, la pertenencia, por género y por caracteres (físicos, sensoriales y/o psíquicos), a una categoría de especial atención jurídica para los poderes públicos. Como puede comprobarse, son minoría dentro del universo "mujer", pero no dentro del concepto "discapacidad".

Sea como fuere su encuadramiento[8], o la utilización de la mujer discapacitada como ejemplo sujeto a diversos adjetivos en torno a la discriminación múltiple[9], lo trascendente desde el punto de vista jurídico-constitucional es recordar que, si esencial es que los poderes públicos procuren la igualdad ante la constatación de las diferencias humanas que provocan preterición, más evidente aún es que se subraye la atención de las estructuras político-administrativas hacia las personas que acumulan varios condicionamientos vitales, pues multiplicarán el riesgo de experimentar algún tipo de merma en sus derechos.

Así, cuando el Estado Social y Democrático de Derecho ha logrado sacar a la luz la lacra histórica de la violencia contra las mujeres, ha tenido ocasión de promover medidas de todo tipo (preventivas, punitivas, asistenciales y prestacionales). Pero parece lógico que, en atención a la diversidad de un universo de semejante magnitud, se tienda a la especialización de todas esas acciones. La violencia es sufrida por todo tipo de mujeres, aunque como a continuación veremos, las víctimas acumulan, en la mayor parte de casos, condiciones personales que acentúan el daño recibido y ahondan en las circunstancias de exclusión y

---

minorías. *Congreso sobre el 60 aniversario de la Declaración Universal de Derechos Humanos*, Fundación Manuel Broseta-Universidad Miguel Hernández, Elche, 16 de diciembre de 2008.

[7]   Se consagra en España esta sustancialidad desde la Ley 27/2007, de 23 de octubre, por la que se reconocen las lenguas de signos españolas y se regulan los medios de apoyo a la comunicación oral de las personas, sordas, con discapacidad auditiva y sordociegas.

[8]   REY MARTÍNEZ, Fernando, "la discriminación múltiple, ...", ob. cit. p. 253: denuncia la falta de correspondencia entre el uso del término "discriminación múltiple" en el ámbito sociopolítico y su escasa estructuración en el mundo jurídico.

[9]   MARRADES PUIG, Ana, "La Ley General de Derechos de las Personas con Discapacidad y su inclusión social: diversidad, dignidad e igualdad de oportunidades", en *Revista española de la función consultiva* núm. 24, pp. 261 a 272, 2015. Así lo hace, en p. 269.

desigualdad. Así lo informa la sociedad civil con su actuación, y de sus datos han de partir instituciones y operadores jurídicos para seguir aportando soluciones a los problemas estructurales de este colectivo de personas.

Para el derecho constitucional parece plantearse un doble reto: por una parte, la necesidad de alertar sobre los principios y derechos en juego para ayudar a una correcta interpretación jurídica que ayude a una mayor protección. Y por otro, la obligación de aportar, desde las estructuras y órganos del Estado, mecanismos de respuesta que remuevan los obstáculos de la vida diaria de las víctimas con discapacidad, para encontrar una mejor tutela de sus derechos y una atenuación de la posición vital de partida, que les genera postergación, impide la igualdad efectiva, y sitúa a las personas afectadas en potencial riesgo.

Ahora bien, si compleja es la realidad de situaciones en las que una persona se puede convertir en víctima de maltrato, por su variedad y casuística, mayor aún es el problema cuando se trata de abordar el asunto desde el punto de vista de la mujer discapacitada. Ha de pensarse que la actividad de los legisladores nacionales sobre violencia de género es una realidad relativamente reciente, y eran testimoniales, hasta bien entrado el siglo XX, en nuestro ámbito occidental democrático, las medidas interventoras de toda condición que se han generado tras asumir que los delitos contra la mujer tenían una base socio-estructural definida que requería un tratamiento jurídico particularizado. Las acciones genéricas no siempre reúnen los requisitos individualizados de protección, ni personales, ni referidos a subgrupos de población. Con ello, mucho menos se puede esperar encontrarnos a día de hoy, el suficiente respaldo normativo como para poder hablar de un cuerpo definido de medidas protectoras completas en torno a la mujer discapacitada (ni siquiera un interés destacable en la doctrina científica). Ello es especialmente grave cuando la mujer con algún tipo de discapacidad, como veremos a continuación, no sólo está en mayor riesgo de ser sujeto receptor de acciones violentas (fuerza ejercida de manera sostenida) conocidas o encuadrables, con carácter alevoso: además corre el riesgo de ser víctima de una serie de comportamientos violentos, por el doble hecho de ser mujer y discapacitada, que no se suelen plantear históricamente para el resto de mujeres, y ni siquiera para otras en riesgo de ser sujetas a doble o múltiple discriminación. Me refiero, entre otros ejemplos, al caso de las intervenciones descontroladas para impedir su reproducción, con carácter preventivo o abortivo.

Por último, otro dato que nos informa de que estamos solo al comienzo de un larguísimo período de construcción teórica y práctica de un cuerpo legal y doctrinal de protección de las mujeres discapacitadas, es el que reside en la enorme complejidad que la propia conceptualización del colectivo a proteger esconde: "Mujer con discapacidad" es una ingeniera con elevado poder de renta, pero también una dependiente con retraso mental severo. Es tanto una niña con Síndrome

Mujeres con discapacidad: incidencia de la violencia de género y valoración...

119

de Down integrada con éxito en su entorno, como una anciana en fase avanzada de Alzheimer. O una mujer sorda que practica atletismo de alto nivel, que asume una realidad vital distinta a la de una madre de familia en silla de ruedas tras un accidente. El encuadramiento terminológico no tiene porqué ser obstáculo para la determinación de las categorías que convencionalmente se han consagrado para proteger a los colectivos sociales en riesgo (nada más heterogéneo que el universo "mujer" que además en buena parte de los Estados no es minoría sino mayoría, y lo mismo ocurre con el resto de las circunstancias definitorias personales y sociales motivadoras de cualquier clase de exclusión, como la pertenencia a una religión o clase social), y la condición de "mujer discapacitada" subraya sobradamente un carácter, común, sustancial, reconocible y definitorio; de todas las personas a las que he utilizado como ejemplo. Ahora bien, lo que a nivel social, político o filosófico puede ser un acierto de encuadre o carta de presentación (y además otorga una potencialidad mayor al grupo de cara a su reconocimiento, promoción, visibilidad y equiparación), no siempre tiene que llevar a una solución jurídica congruente (es decir, a implementar medidas eficaces, que sean el efecto de la causa perseguida) para la protección de sus derechos.

Y esa clave, por lo tanto, es en mi modesta opinión la que cualquier aproximación al estudio de la violencia en la mujer con discapacidad tiene que asumir, si quiere trascender a la mera exteriorización del problema para buscar un marco protector sobre cada uno de los derechos y libertades de las ciudadanas afectadas, y en particular para prevenir y reparar los atentados que la violencia provoca en la integridad física, psíquica y moral de las mujeres discapacitadas (y también en su dignidad, igualdad, honor, intimidad, imagen, o tutela judicial efectiva; por señalar solo algunos de los valores y derechos afectados en los variados actos de violencia). Dudo de que ningún legislador pueda, por ello, estructurar un aparato de reconocimiento y defensa integral que vaya más allá de la formulación de mínimos y principios esenciales, que sirva al operador jurídico (en la administración, en los tribunales) para interpretar, en cada caso, la respuesta correcta entre varias ofrecidas por la norma. La casuística de las formas de violencia sobre la mujer discapacitada no es tanto el problema de partida, como la efectiva determinación de la condición de víctima, que requiere el reconocimiento de la situación de cada mujer afectada, o en riesgo de estarlo, para organizar a su medida un velo de protección jurídica que sea efectiva. Así, las medidas de prevención para evitar la violencia de género en una mujer ciega, de reconocida competencia profesional y poder adquisitivo, difícilmente coincidirán con las que requiere una anciana absolutamente dependiente física y económicamente de su entorno familiar, sujeto objetivamente más vulnerable. O los mecanismos de protección ante el subtipo de violencia denominado "sexual", no pueden ser construidos igual para una mujer discapacitada física, que para otra con discapacidad sensorial, o que para una tercera con discapacidad psíquica, variando totalmente en el acto de fuerza la valoración de la perspectiva de la víctima y la causa de la circunstancia alevosa. Y nada digamos del ámbito de las garantías procesales, en la comprensión de derechos, tutores sospechosos de maltrato activo, valoraciones de prueba, etc. Valga la proliferación de ejemplos para resaltar que la línea más fructífera, creo que debiera pasar por una mayor capacidad de los márgenes inspectores e interventores de los servicios sociales, los fiscales y los jueces, dentro de un margen legal claro pero amplio, sin tendencia a la generalización.

2. LA PREOCUPANTE REALIDAD

Los siguientes datos revisten una naturaleza divulgativa de la situación en la que se encuentran las mujeres con discapacidad en relación a la violencia de género. Naturalmente, sirven también como punto de partida para la Ciencia Jurídica, en su obligación de aportar soluciones normativas y de interpretación. Quisiera hacer una precisión metodológica: he considerado prioritario resaltar el problema de la violencia en el ámbito de las mujeres con discapacidad como un fenómeno universal y sostenido en el tiempo, constituyendo un ejemplo de violaciones estructurales y sistemáticas que denuncian los representantes asociativos de la discapacidad[10]. Por ello, quien lea este trabajo desde un punto de vista exclusivamente jurídico. Comprobará que se manejarán cifras nacionales e internacionales obtenidas en distintas fechas y desde diversas instituciones. No es mi intención hacer una radiografía exacta del problema planteado al momento de redactar estas líneas: solo el demostrar la permanencia y generalidad del problema para suscitar en el derecho constitucional un mayor interés en la violencia de género en el ámbito de la discapacidad como un problema con sustancialidad propia. Otras disciplinas, como el derecho penal, ya caminan en ese sentido. Quiero en cualquier caso, y hechas estas aclaraciones de objetivos ante las cifras, llamar la atención del hecho de que si mi intención fuera obtener los datos más actualizados y precisos que pudieran conocerse a día de hoy sobre la violencia soportada por la mujer con discapacidad, tampoco podría hacerlo, por carecer de una base científico-sociológica el estudio particularizado de este grupo humano, teniendo que partir los interesados[11], de estudios generalistas como la macroencuesta periódica a la que nos vamos a referir a continuación.

---

[10]   Ver estudios anuales realizados por Comité Español de Representantes de Personas con Discapacidad. El último, antes de la entrega de estas líneas es: CERMI, *Informe de Derechos Humanos y Discapacidad, España 2016*. CERMI-Ediciones Cinca, Madrid, 2016.

[11]   PELÁEZ NARVAEZ, Ana y VILLARINO VILLARINO, Pilar (dirs.), *Informe sobre violencia de género hacia las mujeres con discapacidad a partir de la macroencuesta 2015*, CERMI-Fundación CERMI MUJERES-Ediciones Cinca, Madrid, 2016. Ponen de manifiesto esta traba en

En España, según datos oficiales derivados de una macroencuesta realizada por la Delegación del Gobierno para la Violencia de Género[12], a partir del cual la máxima representación asociativa de la discapacidad en España, CERMI[13], elabora un análisis de las variables que afectan a la mujer con discapacidad, nos encontramos ante un problema tan destacable, como más tarde veremos, se observa a nivel internacional. Se consideran como objeto de estudio aquellas mujeres que tienen reconocido un treinta y tres por ciento o más, de discapacidad, según la normativa sanitaria, asistencial y de previsión social. Partimos de aproximadamente el sesenta por ciento de mujeres, de entre los tres millones ochocientas cincuenta mil personas que la Encuesta "Discapacidad, Autonomía Personal y Situaciones de Dependencia (EDAD)" señala que existen en todo el Estado. Es decir, que unas dos millones trescientas mil, son mujeres discapacitadas[14].

Nada menos que el treinta y uno por ciento de mujeres discapacitadas, declara haber sido objeto, en algún momento de su vida, de violencia física, sexual o psicológica, desde su pareja[15]. En primer lugar, se destaca la agresión emocional a través del insulto o la intimidación. La gravedad descansa en la permanencia en esa relación, ya que un veinticuatro y medio por ciento dice haberla recibido de su pareja actual. Como elemento de contraste, hay que apuntar que ese porcentaje baja más de diez puntos, al catorce por ciento, en las mujeres sin discapacidad. Las secuelas son de todo tipo[16].

---

p. 12. Las cifras que se pueden aportar emergen de una "lectura crítica" de una macroencuesta generalista del Centro de Investigaciones Sociológicas. Con base en JIMÉNEZ LARA, Antonio y HUETE GARCÍA, Agustín, "Estadísticas y otros registros sobre discapacidad en España", en *Política y Sociedad*, vol. 47/1, pp. 165 a 173, 2010; alertan (p. 71) sobre las dificultades de medición de la discapacidad por los problemas se conceptualización de categorías. Todo ello se une a los escasos estudios dedicados a la violencia de género en el ámbito de la discapacidad.

[12] Informe de 30 de marzo de 2015. Centro de Investigaciones Sociológicas-Ministerio de Sanidad, Servicios Sociales e Igualdad. (*http://www.violenciagenero.msssi.gob.es/laDelegacionInforma/pdfs/DGVG_Informa_Macroencuesta_2015.pdf*. Fecha de consulta, 1 de mayo de 2017).

[13] A través de la fundación CERMI MUJERES. El estudio completo, lo acabo de mencionar: PELÁEZ NARVÁEZ, Ana y VILLARINO VILLARINO, Pilar (dirs.), *Informe sobre violencia de género hacia las mujeres con discapacidad...* ob. cit. (*http://www.fundacioncermimujeres. es/sites/default/files/informe_sobre_violencia_de_genero_2.pdf*. Fecha de consulta, 1 de mayo de 2017).

[14] Encuesta elaborada por el Instituto Nacional de Estadística en 2008, utilizada para el estudio CONSEJO GENERAL DEL PODER JUDICIAL, *Mujer, discapacidad y violencia*, Lual ediciones, Madrid, 2013. P. 12.

[15] Dato presentado por la Fundación CERMI MUJERES *http://boletingenerosidad.cermi.es/ noticia/fundacion-cermi-mujeres-aerta-31-por-ciento-mujeres-discapacidad-sufrido-violencia-machista-momento-vida.aspx* (Fecha de consulta, 14 de mayo de 2013).

[16] PELÁEZ NARVÁEZ, Ana y VILLARINO VILLARINO, Pilar (dirs.), *Informe sobre violencia de género...*, ob. cit. pp. 110 y ss. Tienen peor percepción de su salud frente a las mujeres sin

Tras las agresiones de naturaleza emocional, se sitúan las de control psicológico (celos, hipervigilancia, aislamiento de su círculo anterior, etc.), declaradas por un catorce con siete por ciento de las mujeres con discapacidad, siete puntos por encima del detectado en el resto de mujeres[17]. Las secuelas son similares a las ya referidas[18]. En tercer lugar, se encuentra el control económico a través de la dependencia doméstica impuesta: en las mujeres con discapacidad es un nueve coma siete por ciento mientras que en el común de las mujeres se sitúa en un cuatro por ciento[19]. Las secuelas declaradas, en este caso, son similares a las de los anteriores grupos, pero destaca la fatiga permanente, que se señala en casi un sesenta y tres por cientos de mujeres discapacitadas, duplicando, casi, al treinta y dos por ciento del resto de mujeres de nuestra sociedad que sufre esta interdependencia.

Finalmente, entrando en los episodios de mayor gravedad, si la macroencuesta 2015 del Centro de Investigaciones Sociológicas refleja un maltrato físico sobre la mujer española de un tres por ciento de media, según la gravedad de la agresión, en las mujeres discapacitadas se eleva a un siete coma cuatro por ciento en las agresiones más frecuentes[20], constatándose también relevantes secuelas[21]. En cuanto a la violencia sexual, la mujer discapacitada es forzada por su pareja para mantener relaciones en algún momento de la convivencia en el siete coma seis por ciento de los casos, de los cuales, un cinco coma tres lo hizo por miedo a las consecuencias en caso de negativa y un tres con cuatro fueron obligadas a prácticas que no deseaban. Los porcentajes de secuelas son sensiblemente mayores que los que sufren las víctimas que no tienen la consideración de discapacitadas[22]. Por

---

discapacidad. He aquí varios ejemplos: Presentan con mayor frecuencia dolores de espalda o articulaciones (88%), ansiedad o angustia (74%), cambios de ánimo (73%), insomnio (67%), dolores de cabeza (61%), inapetencia sexual (60%), o fatiga permanente (53%).

[17]   PELÁEZ NARVAEZ, Ana y VILLARINO VILLARINO, Pilar (dirs.), *Informe sobre violencia de género...*, ob. cit. p. 44.

[18]   Dolores articulares, ansiedad, irritabilidad, etc.

[19]   PELÁEZ NARVAEZ, Ana y VILLARINO VILLARINO, Pilar (dirs.), *Informe sobre violencia de género...*, ob. cit. p. 45.

[20]   PELÁEZ NARVAEZ, Ana y VILLARINO VILLARINO, Pilar (dirs.), *Informe sobre violencia de género...*, ob. cit. p. 47: empujones o agarrones. El 4.6 por ciento confiesa haber recibido patadas o golpes, y un 2 por ciento violencia de más intensidad.

[21]   PELÁEZ NARVAEZ, Ana y VILLARINO VILLARINO, Pilar (dirs.), *Informe sobre violencia de género...*, ob. cit. p. 110 y ss. Presentan de manera casi general dolores de espalda o articulaciones (92,3%), inapetencia sexual (58,5%), fatiga permanente (53,9%) y resfriados o catarros (52,9%).

[22]   Tristeza porque pensaba que no valía nada (63,2%), fatiga permanente (54,2%), inapetencia sexual (68%). Cortes, rasguños, moratones o dolores (6,4%) y lesiones en ojos u oídos, esguinces, luxaciones o quemaduras (2,4%). PELÁEZ NARVAEZ, Ana y VILLARINO VILLARINO, Pilar (dirs.), *Informe sobre violencia de género...*, ob. cit. p. 50 y ss.

último, de las sesenta víctimas mortales registradas por violencia de género en 2015, el cinco por ciento tenía algún tipo de discapacidad.

La forma de afrontar la violencia también asume notas distintivas en las mujeres con discapacidad, ya que más del setenta y cinco por ciento no denunció la agresión. Apenas, según los datos de CERMI MUJERES, se acude al teléfono 016, ONG' S, etc. Por si fuera desalentadora esta búsqueda de soluciones, de la macroencuesta deducen que casi el cuarenta y ocho por ciento de todas las maltratadas que denuncian, continúa en la misma situación sin que su pareja cambie, y en el veintiuno por ciento se degrada aún más la convivencia. Las víctimas con discapacidad, retiran la denuncia en más del veintiocho por ciento de las ocasiones[23] y el cincuenta y tres por ciento mantiene la relación con su pareja[24] (recordemos que dentro del escaso veinticinco por ciento que denuncia).

Quisiera concluir esta aportación de datos sociológicos recordando que la magnitud y el enquistamiento histórico de este problema en España es solo un reflejo, posiblemente atenuado por nuestro nivel de desarrollo, del que se manifiesta en el mundo. La Organización Mundial de la Salud subrayaba que, entre las personas pobres y mayores con discapacidad, prevalecían las mujeres, y que estas constituían el setenta y cinco por ciento de las personas con discapacidad en países de renta media y baja. Los hombres con discapacidad logran trabajar con remuneración en el cincuenta y dos coma ocho por ciento de los casos, mientras que solo lo hacía el diecinueve coma seis por ciento de estas mujeres (once puntos por debajo de la tasa mundial de empleo femenino) [25]. De entre las mujeres con discapacidad, según la Oficina del Alto Comisionado de Naciones Unidas para los Derechos Humanos, el ochenta por ciento de ellas es víctima de alguna forma de violencia, y asume un riesgo cuatro veces mayor que el resto de mujeres del planeta de sufrir violencia sexual[26]. A nivel regional, la Unión Europea también refleja cifras alarmantes y permanentes en el tiempo[27], lo que sigue presentando

---

[23]   Por amenazas de su pareja, en el sesenta y uno por ciento de los casos, según declaran.

[24]   PELÁEZ NARVÁEZ, Ana y VILLARINO VILLARINO, Pilar (dirs.), *Informe sobre violencia de género...*, ob. cit. p. 61.

[25]   Datos del Observatorio Mundial de la Salud. *http://www.who.int/gho/es/* (Fecha de consulta, 5 de mayo de 2017).

[26]   ACNUDH. Alto Comisionado de Naciones Unidas para los Derechos Humanos, *Estudio temático sobre la cuestión de la violencia contra las mujeres y las niñas, y la discapacidad*. Vigésimo período de sesiones, 2012 (*http://studylib.es/doc/4746565/derechos-de-la-mujer---oficina-del-alto-comisionado-de-la*, fecha de consulta, 10 de mayo de 2017).

[27]   CONSEJO GENERAL DEL PODER JUDICIAL, *Mujer, discapacidad y violencia*, ob. cit. p. 15: Un informe del Parlamento Europeo de 2004 citado por esta obra, apunta un 80 por ciento de violencia en las mujeres con discapacidad, que asumen un riesgo cuatro veces superior al del resto de mujeres. Ya se observó esta situación en programas de la Unión Europea como el proyecto METIS en la última década del s. XX.

el problema, no solo como no resuelto en el primer mundo, parece que también como escasamente abordado.

3. ¿QUÉ PUEDE HACER EL DERECHO CONSTITUCIONAL?

Ante la constatada gravedad de la violencia de género en el ámbito de la discapacidad, el reparto de tareas para la comisión de soluciones se presenta como la única respuesta, necesariamente compleja, para intentar elevar el nivel de protección integral sobre las víctimas. El primer escalón ha correspondido a las organizaciones especializadas en el sector de la discapacidad, denunciando el problema y argumentando propuestas de actuación. El segundo ha de ser el de los poderes públicos, que parece estar en marcha en todo lo referido a la concienciación, prevención, actuación, punición y protección de la violencia de género hacia la mujer, pero no de manera específica en lo referente a los subgrupos de riesgo, salvo las excepciones a las que haremos referencia y que no parecen ser suficientes, a tenor de los datos. La triple vía de actuación estatal: articulación legislativa, actuación ejecutiva y protección judicial; requiere la presencia de los tradicionales poderes del Estado más una implicación militante de los poderes territoriales autonómicos y locales con competencias en servicios sociales, imprescindibles en la detección de casos y en la ejecución de medidas protectoras y reparadoras.

Paralelamente a este proceso, el ámbito de la investigación debe facilitar los resortes para el avance en el tratamiento específico y en la evaluación de las medidas. El hecho mismo de la escasa estructuración estadística y sociológica del campo de actuación que protagoniza la mujer discapacitada como tal, y además como víctima de violencia de género, que ya se ha puesto de manifiesto en el apartado anterior, es un llamamiento a la revitalización de estudios de campo al respecto pues, sin su punto de partida, otras disciplinas carecerán de bases para hacer eficaces sus propuestas. No obstante, es necesario resaltar cómo la concienciación de las dos últimas décadas, ya va teniendo sus frutos en estudios particularizados que atienden exclusivamente el problema que tratamos. Es el caso de la tesis formulada por GOMIZ PASCUAL[28], bajo el título "Violencia contra las mujeres con Discapacidad". En el mismo se encuentra, desde un punto de vista sociológico, identificado el problema como objeto de análisis específico, con lo que ello supone de aportación de elementos de juicio sobre causas, situación y variables.

---

[28]   GOMIZ PASCUAL, María del Pilar, *Violencia contra las mujeres con discapacidad*, tesis Inédita, Josune Aguinaga Roustán (dir.), Facultad de Ciencias Políticas y Sociología, UNED, 2015. El texto completo: *http://e-spacio.uned.es/fez/eserv/tesisuned:CiencPolSoc-Mpgomiz/GOMIZ_PASCUAL_M_del_Pilar_Tesis.pdf* (Fecha de consulta, 13 de mayo de 2017).

Excedería a nuestro encargo formular una relación del posible "reparto" de contenido científico en la materia, que debería incluir la implicación de la filosofía, varias disciplinas médicas y de intervención social. Pero sí parece necesario fijar, al menos, lo que ha de ser el marco de actuación desde la perspectiva jurídica que tiene este breve documento, una vez que habla por su propia necesidad, la llamada a otras ramas de la ciencia jurídica como la teoría del derecho, el derecho penal o el derecho procesal, en diferentes fases de la articulación de la respuesta jurídica nacional o internacional al problema planteado.

Como avanzaba más arriba, el derecho constitucional debe implicarse en dos frentes: en primer lugar, en el ámbito de los derechos humanos positivados y, en segundo lugar, en el de la identificación de los poderes públicos que han de garantizar esa protección.

Respecto del primer frente, el de los derechos humanos, nuestro catálogo de derechos fundamentales, normalizado a través de una interpretación acorde con las convenciones y tratados en la materia con los que se integra plenamente, despliega un velo protector múltiple sobre la mujer discapacitada, atendiendo a su especial situación, que disfruta de todas y cada una de las facultades de los derechos que se predican para el resto de personas, sumando a ello el protagonismo como sujeto de acciones positivas a través de la promoción de la igualdad efectiva obligada por el art. 9.2 CE, sobre las categorías señaladas por el art. 14 CE, en la que se podría reconocer, además, por asumir potencialmente el riesgo de discriminación múltiple, en más de uno de los colectivos señalados. Cuando se trata de la mujer discapacitada víctima de la violencia, concurre, al menos, una llamada directa a cualquiera de las medidas protectoras que emanan de su derecho a la integridad física y moral, del art. 15. Pero las situaciones en las que el mero hecho de encontrarse en situación de discapacidad, hacen aumentar el riesgo de violencia sobre este grupo de personas, obliga, posiblemente por este orden, también a mostrar un especial cuidado en la correcta aplicación del velo de cobertura del derecho a la intimidad personal y la propia imagen (art. 18.1 CE), la seguridad y la libertad (Art. 17.1 CE), la elección de lugar de residencia y la libertad deambulatoria (art. 19 CE) y la tutela judicial efectiva (art. 24 CE). Por no hablar de la necesidad perentoria de vigilar el resto de los derechos para evitar el más que notorio riesgo de desprotección general que se provoca ante cualquier situación de discapacidad (derecho al trabajo, participación política, etc.).

Como, esperamos algunos, ir tratando en estudios cuyo espacio permita un mayor desarrollo de tan inabarcable tema, el derecho constitucional debe procurar hacer efectivos los derechos de las personas con discapacidad desde una perspectiva que mantenga, pero también supere la Igualdad, como valor (art. 1.1 CE), principio (art. 9.2 CE) y derecho (art.14 CE). Veamos: en el universo de la discapacidad, la concurrencia de la dignidad, explicitada en España a través del art. 10.1 CE, resulta imprescindible para prevenir y responder ante cualquier atentado en este campo. Piénsese solo por un momento, ante la situación que vive una mujer discapacitada en riesgo o víctima de violencia, siguiendo el guion que nos marca la sucesión de derechos que hemos enumerado: algunas situaciones de inferioridad, dependencia y desamparo, que aumentan el efecto de una agresión física, sexual, económica o de cualquier otro tipo, añaden a la vulneración del derecho persona afectada, un objetivo desprecio de su dignidad. Esta juega, asimismo, como elemento de refuerzo notable en la protección de cada derecho. Por ejemplo, cuando una gran discapacitada física requiere constante apoyo de terceras personas, la protección del derecho a la intimidad demanda de una muy especial atención que concilie su núcleo esencial con la imprescindible concurrencia física de extraños a ella[29]. El espacio en el que nos moveríamos para prevenir una merma de ese derecho sería de contornos difusos y solo el respeto a la dignidad de la persona serviría como criterio inspirador para definir los márgenes de intervención sobre esa persona. Lo mismo puede servir el ejemplo de intervención social en cualesquiera derechos: ¿Han tenido ocasión de ver votar a una persona en silla de ruedas cuando no podía acceder al colegio electoral? Su derecho al voto se cumple, además se iguala al resto en el ejercicio de los derechos, pero su dignidad queda en entredicho si, en vez de sacar la Mesa, la urna a la puerta del colegio (ante la inaccesibilidad persistente en algunos locales), transportan en vilo al votante y a su silla, entre varios, hacia dentro. La vida diaria es tozuda en ejemplos similares en los que intervenciones corporales y psicológicas, requieren para su evaluación una apelación continua a la dignidad y al libre desarrollo de la personalidad, para conciliar la finalidad que persigue la Igualdad en todas sus acepciones, con unos métodos de intervención adecuados para conseguirlo.

Así, aplicando las anteriores consideraciones al tema que nos ocupa, debería ser obvio advertir a los poderes públicos y también a los habituales operadores jurídicos y sociales que son meros ciudadanos, que la intervención preventiva contra el maltrato que sufre la mujer discapacitada, o las medidas que intentan protegerla ante una reincidencia de su agresor, no solo deben partir del aseguramiento del derecho a la vida y a la integridad física y moral: también requieren un *modus operandi*, un planteamiento y ejecución, que no agrave la situación de la víctima o incremente el daño ya sufrido. Vuelve aquí la dignidad a destacar su protagonismo. Es menester recordar los datos ofrecidos y cómo es habitual que la situación de violencia se genere por el propio cuidador, de tal forma que, sin una correcta intervención de los servicios sociales, tras la cesación de violencia surgiría una realidad de desamparo. Si la víctima, por poner un ejemplo, es trasladada

---

[29]   Interesantes reflexiones al respeto, de la doctora Sánchez Carazo en CONSEJO GENERAL DEL PODER JUDICIAL, *Mujer, discapacidad y violencia*, ob. cit. p. 49.

desde su vivienda a una residencia asistida donde no desee estar o sea obligada a ello como única salida, entrarían también en juego una serie de derechos, como se ha dicho más arriba, claramente afectados. O si su intimidad (corporal, familiar, social) se tiene que desvelar ante una procesión de trabajadores sociales municipales que se sucedan a todas horas por su domicilio para sustituir al maltratador, estaremos provocando una afectación del espacio irreductible que, a su vez, servirá de ejemplo a otras mujeres en la misma situación para tolerar cualquier tipo de violencia de su pareja, como mal menor. Si la intervención legal, (penal, procesal, administrativa), policial, social, médica y asistencial, se edifica conociendo los derechos en presencia, evaluados desde la óptica de la dignidad y del libre desarrollo de la personalidad de la afectada, puede que algo cambie.

Y sobre discapacidad y derechos humanos, un último apunte: la eficacia protectora de los derechos constitucionalizados, de inmediata aplicación, no puede variar en lo más mínimo cuando se trata de las personas discapacitadas, que no dejan de ser eso: personas. Recuerdo esta obviedad porque como he resaltado en anteriores escritos[30], cualquier medida de protección adicional sobre una persona en riesgo de exclusión, mucho más si es susceptible de múltiple discriminación, no debe depender solo de desarrollos legislativos y normativos que les afecten para ver plenamente cubierta su posición jurídica. De ahí que la labor de los jueces y tribunales sea esencial para aplicar los derechos constitucionales comunes a toda la población ante cualquier situación de riesgo, atentado o merma, de los derechos de la víctima o potencial víctima. Trasladado a una política integral de protección a la mujer con discapacidad, significa que los operadores jurídicos, en especial desde el Poder Judicial, tienen la capacidad de explotar el contenido de los derechos fundamentales para aplicarlos a la situación concreta de violencia sufrida por este colectivo, con independencia de que no encuentre normas específicas de protección que le afecten, dado además el elevado número de casuística y situaciones de riesgo que se plantean.

Respecto al segundo de los frentes abiertos para el estudio del problema desde el prisma del derecho constitucional (a quién corresponde en la estructura del Estado proteger los derechos afectados a la víctima de la violencia de género), es preciso recordar que todas y cada una de las estructuras político-administrativas de cada país existen sólo y exclusivamente con una perspectiva finalista, que no es otra que proteger los derechos de los ciudadanos. Para eso se elaboran leyes que se aplican por los gobiernos y se controlan por los tribunales. En esta labor coral, es obligado un sistema de actuación conjunta e inescindible para tratar de prevenir cualquier violencia, y en su caso repararla y castigarla, con la presencia

---

[30]   BELDA PÉREZ-PEDRERO, Enrique, *La protección constitucional y legal de la Lengua de Signos*, Fundación Lex Nova, Valladolid, 2012, p. 106.

de todos los poderes tradicionales del Estado y de otros órganos competentes en la materia, desde el Tribunal Constitucional, al Defensor del Pueblo, pasando por las corporaciones locales o los órganos desconcentrados de las Comunidades Autónomas que vigilan, ejecutan, estudian, alertan, etc.

En el ámbito de la protección a la mujer con discapacidad víctima de violencia de género, corresponde a las Cortes Generales promover o reforzar las medidas civiles, sociales, penales, laborales y administrativas, para hacer efectivos los mandatos constitucionales y los compromisos internacionales de España en la materia. Al Tribunal Constitucional y a los tribunales ordinarios la interpretación de las normas aplicables atendiendo a criterios expansivos y a las especiales circunstancias que se derivan del tipo de víctima. Al poder ejecutivo central y a los órganos ejecutivos de las Comunidades Autónomas, llevar a término las previsiones legislativas en materia social, sanitaria, policial, asistencial... Finalmente, las Corporaciones Locales y Ciudades Autónomas, si la Comunidad Autónoma no lo presta directamente, tienen la decisiva labor de detección primera del maltrato (a la que no dejan de ser ajenos los cuerpos y fuerzas de seguridad del Estado, policías autonómicas, o Ministerio Fiscal) y de ejecutar la intervención social.

4. LA ESTRUCTURA NORMATIVA ACTUAL COMO PUNTO DE PARTIDA PARA LA SOCIEDAD Y PARA EL OPERADOR JURÍDICO

En esa labor coordinada de dar respuesta a la violencia de género en el ámbito de las mujeres con discapacidad, existe ya un camino avanzado, en el que el derecho, esta vez sí, parece ir por delante en sus planteamientos, aunque, a tenor de lo que la realidad manifiesta, resulte mejorable en el momento de la aplicación. La correcta implementación social se expresa desde la concienciación de la víctima sobre la existencia de una posible salida, a una ejecución planificada de las políticas públicas para su aplicación más efectiva, pasando por una implicación de jueces y magistrados en las especificidades de las víctimas, evaluadas desde una óptica de valoración de los derechos en juego, y de los valores y reglas consustanciales a su interpretación más progresiva (principalmente desde parámetros de dignidad y de libre desarrollo de la personalidad de la mujer discapacitada). Como puede comprobarse a continuación, la legislación vigente ya es consciente de buena parte de estos problemas de inicio o planteamiento:

El principal instrumento jurídico de referencia a nivel internacional para la cobertura de las personas con discapacidad es la Convención Internacional sobre los Derechos de las Personas con Discapacidad de Naciones Unidas[31]. La referencia marco a las mujeres y niñas con discapacidad, en su art. 6[32], reconoce que están sometidas a múltiples formas de discriminación, reiterando la necesidad de su promoción desde el punto de vista de la igualdad y del resto de derechos. Pero los preceptos clave en la concienciación internacional de la violencia de género en este ámbito, han sido los arts. 16[33] y 23[34] del citado Convenio,

---

[31] *http://www.un.org/esa/socdev/enable/documents/tccconvs.pdf*. Entre muchos otros análisis: GUILARTE MARTÍN-CALERO, Cristina y GARCÍA MEDINA, Javier, *Estudios y comentarios jurisprudenciales sobre discapacidad*, Thomson-Reuters Aranzadi, Madrid, 2016, trata el rastro judicial en la aplicación de la Convención. También LARA ESPINOSA, Diana, *La Convención sobre los Derechos de las Personas con Discapacidad*, Comisión Nacional de los Derechos Humanos, México D.F., 2012. Desde el propio sector PÉREZ BUENO, Luis Cayo (dir.), *La Convención Internacional sobre los Derechos de las Personas con Discapacidad 2006-2016: una década de vigencia*, Ediciones Cinca, Madrid, 2016.

[32] Artículo 6: "Mujeres con discapacidad. 1. Los Estados Partes reconocen que las mujeres y niñas con discapacidad están sujetas a múltiples formas de discriminación y, a ese respecto, adoptarán medidas para asegurar que puedan disfrutar plenamente y en igualdad de condiciones de todos los derechos humanos y libertades fundamentales. 2. Los Estados Partes tomarán todas las medidas pertinentes para asegurar el pleno desarrollo, adelanto y potenciación de la mujer, con el propósito de garantizarle el ejercicio y goce de los derechos humanos y las libertades fundamentales establecidos en la presente Convención.".

[33] Artículo 16: "Protección contra la explotación, la violencia y el abuso. 1. Los Estados Partes adoptarán todas las medidas de carácter legislativo, administrativo, social, educativo y de otra índole que sean pertinentes para proteger a las personas con discapacidad, tanto en el seno del hogar como fuera de él, contra todas las formas de explotación, violencia y abuso, incluidos los aspectos relacionados con el género. 2. Los Estados Partes también adoptarán todas las medidas pertinentes para impedir cualquier forma de explotación, violencia y abuso asegurando, entre otras cosas, que existan formas adecuadas de asistencia y apoyo que tengan en cuenta el género y la edad para las personas con discapacidad y sus familiares y cuidadores, incluso proporcionando información y educación sobre la manera de prevenir, reconocer y denunciar los casos de explotación, violencia y abuso. Los Estados Partes asegurarán que los servicios de protección tengan en cuenta la edad, el género y la discapacidad. 3. A fin de impedir que se produzcan casos de explotación, violencia y abuso, los Estados Partes asegurarán que todos los servicios y programas diseñados para servir a las personas con discapacidad sean supervisados efectivamente por autoridades independientes. 4. Los Estados Partes tomarán todas las medidas pertinentes para promover la recuperación física, cognitiva y psicológica, la rehabilitación y la reintegración social de las personas con discapacidad que sean víctimas de cualquier forma de explotación, violencia o abuso, incluso mediante la prestación de servicios de protección. Dicha recuperación e integración tendrán lugar en un entorno que sea favorable para la salud, el bienestar, la autoestima, la dignidad y la autonomía de la persona y que tenga en cuenta las necesidades específicas del género y la edad. 5. Los Estados Partes adoptarán legislación y políticas efectivas, incluidas legislación y políticas centradas en la mujer y en la infancia, para asegurar que los casos de explotación, violencia y abuso contra personas con discapacidad sean detectados, investigados y, en su caso, juzgados.".

[34] Artículo 23: "Respeto del hogar y de la familia. 1. Los Estados Partes tomarán medidas efectivas y pertinentes para poner fin a la discriminación contra las personas con discapacidad en

que, con tendencia a la exhaustividad en el tratamiento del problema, vienen a marcar un patrón genérico de comportamiento de los Estados signatarios, así como una verdadera obligación de referencia (no solo aplicativa), para países que, como el nuestro, entienden los derechos humanos desde una perspectiva universal, y disponen de cláusulas constitucionales como el art. 10.2 CE, para llamar a este tipo de Convenios Internacionales como instrumentos de consulta inmediata a efectos de interpretación de nuestra propia legislación al respecto. El Convenio de 2006 es el punto y seguido que plasma la preocupación expresada por el sector de la discapacidad desde tiempo atrás, y que ya se ponía internacionalmente en evidencia, diez años atrás, en la Cuarta Conferencia Mundial sobre la Mujer (Acción para la Igualdad, el Desarrollo y la Paz) celebrada en Beijing, en septiembre de 1995, cuyos resultados se contemplaron parcialmente en la Resolución de la Asamblea General de Naciones Unidas de 10 de junio de 2000[35].

---

todas las cuestiones relacionadas con el matrimonio, la familia, la paternidad y las relaciones personales, y lograr que las personas con discapacidad estén en igualdad de condiciones con las demás, a fin de asegurar que: a) Se reconozca el derecho de todas las personas con discapacidad en edad de contraer matrimonio, a casarse y fundar una familia sobre la base del consentimiento libre y pleno de los futuros cónyuges; b) Se respete el derecho de las personas con discapacidad a decidir libremente y de manera responsable el número de hijos que quieren tener y el tiempo que debe transcurrir entre un nacimiento y otro, y a tener acceso a información, educación sobre reproducción y planificación familiar apropiados para su edad, y se ofrezcan los medios necesarios que les permitan ejercer esos derechos; c) Las personas con discapacidad, incluidos los niños y las niñas, mantengan su fertilidad, en igualdad de condiciones con las demás. 2. Los Estados Partes garantizarán los derechos y obligaciones de las personas con discapacidad en lo que respecta a la custodia, la tutela, la guarda, la adopción de niños o instituciones similares, cuando esos conceptos se recojan en la legislación nacional; en todos los casos se velará al máximo por el interés superior del niño. Los Estados Partes prestarán la asistencia apropiada a las personas con discapacidad para el desempeño de sus responsabilidades en la crianza de los hijos. 3. Los Estados Partes asegurarán que los niños y las niñas con discapacidad tengan los mismos derechos con respecto a la vida en familia. Para hacer efectivos estos derechos, y a fin de prevenir la ocultación, el abandono, la negligencia y la segregación de los niños y las niñas con discapacidad, los Estados Partes velarán porque se proporcione con anticipación información, servicios y apoyo generales a los menores con discapacidad y a sus familias. 4. Los Estados Partes asegurarán que los niños y las niñas no sean separados de sus padres contra su voluntad, salvo cuando las autoridades competentes, con sujeción a un examen judicial, determinen, de conformidad con la ley y los procedimientos aplicables, que esa separación es necesaria en el interés superior del niño. En ningún caso se separará a un menor de sus padres en razón de una discapacidad del menor, de ambos padres o de uno de ellos. 5. Los Estados Partes harán todo lo posible, cuando la familia inmediata no pueda cuidar de un niño con discapacidad, por proporcionar atención alternativa dentro de la familia extensa y, de no ser esto posible, dentro de la comunidad en un entorno familiar.".

[35]   *http://www.un.org/es/comun/docs/?symbol=A/54/49[VOL.III](SUPP)*. Fecha de consulta: 6 de junio de 2017.

En España, también a lo largo de las últimas décadas, se ha tomado conciencia del problema a través de diversas normas con rango de ley. La ley 51/2003, de 2 de diciembre, de Igualdad de Oportunidades, No Discriminación y Accesibilidad Universal de las Personas con Discapacidad, señalaba en su art. 8.2 a las mujeres discapacitadas como sujetas, objetivamente, a mayor grado de discriminación y menor igualdad de oportunidades, de cara a la aplicación de medidas de acción positiva[36]. La ley orgánica 1/2004, de 28 de diciembre, de Medidas de Protección Integral contra la Violencia de Género explicita medidas de sensibilización, prevención y formación a lo largo de su articulado[37]. La ley 49/2007, de 26 de diciembre, por la que se establece el régimen de infracciones y sanciones en materia de igualdad de oportunidades, no discriminación y accesibilidad universal de las personas con discapacidad, considera infracción muy grave las conductas tipificadas en el mismo texto cuando se hayan alimentado de motivo relativos al género. Por su parte, la ley orgánica 3/2007, de 22 de marzo, para la igualdad efectiva de mujeres y hombres, señala en su art. 14. 6º, la especial vulnerabilidad de la mujer discapacitada de cara a promover la actuación promocional de los poderes públicos[38]. La traslación del Convenio Internacional de 2006 se produce parcialmente

---

[36] Art. 8.2 de la ley 51/2003, de 2 de diciembre: "Los poderes públicos adoptarán las medidas de acción positiva suplementarias para aquellas personas con discapacidad que objetivamente sufren un mayor grado de discriminación o presentan menor igualdad de oportunidades, como son las mujeres con discapacidad, los niños y niñas con discapacidad, las personas con discapacidad con más necesidades de apoyo para el ejercicio de su autonomía o para la toma libre de decisiones y las que padecen una más acusada exclusión social por razón de su discapacidad, así como las personas con discapacidad que viven habitualmente en el medio rural.". Redacción última tras ley 26/2011, de 1 de agosto, de adaptación normativa a la convención sobre los derechos de las personas con discapacidad.

[37] Por ejemplo, en los arts. 3.3, 18.2 o 47. Art. 3.3 LO 1/2004 de 28 de diciembre: "Las campañas de información y sensibilización contra esta forma de violencia se realizarán de manera que se garantice el acceso a las mismas de las personas con discapacidad.". Art. 18.2: "Se garantizará, a través de los medios necesarios, que las mujeres con discapacidad víctimas de violencia de género tengan acceso integral a la información sobre sus derechos y sobre los recursos existentes. Esta información deberá ofrecerse en formato accesible y comprensible a las personas con discapacidad, tales como lengua de signos u otras modalidades u opciones de comunicación, incluidos los sistemas alternativos y aumentativos.". Art. 47: "El Gobierno, el Consejo General del Poder Judicial y las Comunidades Autónomas, en el ámbito de sus respectivas competencias, asegurarán una formación específica relativa a la igualdad y no discriminación por razón de sexo y sobre violencia de género en los cursos de formación de Jueces y Magistrados, Fiscales, Secretarios Judiciales, Fuerzas y Cuerpos de Seguridad y Médicos Forenses. En todo caso, en los cursos de formación anteriores se introducirá el enfoque de la discapacidad de las víctimas.".

[38] Art. 14. 6º de la ley orgánica 3/2007, de 22 de marzo: "La consideración de las singulares dificultades en que se encuentran las mujeres de colectivos de especial vulnerabilidad como son las que pertenecen a minorías, las mujeres migrantes, las niñas, las mujeres con discapacidad,

con la promulgación de la ley 26/2011, de 1 de agosto, de adaptación normativa a la convención sobre los derechos de las personas con discapacidad, modificando la ley 51/2003 para citar la posición de las niñas discapacitadas[39]. Esta sucesión de normas se termina estructurando por el Real Decreto Legislativo 1/2013, de 29 de noviembre, por el que se aprueba el Texto Refundido de la Ley General de derechos de las personas con discapacidad y de su inclusión social[40]. Cada Comunidad Autónoma, por su parte, aporta normativa al respecto de la violencia de género, con carácter general, en su ámbito competencial, constituyendo un cuerpo temático cada vez más amplio, haciendo menciones, también cada vez más habituales, aunque escasamente precisas o innovadoras dada su limitación competencial, a la mujer discapacitada como víctima[41].

Paralelamente a la articulación convencional y normativa, los sucesivos gobiernos centrales y autonómicos han ido planificando la ejecución de medidas con resultados que sólo podemos evaluar parcialmente porque giran, la mayor parte de las veces, en acciones estructurales a largo plazo de difícil medición. Detrás de este impulso, siempre se encuentra la presión social de las plataformas y organizaciones representativas del sector de la discapacidad. Lo que es evidente, al menos, es que en la última década no solo se ha dado visibilidad, también se ha otorgado protagonismo, al problema de la violencia de género hacia las mujeres del colectivo. El descenso de los poderes públicos a la realidad del problema, parece materializarse cuando ya se dispone de protocolos concretos ante algunas formas de violencia. Es el caso, por poner el ejemplo más atinente al estudio que nos ocupa, del Protocolo Común para la Actuación Sanitaria ante la Violencia de

---

las mujeres mayores, las mujeres viudas y las mujeres víctimas de violencia de género, para las cuales los poderes públicos podrán adoptar, igualmente, medidas de acción positiva.".

[39]   Nuevos artículos 2 y 15.1 de la ley 51/2003, de 2 de diciembre, que se suman a los ya aportados en la anterior nota. Art. 2: "Esta ley se inspira en los principios de vida independiente, normalización, accesibilidad universal, diseño para todos, diálogo civil y transversalidad de las políticas en materia de discapacidad (...)". Art. 15.1: "Las personas con discapacidad, incluidos los niños y las niñas, y sus familias, a través de sus organizaciones representativas, participarán en la preparación, elaboración y adopción de las decisiones que les conciernen, siendo obligación de las Administraciones Públicas en la esfera de sus respectivas competencias promover las condiciones para asegurar que esta participación sea real y efectiva. De igual modo, se promoverá su presencia permanente en los órganos de las Administraciones Públicas, de carácter participativo y consultivo, cuyas funciones estén directamente relacionadas con materias que tengan incidencia en esferas de interés preferente para personas con discapacidad y sus familias.".

[40]   *http://boe.es/buscar/act.php?id=BOE-A-2013-12632#ddunica* (fecha de consulta, 18 de mayo de 2017).

[41]   Entre otras muchas, Ley andaluza 13/2007, de 26 de noviembre, de medidas de prevención y protección integral contra la violencia de género.

Género[42] documento que bien pudiera resumir el "ambiente" o las circunstancias que, rodeando a la mujer discapacitada en todos o algunos momentos de su vida, hacen de ella sujeto de especial protección: dependencia de terceras personas (personal y económica), capacidad de defensa, problemas de expresión y credibilidad, aumento del riesgo de embarazo, baja autoestima, barreras de acceso al empleo.... En cualquier caso, estamos aún en una fase incipiente para proclamar avances preventivos e inclusivos.

Un último apunte, que merecería miles de páginas de estudio, pero que no puede dejar de tener una llamada aparte en una aproximación como la presente. Dentro de los episodios de violencia frente a las mujeres discapacitadas, por su relevancia, frecuencia, gravedad y. lo que es mucho más inquietante, falta de concienciación social sobre el mismo; nos encontramos con las iniciativas de esterilización forzada y de aborto coercitivo. Es este tema, un suceso vital y jurídico de la máxima trascendencia donde juegan consideraciones de índole filosófico para plantear controversias jurídicas que, desde el punto de vista de los derechos humanos, pueden presentar una evidente violación de los derechos más básicos de las mujeres con discapacidad, pero también, en algunos casos, una notable problemática de colisión de derechos fundamentales cuando lo que se está ejercitando es la tutela de los derechos de grandes discapacitadas psíquicas por parte de su entorno, en principio, protector. Hasta el planteamiento del tema es espinoso por la abundancia de opiniones sociales. Pero esta complejidad no puede llevar a desatender los mínimos que constituye el derecho internacional de los derechos humanos sobre la población afectada, en el marco de la ya citadas Convención sobre los Derechos de las Personas con Discapacidad, o la Convención para la Eliminación de Todas las Formas de Discriminación contra la Mujer. De la lectura de los mismos se deduce la necesidad de salvaguardar los derechos reproductivos de todas las mujeres por parte de los poderes públicos, considerándose una vulneración cualquier esterilización o medida contraceptiva no individualizada, con todas las garantías, y sobre personas que, en términos civilísticos, no puedan gobernarse, verdaderamente, por sí mismas. Como se deduce inmediatamente en este campo, hay en juego algo más que un mero atentado a la integridad física, presentándose la dignidad y el libre desarrollo de la personalidad, de nuevo en este campo, como un mecanismo de garantía claramente concurrente, que consigo trae otros derechos como la integridad moral, la realización a través del entorno familiar, la reproducción, la práctica del sexo, etc. Cuestiones todas pacíficas a

---

[42]   *http://www.msssi.gob.es/organizacion/sns/planCalidadSNS/pdf/equidad/ProtCom-ActSan_2012.pdf* (fecha de consulta, 28 de mayo de 2017), realizado por el Ministerio de Sanidad, Servicios Sociales e Igualdad en 2012, y revisado con posterioridad.

nivel mundial desde hace décadas[43], aunque desgraciadamente sean prácticas más que habituales bajo el pretexto de proteger a mujeres con gran porcentaje de discapacidad física, y notablemente extendidas ante cualquier discapacidad mental.

BIBLIOGRAFÍA

ARNAU RIPOLLÉS, María Soledad, "La cara oculta de la violencia: la Violencia de Género contra la (s) Mujer (es) con discapacidad (es)", En VVAA *Grupo de indagación, análisis y trabajo sobre discapacidad*, pp. 56 a 91, Fundación Isonomía para la Igualdad de Oportunidades Universidad Jaume I, Castellón, 2005.

CERMI, *Informe de Derechos Humanos y Discapacidad, España 2016*, CERMI-Ediciones Cinca, Madrid, 2016.

CONSEJO GENERAL DEL PODER JUDICIAL, *Mujer, discapacidad y violencia*, Lual ediciones, Madrid, 2013.

DEL RIO FERRES, Eva, *et alii*, *"Gender-based violence against women whit visual and physical disabilities"*, En *Psicothema*, vol. 25, núm. 1, pp. 67-72, 2013.

DIAZ FUNCHAL, Elena, *El reflejo de la mujer en el espejo de la discapacidad*, Ed. Cinca, Madrid, 2013.

DOUGLAS Heather y HARPUR, Paul, "Intellectual disabilities, domestic violence and legal engagement", En *Disability & Society* 31, pp. 305 a 321, 2016.

ESCOBAR ROCA, Guillermo (dir.), *Derechos sociales y tutela antidiscriminatoria*, Aranzadi, Pamplona, 2012.

GOMIZ PASCUAL, María del Pilar, *Violencia contra las mujeres con discapacidad*, Tesis Inédita. Josune Aguinaga Roustán (dir.), Facultad de Ciencias Políticas y Sociología, UNED, 2015.

JIMÉNEZ LARA, Antonio y HUETE GARCÍA, Agustín, "Estadísticas y otros registros sobre discapacidad en España", En *Política y Sociedad*, vol. 47/1, pp. 165 a 173 (2010).

GUILARTE MARTÍN-CALERO, Cristina y GARCÍA MEDINA, Javier, *Estudios y comentarios jurisprudenciales sobre discapacidad*, Thomson-Reuters Aranzadi, Madrid, 2016.

HUETE GARCÍA, Agustín, *Pobreza y exclusión social de las mujeres con discapacidad en España*, Ed. Cinca, Madrid, 2013.

IGLESIAS, Marita *et alii*, Violencia y la Mujer con Discapacidad, *http://www.independent-living.org/docs1/iglesiasetal1998sp.html*, METIS-DAPHNE, Asociación Iniciativas y Estudios Sociales, 1998.

LARA ESPINOSA, Diana, *La Convención sobre los Derechos de las Personas con Discapacidad*, Comisión Nacional de los Derechos Humanos, México D.F., 2012.

---

[43]   Organización de Naciones Unidas. Informe de la Conferencia Internacional sobre la Población y el Desarrollo. El Cairo, 5 a 13 de septiembre de 1994 (*https://documents-dds-ny.un.org/doc/UNDOC/GEN/N95/231/29/PDF/N9523129.pdf?OpenElement*, fecha de consulta, 2 de junio de 2017).

MARTÍNEZ RÍOS, Beatriz, *Pobreza, discapacidad y derechos humanos*, CERMI-Ediciones Cinca, Madrid, 2011.

MARRADES PUIG, Ana, "La Ley General de Derechos de las Personas con Discapacidad y su inclusión social: diversidad, dignidad e igualdad de oportunidades", en *Revista española de la función consultiva* núm. 24, pp. 261 a 272, 2015.

MUN MAN SHUM, Grace, *et alii*, *Mujer, discapacidad y violencia: el rostro oculto de la desigualdad*, Instituto de la Mujer, Madrid, 2006.

PELÁEZ NARVAEZ, Ana y VILLARINO VILLARINO, Pilar (dirs.), *Informe sobre violencia de género hacia las mujeres con discapacidad a partir de la macroencuesta 2015*, CERMI-Fundación CERMI MUJERES-Ediciones Cinca, Madrid, 2016.

PÉREZ BUENO, Luis Cayo (dir.), *2003-2012: 10 años de legislación sobre no discriminación de personas con discapacidad en España*, CERMI, Madrid, 2012.

PÉREZ BUENO, Luis Cayo (dir.), *La Convención Internacional sobre los Derechos de las Personas con Discapacidad 2006-2016: una década de vigencia*, Ediciones Cinca, Madrid, 2016.

PÉREZ-PUIG GONZÁLEZ, Rocío (coord.), *Mujer, discapacidad y violencia*, CGPJ-Lual ed., Madrid, 2013.

PESTKA, K. Y WENDT, S., "*Belonging: women living whit intellectual disabilities and experiences of domestic violence*", en *Disability & Society* 29, pp. 1031 a 1045, 2014.

PLATERO, Raquel, "Mujeres discapacitadas y malos tratos", En *Perfiles*, núm. 180, pp. 14-15, 2012.

REVIRIEGO PICÓN, Fernando y FERNÁNDEZ SANTIAGO, Pedro, "La violencia de género en las mujeres con discapacidad", en *I Congreso Internacional sobre Derechos Humanos*, htpp://www.articulo12.org.ar/documentos/trabajos/comisión%20IV/4-reviriego.pdf Buenos Aires, 2010.

REY MARTÍNEZ, Fernando, "La discriminación múltiple, una realidad antigua, un concepto nuevo", en *Revista española de derecho constitucional*, núm. 84, pp. 251 a 283, 2008.

VVAA, *La transversalidad del género en las políticas públicas de discapacidad*, Ed. Cinca, Madrid, 2012.

VVAA, *La aplicación de la convención internacional sobre los derechos de las personas con discapacidad en la Unión Europea y en los países que la forman. Especial referencia al empleo, la educación y la accesibilidad*, Ed. Cinca-Instituto de Derechos Humanos Bartolomé de las Casas de la Universidad Carlos III de Madrid-CERMI, Madrid, 2017.

Capítulo 4

EL SENTIDO ACTUAL DE LA LEY ORGÁNICA DE MEDIDAS DE PROTECCIÓN INTEGRAL CONTRA LA VIOLENCIA DE GÉNERO

Mª JOSEFA RIDAURA MARTÍNEZ
Profesora Titular de Derecho Constitucional (Acreditada a Cátedra)
Universitat de Valencia

1. LA NECESIDAD DE UNA LEY INTEGRAL DE VIOLENCIA DE GENERO[1]

La Ley Orgánica de medidas de protección integral contra la violencia de género 1/2004, de 28 de diciembre (en adelante LOVG) nació como respuesta jurídica integral ante el drama de la violencia sufrida por las mujeres en manos de sus parejas o ex parejas, afectando, también, a personas igualmente vulnerables como son los hijos, ya que también ellos soportan severamente sus efectos[2].

---

[1]   Este trabajo se inserta en el marco del Proyecto de Investigación DIPUCR-16, Estudio Sobre la Violencia de Género y Violencia Doméstica en Castilla La Mancha. Dirigido por: María Martín Sánchez, Universidad de Castilla La Mancha.

[2]   Esta extensión que se produjo durante la elaboración de la Ley por la contestación de determinados sectores. Sin embargo, su inclusión no ha sido pacífica, por ejemplo, se ha calificado como "un cuerpo extraño que viene a distorsionar el sentido y justificación de las agravaciones basadas en el sexo de la víctima" que "Nada tiene que ver con la violencia de género" LAURENZO COPELLO, P.: "La Violencia de Género en la Ley Integral. Valoración político-criminal", en *Revista Electrónica de Ciencia Penal y Criminología*, 07-08 (2005), p. 10.

Las cifras alarmantes, que reflejaban un incremento de muertes y de episodios de violencia sufrida por las mujeres, eran síntomas de la gravedad del problema, por lo que su solución se convertía en una exigencia constitucional, reclamando la adopción de medidas de distinta naturaleza por parte de los poderes públicos. Es este el contexto en el que se elaboró la LOVG cuyo objetivo central era la lucha contra la violencia de género, entendida como un símbolo brutal de la desigualdad existente en nuestra sociedad y como clara manifestación de discriminación. Así, la Ley descansaba —y sigue descansando hoy— sobre el reconocimiento de la relación causal entre género y violencia, pues la violencia en el marco del género se basa y explica en razones de discriminación, al ser expresión de la desigualdad que ha desembocado en la concepción de dominación por parte del varón y la consustancial postergación de la mujer. Posición que consideramos radicalmente contraria al texto constitucional.

(i) En efecto, la Constitución española de 1978 erige a la igualdad como uno de sus ejes axiológicos, al regularla en el art. 1.1 como valor superior del ordenamiento jurídico; en consecuencia, proyecta su eficacia trascendente hacia todo nuestro Ordenamiento, y reclama la prohibición de tratamientos peyorativos fundados en el sexo con la finalidad de terminar con la histórica situación de inferioridad en la vida social y jurídica de la mujer[3].

(ii) Además, el artículo 14 CE contempla el sexo como una de las categorías sospechosas de discriminación, excluyendo del Ordenamiento constitucional toda discriminación, tanto de hecho, como de derecho, basada en él. La igualdad aparece configurada en este precepto como un derecho subjetivo de los ciudadanos a obtener un trato igual, que obliga y limita a los poderes públicos a respetarlo, y que exige que los supuestos de hecho iguales sean tratados idénticamente

---

La Ley Orgánica 8/2015, de 22 de julio ha modificado recientemente la LOVG con el objeto de reforzar la protección de los menores, expuestos a esta forma de violencia, convirtiéndoles también en víctimas de la misma. En consecuencia, se reconoce los menores como víctimas de la violencia de género con el objeto de visibilizar esta forma de violencia que se puede ejercer sobre ellos.

[3]   LÓPEZ GUERRA, L.: "Igualdad, no discriminación y acción positiva en la Constitución de 1978, en VVAA, *Mujer y Constitución en España*, Centro de Estudios Políticos y Constitucionales, Madrid, 2000; REY MARTÍNEZ, F: *El derecho fundamental a no ser discriminado por razón de sexo*, McGraw-Hill, Madrid, 1995; este mandato múltiple del artículo 14 ya fue apuntado por RODRÍGUEZ PIÑERO, M. y FERNÁNDEZ LÓPEZ, M.F., *Igualdad y Discriminación*, Tecnos, Madrid, 1986, pp. 172 y 173, y, como puede observarse el mismo Tribunal Constitucional se hace eco de esta doble dimensión en diversas Sentencias: cfr. entre otras 128/1987, 229/1992; 126/1997, 200/2001; CARMONACUENCA,E.:«El principio de igualdad material en la jurisprudencia del Tribunal Constitucional», *REP*, n. 84. pp. 265 y ss.; RIDAURA MARTÍNEZ; Mª J.: "La Interdicción de discriminación por razón de sexo en la Constitución española de 1978", en *Igualdad y Democracia: el género como categoría de análisis jurídico*, Corts Valencianes, Valencia, 2014, pp 493 y ss.

en sus consecuencias jurídicas. Aunque ello no impide introducir diferencias de trato, ya que éstas pueden y deben adoptarse en caso de justificación objetiva y razonable, de acuerdo con criterios y juicios de valor generalmente aceptados, y proporcionados[4].

(iii) Esta interdicción de la discriminación ha de ponerse en necesaria conexión con el art. 9.2 CE; precepto que recoge *la igualdad substancial o material* como mandato dirigido a los poderes públicos en orden a la remoción de todos aquellos obstáculos que impidan su cabal realización. La incidencia de este mandato sobre el art. 14 supone, como ha venido reiterando el Tribunal Constitucional, "una modulación de este último, en el sentido, por ejemplo, de que no podrá reputarse de discriminatoria y constitucionalmente prohibida —antes al contrario— la acción de favorecimiento, siquiera temporal, que aquellos poderes emprendan en beneficio de determinados colectivos históricamente preteridos y marginados" (STC 216/1991).

La severa constatación de una violencia sufrida por las mujeres por parte de sus parejas o ex parejas no es parangonable con la violencia sufrida por otros colectivos por razón de sexo; lo que nos sitúa en un plano en el que la desigual situación de hecho requiere soluciones jurídicas desiguales para su reparación, reclamando del legislador la adopción de medidas sustentadas en la interpretación del artículo 14 en necesaria conexión con el art. 9.2 CE. Y este es el escenario sobre el que se edifica la construcción de una Ley que aborda una situación de hecho concreta —la violencia de género— que se diferencia claramente de otras situaciones de violencia sufridas por los varones como manifestación de discriminación por razón de sexo.

1.1. *Legitimidad constitucional de la norma*

En consecuencia con el mandato constitucional, la LOVG, en su conjunto, y como respuesta integral al problema que pretende resolver, procede a regular de modo desigual situaciones que son diferentes objetivamente. La aprobación de la Ley se sustenta sobre una diferenciación objetiva, pues las dimensiones del problema traducidas en cifras así lo evidencian. No cabe, pues, a nuestro juicio, entender que la existencia de una Ley que regula una manifestación concreta de la violencia dirigida hacia las mujeres por el hecho de ser mujeres esté cimentada sobre una diferenciación artificiosa o injustificada. Precisamente porque **la violencia de género no se resuelve con tratamientos neutros por parte del legislador**; pues éstos, así como aquellos que tratan de modo igual lo que, en realidad, es desigual,

---

4   STC 200/2001, FJ 4.

no corrigen las desigualdades y, además, desembocan en una *"discriminación por indiferenciación"*, es decir, la provocada por el hecho de tratar de modo igual situaciones disímiles.

Partiendo, como hemos puesto de manifiesto de que la LOVG se articula como un instrumento de defensa de un colectivo, caracterizado por poseer un rasgo común (el sexo femenino), que sufre una situación que no tiene parangón con la violencia sufrida por el hombre por razón de su sexo, puede afirmarse que tiene un hondo componente protector, ya que uno de los ejes sobre los que se asienta es la finalidad de proteger a la mujer frente a una determinada manifestación de violencia (la machista). El interés prevalente para su adopción es la salvaguarda de la integridad física y moral, de la vida y de la salud de la mujer; fines constitucionales lo suficientemente trascendentes para exigir las diferencias de trato objetivas y razonables que establece la norma.

De ahí que desde un principio hayamos mantenido[5] la legitimidad constitucional de la norma en atención a su finalidad antidiscriminatoria, ya que trata de combatir una situación real: la violencia de género, que cuenta con determinados sujetos pasivos (las mujeres) y sujetos activos (los varones).

En esta misma dirección el Tribunal Constitucional ha mantenido la "palmaria legitimidad constitucional de la finalidad" de la LOVG, fundando su doctrina en los siguientes argumentos: a) la Ley "tiene como finalidad principal prevenir las agresiones que en el ámbito de la pareja se producen como manifestación del dominio del hombre sobre la mujer en tal contexto; su pretensión así es la de proteger a la mujer en un ámbito en el que el legislador aprecia que sus bienes básicos (vida, integridad física y salud) y su libertad y dignidad mismas están insuficientemente protegidos"; b) el objetivo es combatir el "origen de un abominable tipo de violencia que se genera en un contexto de desigualdad y de hacerlo con distintas clases de medidas, entre ellas las penales" (por todas, STC 59/2008, de 14 de mayo; STC 52/2010, de 4 de octubre STC 41/2010, de 22 de julio).

A nuestro juicio, esta interpretación realizada por el Tribunal Constitucional es loable, ya que acierta al reconocer que mediante la lacra de la violencia de género no se atacan los bienes básicos de la mujer, sino también la libertad y dignidad de la víctima, precisamente porque en el sustrato de esta manifestación

---

[5]   RIDAURA MARTÍNEZ, M.J.: "El encaje constitucional de las acciones positivas contempladas en la Ley Orgánica de medidas de Protección Integral contra la Violencia de Género", en *La Nueva Ley contra la Violencia de Género*, BOIX REIG, J. Y MARTÍNEZ GARCÍA, E. (Coords), *Iustel*, Madrid, 2005, pp. 65 a 107. Así como "Seis Años De Aplicación Judicial de la LO 1/2004 Contra La Violencia de Genero: Un Balance a la Luz de La Doctrina Constitucional" *En La prevención y erradicación de la violencia de género. Un estudio multidisciplinar y forense*, MARTÍNEZ GARCÍA, E. (Coord), Aranzadi, Madrid, 2012, pp. 55-74.

de violencia se encuentra la consideración de la mujer como instrumento de rea-firmación machista, y su negación como persona.

1.2. *El diferente enjuiciamiento de las medidas*

Sentada la legitimidad constitucional tanto de la propia existencia de la norma, como la finalidad que persigue, sin embargo, también hemos venido manteniendo una diferente valoración de las medidas que contempla. En efecto, tratándose de una Ley integral instaura un conjunto de medidas de lucha integral contra la violencia de género fundadas en la condición del sexo de la víctima; su contenido es un amplio abanico de medidas de distinto orden, cuyo enjuiciamiento constitucional ha de realizarse de modo diferenciado.

(a) en primer término, la LOVG prevé la tutela institucional de la lucha contra la violencia de género mediante la creación de determinados órganos; medidas en el ámbito sanitario; la prohibición de publicidad sexista; medidas en el ámbito educativo, etc.

(b) en segundo término, contiene medidas de acción positiva, que se enmarcan en los ámbitos laboral, económico y prestacional; son las relativas al apoyo a la formación e inserción laboral (art. 19.2.g); derecho a la reducción o a la reordenación de su tiempo de trabajo, a la movilidad geográfica, al cambio de centro de trabajo, a la suspensión de la relación laboral con reserva de puesto de trabajo y extinción del contrato de trabajo (art. 21.1); las prestaciones de Seguridad Social (art. 21.2); la bonificación a las empresas que formalicen contratos de interinidad para sustituir a trabajadoras víctimas de la violencia de género; los programas específicos de empleo (art. 22); las contempladas para las funcionarias públicas (Capitulo III); las ayudas económicas (artículo 27); así como la prioridad en el acceso a la vivienda y residencias públicas para mayores (art. 28).

Las acciones positivas, como es conocido[6], están entendidas como medidas de impulso y promoción que tienen por objeto establecer la igualdad entre los hombres y las mujeres, y que tratan de favorecer a las mujeres, sin que simultáneamente, perjudiquen a los hombres que estén en situación similar. Su aceptación en el ordenamiento español vino de la mano del Tribunal Constitucional[7].

---

[6]   MARTÍN VIDA, M. A.: *Fundamento y límites constitucionales de las medidas de acción positiva*, Civitas, Madrid., 2003 BARRERE UNZUETA, M.A.: *Discriminación, derecho antidiscriminatorio y acción positiva en favor de las mujeres*, Madrid, Ed. Civitas Ediciones, 1997; GIMENEZ GLUCK, D.: *Una manifestación polémica del principio de igualdad: acciones positivas moderadas y medidas de discriminación inversa*, Valencia, Tirant lo Blanch, 1999.

[7]   El Tribunal Constitucional español supera esa primera etapa a raíz de la Sentencia 128/1987 (Guarderías Infantiles) calificada como *leading-case*. El Tribunal rompe, así, su anterior doctrina formalista y uniformadora y reconoce, al fin, la diferente situación real en la que históri-

Partiendo de esta conceptualización, la LOVG contempla acciones positivas en la esfera social, laboral y prestacional; ámbitos en los que éstas tienen pleno encaje constitucional.

(c) En tercer término, la LOVG recoge un conjunto de medidas que establecen diferencias de trato en materia penal. Estas diferencias punitivas han constituido el epicentro sobre el que se han planteado las mayores dudas de constitucionalidad al considerar que a través de ellas se excluye al hombre de la tutela penal reforzada (que se confiere sólo a la mujer) y se le sanciona más duramente; por tanto, son medidas que endurecen la respuesta punitiva en atención a la diferenciación sexual de los sujetos del delito.

Desde nuestro punto de vista, las medidas penales contempladas en la ley deben enjuiciarse, no desde el filtro del derecho antidiscriminatorio, sino desde el de la diferenciación objetiva y razonable derivada del art. 14 Ce., y ello por diversas razones:

(i) en primer lugar entendemos que no pueden considerarse como medidas de discriminación positiva, ya que estas últimas son una modalidad de acción positiva que tiene unas características propias: constituyen una actuación normativa *de favor* con vocación de transitoriedad, encaminada a eliminar la situación de infrarrepresentación en áreas de participación social de determinados colectivos como consecuencia de prácticas discriminatorias. Es, pues, una variedad de la acción positiva, que adopta varias modalidades: *sistema de cuotas* (reserva rígida de un número o porcentaje mínimo garantizado de plazas) y *tratos preferentes* (atribución de puntos o calificaciones especiales a los grupos a los que se quiere favorecer). Su aplicación se produce, pues, en situaciones de bienes escasos (plazas, puestos de trabajo) en los que se quiere compensar la situación de infrarre-

---

camente se han encontrado las mujeres; con ello, deja de aplicar el criterio formal de igualdad de trato entre hombre y mujer, partiendo de la no equiparación entre las situaciones de unos y otros. En esta Sentencia el Tribunal afirma, en clara contradicción con las tesis mantenidas hasta el momento, que «La actuación de los poderes públicos para remediar, así, la situación de determinados grupos sociales definidos, entre otras características, por el sexo (y, cabe afirmar, en la inmensa mayoría de las veces, por la condición femenina) y colocados en posiciones de innegable desventaja en el ámbito laboral, por razones que resultan de tradiciones y hábitos profundamente arraigados en la sociedad y difícilmente eliminables, no puede considerarse vulneradora del principio de igualdad, aun cuando establezca para ellas un trato más favorable, pues se trata de dar tratamiento distinto a situaciones efectivamente distintas». En fin, partiendo del reconocimiento, como hecho socialmente constatable, de la posición más desfavorable de la mujer, admite la constitucionalidad de las acciones positivas, esto es, de las medidas reequilibradoras de situaciones sociales discriminatorias preexistentes en aras de alcanzar una sustancial y efectiva equiparación entre las mujeres, socialmente desfavorecidas, y los hombres, con el objeto de asegurar el goce efectivo del derecho a la igualdad por parte de la mujer SSTC 128/1987 y 19/1989; 229/1992.

presentación de la mujer. Partiendo de esta conceptualización, la Ley no contiene ninguna medida de discriminación positiva[8]. De ahí que no nos parezca adecuada su calificación como "Ley de discriminación Positiva", y, en consecuencia, no creemos que sea este el argumento sobre el que basar la disconformidad de las medidas penales con el texto constitucional.

(ii) en segundo lugar, tampoco considero que las medidas penales puedan calificarse como acciones positivas. Y ello, fundamentalmente, por dos razones: la primera es que no se corresponden exactamente con el concepto de la acción positiva. La segunda, porque las acciones positivas en el ámbito de la discriminación por razón de sexo, ofrecen un trato favorable hacía las mujeres, pero sin causar un perjuicio a los hombres; perjuicio que si que puede derivarse de las medidas penales contempladas en la presente ley. De ahí, que su enjuiciamiento deba orientarse, a nuestro juicio, hacía la diferenciación objetiva y razonable, que deriva del artículo 14 CE, no pudiendo afirmarse, desde nuestro punto de vista, que dicho trato diferenciado en materia penal cumpla con las exigencias constitucionales.

Dichas medidas han sido hondamente contestadas, habiéndose planteado un elevado número de Cuestiones de Inconstitucionalidad[9]. En la mayoría de dichas Cuestiones lo que se discute, no es la legitimidad en sí de la LOVG, ni la constitucionalidad de la agravación referida a la condición de persona especialmente vulnerable que conviva con el autor, sino la forma en que se han articulado las medidas penales. En síntesis, se argumenta que la introducción de la desigualdad, "por la naturaleza penal de la norma y no por la incidencia punitiva concreta", significa un coste fáctico inasumible para los valores constitucionales"[10]. Asimismo, en la mayoría de ellas se sostiene la argumentación que mantuvimos desde los inicios de considerar que no siendo dichas diferencias de trato ni acciones positivas ni medidas de discriminación positiva, establecen una diferencia de tra-

---

[8]   En esta misma línea vid. al respecto el trabajo de FERNANDO REY "Comentario a los Informes del Consejo de Estado sobre el impacto por razón de género", publicado en *Teoría y Realidad Constitucional*, núm. 14/2004, pp. 505-523.

[9]   Diversas Cuestiones de Inconstitucionalidad que han dado lugar a diversas Sentencia del Tribunal Constitucional, destacadamente: STC 59/2008, 81/2008: Maltrato de obra no habitual; STC 45/2009: Amenazas leves a la pareja. STC 127/2009: Coacciones leves a la pareja; STC 41/2010: Lesiones agravadas; STC 60/2010.

[10]   Se afirma que provocan una discriminación, ya que optan injustificadamente por dar una respuesta penal desigual a conductas que son objetivamente idénticas, salvo por un único elemento de diferenciación: el sexo del sujeto activo o pasivo del delito, de donde se deriva, además, una vulneración del principio de proporcionalidad de las penas, por imponerse penas más graves ante una misma situación de hecho, así como del principio de culpabilidad y del valor dignidad de la persona.

to en función del sexo del sujeto activo que no tiene una justificación objetiva y razonable.

Sin embargo, el Tribunal Constitucional ha salvado la constitucionalidad de dicho tratamiento punitivo[11] diferenciado en función del sexo de los sujetos activo y pasivo del delito, entendiendo que no resulta contrario al art. 14 CE. En efecto, El Tribunal[12], al igual que se hace en los Autos de planteamiento, sitúa el punto de partida para el enjuiciamiento de las diferencias de trato penales en el juicio de razonabilidad de dichas diferencias, sin considerarlas acciones positivas. Planteamiento que compartimos por coincidir con el que mantuvimos en nuestro trabajo inicial en el que sosteníamos que las medidas penales previstas en la ley no pueden calificarse ni como discriminación positiva ni como acciones positivas; por tanto, manteníamos, como hemos visto, que su cabal enjuiciamiento debía hacerse desde criterio de la diferenciación objetiva, razonable y proporcional.

Si bien compartimos el enfoque del enjuiciamiento que realiza el Tribunal Constitucional, sin embargo, disentimos en cuanto a la decisión final que adopta, en la que argumenta que:

- La diferenciación normativa cuestionada resulta adecuada para la consecución del fin perseguido por el legislador, y justifica su **objetividad** en la consideración de que "a sanción no se impone por razón del sexo del sujeto activo ni de la víctima ni por razones vinculadas a su propia biología. Se trata de la sanción mayor de hechos más graves, que el legislador considera razonablemente que lo son por constituir una manifestación específicamente lesiva de violencia y de desigualdad" [13].

---

[11] Se pronuncian a favor de la constitucionalidad de dichas medidas, entre otros: VILLACAMPA ESTIARTE, C.: "El maltrato singular cualificado por razón de género (Debate acerca de su constitucionalidad", *Revista Electrónica de Ciencia Penal y Criminología* 09-12 (2007); DE LA CUESTA, J.L.: "Ciudadanía, sistema penal y mujer", en *Estudios Penales en Homenaje a Enrique Gimbernat*, vol. I, Edisofer, Madrid, 2008, pp. 187-220.

[12] STC 59/2008, de 14 de mayo, que resuelve la Cuestión de Inconstitucionalidad formulada por el Juzgado de lo Penal núm. 4 de Murcia en relación con parte del enunciado del art. 153 CP, es la primera Sentencia en la que el Tribunal inicia su respuesta a la contestación por parte de los sectores de la Jurisdicción ordinaria a la LOVG Las Cuestiones de Inconstitucionalidad referidas al art. 171 se resuelven en la STC 45/2009, de 19 de febrero, inadmitiéndolas. Estas dos Sentencias constituyen los principales pronunciamientos en los que se contiene la doctrina constitucional y a los que se remitirá el TC en la resolución de la mayoría de las demás Cuestiones planteadas.

[13] Tal y como ha expresado certeramente GONZALEZ CUSSAC, J. el problema es que el TC no desarrolla en absoluto esta afirmación "es como no decir nada puesto que esconde la reflexión final explicativa de la razón por la cual la conducta típica resulta más desvaliosa que otras semejantes, análogas o incluso exactamente idénticas", en "Aplicación de las figuras penales de violencia de género tras la STC 59/2008", en *Cuadernos Digitales de Formación*, 2009, CENDOJ, p. 13. Asimismo, BOLDOVA PASAMAR, M.A. y RUEDA MARTÍN, M.A afirman que la

- **La razonabilidad** la justifica partiendo de que la gravedad de las conductas en las que se basa la diferencia de trato que realiza la norma cuestionada justifican una mayor sanción para conseguir una protección mayor de las posibles víctimas.
- Desde el punto de vista de la **proporcionalidad tampoco** le merecen reproche, ya que la diferenciación que introducen es limitada frente a la trascendencia de la finalidad de protección: "tal protección es protección de la libertad y de la integridad física, psíquica y moral de las mujeres respecto a un tipo de agresiones, de las de sus parejas o ex parejas masculinas, que tradicionalmente han sido a la vez causa y consecuencia de su posición de subordinación".

La argumentación del Tribunal para salvar la constitucionalidad de las medidas cuestionadas, desde nuestro punto de vista, no consigue desterrar el factor del sexo de los sujetos activo y pasivo para justificar el diferente tratamiento penal; ya que es imposible hacerlo. Ciertamente, las diferencias de trato enjuiciadas encuentran amparo en los comportamientos basados en una posición de subordinación de la mujer de la que es responsable el varón que la domina y, por tanto, la somete a una violencia que la denigra; entendemos que, en todo caso, el sexo del varón es determinante para sancionar una conducta que se fundamenta en la desigualdad. Por ello, la posición del Tribunal es formal, ya que nos encontramos ante una manifestación de violencia machista cuyo trasunto es la desigualdad, y por ende la respuesta penal se basa en el comportamiento de su responsable: el varón.

De todos modos, no nos parece prudente jurídicamente la realización de juicios valorativos de la ley en los que se enjuicia el todo por la parte. Por ello, no compartimos ese juicio negativo de la misma en atención, únicamente, a las diferencias penales; pues tanto la finalidad de la propia LOVG como las demás medidas que contempla gozan de pleno encaje constitucional.

2. LA PERSISTENTE EXIGENCIA DE LA LEY

Hasta ahora nos hemos detenido en la exposición de los argumentos que, de acuerdo con nuestros trabajos anteriores, sostuvimos para justificar en su día la necesaria aprobación de la LOVG como respuesta exigida a los poderes públicos,

---

LOVG "supuso la creación de figuras delictivas atendiendo exclusivamente a la circunstancia sexual del sujeto que o bien sufre la violencia o bien la realiza, prescindiendo de cualquier otro fundamento material de las mismas, dando lugar a un Derecho penal sexuado...", en "Consideraciones político-criminales en torno a los delitos de violencia de género", en *La reforma penal en torno a la violencia doméstica y de género*, Atelier, Barcelona, 2006.

en especial al legislador, para abordar una manifestación de violencia tan lacerante.

Tras más de una década de vigencia de la LOVG conviene plantearse si las condiciones que obligaron a su aprobación siguen manteniéndose en la actualidad; y, en consecuencia, si se puede sostener la necesidad o no de su preservación. En este sentido, no pretendemos analizar el rendimiento y la efectividad de la LOVG a lo largo de todos estos años; sino que nuestro propósito se centra en constatar si se mantienen o no los presupuestos que dieron lugar a su aprobación.

En respuesta a esta cuestión, cabe afirmar que la virulencia del fenómeno de violencia de género se mantiene hoy en día[14], ofreciéndonos unas cifras que siguen siendo alarmantes, incluso intensificándose su incidencia y alcanzando cifras realmente preocupantes entre las mujeres más jóvenes[15]; en consecuencia, podemos seguir hablando de una lacra que no cesa.

Ciertamente, esta manifestación de violencia no puede corregirse sólo mediante la aprobación de una ley que la intente abordar y reparar integralmente, ya que el fenómeno es mucho más complejo. De modo que no puede explicarse la grave incidencia y persistencia de la violencia de género desde el rendimiento y eficacia de la LOVG. La complejidad de esta manifestación de violencia, fuertemente arraigada en usos y concepciones sociales, demanda su tratamiento integral y transversal, habiéndose arbitrado a la luz de la LOVG una serie de medidas de tratamiento y ayuda a las víctimas que siguen siendo, hoy, absolutamente necesarias. Y requiriendo, además, un tratamiento multinivel, ya que sus dimensiones exigen unos estándares mínimos de conceptuación y de protección. Cabe destacar en este marco la Orden Europea de Protección (OEP) cuyo objetivo es que cualquier medida de seguridad dictada por un Estado miembro para proteger a una persona amenazada (por ejemplo, una orden de alejamiento para un maltratador), se ejecute también automáticamente en cualquier otro país de la UE al que la víctima se traslade.

---

[14]   El Portal Estadístico de la Delegación del Gobierno para la Violencia de Género: *http://esta-disticasviolenciagenero.msssi.gob.es/* pueden analizarse pormenorizadamente. Y, recientemente, los datos reflejan un incremento de los casos de violencia, pues en primeros 53 días de 2017 pueden considerarse el peor periodo de violencia en 10 años, alcanzando la cifra de cinco mujeres asesinadas por sus parejas en 72 horas.

[15]   Así lo revelan todos los datos ofrecidos por los Observatorios, especialmente el estudio de la Community of Research on Excellence for All (CREA) de Barcelona, publicado en la revista *Violence Against Women*, en el que revela que "casi la mitad de los estudiantes que han participado en el estudio conocían a alguien que había sufrido más de un tipo de violencia en el contexto universitario. Los estudiantes han reconocido que en la mayoría de casos las víctimas acosadas eran chicas (92%) y que el perfil de personas agresoras respondía en un 84% de casos a un hombre y en un 65% a un estudiante". https://crea.ub.edu/index/?lang=es.

La persistencia de esta lacra convierte también en persiste la necesidad de la LOVG. Habiéndose auspiciado recientemente por determinadas fuerzas políticas el tan necesario y demanda Pacto de Estado[16].

En síntesis, puede afirmarse que estos años de vigencia de la LOVG han permitido, además de las luces, vislumbrar sus sombras y plantear la necesidad de su revisión, pero no de su supresión.

3. LA CONVENIENCIA DE SU REVISIÓN

Ciertamente, la LOVG ha sido objeto de diversas modificaciones[17], destacando por su mayor incidencia recientemente la Ley 4/2015, de 27 de abril, del Estatuto de la víctima del delito[18], como exigencia derivada de la trasposición de la Directiva 2012/29/UE que establece normas mínimas sobre los derechos, el apoyo y la protección de las víctimas de delitos.

---

[16]   Se trata del primer Pacto de Estado de esta legislatura, fruto de una propuesta conjunta de PP y PSOE y a la que se han sumado buena parte del resto de partidos, acordando la creación de una comisión permanente, como la del Pacto de Toledo, para fiscalizar su aplicación. Pacto que está pendiente de culminación.

[17]   Especialmente, las operadas por la Ley de Protección de los Menores, o la operada por la Ley 42/2015, de 5 de octubre, de reforma de la Ley 1/2000, de 7 de enero, de Enjuiciamiento Civil. «1. Las víctimas de violencia de género tienen derecho a recibir asesoramiento jurídico gratuito en el momento inmediatamente previo a la interposición de la denuncia, y a la defensa y representación gratuitas por abogado y procurador en todos los procesos y procedimientos administrativos que tengan causa directa o indirecta en la violencia padecida. En estos supuestos, una misma dirección letrada deberá asumir la defensa de la víctima, siempre que con ello se garantice debidamente su derecho de defensa. Este derecho asistirá también a los causahabientes en caso de fallecimiento de la víctima, siempre que no fueran partícipes en los hechos. En todo caso, se garantizará la defensa jurídica, gratuita y especializada de forma inmediata a todas las víctimas de violencia de género que lo soliciten.».

[18]   Las víctimas de violencia de género ven ampliada su asistencia y protección con este catálogo general de derechos, procesales y extraprocesales, de la víctima. El cónyuge de la víctima directa del delito o la persona que hubiera estado unida a ella por una relación análoga de afectividad, no tendrá la consideración de víctima indirecta del delito cuando se trate del responsable de los hechos. Garantiza a las víctimas de violencia de género la notificación de determinadas resoluciones sin necesidad de que lo soliciten, de manera que estén informadas de la situación penitenciaria del inculpado o condenado (artículo 7). Visibiliza como víctimas a los menores que se encuentren en un entorno de violencia de género, para garantizarles el acceso a los servicios de asistencia y apoyo, así como la adopción de medidas de protección, con el objetivo de facilitar su recuperación integral (artículo 10). Refuerza la protección de los hijos e hijas de las mujeres víctimas de violencia de género en el marco de la orden de protección, al prever que el Juez deberá pronunciarse en todo caso, incluso de oficio, sobre la pertinencia de la adopción de las medidas civiles (régimen de guarda y custodia, visitas, comunicación y estancia, etc.).

Sin embargo, son muchas las carencias o deficiencias constatadas durante estos años de andadura de la LOVG, habiéndose planteando reformas muy sustanciales de la misma[19] desde diversos sectores, entre otras: la conceptualización de la violencia de género; su armonización; la adopción de medidas que terminen con la sensación de impunidad[20]; la mejora de las pensiones o ayudas que perciben los hijos de víctimas de violencia de género, y que sea con efecto retroactivo; o más recientemente, la revisión de los regímenes de visitas y patria potestad[21].

En este estudio no podemos adentrarnos en todas ellas, por lo que nos centraremos en la revisión conceptual de la violencia de género con el objeto de conseguir estándares de protección uniformes.

3.1. *Revisión conceptual de la Violencia de Género*

La Ley Orgánica 1/2004, de 28 de diciembre, de Medidas de Protección Integral contra la Violencia de Género no ofrece un concepto de lo que ha de entenderse como tal; de modo que hemos de acudir al análisis de determinados preceptos para poder determinar qué conceptuación de violencia acoge nuestro ordenamiento positivo. El texto tan sólo se refiere al objeto de la Ley, expresando en el artículo 1. 1 que la: *"Ley tiene por objeto actuar contra la violencia que, como manifestación de la discriminación, la situación de desigualdad y las relaciones de poder de los hombres sobre las mujeres, se ejerce sobre éstas por parte de quienes sean o hayan sido sus cónyuges o de quienes estén o hayan estado ligados a ellas por relaciones similares de afectividad, aun sin convivencia".*

Y especifica en el apartado 3 que la violencia de género comprende: *"todo acto de violencia física y psicológica, incluidas las agresiones a la libertad sexual, las amenazas, las coacciones o la privación arbitraria de libertad".*

De ambos apartados del precepto se desprende que la LOVG se refiere a una violencia que:

---

19   Puede verso con mayor detalle el "ESTUDIO SOBRE LA APLICACIÓN DE LA LEY INTE-GRAL POR LAS AUDIENCIAS PROVINCIALES", realizado por Grupo de Expertos y Expertas en Violencia Domestica y de Género del CGPJ (Marzo 2.016).

20   LORENTE, M.: "Violencia de género e impunidad", en *Agenda Pública*, de 7 de marzo de 2017.

21   Formulada por la Defensora del Pueblo, solicitando que se revisen los regímenes de visitas y la patria potestad de los hijos de los acusados de maltratar a sus exparejas para evitar casos como el asesinato de un niño de 11 años en Oza-Cesuras (A Coruña) a manos supuestamente de su padre al que su exmujer había denunciado hasta en dos ocasiones.

a) es manifestación de la discriminación, de la desigualdad y, en consecuencia, de las relaciones de poder de los hombres sobre las mujeres.

b) que tiene como sujetos pasivos a las mujeres.

c) cuyos sujetos activos son los hombres relacionados con la mujer, bien por ser o haber sido cónyuges; o, estén o hayan mantenido relación de afectividad con ellas.

d) que comprende todo acto de violencia física y psicológica, incluidas las agresiones a la libertad sexual, las amenazas, las coacciones o la privación arbitraria de libertad.

e) que comprende cualquier acto, sea tanto de violencia física como sicológica, incluidas las agresiones a la libertad sexual, las amenazas, las coacciones o la privación arbitraria de libertad.

Pese a este amplio contenido, no encontramos un concepto claro de la violencia de género; por tanto es esencial determinarlo, ya que de ello derivan importantes consecuencias en orden a determinar los sujetos pasivos y la aplicación de las medidas, así como al tratamiento penal de las conductas.

En primer lugar, puede servirnos de referencia el concepto de violencia de género en el orden internacional para compararlo con el ordenamiento jurídico español determinando las categorías jurídicas a las que éste acoge, y su correspondencia o no con los parámetros internacionales. En este sentido, la Declaración sobre la eliminación de la violencia contra la mujer (Resolución de la Asamblea General 48/104 del 20 de diciembre de 1993) afirma que la violencia contra la mujer constituye una violación de los derechos humanos y las libertades fundamentales y reconoce que *constituye una manifestación de relaciones de poder históricamente desiguales entre el hombre y la mujer, que han conducido a la dominación de la mujer y a la discriminación en su contra por parte del hombre e impedido el adelanto pleno de la mujer;* siendo uno de los mecanismos sociales fundamentales por los que se fuerza a la mujer a *una situación de subordinación respecto del hombre.* Dicha Resolución comprende tanto actos, como amenazas de tales actos, coacción o privación arbitraria de libertad, que tenga su base en el sexo femenino. Esto es, el concepto descansa en la situación de subordinación de la mujer respecto del hombre. En el mismo sentido se manifiesta las Resoluciones de la Cumbre Internacional sobre la Mujer celebrada en Pekín en 1995, afirmándose que la "violencia contra la mujer" es todo acto de violencia basado en el género.

Es importante destacar que la LOVG forja conceptualmente la violencia contra las mujeres como una expresión palmaria de discriminación. Partiendo de estos fundamentos, debemos diferenciar las distintas categorías conceptuales de la violencia que sufre la mujer.

3.1.1. Violencia de género versus violencia doméstica

Metodológicamente procede plantear las diferentes categorías de violencia que sufre la mujer, que pueden coincidir en el sujeto que la sufre (la mujer), pero cuya naturaleza es distinta, así como las respuestas penales que reciben.

a) En primer lugar, hablamos de la **violencia intrafamiliar o doméstica**, de la que es víctima la mujer, pero no sólo ella. En este caso la raíz o la causa de la violencia que sufre no lo es por razón de género, sino en cuanto integrante de la unidad familiar, y, por tanto, es una violencia ejercida sobre cualquier miembro de dicha unidad familiar. Lo expresa Maqueda cuando afirma que la violencia de género apunta a la mujer y la doméstica a la familia[22].

b) En segundo lugar, la **violencia de género** es aquélla que se ejerce sobre la mujer por el hecho de serlo; sustentándose en la dominación de la mujer por parte del hombre, que la coloca en una clara posición de subordinación. En este sentido, aun no estando unánimemente aceptada su diferenciación, entendemos plausible la necesidad de distinguir entre violencia doméstica y violencia de género, ya que estamos ante dos conceptos que, aunque conectados entre sí, hacen referencia a realidades distintas, que tienen por tanto respuestas penales también distintas. Adviértase cómo el Código penal en 1989, al incluir el delito de maltrato físico habitual contra el conviviente, hijos u otros menores o incapaces sometidos a tutela o guarda de hecho del agresor o agresora, pivota sobre la protección de un bien jurídico que no es la mujer, sino la familia, ya que lo que tipifica es el maltrato familiar en toda su extensión.

La LOVG se separa de esta línea, al concebir la violencia de género como aquélla que sufren las mujeres como consecuencia de la situación de desigualdad y las relaciones de poder de los hombres sobre las mujeres (art. 1), distanciándose así del maltrato familiar. La Ley deja claro —como expresa Laurenzo— que "la violencia contra las mujeres constituye una categoría específica de violencia social que tiene su origen en la discriminación estructural de la mujer por el reparto no equitativo de roles sociales y que no tiene parangón en el sexo masculino". Y, aun advirtiendo que en el contexto doméstico es donde generalmente se suele manifestar la violencia de género, sin embargo, ello no es excluyente, ya que "también las agresiones sexuales o el acoso laboral son manifestaciones de este fenómeno y nada tienen que ver con el contexto familiar". En consecuencia, considera que no es apropiado identificar violencia de género con violencia doméstica[23]; posición que compartimos.

[22] MAQUEDA ABREU, Mª L.: "La violencia de género. Entre el concepto jurídico y la realidad social", RECPC 08-02 (2006) _ http://criminet.ugr.es/ recpc _ ISSN 1695-0194).
[23] LAURENZO COPELLO, P: "La violencia de género en la Ley Integral. "Valoración político-criminal", RECPC 07-08 (2005).

Su tratamiento por la Jurisdicción ordinaria pone de manifiesto las dificultades en orden a la diferenciación entre violencia doméstica y violencia de género. En este sentido, es bien conocida la reivindicación planteada desde distintos sectores judiciales en aras de clarificar cómo ha acreditarse la situación de desigualdad o de dominio del hombre sobre la mujer en una relación de pareja, para concretar si los hechos pueden o no ser incluidos en la violencia de género[24].

La cuestión se plantea claramente en la Sentencia de la Audiencia Provincial de Valencia 483/2011, de 22 de septiembre, cuando afirma "que no todas las agresiones producidas en el marco de la relación de pareja entre hombre y mujer existente o pasada son expresión de la violencia machista.". Por lo tanto "Habrá que justificar que la situación de hecho sea constitutiva de violencia de género. No hay presunción alguna contra reo; y al juzgador se le ha de presentar como indudable que la situación probada se enmarca como violencia de género".

Sin embargo, como ha resaltado Margarita Roig, en el plano judicial no "se ha conseguido una respuesta unívoca, debido en buena medida a que el Tribunal Supremo no ha ejercido su función unificadora. Aunque en varias sentencias se decanta por la exigencia de ese trasfondo discriminatorio, hay alguna resolución donde parece respaldar la solución contraria"[25]. La ausencia de dicha unificación se constata en las diferentes interpretaciones que vienen aduciéndose.

En efecto, algunos órganos judiciales, sostienen que para saber si estamos o no ante un caso de violencia de género, junto al elemento objetivo (lesión, golpe o maltrato físico) se requeriría un elemento subjetivo que demostrara que estamos ante una manifestación de un ánimo de dominación o sometimiento de la mujer. Por ejemplo, en la STS Sentencia 1177/2009, de 24 de noviembre sostiene que "La aplicación del art. 153 requiere no sólo la existencia de una lesión leve a la mujer por parte del compañero masculino, sino también que esta acción se produzca en el seno de una relación de sumisión, dominación y sometimiento a la mujer por parte del hombre, esto es, de una discriminación de todo punto inadmisible". De ahí que **sostenga** que sea el Tribunal sentenciador el que, a la vista de las pruebas practicadas, establezca el contexto en el que tuvieron lugar los hechos, "analizando los componentes sociológicos y caracterológicos concurrentes

---

[24]   La Instrucción 2/2005, de 2 de marzo, de la Fiscalía General del Estado, «sobre la acreditación por el Ministerio Fiscal de las situaciones de violencia de género», precisó que los hechos delictivos se reputarán violencia de género cuando tengan a una mujer como sujeto pasivo, a un hombre como sujeto activo y entre ambos exista, o haya existido, una relación matrimonial o similar de afectividad, aun sin convivencia. Así lo reiteró la Circular 4/2005, de 18 de julio, de esa Fiscalía, «relativa a los criterios de aplicación de la Ley Orgánica de Medidas de Protección Integral contra la violencia de género.

[25]   ROIG TORRES, M.: "La delimitación de la «violencia de género»: un concepto espinoso", *Estudios Penales y Criminológicos*, vol. XXXII (2012). ISSN 1137-7550, p. 253.

a fin de establecer, mediante la valoración razonada de los elementos probatorios si el hecho imputado es manifestación de la discriminación, desigualdad y relaciones de poder del hombre sobre la mujer, u obedece a otros motivos o impulsos diferentes" [26].

En el mismo sentido, en la Sentencia del Tribunal Supremo 654/2009, de 8 de junio, niega la consideración de violencia de género a aquellas lesiones causadas sin que "se produjera en el contexto propio de las denominadas conductas «machistas»".

Es verdad que en algunos casos es más fácil justificar el ánimo discriminatorio; por ejemplo, en el caso que resuelve la STS 58/2008, de 23 de enero, en el que el hombre había prohibido a la mujer salir a la calle con un determinado pantalón y ella se había negado a mantener relaciones sexuales con su compañero, por lo que el Tribunal entiende que la conducta de éste constituye, sin la menor duda, una manifestación clara de "superioridad machista", en cuanto denota una pretensión de dominio del hombre frente a la mujer. Pero, en otros muchos casos no es tan tajante la determinación de ese elemento machista. Y, con todo, la cuestión es de capital importancia, por las consecuencias penales que acarrea la calificación de la conducta violenta del varón sobre la mujer. Sobre todo, porque nos enfrentamos a un tema en el que radica uno de los mayores problemas de la aplicación práctica de la LOVG.

En síntesis, en relación con otros elementos que integran también el concepto de violencia que estamos analizando; cabe resaltar que:

a) La jurisprudencia ordinaria ha reafirmado que el elemento predominante es realmente la relación de afectividad, independientemente de la edad de la mujer.

b) Que no exige la idea de futuro, sino simplemente afectividad de cierta intensidad diferente a la amistad[27].

---

[26]   Voto Particular formulado por el Sr. Sánchez Melgar: "Adentrarse por la vía de la interpretación valorativa en cada caso concreto enjuiciado acerca de cuándo existe desigualdad o relación de subordinación o dominación, o una situación de discriminación, exige un mayor componente de resultancias fácticas, que se encuentren muy acreditadas, más allá de la simple determinación de que una pelea mutua, o "trifulca matrimonial", si se quiere, neutraliza la aplicación de este tipo. Lo propio podríamos decir respecto a una supuesta desigualdad cultural, económica, educativa, juvenil, incluso resultante de componentes físicos, etc. El legislador ha tratado de objetivar la violencia de género a la ejercida por el varón sobre la mujer, en el ámbito de la pareja, y ello, al parecer, por razones estadísticas o históricas. No nos corresponde a nosotros el enjuiciamiento sobre el acierto de este componente sociológico, y es más, a pesar de las razonables dudas de constitucionalidad de una medida de discriminación positiva en el ámbito penal, el Tribunal Constitucional las despejó en sentido negativo, no sin posturas discrepantes en el seno del mismo.".

[27]   13/76, de 23 de diciembre, de la Sección 1ª de la Sala de lo Penal del Tribunal Supremo.

c) Que quedan excluidas las relaciones "puramente esporádicas y de mera amistad, en las que el componente afectivo todavía no ha tenido ni siquiera la oportunidad de desarrollarse y llegar a condicionar los móviles del sujeto activo de la violencia sobre la mujer", por lo que sí que entiende que quedan amparadas por la Ley de Violencia aquellas situaciones en las que "exista un cierto grado de compromiso o estabilidad, aun cuando no haya fidelidad ni se compartan expectativas de futuro" [28].

3.1.2. Violencia de género versus violencia por razón de sexo

En el Anteproyecto de LOVG se acogía la denominación de violencia ejercida sobre las mujeres, pero, finalmente, la Ley se aprobó utilizando la terminología "violencia de género", por entender que era una categoría distinta de la violencia **por razón de sexo**[29].

El fundamento de esta diferenciación se sitúa en que mientras que el término sexo se refiere únicamente a las diferencias biológicas entre hombre y mujer; sin embargo, "el vocablo género sirve de base para mostrar que las desigualdades entre ambos sexos se han construido históricamente como consecuencia de la estructura familiar-patriarcal y no como fruto de la naturaleza biológica de los sexos" [30]. En síntesis, se concibe el género como un concepto que hace referencia a las diferencias sociales entre hombres y mujeres; mientras que el sexo se centra en las diferencias biológicas entre ambos. De ahí que la propia Exposición de Motivos de la LOVG manifieste con rotundidad que "Se trata de una violencia que se dirige sobre las mujeres por el hecho mismo de serlo, por ser consideradas, por sus agresores, carentes de los derechos mínimos de libertad, respeto y capacidad de decisión". Esta distinta categorización viene recogida ya en algunos textos internacionales[31].

El Tribunal Constitucional español opta por la diferencia entre género y sexo; considerando que con el término "género" que titula la Ley y que se utiliza en su

---

[28] Sentencia del Tribunal Supremo 510/2009, de 12 de mayo.

[29] Vid. también sobre esta polémica el "Informe de la Real Academia Española sobre expresión Violencia de Género", Madrid, 19 de Mayo de 2004.

[30] COMAS D' ARGEMIR, M. Y QUERALT I JIMENEZ, J.J.: "La violencia de género: política criminal y ley penal", en Libro Homenaje a Rodríguez Mourullo, G., Thomson/Civitas, Aranzadi, 2005, pp. 1204—. Y es que, el concepto de violencia de género entronca con "la expresión más evidente de unas relaciones estructurales de poder que no son afrontables con los únicos esquemas de los derechos individuales" BARRERE UNZUETA, Mª. A: Género, violencia y derecho / coord. por Patricia Laurenzo Copello, María Luisa Maqueda Abreu, Ana María Rubio Castro, 2008, p. 34

[31] Convención Interamericana (Convención de Belem do Pará de 1994) se refiere a conductas basadas en el género, no sólo en el sexo.

articulado, no se trata una discriminación por razón de sexo; aunque lo hace para justificar el encaje constitucional de las diferencias punitivas[32].

Mayor concreción conceptual podemos encontrar en el marco de la legislación autonómica. Y es que, prácticamente, todas las Comunidades Autónomas cuentan hoy en día con legislación específica en materia de violencia de género. Desde la pionera Ley de Castilla-La Mancha, hasta la más reciente de la Comunidad Valenciana. Siendo predecesoras de la LOVG las Leyes de Castilla-La Mancha, Ley Foral de Navarra, Canarias y Cantabria.

A la hora de abordar su análisis, puede afirmarse que no existe unicidad sobre el concepto de violencia de género empleado en las diferentes leyes autonómicas y, en consecuencia, esta heterogeneidad hace difícil un estudio comparativo sistematizado[33]. Dicha heterogeneidad se puede observar, ya, en la formulación de denominaciones muy variadas violencia: de género, violencia contra la mujer, violencia machista, violencia sexista.

Por un lado, no todas las leyes autonómicas ofrecen un concepto de violencia, de modo que mientras que la Ley de Castilla-La Mancha no ofrece ningún concepto de violencia, la Ley Foral de Navarra, presenta como novedad un presupuesto de la violencia que es el de la superioridad de un sexo sobre el otro. Las leyes de Canarias y Cantabria, a diferencia de la Ley Estatal, sí que ofrecen un concepto de violencia de género, sumándose con posterioridad a esta corriente Andalucía, Castilla-León, Cataluña, Extremadura, País Vasco y Comunidad Valenciana.

Ciertamente, puede afirmarse que en el marco de la legislación autonómica se recoge un concepto de violencia de género mucho más amplio que el de la LOVG; aunque tampoco puede encontrarse una conceptuación clara y determinante. En este sentido, algunas leyes optan por situar la violencia como manifestación de la discriminación y la situación de desigualdad en el marco de un sistema de relaciones de poder de los hombres sobre las mujeres (Cataluña[34], Andalucía,

---

[32]   No es el sexo en sí de los sujetos activo y pasivo lo que el legislador toma en consideración con efectos agravatorios, sino —una vez más importa resaltarlo— el carácter especialmente lesivo de ciertos hechos a partir del ámbito relacional en el que se producen y del significado objetivo que adquieren como manifestación de una grave y arraigada desigualdad. *La sanción no se impone por razón del sexo del sujeto activo ni de la víctima ni por razones vinculadas a su propia biología. Se trata de la sanción mayor de hechos más graves, que el legislador considera razonablemente que lo son por constituir una manifestación específicamente lesiva de violencia y de desigualdad.* (59/2008).

[33]   CABRERA MERCADO, R. Y CARAZO LIÉBANA, Mª J.: Análisis de la legislación autonómica sobre violencia de género. NIPO: 800-10-022-6.

[34]   Ley 5/2008, de 24 de abril, del derecho de las mujeres a erradicar la violencia machista Violencia machista: la violencia que se ejerce contra las mujeres como manifestación de la discriminación y la situación de desigualdad en el marco de un sistema de relaciones de poder de

Extremadura, Galicia o Madrid). Sin embargo, otras CCAA adoptan la fórmula de la motivación en la pertenencia al sexo femenino (por ejemplo: Aragón, Canarias, Cantabria).

3.2. Consecuencias derivadas del concepto de violencia de género

El concepto de violencia es necesario para determinar los sujetos destinatarios de las medidas previstas en la LOVG. Centrándose la protección de dicha ley en las mujeres que sufren violencia por causa de la desigualdad, dicha protección se extiende, dada la diversidad de modelos de convivencia, además de a los supuestos habituales, a las mujeres que se encuentran en las siguientes situaciones: parejas *more uxorio*, noviazgo, menores que mantienen relación de pareja, y a las que mantienen relaciones sentimentales paralelas.

Ciertamente, la LOVG no está dirigida a proteger cualquier violencia contra la mujer, sino la que ésta sufre en el marco de una relación pasada o presente, por lo que se requiere la existencia de algún vínculo de pareja, aun cuando no se conviva. Esta determinación del objeto de la LOVG planteó, en su día, una serie de dudas:

– Por un lado, la de la extensión de su protección a las **mujeres menores**. En este sentido, la Fiscalía General del Estado ha entendido que aunque la plena capacidad se concede con la mayoría de edad, desde el momento que tienen la capacidad necesaria para decidir el inicio de una relación sentimental están bajo la tutela penal que se otorga a las mujeres víctimas de violencia de género[35].

– Por otro lado, la de la extensión de su protección a los **homosexuales o transexuales**. La respuesta ha sido más pacífica en relación con los segundos, ya que sí que puede hablarse de una ampliación del ámbito de protección de la LOVG a los transexuales en determinados casos; interpretación que tuvo su origen en el Auto de la Audiencia Provincial de Málaga[36], que resolvía la competencia del Juzgado de Violencia de Género para conocer de la denuncia por violencia interpuesta por un transexual, basándose en la Circular 4/2005 de la Fiscalía General del Estado, de 18 de julio de 2005 que incluía en el apartado 1 del artículo 153 de la LO 1/2004 a "las parejas de distinto sexo formadas por transexuales reconocidos legalmente si el agresor es el varón y la víctima la mujer".

---

los hombres sobre las mujeres y que, producida por medios físicos, económicos o psicológicos, incluidas las amenazas, intimidaciones y coacciones, tenga como resultado un daño o padecimiento físico, sexual o psicológico, tanto si se produce en el ámbito público como en el privado.

[35]   Circular de la Fiscalía General del Estado 6/2011 *sobre criterios para la unidad de actuación especializada del Ministerio Fiscal en relación a la violencia sobre la mujer.*

[36]   Auto Nº 256/2010, de 3 de mayo, que resuelve la Cuestión de Competencia negativa entre el Juzgado de Instrucción nº4 y el Juzgado de Violencia sobre la Mujer n. 1.

Al amparo de la Ley, el requisito exigido en dicha Circular era el del reconocimiento legal del cambio de sexo; sin embargo, el Auto amplía la protección al transexual que, pese a carecer de documento oficial acreditativo de su identidad, se le había practicado prueba médico forense que permitía determinar que estaba intervenido quirúrgicamente de cambio de sexo, teniendo apariencia femenina y comportamiento como tal. Interpretación que posteriormente ha sido recogida en la Circular 6/2011 de la Fiscalía General del Estado[37].

Cabe resaltar que la protección de los transexuales ha sido abordada con carácter específico por parte de la mayoría de las Comunidades Autónomas, que han previsto su protección como víctimas de delitos basados en el sexo[38].

En relación con los homosexuales, su exclusión del ámbito de protección de la LOVG parece clara; precisamente, porque ésta tiene su origen en la lucha contra la discriminación por una causa de discriminación concreta: el sexo; en consecuencia, el sujeto pasivo ha de ser siempre mujer. El Tribunal Constitucional en

---

[37]   En efecto, en este caso hay que hacer referencia a la Ley 3/2007, reguladora de la rectificación registral de la mención relativa al sexo de las personas. Dicha ley otorga plenos efectos civiles a la rectificación, por lo que el transexual que registra su cambio de sexo queda plenamente amparado por la LO 1/2004. Sin embargo, se plantea el problema en relación con quienes no han realizado la rectificación registral o bien son extranjeras que no pueden rectificar registralmente. Por ello, en estos casos la Fiscalía ha adoptado la interpretación más favorable acogida por el Juzgado de Málaga en el Auto referido.

[38]   Ley Foral 12/2009, de 19 de noviembre, de no discriminación por motivos de identidad de género y de reconocimiento de los derechos de las personas transexuales de Navarra. Ley 14/2012, de 28 de junio, de no discriminación por motivos de identidad de género y de reconocimiento de los derechos de las personas transexuales del País Vasco. Ley 2/2014, de 14 de abril, por la igualdad de trato y la no discriminación de lesbianas, gays, transexuales, bisexuales e intersexuales de Galicia. Ley 2/2014, de 8 de julio, integral para la no discriminación por motivos de identidad de género y reconocimiento de los derechos de las personas transexuales de Andalucía. Ley 11/2014, de 10 de octubre, para garantizar los derechos de lesbianas, gais, bisexuales, transgéneros e intersexuales y para erradicar la homofobia, la bifobia y la transfobia, de Cataluña. Ley 8/2014, de 28 de octubre, de no discriminación por motivos de identidad de género y de reconocimiento de los derechos de las personas transexuales de Canarias. Ley 8/2016, de 27 de mayo, de igualdad social de lesbianas, gais, bisexuales, transexuales, transgénero e intersexuales, y de políticas públicas contra la discriminación por orientación sexual e identidad de género en la Comunidad Autónoma de la Región de Murcia ampara a todas las personas víctimas de agresiones por identidad u orientación sexual en cualquier ámbito, garantizando que los delitos de odio no cuenten con ninguna cobertura legal, institucional, política o social. Ley 3/2016, de 22 de julio, de Protección Integral contra la LGT Bifobia y la Discriminación por razón de Orientación e Identidad Sexual en la Comunidad de Madrid. Ley 12/2015, de 8 de abril, de Igualdad Social de Lesbianas, Gais, Bisexuales, Transgéneros, Transexuales e Intersexuales, y de políticas públicas contra la discriminación por homofobia y transfobia en la Comunidad Autónoma de Extremadura. Ley integral del reconocimiento del derecho a la identidad y a la expresión de género en la Comunidad Valenciana de 30 de marzo de 2017.

la capital Sentencia 59/2008, de 14 de mayo, afirma que la Ley "tiene como finalidad principal prevenir las agresiones que en el ámbito de la pareja se producen como manifestación del dominio del hombre sobre la mujer en tal contexto[39].

Por el contrario, la protección de los homosexuales, constituye también una exigencia, pero es derivada de otra causa de discriminación: por orientación sexual. La misma consideración cabría hacer respecto de las lesbianas, ya que el sujeto activo ha de ser para la LOVG un hombre.

Precisamente éste ha sido otro de los aspectos que ha generado un juicio negativo de la LOVG, al igual que la exclusión de los hombres de su ámbito de protección. Sin embargo, entendemos que una regulación concreta de una manifestación también concreta de violencia como es la que tiene su origen en la discriminación por razón de sexo no excluye que el ordenamiento ofrezca, también, respuesta a la violencia que sufren los hombres o los homosexuales. La diferencia de la norma en la que se protege dichas manifestaciones de violencia no implica desprotección, ya que el ordenamiento ni las permite ni las ignora; tan sólo las regula en textos diferentes.

Finalmente, la LOVG extiende también la protección a los **descendientes**, propios o de la esposa o conviviente, o sobre los menores o incapaces que con él convivan o que se hallen sujetos a la potestad, tutela, curatela, acogimiento o guarda de hecho de la esposa o conviviente, cuando también se haya producido un acto de violencia de género. Así se colige del artículo 44.1 de la LOVG cuando extiende la competencia de los Juzgados de Violencia de Género a estos casos[40]. Y, más recientemente, la Ley Orgánica 8/2015, de 22 de julio, de modificación del sistema de protección a la infancia y a la adolescencia, ha modificado la LOVG, recogiendo medidas de protección integral a las mujeres, a sus hijos menores y a los menores sujetos a su tutela, o guarda y custodia, víctimas de esta violencia. Regulando, asimismo, el régimen de adopción de medidas cautelares y de aseguramiento en todos los procedimientos relacionados con la violencia de género extendiéndola a los hijos, personas que convivan con ellas o se hallen sujetas a su guarda o custodia. Además, contempla la suspensión de la patria potestad, guardia y custodia, acogimiento, tutela, curatela o guarda de hecho del inculpado. Así como la posible suspensión del régimen de visitas, estancia, relación o

---

[39] STC 59/2008, de 14 de mayo; STC 52/2010, de 4 de octubre STC 41/2010, de 22 de julio; STC 76/2008, de 3 de julio de 2008; STC 81/2008, de 17 de julio de 2008; STC 82/2008 de 17 de julio de2008; STC 83/2008, de 17 de julio de 2008; STC 95/2008, de 24 de julio de 2008; STC 96/2008, de 24de julio de 2008; STC 97/2008, de 24 de julio de 2008 STC 98/2008, de 24 de julio de 2008; STC 99/2008, de 24 de julio de 2008; STC nº 100/2008, de 24 de julio de 2008.

[40] Por ejemplo, en 2016 Andalucía reforma su ley contra la violencia de género e incluye a los hijos como víctimas.

comunicación del inculpado por violencia de género respecto de los menores que dependan de él[41].

3.3. Contenido de la Violencia de género

Como ha advertido María Macías[42], a pesar del amplio título de la LOVG, ésta no parece tratar de cubrir todo tipo de violencia de género, pues, a diferencia de las Leyes autonómicas, no existe en la LOVG un catálogo de formas en las que se puede manifestar la violencia de género. Tan sólo el art. 1.3, como hemos visto, se refiere a todo acto de violencia física y psicológica, incluidas las agresiones a la libertad sexual, las amenazas, las coacciones o la privación arbitraria de libertad. Ciertamente, el problema que plantea esta determinación es la del alcance de la protección de conductas; esto es, ¿puede un diferente contenido de conductas afectar negativamente a la protección de las víctimas?

Los actos que integran el concepto de violencia de género han ido concretando en el marco de la jurisdicción ordinaria que ha ido incluyendo los delitos de homicidio, lesiones, malos tratos, amenazas, malos tratos habituales, violación, entre otros[43]. Resulta de especial interés la Sentencia del Tribunal Supremo 835/2012, de 31 de octubre, en la que el Tribunal declara que la ablación del clítoris no es cultura, es mutilación y discriminación femenina[44].

---

[41]   Se modifica el artículo 66 en los siguientes términos: *"El Juez podrá ordenar la suspensión del régimen de visitas, estancia, relación o comunicación del inculpado por violencia de géne-ro respecto de los menores que dependan de él. Si no acordara la suspensión, el Juez deberá pronunciarse en todo caso sobre la forma en que se ejercerá el régimen de estancia, relación o comunicación del inculpado por violencia de género respecto de los menores que dependan del mismo. Asimismo, adoptará las medidas necesarias para garantizar la seguridad, integridad y recuperación de los menores y de la mujer, y realizará un seguimiento periódico de su evolución.».*

[42]   MACIAS JARA, Mª: La Ley de violencia de género, en http://www.eldiario.es/agendapublica/ impacto_social/leyvio lenciagenero_0_179532676.html.

[43]   SSTS —Sala 2ª— 1048/2005, de 15 de septiembre y 761/2007, de 26 de septiembre (homicidio); 821/2009, de 26 de junio y 336/2011, de 3 de mayo, (lesiones); 568/2007, de 26 de junio, 58/2008, de 25 de enero, 13/2009, de 20 de enero, 338/2009, de 2 de abril, 1148/2009, de 25 de noviembre y, 1099/2010, de 21 de noviembre (malos tratos); 268/2010, de 26 de febrero y21/2011, de 26 de enero (amenazas); 1189/2006, de 22 de noviembre (violación), 292/2009, de 26 de marzo y 765/2011, de 19 de julio (malos tratos habituales), Margarita Roig, op. cit, p. 268.

[44]   Adviértase que la L.O. 3/2005 de 8 de Julio que persigue extraterritorialmente la práctica de la mutilación genital femenina, considerando que "...La mutilación genital femenina constituye un grave atentado contra los derechos humanos, es un ejercicio de violencia contra las mujeres que afecta directamente a su integridad como personas. La mutilación de los órganos genitales de las niñas y las jóvenes debe considerarse un trato "inhumano y degradante" incluido, junto a la tortura, en las prohibiciones del art. 3 del Convenio Europeo de Derechos Humanos.

En el marco de la legislación autonómica, las Leyes de Canarias y Cantabria[45] fueron pioneras al establecer las formas de esta violencia, incluyendo ambas: malos tratos físicos; malos tratos psicológicos; los malos tratos económicos; las agresiones sexuales; los abusos sexuales a niñas; el acoso sexual; el tráfico o utilización de mujeres y niñas con fines de explotación sexual, prostitución y comercio sexual; la mutilación genital femenina; la violencia contra los derechos sexuales y reproductivos de las mujeres; dejando, finalmente, una cláusula abierta que permita la inclusión de cualquiera otras actuaciones o conductas que lesionen o sean susceptibles de lesionar la dignidad o integridad de la mujer. Cláusula por la que optarán más tarde otras CCAA pero con diferentes matices.

Con posterioridad, muchas otras CCAA han incluido de modo detallado las formas de violencia: Andalucía[46], Aragón, Castilla-León[47], Cataluña[48], Galicia[49], Madrid[50], Comunidad Valenciana[51]; destacando los matrimonios forzados, o a la violencia derivada de los conflictos armados (Cataluña). O las detenciones ilegales, amenazas y coacciones y el tráfico o favorecimiento de la inmigración

---

[45] Ley de Cantabria 1/2004, de 1 de abril, Integral para la Prevención de la Violencia Contra las Mujeres y la Protección a sus Víctimas.

[46] Ley 13/2007, de 26 de noviembre, de medidas de prevención y protección integral contra la violencia de género. Considerando violencia de género (art. 3.3): a) Violencia física, que incluye cualquier acto de fuerza contra el cuerpo de la mujer, con resultado o riesgo de producir lesión física o daño, ejercida por quien sea o haya sido su cónyuge o por quien esté o haya estado ligado a ella por análoga relación de afectividad, aun sin convivencia. Asimismo, tendrán la consideración de actos de violencia física contra la mujer los ejercidos por hombres en su entorno familiar o en su entorno social y/o laboral. b) Violencia psicológica, que incluye toda conducta, verbal o no verbal, que produzca en la mujer desvalorización o sufrimiento, a través de amenazas, humillaciones o vejaciones, exigencia de obediencia o sumisión, coerción, insultos, aislamiento, culpabilización o limitaciones de su ámbito de libertad, ejercida por quien sea o haya sido su cónyuge o por quien esté o haya estado ligado a ella por análoga relación de afectividad, aun sin convivencia. Asimismo, tendrán la consideración de actos de violencia psicológica contra la mujer los ejercidos por hombres en su entorno familiar o en su entorno social y/o laboral. c) Violencia económica, que incluye la privación intencionada, y no justificada legalmente, de recursos para el bienestar físico o psicológico de la mujer y de sus hijas e hijos o la discriminación en la disposición de los recursos compartidos en el ámbito de la convivencia de pareja. d) Violencia sexual y abusos sexuales, que incluyen cualquier acto de naturaleza sexual forzada por el agresor o no consentido por la mujer, abarcando la imposición, mediante la fuerza o con intimidación, de relaciones sexuales no consentidas, y el abuso sexual, con independencia de que el agresor guarde o no relación conyugal, de pareja, afectiva o de parentesco con la víctima.

[47] Ley de Violencia de Género de Castilla y León. Ley núm. 13/2010, de 9 de diciembre.

[48] Ley 5/2008, de 24 de abril, del derecho de las mujeres a erradicar la violencia machista.

[49] Ley de Violencia de Género de Galicia. Ley núm. 11/2007, de 27 de julio.

[50] Ley de Violencia de Género de Madrid. Ley núm. 5/2005, de 20 de diciembre.

[51] Ley 7/2012, de 23 de noviembre, de la Generalitat, Integral contra la Violencia sobre la Mujer en el Ámbito de la Comunitat Valenciana.

clandestina de mujeres (Murcia); que las demás CCAA sólo incluyen en el caso de que sea con fines de explotación sexual.

Pero, determinadas leyes como la de Canarias[52] y La Ley Aragonesa[53] distinguen ambas en función del ámbito y naturaleza de la relación del agresor con la víctima, distintas modalidades de violencia contra la mujer. Así, la primera distingue entre: *a) Situaciones de violencia doméstica: son las que se operan por quienes sostienen o han sostenido un vínculo afectivo, conyugal, de pareja, paterno-filial o semejante con la víctima[54]. b) Situaciones de violencia laboral o docente: son las que se operan por quienes sostienen con la víctima un vínculo laboral, docente o de prestación de servicios, bien sea prevaliéndose de una posición de dependencia o debilidad de la víctima frente a los mismos, bien sea en virtud de una situación de proximidad entre ellos. c) Situaciones de violencia social: son las que se operan por quienes carecen, en relación con la víctima, de cualquiera de los vínculos que se relacionan en los dos apartados anteriores del presente artículo, y entre los que se encuentran, en todo caso, las personas amparadas en cualquier relación distinta a la indicada en el apartado a) por la que se encuentre integrada en el núcleo de su convivencia familiar, así como las personas que por su especial vulnerabilidad se encuentran sometidas a custodia o guarda en centros públicos o privados".*

La Ley aragonesa, de este modo, identifica violencia doméstica con violencia de género, incluyendo también otros supuestos que no tienen relación con la violencia de género en la que se asienta la LOVG.

Otras Comunidades Autónoma como la de Casilla-León incluye también los ámbitos en los que puede producirse: ámbito de la pareja, ex pareja o relación de afectividad análoga; ámbito familiar; ámbito laboral; ámbito social o comunitario. Y, la Ley catalana incluye los tres primeros.

En síntesis, puede decirse que las Leyes autonómicas son más completas que la LOVG, ya que:

a) recogen conceptos de violencia de género.
b) recogen formas de violencia, de forma detallada,
c) recogen el daño tanto actual como el potencial.

---

[52]   Ley de la Mujer de Canarias, Ley núm. 16/2003, de 8 de abril.
[53]   Ley 4/2007, de Prevención y Protección Integral a las Mujeres Víctimas de Violencia en Aragón, se refiere a la violencia ejercida sobre las mujeres.
[54]   *Se incluyen en este ámbito los supuestos de violencia ejercida sobre la mujer por parte de quienes sean o hayan sido sus cónyuges o de quienes estén o hayan estado ligados a ella por relaciones similares de afectividad, aun sin convivencia, y la violencia ejercida sobre las descendientes, ascendientes o hermanas por naturaleza, adopción o afinidad, propias o del cónyuge o conviviente, o sobre las menores o incapaces que con él convivan o que se hallen sujetas a autoridad familiar, potestad, tutela, curatela, acogimiento o guarda.*

d) recogen, en muchos casos, una conceptuación de la violencia que no se ciñe a la existencia de relación de afectividad.

Esta dispar configuración de la violencia de género contrasta con las previsiones de LOVG, ya que este texto se ciñe por un lado a la violencia por razón de género causada por el hombre que mantiene o ha mantenido una relación de afectividad. Por tanto, no aporta una ordenación tan amplia de conductas protegidas como la realizada en el marco de las Comunidades Autónomas. Y, ello nos conduce a plantear la conveniencia de modificar la Ley estatal con el objeto de acomodarla a la realidad actual[55].

4. RECAPITULACIÓN

La Ley Orgánica de medidas de protección integral contra la violencia de género 1/2004, de 28 de diciembre nació como una respuesta urgente a la gravedad de la violencia de género, constituyendo su tratamiento una exigencia constitucional.

La ley aborda una situación de hecho concreta —la violencia de género— que se diferencia claramente de otras situaciones, lo que nos sitúa en un plano en el que la desigual situación de hecho requiere soluciones jurídicas desiguales para su reparación, reclamando del legislador la adopción de medidas sustentadas en la interpretación del artículo 14 en necesaria conexión con el art. 9.2 CE. No cabe, pues, a nuestro juicio, entender que la existencia de una Ley que regula una

---

[55] Puede verse el Informe de balance tras diez años de vigencia de la LO 1/2004 elaborado en el marco Delegación del Gobierno para la Violencia de Género (DGVG), *"Reflexiones y propuestas de reforma de la ley orgánica 1/2004 de 28 de diciembre así como otras normas relacionadas en materia de violencia de género con motivo de la celebración del décimo aniversario de la entrada en vigor de la norma"*, en el que se propone, entre muchas otros, la Modificación del art. 1 de la ley Para ampliar el concepto de violencia de género y considerar también otras formas de violencia contra la mujer que se manifiestan en ámbitos distintos de la pareja o ex pareja.
El Observatorio apunta al 'stalking' o acoso, que castiga aquellos supuestos en los que, sin llegar a producirse el anuncio explícito de la intención de causar algún mal o el empleo directo de violencia para coartar la libertad de la víctima, se producen conductas reiteradas por medio de las cuales se menoscaba gravemente la libertad. Otro ejemplo es el 'sexting', que puede darse en casos de violencia de género cuando la pareja tiene imágenes íntimas grabadas y a raíz de una petición de separación o divorcio se usan y se difunden a terceros. También se ha tipificado como quebrantamiento la inutilización de los dispositivos electrónicos, es decir, la ruptura de la pulsera electrónica que llevan los imputados o penados, mientras que la mutilación genital conllevará un castigo de hasta 12 años. Los matrimonios forzados se podrán penar con hasta tres años de cárcel y el impago de pensiones es como un delito violencia de género de carácter económico conocido ligado al pago niega a la mujer el derecho que le corresponde por resolución judicial

manifestación concreta de la violencia dirigida hacia las mujeres por el hecho de ser mujeres esté cimentada sobre una diferenciación artificiosa o injustificada. De ahí que desde un principio hayamos mantenido la legitimidad constitucional de la finalidad de la norma en atención a su finalidad antidiscriminatoria.

También hemos venido manteniendo una diferente valoración de las medidas que contempla, pues las acciones positivas en la esfera social, laboral y prestacional tienen pleno encaje constitucional.

Mientras que, desde nuestro punto de vista, las medidas penales contempladas en la ley deben enjuiciarse, no desde el filtro del derecho antidiscriminatorio, sino desde el de la diferenciación objetiva y razonable derivada del art. 14 CE. De ahí que no nos parezca adecuada su calificación como "Ley de discriminación Positiva", y, en consecuencia, no creemos que sea este el argumento sobre el que basar la disconformidad de las medidas penales con el texto constitucional.

Ahora bien, como hemos afirmado, no nos parece prudente jurídicamente la realización de juicios valorativos de la ley en los que se enjuicia el todo por la parte, pues tanto la finalidad de la propia LOVG como las demás medidas que contempla gozan de pleno encaje constitucional.

La persistencia de esta lacra social, que descansa en cifras realmente alarmantes, nos conduce a sostener la plena vigencia y necesidad de la LOVG; que, además, ha de completarse con medidas tanto de orden estatal, como autonómico, local y supranacional; todas ellas enmarcadas en el ineludible Pacto de Estado en materia de violencia de género.

Esta necesaria continuidad de la LOVG se ha de completar, también, con reformas que reparen las carencias que tras más de una década de vigencia han venido poniéndose de manifiesto. Conviene, pues, actualizar, tanto el concepto de violencia de género como las conductas que éste incluye en orden a obtener una unificación que redunde en una mayor protección de las víctimas.

En definitiva, entendemos necesaria la revisión de la LOVG, pero no su supresión.

BIBLIOGRAFÍA

BARRERE UNZUETA, Mª. A: Género, violencia y derecho / coord. por Patricia Laurenzo Copello, María Luisa Maqueda Abreu, Ana María Rubio Castro, 2008, pp. 27-48.

BARRERE UNZUETA, M.A.: *Discriminación, derecho antidiscriminatorio y acción positiva en favor de las mujeres*, Madrid, Ed. Civitas Ediciones, 1997.

BOLDOVA PASAMAR, M.A. y RUEDA MARTÍN, M.A "Consideraciones político-criminales en torno a los delitos de violencia de género", en *La reforma penal en torno a la violencia doméstica y de género*, Atelier, Barcelona, 2006.

CABRERA MERCADO, R. Y CARAZO LIÉBANA, Mª J.: Análisis de la legislación autonómica sobre violencia de género. NIPO: 800-10-022-6.

CARMONACUENCA, E.: "El principio de igualdad material en la jurisprudencia del Tribunal Constitucional", *REP*, n. 84. pp. 265 y ss.

COMAS D' ARGEMIR, M. Y QUERALT I JIMENEZ, J.J.: "La violencia de género: política criminal y ley penal", en Libro Homenaje a Rodríguez Mourullo, G., Thomson/ Civitas, Aranzadi, 2005, pp. 1204-1205.

DE LA CUESTA AGUADO, P. M.:
– El concepto de "violencia de género" de la LO 1/2004 en el sistema penal: fundamento, transcendencia y efectos" *Revista de derecho y proceso penal*, Nº. 27, 2012, pp. 37-52.
– "Ciudadanía, sistema penal y mujer", en *Estudios Penales en Homenaje a Enrique Gimbernat*, vol. I, Edisofer, Madrid, 2008, pp. 187-220.

GIMENEZ GLUCK, D.: *Una manifestación polémica del principio de igualdad: acciones positivas moderadas y medidas de discriminación inversa*, Valencia, Tirant lo Blanch, 1999.

GONZÁLEZ CUSSAC, J.L.: "La intervención penal contra la violencia de género desde la perspectiva del principio de proporcionalidad", en GÓMEZ COLOMER, J.L. (Coord.): *Tutela procesal frente a hechos de violencia de género.*

LAURENZO COPELLO, P: "LA VIOLENCIA DE GÉNERO EN LA LEY INTEGRAL. Valoración político-criminal", *RECPC* 07-08 (2005) *http://criminet.ugr.es/recpc.*

LÓPEZ GUERRA, L.: "Igualdad, no discriminación y acción positiva en la Constitución de 1978, en VVAA, *Mujer y Constitución en España*, Centro de Estudios Políticos y Constitucionales, Madrid, 2000.

LORENTE ACOSTA, M.:
– "El concepto "integral" en la violencia de género", *Estudios de derecho judicial*, Nº. 139, 2007, pp. 17-48.
– "Violencia de género e impunidad", en *Agenda Pública*, de 7 de marzo de 2017.

MACIAS JARA, Mª: La Ley de violencia de género, en http://www.eldiario.es/agendapublica/impacto_social/ley-violenciagenero_0_179532676.html

MAQUEDA ABREU, Mª L.: "La violencia de género. Entre el concepto jurídico y la realidad social", RECPC 08-02 (2006) _ http://criminet.ugr.es/recpc _ ISSN 1695-0194.

MARTÍN VIDA, M. A.: *Fundamento y límites constitucionales de las medidas de acción positiva*, Civitas, Madrid., 2003.

ORJ
UELA RUIZ, A. "El concepto de violencia de género en el derecho internacional de los derechos humanos", *Revista Latinoamericana de Derechos Humanos*, vol. 23, I semestre, 2012.

RAMOS VÁZQUEZ, J.A.: "Los diferentes conceptos de violencia de género en la legislación estatal y autonómica", en Puente Aba, L.M. (dir.), Ramos Vázquez, J.A., Souto García, E.M. (coords.), *La respuesta penal a la violencia de género*, Comares, Granada, pp. 119-152.

REY MARTÍNEZ, F: *El derecho fundamental a no ser discriminado por razón de sexo*, McGraw-Hill, Madrid, 1995.

- "Comentario a los Informes del Consejo de Estado sobre el impacto por razón de género", publicado en *Teoría y Realidad Constitucional*, núm. 14/2004, pp. 505-52.

RIDAURA MARTÍNEZ; Mª J.:
- "La Interdicción de discriminación por razón de sexo en la Constitución española de 1978", en *Igualdad y Democracia: el género como categoría de análisis jurídico*, Corts Valencianes, Valencia, 2014, pp. 493 y ss.
- "El encaje constitucional de las acciones positivas contempladas en la Ley Orgánica de medidas de Protección Integral contra la Violencia de Género", en *La Nueva Ley contra la Violencia de Género*, BOIX REIG, J. Y MARTÍNEZ GARCÍA, E. (Coords), *Iustel*, Madrid, 2005, pp. 65 a 107.
- "Seis Años De Aplicación Judicial de la LO 1/2004 Contra La Violencia de Genero: Un Balance a la Luz de La Doctrina Constitucional" *En La prevención y erradicación de la violencia de género. Un estudio multidisciplinar y forense*, MARTÍNEZ GARCÍA, E. (Coord), Aranzadi, Madrid, 2012, pp. 55-74.

RODRÍGUEZ PIÑERO, M. y FERNANDEZ LÓPEZ, M.F., *Igualdad y Discriminación*, Tecnos, Madrid, 1986.

ROIG TORRES, M.: "La delimitación de la «violencia de género»: un concepto espinoso", *Estudios Penales y Criminológicos*, vol. XXXII (2012). ISSN 1137-7550: 247-312.

VILLACAMPA ESTIARTE, C.: "El maltrato singular cualificado por razón de género (Debate acerca de su constitucionalidad", *Revista Electrónica de Ciencia Penal y Criminología* 09-12 (2007).

VVAA: "ESTUDIO SOBRE LA APLICACIÓN DE LA LEY INTEGRAL POR LAS AUDIENCIAS PROVINCIALES", realizado por Grupo de Expertos y Expertas en Violencia Domestica y de Género del CGPJ (Marzo 2016).

Capítulo 5
EL PRINCIPIO DE IGUALDAD. REVISIÓN HISTÓRICA Y PROPUESTAS EDUCATIVAS

MARIA TERESA BEJARANO FRANCO
Profesora Contratada Doctora, Facultad de Educación
Universidad de Castilla La Mancha

SUMARIO: 1. EL PRINCIPIO DE IGUALDAD DE OPORTUNIDADES EN EL SISTEMA EDUCATIVO. REVISIÓN HISTÓRICA. 2. BARRERAS QUE DIFICULTAN LA IGUALDAD DE OPORTUNIDADES EN EL ÁMBITO EDUCATIVO. 2.1. El uso del lenguaje en el ámbito educativo. 2.2. Los estereotipos sexistas en los libros de textos. 2.3. Los estereotipos sexistas en los cuentos. 2.4. Identidades sexuales ocultas. 3. CURRICULUM OCULTO. 4. LA IGUALDAD EN EL PLAN DE ESTUDIOS DE LA FORMACIÓN INICIAL DE LOS DOCENTES EN LA UCLM. 5. PROPUESTAS DE MEJORA. BIBLIOGRAFÍA.

1. EL PRINCIPIO DE IGUALDAD DE OPORTUNIDADES EN EL SISTEMA EDUCATIVO. REVISIÓN HISTÓRICA[1]

Hablar de igualdad de oportunidades, en la actualidad, invita hacer una reflexión respecto a qué nos referimos cuando tratamos este término. La igualdad es un valor, un derecho humano y una idea que emana del ámbito de la moral. Como afirma Valcárcel y Bernaldo de Quirós dentro de la tradición democrática estamos acostumbrados a pensar que la igualdad es una idea política, pero al hacer esto olvidamos que la igualdad ha sido trasladada desde la moral a la política y que justamente la legitimación última de la democracia es moral y lo es porque esta idea, la de igualdad, la recorre[2].

La igualdad es fruto de un convencimiento moral y ello ha de aplicarse también en el ámbito educativo. Barr mantiene que la igualdad de oportunidades sig-

---

[1]   Este capítulo se inscribe dentro el marco de la investigación cuya referencia es la siguiente: DI-PUCR-16, Estudio sobre violencia de género y violencia doméstica en Castilla La Mancha. Esta investigación ha sido dirigida por la profesora María Martín Sánchez: Universidad de Castilla La Mancha.

[2]   VALCÁRCEL Y BERNALDO DE QUIRÓS, Amelia "Igualdad, idea regulativa", en Amelia Valcárcel (Comp.), *El concepto de Igualdad,* de Pablo Iglesias, Madrid, 1994.

nifica en educación el que cada individuo pueda recibir educación como cualquier otro[3], sin que ello esté condicionado por las características relativas a su situación socioeconómica familiar, origen étnico, sexualidad etc... Lo importante es que el acceso a la educación sea facilitado para toda la ciudadanía y que ese acceso esté dotado de las mismas oportunidades y estrategias sin que se tenga en cuenta procedencia social y económica ni la identidad de género. Como afirma Jiménez Frías la igualdad de oportunidades educativas se desarrolla a partir del siglo XIX con el nacimiento y extensión de la escuela pública primero[4], obligatoria después, así como con la extensión de los derechos civiles.

Hemos de señalar que cuando se aborda el concepto igualdad en los distintos ámbitos de la vida cotidiana aparecen discursos centrados en controversias. La igualdad se piensa frente a la diferencia como si fueran dos conceptos contrapuestos. Podemos ser diferentes y de hecho lo somos, la diferencia es una característica consustancial al ser humano que se hace evidente en los rasgos físicos, capacidades cognitivas o competencias sociales que cada persona tiene pero esta diferencia no puede ni debe situarnos en planos desiguales respecto al acceso a los bienes públicos como pueden ser: la educación, la sanidad, el empleo, entre otros.

La equidad es otro de los términos a considerar en tanto que se vincula con la igualdad de oportunidades y con la diversidad. Se trata de un principio que tiene en cuenta la asignación de recursos a los más desfavorecidos. Hace referencia a principios éticos y de justicia social.

La igualdad es reconocida como un derecho por las distintas Convenciones y Declaraciones internacionales que vienen promoviéndola. Es el caso de la Declaración Universal de Derechos Humanos que proclama que todos los seres humanos nacen libres e iguales en dignidad y derechos, y que toda persona tiene todos los derechos y libertades enunciados en la misma, sin distinción alguna por motivos de raza, color u origen nacional. También, aparecen Organismos que diseñan medidas de orden práctico encaminadas a paliar las desigualdades contra las mujeres. Un caso evidente sobre la concreción de acciones y propuestas encaminadas a lograr la igualdad, la tenemos en el Instituto de la Mujer, creado en 1983, que viene poniendo en marcha acciones de tipo sociales y educativas para acabar con la desigualdad femenina en el ámbito educativo.

Las instituciones educativas tienen la obligación de emprender actuaciones formales y curriculares que promocionen la igualdad de oportunidades entre sexos. En las últimas décadas se han aprobado leyes educativas que han constituido una oportunidad para concretar fórmulas que lleven a considerar la igualdad de oportunidades a

---

[3]   BARR, Nicholas, *The Economics of the Welfare State*, University Press, Oxford, 1993.
[4]   JIMENEZ FRIAS, Rosario, "Igualdad de oportunidades educativas", en Rosario Jiménez Frías y Teresa Aguado Odina, *Pedagogía de la Diversidad,* UNED, Madrid, 2002.

nivel formal y aplicado. Veamos cómo se ha concretado este principio en los preámbulos de las leyes educativas vigentes desde 1990 hasta la actualidad. Podemos advertir la apuesta que los diferentes gobiernos han hecho por conseguir asentar un sistema educativo basado en el principio de igualdad de oportunidades.

El preámbulo de la Ley Orgánica 1/1990, de 3 de octubre, de Ordenación General del Sistema Educativo (LOGSE) podemos observar como ya en 1990 esta ley pretende introducir contenidos vinculados con la igualdad considerando la educación afectivo-sexual: La educación permite en fin, avanzar en la lucha contra la discriminación y la desigualdad, sean éstas por razón de nacimiento, raza, sexo, religión u opinión, tengan un origen familiar o social, se arrastren tradicionalmente o aparezcan continuamente con la dinámica de la sociedad. Esos serán los fines que orientarán el sistema educativo español, de acuerdo con el título preliminar de esta ley, y en el alcance de los mismos la educación puede y debe convertirse en un elemento decisivo para la superación de los estereotipos sociales asimilados a la diferenciación por sexos, empezando por la propia construcción y uso del lenguaje.

La LOGSE alude a la necesidad de impartir una educación que lleve a los alumnos-as formar su propia identidad, fomentando valores como la tolerancia y el respeto. Que les permita la participación responsable en la sociedad. Asimismo, se acentúa la importancia de una educación para todos-as, favoreciendo la igualdad y evitando la aparición de cualquier tipo de estereotipo de género.

La misma línea sigue la Ley Orgánica 10/2002, de 23 de diciembre, de Calidad de la Educación (LOCE). Esta ley advierte la importancia de generar una educación de calidad para todo el alumnado como oportunidad para conseguir un desarrollo óptimo tanto individual como social. En el artículo 1 se expresan los principios de calidad del sistema educativo. Se recoge lo siguiente: a) La equidad, que garantiza una igualdad de oportunidades de calidad, para el pleno desarrollo de la personalidad a través de la educación, en el respeto a los principios democráticos y a los derechos y libertades fundamentales.

Sin embargo, no es hasta la Ley Orgánica 2/2006, de 3 de mayo, de Educación (LOE) donde se hacen más notorios los contenidos relacionados con la igualdad de oportunidades y la educación afectivo-sexual. Se apuesta por el desarrollo pleno de la personalidad al procurar reconocer la dimensión afectiva en sus múltiples versiones: En un lugar destacado aparece formulado el principio fundamental de la calidad de la educación para todo el alumnado, en condiciones de equidad y con garantía de igualdad de oportunidades. Entre los fines de la educación se resaltan el pleno desarrollo de la personalidad y de las capacidades afectivas del alumnado, la formación en el respeto de los derechos y libertades fundamentales y de la igualdad efectiva de oportunidades entre hombres y mujeres, el reconocimiento de la diversidad afectivo-sexual, así como la valoración crítica de las desigualdades, que permita superar los comportamientos sexistas

La Ley Orgánica 8/2013, de 9 de diciembre, para la Mejora de la Calidad Educativa (LOMCE), ley actualmente vigente, vuelve a insistir en que se trabaje dentro de los centros educativos determinados valores como: la libertad y la tolerancia y que se fomente el respeto y la igualdad para conseguir una sociedad más justa: Uno de los principios en los que se inspira el Sistema Educativo Español es la transmisión y puesta en práctica de valores que favorezcan la libertad personal, la responsabilidad, la ciudadanía democrática, la solidaridad, la tolerancia, la igualdad, el respeto y la justicia, así como que ayuden a superar cualquier tipo de discriminación. Se contempla también como fin a cuya consecución se orienta el Sistema Educativo Español la preparación para el ejercicio de la ciudadanía y para la participación activa en la vida económica, social y cultural, con actitud crítica y responsable y con capacidad de adaptación a las situaciones cambiantes de la sociedad del conocimiento.

Es necesario que la escuela favorezca el desarrollo de todas las dimensiones del alumnado, trabajando la afectividad y las emociones y fomentando la creación de vínculos que favorezcan las relacionen igualitarias entre el alumnado. Que permita conocer mejor a los demás y a sí mismo, favoreciendo la construcción de una identidad propia libre de prejuicios sociales.

Se espera que la educación sea una herramienta útil para la sociedad y que se implique en favorecer y promover la igualdad de oportunidades, educando al alumnado en el respeto hacia la diversidad de género-sexo. Todo ello se ha de llevar a cabo desde las primeras etapas escolares para erradicar la discriminación y los prejuicios sexistas y con el objetivo de acabar con situaciones desigualitarias que en muchas ocasiones derivan en las distintas manifestaciones de violencia de género.

2. BARRERAS QUE DIFICULTAN LA IGUALDAD DE OPORTUNIDADES EN EL ÁMBITO EDUCATIVO

Jiménez Frías afirma que la igualdad de oportunidades educativas debe entenderse como un continuo de planteamientos políticos y sociales[5], que difieren en el grado en que el sistema interviene en su intención de minimizar lo fortuito en la vida de los individuos. La autora llama la atención sobre lo importante que es entender que el sistema social se comprometa habilitar las condiciones necesarias (económicas, laborales, personales…) para que exista la tan deseada igualdad. Se han aprobado leyes y planes

---

[5]   JIMENEZ FRÍAS, Rosario, "Igualdad de oportunidades educativas", en ob. cit., p. 91.

de orden más social para combatir las desigualdades. En ellas se introducen artículos y propuestas para actuar en el sistema educativo en aras del principio de igualdad. Así tenemos La Ley Orgánica 1/2004, de 28 de diciembre, de Medidas de Protección Integral contra la Violencia de Género, La Ley Orgánica 3/2007, de 22 de marzo para la igualdad efectiva de hombres y mujeres y, ya en 2011 y el Plan estratégico de igualdad de oportunidades 2014-2016; entre otras.

En el caso de la Ley de Medidas de Protección Integral contra la Violencia de Género, en el capítulo I se señala en el artículo 4, los *Principios y valores del sistema educativo*. Entre los que se especifican que el sistema educativo español incluirá entre sus fines, la formación en el respeto de los derechos y libertades fundamentales y de la igualdad entre hombres y mujeres, así como en el ejercicio de la tolerancia y de la libertad dentro de los principios democráticos de convivencia. Se sigue argumentando en este artículo que igualmente el sistema educativo español incluirá, dentro de sus principios de calidad la eliminación de los obstáculos que dificultan la plena igualdad entre hombres y mujeres y la formación para la prevención de conflictos y para la resolución pacífica de los mismos.

La Ley para la igualdad efectiva de hombres y mujeres, en el capítulo II, recoge en el artículo 23 lo siguiente sobre la educación para la igualdad de mujeres y hombres: El sistema educativo incluirá entre sus fines la educación en el respeto de los derechos y libertades fundamentales y en la igualdad de derechos y oportunidades entre mujeres y hombres. Asimismo, el sistema educativo incluirá, dentro de sus principios de calidad, la eliminación de los obstáculos que dificultan la igualdad efectiva entre mujeres y hombres y el fomento de la igualdad plena entre unas y otros. El artículo 24 trata sobre la integración del principio de igualdad en la política de educación. Se recoge lo siguiente: Las administraciones educativas garantizarán un igual derecho a la educación de mujeres y hombres a través de la integración activa, en los objetivos y en las actuaciones educativas, del principio de igualdad de trato, evitando que, por comportamientos sexistas o por los estereotipos sociales asociados, se produzcan desigualdades entre mujeres y hombres. En ese mismo artículo se especifica que las administraciones educativas, en el ámbito de sus respectivas competencias, desarrollarán, con tal finalidad, las siguientes actuaciones:

a) La atención especial en los currículos y en todas las etapas educativas al principio de igualdad entre mujeres y hombres.

b) La eliminación y el rechazo de los comportamientos y contenidos sexistas y estereotipos que supongan discriminación entre mujeres y hombres, con especial consideración a ello en los libros de texto y materiales educativos.

c) La integración del estudio y aplicación del principio de igualdad en los cursos y programas para la formación inicial y permanente del profesorado.

El artículo 25 de esta misma ley, trata como introducir el principio de igualdad en la educación superior señalándose lo siguiente: Las administraciones públicas en el ejercicio de sus respectivas competencias fomentarán la enseñanza y la investigación sobre el significado y alcance de la igualdad entre mujeres y hombres.

El Plan Estratégico de Igualdad de Oportunidades 2014-2016 introduce un 5° eje de intervención dedicado a la educación. Este eje se centra en proponer una serie de medidas dedicadas a potenciar la igualdad de oportunidades en el ámbito educativo:

- Fomentar la realización de acciones de sensibilización y formación en la educación en igualdad, en las familias y en los centros educativos.
- Apoyar a las alumnas en situación de vulnerabilidad por múltiple discriminación.
- Trabajar por la eliminación de estereotipos por sexo que puedan afectar a la elección de estudios y profesiones, docencia y dirección de los centros educativos.

No podemos negar que las leyes educativas y sociales aprobadas en las últimas décadas han supuesto la base para que se equilibren las desigualdades en el ámbito educativo. Tenemos evidencias que la aplicación de estas leyes han dado como resultado pasos importantes hacia mayores cotas de igualdad, pero también sabemos que paralelamente al paraguas normativo social y educativo que intenta promocionar la igualdad de oportunidades en el seno de las instituciones educativas, aparecen formas sutiles de discriminación que promocionan las desigualdades entre oportunidades y que frenan la posibilidad real de alcanzar plenamente el derecho a la igualdad para las mujeres. Veamos y analicemos algunos obstáculos.

2.1. El uso del lenguaje en el ámbito educativo

Según Bejarano Franco el uso del lenguaje sexista en el ámbito educativo constituye una barrera a tener en cuenta para fijar el principio de igualdad de oportunidades[6]. No olvidemos que a través del lenguaje construimos nuestro pensamiento y organizamos el universo en categorías contrapuestas cuando nombramos el mundo en femenino y masculino. Existen evidencias sobre la influencia de la construcción de un lenguaje sexista en diferentes contextos, entre ellos el educativo. En la escuela se discrimina de diferentes formas a las mujeres a través del lenguaje, según autores como Stobbe y Klein, señala que existen formulas como el uso del genéri-

---

[6]   BEJARANO FRANCO, Mª Teresa, "El uso del Lenguaje no sexista como herramienta para construir un mundo más igualitario", *Revista Vivat Academia* núm. 124, 2013.

co masculino[7], "eje representativo mujer-varón", ocultación de los hechos e hitos protagonizados por las mujeres, que discriminan a los coletivos femeninos etc. Los estudios realizados y aplicados al ámbito educativo así lo demuestran. Se han llevado a cabo investigaciones muy interesantes en las que se analiza la manera como la institución escolar transmite, entre otros, valores y actitudes sexistas a través del lenguaje[8], Coincido con Tusón que quienes enseñamos debemos plantearnos qué usos hacemos del lenguaje[9] esto es, tenemos que analizar nuestras prácticas discursivas en base a preguntarnos: ¿De qué manera utilizamos nuestras lenguas? o ¿Qué usos lingüísticos realizamos en lo que se refiere al género y al tratamiento de niños y niñas, de hombres y mujeres presentados en los libros de texto y en los diferentes materiales didácticos que utilizamos en las aulas?

2.2. Los estereotipos sexistas en los libros de texto

Otra barrera se centra en la cantidad de estereotipos sexistas difundidos en los materiales curriculares aplicados en las aulas de las distintas etapas educativas. Estos estereotipos, aparecen a través de contenidos e imágenes que se difunden en libros de texto y cuentos utilizados en las aulas. Son diversos los estudios que se han realizado sobre el análisis de estos libros con perspectiva de género. En ellos se pone de manifiesto la reproducción de estereotipos de género que se difunden en los manuales escolares de distintas áreas de conocimiento[10]. Más recientemente en un es-

---

[7] Ver: STOBBE, Lineke, "Doing *machismo*: Legitimating speech acts as a selection discourse", Magazine *Gender work and Organization*, núm. 2, 2005; también KLEIN, Jessie, "An invisible problem - everyday violence against girls in schools", *Magazine, Theoretical Criminology,* núm. 2, 2006.

[8] A este respecto ver las publicaciones siguientes:
SUBIRATS MARTORI, Marina y BRULLET TENAS, Cristina, *Rosa y azul. La transmisión de los géneros en la escuela,* Ministerio de Cultura. Instituto de la Mujer, Madrid, 1988.
SUBIRATS MARTORI, Marina y TOMÉ GONZÁLEZ, Amparo, *Pautas de observación para el análisis del sexismo en el centro educativo. Cuadernos para la coeducación,* núm. 2. Bellaterra: ICE de la Universitat Autònoma de Barcelona, Barcelona, 1992.
BONAL I SARRIÓ, Xavier, "La discriminación sexista en la escuela primaria", *Revista Signos. Teoría y Práctica de la Educación,* núm. 8/9, 1993.

[9] TUSÓN VALLS, Amparo, "Lenguaje, interacción y diferencia sexual", *Revista Enunciación,* núm. 1, 2016

[10] Revisar las publicaciones siguientes:
BARRAGÁN MEDERO Fernando, *Violencia de género y currículum*: un programa para la mejora de las relaciones interpersonales y la resolución de conflictos, Aljibe, Málaga, 2001.
SÁNCHEZ BELLO, Ana, "El androcentrismo científico: el obstáculo para la igualdad de género en la escuela actual" *Revista Educar,* núm. 29, 2002.
COLÁS BRAVO, Pilar y JIMÉNEZ CORTÉS, Rocío, "Tipos de conciencia de género del profesorado en los contextos escolares", *Revista de Educación,* núm. 340, 2006.

tudio llevado a cabo con perspectiva de género realizado por Terrón Caro y Cobano-Delgado Palma sobre los contenidos y valores que se difunden a través de las imágenes de libros de texto en la etapa de primaria, se extrajeron las siguientes conclusiones[11]: se sigue constatando la difusión de estereotipos sexistas a través de los espacios aparecidos en las ilustraciones. En este estudio, los datos confirman que mayoritariamente, los espacios públicos están asociados a los hombres, mientras que los privados se relacionan con las mujeres. En cuanto a las profesiones que ejercen las mujeres, éstas siguen ocupando puestos laborales secundarios. Referida a esta variable, las actividades laborales que ocupan las mujeres, Lloret-Bedmar y Cobano-Delgado Palma concluyen a partir de una investigación llevada a cabo sobre el análisis de las imágenes de manuales escolares en la etapa de secundaria, que las imágenes difunden más profesiones de prestigio social asociadas al sexo masculino que al femenino[12]. También se recoge un mayor número de personajes masculinos con nombre propio frente a los femeninos. En esta misma investigación, se advierte como se siguen manteniendo roles sexistas y prejuicios en cuanto al género en las imágenes proyectadas en los manuales analizados, constatándose en las imágenes una relación de dependencia de la mujer respecto al hombre.

Se dan muestras de la permanencia de estereotipos sexistas en los manuales educativos pese a las referencias legislativas que determinan la intención de la eliminación de éstos como estrategia para avanzar en el camino de la igualdad en el sistema educativo. La tendencia a masculinizar el conocimiento y los valores sexistas que se derivan del currículum formal también se hacen vigentes en los libros de texto utilizados en la etapa de infantil. Así se deriva de un estudio analítico que se ha realizado como una tarea de investigación[13] centrada en saber qué modelo de educación sexual se transmite en las etapas de infantil y primaria en el sistema educativo de Castilla La Mancha a través de los manuales de las distintas áreas disciplinares, se adelantan resultados obtenidos del análisis de 81 imágenes extraídas de una de las editoriales más prestigiosas en el ámbito educativo para la etapa de infantil. Para llevar a cabo esta tarea se ha creado un instrumento de análisis llamado tabla de análisis de libros de texto. Esta tabla está dividida en 5 dimensiones. Son estas:

---

[11]   TERRÓN CARO, Mª Teresa y COBANO-DELGADO PALMA, Verónica, "El papel de la mujer en las ilustraciones de los libros de texto de educación primaria", *Revista Foro de Educación,* núm. 10, 2009.

[12]   LLORET-BEDMAR, Vicente y COBANO-DELGADO PALMA, Verónica "La mujer en los libros de texto de Bachillerato en España", *Revista Cuaderno de pesquisas,* núm. 151, 2014.

[13]   Proyecto *La educación en sexualidad e igualdad en la formación inicial de profesorado y educadores-as sociales. Análisis comparativo España, Portugal, Brasil y Argentina.* Financiado mediante ayudas para la financiación de actividades de investigación dirigidas a grupos de la UCLM. Coordinado por la profesora María Teresa Bejarano Franco, (UCLM), Grupo GIES.

1.- Igualdad.

2.- Educar en Salud.

3.- Relaciones afectivo-sexuales.

4.- Cuerpo / cambios corporales.

5.- Diversidad familiar.

Estas dimensiones tienen una relación directa con el modelo de sexualidad que se expone en organismos internacionales como la OMS que argumenta un modelo integral de sexualidad alejado de las teorías genitalitas y fisiológicas: La sexualidad es un componente fundamental del ser humano durante la mayor parte de su vida. No solo abarca la reproducción o el sexo, también abarca los papeles de género, la orientación sexual y las identidades. Se expresa en forma de pensamientos, fantasías, deseos, creencias, valores, conductas. La sexualidad está influenciada por la interacción de factores biológicos, psicológicos, sociales, económicos, políticos, culturales[14].

Cada dimensión se divide a la vez en criterios de análisis. Se adelantan algunas conclusiones de cada una de las dimensiones analizadas.

- Respecto a la dimensión *Igualdad* se destaca que se contabiliza una mayor representación de modelos masculinos que de modelos femeninos en el material curricular analizado, 129 representaciones masculinas frente 99 femeninas.

- En cuanto a la dimensión *Educar en Salud*, decir que contexto público escenificado en jardines, parques, patios... está más dominado por los niños que por las niñas. Las niñas no aparecen vinculadas a juegos al aire libre tanto como los niños. Los niños aparecen desarrollando juegos al aire libre de forma más activa que las niñas.

- Sobre la dimensión *Relaciones afectivo sexuales* se destaca la siguiente conclusión; las mujeres aparecen más vinculadas a las emociones. De manera mayoritaria los modelos femeninos están ligados a emociones como: la alegría, la dulzura y la reflexión frente a los hombres que aparecen con expresiones de alegría, pero también ejerciendo otras más duras como la seriedad, la concentración o la inexpresividad.

- La dimensión *Cuerpo /Cambios corporales*, devuelve una vez realizado el análisis lo siguiente: Se advierten imágenes que se centran en prototipos sexuados. Las niñas aparen representadas mediante modelos feminizados a base de marcadores denominados sexistas esto es, predominan modelos físicos delgados con melenas a media altura y vestimenta de color rosa.

---

[14] Informe sobre la salud en el mundo 2006 - Colaboremos por la salud.

Los varones aparecen también representados con modelos delgados, con pelo corto y con vestimentas masculinizadas centradas en el color azul también con otros matices oscuros.

• Por último, se expone la dimensión *Diversidad familiar*. No se expresa intencionalmente la diversidad familiar por lo que es imposible pensar que se esté favoreciendo la adquisición de conocimientos respecto a las diferentes fórmulas de familias que están ya presentes en la sociedad actual. Por tanto, no se enseña la diversidad familiar como un hecho constatable en la realidad social actual.

Se deriva de estas investigaciones y estudios, que los libros de texto no representan el principio de igualdad entre hombres y mujeres. Si bien es cierto que la desigualdad no aparece de manera tan evidente como en décadas anteriores, aún hoy se difunden conocimientos que no representan equilibrios sexuales en las distintas dimensiones sociales. Los libros de textos son difusores de ideologías, y modelos socioculturales y económicos descompensadores para las mujeres y que abordan un lenguaje icónico que aún sigue sin presentar modelos femeninos en situación de igualdad. Debemos repensar los manuales didácticos y criticarlos desde la perspectiva de género ya que son hoy día un complemento educativo fundamental para progresar en el conocimiento difusor sobre una realidad social más justa e igualitaria, según Bejarano Franco y Mateos Jiménez[15].

2.3. Los estereotipos sexistas en los cuentos

Por otra parte, también se consideran materiales didácticos los cuentos. Estos se aplican muy especialmente en las etapas de infantil y primaria y se les atribuye una gran carga y capacidad educativa según autores como Jean, y Cerrillo Torremocha[16]. Castaño Gómez, aporta que, mediante la lectura de los cuentos, se desarrolla la capacidad de observación y atención, de imaginación y creación[17], la identificación de roles en personajes, la curiosidad ante el mundo exterior y del mundo interior. En las lecturas infantiles se reconoce la trasmisión de valores como: la amistad, el amor, solidaridad, tolerancia. Son cada vez más los datos que

---

[15]   BEJARANO FRANCO, Mª Teresa y MATEOS JIMÉNEZ, Antonio, "Género y sexualidad en la formación inicial de maestros y maestras. ¿Por qué no un currículum sexual?", *Revista Exedra,* Suplemento de diciembre: Sexualidade, género e educação, 2014.

[16]   JEAN, Georges, *El poder de los cuentos*, Pirene, Barcelona, 1988. También ver: CERRILLO TORREMOCHA, Pedro, *Literatura Infantil y Juvenil y educación literaria. Hacia una nueva enseñanza de la literatura*, Octaedro, Barcelona, 2007.

[17]   CASTAÑO GÓMEZ, Ana Mª, *El alma de los cuentos. Los cuentos como generadores de actitudes y comportamientos igualitarios.* Instituto Andaluz de la Mujer. Junta de Andalucía, Sevilla, 2013.

se obtienen sobre la interpretación de las historias que se narran a través de los cuentos tradicionales no solo desde la dimensión literaria sino también sociológica. Estos datos demuestran que los cuentos son fuente habitual de estereotipos en consonancia a las tesis de Méndez Garita, junto a las de Baker-Sperry[18]. Se exponen diferencias de género a través de los personajes que presentan y de los roles que éstos ejercen, del vocabulario utilizado, y de las ilustraciones presentadas. Como se recoge en la Guía *"Siete rompecuentos, para siete noches"*, es muy importante analizar los estereotipos más frecuentes que podemos encontrar en los cuentos. Algunos de estos estereotipos se suelen repetir con frecuencia en los cuentos tradicionales:

- El príncipe siempre es el que salva a la princesa o dulce dama. Aunque él no sea el protagonista, ¡siempre termina resolviendo el problema!
- Las mujeres que aparecen en los cuentos clásicos suelen mostrarse a veces como mujeres superficiales. De hecho, el príncipe se enamora de ellas solo por su belleza y, por supuesto, "él" es que decide casarse con ella.
- El amor que se propone en los cuentos siempre es algo "ideal" y casi siempre termina en boda aunque, no sea la chica la que lo decida.
- Una premisa con la que hemos de tener mucho cuidado y que se transmite constantemente en los cuentos tradicionales es: *Si quieres que los demás te admiren y se enamoren de ti, tienes que ser guapa, obediente y sumisa y, por supuesto, ¡te tiene que encantar realizar las tareas de la casa!*

Mateos Gil y Sasiain Villanueva, afirman que la mayoría de los cuentos clásicos refuerzan los estereotipos negativos sobre los hombres y las mujeres contribuyendo a reforzar los prejuicios discriminatorios por razones de sexo[19]. Para Ramos López la figura masculina que más aparece en la literatura infantil es el príncipe azul valiente, inteligente y conquistador[20]. Turín especifica que la imagen de mujer reflejada en los cuentos más tradicionales se representa en base a la sumisión, pasividad, siendo éstas sensibles y afectuosas[21].

[18]   MÉNDEZ GARITA, Nuria, "Un acercamiento al cuento infantil desde la perspectiva de género. Estereotipos en el cuento infantil", *Revista Educare*, núm. 7, 2004. Revisar BAKER-SPERRY, Lori, "The Production of Meaning through Peer Interaction: Children and Walt Disney's Cinderella", *Magazine Sex Roles*, núm. 56, 2007.

[19]   MATEOS GIL, Almudena y SASIAIN VILLANUEVA, Itxaso, *Colorín colorado este cuento se ha acabado*, Instituto de la Mujer, Madrid, 2006.

[20]   RAMOS LÓPEZ, Cristina, *Vivir los cuentos*. Recuperado el 15 de mayo de 2017 de: *http:// www.juntadeandalucia.es/institutodelamujer/index.php/observatorio-andaluz-de-publicidad-no-sexista*, 2006.

[21]   TURÍN, Adela, *Los cuentos siguen contando. Algunas reflexiones sobre estereotipos*, Horas y HORAS, Madrid, 1995.

Aceptando el valor que tiene el cuento como instrumento para socializar en el campo de la igualdad de género, Ros expone que no es de extrañar que vayan surgiendo propuestas que intenten contrarrestar la imagen irreal que se presenta del mundo femenino, muy desigual y restrictivo sobre todo en los cuentos tradicionales[22].

2.4. Identidades sexuales y de género ocultas

Además, se hacen patentes nuevas desigualdades en el propio seno de las instituciones educativas. Son las referidas a las identidades de género, aquellas que no están dentro del marco de la heteronormatividad ni de lo binario (masculino-femenino) o lo que Pérez Fernández-Figares, denomina "variantes de género" para referirse a todas las personas menores de edad que no se quieren ajustar a una visión estereotipada binarista del sexo-género que hoy día domina la sociedad[23]. Estas variantes, se manifiestan cuando se visibilizan y son perseguidas y hasta violentadas. La identidad sexual alude a la percepción que una persona tiene sobre sí misma en cuanto a sentirse hombre-mujer, en función de la percepción que realiza de sus características físicas y biológicas. En términos generales, alude al aspecto psicológico y social de su sexualidad respecto a lo corpóreo y a la genitalidad.

La atención a la diversidad sexual es poco tratada actualmente en el seno de las instituciones educativas. Cuando se aborda se suele hacer bajo dos situaciones que poco favorecen la inclusión de esta diversidad sexual. La primera situación se centra en negar y ocultar tal diversidad e incluso sancionarla. La segunda situación suele estar vinculada al tratamiento de la diversidad sexual como una disfunción y, por tanto, se despliegan procesos y mecanismos formales para controlarla y presentarla como una situación anómala y precaria. Esto hace que personas que responden a identidades trans* no sean respetadas ni tenidas en cuenta. Platero Lucas define trans* como aquellas identidades que se reconocen en toda una amplia gama de posibilidades complejas que manifiestan la necesidad continua de nombrarse más allá de las convenciones médicas y los marcos más convencionales[24]. Estas identidades se refieren a aquellas que pertenecen a la heterogeneidad de experiencias que rompen con las expectativas, roles y apariencias que se les asigna desde el nacimiento en función del sexo con el que nacen y que les nombra

[22]   ROS GARCIA Ester, "El cuento infantil como herramienta socializadora de género" Revista Cuestiones Pedagógicas, núm. 22, 2013.
[23]   PÉREZ FERNÁNDEZ-FÍGARES, Kim, "Las personas variantes de género en la educación". En Octavio Moreno Cabrera, y Luis Puche Cabezas (Eds.), Transexualidad, adolescencia y educación. Miradas multidisciplinares, Egales, 2013.
[24]   PLATERO, (LUCAS), Raquel, Trans*exualidades. Acompañamiento, factores de salud y recursos educativos, Bellaterra, Barcelona, 2014.

como hombres o mujeres en sus vidas y en los documentos oficiales. Generalmente no encuentran en el espacio educativo el reconocimiento igualitario a personas que se identifican con identidades heteronormativas.

Se llama la atención sobre la necesidad de paliar estas situaciones de desigualdad. Según distintos estudios como los de Richard y Chamberland confirman que el no reconocimiento con respeto en la vida cotidiana escolar de las multiidentidades, deriva en casos de acoso escolar en sus múltiples manifestaciones[25]. El no reconocimiento de estas identidades en el espacio educativo marca la línea divisoria entre la inclusión y la exclusión. La invisibilidad y no consideración genera discriminaciones y atenta contra el principio de igualdad.

3. CURRICULUM OCULTO Y DESIGUALDAD EDUCATIVA

El análisis pormenorizado de algunas investigaciones y estudios expuestos en este capítulo, evidencian las bajas expectativas docentes sobre las cuestiones de igualdad en las instituciones educativas. La escuela actúa como un mecanismo de reproducción social económica y cultural. Dentro de las pautas de reproducción se encuentran las de carácter patriarcal, propias de la cultura androcéntrica. Si bien es cierto, que en nuestro país la escuela fue una de las primeras instituciones en abandonar las prácticas segregadoras, sabemos que actualmente es una institución que reproduce pautas desiguales. La escuela permanece inmovilista ante la descompensación personal, discursiva y de promoción socio-educativa de las niñas respecto a los niños. Influye en la forma de pensar de quienes la habitan a través de los conocimientos que se transmiten a partir del currículum explicito trasladado a los libros de texto. Otra forma de influencia tiene que ver con las expectativas y valores que se trasladan al alumnado a través del currículum oculto también llamado implícito. ¿A qué llamamos currículum oculto? La respuesta más directa sería: a aquel que no se ve. Desde hace décadas se viene trabajando e investigando sobre este currículum. Las dimensiones que abarca son extensas y tienen gran repercusión en la conformación de la personalidad de los niños y las niñas. En nuestro país existe una gran tradición respecto a la investigación que se viene haciendo sobre él. La década de los 90 es el punto cronológico de referencia en la cual nos encontramos indagaciones sobre el poder que este currículum tiene en la escuela. Estudiosos destacados de él como Torres Santomé, Díaz Barriga y Subirats Martori coinciden en afirmar el alto poder educativo e

---

[25]   RICHARD, Jake y CHAMBERLAND, Line, "Violences homophobes, violences transphobes", en Karine, Espinera, Thomas Maud-Yeuse y Alessandrin, Arnaud (Eds) *Tableau noir: Les transidentités et l'école*, L'Harmattan, 2014.

ideológico que tienen los efectos de éste, así como las poderosas implicaciones que emergen cuando opera[26].

Altable Vicario justificó como el currículum oculto ha conformado una visión desigualitaria respecto del sexo femenino y ha contribuido a la construcción de género en la escuela[27]. Para la autora el currículum oculto actúa en este sentido configurando el conjunto de normas y valores, así como generando conductas inconscientes aprendidas en las etapas más básicas de la educación. Estos aprendizajes se perpetuan en la escuela a través de comportamientos, actitudes, rasgos de comunicación no verbales y expectativas que tienen y expresan el maestro y la maestra de forma diferente según se dirijan a los niños o a las niñas.

Las actitudes del profesorado forman parte de este currículum oculto e influyen a la hora de trabajar a favor de la igualdad. Hemos de destacar que existen actitudes en el profesorado que exhiben cierta resistencia a incluir la cultura de la igualdad en el ámbito educativo. Un estudio llevado a cabo en Andalucía por Rebollo Catalán, Vega Caro y García Pérez, demuestran una baja participación del profesorado en el diagnóstico de las desigualdades sexuales en la escuela[28], aunque se observan actitudes muy favorables hacia la igualdad en el profesorado que participa en el estudio, se advierte una tendencia positiva más acentuada en las mujeres que en los hombres. El estudio desvela que los profesores hombres no manifiestan una postura tan definida hacia la igualdad como las profesoras. Ello revela la necesidad de continuar desarrollando políticas de igualdad que incluyan más medidas reforzadoras para introducir herramientas coeducativas en las aulas. Implicará concienciar al profesorado de todas las etapas educativas sobre la necesidad de actuar frente a cualquier situación que ahonde en las desigualdades educativas.

Estos resultados concuerdan con los obtenidos en otros estudios sobre la falta de sensibilización del profesorado en materia de igualdad, como el de Bonal i Sarrió[29]. Se detectaron algunas variables que también identificaban la escasa visión que el profesorado mantiene frente a las desigualdades y que se hacen patentes en el aula. Este autor revisa investigaciones en contextos nacionales e internacionales poniendo

---

[26]   Se deben revisar las obras de: TORRES SANTOMÉ, Jurgo, *El currículum oculto*, Morata, 1991; DÍAZ BARRIGA, Ángel, "La educación en valores: Avatares del currículum formal, oculto y los temas transversales", *Revista Electrónica de Investigación Educativa*, núm. 8, 2005 y SUBIRATS MARTORI, Marina, "Conquistar la igualdad: la coeducación hoy", Revista Iberoamericana de Educación, núm. 6, 2006.

[27]   ALTABLE VICARIO, Charo (1993) "Las coeducación sentimental" en Joaquín Ramos (Comp.), *El camino hacia la escuela coeducativa*, M.C.E.P., Morón Sevilla, 1993.

[28]   REBOLLO CATALAN, Mª Ángeles, VEGA CARO, Luisa, y GARCÍA-PÉREZ, Rafael, "El profesorado en la aplicación de planes de igualdad: conflictos y discursos en el cambio educativo", *Revista RIE*, núm. 2, 2011.

[29]   BONAL I SARRIÓ Xabier, *Las actitudes del profesorado ante la coeducación. Propuestas de intervención*, Graó, Barcelona, 2008.

de manifiesto cómo operan distintas variables en las altas expectativas educativas que el profesorado mantiene en favor de los alumnos frente a las alumnas. Analiza como el lenguaje utilizado en las aulas se expresa de manera jerarquizada en favor de la masculinización e visibilizando lo femenino. También revela cómo se han venido proyectando prejuicios sexistas, de manera inconsciente, en los procesos de evaluación. Así mismo, demuestra que las actitudes y los comportamientos del alumnado reproducen las relaciones de género segregadas. Concluyó la idea sobre el poder que tiene el currículum oculto en la transmisión de valores y expectativas sexuadas en favor de los niños en las aulas.

Según Santos Guerra una forma de configurar el género se basa en como el profesorado transmite las expectativas que tienen respecto a los alumnos y alumnas[30]. Cuando se dice a los niños que van a ser capaces de conseguir unos determinados objetivos, que se espera de ellos un determinado estatus cultural; se vuelcan en ellos estereotipos de género que condicionan su desarrollo positivo como alumnos en detrimento de las alumnas.

4. LA IGUALDAD EN EL PLAN DE ESTUDIOS DE LA FORMACIÓN INICIAL DE LOS DOCENTES EN LA UCLM

Educar en igualdad es responsabilidad del propio sistema educativo. Como hemos visto las leyes educativas han recogido alegatos para que se eduque en igualdad durante todas las etapas educativas. Pero hay que decir que en el currículum oficial de infantil y primaria no se recogen demasiados elementos didácticos ni metodológicos que faciliten y asienten el principio de igualdad de oportunidades, así lo afirman Bejarano Franco y García Fernández[31].

El profesorado constituye el principal recurso humano estratégico para detectar todas aquellas variables pedagógicas y sociales que aún hoy se instalan en el seno de la organización educativa operando activamente en la reproducción de desigualdades sociales y ayudando a generar otras nuevas de calado educativo. Es difícil detectar que el principio de igualdad es efectivo, si los maestros y maestras no están formados de manera integral sobre las cuestiones imbricadas en la igualdad de oportunidades. Recientes estudios llevados a cabo por Solsona Pairó, y García Pérez, et, al, revelan la dificultad que tienen los maestros y maestras para

---

[30] SANTOS GUERRA, Miguel Ángel, "Género, poder y convivencia la escuela como mezcladora social" en Juan José Leiva, Víctor Manuel Martín, Eduardo Salvador Vila y José Eduardo Sierra (Coord.) *Género, Educación y Convivencia*, Dikinson, Madrid, 2015.

[31] BEJARANO, FRANCO, Mª Teresa y GARCÍA FERNÁNDEZ Beatriz, "La educación afectivo-sexual en España. Análisis de las leyes educativas en el periodo 1990-2016", *Revista Opción*, núm. 13, 2016.

identificar indicadores relacionados con las políticas de igualdad y el lenguaje sexista[32].

Las Facultades de Educación dispensan la formación inicial docente y deben posibilitar conocimientos en base a este principio, así como herramientas de análisis detectoras sobre claves sexistas, que como ya hemos visto influyen actualmente en el sistema educativo instaladas desde hace décadas en él. Hemos dejado pasar una gran oportunidad respecto a la introducción de la perspectiva de género y las cuestiones de igualdad en los actuales planes de estudio de Magisterio (Grados). Varias publicaciones como las de Anguita Martínez y Torrego Egido así como la de Vizcarra Morales *et al*, desvelan que en los nuevos planes de estudio de formación inicial docente aprobados en el contexto español[33], no aparecen muchas materias troncales dedicadas al tratamiento de la igualdad de oportunidades. Además, en el tiempo que se configuran los nuevos planes de estudio se aprobaron normativas[34] que regulaban la aparición de materias referidas a la igualdad entre hombres y mujeres en todas las Titulaciones de Grado, así como el diseño y desarrollo de postgrados específicos en materia de igualdad, la promoción de la investigación con perspectiva de género o la institucionalización de la igualdad a través del diseño y desarrollo de Planes de Igualdad (Unidades de Igualdad) en las distintas universidades españolas.

Las competencias de género no son destacadas como competencias profesionales importantes en los planes de estudio de Magisterio, por tanto, no son implantarlas a nivel formal en las asignaturas de la formación inicial. Queda a la libre voluntad de los/las docentes exponer su compromiso con las temáticas de las igualdades e introducir en sus prácticas de enseñanza y aprendizaje conocimientos y saberes en relación con este principio democrático.

En El Plan de Estudios de Magisterio (Grado de Infantil y Primaria) de la Universidad de Castilla La Mancha no se ha introducido ninguna materia específica referida a la igualdad de oportunidades entre hombres y mujeres. Esta situación viene determinada por las pocas competencias profesionales que ambos planes

---

[32]   Revisar SOLSONA PAIRÓ Nuria, "Génesis y desarrollo de los saberes femeninos en la educación", *Revista, Aula de Innovación Educativa*, 191, 2010. También GARCÍA PÉREZ, Rafael et, al, "El patriarcado no es transparente: competencias del profesorado para reconocer desigualdad", *Revista Cultura y Educación*, núm. 3, 2011.

[33]   ANGUITA MARTÍNEZ, Rocío y TORREGO EJIDO Luís, "Género, educación y formación del profesorado. Retos y posibilidades" *Revista Interuniversitaria de Formación del Profesorado*, 64, 2009. Ver también VIZCARRA MORALES, Mª Teresa, "La perspectiva de género en los títulos de Grado en la Escuela Universitaria de Magisterio de Vitoria-Gasteiz", *REDU, Revista de Docencia Universitaria*, núm. 1, 2015.

[34]   Referido al Real Decreto 1393/2007 que establece la ordenación de las enseñanzas universitarias oficiales y el artículo 25 de la Ley Orgánica 3/2007 para la igualdad efectiva de mujeres.

acogen respecto a la igualdad. Desde el proyecto de investigación *La educación en sexualidad e igualdad en la formación inicial de profesorado y educadores-as sociales. Análisis comparativo España, Portugal, Brasil y Argentina,* se ha hecho una revisión para contabilizar cuantas competencias relacionadas con la igualdad se recogen en las Memorias de Grado de Infantil y Primaria. Se han contabilizado cuatro para el Grado de Educación Primaria (CG4, CG13, CG14 y 1.1.3. II. 04) y dos para el Grado de Educación Infantil (CB06 y CB07)[35]. Competencias poco recogidas en las guías-e de las asignaturas de ambos Grados. La no inclusión de asignaturas centradas en la igualdad sexual y de género, implica una falta de perspectiva centrada en el respecto a los derechos humanos y aumenta el desconocimiento de la historia sobre la trayectoria y las producciones que muchas mujeres han desarrollado en todas las sociedades en el sistema educativo y en las diferentes disciplinas académicas. Esta falta de perspectiva, genera en los futuros maestros y maestras un pensamiento lineal respecto a las inequidades y una concepción de la igualdad educativa centrada en las prácticas escolares mixtas. Esta falta de formación basada en la perspectiva de género posibilita la ausencia, en los y las estudiantes que se forman como docentes, de herramientas de análisis para desentrañar los elementos que mantienen y reproducen la desigualdad sexual. Genera una falta de análisis sobre la propia práctica profesional que trasciende a lo personal. También provoca la ausencia de competencia investigadora sobre la acción co-educativa. La formación no solo se adquiere por la adquisición de conocimientos basados en la perspectiva de género e igualdad. Se deben ofrecer herramientas metodológicas en las cuales se tansversalice y dinamice la igualdad como derecho humano preciso para asegurar a toda la población escolar. Además, hemos de ser conscientes que la realidad se transforma actuando sobre ella. En el caso que nos ocupa se hace necesario introducir en la formación inicial docente prácticas donde sea evidente la desigualdad de género y exponer, en las dinámicas de la formación, actividades con claves sexistas que evidencien de forma explícita territorios configurados desde la desigualdad. Me refiero, por ejemplo, a como están configurados sexualmente los equipos directivos de los centros, o a los planos de distribución espacial sexuada.

5. PROPUESTAS PARA LA MEJORA

Desde este capítulo se ha argumentado y justificado como el principio de igualdad de oportunidades no se aplica con determinación en el contexto educa-

---

[35]   Ver Memorias de Grados en: *https://previa.uclm.es/cr/educacion/gradoEducacionInfantil.asp* y https://previa.uclm.es/cr/educacion/gradoEducacionPrimaria.asp.

tivo pese a las recomendaciones, declaraciones y leyes socio-educativas existentes. Se puede afirmar que se ha alcanzado la igualdad jurídica en nuestro país, pero no la igualdad formal. Las instituciones educativas están impregnadas de una masculinidad sostenida por el androcentrismo, la rutina de la gestión directiva llevada a cabo por varones, los conocimientos sobre las aportaciones que se han hecho a la sociedad que llevan nombres de hombres… Sin embargo, ya tenemos datos suficientes para saber que existe una estrategia intencional basada en la ocultación sobre los hechos y procesos en los que las mujeres han participado y participan. Esa ocultación también llega a las identidades de género que no se identifican con lo binario (mujer-hombre) y a otras fórmulas que contienen la diversidad al margen de lo heteronormativo, me refiero a la diversidad familiar. Entender la igualdad de oportunidades como un eje vector de toda práctica educativa, implicaría desvelar cada una de las claves asentadas en los contextos educativos que reproducen las desigualdades sexuales. Para generar prácticas y discursos educativos regidos por el principio de igualdad de oportunidades es especialmente importante formar a maestros y maestras en competencias profesionales centradas en la (a) *Educación en igualdad y reconocimiento de las diversidades sexuales, (b) Sexualidad y (c) Investigación con perspectiva de género*.

Se desarrollan brevemente a continuación:

Competencia centrada en la *Educación en igualdad y reconocimiento de las diversidades sexuales*. Esta competencia debe integrar distintos ejes vertebradores para la enseñanza sobre: educar en igualdad, sistema sexo-género, sexualidad, educación sexual, relaciones afectivo-sexuales, educar en la tolerancia, educar para la salud, cuerpo y cambios corporales, identidades sexuales, diversidad sexual, abuso/violencia sexual, prácticas sexuales, afectividad/placer, diversidad familiar.

Competencia centrada en Sexualidad. Integraría distintas dimensiones; concretamente las siguientes: conocimiento científico básico sobre la sexualidad, comportamientos sexuales, motivación ante las relaciones sexuales, VIH SIDA, orientación y diversidad sexual, creencias sobre sexualidad.

Competencia en investigación con perspectiva de género. La investigación se viene considerando como uno de los contenidos más relevantes en la formación inicial del profesorado ya que el currículum tiene diferentes dimensiones y una de ellas se identifica con la investigación y la aplicación de procesos de indagación en las aulas. El currículum es un instrumento con dimensión transformadora y práctica. Como señala Roldào se trata de un campo de acción para los maestros y maestras que hace pensar curricularmente[36], lo cual significa asumir conscientemente una postura reflexiva y analítica de cara a constituir la práctica cotidia-

---

[36]   RÒLDAO, Mª do Céu, "*Formar Professores. Os desafíos da profissionalidade e o Curriculo*", CIFOP, Universidad de Aveiro, Aveiro, 2002.

na en las escuelas basada en la democracia participativa e identitaria. Para ello es importante habilitar espacios de investigacón sobre sexualidad e igualdad en asignturas de naturaleza indagatoria. Es el caso del Trabajo Fin de Grado, mediante el cual se pueden habilitar lineas de investigación ligadas a: coeducación; análisis y elaboración de materiales didácticos con perpsectiva de género; análisis de discursos profesionales sobre cuestiones de igualdad en los centros educativos; la violencia de género (s) en el sistema educativo: informar y formar para prevenirla; relaciones afectivo-sexuales en los espacios eduativos: desde la teroría a la práctica; afrontar la presencia de identidades sexuales en las aulas desde el plano de la igualdad de oportunidades.

BIBLIOGRAFÍA

ALTABLE VICARIO, Charo, "La coeducación sentimental", en Joaquín Ramos (Comp.), *El camino hacia la escuela coeducativa*, M.C.E.P, Morón Sevilla, 1993.

ANGUITA MARTÍNEZ, Rocío y TORREGO EJIDO Luís, "Género, educación y formación del profesorado. Retos y posibilidades" *Revista Interuniversitaria de Formación del Profesorado*, núm. 64, 2009.

BAKER-SPERRY, Lori, "The Production of Meaning through Peer Interaction: Children and Walt Disney' s Cinderella", *Magazine Sex Roles*, núm. 56, 2007.

BARR, Nicholas, "The Economics of the Welfare State", University Press, Oxford, 1993.

BARRAGÁN MEDERO Fernando, *Violencia de género y curriculum*: un programa para la mejora de las relaciones interpersonales y la resolución de conflictos, Aljibe, Málaga, 2001.

BEJARANO, FRANCO, Mª Teresa y GARCÍA FERNÁNDEZ Beatriz, "La educación afectivo-sexual en España. Análisis de las leyes educativas en el periodo 1990-2016", *Revista Opción*, núm. 13, 2016.

BEJARANO FRANCO, Mª Teresa, "El uso del Lenguaje no sexista como herramienta para construir un mundo más igualitario", *Revista de Comunicación Vivat Academia*, núm. 124, 2013.

BEJARANO FRANCO, Mª Teresa y MATEOS JIMÉNEZ, Antonio, "Género y sexualidad en la formación inicial de maestros y maestras. ¿Por qué no un currículum sexual?", *Revista Exedra* Suplemento de diciembre: Sexualidade, género e educação, 2014.

BONAL I SARRIÓ, Xavier, "La discriminación sexista en la escuela primaria", *Revista Signos. Teoría y Práctica de la Educación*, 8/9, 1993.

BONAL I SARRIÓ Xabier, *Las actitudes del profesorado ante la coeducación. Propuestas de intervención,* Graó, Barcelona, 2008.

CASTAÑO GÓMEZ, Ana Mª, *El alma de los cuentos. Los cuentos como generadores de actitudes y comportamientos igualitarios.* Instituto Andaluz de la Mujer. Junta de Andalucía, Sevilla, 2013.

CERRILLO TORREMOCHA, Pedro, *Literatura Infantil y Juvenil y educación literaria. Hacia una nueva enseñanza de la literatura*, Octaedro, Barcelona, 2007.

COLÁS BRAVO, Pilar y JIMÉNEZ CORTÉS, Rocío, "Tipos de conciencia de género del profesorado en los contextos escolares" *Revista de Educación*, núm. 340, 2006.

DÍAZ BARRIGA, Ángel, La educación en valores: Avatares del currículum formal, oculto y los temas transversales, *Revista Electrónica de Investigación Educativa*, núm. 8, 2005.

GARCÍA PÉREZ, Rafael et, al. "El patriarcado no es transparente: competencias del profesorado para reconocer desigualdad", *Revista Cultura y Educación*, núm. 3, 2011.

JEAN, Georges, *El poder de los cuentos*, Pirene, Barcelona, 1998.

LLORET-BEDMAR, Vicente y COBANO-DELGADO PALMA, Verónica "La mujer en los libros de texto de Bachillerato en España", *Revista Cuaderno de pesquisas*, núm. 151, 2014.

KLEIN, Jessie, "An invisible problem - everyday violence against girls in schools", *Magazine, Theoretical Criminology*, núm. 2, 2006.

MATEOS GIL, Almudena y SASIAIN VILLANUEVA, Itxaso, *Colorín colorado este cuento se ha acabado*, Instituto de la Mujer, Madrid, 2006.

MÉNDEZ GARITA, Nuria, "Un acercamiento al cuento infantil desde la perspectiva de género. Estereotipos en el cuento infantil", *Revista Educare*, núm. 7, 2004.

PÉREZ FERNÁNDEZ-FÍGARES, Kim, "Las personas variantes de género en la educación", en Octavio Moreno y Luís Puche (Eds.), *Transexualidad, adolescencia y educación*. Miradas multidisciplinares, Egales, Cekiso, Madrid, 2013.

PLATERO, (LUCAS), Raquel *Trans*exualidades. Acompañamiento, factores de salud y recursos educativos*, Bellaterra, Barcelona, 2014.

RAMOS LÓPEZ, Cristina, *Vivir los cuentos*. Recuperado el 15 de mayo de 2017 de: *http://www.juntadeandalucia.es/institutodelamujer/index.php/observatorio-andaluz-de-publicidad-no-sexista*, 2006.

REBOLLO CATALAN, Mª Ángeles, VEGA CARO, Luisa, y GARCÍA-PÉREZ, Rafael, "El profesorado en la aplicación de planes de igualdad: conflictos y discursos en el cambio educativo", *Revista RIE*, núm. 2, 2011.

RICHARD, Jake y CHAMBERLAND, Line (2014) Violences homophobes, violences transphobes, en Karine, Espinera, Thomas Maud-Yeuse y Alessandrin, Arnaud (Eds) *Tableau noir: Les transidentités et l'école*, L'Harmattan, 2014.

RÒLDAO, Mª do Céu, "*Formar Professores. Os desafíos da profissionalidade e o Curriculo*", CIFOP, Universidad de Aveiro, Aveiro, 2002.

ROS GARCIA Ester, "El cuento infantil como herramienta socializadora de género" *Revista Cuestiones Pedagógicas*, núm. 22, 2013.

SÁNCHEZ BELLO, Ana, "El androcentrismo científico: el obstáculo para la igualdad de género en la escuela actual" *Revista Educar*, núm. 29, 2002.

SANTOS GUERRA, Miguel Ángel, "Género, poder y convivencia la escuela como mezcladora social" en Juan José Leiva, Víctor Manuel Martín, Eduardo Salvador Vila y José Eduardo Sierra (Coord.) *Género, Educación y Convivencia*, Dikinson, Madrid, 2015.

SOLSONA PAIRÓ Nuria, "Génesis y desarrollo de los saberes femeninos en la educación", *Revista, Aula de Innovación Educativa*, núm. 191, 2010.

STOBBE, Lineke, "Doing *machismo*: Legitimating speech acts as a selection discourse", Magazine *Gender work and Organization*, núm. 2, 2005.

SUBIRATS MARTORI, Marina y BRULLET TENA, Cristina, *Rosa y azul. La transmisión de los géneros en la escuela*, Ministerio de Cultura. Instituto de la Mujer, Madrid, 1998.

SUBIRATS MARTORI, Marina y TOMÉ GONZÁLEZ, Amparo, *Pautas de observación para el análisis del sexismo en el centro educativo. Cuadernos para la coeducación, 2*. Bellaterra: ICE de la Universitat Autònoma de Barcelona, Barcelona, 1992.

SUBIRATS MARTORI, Marina, "Conquistar la igualdad: la coeducación hoy", *Revista Iberoamericana de Educación*, núm. 6, 2006.

TERRÓN CARO, Mª Teresa y COBANO-DELGADO PALMA, Verónica, "El papel de la mujer en las ilustraciones de los libros de texto de educación primaria", *Revista Foro de Educación*, núm. 10, 2009.

TORRES SANTOMÉ, Jurgo, *El currículum oculto*, Morata, 1991.

TURÍN, Adela, *Los cuentos siguen contando. Algunas reflexiones sobre estereotipos*, Horas y HORAS, Madrid, 1995.

TUSÓN VALLS, Amparo, "Lenguaje, interacción y diferencia sexual", *Revista Enunciación*, núm. 1, 2016.

VALCÁRCEL BERNALDO DE QUIRÓS, Amelia "Igualdad, idea regulativa", en Amelia Valcárcel (Comp.), *El concepto de Igualdad*, Pablo Iglesias, Madrid, 1994.

VIZCARRA MORALES, Mª Teresa et.al., "La perspectiva de género en los títulos de Grado en la Escuela Universitaria de Magisterio de Vitoria-Gasteiz" *REDU, Revista de Docencia Universitaria*, núm. 1, 2015.

Capítulo 6

VIOLENCIA DE GÉNERO Y CONSTITUCIÓN: UNA MIRADA DESDE LA JURISPRUDENCIA DE LA SALA CONSTITUCIONAL Y DE LA CORTE INTERAMERICANA DE DERECHOS HUMANOS[1]

VÍCTOR EDUARDO OROZCO SOLANO[2]
Profesor Doctor de Derecho Constitucional. Universidad de Costa Rica
Letrado Sala Constitucional de la Suprema Corte de Costa Rica

SUMARIO: 1. INTRODUCCIÓN. 2. APROXIMACIÓN A LA NOCIÓN DE LA VIOLENCIA DE GÉNERO. 3. LA SALA CONSTITUCIONAL DE COSTA RICA Y SUS CRITERIOS SOBRE LA VIOLENCIA CONTRA LA MUJER: ALGUNOS CASOS EMBLEMÁTICOS. **3.1.** La sentencia No. 2011-6401, de 18 de mayo, sobre la inconstitucionalidad de la limitación temporal para que el padre pueda rembolsar a la madre los gastos en que incurrió con ocasión del proceso de embarazo y maternidad. **3.2.** La sentencia No. 2011-17681, de 21 de octubre, sobre la inconstitucionalidad del artículo 27 de la Ley de Penalización de la Violencia contra las Mujeres, Ley No. 8589 de 25 de abril de 2007. **3.3.** La sentencia No. 2012-2498, de 22 de febrero, sobre la posible agresión de autoridades de policía contra la amparada, quien además de su condición de mujer es una persona migrante nicaragüense. **3.4.** La sentencia No. 2016-12920, de 9 de septiembre, sobre la violencia obstétrica que fue objeto la amparada tras el nacimiento de su hijo. **3.5.** La sentencia No. 2016-14893, de 12 de octubre, en que se evacua la consulta legislativa de constitucionalidad respecto del proyecto de aprobación de "Reforma de los Artículos 159 y 161 de la Ley No. 4573, Código Penal, Reforma de los Artículos 14, 16 Y 158 y Derogatoria de los Artículos 21, 22, 36 y 38 de la Ley No. 5476, Código de Familia, Reforma al Artículo 39 de la Ley No. 63, Código Civil, y Reforma al Artículo 89 de la Ley No. 3504, Ley Orgánica del Tribunal

[1]   Trabajo realizado en el marco del Proyecto DIPUCR-16, Estudio Sobre la Violencia de Género y Violencia Doméstica en Castilla La Mancha. Dirigido por: María Martín Sánchez, Universidad de Castilla La Mancha. Y en el marco del Proyecto de I+D del Plan Nacional: Seguridad global y derechos fundamentales, referencia DER2015-65288-R.

[2]   Doctor en Derecho Constitucional por la Universidad de Castilla-La Mancha. Coordinador de la Maestría en Justicia Constitucional de la Universidad de Costa Rica. Letrado de la Sala Constitucional de la Corte Suprema de Justicia, correo electrónico: victorozcocr@gmail.com

Supremo de Elecciones y del Registro Civil, para el Fortalecimiento de la Protección Legal de Niñas y Adolescentes Mujeres, ante Situaciones de Violencia de Género Asociadas a Relaciones Abusivas", que se tramita en el expediente legislativo No. 19.337. 4. LA CORTE INTERAMERICANA DE DERECHOS HUMANOS Y SUS DECISIONES SOBRE VIOLENCIA DE GÉNERO. 5. CONCLUSIONES. BIBLIOGRAFÍA.

1. INTRODUCCIÓN

En términos generales, el propósito de estas notas es desarrollar los criterios jurisprudenciales que ha esbozado, por un lado, la Sala Constitucional de la Corte Suprema de Justicia de Costa Rica y, por otro, la Corte Interamericana de Derechos Humanos, con respecto a la protección de las mujeres y la erradicación de diversas situaciones de violencia. Lo anterior nos lleva a desarrollar, en primer lugar, y desde un punto de vista doctrinal, qué se tiene por violencia contra la mujer y cuáles son los mecanismos de protección en el ámbito del derecho comparado y en los Instrumentos Internacionales en materia de Derechos Humanos.

Al respecto, es preciso mencionar que en el sistema de justicia constitucional costarricense los Instrumentos Internacionales en materia de Derechos Humanos, a través de una línea jurisprudencial progresiva de la Sala Constitucional, que inició tras sus primeros años de funcionamiento, se ha llegado a sostener su carácter supra-constitucional, de tal modo priman incluso por sobre la Constitución Política, si establecen mayores garantías de protección de los derechos que la propia Norma Fundamental. En este orden se ha esbozado, inclusive, el carácter vinculante del corpus iuris interamericano, así como de los criterios que ha desarrollado sobre el Pacto de San José la Corte IDH, máximo intérprete de la Convención, si en razón del principio *pro homine*, el estándar convencional de protección es superior al interno.

2. APROXIMACIÓN A LA NOCIÓN DE LA VIOLENCIA DE GÉNERO

Sobre el particular, la noción o el llamado de atención sobre la violencia de género consiste en el dictado de medidas legislativas o el desarrollo criterios jurisprudenciales que buscan eliminar la lacra social que afecta, en su mayoría, a las mujeres víctimas de malos tratos[3]. De este modo, esta producción

---

[3]   Véase al respecto RUBIDO DE LA TORRE, José Luis, *Breves apuntes del ajuste de constitucionalidad (penal) de la Ley Integral 1/2004 de 28 de diciembre de Violencia sobre la Mujer.* Boletín del Ministerio de Justicia, año 61, No. 2049, 2007.

normativa tiene por fin garantizar el principio de igualdad entre el hombre y la mujer en las relaciones de pareja, favoreciéndose que la mujer salga de esa esfera relacional cuando se produzca un desequilibrio que atente contra sus intereses[4]. De este modo, se puede comentar que el problema de la violencia de género aparece condicionado por una serie de factores culturales, educacionales, e incluso jurídicos que conllevan a una inferior posición de la mujer en relación con el hombre en el seno de nuestra sociedad. Así, de acuerdo con LUACES GUTIÉRREZ, de los distintos ámbitos en que se deja sentir la violencia de género como consecuencia de la posición discriminada que aparece la mujer es sin duda, en el ámbito doméstico o familiar donde ésta se manifiesta con mayor intensidad[5].

Por otro lado, COLAS TUREGANO sostiene que el empleo de la violencia como instrumento de sumisión, y para hacer valer, por la fuerza, la superioridad masculina, ha marcado la vida del género femenino desde la antigüedad[6]. No obstante, en la actualidad se asiste a un proceso de visibilidad de esta violencia, que genera el impuso de medidas legislativas y de criterios jurisprudenciales de organismos regionales, universales e internos de protección de los derechos humanos, tendentes a impedir que continúe dicha práctica e impulsar verdaderas medidas de acción afirmativas para las mujeres. En este orden, en el ámbito del Sistema interamericano, sin duda es emblemática la promulgación de la Convención Interamericana para prevenir, sancionar y erradicar la violencia contra la Mujer *"Convención de Belem do Para"*, la cual define como violencia contra la mujer, en su artículo 1°, *"cualquier acción o conducta, basada en su género, que cause muerte, daño o sufrimiento físico, sexual o psicológico a la mujer, tanto en el ámbito público como en el privado"*; de esta manera, se entiende que la violencia contra la mujer incluye la física, sexual y psicológica, en las siguientes hipótesis:

a. que tenga lugar dentro de la familia o unidad doméstica o en cualquier otra relación interpersonal, ya sea que el agresor comparta o haya compartido el

---

4   Ver LUACES GUTIÉRREZ, Ana Isabel., "La constitucionalidad de la Ley de Medidas de Protección Integral contra la Violencia de Género, especial referencia a la STC de 14 de mayo de 2008"; en *Constitución y Democracia: ayer y hoy, libro homenaje a Antonio Torres del Moral*, p. 2341.
5   Véase LUACES GUTIÉRREZ, Ana Isabel., "La constitucionalidad de la Ley de Medidas de Protección Integral y…, ob. cit., p. 2342.
6   Véase COLÁS TUREGANO, Asunción, "Reflexiones sobre la regulación penal contra la violencia de género, a propósito de la Sentencia del Tribunal Constitucional No. 59/2008 de 14 de mayo", en *Constitución, Derechos Fundamentales y Sistema Penal (Semblanzas y estudios con motivo de los setenta aniversarios del profesor Tomás Salvador Vives Antón*, Cuerda Arnau, Coordinadora, p. 371.

mismo domicilio que la mujer, y que comprende, entre otros, violación, maltrato y abuso sexual;

b. que tenga lugar en la comunidad y sea perpetrada por cualquier persona y que comprende, entre otros, violación, abuso sexual, tortura, trata de personas, prostitución forzada, secuestro y acoso sexual en el lugar de trabajo, así como en instituciones educativas, establecimientos de salud o cualquier otro lugar, y

c. que sea perpetrada o tolerada por el Estado o sus agentes, donde quiera que ocurra.

Así, en el artículo 3º, se consagra el derecho de toda mujer a una vida libre de violencia, tanto en el ámbito público como en el privado.

Por su parte, en la Asamblea General de las Naciones Unidas se aprobó la Convención sobre la Eliminación de todas las formas de discriminación contra la mujer de 18 de diciembre de 1979, la cual entró en vigor como tratado internacional el 3 de septiembre de 1981 tras su ratificación por 20 países. En esta Convención se describe con la expresión: "*discriminación contra la mujer*" toda distinción, exclusión o restricción basada en el sexo que tenga por objeto o, por resultado, menoscabar o anular el reconocimiento, goce o ejercicio por la mujer, independientemente de su estado civil, sobre la base de la igualdad del hombre y la mujer, de los derechos humanos y las libertades fundamentales en las esferas política, económica, social, cultural y civil o en cualquier otra esfera. Además, este instrumento internacional consagra los siguientes deberes y obligaciones para los Estados partes:

"a) Consagrar, si aún no lo han hecho, en sus constituciones nacionales y en cualquier otra legislación apropiada el principio de la igualdad del hombre y de la mujer y asegurar por ley u otros medios apropiados la realización práctica de ese principio;

b) Adoptar medidas adecuadas, legislativas y de otro carácter, con las sanciones correspondientes, que prohíban toda discriminación contra la mujer;

c) Establecer la protección jurídica de los derechos de la mujer sobre una base de igualdad con los del hombre y garantizar, por conducto de los tribunales nacionales o competentes y de otras instituciones públicas, la protección efectiva de la mujer contra todo acto de discriminación;

d) Abstenerse de incurrir en todo acto a práctica de discriminación contra la mujer y velar porque las autoridades e instituciones públicas actúen de conformidad con esta obligación;

e) Tomar todas las medidas apropiadas para eliminar la discriminación contra la mujer practicada por cualesquiera personas, organizaciones o empresas;

f) Adoptar todas las medidas adecuadas, incluso de carácter legislativo, para modificar o derogar leyes, reglamentos, usos y prácticas que constituyan discriminación contra la mujer;

g) Derogar todas las disposiciones penales nacionales que constituyan discriminación contra la mujer".

3. LA SALA CONSTITUCIONAL DE COSTA RICA Y SUS CRITERIOS SOBRE LA VIOLENCIA CONTRA LA MUJER: ALGUNOS CASOS EMBLEMÁTICOS

Tras casi 27 años de funcionamiento de la Sala Constitucional de la Corte Suprema de Justicia de Costa Rica, se han dictado múltiples fallos en materia de protección de los derechos de las mujeres y de erradicación de la violencia. Particularmente relevante fue la discusión relativa a la conformidad con el Derecho de la Constitución del proyecto de ley de Penalización de la Violencia contra las Mujeres, expediente legislativo No. 13.874, cuyo contenido fue declarado inconstitucional en algunas ocasiones por vulnerar los principios de tipicidad y otros en materia penal (véase, en este orden, el criterio sostenido por la Sala Constitucional en la sentencia No. 2004-3441, de 31 de marzo, en el cual, mediante una votación divida, efectivamente se declaró la inconstitucionalidad de algunas disposiciones del proyecto, por lesionar los principios *supra* aludidos). Otra decisión relevante la encontramos en la sentencia No. 2008-15447, de 15 de octubre, en que se resuelve la acción de inconstitucionalidad formulada contra los artículos 22, 25 y 27 de la Ley de Penalización de Violencia contra las Mujeres, Ley No. 8589 de 30 de mayo de 2007, en el cual, por medio de una votación divida, se determina que los artículos 25 y 27 de la Ley *supra* aludida son inconstitucionales por vulnerar los principios de tipicidad y legalidad criminal. En este estudio, sin embargo, nos limitaremos a explicar los fallos emblemáticos de la Sala Constitucional durante los últimos siete años, es decir, desde el año 2010 en adelante, de la siguiente manera:

3.1. La sentencia No. 2011-6401, de 18 de mayo, sobre la inconstitucionalidad de la limitación temporal para que el padre pueda reembolsar a la madre los gastos en que incurrió con ocasión del proceso de embarazo y maternidad

En esta sentencia, la Sala Constitucional resolvió la consulta judicial facultativa formulada por el Juzgado de Familia de Heredia, mediante resolución de las 14:30 horas de 6 de noviembre de 2009, dictada dentro del proceso de investigación de paternidad y reembolso de gastos de embarazo y maternidad de K.V.V.Z. contra A.B.S.C., sobre la conformidad con el Derecho de la Constitución del artículo 96, párrafo 1°, del Código de Familia. Según el Juez consultante, reducir los gastos reembolsables por maternidad a aquellos en que se haya incurrido en los doces meses posteriores al nacimiento del hijo o la hija, es una disposición legislativa contraria a los principios de igualdad y razonabilidad y al contenido de los artículos 1°, 5° y 16, inciso d), de la Convención para eliminar todas las formas de discriminación contra la mujer. Lo anterior, por cuanto, las obligaciones para con los hijos o hijas son compartidas por sendos cónyuges, sin que pueda existir límite temporal alguno. Dicha consulta judicial fue evacuada por la Sala Constitucional en el sentido que la limitación temporal *supra* aludida vulnera el Derecho de la Constitución, así como diversos Instrumentos Internacionales que ha aprobado el Estado costarricense en materia de protección de los derechos de las mujeres, con arreglo en la siguiente argumentación:

"*Partiendo de los alegatos expuestos, considera este Tribunal Constitucional que lleva razón el Juez Consultante. La Ley de Paternidad Responsable introdujo un nuevo modelo procesal denominado proceso especial de filiación –en sede jurisdiccional—, el cual, como se dijo, se encuentra nutrido de los principios de oralidad, celeridad, concentración e inmediación. Como tal, es un proceso que procura imprimir prontitud y celeridad a las pretensiones que se ventilan en éste. Así, por sus características, ese cauce procesal es congruente con el derecho a una justicia pronta y cumplida, reconocido en el artículo 41 de la Constitución Política. Empero, al limitarse, a la madre, la posibilidad de reclamar la acción de recuperación de los gastos de maternidad de los hijos en que haya incurrido, únicamente, a aquellos producidos durante los doce meses posteriores al nacimiento, además de resultar discriminatorio e indigno para la madre (artículo 33 de la Constitución Política y preceptos citados de los instrumentos del Derecho internacional público de los derechos humanos), vulnera, con meridiana claridad, sus derechos fundamentales de acudir a la jurisdicción para obtener tutela judicial efectiva con el fin de lograr un resarcimiento cuando media una lesión antijurídica (artículo 41 constitucional) y a la intangibilidad relativa de su patrimonio (artículo 45 constitucional), por cuanto, bien pueden existir gastos de maternidad ulteriores a los doce meses posteriores al nacimiento de los hijos que no le son reembolsados, suponiendo un empobrecimiento ilícito para la madre y un enriquecimiento sin causa para el padre que tiene la obligación principal de sufragarlos. Adicionalmente, en el estado de cosas legislativo actual, la madre es compelida a acudir, para pretender el reembolso de los gastos de maternidad que excedan de los doce meses posteriores al nacimiento, a un proceso de cognición plena (ordinario), con lo que se ralentiza el goce y ejercicio de sus derechos. De este modo, se pierden todas las ventajas inherentes al proceso especial de filiación al compeler a la madre a acudir a un proceso ordinario con el inconveniente temporal y hacerla incurrir en nuevos gastos como, por ejemplo, el pago de los honorarios de un abogado, todo en contra de la celeridad procesal y la justicia pronta. De ahí, que, la norma propicia una clara asimetría, obligando a la mujer a acudir a un proceso jurisdiccional lento y complejo, para el cual se requiere de patrocinio legal lo que, eventualmente, puede constituirse en un factor disuasivo para accionar y reclamar esos gastos. Así la norma, contraviene lo dispuesto en los artículos 2°, incisos c) y f) y 3° de la Convención sobre la eliminación de todas las formas de discriminación contra la mujer, aprobada por nuestro país, en el tanto está obligado a adoptar en todas las esferas y, en particular, en el ámbito político, social, económico y cultural, todas las medidas apropiadas, incluso de carácter legislativo, para asegurar el pleno desarrollo de la mujer, con el objeto de garantizarle el ejercicio y el goce efectivos de los derechos humanos y las libertades fundamentales en igualdad de condiciones con el hombre. Asimismo, la disposición consultada contraviene lo dispuesto en el artículo 7°, incisos e) y f), respectivamente, de la Convención Belem Do Pará, en la medida que Costa Rica está obligada a tomar todas las medidas apropiadas, incluyendo las de tipo legislativo, para modificar o abolir leyes y reglamentos vigentes, o para modificar prácticas jurídicas o consuetudinarias que respalden la persistencia o la tolerancia de la violencia contra la mujer; así como establecer procedimientos legales justos y eficaces para la mujer que haya sido sometida a violencia, que incluyan, entre otros, medidas de protección, un juicio oportuno y el acceso efectivo a tales procedimientos. Para esta Sala, si la finalidad de la norma es que el padre asuma la responsabilidad económica derivada del embarazo y de los gastos de maternidad, lo cierto es que resulta irrazonable que se restrinja a doce meses posteriores al nacimiento de los hijos los gastos de maternidad, cuando existan otros ulteriores, debidamente acreditados. Estos gastos posteriores a los doce meses quedarían sin cubrir, por lo que, según se expuso, se obligaría a la madre a acudir a un proceso ordinario para reclamarlos, lo que resulta irrazonable. Aceptar esto contraviene la función social de la maternidad y la paternidad que parte de la idea que ambos progenitores comparten una serie de obligaciones solidarias respecto de los hijos habidos dentro o fuera del matrimonio, obligación que, valga enfatizar, se encuentra recogida en los artículos 53 y 54 de la Constitución Política y 7°, primera parte, de la Convención sobre los Derechos del Niño, de la que Costa Rica es parte. Adicionalmente, como se apuntó, la restricción para demandar la recuperación de los gastos de maternidad, únicamente, a aquellos en los que haya incurrido la madre en los doce meses posteriores al nacimiento de los hijos, infringe, los numerales 33, 41 y 45 de la Constitución Política".*

Con lo cual, en el caso presente la Sala Constitucional ha potenciado los alcances de los Instrumentos Internacionales mencionados para evitar que se propicie una suerte de discriminación infundada contra los derechos de la madre a obtener una indemnización por los gastos en que incurrió por el embarazo y la maternidad.

3.2. La sentencia No. 2011-17681, de 21 de octubre, sobre la inconstitucionalidad del artículo 27 de la Ley de Penalización de la Violencia contra las Mujeres, Ley No. 8589 de 25 de abril de 2007

En esta sentencia la Sala Constitucional resolvió la acción de inconstitucionalidad formulada contra el artículo 27 de la Ley No. 8589 de 25 de abril de 2007. Según el actor, los términos con que la norma tipifica la conducta son escuetos, abstractos y generales, de manera que dan tan amplio margen de discreción, que permiten la creatividad, el capricho y la arbitrariedad del intérprete. Por esa razón, el texto lesiona los principios de legalidad y tipicidad penal[7]. En esta decisión, con una votación dividida y tras analizar los alcances del principio de tipicidad en materia penal, finalmente se consideró que tanto la redacción como el uso de conceptos jurídicos indeterminados, convierten la norma en un tipo penal con una gran capacidad de absorción de conductas que, en consecuencia, lesiona el principio de tipicidad penal. De este modo, en ese pronunciamiento se dejó claro que la Sala no objeta que se sancione de una manera más severa un delito cuando se comete contra sujetos que se encuentren en condiciones particulares de vulnerabilidad. Claramente, en la sentencia No. 2005-01800 de las 16:20 hrs de 23 de febrero de 2005, la Sala indicó lo siguiente:

> *"El hecho de que el proyecto, fije penas diversas a las señaladas en el Código para conductas similares, no es inconstitucional, pues casualmente eso es lo que se pretende con la normativa consultada..."*

Lo que genera, entonces, la inconstitucionalidad de la normativa es el recurso legislativo a fórmulas confusas. La mala técnica legislativa empleada en la redacción del tipo penal y, en particular, la expresión indeterminada o abierta "lesionar un bien jurídico", que infringe el principio de tipicidad y la prohibición de los tipos penales en blanco, puede ser salvada y superada si son suprimidas algunas frases o expresiones contenidas en ésta. De manera que permita darle otra lectura al precepto, del siguiente modo: *"Quien amenace a una mujer, a su familia o a una tercera persona íntimamente vinculada, con quien mantiene una relación de matrimonio, en unión de hecho declarada o no, será sancionado con pena de prisión de seis meses a dos años"*.

---

[7]   El artículo 27 de la Ley de Penalización de la Violencia contra las Mujeres dispone lo siguiente: *"ARTÍCULO 27.- Amenazas contra una mujer Quien amenace con lesionar un bien jurídico de una mujer o de su familia o una tercera persona íntimamente vinculada, con quien mantiene una relación de matrimonio, en unión de hecho declarada o no, será sancionado con pena de prisión de seis meses a dos años"*.

3.3. La sentencia No. 2012-2498, de 22 de febrero, sobre la posible agresión de autoridades de policía contra la amparada, quien además de su condición de mujer es una persona migrante nicaragüense

En la sentencia de este recurso de amparo la Sala Constitucional consideró que esta vía procesal no es idónea para reclamar la existencia de posibles agresiones por parte de las autoridades de policía, por su carácter sumario, de tal modo que puede formular las denuncias administrativas y penales que estime necesarias para la tutela de sus intereses. Además, la Sala puso de manifiesto que el caso de la actora ya ha sido conocido en anteriores recursos de amparo planteados contra las autoridades del Ministerio Público de recibir las denuncias correspondientes.

3.4. La sentencia No. 2016-12920, de 9 de septiembre, sobre la violencia obstétrica que fue objeto la amparada tras el nacimiento de su hijo

En este caso, se reclamó la violación de los derechos fundamentales de la tutelada, por la negativa de las autoridades del Hospital México, de respetar el derecho de acompañamiento en todas las etapas de atención médica, en particular, de las que se encuentran en estado de ingravidez. Se acusó, asimismo, que la amparada fue objeto de violencia obstétrica, tras la cesárea que se le practicó por el nacimiento de su hijo. En este pronunciamiento la Sala Constitucional puso de manifiesto que se reconoce, como parte del Derecho de la Constitución, lo que modernamente se ha denominado el derecho contra la *violencia obstétrica* como una forma de violencia de género y, en general, de violación a los derechos humanos. Como se ha señalado, aunque el concepto de violencia obstétrica es muy reciente, este hace referencia a un conjunto de prácticas que degrada, intimida y oprime a las mujeres y a las niñas en el ámbito de la atención en salud reproductiva y, de manera mucho más intensa, en el período del embarazo, parto y postparto. Ha sido establecido por el Instituto de Género, Derecho y Desarrollo (INSGENAR) de Argentina, así como por el Comité de América Latina y el Caribe para la Defensa de los Derechos de la Mujer (CLADEM), que entre los derechos habitualmente violados en la atención obstétrica, está el derecho a la integridad personal, que como se indica en el Artículo 5 de la Convención Americana sobre Derechos Humanos (CADH), es el derecho que poseen todas las personas a que su integridad física, psíquica y moral sea respetada. El respeto a este derecho se refiere a que nadie debe ser lesionado o agredido físicamente, ni ser víctima de daños mentales o morales que le impidan conservar su estabilidad psicológica o emocional; igualmente dicha normativa tutela el derecho a la honra y al reconocimiento de la dignidad; por su parte, el artículo 12, de la Declaración Universal de Derechos Humanos al establecer que "*Nadie será objeto de injerencias arbitrarias en su vida privada, su familia, su domicilio o su correspondencia, ni de ataques a su honra o su reputación...*", lo que se ha interpretado como la violación institucional de salud a través de la exposición innecesaria del cuerpo de las mujeres, en especial de sus órganos genitales, en el parto, en la consulta ginecológica y en otras circunstancias, sin ofrecer a la mujer la posibilidad de decidir sobre su cuerpo (Belli) (ver sentencia N°15-003354 de las doce horas del seis de marzo del dos mil quince).

Así, en el caso concreto, el recurrente acusó que posteriormente a la cirugía de cesárea a la que se sometió a su esposa, funcionarias de enfermería la revisaron en un pasillo, para lo cual le retiraron la sábana que la cubría, y allí mismo quedó su cuerpo desnudo al descubierto, sin saber lo que ocurría. Dado que el informe rendido por el Director General y la Jefa del Servicio de Obstetricia del Hospital recurrido, es omiso en cuanto a este aspecto, se tienen por ciertos los hechos denunciados por el promovente, y por ende, se acredita la lesión a los derechos fundamentales de la amparada, en virtud de lo señalado en el artículo 12, de la Declaración Universal de Derechos Humanos, –de previa cita- lo que se ha interpretado como la violación institucional de salud a través de la exposición innecesaria del cuerpo de las mujeres, en especial de sus órganos genitales, en el parto, en la consulta ginecológica y en otras circunstancias, sin ofrecer a la mujer la posibilidad de decidir sobre su cuerpo, como sucedió en el presente asunto. En este contexto, tomando en cuenta que la Sala Constitucional ha otorgado una amplia tutela a los derechos fundamentales relacionados con la salud, no solamente en cuanto al acceso a la atención médica, sino también en cuanto al deber del Estado y sus instituciones de asegurar la plena efectividad de ese derecho, así como la creación de condiciones que aseguren a todos la asistencia médica y servicios médicos de calidad, lo cierto es que, en el presente caso existen elementos de juicio suficientes que permiten a este Tribunal dictar un sentencia estimatoria, pues sí resulta evidente que la recurrente fue víctima de violencia obstétrica durante su estancia en el centro médico recurrido, lo cual justifica la intervención de este Tribunal conforme se ha señalado, a fin de que las autoridades médicas tomen y ajusten las medidas que correspondan con el firme propósito de eliminar los acusados vejámenes.

Por consiguiente, en esa ocasión se declaró con lugar el recurso de amparo, en los siguientes términos:

> "*Se declara parcialmente con lugar el recurso, por violación al artículo 27, Constitucional y por violencia obstétrica en perjuicio de la amparada. En consecuencia, se ordena a Douglas Montero Chacón, en su condición de Director General, y a Lucía Sandoval Chaves, en su condición de Jefa del Servicio de Obstetricia, o a quienes ocupen esos cargos, que procedan a girar las órdenes que estén dentro del ámbito de sus*

competencias, para que se garantice la privacidad de las pacientes de ese Servicio Médico, a fin de no afectar su decoro y dignidad. Asimismo, se ordena a Douglas Montero Chacón, en su condición de Director General de ese centro médico, que en el plazo de diez días, contado a partir de la notificación de la presente sentencia, brinde respuesta a la gestión presentada por el recurrente el 5 de agosto del 2016, y que ésta sea debidamente comunicada al recurrente.".

3.5. La sentencia No. 2016-14893, de 12 de octubre, en que se evacua la consulta legislativa de constitucionalidad respecto del proyecto de aprobación de "Reforma de los Artículos 159 y 161 de la Ley No. 4573, Código Penal, Reforma de los Artículos 14, 16 Y 158 y Derogatoria de los Artículos 21, 22, 36 y 38 de la Ley No. 5476, Código de Familia, Reforma al Artículo 39 de la Ley No. 63, Código Civil, y Reforma al Artículo 89 de la Ley No. 3504, Ley Orgánica del Tribunal Supremo de Elecciones y del Registro Civil, para el Fortalecimiento de la Protección Legal de Niñas y Adolescentes Mujeres, ante Situaciones de Violencia de Género Asociadas a Relaciones Abusivas", que se tramita en el expediente legislativo No. 19.337

En esta consulta legislativa, la Sala Constitucional determinó que la iniciativa consultada no es inconstitucional. En concreto, los legisladores plantearon los siguientes motivos de inconstitucionalidad a la Sala:

"a) Consideran que el artículo 1 del proyecto, mediante el cual se modifican los numerales 159 y 161 del Código Penal, violenta la Convención Iberoamericana de Derechos de los Jóvenes, los principios de interdicción de la arbitrariedad, el de razonabilidad, proporcionalidad, realidad, lesividad y el de igualdad; por los siguientes motivos: 1- Establece un rango de 7 años entre la víctima y la persona adulta, desprotegiendo el grupo etario que tutela dicha Convención y que va de los 15 a los 24 años. 2- Tampoco se fundamentó, en la exposición de motivos, el razonamiento de tal distinción basada en rangos de edad, que en algunos casos despenaliza la conducta tipificada merced a dichos márgenes de edad, lo que podría llevar a que en la práctica se juzguen arbitrariamente los casos. 3- Lo estiman irrazonable y desproporcionado, porque constituye un abuso del derecho penal limitar la autodeterminación para tener relaciones sexuales de ciertas poblaciones etarias, sin una justificación criminológica y jurídica.

b) Cuestionan el ordinal 2 que reforma los incisos 4) y 7) del artículo 14, el inciso 3) del numeral 16 y los incisos a), c) y d) del ordinal 158 de la Ley No. 5476, Código de Familia, por estimar que lesionan los artículos 7 y 129 constitucionales, el 6 de la Ley General de la Administración Pública y la Convención de Viena "El Derecho de los Tratados", al haber aumentado la edad mínima para contraer matrimonio y para adquirir la mayoría de edad al contraerlo, por el siguiente motivo: Señalan que de con-

formidad con la Convención Iberoamericana de Derechos de los Jóvenes, las personas comprendidas entre los 15 y 24 años de edad son sujetos titulares de derechos, tal como para formar parte de una familia, según los numerales 19 y 20 de dicha Convención, por lo que el Estado no podría desconocerlos mediante una ley de menor rango.

c) Consideran que el proyecto de ley en su totalidad violenta el principio de primacía de la realidad, así como los ordinales 4 y 6 del Convenio No. 169 de la OIT, por cuanto estos pueblos se caracterizan por tradición y costumbre de data ancestral, el que se den relaciones entre personas con diferencias importantes de edad; sin embargo, no les fue consultado el proyecto de ley".

Se trata, entonces, de una decisión emblemática, en la cual tras desarrollar los alcances de diversos Instrumentos Internacionales en materia de Derechos Humanos, se sostiene que las normas impugnadas no son inconstitucionales.

4. LA CORTE INTERAMERICANA DE DERECHOS HUMANOS Y SUS DECISIONES SOBRE VIOLENCIA DE GÉNERO

Ahora bien, en lo concierte a la Jurisdicción de la Corte IDH sin duda es emblemático el caso González y otras ("Campo Algodonero") vs. México. El caso se refiere a la responsabilidad internacional del Estado por la falta de diligencia en las investigaciones relacionadas a la desaparición y muerte de Claudia Ivette Gonzáles, Esmeralda Herrera Monreal y Laura Berenice Ramos Monárrez.

Dentro de los derechos que se consideraron vulnerados en esa ocasión se encuentran, de la Convención Americana sobre Derechos Humanos, el artículo 1° (obligación de respetar los derechos), el artículo 11 (derecho a la honra y dignidad), el artículo 19 (derecho de niño), el artículo 2° (deber de adoptar disposiciones de derecho interno), el artículo 25 (protección judicial), el artículo 4° (derecho a la vida), el artículo 5° (derecho a la integridad personal), el artículo 8° (garantías judiciales), dentro del ámbito del Sistema Interamericano, la Convención Interamericana para la Eliminación de todas las formas de Discriminación contra las Personas con Discapacidad, la Convención Interamericana para prevenir y sancionar la Tortura, la Convención Interamericana sobre Desaparición Forzada de Personas, el Protocolo Adicional a la Convención Americana sobre Derechos Humanos en Materia de Derechos Económicos, Sociales y Culturales ("Protocolo de San Salvador") y, entre otros instrumentos, es posible mencionar, la Convención sobre los Derechos del Niño – Naciones Unidas, la Convención de Viena sobre el Derecho de los Tratados – Naciones Unidas, la Convención sobre la eliminación de todas las formas de discriminación contra la mujer – Naciones Unidas, la Declaración sobre la Protección de Todas las Personas contra las Desapariciones Forzadas – Naciones Unidas, el Manual para la investigación y documentación eficaces de la tortura y otros tratos o penas crueles, inhumanos o degradantes ("Protocolo de Estambul") – Naciones Unidas, el Manual sobre la Prevención e Investigación Eficaces de las Ejecuciones Extrajudiciales, Arbitrarias y Sumarias ("Protocolo de Minnesota") – Naciones Unidas.

En esa ocasión, la Corte Interamericana de Derechos Humanos valoró la posible violación de las víctimas a causa de los siguientes hechos:

– *"Los hechos del presente caso sucedieron en Ciudad Juárez, lugar donde se desarrollan diversas formas de delincuencia organizada. Asimismo, desde 1993 existe un aumento de homicidios de mujeres influenciado por una cultura de discriminación contra la mujer.*

– *Laura Berenice Ramos, estudiante de 17 años de edad, desapareció el 22 de setiembre de 2001. Claudia Ivette Gonzáles, trabajadora en una empresa maquilladora de 20 años de edad, desapareció el 10 de octubre de 2001. Esmeralda Herrera Monreal, empleada doméstica de 15 años de edad desapareció el lunes 29 de octubre de 2001. Sus familiares presentaron las denuncias de desaparición. No obstante, no se iniciaron mayores investigaciones. Las autoridades se limitaron a elaborar los registros de desaparición, los carteles de búsqueda, la toma de declaraciones y el envío del oficio a la Policía Judicial.*

– *El 6 de noviembre de 2001 se encontraron los cuerpos de Claudia Ivette Gonzáles, Esmeralda Herrera Monreal y Laura Berenice Ramos Monárrez, quienes presentaban signos de violencia sexual. Se concluyó que las tres mujeres estuvieron privadas de su libertad antes de su muerte. A pesar de los recursos interpuestos por sus familiares, no se investigó ni se sancionó a los responsables".*

En esta decisión, de acuerdo con Eduardo FERRER MAC-GREGOR y Carlos María PELAYO MÖLLER, la Corte IDH *"estableció que la Convención Belém do Pará obliga a los Estados Partes a utilizar la debida diligencia para prevenir, sancionar y erradicar la violencia en contra de la mujer. También establece que los Estados deben adoptar medidas integrales para cumplir con la debida diligencia en casos de este tipo"*[8]. Así, la Corte ha destacado la importancia de contar con un

---

[8]   Véase FERRER MAC-GREGOR, Eduardo, y PELAYO MÖLLER, Carlos María, Artículo I, en *Convención Americana sobre Derechos Humanos, Comentario*, Steiner Christian y Uribe Patricia, Konrad Adenauer Stiftung, 2015, p. 50. En concreto sostuvo la Corte IDH: 253. La Convención Belém do Pará define la violencia contra la mujer (*supra* párr. 226) y en su artículo 7.b obliga a los Estados Partes a utilizar la debida diligencia para prevenir, sancionar y erradicar dicha violencia. 254. Desde 1992 el CEDAW estableció que *"los Estados también pueden ser responsables de actos privados si no adoptan medidas con la diligencia debida para impedir la violación de los derechos o para investigar y castigar los actos de violencia e indemnizar a las víctimas. En 1993 la Declaración sobre la eliminación de la violencia contra la mujer de la Asamblea General de las Naciones Unidas instó a los Estados a [p]roceder con la debida diligencia a fin de prevenir, investigar y, conforme a la legislación nacional, castigar todo acto de violencia contra la mujer, ya se trate de actos perpetrados por el Estado o por particulares"* y lo mismo hizo la Plataforma de Acción de la Conferencia Mundial sobre la Mujer de Beijing.

adecuado marco jurídico de protección, con una aplicación efectiva del mismo, y con políticas de prevención, y prácticas que permitan proceder, de modo eficaz, frente a las denuncias, con lo cual, la estrategia de prevención debe ser integral, es decir, debe prevenir los factores de riesgo y fortalecer las instituciones para que

---

En el 2006 la Relatora Especial sobre violencia contra la mujer de la ONU señaló que "[t]omando como base la práctica y la opinio juris [...] se puede concluir que hay una norma del derecho internacional consuetudinario que obliga a los Estados a prevenir y responder con la debida diligencia a los actos de violencia contra la mujer". 255. En el caso Maria Da Penha Vs. Brasil (2000), presentado por una víctima de violencia doméstica, la Comisión Interamericana aplicó por primera vez la Convención Belém do Pará y decidió que el Estado había menoscabado su obligación de ejercer la debida diligencia para prevenir, sancionar y erradicar la violencia doméstica, al no condenar y sancionar al victimario durante quince años pese a las reclamaciones oportunamente efectuadas. La Comisión concluyó que, dado que la violación forma parte de un "patrón general de negligencia y falta de efectividad del Estado", no sólo se violaba la obligación de procesar y condenar, sino también la de prevenir estas prácticas degradantes. 256. De otra parte, la Relatoría Especial sobre la violencia contra la mujer de la ONU ha proporcionado directrices sobre qué medidas deben tomar los Estados para cumplir con sus obligaciones internacionales de debida diligencia en cuanto a prevención, a saber: ratificación de los instrumentos internacionales de derechos humanos; garantías constitucionales sobre la igualdad de la mujer; existencia de leyes nacionales y sanciones administrativas que proporcionen reparación adecuada a las mujeres víctimas de la violencia; políticas o planes de acción que se ocupen de la cuestión de la violencia contra la mujer; sensibilización del sistema de justicia penal y la policía en cuanto a cuestiones de género, accesibilidad y disponibilidad de servicios de apoyo; existencia de medidas para aumentar la sensibilización y modificar las políticas discriminatorias en la esfera de la educación y en los medios de información, y reunión de datos y elaboración de estadísticas sobre la violencia contra la mujer. 257. Asimismo, según un Informe del Secretario General de la ONU: Es una buena práctica hacer que el entorno físico sea seguro para las mujeres, y se han utilizado comunitarias auditorías de seguridad para detectar los lugares peligrosos, examinar los temores de las mujeres y solicitar a las mujeres sus recomendaciones para mejorar su seguridad. La prevención de la violencia contra la mujer debe ser un elemento explícito en la planificación urbana y rural y en el diseño de los edificios y residencias. Forma parte de la labor de prevención el mejoramiento de la seguridad del transporte público y los caminos que emplean las mujeres, por ejemplo, hacia las escuelas e instituciones educacionales, los pozos, los campos y las fábricas. 258. De todo lo anterior, se desprende que los Estados deben adoptar medidas integrales para cumplir con la debida diligencia en casos de violencia contra las mujeres. En particular, deben contar con un adecuado marco jurídico de protección, con una aplicación efectiva del mismo y con políticas de prevención y prácticas que permitan actuar de una manera eficaz ante las denuncias. La estrategia de prevención debe ser integral, es decir, debe prevenir los factores de riesgo y a la vez fortalecer las instituciones para que puedan proporcionar una respuesta efectiva a los casos de violencia contra la mujer. Asimismo, los Estados deben adoptar medidas preventivas en casos específicos en los que es evidente que determinadas mujeres y niñas pueden ser víctimas de violencia. Todo esto debe tomar en cuenta que, en casos de violencia contra la mujer, los Estados tienen, además de las obligaciones genéricas contenidas en la Convención Americana, una obligación reforzada a partir de la Convención Belém do Pará".

puedan proporcionar una respuesta efectiva en los casos en que se considere que mujeres y niñas pueden ser víctimas de violencia[9].

Además, en otros casos, la Corte IDH ha sostenido que "*ante un acto de violencia contra una mujer, resulta particularmente importante que las autoridades a cargo de la investigación la lleven adelante con determinación y eficacia, teniendo en cuenta el deber de la sociedad de rechazar la violencia contra las mujeres y las obligaciones del Estado de erradicarla y de brindar confianza a las víctimas en las instituciones estatales para su protección*"[10]. Además, siguiendo a IBÁÑEZ RIVAS, tratándose de supuestos de investigación criminal ante un caso de violación sexual es necesario que la declaración de la víctima se realice en un ambiente cómodo y seguro, que le brinda privacidad y confianza, que la declaración de la víctima se registre de tal manera que se evite o restrinja la necesidad de una repetición, que se brinde atención médica, sanitaria y psicológica a la víctima, tanto de emergencia como de forma continuada, que se realice de manera inmediata un examen médico y psicológico completo y detallado por personal idóneo y capacitado[11], entre otros.

5. CONCLUSIONES

En este ensayo se ha querido potenciar, de manera breve, los fallos emblemáticos de la Sala Constitucional de Costa Rica y de la Corte Interamericana de Derechos Humanos en materia de erradicación de la violencia de género. En el caso de la Sala Constitucional, se ha mencionado los fallos paradigmáticos en los últimos 7 años, es decir, desde el año 2010, mientras que en el caso de la Corte IDH sin duda es relevante el criterio sostenido en el fallo González y otras ("Campo Algodonero") vs. México. De este modo, ambos tribunales, han dictado y desarrollado criterios jurisprudenciales muy importantes en materia de protección de los derechos de las mujeres. En este orden, en el caso de la Sala Constitucional de Costa Rica destaca, sin duda, el fallo en donde se pone de manifiesto la existencia de la violencia obstétrica, y el sumo cuidado que deben tener las autoridades

[9]   Véase FERRER MAC-GREGOR, Eduardo, y PELAYO MÖLLER, Carlos María, Artículo I, en *Convención...*, ob. cit., pp. 50-51. Sobre el tema también se puede revisar FERRER MAC-GREGOR, Eduardo y SILVA GARCÍA, Fernando, *Los femicidios de Ciudad Juárez ante la Corte Interamericana de Derechos Humanos, Caso Campo Algodonero*, México, Porrúa-UNAM, 2011.

[10]   Corte IDH, Caso de la Masacre de las Dos Erres vs. Guatemala, Excepción preliminar, fondo, reparaciones y costas. Sentencia de 24 de noviembre de 2009. Serie C No. 211, párr. 140.

[11]   Véase IBÁÑEZ RIVAS, Juana María, Artículo 25, en *Convención Americana sobre Derechos Humanos, Comentario*, Steiner Christian y Uribe Patricia, Konrad Adenauer Stiftung, 2015, p. 651.

sanitarias y de salud con respecto a las personas embarazadas, durante y tras las labores del parto. Queda, sin embargo, mucho por hacer en esta materia. Se trata sin duda de una tarea inacabada y que supone un reto mayúsculo no solo para las autoridades estatales, regionales y universales de protección de los derechos humanos, sino también a las personas, erradicar este tipo de violencia y la "lacra social" que suponen los malos tratos contra las mujeres.

BIBLIOGRAFÍA

COLÁS TUREGANO, Asunción, "Reflexiones sobre la regulación penal contra la violencia de género, a propósito de la Sentencia del Tribunal Constitucional No. 59/2008 de 14 de mayo", en *Constitución, Derechos Fundamentales y Sistema Penal (Semblanzas y estudios con motivo del setenta aniversarios del profesor Tomás Salvador Vives Antón*, Cuerda Arnau, Coordinadora, p. 371.

FERRER MAC-GREGOR, Eduardo y SILVA GARCÍA, Fernando, *Los femicidios de Ciudad Juárez ante la Corte Interamericana de Derechos Humanos, Caso Campo Algodonero*, México, Porrúa-UNAM, 2011.

FERRER MAC-GREGOR, Eduardo, y PELAYO MÖLLER, Carlos María, Artículo I, en *Convención Americana sobre Derechos Humanos, Comentario*, Steiner Christian y Uribe Patricia, Konrad Adenauer Stiftung, 2015, p. 50.

IBÁÑEZ RIVAS, Juana María, Artículo 25, en *Convención Americana sobre Derechos Humanos, Comentario*, Steiner Christian y Uribe Patricia, Konrad Adenauer Stiftung, 2015, p. 651.

LUACES GUTIÉRREZ, Ana Isabel., "La constitucionalidad de la Ley de Medidas de Protección Integral contra la Violencia de Género, especial referencia a la STC de 14 de mayo de 2008"; en *Constitución y Democracia: ayer y hoy, libro homenaje a Antonio Torres del Moral*, p. 2341.

RUBIDO DE LA TORRE, José Luis, *Breves apuntes del ajuste de constitucionalidad (penal) de la Ley Integral 1/2004 de 28 de diciembre de Violencia sobre la Mujer*. Boletín del Ministerio de Justicia, año 61, No. 2049, 2007.

PARTE SEGUNDA
VIOLENCIAS "EN PLURAL": DISTINTAS MANIFESTACIONES DE LA VIOLENCIA MACHISTA

Capítulo 7

LA VIOLENCIA PATRIARCAL: UNA PARADIGMÁTICA VULNERACIÓN A LA NO SUBORDINACIÓN[1]

ESTEFANÍA ESPARZA-REYES
Académica Departamento de Ciencias Jurídicas
Universidad de La Frontera

"Gitano al creerse deshonrado
Se fue a su mujer, cuchillo en mano
¿De quién es el hijo? Me has engañao´ fijo
Y de muerte la hirió
Luego se hizo al monte con el niño en brazos
Y allí le abandonó."
(Hijo de la Luna, Mecano)

SUMARIO: 1. INTRODUCCIÓN. 2. LA VIOLENCIA PATRIARCAL. 2.1. Breves aspectos previos sobre la violencia. 2.1.1. Definiciones de la violencia. 2.1.2. Clasificaciones de la violencia. 2.1.3. Precisiones terminológicas sobre la violencia. 2.1.4. Características de la violencia. 2.2. El Patriarcado como explicación de la violencia: La violencia Patriarcal. 2.2.1. Las habituales causas de la violencia. 2.2.2. El Patriarcado como sistema político que ocasiona y perpetúa la violencia ¿violencia de género o violencia patriarcal? 2.2.3. Aproximaciones al concepto de Patriarcado y su relación con la violencia. 2.2.4. El Patriarcado y los grupos sociales. 3. LA NO SUBORDINACIÓN. 3.1. La no subordinación: Una concepción alternativa a la no discriminación. 3.2. Los elementos de la no subordinación. 3.2.1. Los grupos sociales. 3.2.2. La subordinación. 4. LA RELACIÓN ENTRE LA VIOLENCIA PATRIARCAL Y LA NO SUBORDINACIÓN. 5. CONCLUSIONES. BIBLIOGRAFÍA.

1. INTRODUCCIÓN

Desde hace varios años resulta habitual escuchar que la violencia, particularmente la ejercida contra las mujeres, vulnera el derecho a la igualdad. Pareciera

---

[1]   Trabajo financiado parcialmente por la Universidad de La Frontera, Proyecto "Mecanismos de Derecho Antidiscriminatorio en Chile. Una propuesta de sistematización (DI16- 019)".

ser que la sola asociación violencia-igualdad, transformase a la primera en una situación que vulnera tal derecho y, en consecuencia, debe ser erradicada por contraria a los derechos fundamentales.

A partir de una perspectiva aproximada, no parece extraño asociar la violencia contra las mujeres a la (des) igualdad, empero, para entregar una respuesta inequívoca resulta imprescindible abordar algunos aspectos previos.

La violencia contra las mujeres resulta paradigmática, no solo por el interés que ha suscitado y por la enorme repercusión que genera en la vida de las personas, sino además, porque se trata de una bandera de lucha para la reivindicación de la dignidad humana. Sin embargo, en último término, varias de las formas de violencia que sufren distintos grupos sociales, pueden ser explicadas desde un sistema social que vulnera, excluye y somete a quienes no se adecúan a un modelo ideal de seres humanos.

Para analizar este fenómeno una de las concepciones del derecho a la igualdad, la igualdad entendida como no subordinación, resulta de enorme utilidad, pues a diferencia de otras nociones (como por ejemplo la igualdad formal o la no discriminación), señala de manera clara cuál es su función dentro del ordenamiento jurídico, esta es: eliminar la subordinación o exclusión de larga data en la que se encuentran las personas pertenecientes a ciertos grupos sociales debido a esta sola adscripción.

En las siguientes líneas se intentará responder si la violencia patriarcal vulnera efectivamente (o no) el derecho a no ser subordinado.

2. LA VIOLENCIA PATRIARCAL

Si bien, la violencia contra las mujeres ha ocasionado una preocupación generalizada, tanto en el ámbito internacional, cuanto estatal, existiendo múltiples leyes, tratados internacionales y regionales, directivas y recomendaciones entre otras, este interés no se ha manifestado con tanta fuerza respecto de otros grupos que sufren fenómenos de violencia estructural, en cuyos casos, no obstante los esfuerzos internacionales realizados, no se ha logrado la respuesta masiva y completa de la violencia de género.

En el presente trabajo, se comparte la tesis que sostiene que la violencia patriarcal es una de las manifestaciones de un sistema que oprime a distintos grupos, no sólo a las mujeres, sin embargo, tal enfoque global, que reconoce como la principal causa de la violencia a un sistema de opresión, no se ha generalizado. Este origen común es un motivo importante para estudiar de manera conjunta tal fenómeno. La afirmación anterior, en ningún caso quiere decir que las medidas para el abordaje de la violencia contra distintos colectivos deban ser idénticas, sino que, debe existir un tratamiento coherente con su causa en cada uno de los grupos, situación que cobra especial relevancia para la Ciencia Jurídica, encargada de la dictación de las normas, en cuanto a su forma, fondo, técnica y aún interpretación de los Derechos Fundamentales.

Con todo, la violencia contra las mujeres resulta el ejemplo más paradigmático para comprender este fenómeno de violencia patriarcal, ello por varios motivos, a saber: por el número de víctimas femeninas que aumenta año tras año; por representar el caso más alejado del concepto de masculinidad, al que se referirán las próximas páginas y por el grado de desarrollo y visibilización de esta clase de conductas.

En las siguientes líneas se realizará una breve revisión de algunos conceptos fundamentales sobre la violencia de manera muy genérica, ello en virtud de la extensión del presente estudio, así como de la disciplina mediante la que se aborda, el Derecho.

2.1. Breves aspectos previos sobre la violencia

Si bien la finalidad de este epígrafe no consiste en describir en qué consiste la violencia, pues otros/as han realizado dicha tarea con gran éxito, resulta necesario para la comprensión del fenómeno, referirse brevemente a los aspectos más relevantes de la misma y que sirven de base para la exposición posterior.

2.1.1. Definiciones de la violencia

El vocablo violencia ha sido desde sus inicios asociado a lo masculino, así procede de la palabra latina *vir* o *vis*, que designaba la fuerza o el poder, así como la virilidad. Posteriormente, en el siglo XIII, la palabra violencia aparece en el castellano vinculada a la fuerza física del varón[2].

Aunque existen múltiples definiciones de la violencia, resulta imposible calificarla desde un único punto de vista, debido a que admite diversas clasificaciones en razón de sus características, las que en ciertos casos difieren diametralmente. Pese a ello, varios autores y organismos internacionales han esbozado algunos conceptos, así por ejemplo la Organización Mundial de la Salud, se refiere a la violencia como "el uso deliberado de la fuerza física o el poder, ya sea en grado de amenaza o efectivo, contra uno mismo, otra persona o un grupo o comunidad, que cause o tenga muchas probabilidades de causar lesiones, muerte, daños psico-

---

[2]   FEMENÍAS, María Luisa, "Violencia de sexo-género: El espesor de la trama" en Patricia Laurenzo, María Luisa Maqueda y Ana Rubio (Coordinadoras), *Género, Violencia y Derecho*, Editorial Tirant Lo Blanch, Valencia, 2008, p. 63.

lógicos, trastornos del desarrollo o privaciones."[3]. De igual manera, se ha señalado que la violencia posee un contenido amplísimo y se puede referir "a la guerra, a los estragos de una agresión entre dos personas adultas, a la fuerza ejercida por un adulto hacia una criatura, al daño que algunas palabras o imágenes pueden infligir en la autoestima y la identidad de los individuos, a estructuras institucionales que catalogamos de violentas porque nos invisibilizan, etc."[4].

Específicamente, la violencia contra las mujeres ha sido definida por la Convención Interamericana para prevenir, sancionar y erradicar la violencia contra la mujer en su artículo 1 en los siguientes términos: "cualquier acción o conducta, basada en su género, que cause muerte, daño o sufrimiento físico, sexual o psicológico a la mujer, tanto en el ámbito público como en el privado.".

Si bien se ha señalado que la violencia contra las mujeres es un fenómeno que data de los inicios de la historia, algunos estudios han detectado que esta situación al principio no existía. Así, por ejemplo, en la Prehistoria no se ejercía violencia física contra ellas[5], aunque estudios en civilizaciones posteriores como la mesopotámica[6], griega[7] y romana[8] ya hayan detectado estos casos, los que

---

[3]   ORGANIZACIÓN MUNDIAL DE LA SALUD, *Informe mundial sobre la violencia y la salud*, Nueva York, 2002, p. 5.

[4]   BIRULÉS, Fina, "Reflexiones sobre vulnerabilidad y violencia" en María Dolors Molas Font (Editora): *Violencia deliberada. Las raíces de la violencia patriarcal*, Icaria Editorial S. A., Barcelona, 2007, p. 17.

[5]   Los estudios se han realizado analizando, preferentemente, las estructuras óseas y el arte de la época encontrados en distintos lugares, aunque la misma autora plantea que, en etapas tardías se habría producido una división sexual del trabajo, particularmente cerca del 8500 y el 7300 cal ANE, SANAHUJA YLL, María Encarna, "Mujeres y violencia en la prehistoria" en María Dolors Molas Font (Editora), *Violencia deliberada. Las raíces de la violencia patriarcal*, Icaria Editorial S. A., Barcelona, 2007, pp. 27 y ss.

[6]   Principalmente referida a los severos castigos recibidos por las mujeres, como entes reproductores y cuya función era mantener el linaje y el "producto" del hombre, ORTEGA BALANZA, Marta, "Delitos relacionados con la función procreadora femenina en las leyes del próximo oriente antiguo" en María Dolors Molas Font (Editora), *Violencia deliberada. Las raíces de la violencia patriarcal*, Icaria Editorial S. A., Barcelona, 2007, pp. 74 y ss.

[7]   En cuanto a la ciudadanía, MOLAS FONT, María Dolors, "Cuerpos usados y espíritus seducidos en la oratoria ática" en María Dolors Molas Font (Editora), Violencia *deliberada. Las raíces de la violencia patriarcal*, Icaria Editorial S. A., Barcelona, 2007, pp. 89 y ss. Sobre la mitología usada como elemento del Patriarcado en Grecia, ZARAGOZA GRASS, Joana, "El engaño femenino y la seducción masculina" en María Dolors Molas Font (Editora), *Violencia deliberada. Las raíces de la violencia patriarcal*, Icaria Editorial S. A., Barcelona, 2007, pp. 107 y ss., y particularmente sobre la violencia sexual, HUNTINGFORD ANTIGAS, Elizabeth, "Violencia contra las mujeres en las imágenes griegas" en María Dolors Molas Font (Editora), *Violencia deliberada. Las raíces de la violencia patriarcal*, Icaria Editorial S. A., Barcelona, 2007, pp. 121 y ss.

[8]   En el caso romano habría que distinguir entre las actividades públicas y las privadas. Respecto de las primeras, las mujeres, en algunos casos, fueron duramente reprimidas por las autoridades, CID LÓPEZ, Rosa María, "Desviaciones religiosas y violencia contra las mujeres en la

tendrían cierto reproche social y particularmente en el caso egipcio, recibían fuertes sanciones[9]. Por esta razón, en la actualidad se han descartado los enfoques biológicos o pre deterministas referidos a una supuesta naturaleza agresiva de los hombres, y los estudios, más bien, se centran en los procesos de socialización.

Respecto de otros grupos oprimidos, no se cuentan con datos recopilados de manera sistemática, aunque sí resulta de público conocimiento la existencia de esclavos en Roma, Grecia e inclusive, hasta entrado el siglo XIX, en distintos lugares del mundo. Particularmente en Roma, el *paterfamilias* tenía facultades sobre la esposa y los hijos e hijas, es decir el derecho de vida y muerte[10], lo que incluía, lógicamente, ejercer violencia.

2.1.2. Clasificaciones de la violencia

La violencia ha sido clasificada desde distintos puntos de vista, así, para partir, es necesario dejar en evidencia que es posible distinguir entre la violencia autoinfligida, la interpersonal y la colectiva[11].

De igual manera, la distinción más tradicional respecto de la violencia se refiere a las consecuencias de la misma, así, la Organización Mundial de la Salud (OMS) ha entendido que la violencia puede ser física, sexual, psicológica, por desatención, entre otras[12]. La mayoría de los estudios se han centrado en la primera, que puede definirse como el ejercicio de presión o fuerza sobre otra persona

---

Roma antigua. El episodio de la Bacchanalia" en María Dolors Molas Font (Editora), *Violencia deliberada. Las raíces de la violencia patriarcal*, Icaria Editorial S. A., Barcelona, 2007, pp. 135 y ss. En el ámbito privado hay antecedentes de violencia, con y sin castigo para el agresor, GUERRA LÓPEZ, Sònia, "Hiéreme el vientre". Poder, violencia y maternidad en la Domus Augusta" en María Dolors Molas Font (Editora), *Violencia deliberada. Las raíces de la violencia patriarcal*, Icaria Editorial S. A., Barcelona, 2007, pp. 151 y ss.

[9]   En Egipto la violencia contra las mujeres era considerada un atentado al equilibrio natural de las cosas, así, existían procesos judiciales a través de los cuales, las mujeres que sufrían violencia por parte de sus cónyuges, podían denunciarlos, incluso solicitando la devolución de la dote, ORRIOLS I LLONCH, Marc, "La traición a la Maat. La violencia contra las mujeres en el antiguo Egipto" en María Dolors Molas Font (Editora), *Violencia deliberada. Las raíces de la violencia patriarcal*, Icaria Editorial S. A., Barcelona, 2007, pp. 57 y ss.

[10] GIL AMBRONA, Antonio, *Historia de la violencia contra las mujeres. Misoginia y conflicto matrimonial en España*, Ediciones Cátedra, Madrid, 2008, pp. 33 y ss.

[11] ORGANIZACIÓN MUNDIAL DE LA SALUD, *Informe mundial sobre la violencia y la salud*, ob. cit., pp. 5 y ss.

[12] Se ha constatado la existencia de otras clases de violencia, como por ejemplo, la económica, que se refiere a situaciones en las cuales el sometimiento se produce a través del control económico que realiza una persona sobre otra, extorsionando o condicionando los medios económicos a ciertas conductas esperadas. En general, esta clase de violencia se considera parte de la violencia psicológica. Algo similar se puede afirmar de la violencia por desatención, sobre la cual tampoco hay acuerdo.

distinta, la cual no es deseada, se realice utilizando objetos o no. La violencia psicológica consiste en actitudes o palabras ofensivas, amenazantes, humillantes o descalificativas, que menoscaban la autoestima de quien las sufre. La violencia sexual hace referencia a actitudes o palabras de connotación sexual, las cuales no son deseadas por la víctima, incluyendo un sinnúmero de acciones que, en gran medida, están tipificadas en los Códigos Penales, y de igual manera hace alusión, a actividades que la víctima considere humillantes o a las cuales se somete por miedo, las cuales no llegan a constituir amenaza en sentido jurídico.

Se ha constatado, también, la existencia de otra clase de violencia denominada violencia simbólica, ella se refiere a conductas y estructuras, que sin ejercer violencia física, subordinan y mantienen un sistema de opresión, en el cual se imponen estándares de manera casi imperceptible, lo que contribuye a rigidizar roles y mantener la subordinación[13]. Este concepto ha sido utilizado, también, para hacer alusión a los casos en que se invisibiliza a ciertos colectivos o patrones relativos a las representaciones artísticas de los grupos subordinados[14].

La violencia, de igual modo, es diversa respecto de la relación existente entre víctima y agresor, así se distingue la violencia intra y extrafamiliar, como su nombre lo indica la violencia intrafamiliar se produce entre parientes[15] y la extrafamiliar entre personas en que no existe tal nexo. También en algunas ocasiones, se hace referencia con estos términos a la violencia que se ejerce dentro del hogar,

---

[13] Quien creó este concepto fue Pierre Bourdieu, se puede consultar el texto completo en BOURDIEU, Pierre, *La dominación masculina. La dominación masculina*, Traducción de Joaquín Jordá, Editorial Anagrama S. A. Quinta Edición, Barcelona, 2007, pp. 53 y ss.

[14] Así, por ejemplo, se ha asociado a la invisibilización de las mujeres migrantes, MONTEROS, Silvina, "La violencia de las fronteras legales: Violencia de género y mujer migrante" en Patricia Laurenzo, María Luisa Maqueda y Ana Rubio (Coordinadoras), *Género, Violencia y Derecho*, Editorial Tirant Lo Blanch, Valencia, 2008, p. 234. En el caso de las representaciones, se ha destacado el papel de la narrativa en cuanto método de mantener un sistema de dominación masculina, GOÑI ZUBIETA, Carlos, *Alma Femenina: La mujer en la mitología*, Editorial Espasa-Calpe, Madrid, 2005.

[15] Dentro de éstas destacan la violencia conyugal, la violencia dentro de la pareja, la violencia hacia los hijos e hijas, etc. Ejemplos de esta clase de violencia están recogidos en la Ley 20.066 de Violencia Intrafamiliar chilena que en su artículo 5° señala: "Será constitutivo de violencia intrafamiliar todo maltrato que afecte la vida o la integridad física o psíquica de quien tenga o haya tenido la calidad de cónyuge del ofensor o una relación de convivencia con él; o sea pariente por consanguinidad o por afinidad en toda la línea recta o en la colateral hasta el tercer grado inclusive, del ofensor o de su cónyuge o de su actual conviviente.
También habrá violencia intrafamiliar cuando la conducta referida en el inciso precedente ocurra entre los padres de un hijo común, o recaiga sobre persona menor de edad, adulto mayor o discapacitada que se encuentre bajo el cuidado o dependencia de cualquiera de los integrantes del grupo familiar.".

en oposición a la que se ejerce fuera de él, aunque parece más acertado referirse a este fenómeno en términos de violencia doméstica. De este modo, la violencia doméstica se asimila a la violencia intrafamiliar en cuanto se ejerce dentro del seno de la familia por cualquiera de sus miembros, las víctimas pueden ser mujeres, hombres, niños y niñas, ancianos y ancianas[16].

Es posible clasificar la violencia como estatal o particular, en el primer caso es el Estado, quien directamente o a través de sus agentes ejecutan actos violentos, en el segundo caso serán los particulares quienes sometan a otras personas[17].

Por otra parte, la violencia, también, puede ser directa o indirecta (estructural)[18]. La violencia es directa cuando su ejecución causa daño directo sobre el sujeto destinatario sin que haya apenas mediaciones, mientras que la estructural o indirecta, se refiere a procesos de violencia en los cuales el hecho violento se produce a través de mediaciones institucionales o estructurales. En otras palabras, la violencia estructural se traduce en acciones o inacciones de las instituciones, el Estado o la sociedad en su conjunto, por ejemplo, a través de leyes y mediante la ordenación de la sociedad de acuerdo a valores típicamente masculinos[19].

2.1.3. Precisiones terminológicas sobre la violencia

En el tratamiento de la violencia existe gran confusión respecto de los términos a utilizar para nombrarla, así, se habla de violencia machista, patriarcal, doméstica, intrafamiliar, cotidiana, de género, contra las mujeres, etc. Por esta razón, resulta imprescindible referirse brevemente a las diferencias entre estos conceptos.

La expresión violencia patriarcal resulta habitual en las consignas igualitarias de los grupos de mujeres que protestan contra la violencia de género, en este sentido violencia contra las mujeres y violencia patriarcal se utilizan habitualmente como sinónimos.

---

[16] VARELA; Nuria, *Feminismo para principiantes*, Ediciones B, S. A., Barcelona, 2008, p. 257.

[17] También se ha clasificado la violencia respecto de quién es el objeto de la misma, así se ha distinguido la violencia contra las mujeres, los niños y niñas, los ancianos y ancianas, los homosexuales, los migrantes, las minorías raciales, entre otros.

[18] Ambos conceptos fueron tomados de JIMÉNEZ, Francisco y MUÑOZ, Francisco, "Violencia directa" en Mario López Martínez (Director), *Enciclopedia de Paz y Conflictos*, Vol. II, Editorial Universidad de Granada, Granada, 2004, pp. 1165 y ss.

[19] SÁNCHEZ ROMERO, Margarita, "Mujeres y estrategias pacíficas de resolución de conflictos: El análisis de las sociedades prehistóricas" en María Dolors Molas Font (Editora), *Violencia deliberada. Las raíces de la violencia patriarcal*, Icaria Editorial S. A., Barcelona, 2007, pp. 43 y 44.

La violencia machista, si bien podría referirse a la violencia causada por el sexismo, al identificarse este último con una de las causas de la violencia, particularmente contra las mujeres, posee dos inconvenientes, en primer lugar sitúa las diferencias entre los sexos, al sexismo, como la causa única de la violencia y en segundo lugar, concordante con lo anterior sólo hace referencia a la violencia contra las mujeres, la cual, como se verá, si bien constituye un caso paradigmático, no es la única que se puede producir.

La violencia doméstica[20], por su parte, ha sido la manera más tradicional de tratar la violencia que sufren las mujeres, hace alusión a la violencia que se produce en el hogar, en las relaciones de familia. Si bien las mujeres son víctimas de violencia principalmente en sus hogares, no es menos cierto que también pueden sufrirla en lugares distintos, piénsese en el acoso sexual laboral, en los casos de violaciones callejeras o de violencia en los colegios. Por otro lado, esta clase de violencia, aunque incluye a todos los miembros de la familia, deja fuera otra clase de relaciones en las cuales también se ejerce violencia contra ciertos grupos.

La violencia cotidiana ha sido utilizada, mayormente, para referirse a la violencia que sufren las mujeres y las niñas por parte de los hombres y que no distingue en qué lugar se realiza, este concepto pone énfasis en el género como único criterio para determinar la existencia de tal clase de vulneraciones[21].

La violencia de género, por su parte, es el concepto más aceptado y difundido. Esta perspectiva toma en cuenta la relación de poder-sumisión que se encuentra presente en las relaciones entre hombres y mujeres. Aunque ha sido tradicionalmente entendida como violencia contra las mujeres, se ha dejado de manifiesto que puede prestarse a malos entendidos en cuanto en algunos casos, se asimila la violencia contra los hombres a la cometida contra las mujeres[22]. Del mismo modo, se ha señalado que excluye otra clase de relaciones, particularmente las sentimentales homosexuales y lésbicas[23].

---

[20]   Los autores han destacado la inconveniencia de esta nomenclatura, en razón de que invisibiliza la violencia que sufren las mujeres y no reconoce otros ámbitos en los cuales se puede producir, OSBORNE, Raquel, *Apuntes sobre violencia de género*, Edicions Bellaterra, S. L., Barcelona, 2009, pp. 28 y 29.

[21]   MARTÍN SERRANO, Esperanza y MARTÍN SERRANO, Manuel, *Las violencias cotidianas cuando las víctimas son las mujeres*, Instituto de la Mujer, Madrid, 2001, p. 9.

[22]   OSBORNE, Raquel, *Apuntes sobre violencia de género*, ob. cit., p. 31.

[23]   Se ha indicado, opinión que se comparte, que el género es una categoría analítica, no moral ni política, y en consecuencia, no conviene nombrar a la violencia contra las mujeres como violencia de género, VALCÁRCEL, Amelia, *Feminismo en el Mundo Global*, Ediciones Cátedra, Madrid, 2008, p. 255.

Por otra parte, la noción de violencia contra las mujeres hace referencia a las vulneraciones sufridas por éstas en un sentido general y otro específico, en un sentido general como violaciones a los derechos por parte de cualquier agresor y en cualquier contexto y en sentido específico a la violencia contra las mujeres cometidas por un hombre, por el sólo hecho de ser mujeres[24].

La característica más evidente de la violencia consiste en el miedo que ella produce no sólo en la víctima, sino también que puede ocasionar en quienes se encuentran en la misma situación de pertenencia a un grupo.

2.1.4. Características de la violencia

La mayoría de estas definiciones pone énfasis en dos aspectos interesantes a efectos del presente estudio, en primer lugar, en el poder, en las desigualdades que existen entre distintos grupos, la cual afecta, principalmente, a las mujeres, pues poseen menor poder en estas relaciones, así la violencia se plantea como la forma "más primitiva de poder"[25]. La segunda, es que explican esta diferencia de poder mediante la teoría del género, es decir, encuentran en el género la condición de esta diferencia de poder. De esta forma, las explicaciones tradicionales se basan en el género como factor de desigualdad de poder y objeto de estudio, consecuencialmente, como la causa de la violencia. Si bien esta afirmación resulta verdadera, es, sin duda, parcial desde dos ópticas, la primera es que no explica lo que ocurre con otros grupos que también sufren violencia, olvidando que así como hay multiplicidad de grupos sociales y dentro de ellos una enorme diversidad, también existen muchas clases de agresiones y éstas en algunos casos son cometidas por los mismos sujetos varones, así, por ejemplo, desde este solo enfoque no se logra explicar la violencia que surge en las parejas del mismo sexo y la violencia racista. Por otra parte, la violencia de género explica fundamentalmente las relaciones violentas desde tal perspectiva, sin embargo, existen hoy en día indicios de que las diferencias de poder entre hombres y mujeres, son solo uno de los factores, aunque de suma importancia, que crean y perpetúan la violencia, es decir, el género no es la única causa de la violencia, no resultando suficiente para explicar todos los fenómenos de esta clase.

---

[24] Así ha sido recogida en los textos internacionales, por ejemplo, en la Declaración sobre la eliminación de la violencia contra la mujer en su artículo 1, aunque en doctrina no hay acuerdo sobre si resulta más conveniente referirse a esta clase de violencia como violencia de género o contra las mujeres.

[25] VARELA, Nuria, *Feminismo para principiantes*, ob. cit., p. 333.

2.2. El Patriarcado como explicación de la violencia: La violencia Patriarcal

Como se ha señalado lineas atrás, habitualmente se ha afirmado que la violencia es una de las manifestaciones más graves del Patriarcado, de esta forma, se asumiría que el Patriarcado es un modelo que explica la violencia, postura que se comparte en el presente trabajo. Sin embargo, para comprender su alcance a cabalidad, resulta imprescindible realizar algunas aclaraciones previas, especialmente en relación a otras explicaciones que se han dado sobre a las causas de la violencia.

2.2.1. Las habituales causas de la violencia

Las causas de la violencia han sido estudiadas desde hace muchos años, en sus inicios los estudios psicológicos entendían que se debía al carácter masoquista de las personas que la sufrían, particularmente las mujeres[26]. Con el paso de los años, surgieron corrientes que explicaban el fenómeno desde la Biología, así se entendía que la violencia era consecuencia de la naturaleza violenta de los hombres. Desde el pensamiento de izquierda, se afirmó que el origen de la violencia se encontraba en la desigual distribución de la riqueza y, por último, explicación que con los años se transformó en prejuicio, se entendió que la causa era el consumo de drogas y alcohol, así como la frustración y la marginalidad[27].

Las teorías sociológicas, por su parte, argumentaban que las causas de la violencia se referían a factores sociales organizacionales y que suponen una respuesta intermitente frente a los conflictos familiares, de esta manera, sólo el hecho de sufrir más las mujeres las consecuencias de dichos actos, hacía distinta la violencia contra la mujer y la del hombre, puesto que ambos son igualmente violentos[28]. De este modo, la vulneración se convirtió en una manera de resolver los conflictos que se producían dentro de la familia, los cuales no dejaban de ser intermitentes y no constantes.

Con el correr de los años, estos modelos explicativos fueron perdiendo vigencia, especialmente, gracias a los estudios feministas, los cuales intentaron restar el componente que culpabilizaba a las mujeres de sufrir violencia y analizar tal fenómeno desde una perspectiva de género. De esta forma, las mujeres ya no se

---

[26]   OSBORNE, Raquel, *Apuntes sobre violencia de género*, ob. cit., p. 112.
[27]   Para un estudio acabado del tema se puede consultar BOSCH, Esperanza; Ferrer, Victoria; Alzamora, Aina, *El Laberinto Patriarcal. Reflexiones teórico-prácticas sobre la violencia contra las mujeres*, Anthropos Editorial, Barcelona, 2006, principalmente pp. 102 y ss.
[28]   Ibídem, pp. 103 y ss.

entendían "provocadoras de la violencia", sino víctimas de un sistema que dominaban los hombres, el cual asignaba casi nulo poder al primer grupo y, particularmente, imponía una rígida separación de roles entre los mismos. Si bien, dentro de las feministas no existía acuerdo sobre todos los puntos del planteamiento, coincidían en cuatro postulados, a saber, la utilidad de los conceptos de género y poder; el análisis de la familia como institución perpetuadora de estos roles tradicionales; la comprensión y valoración de las expectativas de las mujeres y por último, el desarrollo de teorías y modelos que reflejasen de la mejor manera la experiencia de las mujeres[29].

En la actualidad predominan los modelos multicausales como explicativos de la violencia, si bien existen varios de ellos, en general plantean que la violencia se produce por una diversidad de factores, en los cuales confluyen los de tipo individual, social y el contexto concreto de la relación[30]. Así, si bien se puede otorgar mayor o menor importancia a un factor determinado, todos ellos contribuyen a la generación de la violencia. Hay autoras que proponen, sin embargo, una solución ecléctica, tomando como base la tesis feminista respecto de las relaciones jerárquicas de poder y el género como causantes de la violencia, incluyen en el análisis otros factores, tales como los apuntados de las teorías multicausales o ecológicas, así el énfasis se traslada a la existencia del Patriarcado[31].

2.2.2. El Patriarcado como sistema político que ocasiona y perpetúa la violencia ¿violencia de género o violencia patriarcal?

Se ha señalado en múltiples ocasiones que la violencia posee un carácter estructural, es decir, es parte del sistema social denominado Patriarcado. No se trata de situaciones particulares e inconexas entre sí, es un patrón de comportamiento, el cual, como se basa en las diferencias de poder existentes entre los diversos involucrados, tiene por finalidad mantener y perpetuar tal diferencia y, en consecuencia, la dominación[32]. De esta manera, la violencia tiende a perpetuar

---

[29]   Ibídem, p. 105.

[30]   Entre estos factores se encuentran, por ejemplo, las creencias y valores culturales, el papel de las instituciones, elementos de la familia, las dimensiones conductuales del individuo, etc. Es necesario destacar que esto modelos resultan del estudio de la violencia dentro de la pareja, ibídem, p. 106.

[31]   Ibídem, p. 107. En el mismo sentido OSBORNE, Raquel, *Apuntes sobre violencia de género*, ob. cit., pp. 104 y 105 y ASÚA, Adela, "El significado de la violencia sexual contra las mujeres y la reformulación de la tutela penal en este ámbito. Inercias jurisprudenciales" en Patricia Laurenzo, María Luisa Maqueda y Ana Rubio (Coordinadoras), *Género, Violencia y Derecho*, Editorial Tirant Lo Blanch, Valencia, 2008, p. 133.

[32]   OSBORNE, Raquel, *Apuntes sobre violencia de género*, ob. cit., p. 48.

su estructura mediante la reproducción y confirmación de esta desigualdad de poder del siguiente modo: confirma la estructura porque ésta se basa en relaciones de poder jerarquizadas y dispares, y las reproduce debido a que las agresiones actúan como instrumento disuasorio respecto de las potenciales demandas de relaciones igualitarias[33]. De esta forma, la violencia tenderá a aumentar, o al menos a continuar, si no existen respuestas efectivas por parte de los Estados, la comunidad internacional y la sociedad toda.

2.2.3. Aproximaciones al concepto de Patriarcado y su relación con la violencia

La palabra Patriarcado proviene de la palabra *pater,* y desde una perspectiva histórica puede entenderse como el gobierno del *paterfamilias* romano. Este significado continúa en parte vigente. Así, por ejemplo, la Real Academia de la Lengua Española (RAE) en uno de sus significados, hace alusión expresa a este concepto[34]. Sin embargo, resulta imprescindible destacar que no existe un concepto completamente compartido sobre el Patriarcado, aunque las definiciones suelen coincidir en que se trataría de una estructura social (sistema político) dominada por un ser humano masculino. Estos rasgos, es decir, sistema político[35] y dominación de un ser masculino serían, de la esencia del concepto[36].

Resulta interesante destacar que no existe acuerdo sobre el origen el Patriarcado, de hecho, autores han destacado que no habría una única explicación de

---

[33]   IZQUIERDO, María Jesús, "Estructura y acción en la violencia de género" en María Dolors Molas Font (Editora), *Violencia deliberada. Las raíces de la violencia patriarcal*, Icaria Editorial S. A., Barcelona, 2007, p. 225.

[34]   Así, el diccionario de la Real Academia Española de la Lengua (RAE) señala como uno de sus significados "Organización social primitiva en que la autoridad es ejercida por un varón jefe de cada familia, extendiéndose este poder a los parientes aun lejanos de un mismo linaje.", http://dle.rae.es/srv/search?m=30&w=patriarcado. Última consulta 01 de junio de 2017.

[35]   Valga mencionar a este respecto dos puntos, el primero es que se ha planteado que el Patriarcado, al ser un concepto de naturaleza estructural (sistema), no requiere, necesariamente, y de manera correlativa, a un grupo opresor, sino que sus ideas permearían todo el sistema social y jurídico, YOUNG, Iris Marion, *La Justicia y la política de la diferencia*. Traducción de Silvina Álvarez, Ediciones Cátedra, Madrid, 2000, pp..73 y 75. El segundo aspecto consiste en que, según se ha planteado, el rasgo más característico del sistema patriarca es su invisibilidad, es decir, que tendería a solaparse con el orden natural y normal de las cosas, DE MIGUEL ÁLVAREZ, Anna, "La perspectiva feminista: Una aproximación a los conceptos fundamentales" en Enrique Álvarez Conde, Ángela Figueruelo Burrieza y Laura Nuño Gómez (Directores), *Estudios interdisciplinares sobre igualdad*. Segunda Edición, Editorial Iustel, Madrid, 2011, p. 314.

[36]   ESPARZA-REYES, Estefanía, *La igualdad como no subordinación. Una propuesta de interpretación constitucional*, Tirant lo Blanch, México D.F., 2017.

su origen, habiéndose abordado desde teorías provenientes de la Antropología, Historia y las Ciencias Sociales[37].

Con todo, más allá de estas realidades históricas, lo cierto es que habría sido el Feminismo[38], particularmente Kate Millet, quien dotó el término de un contenido que hace alusión a la asimetría de las relaciones de poder establecidas entre hombres y mujeres[39].

Independientemente de su origen o la forma en que el Patriarcado ha surgido, es imprescindible destacar que tal sistema político tiende a reproducirse en el tiempo y el espacio, variando, muchas veces, sus formas e intensidades. Esta reproducción del sistema, según se ha sostenido, puede llevarse a cabo mediante la "fratría", entendida como relaciones de solidaridad entre los hombres[40] o incorporando además otros factores, tales como los coercitivos y los consentidos[41]. El principal factor coercitivo es, precisamente, la violencia, sin embargo, no resulta suficiente sin la existencia de los factores consentidos, es decir, se requiere de la "internalización"[42] o aceptación y apoyo de la norma implícita de superioridad masculina. De esta forma puede visualizarse, no solamente la estrecha relación entre el Patriarcado y la violencia, sino también la existencia de ciertos factores psicológicos para la mantención de tal sistema político. No obstante, esta no es la única conexión existente entre la violencia y el Patriarcado[43], pues como ha sido dejado de manifiesto, la violencia es uno de los mecanismos de control de este último, no obedeciendo, en realidad, a otros factores que no sean el de mantener el control y la dominación. Esta postura ha sido defendida también por Iris Marion

---

[37]   JONASDOTTIR, Anna, *El poder del amor ¿Le importa el sexo a la Democracia?* Traducción de Carmen Martínez Gimeno, Ediciones Cátedra, Madrid, 1993, pp. 35 y 36.

[38]   La preocupación por la relación entre género y violencia se habría producido en la "segunda ola" del Feminismo, TOLEDO VÁSQUEZ, Patsilí, *Femicidio/Feminicidio*, Ediciones Didot, Buenos Aires, 2014, p. 39.

[39]   MILLET, Kate, *Política Sexual.* Traducción de Ana María Bravo, Ediciones Cátedra, Madrid, 1995. La versión original es del año 1969.

[40]   OSBORNE, Raquel: *Apuntes sobre violencia de género*, ob. cit., p. 141.

[41]   PULEO, Alicia, "Del rapto de Europa a la prosperidad de Julieta: consentimiento, violencia y derechos humanos de las mujeres" en Patricia Laurenzo, María Luisa Maqueda y Ana Rubio (Coordinadoras), *Género, Violencia y Derecho*, Editorial Tirant Lo Blanch, Valencia, 2008, p. 196. Es posible encontrar un análisis sobre los factores "consentidos" desde el concepto de autoridad, pues esta última también requiere de la existencia de dos polos: quien la ejerce y quien la acepta, ARAUJO, Kathia, *El miedo a los subordinados. Una teoría de la autoridad*, Ediciones LOM, Santiago de Chile, 2016, p. 15.

[42]   OSBORNE, Raquel, "El poder del amor" en Patricia Laurenzo, María Luisa Maqueda y Ana Rubio (Coordinadoras), *Género, Violencia y Derecho*, Editorial Tirant Lo Blanch, Valencia, 2008, p. 180.

[43]   HENDEL, Liliana, *Violencias de Género. Las mentiras del patriarcado*, Editorial Paidós, Buenos Aires, 2017, p. 291.

Young para quien, precisamente la violencia, es una de las caras de la opresión o en otras palabras, una de las características que poseen (o sufren) los grupos sociales oprimidos[44].

2.2.4. El Patriarcado y los grupos sociales

Hasta este momento, pareciera ser que el Patriarcado solo explica la desigualdad de poder/opresión que sufren las mujeres, sin embargo, es posible arribar a otras conclusiones.

Para comenzar, es necesario destacar que muchas personas sufren y han sufrido históricamente sometimiento e inclusive violencia. No se trata en este punto de acciones ocasionales, sino de conductas repetidas durante muchos años y que afectan a personas que pertenecen a ciertos colectivos. Nos referimos, en este caso, a las mujeres, afro descendientes, personas en situación de discapacidad, indígenas, niños y niñas, entre otros.

La opresión que sufren distintos colectivos o grupos sociales ha sido abordada por teorías de sistemas totales y teorías duales. Las primeras indican que tal opresión sin importar el grupo del que se trate tiene su origen en una misma razón, mientras que las teorías duales indican que el sometimiento de los diversos grupos obedece a causas diferentes. Con todo, es posible encontrar sistemas intermedios, tesis que se comparte en este trabajo, los cuales plantean que si bien la causa o razón de la opresión es la misma, cada grupo posee particularidades en la opresión sufrida[45]. En otras palabras, si bien todas estas opresiones tienen el mismo origen, la existencia del Patriarcado, las manifestaciones de las mismas varían en razón de los distintos grupos.

Una de las posibles explicaciones del sometimiento de los diversos grupos sociales y de la violencia, es el Patriarcado, particularmente en su relación con el Derecho, pues no solamente la violencia colaboraría con tal sistema, sino especialmente, las normas jurídicas[46].

En este último sentido, se ha sostenido habitualmente que el ordenamiento jurídico ha sido creado por y para el hombre, blanco y propietario[47]. El modelo de lo humano en los inicios del Derecho, correspondería a una persona que posee tales características, siendo las normas jurídicas creadas por y para tal grupo.

[44]   YOUNG, Iris Marion, *La Justicia y la política de la diferencia.*, ob. Cit., pp..86 y ss.
[45]   JONASDOTTIR, Anna, *El poder del amor ¿Le importa el sexo a la Democracia?*, ob. Cit., pp. 83 y ss.
[46]   HENDEL, Liliana, *Violencias de Género. Las mentiras del patriarcado*, Editorial Paidós, Buenos Aires, 2017, p. 291.
[47]   FERNÁNDEZ RUIZ-GÁLVEZ, Encarnación, *Igualdad y Derechos Humanos*, Editorial Tecnos, Madrid, 2003, p. 34.

Con el paso de los años, se ha entendido que se habrían incorporado nuevas pertenencias a este modelo de humanidad, tales como ser adulto, cristiano, heterosexual, nacional y no poseer alguna discapacidad, categorías que en ningún caso serían estáticas[48].

De esta forma, se crean no solo oposiciones análogas hombre-mujer en el sentido planteado por Bourdieu[49], sino una especie de masculinidad hegemónica o dominante[50], donde todos quienes no posean las características anteriormente descritas son calificados como el exo grupo o "los otros"[51].

Es por esta circunstancia, que los autores han efectuado fuertes críticas al Derecho, especialmente a su carácter de objetivo[52] y universal. Así, se señala que tal sistema no es objetivo ni universal debido a que expresaría los estándares, creencias e intereses de un grupo determinado, el dominante[53], el cual pretendiendo mantener sus privilegios, desvaloriza y somete al exo grupo[54].

En este sentido, retomando la postura planteada por Jonasdottir, parece más adecuado explicar el sometimiento/violencia de varios grupos sociales, y no solo de las mujeres, desde la perspectiva del Patriarcado, a pesar de que se trata del caso más paradigmático en razón de su larga data, extensión y consecuencias, entre muchas otras características[55]. Tal explicación pone énfasis en la causa de la opresión, no obstante, que sus manifestaciones sean diversas entre los grupos, dejando en evidencia la conveniencia de abordar el término del sometimiento de los distintos grupos mediante la eliminación del Patriarcado, aunque en dicho empeño deban tomarse medidas particulares para cada grupo. En consecuencia, resulta más adecuado y descriptivo referirse al fenómeno de la violencia que sufren los miembros de algunos grupos sociales bajo la nomenclatura de violencia patriarcal.

---

[48]   ESPARZA-REYES, Estefanía, *La igualdad como no subordinación. Una propuesta de interpretación constitucional*, ob. Cit., p. 98.

[49]   BOURDIEU, Pierre, *La dominación masculina*, ob. cit., p. 112.

[50]   ARESTI, Nerea, *Masculinidades en tela de juicio. Hombres y género en el primer tercio del siglo XX*, Ediciones Cátedra, Madrid, 2010, p. 17.

[51]   OSBORNE, Raquel, *Apuntes sobre violencia de género*, ob. cit., p. 80.

[52]   MACKINNON, Catharine, *Hacia una teoría feminista del Estado*. Traducción de Eugenia Martín, Ediciones Cátedra, Madrid, 1995, pp. 212 y ss.

[53]   GARGARELLA, Roberto, "Introducción" en Roberto Gargarella (Compilador), *Derecho y Grupos Desaventajados*. Traducción de Roberto Gargarella, Editorial Gedisa, Barcelona, 1999, p. 105.

[54]   ESPARZA-REYES, Estefanía, *La igualdad como no subordinación. Una propuesta de interpretación constitucional*, ob. Cit., p. 101.

[55]   HERNÁNDEZ GÓMEZ, Isabel, "Principio de igualdad y violencia de género" en Víctor Cuesta López y Dulce M. Santana Vega (Editores), *Estado de Derecho y Discriminación por razón de género e identidad sexual*, Editorial Aranzadi, Pamplona, 2014, p. 162.

3. LA NO SUBORDINACIÓN[56]

3.1. La no subordinación: Una concepción alternativa a la no discriminación

Para comenzar, es necesario destacar que, la no subordinación es una propuesta sobre la forma de interpretar la igualdad, sea como valor o derecho fundamental. Así, la igualdad, como resulta sabido, posee un sinnúmero de posibles contenidos, entre los que destacan la igualdad formal, igualdad de trato, igualdad material, no discriminación, entre otros.

Frente a esta indefinición, y particularmente en consideración a que tales concepciones (en especial la no discriminación) no solucionaban los problemas que se intentaban abordar desde la cláusula de igual protección en Estados Unidos de Norteamérica, algunos autores comenzaron a entregar propuestas de solución considerando que tal cláusula, asimilada por la doctrina al derecho a la igualdad, es un principio que intenta resguardar a los grupos desaventajados de sufrir subordinación. Este contenido ha recibido los nombres de no subordinación, no exclusión, no jerarquización, no sometimiento, no discriminación social, protección de los grupos desaventajados e igualdad estructural, y hasta el momento, ha tenido escaso conocimiento entre la doctrina y ningún apoyo expreso por parte de la jurisprudencia.

La no subordinación, si bien se ha planteado que tiene su fundamento último en la justicia social[57], no es menos cierto que se trata de una concepción íntimamente ligada con la dignidad humana, ello no solo desde una perspectiva general, es decir mediante los derechos fundamentales, sino en este caso en particular, debido a que la no subordinación parte del reconocimiento de las identidades individuales, y ello resulta imprescindible para reconocerle la calidad de digno al ser humano[58].

De igual modo, se ha señalado que la finalidad de la no exclusión es el logro de la paz social mediante la formación de una sociedad cohesionada, y en último término, de manera más patente, esta concepción también se relaciona de forma estricta con su tradicional antagonista, esta es la libertad, puesto que la consideración de sujetos contextualizados, permitiría el pleno desarrollo de los individuos[59].

---

[56]   En este punto se seguirá, en gran medida, un libro de reciente publicación de la autora, ESPARZA-REYES, Estefanía, *La igualdad como no subordinación. Una propuesta de interpretación constitucional*, ob. cit., pp. 45 y ss.

[57]   YOUNG, Iris Marion, *La Justicia y la política de la diferencia.*, ob. cit., p. 12.

[58]   ESPARZA-REYES, Estefanía, *La igualdad como no subordinación. Una propuesta de interpretación constitucional*, ob. cit., pp. 111 y ss.

[59]   DAYS III, Drew, "Acción afirmativa" en Roberto Gargarella (Compilador), *Derecho y Grupos desaventajados*. Traducción de Roberto Gargarella, Editorial Gedisa, Barcelona, 1999, p. 61.

El punto de partida de la no subordinación proviene de Catharine Mackinnon, quien afirmó que las sociedades de encuentran divididas en grupos o castas[60], sin embargo, será Owen Fiss quien perfile este planteamiento[61].

Resulta extraño afirmar actualmente que nuestras sociedades se encuentran divididas en grupos sociales, sin embargo, desde hace varios años que se ha venido planteando esta aseveración[62], ello pese a que parece, habría sido la Revolución Francesa la que terminó con los estamentos en Occidente[63].

Desde la observación, es posible darse cuenta que los distintos estamentos o grupos sociales no ocupan la misma posición en la sociedad, puesto que en la misma encontramos grupos que son privilegiados, mientras que otros parecen no compartir los beneficios de las Democracias actuales, estos últimos son los denominados "grupos desaventajados". Las estructuras sociales jerarquizadas ordenan a las personas de acuerdo a su adscripción a un grupo social determinado, condicionando la libertad de los individuos, especialmente de quienes son parte de grupos subordinados[64].

La posición que ocupa un grupo social en particular, que en último término corresponde a la valoración social del mismo, es posible determinarla de acuerdo a su cercanía con un modelo abstracto de ser humano en, los mismos términos descritos anteriormente en relación al Patriarcado. De este modo, los grupos sociales con mayor valoración corresponden a los que más se acercan al ideal de hombre blanco heterosexual, entre otras características, mientras que los infravalorados son determinados en base a su mayor lejanía con este modelo ideal.

Probablemente, el Derecho no se ocuparía de este suceso, de no ser porque esta distinta valoración social genera otro fenómeno, se trata de la existencia de una jerarquía entre los distintos grupos, donde cada uno se sitúa en una ubicación diferente y que, en último término, genera una desigual distribución de poder, donde los grupos que componen o más se acercan a tal modelo detentan y

---

[60]   MACKINNON, Catharine, *Hacia una teoría feminista del Estado*, ob. cit., pp. 262.

[61]   La versión original se publicó bajo el nombre "Groups and the Equal Protection Clause", Philosophy & Public Affair, 5, (1976), pp. 107-177, en las siguientes líneas se seguirá a FISS, Owen, "Grupos y la Cláusula de Igual Protección" en Roberto Gargarella (Compilador), *Derecho y Grupos desaventajados*. Traducción de Roberto Gargarella, Editorial Gedisa, Barcelona, 1999, pp. 137-167.

[62]   GINER, Salvador, "Clase, poder y privilegio" en Amelia Valcárcel (Compiladora), *El concepto de igualdad*, Editorial pablo Iglesias, Madrid, 1994, pp. 128 y ss.

[63]   Hay autores que han afirmado la actual existencia de una reconstrucción del sistema de castas, particularmente raciales y étnicas, SMITH, Rogers, "Vuelta sobre las castas" en Owen Fiss, *Una Comunidad de iguales*. Traducción de Verónica Lifrieri, Miño y Dávila Editores, Madrid, 2002, pp. 55 y 60.

[64]   FISS, Owen, "¿Qué es el Feminismo? Traducción de Roberto de Michele en *DOXA: Cuadernos de Filosofía del Derecho* Nº 14, Valencia, 1994, p. 328.

mantienen la autoridad, mientras quienes se encuentran más alejados del mismo, carecen de poder. En otras palabras, los grupos desaventajados poseen múltiples características, sin embargo, el factor común parece ser la severa limitación a su poder político más no, como pueda creerse en principio, la existencia de circunstancias inmodificables[65], como por ejemplo, el sexo.

Esta jerarquización, no solo produce falta de poder político para ciertos grupos, sino que del análisis de las estructuras y prácticas sociales, puede afirmarse que la misma explota, margina y produce pobreza o violencia[66].

La no subordinación considera a los seres humanos como "contextualizados", es decir, personas que no son seres ideales, sino que poseen características que les distinguen de otras y una de esas características es, precisamente, su pertenencia a un grupo social, la cual se plasmaría en su individualidad. De esta manera, la no exclusión abandona la interpretación liberal de la persona abstracta propia del Estado medieval[67], para referirse a un hombre o mujer que pertenece a un grupo y que compartiría el estatus o la valoración social del mismo. Es decir, la no exclusión, al contextualizar al sujeto en sus relaciones sociales, no partiría del tradicional supuesto individualista, sino que pondría su atención en la forma en que el ser humano de relaciona con otros y la manera que esta pertenencia se plasma en la identidad de los seres humanos y les condiciona.

La situación en que se encuentran los individuos pertenecientes a grupos desaventajados, torna inevitable referirse a los grupos y al sometimiento en que muchos de ellos se encuentran[68], pues, en este caso, la ignorancia de tal circunstancia no sería neutral[69], pero además, obliga a adoptar una actitud activa en la eliminación de las jerarquías existentes entre los distintos grupos sociales. En otras palabras, la situación de desventaja en la que se encuentran ciertos grupos sociales, hace que un tratamiento neutro, es decir, sin considerar la diferencia fáctica, por ejemplo, la falta de poder o sufrir violencia, produzca, profundice o al menos mantenga la subordinación en la que se encuentran tales grupos. Dicha actitud resultaría contraria a la no exclusión, pues ésta pretende la eliminación de los tratos o prácticas sociales contrarios a la dignidad humana, a los cuales se

---

[65]   FISS, Owen, "Grupos y la Cláusula de Igual Protección", ob. cit., p. 144.

[66]   BÀRRERE UNZUETA, María de los Ángeles, "Igualdad y "discriminación positiva": Un esbozo de análisis teórico conceptual" en *Cuadernos electrónicos de Filosofía del Derecho*, Nº 9, 2003, pp. 14 y 15.

[67]   MACKINNON, Catharine, Hacia una teoría feminista del Estado. ob. cit., p. 292.

[68]   SABA, Robert: *Más allá de la igualdad formal ante la ley ¿Qué les debe el Estado a los grupos desaventajados?*, Siglo XXI Editores, Buenos Aires, 2016, pp. 27 y ss.

[69]   CORTESI VENTURINI, Cecilia, "Des-igualdad sexual: Derecho, Género y Política en Italia" en Ruth Mestre i Mestre (Coordinadora), *Mujeres, derechos y ciudadanías*, Editorial Tirant Lo Blanch, Valencia, 2008, p. 188.

ven expuestos los miembros de ciertos grupos sociales desaventajados, por el sólo hecho de ser parte de ellos[70].

Con todo, es necesario destacar que las obligaciones que crea la no exclusión son diversas, puesto que, mientras los particulares no deben realizar actos (u omisiones) que ocasionen subordinación, es decir, tratos odiosos que se basan en la sola pertenencia a un grupo subordinado, el Estado a esta obligación debe incorporar su deber de eliminar las estructuras opresivas[71], deber que se concretiza a través de la adopción de medidas de acción afirmativa.

De lo anterior pueden percibirse algunas de las diferencias entre la igualdad entendida como no discriminación e igualdad entendida como no subordinación[72]. Solo a modo ejemplificativo pueden señalarse dos circunstancias, la primera hace alusión a que, mientras la no discriminación, en sus corrientes mayoritarias, intenta lograr la neutralidad, situando al ser humano en un plano ideal, la no subordinación entiende que la pertenencia y la valoración de su grupo social se plasman en la identidad, circunstancia que unida a las enormes diferencias fácticas entre los grupos, genera la obligación de proteger a las personas. En segundo término y muy unido a lo anterior, para la no discriminación en sus posturas mayoritarias, las acciones afirmativas son excepciones permitidas al derecho a la igualdad, mientras que para la no subordinación, ellas forman parte del derecho mismo. Esta última circunstancia, que puede parecer carente de importancia, en realidad, genera importantes efectos, entre ellos que se altera enormemente el denominado juicio de igualdad al momento de examinar una acción positiva que beneficie a un grupo subordinado, por cuanto ya no se discutiría el escrutinio a aplicar, sino que se utilizaría inmediatamente el juicio de mínimos.

3.2. *Los elementos de la no subordinación*

Owen Fiss[73] ha planteado que el derecho a la igualdad entendido como no subordinación posee tres características, o, en otras palabras, para ser sujeto titular del derecho a no ser subordinado se requieren tres elementos: la pertenencia a un grupo social; que tal grupo social se encuentre en una situación de subordinación prolongada en el tiempo y, por último, que su poder esté severamente limitado.

---

[70]   SABA, Roberto, *Más allá de la igualdad formal ante la ley ¿Qué les debe el Estado a los grupos desaventajados?*, ob. cit., pp. 27 y ss.

[71]   ESPARZA-REYES, Estefanía, *La igualdad como no subordinación. Una propuesta de interpretación constitucional*, ob. cit., p. 150.

[72]   SABA, Roberto, *Más allá de la igualdad formal ante la ley ¿Qué les debe el Estado a los grupos desaventajados?*, ob., cit., pp. 34 y ss.

[73]   FISS, Owen, "Grupos y la Cláusula de Igual Protección". ob. cit., p. 144.

La limitación al poder político puede ser considerada como una manifestación de la subordinación (segundo elemento) y, en consecuencia, o muchas veces, parte del mismo, por ello, en las siguientes líneas se abordarán las características de existencia de un grupo social y subordinación.

3.2.1. Los grupos sociales

Como se ha señalado anteriormente, la no subordinación parte de la premisa que la sociedad se encuentra dividida en grupos sociales, los cuales presentan gran complejidad en cuanto a su teorización y determinación[74].

Así, resulta complicado definir los grupos sociales desde el Derecho, pues se trata de una noción proveniente, y habitualmente abordada, desde la Psicología Social. Pese a ello, destaca la definición de Iris Marion Young quien afirma que "un grupo social es un colectivo de personas que se diferencia al menos de otro grupo a través de formas culturales, prácticas o modos de vida. Los miembros de un grupo tienen afinidades específicas debido a sus experiencias o forma de vida similares, lo cual los lleva a asociarse entre sí más que con aquellas otras personas que no se identifican con el grupo o lo hacen de otro modo. Los grupos son expresiones de las relaciones sociales: un grupo existe solo en relación con al menos otro grupo."[75].

Empero, y especialmente para efectos del estudio de la no subordinación, un grupo social puede ser definido como "un conjunto de personas, cuyo tamaño puede variar considerablemente, las cuales se encuentran ligadas desde la perspectiva de la identidad, en un sentido interno, en cuanto sus propios miembros se identifican con él y en un sentido externo, en razón de que son percibidos por otros como pertenecientes a dicho grupo."[76].

Estos grupos sociales son distintos entre sí desde dos perspectivas, la primera hace alusión a las características propias que, precisamente, aglutinan a las personas en diferentes grupos, se trata de diferencias valiosas, muchas veces inmutables, tales como ser hombre o mujer, heterosexual u homosexual, nacional, extranjero, indígena, entre otras. La segunda dice relación con la distinta valoración social que poseen estos grupos, lo que ocasiona que cada uno de ellos detente un estatus diferenciado. Estas últimas diferencias, debido a su carácter de desconocimiento de la idéntica dignidad humana y los efectos de subordinación/

---

[74]   BÀRRERE UNZUETA, María Ángeles, *Discriminación, Derecho antidiscriminatorio y Acción positiva a favor de las Mujeres*, Editorial Civitas S. A., Madrid, 1997, p. 26.

[75]   YOUNG, Iris Marion, *La Justicia y la política de la diferencia.*, ob. cit., p. 77.

[76]   ESPARZA-REYES, Estefanía: *La igualdad como no subordinación. Una propuesta de interpretación constitucional*, ob. cit., p. 65.

opresión que generan, deben ser eliminadas. De esta forma, resulta deseable conservar ciertas diferencias y terminar con otras[77].

Esta pertenencia, y sus dos perspectivas, son especialmente relevantes por dos motivos, a saber, el primero de ellos es que colaboran en el establecimiento de normas sociales o roles[78], mientras que, el segundo se debe a que la pertenencia se plasma en la identidad de los sujetos. En otras palabras, la pertenencia a un grupo es parte de lo que define a una persona, tanto en un sentido social, es decir, a cómo son percibidos por el resto, cuanto en un sentido íntimo, porque ayuda a configurar el auto concepto de un ser humano, su identidad, ello pese a que los grupos sociales existen con independencia de sus miembros.

Un grupo social es visto como tal, se identifica a sus miembros con él y debido a esta razón, los miembros del grupo participan de su estatus. En otras palabras, si el grupo se encuentra bien posicionado, los miembros de éste, en general, lo estarán, en cambio, sí son parte de un grupo desaventajado, tal subordinación la cargarán individualmente cada uno de sus integrantes, pues el estatus del grupo es comunicable a sus miembros[79].

Esta relación grupo-individuo es bidireccional, pues no solo el estatus del grupo condiciona la identidad del individuo, sino también, el estatus de sus miembros puede modificar el estatus de dicho grupo. Piénsese a estos efectos en el cambio, inclusive en la auto percepción, que genera que miembros de colectivos tradicionalmente subordinados ocupen cargos de poder, circunstancia que, sin lugar a dudas, acarrea consecuencias para otros miembros del mismo grupo desaventajado.

Mediante un proceso de diferenciación entre los diversos grupos sociales, los individuos son identificados como parte del endo o el exo grupo, es decir, quienes pertenecen a mi grupo y quienes pertenecen a otro. Esta distinción suele realizarse comparando algunas de las características externas de los distintos colectivos. De esta forma, el ser humano se compara con otros sujetos, utilizando su capacidad para incorporar rápidamente algunas características y volverlas relevantes para la identificación de los sujetos, no se trata de juicios acabados, sino de la captación de unos "pocos atributos comunes bastante rudimentarios"[80], lo que puede ser considerado un estereotipo.

---

[77]   Sobre este tema ESPARZA-REYES, Estefanía, "Apuntes sobre la compleja relación entre el derecho a la igualdad y la diferencia, *Revista Jurídicas*, núm. 14 (1), 2017, pp. 71 y ss.

[78]   ESPARZA-REYES, Estefanía, *La igualdad como no subordinación. Una propuesta de interpretación constitucional*, ob. cit., p. 66.

[79]   MACKINNON, Catharine, *Hacia una teoría feminista del Estado*, ob. cit., pp. 436 y 437.

[80]   HOGG, Michael A. & VAUGHAN, Graham M., *Psicología Social*. Traducción de Editorial Médica Panamericana. Editorial Médica Panamericana, Quinta Edición, Madrid, 2010, p. 54.

Ni la diferenciación, ni estos estereotipos constituyen un prejuicio, pues para la formación de este último no solo se requiere la existencia de un estereotipo o elemento cognitivo, sino que además, es necesario que a él se unan el elemento afectivo o sentimientos fuertes asociados al objeto y el elemento conativo o intención de comportarse de una manera determinada frente al objeto[81]. El prejuicio, en último término, determina la forma en que los seres humanos se comportan con las personas pertenecientes a otros grupos sociales, pero también estipula la manera en que deben comportarse, sentir y ser los individuos parte de los colectivos, especialmente los desaventajados (roles sociales).

De este modo, puede verse que el componente de grupo resulta esencial, no solamente desde la perspectiva de la identidad y los roles sociales, sino también, debido a que algunas relaciones estructurales de poder, como es el caso de la violencia patriarcal, "no son afrontables con los únicos esquemas de los derechos individuales"[82].

3.2.2. La subordinación

La característica que transforma un grupo en desaventajado es, principalmente, la posición que ocupa en la sociedad, que se refleja en una larga data de opresión, falta de poder, de representación, afectación del disfrute de derechos y, aún, un prestigio social disminuido en comparación con otros grupos sociales. Así, la desventaja de los grupos sociales subordinados se refleja en una "historia de subyugación y la minusvaloración social a la que se ven sometidos, no pertenecen al grupo dominante que participa, debate y crea las normas jurídicas"[83].

Iris Marion Young hace sinónimos los términos subordinación y opresión, y entiende que la opresión "designa las desventajas e injusticias que sufre alguna gente no porque algún poder tiránico la coaccione, sino por las prácticas cotidianas de una bien intencionada sociedad liberal"[84]. De este modo, señala que la opresión sistemática de ciertos grupos, no se debe, necesariamente, a la acción de terceros con dicha intención y en segundo término, al referirse a prácticas, deja de lado la concepción de vulneraciones de índole individual, las que si bien son sumamente relevantes, para una visión estructural, ellas deben entenderse dentro de un contexto.

---

[81] Ibídem, pp. 141 y 142.
[82] BÀRRERE UNZUETA, María Ángeles, "Género, discriminación y violencia contra las mujeres" en Patricia Laurenzo, María Luisa Maqueda y Ana Rubio (Coordinadoras), *Género, Violencia y Derecho*, Editorial Tirant Lo Blanch, Valencia, 2008, p. 34.
[83] GIMENEZ GLÜCK, David, *Juicio de Igualdad y Tribunal Constitucional*, Editorial Bosch, Barcelona, 2004, p. 171.
[84] YOUNG, Iris Marion: *La Justicia y la política de la diferencia*, ob. cit., p. 74.

La misma autora, de manera muy completa, analiza lo que denomina las "cinco caras de la opresión"[85]. Estas facetas pueden ser vistas desde dos perspectivas distintas, en primer lugar, como características que pueden ayudar a determinar la existencia de un grupo desaventajado respecto del cual, gran parte de la desventaja se basa en ellas y en segundo término, como consecuencias de la opresión o subordinación. Así, se menciona la explotación, la marginación, la carencia de poder, el imperialismo cultural y la violencia. Sobre este último punto, Young entiende que la violencia contra muchos de los grupos oprimidos tiene carácter de sistemático, y por esta razón no debe considerarse en términos individuales[86].

De esta forma, una de las manifestaciones de la existencia de un grupo subordinado es que contra él se ejerza violencia, la cual, al provenir de un sistema que jerarquiza a los distintos grupos sociales de acuerdo a su cercanía con un modelo, puede ser calificada de violencia patriarcal.

4. LA RELACIÓN ENTRE LA VIOLENCIA PATRIARCAL Y LA NO SUBORDINACIÓN

Una vez analizados el concepto de violencia patriarcal y el de no subordinación, convendría detenerse en las posibles relaciones entre ambos, pudiendo encontrarse, al efecto, varios puntos en común.

Para comenzar, es necesario destacar que ambos conceptos parten de una misma premisa: "la sociedad está dividida en grupos, los cuales al entregársele a cada cual una valoración social distinta, produce una jerarquización entre ellos". Así, Mackinnon ha señalado que esta jerarquía, que identifica con el poder, produce importantes diferencias, las cuales son también desigualdades[87]. De este modo, no se trata de dividir a la sociedad entre víctimas y agresores, sino que, gran parte de esta distinción puede realizarse en base a la pertenencia a distintos grupos sociales, donde existen grupos de mayor y menor jerarquía, aunque como se ha señalado anteriormente, frente a la opresión de un grupo social, no necesariamente se halla un grupo opresor correlativo.

Por otra parte, se ha señalado con anterioridad que, la violencia es una de las caras de la opresión (subordinación), así la violencia, la explotación, la marginación, la falta de poder y el imperialismo cultural, serían características o síntomas de la existencia de opresión[88].

---

[85]   Ibídem, pp. 86 y ss.
[86]   Ibídem, p. 107.
[87]   MACKINNON, Catharine, *Hacia una teoría feminista del Estado*, ob. cit., p. 409.
[88]   YOUNG, Iris Marion, *La Justicia y la Política de la diferencia*, ob. cit., pp. 86 y ss.

La violencia, como se indicó, también se nutre de estas subordinaciones, impidiendo no sólo otros derechos, sino reforzando aquellas a través del miedo de las víctimas y, en muchas ocasiones, mediante la inacción estatal.

Así, para la igualdad como no subordinación, que el Estado no emplee todos los medios suficientes para poner fin a la violencia, como manifestación más cruenta de la subordinación, constituye una vulneración, puesto que, no solo se trata de un factor que impide el disfrute de los derechos, sino especialmente, debido a que la violencia es uno de los mecanismos que perpetúa la situación de subordinación de diversos grupos sociales tradicionalmente excluidos, es decir, la violencia es una manifestación y forma de mantenimiento del Patriarcado.

El primer aspecto que se debe juzgar consiste en la identificación de los grupos sociales y que estos deben ser grupos en una situación de subordinación "histórica". Estos requisitos, en razón del modelo con el que se trabaja en la presente investigación, conduce a pensar que, sin lugar a dudas, las mujeres, los niños y niñas, los afro descendientes y las "minorías" étnicas y raciales, los homosexuales y lesbianas, entre otros, constituyen colectivos desaventajados, pues son grupos auto identificables, poseen características comunes, sobre los que pesa un prejuicio y cuyo beneficio o desventaja se comunica al grupo y viceversa. De este modo, se puede afirmar que los integrantes de estos colectivos tienen conciencia de pertenecer a él, que la sociedad, en general, los identifica como tales y sobre ellos existe un gran prejuicio, lo que impide el goce de sus derechos. Así, solo a modo de ejemplo, los niños y niñas tienen conciencia de que son seres humanos en desarrollo, los adultos los identifican de esa manera y al carecer absolutamente de poder político, no poseen influencia sobre la sociedad, haciéndolos más vulnerables a las violaciones de sus derechos. Piénsese, a estos efectos, en las altas cifras de abuso sexual infantil, en comparación con las cifras de los adultos y adultas. Sobre los niños y niñas pesa un gran estigma, si bien se ha avanzado en materia de su protección, principalmente a través de las obligaciones internacionales contraídas por los Estados, todavía existe la creencia generalizada de que aquellos no son personas completas, recurriéndose de manera habitual a argumentos que expresan que la importancia de ellos se encuentra en su futuro, en el momento de alcanzar la vida adulta. De igual manera, se afirma frecuentemente, que son los padres y madres los únicos que saben qué es lo conveniente para los niños, principalmente porque éstos al carecer de "razón", son seres humanos "incompletos". Así, muchas veces, la progresividad del ejercicio de los derechos de los niños y niñas, establecidos en la Convención pertinente, se confunde con la titularidad de los mismos.

Los grupos sociales desaventajados, sin duda, requieren de una protección especial y un trato diferenciado por parte del Estado frente a situaciones de violencia a la que están expuestos, debido a que "estas prácticas son el resultado de patrones de discriminación y relaciones asimétricas de poder en la sociedad, y suelen contribuir a reproducir y reforzar las desigualdades en ámbito social, cultural y político"[89]. De esta forma, también lo ha reconocido la Corte Interamericana de Derechos Humanos en diversas sentencias, referidas principalmente a pueblos indígenas, afro descendientes, mujeres, niños y niñas, personas en situación de discapacidad mental, personas que viven con VIH/ SIDA, migrantes indocumentados, poblaciones rurales pobres, y también a jóvenes pobres de las favelas en Brasil[90].

En este sentido, existirá violencia, o al menos un mayor riesgo de sufrirla, en los casos de personas que pertenezcan a grupos sociales que menos se acerquen el modelo dominante. En otras palabras, ser mujer, afro descendiente o indígena, lesbiana u homosexual, transgénero, migrante, entre otras, son condiciones que elevarían las posibilidades de sufrir violencia.

Con todo, este régimen de estatus diferenciado puede, a través de una oposición al mismo, sea en términos sociales, políticos y/o jurídicos, transformarse y, en consecuencia, es posible mejorar considerablemente el bienestar de los grupos subordinados[91].

En términos netamente lógicos, eliminando una de las causas de la violencia (jerarquía o estatus diferenciado), la más importante por cierto, debiera consecuencialmente eliminarse, al menos parcialmente, el efecto de ella. De este modo, eliminando las estructuras de subordinación, resulta esperable un cambio favorable en relación a la violencia.

5. CONCLUSIONES

El tratamiento habitual de la violencia consiste en dividirla de manera categórica considerando sobre quien se ejerce, destacando a estos efectos la violencia

---

[89]   ABRAMOVICH, Víctor, "Responsabilidad estatal por violencia de género: Comentarios sobre el caso "Campo Algodonero" en la Corte Interamericana de Derechos Humanos" en VVAA, *Anuario de Derechos Humanos 2010*, Centro de Derechos Humanos Universidad de Chile, Santiago de Chile, 2010, p. 171.

[90]   La Corte Interamericana de Derechos Humanos ha reconocido que en los casos planteados, tales grupos requieren de protección especial cuando se encuentran en diversas situaciones que pueden vulnerar sus derechos, por ejemplo las mujeres respecto de la violencia y la participación política, los niños y niñas, especialmente si viven en las calles, entre otras, Abramovich, Víctor, "Responsabilidad estatal por violencia de género: Comentarios sobre el caso "Campo Algodonero" en la Corte Interamericana de Derechos Humanos", ob. cit, pp. 169 y 170.

[91]   SIEGEL B., Reva, "Regulando la violencia marital" en Roberto Gargarella (Compilador), *Derecho y Grupos Desaventajados*. Traducción de Roberto Gargarella, Editorial Gedisa, Barcelona, 1999, pp. 68 y 69.

ejercida contra las mujeres, la cual ha recibido gran preocupación nacional, regional e internacional debido, principalmente, a la cantidad de casos existentes, muchos de los cuales terminan con resultados de muerte.

En otras ocasiones, el tratamiento de la violencia suele agruparse en razón del lugar donde se lleva a cabo, destacando, a estos efectos, la denominada violencia doméstica.

Ninguno de los enfoques parece resultar conveniente, así, la violencia entendida solo desde la perspectiva del género, soslaya aspectos importantes de las relaciones humanas y de la forma en que se estructuran nuestras sociedades, mientras que la violencia doméstica o intrafamiliar invisibiliza las causas de la misma. Por este motivo, resulta pertinente la utilización del concepto de Patriarcado que en sus inicios solo se refería a la superioridad masculina y que, con los trabajos desarrollados posteriormente, incorporó otros factores, otras características, las cuales definen el ideal dominante dentro de la sociedad. Lo problemático de este fenómeno es que este ideal se transformó en la medida de todos los seres humanos, en norma, y, en consecuencia, las personas son categorizadas en razón de su mayor o menor cercanía a este modelo que exalta a un ser masculino, blanco, propietario, heterosexual, entre muchas otras pertenencias. De este modo se producen las jerarquías en los grupos sociales.

El Patriarcado es un sistema político-social de dominación, uno de sus principales instrumentos, manifestación y aún forma de mantenimiento es la coerción, particularmente el ejercicio de violencia, sea de manera física, psicológica o simbólica, sobre estos grupos.

El Derecho, en muchas ocasiones, se ha mostrado tolerante frente a esta clase de conductas, principalmente, porque al constituir una institución social, no es ajena al sistema, como no lo son ni la escuela, ni la familia, entre otras. De este modo, en la creación de las normas se representan fielmente las estructuras jerarquizadas.

Tal sistema de opresión, que crea relaciones de índole dicotómica, sitúa en una posición paradigmática a las mujeres respecto de los hombres, debido a que unos y otras, representan las posiciones más distantes, y en consecuencia, más diferenciables. Sin embargo, parece existir sólo una diversidad de grado en cuanto a la dominación respecto de los otros grupos sociales oprimidos, en razón de que es la misma diferencia con el modelo imperante lo que determina su subordinación.

Si el Patriarcado es una de las causas de la violencia y es el factor que aglutina a todos quienes no pertenecen a este colectivo dominante, más allá de quienes sufren este fenómeno o el lugar en cual se lleva a cabo, eliminándolo debiera esperarse razonablemente que la violencia desapareciese o al menos disminuyese. Por esta razón, resulta indispensable un tratamiento conjunto respecto de la causa de estas violencias, aunque reconociendo ciertas especificidades, debido a las diversas maneras que se ejerce sobre los distintos grupos y al alcance y magnitud en cada uno de ellos. Este tratamiento puede comenzar denominando a esta clase de violencia como violencia patriarcal.

La no subordinación resulta, a todas luces, afectada con la violencia patriarcal, no en forma dependiente de otros derechos, como suele ocurrir con la no discriminación o derecho a la igualdad debido a su carácter relacional, sino porque la violencia patriarcal, en primer término, se basa en un sistema político-social de dominación como es el Patriarcado, en él tiene una de sus principales causas, pero, además, porque perpetúa dicho sistema.

Precisamente se vulnera la no exclusión, pues ésta pretende proteger a los grupos subordinados, entendiendo que la forma de lograrlo consiste en eliminar las opresiones estructurales e impedir su perpetuación. Así, la violencia patriarcal como manifestación de este sistema y su mantención, constituye, sin lugar a dudas, una vulneración a la no subordinación.

Con todo, desde el derecho a la igualdad, entendido como no subordinación, es posible encontrar una solución adecuada a la problemática expuesta sobre la violencia patriarcal, la cual, como se vio, requiere soluciones integrales y sistémicas, puesto que la misma concepción indica que su objetivo es la terminación de los sistemas opresivos, como lo es la violencia patriarcal. De este modo, y en consideración al poder del Derecho en la generación de cambios sociales, la no exclusión resulta un instrumento ineludible y eficaz en la eliminación de estas estructuras que tanto daño causan a la sociedad toda.

BIBLIOGRAFÍA

ABRAMOVICH, Víctor, "Responsabilidad estatal por violencia de género: Comentarios sobre el caso "Campo Algodonero" en la Corte Interamericana de Derechos Humanos" en VVAA, *Anuario de Derechos Humanos 2010*, Centro de Derechos Humanos Universidad de Chile, Santiago de Chile, 2010.

ARAUJO, Kathia, *El miedo a los subordinados. Una teoría de la autoridad*, Ediciones LOM, Santiago de Chile, 2016.

ARESTI, Nerea, *Masculinidades en tela de juicio. Hombres y género en el primer tercio del siglo XX*, Ediciones Cátedra, Madrid, 2010.

ASÚA, Adela, "El significado de la violencia sexual contra las mujeres y la reformulación de la tutela penal en este ámbito. Inercias jurisprudenciales" en Patricia Laurenzo, María Luisa Maqueda y Ana Rubio (Coordinadoras), *Género, Violencia y Derecho*, Editorial Tirant Lo Blanch, Valencia, 2008.

BÀRRERE UNZUETA, María Ángeles, *Discriminación, Derecho antidiscriminatorio y Acción positiva a favor de las Mujeres*, Editorial Civitas S. A., Madrid, 1997.

BÀRRERE UNZUETA, María Ángeles, "Género, discriminación y violencia contra las mujeres" en Patricia Laurenzo, María Luisa Maqueda y Ana Rubio (Coordinadoras), *Género, Violencia y Derecho*, Editorial Tirant Lo Blanch, Valencia, 2008.

BÀRRERE UNZUETA, María de los Ángeles, "Igualdad y "discriminación positiva": Un esbozo de análisis teórico conceptual" en *Cuadernos electrónicos de Filosofía del Derecho*, Nº 9, 2003.

BIRULÉS, Fina, "Reflexiones sobre vulnerabilidad y violencia" en María Dolors Molas Font (Editora), *Violencia deliberada. Las raíces de la violencia patriarcal*, Icaria Editorial S. A., Barcelona, 2007.

BOURDIEU, Pierre, *La dominación masculina*. Traducción de Joaquín Jordá, Editorial Anagrama, Barcelona, 2000.

BOSCH, Esperanza; Ferrer, Victoria; Alzamora, Aina, *El Laberinto Patriarcal. Reflexiones teórico-prácticas sobre la violencia contra las mujeres*, Anthropos Editorial, Barcelona, 2006.

BOURDIEU, Pierre, *La dominación masculina. La dominación masculina*, Traducción de Joaquín Jordá, Editorial Anagrama S. A. Quinta Edición, Barcelona, 2007.

CID LÓPEZ, Rosa María, "Desviaciones religiosas y violencia contra las mujeres en la Roma antigua. El episodio de la Bacchanalia" en María Dolors Molas Font (Editora), *Violencia deliberada. Las raíces de la violencia patriarcal*, Icaria Editorial S. A., Barcelona, 2007.

CORTESI VENTURINI, Cecilia, "Des-igualdad sexual: Derecho, Género y Política en Italia" en Ruth Mestre i Mestre (Coordinadora), *Mujeres, derechos y ciudadanías*, Editorial Tirant Lo Blanch, Valencia, 2008.

DAYS III, Drew, "Acción afirmativa" en Roberto Gargarella (Compilador), *Derecho y Grupos desaventajados*. Traducción de Roberto Gargarella, Editorial Gedisa, Barcelona, 1999.

DE MIGUEL ÁLVAREZ, Anna, "La perspectiva feminista: Una aproximación a los conceptos fundamentales" en Enrique Álvarez Conde, Ángela Figueruelo Burrieza y Laura Nuño Gómez (Directores), *Estudios interdisciplinares sobre igualdad*. Segunda Edición, Editorial Iustel, Madrid, 2011.

ESPARZA-REYES, Estefanía, "Apuntes sobre la compleja relación entre el derecho a la igualdad y la diferencia, *Revista Jurídicas*, núm. 14 (1), 2017.

ESPARZA-REYES, Estefanía, *La igualdad como no subordinación. Una propuesta de interpretación constitucional*, Tirant lo Blanch, México D.F., 2017.

FEMENÍAS, María Luisa, "Violencia de sexo-género: El espesor de la trama" en Patricia Laurenzo, María Luisa Maqueda y Ana Rubio (Coordinadoras), *Género, Violencia y Derecho*, Editorial Tirant Lo Blanch, Valencia, 2008.

FERNÁNDEZ RUIZ-GÁLVEZ, Encarnación, *Igualdad y Derechos Humanos*, Editorial Tecnos, Madrid, 2003.

FISS, Owen, "Grupos y la Cláusula de Igual Protección" en Roberto Gargarella (Compilador), *Derecho y Grupos desaventajados*. Traducción de Roberto Gargarella, Editorial Gedisa, Barcelona, 1999.

FISS, Owen, "¿Qué es el Feminismo? Traducción de Roberto de Michele, *DOXA: Cuadernos de Filosofía del Derecho* Nº 14, Valencia, 1994.

GARGARELLA, Roberto, "Introducción" en Roberto Gargarella (Compilador), *Derecho y Grupos Desaventajados*. Traducción de Roberto Gargarella, Editorial Gedisa, Barcelona, 1999.

GIL AMBRONA, Antonio, *Historia de la violencia contra las mujeres. Misoginia y conflicto matrimonial en España*, Ediciones Cátedra, Madrid, 2008.

GIMENEZ GLÜCK, David, *Juicio de Igualdad y Tribunal Constitucional*, Editorial Bosch, Barcelona, 2004.

GINER, Salvador, "Clase, poder y privilegio" en Amelia Valcárcel (Compiladora), *El concepto de igualdad*, Editorial pablo Iglesias, Madrid, 1994.

GOÑI ZUBIETA, Carlos, *Alma Femenina: La mujer en la mitología*, Editorial Espasa-Calpe, Madrid, 2005.

GUERRA LÓPEZ, Sònia, "Hiéreme el vientre". Poder, violencia y maternidad en la Domus Augusta" en María Dolors Molas Font (Editora), *Violencia deliberada. Las raíces de la violencia patriarcal*, Icaria Editorial S. A., Barcelona, 2007.

HENDEL, Liliana, *Violencias de Género. Las mentiras del patriarcado*, Editorial Paidós, Buenos Aires, 2017.

HERNÁNDEZ GÓMEZ, Isabel, "Principio de igualdad y violencia de género" en Víctor Cuesta López y Dulce M. Santana Vega (Editores), *Estado de Derecho y Discriminación por razón de género e identidad sexual*, Editorial Aranzadi, Pamplona, 2014.

HOGG, Michael A. & VAUGHAN, Graham M., *Psicología Social*. Traducción de Editorial Médica Panamericana. Editorial Médica Panamericana, Quinta Edición, Madrid, 2010.

HUNTINGFORD ANTIGAS, Elizabeth, "Violencia contra las mujeres en las imágenes griegas" en María Dolors Molas Font (Editora), *Violencia deliberada. Las raíces de la violencia patriarcal*, Icaria Editorial S. A., Barcelona, 2007.

IZQUIERDO, María Jesús, "Estructura y acción en la violencia de género" en María Dolors Molas Font (Editora), *Violencia deliberada. Las raíces de la violencia patriarcal*, Icaria Editorial S. A., Barcelona, 2007.

JIMÉNEZ, Francisco y MUÑOZ, Francisco, "Violencia directa" en Mario López Martínez (Director), *Enciclopedia de Paz y Conflictos*, Vol. II, Editorial Universidad de Granada, Granada, 2004.

JONASDOTTIR, Anna, *El poder del amor ¿Le importa el sexo a la Democracia?* Traducción de Carmen Martínez Gimeno, Ediciones Cátedra, Madrid, 1993.

MACKINNON, Catharine, *Hacia una teoría feminista del Estado*. Traducción de Eugenia Martín, Ediciones Cátedra, Madrid, 1995.

MARTÍN SERRANO, Esperanza y MARTÍN SERRANO, Manuel, *Las violencias cotidianas cuando las víctimas son las mujeres*, Instituto de la Mujer, Madrid, 2001.

MILLET, Kate, *Política Sexual*. Traducción de Ana María Bravo, Ediciones Cátedra, Madrid, 1995.

MOLAS FONT, María Dolors, "Cuerpos usados y espíritus seducidos en la oratoria ática" en María Dolors Molas Font (Editora), Violencia *deliberada. Las raíces de la violencia patriarcal*, Icaria Editorial S. A., Barcelona, 2007.

MONTEROS, Silvina, "La violencia de las fronteras legales: Violencia de género y mujer migrante" en Patricia Laurenzo, María Luisa Maqueda y Ana Rubio (Coordinadoras), *Género, Violencia y Derecho*, Editorial Tirant Lo Blanch, Valencia, 2008.

ORGANIZACIÓN MUNDIAL DE LA SALUD, *Informe mundial sobre la violencia y la salud*, Nueva York, 2002.

ORRIOLS I LLONCH, Marc, "La traición a la Maat. La violencia contra las mujeres en el antiguo Egipto" en María Dolors Molas Font (Editora), Violencia *deliberada. Las raíces de la violencia patriarcal*, Icaria Editorial S. A., Barcelona, 2007.

ORTEGA BALANZA, Marta, "Delitos relacionados con la función procreadora femenina en las leyes del próximo oriente antiguo" en María Dolors Molas Font (Editora), *Violencia deliberada. Las raíces de la violencia patriarcal*, Icaria Editorial S. A., Barcelona, 2007.

OSBORNE, Raquel, *Apuntes sobre violencia de género*, Edicions Bellaterra, S. L., Barcelona, 2009.

OSBORNE, Raquel, "El poder del amor" en Patricia Laurenzo, María Luisa Maqueda y Ana Rubio (Coordinadoras), *Género, Violencia y Derecho*, Editorial Tirant Lo Blanch, Valencia, 2008.

PULEO, Alicia, "Del rapto de Europa a la prosperidad de Julieta: consentimiento, violencia y derechos humanos de las mujeres" en Patricia Laurenzo, María Luisa Maqueda y Ana Rubio (Coordinadoras), *Género, Violencia y Derecho*, Editorial Tirant Lo Blanch, Valencia, 2008.

SABA, Roberto, Más allá de la igualdad formal ante la ley ¿Qué les debe el Estado a los grupos desaventajados?, Siglo XXI Editores, Buenos Aires, 2016.

SANAHUJA YLL, María Encarna, "Mujeres y violencia en la prehistoria" en María Dolors Molas Font (Editora), *Violencia deliberada. Las raíces de la violencia patriarcal*, Icaria Editorial S. A., Barcelona, 2007.

SÁNCHEZ ROMERO, Margarita, "Mujeres y estrategias pacíficas de resolución de conflictos: El análisis de las sociedades prehistóricas" en María Dolors Molas Font (Editora), *Violencia deliberada. Las raíces de la violencia patriarcal*, Icaria Editorial S. A., Barcelona, 2007.

SIEGEL B., Reva, "Regulando la violencia marital" en Roberto Gargarella (Compilador), *Derecho y Grupos Desaventajados*. Traducción de Roberto Gargarella, Editorial Gedisa, Barcelona, 1999.

SMITH, Rogers, "Vuelta sobre las castas" en Owen Fiss, *Una Comunidad de iguales*. Traducción de Verónica Lifrieri, Miño y Dávila Editores, Madrid, 2002.

TOLEDO VÁSQUEZ, Patsilí, Femicidio/*Feminicidio*, Ediciones Didot, Buenos Aires, 2014.

VALCÁRCEL, Amelia, *Feminismo en el Mundo Global*, Ediciones Cátedra, Madrid, 2008.

VARELA; Nuria, *Feminismo para principiantes*, Ediciones B, S. A., Barcelona, 2008.

YOUNG, Iris Marion, *La Justicia y la política de la diferencia*. Traducción de Silvina Álvarez, Ediciones Cátedra, Madrid, 2000.

ZARAGOZA GRASS, Joana, "El engaño femenino y la seducción masculina" en María Dolors Molas Font (Editora), *Violencia deliberada. Las raíces de la violencia patriarcal*, Icaria Editorial S. A., Barcelona, 2007.

Capítulo 8
LA VIOLENCIA DE GÉNERO EN EL CONTEXTO INTERNACIONAL: DESEOS Y REALIDADES*

LORENA SALES PALLARÉS
Profesora Titular Acreditada de Derecho Internacional Privado
Universidad de Castilla-La Mancha

SUMARIO: 1. INTRODUCCIÓN. 2. VIOLENCIA DE GÉNERO ¿SILENCIOSA O SILENCIADA? 2.1. La mutilación genital femenina. 2.2. Nacionalidad de la mujer casada. 2.3. Apellidos de la mujer casada. 2.4. Transmisión de los apellidos a los hijos. 2.5. Los menores como instrumentos de violencia de género. 3. RELATIVISMO CULTURAL Y DERECHOS DE LA MUJER. BIBLIOGRAFÍA.

1. INTRODUCCIÓN

Hace un par de años el presidente de la Universidad de Harvard preguntaba al astrofísico Neil DeGrasse Tyso tras una conferencia *¿qué pasa con las chicas y las ciencias?*, sugiriendo con este poco acertado comentario que las diferencias genéticas entre ambos géneros explicaban la menor presencia de mujeres dedicadas a los campos científicos. La respuesta que dió DeGrasse podría ser el punto de inicio de nuestra intervención[1] toda vez que, y aun a riesgo de hacer *spoiler* a quien no haya visionado aun el video, él acaba exponiendo que "antes de hablar de diferencias genéticas que expliquen la ausencia de mujeres en los campos de ciencias, hay que encontrar un sistema en el que las oportunidades sean iguales para ambos, y sólo después podremos hablar de diferencias genéticas".

Ese es a nuestro entender el punto de partida; plantear cómo podemos entender que ciertas notas en el derecho internacional privado pueden explicar la (des) igualdad de género y plantear formas disfrazadas de violencia de género. Para ello vamos a realizar una serie de reflexiones al hilo de instituciones de derecho priva-

---

El presente trabajo se enmarca dentro del Proyecto DIPUCR-16, *Estudio Sobre la Violencia de Género y Violencia Doméstica en Castilla La Mancha*. Dirigido por: María Martín Sánchez, Universidad de Castilla La Mancha.

[1]   El vídeo completo con la respuesta detallada puede verse en https://www.youtube.com/watch?v=ZIBgPUYDGJ4.

do, de modo que la imagen que consigamos perfilar sea lo más heterogénea posible y además de los deseos, nos muestre las realidades que esta materia presenta.

Para ello hemos de comenzar nuestra reflexión preguntándonos por qué es necesaria una protección específica de la mujer si ya contamos con una protección genérica de los derechos humanos. Y la respuesta entronca con el título de esta intervención, *deseos y realidades*, ya que, si bien el deseo era la protección genérica a los derechos humanos, partiendo de la igualdad entre los seres humanos reconocida en todos los textos internacionales sobre la materia, la realidad es que el género, el femenino, sigue siendo objeto de violaciones sistemáticas de sus derechos más fundamentales. Esto es, incluso contando con una protección específica las cifras siguen revelando que la violencia de género es una de las circunstancias más repetidas en cualquier estadística que consultemos[2].

Además, si bien está claro que las normas existentes y aceptadas por los Estados se predican respecto de los poderes públicos, ¿qué pasa en las relaciones entre los particulares? Por ejemplo, en los intercambios comerciales, en las empresas deslocalizadas... ¿vinculan a los particulares estas normas de igualdad, de protección de los derechos humanos?

Sería demasiado fácil dar una simple respuesta, así que tal vez debamos plantearnos situaciones concretas a las que las empresas se pueden encontrar. En una plantilla laboral, ¿deben existir cuotas femeninas? Y si la respuesta es afirmativa, ¿cómo hacer coexistir la libertad de empresa con la igualdad de género? Obviamente como empresa o empresario no puedo discriminar por género en el sentido de que no puedo contratar o dejar de contratar atendiendo al género, pero ¿significa esto que se me puede obligar como empresa a contratar un determinado

---

[2]   Según la propia OMS (en este sentido vid. http://www.who.int/mediacentre/factsheets/fs239/es/), las estimaciones mundiales indican que alrededor de una de cada tres (35%) mujeres en el mundo han sufrido violencia física y/o sexual de pareja o violencia sexual por terceros en algún momento de su vida. La mayoría de estos casos son violencia infligida por la pareja. En todo el mundo, casi un tercio (30%) de las mujeres que han tenido una relación de pareja refieren haber sufrido alguna forma de violencia física y/o sexual por parte de su pareja en algún momento de su vida. Un 38% de los asesinatos de mujeres que se producen en el mundo son cometidos por su pareja masculina.
En Europa, si atendemos a los datos recogidos por BORGES BLÁZQUEZ, Raquel, "La orden europea de protección para las víctimas de violencia de género, ¿una medida legislativa necesaria?", *Diario La Ley*, Núm. 8756, Sección Tribuna, 6 de Mayo de 2016, los últimos datos ofrecidos por la Macro Encuesta de Violencia Contra la Mujer de 2015 indican que la violencia de género es un problema que traspasa fronteras nacionales pues mientras en España un 12,5% de las mujeres han sido víctimas de violencia física o sexual por su pareja o ex pareja, en Europa la cifra asciende al 22% de las mujeres. Por lo que respecta a la violencia psicológica de control, en España se sitúa en el 25,4% y en Europa en el 35%; la violencia psicológica emocional alcanza al 21,9% de las mujeres españolas y al 32% de las europeas. Y la violencia económica incluye al 10,8% de las españolas y al 12% de las europeas.

número de mujeres en mi plantilla? Eso implica tener que prestar atención a algo tangencial a este punto como es la elección de estudios, me explico, es indudable que los puestos de trabajo están directamente relacionados con los estudios que se realizan, luego, si conseguimos que haya más mujeres en estudios mayoritariamente masculinos obligatoriamente las empresas luego van a tener que contratar a más mujeres, aunque sea por pura estadística. ¿Cómo hacemos pues para que haya más mujeres en esos Grados? ¿Establecemos en la matrícula cuotas por género? Y *a sensu contrario*, qué hacemos con las carreras tradicionalmente de mujeres, ¿limitamos también el cupo?

Si tomamos en cuenta los datos que hay sobre el tema[3] la respuesta debería ser claramente afirmativa, ya que de otra manera difícilmente se podrá romper con las *barreras de entrada* que imperan en la cotidianidad de la vida empresarial. En este sentido, desde el año 2012 la Unión Europea está redactando una Propuesta de Directiva destinada a mejorar el equilibrio de género entre los consejos de administración[4] de manera que para el 2020 se alcance el 40% de representación. Debemos de señalar que la Propuesta aún no ha visto la luz, y que en el último debate en el Consejo de Europa la Conclusión a la que llegaron los Estados miembros fue que *[P] ese a que en principio todas las Delegaciones están a favor de mejorar el equilibrio de género en los consejos de administración de las empresas, algunas de ellas siguen prefiriendo las medidas nacionales (o medidas de la UE no vinculantes), mientras que otras apoyan la legislación a escala de la UE. Se necesitarán más trabajos y más reflexión política para que se pueda alcanzar una fórmula transaccional*[5].

Los datos que en abril de 2015 se manejaban por parte de la UE no son para nada alentadoras en este extremo a pesar de la mejora que representan, ya que la media de mujeres en las empresas apenas supera el 21%.

Como ya anticipábamos, no se puede contestar un sí o un no ya que hay muchos matices en la respuesta, aunque queda patente que algo hay que hacer para

---

[3]   Según estadísticas publicadas por la Unión Europea en 2015 http://ec.europa.eu/justice/gender-equality/files/womenonboards/factsheet_women_on_boards_web_2015-10_en.pdf

[4]   Nos referimos a la Propuesta de Directiva COM (2012) 614 final, destinada a mejorar el equilibrio de género entre los administradores no ejecutivos de las empresas cotizadas y por la que se establecen medidas afines, de 14 de noviembre de 2012, cuyo expediente interinstitucional puede consultarse en http://eur-lex.europa.eu/legal-content/ES/HIS/?uri=CELEX:52012PC0614. Sobre este tema vid. también ESCRIBANO GAMIR, María del Carmen, "El acceso de la mujer a los Consejos de Administración de las Sociedades Mercantiles: igualdad de género y poder de decisión en el Derecho español", María José Morillas Jarillo (dir.), María del Pilar Perales Viscasillas (dir.), Leopoldo José Porfirio Carpio (dir.), *Estudios sobre el futuro Código Mercantil: libro homenaje al profesor Rafael Illescas Ortiz*, 2015, pp. 649-665.

[5]   El texto completo se puede consultar en http://eur-lex.europa.eu/legal-content/EN/TXT/?uri=consil:ST_9496_2017_INIT

conseguir esta igualdad que tanto se predica. De hecho, el tema de la conciliación familiar es uno de los que desde hace años lleva ventaja en la elaboración de normativa. Sin poder compararnos con otras legislaciones que ciertamente son más avanzadas, lo cierto es que en España desde hace ya algunos años las bajas remuneradas y los permisos de paternidad/maternidad puede compartirse en la pareja casi al cincuenta por ciento.

En 2015, 5.208 hombres compartieron parte de la baja de maternidad, en un año con 278.389 natalidades. Este 1,87% de los padres es un porcentaje prácticamente idéntico al de 2014, cuando fueron 4.912 hombres (un 1,78%) los que compartieron esta baja en alguna de las 281.151 natalidades de ese año[6]. En el caso de los permisos específicos de paternidad —dos semanas que se pueden tomar a lo largo de la baja maternal o inmediatamente después— el 85,8% de los padres los solicitaron el año pasado. Eso quiere decir que el 14,2% renunció a esos 15 días.

¿Qué falla para que no se produzca esta igualdad a pesar de que se dispone de marco legal para conseguirlo? A falta de respuesta tendremos que seguir haciéndonos preguntas.

Esto nos aboca a plantear en este momento lo que significa el *moderno derecho discriminatorio*[7], que trata de incorporar la perspectiva de género o *mainstreaming* de género[8], de manera transversal y principal en todos los procesos normativos y blindar los logros conseguidos en los últimos años. Es cierto que *corren malos tiempos para las mujeres como ciudadanas*[9] y estoy de acuerdo con la autora de que el "espejismo de la igualdad" generado en torno a la violencia de género y su desarrollo legislativo a todos los niveles ha supuesto un falso oasis de emancipación de los seres humanos. De nuevo el deseo y la realidad de lo que la violencia de género representa en la actualidad van de la mano[10]. Es

---

[6]   Fuente: Instituto Nacional de Seguridad Social. Datos actualizados a fecha 4 de febrero de 2016.

[7]   Como pone de relieve GIL RUIZ, Juana María, "La violencia institucional de género. Editorial", *Anales de la Cátedra Francisco Suárez*, núm. 48, 2015, pp. 9-10.

[8]   El abordaje de esta definición está muy bien planteado en FERNÁNDEZ RUIZ-GÁLVEZ, Encarnación, "*Mainstreaming* de género y cambio social", *Anales de la Cátedra Francisco Suárez*, núm. 49, 2015, pp. 333-365.

[9]   Cfr. GIL RUIZ, Juana María, "La violencia institucional de género...", ob. cit., p. 10.

[10]   LOUSADA AROCHENA, José Fernando, "El derecho fundamental a vivir sin violencia de género", *Anales de la Cátedra Francisco Suárez*, núm. 48, 2014, pp. 32 y ss., afirma que no se comprende la violencia contra la mujer por el hecho de ser mujer si no es atendiendo al concepto de género, entendido como un conjunto de estereotipos sociales y culturales asociados al sexo de una persona. De este modo, continúa diciendo, la mujer no sufre violencia por las características de su físico, sino por los estereotipos asociados a su condición de mujer. Sobre los estereotipos vid. ORTIZ PRADILLO, Juan Carlos, "Estereotipos legales en la lucha contra

interesante recordar el matiz que Alda Facio introdujo sobre discriminación y sexismo[11] a la hora de redefinir el modelo de ciudadanía en concordancia con la igualdad de género, en el sentido de que luchar por la eliminación de una determinada forma de discriminación hacia un colectivo determinado no va a garantizarnos que se elimine a su vez el sexismo que sufren las mujeres dentro de esas etnias, grupos, clases...La perspectiva de género —la metodológica, la compleja— va vinculada a una sensibilidad que se ha de estudiar y aprehender. No basta con agregar o sumar la palabra "mujer" o la terminación femenina de género a los discursos o textos que hagamos. De ahí el valor que la prevalencia del *mainstreaming* de género debe tener como reconocimiento de la transversalidad de género, de modo que la totalidad del ordenamiento jurídico aparezca impregnado del objetivo de conseguir la igualdad entre hombres y mujeres. Es, o debe ser, otro el modo de entender el derecho, puesto que las condiciones de partida y la distancia en la carrera ciudadana no son las mismas, para ambos, como puse de relieve al inicio de este trabajo. Todas y cada una de las normas jurídicas ha de convertirse en un mecanismo para conseguir la igualdad entre hombres y mujeres.

Pero de nuevo hay que distinguir entre el deseo y la realidad, porque a pesar de que es este el parecer de no pocos operadores del derecho, incluso de algún legislador bien intencionado, lo cierto es que la realidad nos aboca a leyes, normas, que no hacen sino incrementar esta desigualdad creando situaciones de violencia de género disfrazada.

La pregunta en todo caso es más que obvia en este punto: ¿qué sentido tiene la calificación de género? Es decir, qué buscamos conseguir con la calificación de género, porque la *calificación*, jurídicamente hablando, siempre implica algún tipo de reconocimiento o efecto jurídico.

Hemos de echar la vista atrás y acordarnos de que no hace tantos años, la calificación del género mujer venía de la mano de la discriminación positiva o discriminación inversa. Aunque sus orígenes eran la reacción a una concreta si-

---

la violencia machista: la irrelevancia jurídica de la voluntad de la víctima", *Diario La Ley*, Núm. 8697, Sección Doctrina, 8 de febrero de 2016, quien señala que paradójicamente, en el ámbito de la violencia de género se produce, al contrario de lo que ha sucedido con las víctimas del resto de procesos penales, una limitación a la capacidad de estas víctimas a la hora de poder tomar decisiones, lo cual denota, en palabras del autor *un patriarcado legislativo que perpetúa esa visión patriarcal conforme a la cual la mujer a la cual se dirigen tales medidas no está en condiciones de decidir por sí misma qué es lo mejor para sus intereses, y debe ser objeto de tutela.*

[11] FACIO, Alda, "El derecho como producto del patriarcado", en Alda Facio y Rosalía Camacho (Eds.), *Sobre patriarcas, jerarcas, patrones y otros varones (Una mirada de género sensitiva al Derecho)*, ILANUD, San José de Costa Rica, 1993, p. 17.

tuación de la población afroamericana y a otras minorías en la década de los 60 en los Estados Unidos[12], lo cierto es que en términos generales la acción positiva se concibe como una serie de medidas o planes vinculados de un modo u otro al Derecho y destinados a eliminar la desigualdad o discriminación intergrupal.

Esto es, como el TC ya tuvo ocasión de afirmar[13], en ocasiones para hacer efectivo el art. 14 CE, en relación con el 9.2 CE, se impone a los poderes públicos hacer realizable la no discriminación removiendo y suprimiendo situaciones discriminatorias, en lo que se denomina jurisprudencia compensadora relacionada con las llamadas medidas de acción positiva[14]. Durante años se ha estado así hablando de la discriminación positiva a favor de la mujer, e incluso desde instancias comunitarias[15] se clasificaron en grupos los tipos de medidas de acción positiva que sobre las mujeres podía realizarse[16], aunque en esos momentos pensando en la incorporación de la mujer al ámbito laboral.

El salto más significativo en este sentido lo dio la Ley Orgánica 1/2004 de Medidas de Protección Integral contra la violencia de género cuyo objetivo era primordialmente combatir la violencia que sobre las mujeres ejercen los hombres. Sin entrar en absoluto porque no es el tema de hoy en el fondo de la ley, sí la hemos traído aquí para resaltar algunos datos. El eje sobre el que pivota es la "creación" del término género, aplicable a una especie dentro del género de violencia intrafamiliar, y se encarga, además, de aclarar en su artículo 1, que "la presente Ley tiene por objeto actuar contra la violencia que, como manifestación de la discriminación, la situación de desigualdad y las relaciones de poder *de los hombres sobre las mujeres*, se ejercen sobre estas…".

---

[12] Vid. en este sentido algunas reflexiones de BARRERE UNZUETA, Mª Ángeles, "Igualdad y discriminación positiva: Un esbozo de análisis teórico-conceptual", *Cuadernos electrónicos de filosofía del derecho*, Núm. 9, 2003 (Ejemplar dedicado a: Textos para la discusión en el Seminario "Violencia de género: instrumentos jurídicos en la lucha contra la discriminación de las mujeres". Valencia, 26, 27 y 28 de noviembre de 2003), en concreto pp. 18 y ss.

[13] RODRÍGUEZ-PIÑERO Y BRAVO-FERRER, Miguel, "Nuevas dimensiones de la igualdad: no discriminación y acción positiva", en *Persona y derecho: Revista de fundamentación de las Instituciones Jurídicas y de Derechos Humanos*, Núm. 44, 2001, pp. 219-242.

[14] Ibídem, p. 232.

[15] En la Comunicación de la Comisión al Parlamento Europeo y al Consejo sobre la interpretación de la sentencia del TJCE de 17 de octubre de 1995 en el asunto C-450/93 *Kalanke c. Freie Hansestadt Bremen*, COM (96) 88 Final, p. 3, de acuerdo con las Conclusiones del Abogado General Tesauro en este asunto. Sobre este asunto vid. también REY MARTÍNEZ, Fernando, "La discriminación positiva de mujeres (Comentario a la STJ de la Comunidad, de 17 de octubre de 1995. Asunto Kalanke)", *Revista española de derecho constitucional*, Año 16, Núm. 47, 1996, pp. 309-332.

[16] En este sentido vid. OTERO GARCÍA-CASTRILLÓN, Carmen, "Igualdad, género y medidas de acción - discriminación positiva en la política social comunitaria", *Revista de Derecho Comunitario Europeo*, Año nº 6, Núm. 12, 2002, pp. 489-502, en concreto p. 491.

Esto simplemente significa que solo protege a víctima femenina frente agresor masculino. ¿Qué pasa cuando quien agrede a esta mujer es su pareja también mujer? Simplemente que en ese caso no estaremos hablando de violencia de género sino de violencia doméstica, con toda la carga jurídica que ello implica y que ha llegado a plantearse como otro tipo de violencia de género[17].

Otro punto en el que también la cuestión del género marca jurídicamente la diferencia es en el tema de la maternidad, concretamente en la baja por maternidad, porque ¿la puede solicitar uno de los progenitores masculinos si se trata de un matrimonio homosexual? La respuesta a tenor de la Sentencia del TSJ de Madrid[18] o la del TSJ de Cataluña de 1 de julio de 2015[19] es que sí, aunque ha tenido que ser en los tribunales donde se determinara la extensión del término "género", en el sentido de ver si lo que se buscaba con esta medida de protección hacia la mujer era proteger al *género* por ser mujer o se trataba de proteger al *género* por un rol determinado en la crianza de los hijos de la pareja.

Lo cierto en todo caso es que la igualdad de género en este siglo XXI nos enfrenta a situaciones donde el género y la mujer han de ser miradas de una manera caleidoscópica y transversal ya que las visiones unívocas no reflejan la realidad a la que nos enfrentamos.

2. VIOLENCIA DE GÉNERO ¿SILENCIOSA O SILENCIADA?

No siempre es fácil reconocer la violencia de género y aunque abordaré situaciones de clara violencia de género como la mutilación genital femenina, me parece más interesante detenerme en algunas que nos pueden pasar desapercibidas, ya que es una violencia silenciosa, aunque creo que es más bien una violencia silenciada la que a través de diferentes normas se ha ejercido sobre las mujeres a lo largo de los años enredadas en el ovillo de la tradición y el relativismo cultural. Así encontramos los primeros desarrollos normativos vinculados a la condición de mujer casada y a la posición de la misma dentro de la familia (Tratados todos

---

[17]   RUIZ-RICO RUIZ, Catalina, "Aproximación a los nuevos retos jurídicos de la violencia de género: La responsabilidad pública", *Derecho y Cambio Social*, Año 11, Núm. 35, 2014, pp. 1-16.

[18]   Sentencia 00668/2012 TSJM de 18 de octubre de 2012. La sentencia completa se puede consultar en *http://cdn.20m.es/adj/2012/12/17/2013.pdf.*

[19]   Sentencia 2015/1826. Sobre esta sentencia vid. INDA ERREA, Mabel, "Prestación por maternidad para el padre de dos niños nacidos por vientre de alquiler. STSJ Cataluña, de 1 julio 2015 (AS 2015, 1826)", *Revista Aranzadi Doctrinal*, Núm. 2, 2016, pp. 201-202; y GÓMEZ MUÑOZ, José Manuel, "Reconocimiento de la prestación de maternidad a padre biológico de menores nacidos por gestación de sustitución en Estados Unidos. STSJ Cataluña, de 1 de julio de 2015 (AS 2015, 1826)", *Nueva revista española de derecho del trabajo*, Núm. 185, 2016, pp. 313-318.

ellos adoptados en el seno de la Conferencia de La Haya en 1902, básicamente sobre matrimonio, divorcio y tutela de menores). Y en ellos se desgranan, por ejemplo, los requisitos a los que se somete a la mujer que va a desposarse, ya que "pasa de manos del padre a manos del marido", la adquisición de la nacionalidad del marido por el hecho del matrimonio, o la adquisición también del apellido del marido con la consiguiente pérdida del propio[20]. Así en 1905 se podía leer que: *Art. 5: La validez intrínseca de un contrato de matrimonio y sus efectos se regirá por la ley nacional del marido en el momento del matrimonio...[21].*

Es cierto que las normas en este siglo que ha pasado han ido "puliéndose" en este sentido y ya son escasos los ejemplos que perduran de estas conductas. Sin embargo, en el mundo globalizado que vivimos hoy, el actual, el principal obstáculo a la igualdad de género se nos manifiesta de la mano del orden público internacional.

La regulación del derecho de familia que hemos superado en gran parte del mundo y que sesgaba la igualdad entre hombres y mujeres, se sigue manteniendo cuando hablamos de países islámicos sin adhesión a los Convenios internacionales. En estos países el derecho de familia mantiene una clara discriminación en virtud del género de los progenitores, lo cual choca con nuestros sistemas de garantías y derechos fundamentales y con la cláusula de orden público los ordenamientos jurídicos se blindan, lo que nos lleva a soluciones inconciliables. Pensemos por ejemplo en el ejemplo del divorcio *versus* repudio, discriminatorio y atentatorio a la igualdad entre los cónyuges, o en los matrimonios sin consentimiento, o concertados o con menores.

Es hoy en día una realidad el hecho de que muchas mujeres y niñas son obligadas por sus progenitores u otros familiares a contraer matrimonio, poniendo de manifiesto cómo el matrimonio puede ser otra forma de explotación y maltrato si hablamos de matrimonio forzado o *de matrimonio prematuro, incluso en la niñez*[22]. Estamos hablando, en cifras de la OMS de que previsiblemente entre el año 2011 y 2020 se casarán 140.000 niñas[23]. Es necesario establecer normas

---

[20]   Vid. así la Convention du 12 juin 1902 pour régler les conflits de lois en matière de mariage, o la Convention du 12 juin 1902 pour régler les conflits de lois et de juridictions en matière de divorce et de séparations de corps, y la Convention du 12 juin 1902 pour régler la tutelle des mineurs (parcialmente aún en vigor).

[21]   Art. 5 de la Convention du 17 juillet 1905 concernant les conflits de lois relatifs aux effets du mariage sur les droits et les devoirs des époux dans leurs rapports personnels et sur les biens des époux.

[22]   PERAMATO MARTÍN, Teresa, "Matrimonio infantil, precoz y forzado (1.ª Parte)", *Diario La Ley*, Núm. 8965, Sección Doctrina, 21 de abril de 2017 y "Matrimonio infantil, precoz y forzado (2.ª Parte), *Diario La Ley*, Núm. 8966, Sección Doctrina, 24 de abril de 2017.

[23]   Tomamos de PERAMATO MARTÍN, Teresa, "Matrimonio infantil, precoz y forzado (1.ª Parte)", ob. cit., p. 6, los siguientes datos para poner de relieve la realidad que significan estas prácticas: "Pese a la dificultad de contar con datos fiables, pues en muchos casos estos matrimonios no se

que garanticen a la mujer una libertad completa en la elección del marido y en aquellos estados donde persistan, suprimir la práctica de poner precio a la novia (*bride Price*), para abolir totalmente el matrimonio de las niñas y la práctica de esponsales antes de la edad núbil[24], porque el matrimonio infantil es una de las más crueles formas de violencia de género[25].

---

registran, UNICEF y otras instituciones y organizaciones nos facilitan los siguientes: en Bangladesh, según un Estudio Demográfico y Sanitario de 1996-1997, el 5% de los jóvenes de edades comprendidas entre los 10 y los 14 años ya estaban casados. La incidencia es mayor entre niñas, pues, según un estudio publicado en noviembre de 2015 por la Fundación Plan Internacional, el 27% de las mujeres casadas contrajeron su primer matrimonio entre los 12 y 14 años y 46,2% entre los 15 y 17 años mientras que en el caso de los hombres el 97,2% tenía 18 o más años. Pese a que en Bangladesh la edad para casarse es la de 18 años para la mujer y 21 para el hombre, entre 2005 y 2013 un 65 % de las mujeres se casaron antes de los 18 años y sin embrago y pese a las críticas de *Human Rights Watch*, el día 22 de febrero de 2017 se aprobó la Ley para el Control del Matrimonio Infantil que permite el matrimonio de menores al establecer que "Si algún matrimonio tiene lugar en circunstancias especiales en el mejor interés de un menor con permiso de un tribunal y consentimiento de los padres siguiendo el proceso definido en las normas, tal matrimonio no será considerado un delito". En el Estado de Rajastán, en la India, una encuesta llevada a cabo en 1993 entre 5.000 mujeres reveló que el 56% de las mismas se había casado antes de los 15 años, y el 17% de estas últimas se había casado antes de tener 10 años. Un estudio llevado a cabo en 1998 en Madhya Pradesh descubrió que casi el 14% de las niñas se casaban entre los 10 y los 14 años de edad. En Etiopía y algunas zonas del África Occidental, el matrimonio a la edad de 7 u 8 años no es excepcional. En el Estado de Kebbi, Nigeria, entre las niñas la edad media para casarse es de apenas poco más de 11 años, lo que contrasta con el promedio nacional de 17 años.

[24] Como acertadamente señala PERAMATO MARTÍN, Teresa, "Matrimonio infantil, precoz y forzado (1.ª Parte)", ob. cit., p. 6, "paradigmático es también que todavía en algunos países subsistan leyes que fijan edades distintas en razón del sexo del contrayente —Bangladesh, R. Dominicana…—, obviamente inferior en el caso de la mujer, y ello determina que la niña tenga menos posibilidades de formar libremente su opinión al respecto y, desde luego, menor poder de decisión y de negociación, todo ello pese a que el matrimonio prematuro afecta a la menor en todas las esferas de su vida".

[25] A pesar de lo que se pueda creer, el matrimonio infantil es una realidad en España o en países de nuestro entorno. Según los datos del INE el 1 de enero de 2016 residían en España 1.170.000 mujeres extranjeras de las que 4.114 eran marroquíes (2.122 menores de 20 años, 523 de 10 a 14 años y 434 de 15 a 19 años); 493 mujeres menores de 19 años procedentes de Bangladesh, 369 de ellas eran menores de 15 años; 485 eran mujeres menores de 19 años procedentes de Mali, de las que 308 son menores de 15 y, por poner un último ejemplo, 378 eran procedentes de Guinea menores de 19 años, 217 de ellas menores de 15. Cfr. PERAMATO MARTÍN, Teresa, "Matrimonio infantil, precoz y forzado (1.ª Parte)", ob. cit., p. 8. Si tenemos en cuenta que Marruecos es un país en el que admite el matrimonio consuetudinario de mujeres menores de edad y Bangladesh, Guinea y Mali, son tres de los países en los que según Unicef tienen la tasa más alta de matrimonios infantiles, no es ninguna barbaridad pensar que esas niñas procedentes de esos países que residen en España podrían estar en riesgo de ser llevadas a un matrimonio prematuro con todas sus consecuencias.
Abordan también este tema ABAD ARENAS, Encarnación, "Protección de los derechos de la adolescencia: matrimonios forzosos y el cambio de edad núbil", *La Ley. Derecho de Familia*, Núm. 13, Primer trimestre, 2017; y CASAS PLANES, María Dolores y GARCÍA LÓPEZ, Pe-

¿Qué respuesta legal podemos o debemos dar?

2.1. La mutilación genital femenina

Abordar la violencia de género desde el plano internacional me obligaba a decidir entre acometer la disección de las explícitas y continuas muestras que tenemos en la realidad (prostitución, trata de seres humanos…) o intentar poner de relieve aquellas que quedan silenciadas. A pesar de escoger esta segunda opción, por la relevancia y el impacto social y humano, no he podido evitar iniciar estas reflexiones de violencias disfrazadas desde una de las más obvias manifestaciones de violencia de género como es la mutilación genital femenina (en adelante MGF)[26]. La MGF es el nombre genérico dado a aquellas prácticas que implican la extirpación total o parcial de los genitales externos femeninos u otras agresiones a los órganos genitales de las mujeres por razones culturales, religiosas o por tradición[27]. El Consejo de Derechos Humanos de Nacionales Unidas urgía el pasado junio de 2016[28] a los Estados a promulgar legislaciones nacionales que prohibieran la MGF y velaran por su estricta aplicación, así como trabajaran en la armonización de las legislaciones de modo que se pudiera combatir eficazmente la práctica transfronteriza de MGF.

En la medida que los flujos migratorios han llegado a nuestros territorios, nuestras normas han tenido que reaccionar ante este tipo de violencia que no

---

tronila, "La igualdad en el Derecho de familia marroquí y español: estudio comparativo de la normativa jurídica de filiación y de la autoridad parental (su incidencia en la protección jurídico-civil del menor de edad durante la vida conyugal de sus padres y las crisis matrimoniales), *ADC*, tomo LXVII, 2014, fasc. IV, pp. 1270 y ss.

[26] Sobre la mutilación genital femenina vid. MARCHAL ESCALONA, Nuria, "Mutilación genital femenina y violencia de género", en F. J. García Castaño y N. Kressova. (Coords.). *Actas del I Congreso Internacional sobre Migraciones en Andalucía*, Granada: Instituto de Migraciones, 2011, pp. 2179-2190; SILVA CUESTA, Ana, "Mutilación genital femenina: de los derechos humanos a la tipificación penal", *Revista General de Derecho Penal*, Núm. 25, 2016; TORRES FERNÁNDEZ, María Elena, "La mutilación genital femenina: un delito culturalmente condicionado", *Cuadernos electrónicos de filosofía del derecho*, Núm. 17, 2008 (Ejemplar dedicado a: Textos del Seminario "Mutilación Genital Femenina: aplicación del derecho y desarrollo de buenas prácticas en su prevención" (Valencia, 30 y 31 de octubre de 2008)).

[27] En 1999 la OMS publicó el manual *Female genital mutilation: programmes to date: what works and what doesn't. A review* (*http://www.who.int/reproductivehealth/publications/fgm/wmh_99_5/en/index.html*) imprescindible para conocer todos los programas relacionados con la MGF. Su anexo IV realiza un pormenorizado análisis del *status* legal de estas mutilaciones en diversos países indicando el grado de implantación de estas prácticas, los tipos de mutilaciones que se practican y cuál es su regulación legal.

[28] Nos referimos al Doc. A/HRC/32/L.31, Sudáfrica*: proyecto de resolución: *32/… Eliminación de la mutilación genital femenina*, que se puede consultar en *http://ap.ohchr.org/documents/S/HRC/d_res_dec/A_HRC_32_L31.pdf*.

estaba cultural ni socialmente arraigado en nuestras sociedades, siendo además una violencia invisible para los europeos hasta fechas reciente[29]. A finales de los 90 se puso de manifiesto en varios territorios europeos (Gran Bretaña, Holanda, Noruega, Suecia, Dinamarca, Francia, Alemania y España[30]) la detección de estas prácticas[31]. La convivencia dentro de un mismo Estado de ciudadanos extranjeros que pretenden seguir manteniendo en los Estados de acogida sus raíces culturales y religiosas, hecho por cierto avalado y protegido por la Unión Europea como protección cultural de estos grupos de población, deviene un problema cuando estas tradiciones culturales atentan con derechos elementales de la persona. No es posible en modo alguno[32] que, bajo el auspicio de la conservación de la tradición y la cultura, se admitan prácticas que vulneren los derechos inherentes a la dignidad humana.

El mismo Parlamento Europeo, ante el aumento de la MGF en Europa aprobó ya en 2004 la Resolución sobre la situación actual en la lucha contra la violencia ejercida contra las mujeres y futuras acciones, 2004/2220 (INI), en la que explícitamente señalaba que los Estados miembros adoptaran medidas adecuadas para poner fin a la MGF[33], así como subraya que la prevención y la prohibición de

---

[29]   En este sentido vid. el trabajo de ABARCA JUNCO, Paloma, "La regulación de la sociedad multicultural", en *Estatuto personal y multiculturalidad de la familia*, coordinado por Alfonso-Luis Calvo Caravaca y José Luis Iriarte Ángel, Madrid, 2000, p. 169.

[30]   Vid. para España KAPLAN MARCUSAN, Adriana y LÓPEZ GAY, Antonio, *Mapa de mutilación genital femenina en España*, 2012, Fundación Wassu-UAB y UAB, Barcelona, 2013. Sobre la Fundación Wassu-UAB y su trabajo en la prevención de la MGF se puede consultar su página web: *http://www.mgf.uab.cat/esp/mgf.html*.

[31]   ADAM MUÑOZ, Mª Dolores, "La respuesta del ordenamiento jurídico español ante la mutilación genital femenina", *La Ley: Revista jurídica española de doctrina, jurisprudencia y bibliografía Diario La Ley*, Núm. 2, 2006, pp. 1480-1492, recogía la estimación de que solo en Cataluña alrededor de 2000 menores corrían el riesgo de ser sometidas a la MGF. En este mismo trabajo la autora recoge las diferentes medidas que los Estados miembros han tomado a nivel nacional para hacer frente a la MGF.

[32]   Como ya puso de relieve ADAM MUÑOZ, Mª Dolores, "La respuesta del ordenamiento jurídico español...", ob. cit.

[33]   En España esta práctica se ha abordado desde el derecho penal; además de las citadas con anterioridad vid. SERRANO TÁRRAGA, María Dolores, "Violencia de género y extraterritorialidad de la ley penal. La persecución de la mutilación genital femenina", *RDUNED. Revista de derecho UNED*, Núm. 11, 2012, pp. 867-888; LLABRÉS FUSTER, Antoni, "El tratamiento de la mutilación genital femenina en el ordenamiento jurídico-penal español", *Europa: derechos, culturas* / coord. por Francisco Javier de Lucas Martín, 2006, pp. 67-86; GARCÍA GARCÍA-CERVIGÓN, Josefina, "La mutilación genital femenina en el contexto legal internacional: especial referencia al derecho penal", *La ley penal: revista de derecho penal, procesal y penitenciario*, Núm. 83, 2011; VALLEJO PENA, Carmen, "Mutilación genital femenina: violencia de género con nuevas trabas para su persecución en España", *Revista de estudios jurídicos*, Núm. 14, 2014; JERICÓ OJER, Leticia, "A vueltas con la mutilación genital (artículo 149.2 CP): ¿aplicación exclusiva del delito sólo cuando existan motivos religiosos o culturales?", *Diario*

la MGF y el procesamiento de sus autores debería ser una de las prioridades de todas las políticas y los programas pertinentes de la Unión Europea. Al mismo tiempo la Resolución señala que los inmigrantes residentes en la Unión Europea deberían saber que la MGF es una grave agresión contra la salud de las mujeres y una violación de los derechos humanos. Es por ello por lo que se pide, en este contexto, a la Comisión, que elabore un enfoque estratégico global a nivel europeo con vistas a poner fin a estas prácticas en la Unión Europea[34].

A pesar de la importancia que tiene y se le da a la MGF, no existe una normativa convencional de alcance universal sobre la prevención, la sanción y la erradicación de estas prácticas, por lo que la MGF se ha reconducido a otras categorías generales o específicas de violación de los derechos humanos[35]. Es cierto, eso sí, que existe una conciencia resolutoria internacional sobre la consideración de esta conducta social como atentatoria de los derechos humanos. En este sentido la Convención interamericana para prevenir, sancionar y erradicar la violencia contra la mujer (*Convención Belém do Pará* de 1994) adquirió un protagonismo esencial en el asunto *Campo Algodonero c. México* resuelto en 2009 por la Corte Interamericana de Derechos Humanos[36].

De este tema me interesa la reflexión que realiza Julia Ropero[37], al pedir una mayor implicación y compromiso de los hombres en la erradicación de esta práctica, ya que es habitual que los padres aleguen desconocimiento sobre estas prácticas sobre sus hijas, por tratarse de un "asunto de mujeres". Esto implica que, si no se consigue demostrar en la vía penal la implicación activa del padre, "resulta cuanto menos paradójico que las mujeres aparezcan primero como víctimas de la mutilación y luego se conviertan en las únicas responsables penalmente [...] de una práctica discriminatoria que impone una sociedad dominada por los hom-

---

La Ley, Nº 8206, 2013; SANZ MULAS, Nieves, "Diversidad cultural y política criminal: Estrategias para la lucha contra la mutilación genital femenina en Europa (especial referencia al caso español)", *Revista electrónica de ciencia penal y criminología*, Núm. 16, 2014.

[34] Vid. sobre el desarrollo a nivel europeo LA BARBERA, María Caterina, "Inmigración, hipertrofia del derecho penal y fronteras simbólicas: Un análisis comparado de la legislación europea sobre "mutilación genital femenina"", *Revista general de derecho público comparado*, Núm. 8, 2011.

[35] Así se dirige bien hacia la Convención sobre la eliminación de todas las formas de discriminación contra la mujer de 1979, o la Convención de los derechos del niño de 1989 o, en su caso, hacia la Convención contra la tortura y otros tratos o penas crueles, inhumanos o degradantes de 1984.

[36] Cfr. JIMÉNEZ GARCÍA, Francisco, "La responsabilidad directa por omisión del Estado más allá de la diligencia debida. Reflexiones a raíz de los crímenes "feminicidas" de Ciudad Juárez", *REDI*, 2011-2, pp. 11-50.

[37] ROPERO CARRASCO, Julia, "La mutilación genital femenina: una lesión de los derechos fundamentales de las niñas basada en razones de discriminación sexual", *Cursos de derechos humanos de Donostia-San Sebastián*, Vol. 4, 2003, pp. 355-386.

bres cuando en todo momento el padre tiene la misma obligación de salvaguardar los bienes jurídicos concernientes a sus hijos menores".

Este debate se planteó ante los tribunales españoles en la Sentencia de la Audiencia Nacional de 4 de abril de 2013[38] que condenaba a la madre de una niña que fue mutilada *antes* de emigrar a España[39]. La sentencia evidenció los problemas que subyacen a la MGF en el sentido de que reproduce patrones discriminatorios en función de presunciones de información dejando en este caso al "informador necesario" (el padre, que era quien llevaba residiendo en España cerca de 10 años) exonerado de toda culpa y haciéndola recaer exclusivamente sobre la madre. Esto nos lleva a señalar que de mantenerse esta línea jurisprudencia interpretativa de las responsabilidades sobre los hijos de padres/madres en este tipo de familias, la reagrupación familiar puede dar lugar a la apertura de múltiples causas y condenas judiciales o compeler a que los padres dejen a sus hijas mutiladas en los lugares de origen donde tal práctica es socialmente aceptada, perpetuando las desigualdades de género. Ninguna de las dos opciones nos parece una solución al problema.

2.2. *Nacionalidad de la mujer casada*

No todas las formas de violencia sobre la mujer son tan obvias como la MGF. Y son posiblemente estas formas, las silenciosas, las invisibles, las que más daños han hecho y siguen haciendo. Quiero ahora abordar algunas situaciones legalmente previstas que creo ponen de relieve cómo se ha utilizado al ordenamiento jurídico vigente en cada momento como arma contra el género femenino, haciéndolo además bajo el pretexto casi siempre de proteger a la mujer[40].

---

[38]   CENDOJ, ROJ: SAN 1323/2013 (Id. Cendoj: 28079220042013100001). Sobre los datos concretos del caso vid. JIMÉNEZ GARCÍA, Francisco, "La mutilación genital femenina (MGF) y el principio de extraterritorialidad. A propósito de la Sentencia de la Audiencia Nacional 9/2013 de 4 de abril de 2013", *Revista española de derecho internacional*, Vol. 65, Núm. 2, 2013, pp. 349-356.

[39]   Las sentencias recaídas con anterioridad, como la sentencia 4815/2010 de 11 de mayo de la Audiencia Provincial de Barcelona y, en particular, la sentencia condenatoria 197/2011 de 15 de noviembre de la Audiencia Provincial de Teruel, se refirieron a mutilaciones practicadas en España.

[40]   En el momento de escribir estas líneas se ha dado a conocer la multa de 25.000 euros que la Consejería de Trabajo de Baleares ha impuesto a Iberia por la exigencia de la aerolínea de exigir una prueba de embarazo a las aspirantes a convertirse en auxiliares de vuelo en la preselección de candidatos. *En las alegaciones, la compañía justificó la petición de la prueba de embarazo argumentando que les permitía incorporar a las nuevas empleadas a un protocolo de salud. Iberia alega que el único fin de la prueba es "no asignarle una tarea que ponga en riesgo su embarazo"* (vid. El País, 10 de julio de 2017 https://economia.elpais.com/economia/2017/07/09/actuali-

En relación con la respectiva comunidad nacional la adquisición de la nacionalidad en origen es algo que se impone al ciudadano, aunque luego, cuando se tiene capacidad de obrar, la persona puede, cumpliendo las condiciones que cada legislación establezca para ello, cambiarla. Sin embargo, y aunque hoy el art. 11.2 CE recoja que no pueden perder la nacionalidad española quienes la hayan obtenido de origen si no es por una decisión libremente adoptada, hasta la entrada en vigor de la Ley 14 de 2 de mayo de 1975[41] *de reforma del Código Civil y de Comercio sobre la situación jurídica de la mujer casada*, la situación de la mujer era claramente discriminatoria, perdiendo su nacionalidad al casarse para adoptar la de su marido.

La triple calificación que predicaba Díez-Picazo del paterfamilias en el Código Civil, cómo legislador, juez y patrón[42], se manifestaba en un articulado que desgranaba todo lo que la mujer podía y sobre todo no podía hacer, de tal modo que estaba subordinada al marido tanto en el plano personal (sólo el marido fijaba el domicilio conyugal o la vecindad civil por ejemplo[43]), como en el patrimonial (el marido era el administrador de los bienes de la sociedad conyugal[44]).

Una de las manifestaciones más claras de ello es la determinación de la nacionalidad de la mujer, que atendía al criterio de con quién se había casado, ostentando o perdiendo por razón de matrimonio su nacionalidad. Así, el art. 22 del Código Civil vigente desde 1889 hasta 1954[45], rezaba: *Art. 22. La mujer casada sigue la condición y nacionalidad de su marido. La española que casare con extranjero, podrá, disuelto el matrimonio, recobrar la nacionalidad española, llenando los requisitos expresados en el artículo anterior.* Cuando en 1954 se modifica de nuevo el Código Civil[46], se regula la adquisición y pérdida de la na-

---

[41]   dad/1499624685_298207.html). De nuevo, bajo el pretexto de proteger a la mujer, se produce una actuación laboral que afortunadamente supone una infracción laboral de carácter muy grave por discriminación. Sin embargo, y a pesar de la multa, el trasfondo de la noticia es tristemente que la violencia de género invisible o silenciosa sigue incluida en la cotidianidad.

[41]   BOE núm. 107, de 5 de mayo de 1975.

[42]   DÍEZ-PICAZO, Luis, *Familia y Derecho*, Madrid, Civitas, 1984, p. 74.

[43]   Sobre este último supuesto vid. VARGAS-GÓMEZ URRUTIA, Marina, "Vecindad civil de la mujer casada: nuevas reflexiones en torno a la inconstitucionalidad sobrevenida del art. 14.4 C.c. y la retroactividad de la Constitución española en relación a los modos de adquisición de su vecindad civil", *Cuadernos de Derecho Transnacional*, Vol. 3, Núm. 2, 2011, pp. 194-202.

[44]   En este sentido vid. la reflexión de ALONSO PÉREZ, Mariano, "La Familia entre el pasado y la modernidad. Reflexiones a la luz del Derecho civil", *Actualidad Civil*, 1998, Ref. I, tomo 1, pp. 1-29, Editorial LA LEY, quien reflexiona sobre el sentido de la familia y los efectos que sobre la mujer han tenido las diferentes normas contenidas en el Código Civil (en concreto pp. 11 y ss.).

[45]   Redacción según Real Decreto de 24 de julio de 1889. Gaceta de Madrid, de 25 de julio 1889.

[46]   Redacción según Ley de 15 de julio de 1954. BOE de 16 de julio de 1954.

cionalidad en los arts. 19 a 25, de modo que: art.19: *También podrá adquirirse la nacionalidad española... [L]a nacionalidad así obtenida por el marido se extiende a la mujer no separada legalmente y a los hijos que se encuentren bajo la patria potestad*; art. 21: *La extranjera que contraiga matrimonio con español adquiere la nacionalidad de su marido*; art. 22: *[...] La mujer casada no podrá por sí sola adquirir voluntariamente otra nacionalidad, a menos que esté separada legalmente*; art.23: *También perderán la nacionalidad española [...] 3º La española que contraiga matrimonio con extranjero, si adquiere la nacionalidad de su marido. 4º La mujer no separada legalmente, cuando el marido pierda la nacionalidad española y a ella le corresponda adquirir la del marido.*

Esta situación, que no es tan lejana en el tiempo, representa una forma de violencia silenciosa sobre la mujer, considerándola un sujeto sin capacidad jurídica propia, asimilada en muchas ocasiones al trato que reciben los menores o incapaces, y fuertemente dependiente del hombre[47].

No será hasta 1975 cuando la redacción del articulado del Código Civil quede del siguiente modo: art. 21. *El matrimonio por sí solo no modifica la nacionalidad de los cónyuges ni limita o condiciona su adquisición, pérdida o recuperación, por cualquiera de ellos con independencia del otro. El cónyuge español sólo perderá su nacionalidad por razones de matrimonio con persona extranjera si adquiere voluntariamente la de ésta. El cónyuge extranjero podrá adquirir la nacionalidad española por razón de matrimonio si expresamente optare por ella, con aplicación de lo dispuesto en el párrafo final del artículo 19 y en el último párrafo del artículo 20.*

A pesar de la redacción, hemos de señalar que la reforma producida en 1975 no parte de la idea de que se trate de un trato discriminatorio de la mujer frente al hombre que deba ser remediado, sino que los motivos de ésta se encuentran en que "ya no hay razón, debido a la multiplicación de las relaciones internacionales, tanto a escala de los Estados como de las personas, para que una misma familia no pueda estar compuesta por personas de diferentes nacionalidades"[48], por lo que se mitiga el criterio de que el matrimonio incide por sí solo y de manera automática en la adquisición, la pérdida o recuperación de la nacionalidad española, y se pide que dicho acto sea siempre voluntario. No hay que perder de vista el hecho de que en esos años era doctrina extendida del Código el principio de *unidad familiar*, lo que suponía imponer una sola nacionalidad para todos los miembros de la familia. Imposición que se dejaba en manos del varón sin contar

---

47   Sobre el tema de la nacionalidad y el matrimonio en ese momento histórico puede consultarse MULLERAT BALMAÑA, Ramón María, "La influencia del matrimonio en la nacionalidad de la mujer", *Revista jurídica de Cataluña*, Vol. 74, Núm. 4, 1975, pp. 787-802.

48   Apartado II de la Exposición de Motivos de la Ley 14/1975 de 2 de mayo.

con la voluntad ni de la esposa ni del resto de miembros de la familia[49], lo que implicaba que siendo español el padre y esposo, eran españoles la esposa y los hijos.

2.3. *Apellidos de la mujer casada*

Pero esto no transciende solo sobre la nacionalidad, sino que se refleja en otros ámbitos que llegan hasta la actualidad, como, por ejemplo, los apellidos de la mujer casada. Resulta paradójico ver como en pleno siglo XXI mujeres plenamente integradas e insertadas en el ámbito laboral y profesional, que luchan por romper el famoso *techo de cristal*, pierden su apellido, su identidad, por el mero hecho de contraer matrimonio[50].

Cierto es que la tendencia general en los países europeos, especialmente entre los Estados miembros, es la de la igualdad entre ambos sexos, singularmente en el reconocimiento a la esposa de la opción de elegir si desea mantener su apellido o bien unirlo o sustituirlo por el de su marido. Pero también lo es el hecho de que está universalmente extendida la costumbre de asignar un nombre individual o propio a cada persona, complementado con un apellido familiar, el cual es, generalmente, el del padre y, a veces, el de cada uno de los progenitores. Gran parte de la población mundial, singularmente los musulmanes, utilizan a modo de apellido, tras su nombre propio o personal, el nombre personal de su padre (y, a veces, el de su abuelo) precedido de las partículas *ibn*, *ben* o *bin*. Una variante, presente en ciertas naciones de Europa oriental (como Rusia o algunos países balcánicos), es la de utilizar el nombre propio del padre, con distintos sufijos según haya de imponerse a un hijo o una hija. En definitiva, a lo largo y ancho de los diferentes ordenamientos y Estados queda demostrado que el criterio predominante ha venido siendo una referencia al padre, a la hora de determinar o construir el apellido familiar relegando al anonimato casi absoluto a la mujer. No es en sí un acto violento, al contrario, apoyado en la tradición, la mayoría de mujeres no lo perciben como una muestra de violencia sobre el género al que ellas pertenecen[51]. Pero lo es, es un acto completamente discriminatorio y que denota

---

[49] En este sentido vid. Resolución (3ª) de la DGRN de 22 de octubre de 1998 sobre adquisición de la nacionalidad española, en la que se pone de manifiesto sin ninguna duda que por aplicación del principio de unidad familiar en aquella época, la extensión de la nacionalidad española a la mujer casada se producía de modo automático sin contar para nada con la voluntad de la esposa, siendo esta adquisición de la nacionalidad del marido involuntaria y automática.

[50] No son pocas las famosas que son conocidas por el apellido de sus maridos, y que representan un paradigmático ejemplo para las jóvenes que las siguen en las redes sociales desde Victoria Beckham hasta recientemente Amal Clooney.

[51] Debería parecernos al menos llamativo el hecho de que hoy en día se siga solicitando, a la usanza de los países latinoamericanos, el uso del "de" junto al apellido del marido como ape-

la invisibilidad a la se somete a las mujeres desde la esfera más privada hasta la más pública. El sistema de apellido único y la adquisición inexorable por la esposa del apellido del marido, choca abiertamente con el tratamiento legislativo que merecen hombre y mujer desde los parámetros de igualdad y no discriminación, principios consagrados en el Pacto Internacional sobre Derechos Civiles y Políticos de 19 de diciembre de 1966, la Convención sobre la eliminación de toda forma de discriminación respecto a las mujeres de 18 de diciembre de 1979, el Convenio Europeo o la Carta Europea de Derechos Fundamentales[52].

El Consejo de Europa, a finales de los años 70[53] ya recomendó a los Estados que se asumiese y promoviese la igualdad entre los esposos de modo que[54] no se obligase legalmente a un esposo a cambiar su apellido para adoptar el del otro esposo; y si así ocurriera, que se optase, bien por elegir un apellido familiar común de acuerdo con el otro esposo, bien por mantener cada esposo su apellido, o que legalmente se utilizase un apellido familiar constituido por la unión del apellido de cada uno de ellos. En la década de los 80 de nuevo se produjo una nueva Recomendación[55] que señalaba en su apartado I. 1.4. *in fine* b): "En materia de Derecho civil, deberá garantizarse la efectiva igualdad de los derechos y deberes entre los hombres y las mujeres, especialmente en lo concerniente al apellido (*family name*)". Algo más de 20 años después, en su Declaración instando la realidad de la igualdad de géneros, el 12 de mayo de 2009 en Madrid (119ª Reunión), constataba que no todos los países habían seguido su anterior Declaración e instaba a hacerlo.

Y consecuencia de este nuevo desajuste entre deseo y realidad, ha sido el Tribunal Europeo de Derechos Humanos (en adelante TEDH), quien ha intervenido

---

llido de la mujer casada. En este sentido la RDGRN (Resolución núm. 6/2010 de 8 julio 2010, JUR\2011\314172), recoge la pretensión de una mujer nacionalizada española que interpuso recurso contra la calificación realizada (al solicitar la inscripción de nacimiento en el Registro Civil español) alegando que, desde que se casó, ha venido utilizando los apellidos R. (paterno) y De L. (el primero de su marido precedido de la preposición "de"), por lo que considera un error la consignación de "W" como segundo apellido (correspondiente al primero de soltera de su madre).

[52] LINACERO DE LA FUENTE, María Asunción, "El principio de igualdad en el orden de transmisión de los apellidos. El art. 49 de la nueva Ley del Registro Civil", *Actualidad Civil*, Núm. 15-16, 2012, pp. 1618-1619.

[53] Resolución (78) 37, *sobre la igualdad de los esposos en Derecho Civil*, adoptada por el Comité de Ministros en 27 de septiembre de 1978 (292ª Reunión de Delegados de Ministros).

[54] Ibídem, Punto 6º.

[55] Recomendación nº R (85) 2, del Comité de Ministros de los Estados Miembros relativa a la protección jurídica contra la discriminación por razón de sexo, adoptada el 5 de febrero de 1985 en la 380ª Reunión de Delegados de Ministros, que se puede consultar en *https://wcd. coe.int/com.instranet.InstraServlet?command=com.instranet.CmdBlobGet&Instrane tImage=2731654&SecMode=1&DocId=685788&Usage=2.*

en estos asuntos, todo y que si bien es cierto que el art. 8 del Convenio Europeo
de Derechos Humanos no se refiere de forma explícita a los nombres, el Tribunal
ha declarado en numerosos asuntos (*Burghartz* o *Stjerna*[56]) que el nombre de una
persona afecta a su vida privada y familiar al constituir un medio de identificación personal y un vínculo con una familia. La cuestión planteada en el asunto
Burghartz frente al Estado suizo ponía de relieve cómo la reforma sobre el derecho de familia suizo (estamos hablando del vigente en 1990) no permitía en este
caso al esposo añadir a su apellido el de su mujer, ya que el artículo 160.2 del
Código civil suizo, deseoso de mantener la unidad familiar y la tradición, nunca
habría permitido la igualdad total entre ambos cónyuges, y sólo la esposa podía
anteponer su apellido al del marido, sin que pudiera aplicarse, por analogía, la
posibilidad contraria. El matrimonio decidió demandar al Gobierno suizo frente
al TEDH a quien no le convencieron los argumentos expresados por Suiza respecto a la unidad familiar a través del apellido, ni que ésta pudiera mantenerse
si la esposa antepone su apellido al del marido y no en el caso contrario, como
tampoco consideró que fuese una verdadera tradición, porque la posibilidad de
que la esposa antepusiera su apellido al del marido sólo se contemplaba en la
normativa suiza desde 1984.

En todo caso, la importancia radica en que este caso fue el inicio de una jurisprudencia, ya consolidada, que considera el nombre y apellidos de la persona
como un derecho íntimamente relacionado a su vida privada y familiar; es decir,
como un derecho de la personalidad[57]. Pese al mantenimiento del carácter de
medio identificador del apellido (es decir, su carácter público), este carácter ha
evolucionado en su tratamiento para centrarse en las implicaciones que proyectan sobre el mismo los derechos fundamentales y de la personalidad. Como es
lógico, a ello han conducido las reiteradas sentencias del TEDH y del TJUE, en
defensa de los principios de igualdad y no discriminación por razón de sexo, de
los que son garantes. Señala Egusquiza[58] que en el entorno europeo la regulación
que ha precisado una adaptación más evidente a los principios que dimanan de

---

[56]   Concretamente en los asuntos *Burghartz,* Sentencia de 22 febrero 1994, STEDH 1994\9, caso
       Burghartz contra Suiza, y asunto *Stjerna contra Finlandia*, Sentencia de 25 de noviembre de
       1994, STEDH 1994\45.
[57]   Recogen y comparten la naturaleza jurídica del nombre como bien o derecho de la personali-
       dad, entre otros, ÁLVAREZ GONZÁLEZ, Santiago y GARCÍA RUBIO, María Paz, "El nombre
       de las personas físicas", *Tratado de Derecho de la persona física*, tomo I, Civitas, 2013, p. 471;
       EGUSQUIZA BALMASEDA, María Ángeles, "Derecho al apellido: tradición, igualdad y ciuda-
       danía europea (a propósito de la STEDH de 18 noviembre 2004, caso Ünal Tekeli)", *Repertorio
       Aranzadi del Tribunal Constitucional*, Núm. 11, 2005, p. 2.
[58]   EGUSQUIZA BALMASEDA, María Ángeles, "Derecho al apellido: tradición, igualdad y ciuda-
       danía europea…", ob. cit., pp. 13-31.

los derechos fundamentales ha sido la relativa al apellido de la mujer casada, motivado por el habitual sistema europeo de apellido único que obligaba a la mujer a adoptar el del marido, con o sin incorporar el suyo propio.

Suiza fue de nuevo objeto de análisis en el asunto *Losonci-Rose & Rose contra la Confederación Helvética*[59] en el año 2010, cuando un matrimonio binacional (húngaro y suiza-francesa) pretendían y solicitaron conservar cada uno de ellos su apellido ("Rose" para ella y "Losonci" para él). En el Derecho suizo, como ya hemos comentado, rige el principio de unidad familiar que, proyectado sobre los apellidos, significa también "unidad del nombre de la familia". Si bien el Derecho suizo deja cierta libertad a los contrayentes para la elección del nombre de la familia, en la práctica es el apellido del marido el que se convierte de forma automática en el "nombre de familia" a no ser que la mujer decida que sea el suyo pudiendo en tal caso unirlo al del marido como nombre-doble de la familia. De acuerdo con estas previsiones, y para el caso que nos ocupa, el matrimonio no obtuvo la autorización para continuar utilizando cada uno de ellos sus respectivos apellidos tras el matrimonio[60]. Para que una diferencia de trato sea violatoria del principio de igualdad es preciso demostrar que el trato distinto se produce respecto de situaciones análogas y que carece de justificación objetiva y razonable. Al proyectar estos principios sobre el asunto *Losonci Rose & Rose*, el Tribunal llega a una conclusión positiva ya que comprueba que a la luz de las opciones del Derecho suizo (material para la mujer y conflictual para ambos) en cuanto a la elección de cambio de nombre y elección de ley aplicable al nombre en supuestos internacionales, se produce un trato desigual por razón de sexo.

---

[59] Sentencia de 9 de noviembre de 2010, *Affaire Losonci Rose et Rose C. Suisse*. Req- no 664/06, definitiva el 9 de febrero de 2011, Resolution CM/ResDH (2012)102. Sobre este caso vid. VARGAS GÓMEZ-URRUTIA, Marina, "Cuando los apellidos traspasan la frontera: reflejos de la desigualdad en el nombre de la persona física en el asunto Losonci-Rose c. Suiza y en la Jurisprudencia del TJUE", *Revista General de Derecho Europeo*, Núm. 28, 2012; MARGUÉNAUD, Jean-Pierre, "Le nom du couple binational devant la Cour européenne des droits de l'homme: Cour européenne des droits de l'homme, Losonci Rose et Rose c. Suisse, 9 novembre 2010", *Revue trimestrielle des droits de l'homme*, Année 22, Núm. 88 (Octobre 2011), 2011, pp. 991-1001.

[60] El propio Tribunal Federal recordó que la jurisprudencia del TEDH contra Suiza en materia de derecho al nombre no había declarado incompatible con el Convenio el principio de unidad del nombre de la familia (asuntos *Burghartz vs. Suiza*, de 22 de febrero de 1994 y *G.M.B et K.M. vs. Suiza* de 27 de septiembre de 2001).
Es importante señalar que esta sentencia ha cambiado la jurisprudencia el Tribunal federal suizo en materia de nombre de familia en interpretación del art. 160 del Código civil suizo. El 30 de septiembre de 2011 la Asamblea Federal adoptó un Proyecto de Ley por el que cada esposo conservaba su nombre tras el matrimonio, pudiendo declarar ante el encargado del estado civil su deseo de tener un nombre de familia común y elegir entre el nombre de soltero de cualquiera de ellos. Esta ley entró en vigor el 1 de enero de 2013.

Mientras que el hombre no viene obligado a realizar la elección del patronímico, impuesta automáticamente por el derecho material suizo, éste se encontrará en situación desventajosa cuando siendo extranjero no se le permita la elección de la ley aplicable al nombre si la mujer (siendo nacional suiza) ejerce la opción de modificación del nombre, supuesto que no se dará a la inversa.

En este punto es necesario introducir la primera resolución del TEDH sobre una demanda que una mujer musulmana realizó por no permitirle mantener su apellido de soltera tras su matrimonio[61]. La señora *Ayten Ünal Tekeli*, contrajo matrimonio en 1990 y, en aplicación del artículo 153 del Código Civil turco, adquirió el apellido de su marido. Dado que en su profesión era conocida por su apellido de soltera, antepuso éste a su apellido legal de casada, pero aun así instó judicialmente para poder usar exclusivamente su apellido de soltera. En la jurisdicción interna le fue denegada tal pretensión por lo que demandó al gobierno turco ante el TEDH. Si bien el Gobierno turco reconoció ante el Tribunal la diferencia de trato en cuanto al sexo, planteaba que la misma estaba basaba en consideraciones sociales que afectaban al orden público; incluso apostilló que el propio Tribunal Constitucional turco ya se pronunció sobre esta cuestión afirmando que el hecho de que la mujer casada debiese llevar el apellido del marido no era inconstitucional, pues se basaba en un principio de unidad familiar.

A pesar de estas consideraciones, el TEDH entendió que este trato entre cónyuges era discriminatorio al permitir al hombre casado mantener su apellido y denegarlo a la mujer casada, sin que los argumentos de índole social y económico o de unidad familiar esgrimidos por el Gobierno turco fueran suficientes, ya que *la observancia de una práctica inveterada que acoge en su seno una situación de desigualdad, no exonera de su calificación discriminatoria en una sociedad moderna, aunque se ampare por normas de orden público.* En este sentido recordó que Turquía es el único país de los miembros del Consejo de Europa, donde resulta obligatorio para la mujer casada llevar el apellido del marido, aun cuando existiese consenso entre los cónyuges en sentido contrario, lo cual es contrario al proceso hacia la igualdad de sexos que los Estados Miembros del Consejo de Europa impulsan, por lo que no se debería imponer a la mujer esa tradición.

A pesar de la similitud de casos, las circunstancias del asunto *Losonci Rose & Rose* no son las mismas que en el caso *Ünal Tekeli* dado que en Suiza se permite, a diferencia de lo que ocurría en el Derecho turco, que la mujer cambie el nombre de familia eligiendo el propio como único. El razonamiento del TEDH en *Losonci*

[61] Sentencia de 16 de noviembre de 2004, asunto *Ünal Tekeli contra Turquía*, STEDH 2004\88. Sobre esta sentencia vid. el comentario de EGUSQUIZA BALMASEDA, María Ángeles, "Derecho al apellido: tradición, igualdad...", ob. cit. pp. 13-31.

Rose & Rose da en ese sentido un paso más completando la doctrina sentada en *Ünal Tekeli.*

No ha sido el único pronunciamiento recaído del TEDH contra Turquía en el mismo sentido, ya que el 28 de mayo de 2013 en el asunto *Leventoglu Abdulka-diroglu contra Turquía*[62], planteado en los mismos términos que en el caso *Ünal Tekeli*, el Tribunal consideró que el Gobierno turco *no había presentado hechos ni argumentos capaces de persuadirle de llegar a una conclusión diferente en el presente caso.* Y por lo tanto reiteraba la discriminación que sobre la mujer recae en cuanto al uso de los apellidos.

2.4. Transmisión de los apellidos a los hijos

La STEDH de 7 de enero de 2014, caso *Cusan y Fazzo contra Italia*[63], que provocó la inmediata respuesta del Gobierno italiano en forma de Proyecto de Ley[64], con la intención de resolver los problemas señalados por dicha resolución judicial, pone el acento en la transmisión a los hijos del apellido y en las posibles discriminaciones que este hecho puede acarrear[65].

---

[62]   STEDH\2013\56.

[63]   Sentencia de 7 de enero de 2014, caso *Cusan y Fazzo contra Italia*, STEDH TEDH 2014\2. Sobre esta sentencia vid. los comentarios de PITEA, Cesare, "Trasmissione del cognome e parità di genere: sulla sentenza Cusan e Fazzo c. Italia e sulle prospettive della sua esecuzione nell'ordinamento interno", *Diritti Umani e Diritto Internazionale*. vol. 8, 2014, Núm. 1, pp. 225-231; PARAVIZZINI, Giulia, "L'evoluzione della disciplina dell'attribuzione del cognome ai figli alla luce della Sentenza della Corte Europea dei Diritti dell'Uomo sul caso Cusan e Fazzo c. Italia e dei più recenti casi giurisprudenziali italiani", *Ordine internazionale e diritti umani*, 2016, pp. 640-647; BATTIATO, Cassandra, "Il cognome materno alla luce della recente sentenza della Corte Europea dei Diritti dell'Uomo", *Osservatorio Costituzionale*, 02/2014.

[64]   Vid. Disegno di legge Disposizioni in materia di attribuzione del cognome ai figli, in esecuzione della sentenza della Corte europea dei diritti dell'uomo 7 gennaio 2014 (2123), accesible en http://www.camera.it/leg17/126?pdl=2123.

[65]   En este sentido, y a pesar de la importancia y relieve de la *nueva Mudawana* vigente en Marruecos desde 2004, que ha intentado una adaptación de la ley musulmana a los criterios internacionales, a través de los principios de equidad e igualdad entre los sexos, el actual derecho de familia marroquí impide que el niño lleve los apellidos de la madre no casada, a no ser que ésta *obtenga autorización por escrito de su padre, o de su hermano mayor si el padre hubiese muerto* como recoge RODRÍGUEZ BENOT, Andrés, "La multiculturalidad: especial referencia al Islam", *Cuadernos de Derecho judicial*, VIII-2002, p. 358. De nuevo, la mujer, si no tiene un refrendo masculino queda invisibilizada para algunos ordenamientos jurídicos. Cabe citar en este sentido la Sentencia del Tribunal de Segunda Instancia de Tánger (núm. 817) de 19 de abril de 1997 que indica que "puesto que el hijo no tiene padre, para el bien y la protección del interés del menor, la legislación concede a la madre el derecho de darle su apellido, si su padre y hermanos están de acuerdo". Citada por ESTEBAN DE LA ROSA, Gloria, OUALD ALI, Karima, y SAGHIR, T.: "El Derecho de hadana de la mujer marroquí con respecto a sus hijas e

Al igual que sucede con los apellidos de la mujer casada, se tiende a una mayor libertad de los padres para elegir el apellido de sus hijos, lo que se ha traducido en instar[66] la posibilidad de tomar las medidas precisas para permitir a ambos esposos iguales derechos en lo referido al apellido que trasmitirán a los hijos de su matrimonio. Esto sin embargo choca de nuevo con la realidad, de manera que lo que acaba imperando en la mayoría de países es la prevalencia de la imposición del apellido paterno.

En Italia el sistema italiano del patronímico, con la atribución automática del apellido paterno al hijo representaba una obvia discriminación basada en el género, que contrastaba con el principio de igualdad jurídica entre los cónyuges sancionado en el artículo 29.2 de la Constitución italiana. Los hechos del asunto *Cusan y Fazzo contra Italia* arrancan cuando el sr. *Fazzo* solicitó la inscripción de su hija recién nacida con el apellido de su madre, *Cusan*, solicitud que le fue denegada inscribiéndose a la menor según las normas internas italianas que atienden el apellido paterno. Quiero destacar que los tribunales italianos alegaron para denegar esta solicitud que, aunque no hubiera norma escrita que impidiera inscribir a una menor con el apellido de la madre esta regla correspondería a un *principio bien arraigado en la conciencia social y en la historia italiana*; además, según el antiguo art. 144 del *Codice Civile*, la esposa adoptaba el apellido del marido y, por tanto, los hijos eran inscritos con dicho apellido[67]. Paradójicamente, si bien el Tribunal Constitucional italiano reconoció cuando intervino en el asunto, que "el sistema en vigor era el resultado de una concepción patriarcal de la familia y de los poderes del esposo, que tenía sus raíces en el Derecho romano, y ya no era compatible con el principio constitucional de la igualdad entre hombres y mujeres", concluyó señalando que "una declaración de inconstitucionalidad de las disposiciones internas habría creado un vacío jurídico".

Ante esta situación tuvo que resolver el TEDH catorce años después, recordando que el sistema italiano, que no permite que los cónyuges de común acuerdo impongan al hijo el apellido de la madre, viola el artículo 14 en combinación con el artículo 8 de la Convención Europea de Derechos Humanos. Así, la designación del apellido del hijo es materia que afecta a ambos padres, por lo que la existencia de un trato diferente, según de quién proceda el apellido, es discriminatorio, reforzando la argumentación el hecho de no existir una justificación

---

hijos en relación con el derecho español", *La situación jurídico-familiar de la mujer marroquí en España*, ed. Instituto Andaluz de la Mujer, Sevilla, 2008, p. 275.

[66]   Resolución (78) 37, *sobre la igualdad de los esposos en Derecho Civil*, adoptada por el Comité de Ministros en 27 de septiembre de 1978, Punto 17°.

[67]   Con posterioridad el art. 143 *bis* del *Codice Civile* permitiría que la mujer mantuviese su apellido, pero añadiendo a continuación el de su marido.

objetiva y razonable para esta distinción, ya que "la regla en cuestión quiere que el apellido asignado sea, sin excepción, el del padre, a pesar de cualquier voluntad diferente común a los cónyuges"[68].

Similar situación nos encontramos en el panorama legislativo español, donde el orden de los apellidos de los hijos hasta el 30 de junio de 2017[69], mantiene la opción por defecto de dar preferencia al apellido paterno[70]. Solo con la entrada en vigor parcial de la Ley 20/2011 desaparece la opción por defecto y se obliga a que los padres hagan constar expresamente el orden de los apellidos en la solicitud de inscripción en el Registro Civil, un cambio que permite acercarse más a la igualdad real[71].

2.5. *Los menores como instrumentos de violencia de género*

Aunque ya me he referido a los menores en el apartado anterior, lo cierto es que los menores se han instrumentalizado en el sentido de ser un medio para generar violencia sobre la mujer. No me voy a referir a las situaciones en las que el maltratador pone fin a la vida de los hijos en común como forma de provocar más violencia de género hacia su pareja, sino que de nuevo voy a intentar identificar formas más silenciosas en los que se hace intervenir a los menores en la

---

68   A pesar de la rapidez con la que el legislador italiano presentó la modificación legislativa tras conocer la Sentencia, a fecha actual la ley sigue en trámite parlamentario (vid. *http://www. senato.it/leg/17/BGT/Schede/Ddliter/44852.htm*), por lo que la justiciabilidad de la igualdad en los apellidos sigue sin poder predicarse realmente.

69   La evolución de la materia queda representada en SERRALLONGA Y SIVILLA, María Montserrat, "El apellido de la mujer: su desaparición o alteración por razón de matrimonio; su transmisión a los hijos", *Revista jurídica de Cataluña*, Vol. 75, Núm. 2, 1976, pp. 505-524; hasta aproximaciones más recientes como LINACERO DE LA FUENTE, María Asunción, "La igualdad del hombre y la mujer en el orden de transmisión de los apellidos a sus hijos", en Silvia Tamayo Haya (dir.), *La maternidad y la paternidad en el siglo XXI: Proyecto Plan Nacional DER-2011-29379*, 2015, pp. 163-180.

70   Es necesario resaltar que desde el 2000 se permite inscribir al niño con el apellido de la madre en primer lugar, pero para que esto sea así los padres han de solicitarlo al juez encargado del Registro Civil en una declaración de mutuo acuerdo sobre el cambio en el orden de los apellidos; en caso de no existir consenso, se seguiría dando preferencia por defecto al apellido paterno.

71   Sobre la entrada en vigor de la Ley 20/2011 del Registro Civil decir que en el Pleno del Senado iniciado el día 13 de junio se aprobó el Dictamen de la Comisión, dejando finalmente como fecha de entrada en vigor el 30 de junio de 2018, excepto los arts. 49.2 y 53 de la Ley 20/2011, referidos al orden de los apellidos, que lo harán el día 30 de junio de 2017 según la DA 10ª de la Ley 20/2011: "La presente Ley entrará en vigor el 30 de junio de 2018, excepto las disposiciones adicionales séptima y octava y las disposiciones finales tercera y sexta, que entrarán en vigor el día siguiente al de su publicación en el "Boletín Oficial del Estado", y excepto los artículos 49.2 y 53 del mismo texto legal, que entrarán en vigor el día 30 de junio de 2017".

generación de la violencia de género. Me refiero al secuestro interparental de menores transfronterizo[72] y al cobro de pensiones de alimentos transfronterizos[73], que ha planteado abiertamente el tema al abordar la violencia económica como una manifestación más de la violencia de género[74].

---

[72] Sobre la amplísima bibliografía sobre el tema destacamos los trabajos de MOYA ESCUDERO, Mercedes, "El secuestro internacional de menores", *Cuadernos de derecho judicial*, Núm. 8, 2002, (Ejemplar dedicado a: La multiculturalidad: especial referencia al Islam/ Andrés Rodríguez Benot (dir.)), pp. 411-460; MIRALLES SANGRO, Pedro Pablo, "Acerca de la eficacia de los convenios internacionales contra el "secuestro" internacional de menores", *La Ley: Revista jurídica española de doctrina, jurisprudencia y bibliografía*, Núm. 6, 2002, pp. 1793-1803; MONTÓN GARCÍA, Mar, "La sustracción o "secuestro" internacional de menores: causas y soluciones", en Julia Ropero Carrasco, Beatriz García Sánchez, Marina Sanz-Díez de Ulzurrun Lluch, Victoria García de Blanco (coord.); Antonio Rafael Cuerda Riezu (dir.), *Las tensiones entre la criminalidad internacional y las garantías propias de un Estado de Derecho en un mundo globalizado*, 2008, pp. 209-227; CAAMIÑA DOMÍNGUEZ, Celia M., "El secuestro internacional de menores: soluciones entre España y Marruecos", *Cuadernos de derecho transnacional*, Vol. 3, Núm. 1, 2011, pp. 47-62; REQUEJO ISIDRO, Marta, "Mediación, secuestro internacional de menores y violencia de género", en María Ángeles Catalina Benavente (coord.); Raquel Castillejo Manzanares (dir.), *Violencia de género, justicia restaurativa y mediación*, 2011, pp. 661-700; SOTO RODRÍGUEZ, María Lourdes, "El secuestro interparental", *Diario La Ley*, Núm. 8418, 2014.

[73] Sobre el tema de las pensiones de alimentos internacionales y su cobro vid. SALES PALLARÉS, Lorena, "Regulación de las obligaciones de alimentos en el ámbito comunitario: el reglamento 4/2009 y su relación con el Convenio y el Protocolo de La Haya 2007", en Emilio González Bou, Natacha González Viada (coord.); Francisco Aldecoa Luzárraga (dir.), Joaquim Joan Forner i Delaygua (dir.), *La protección de los niños en el derecho internacional y en las relaciones internacionales: Jornadas en conmemoración del 50 aniversario de la Declaración Universal de los Derechos del Niño y del 20 aniversario del Convenio de Nueva York sobre los Derechos del Niño*, 2010, pp. 299-314; PARRA RODRÍGUEZ, Carmen, "*Checklist* sobre el cobro internacional de alimentos: una perspectiva española", en Alegría Borrás Rodríguez (ed. lit.), Georgina Garriga Suau (ed. lit.), *Adaptación de la legislación interna a la normativa de la Unión Europea en materia de cooperación civil: homenaje al prof. dr. Ramón Viñas Farré*, 2012, pp. 219-242; BORRÁS RODRÍGUEZ, Alegría, "La cooperación internacional de autoridades: en particular, el caso del cobro de alimentos en el extranjero", *Anuario español de derecho internacional privado*, Núm. 8, 2008, pp. 129-154; VARGAS GÓMEZ-URRUTIA, Marina, "El cobro internacional de los alimentos. Reflejos del dispositivo protector del acreedor de alimentos en las normas del Reglamento (CE) 4/2009", *Revista de derecho de la Unión Europea*, Núm. 22, 2012 (Ejemplar dedicado a: Familia y persona en la Unión Europea: problemas actuales), pp. 99-118.

[74] SÁINZ-CANTERO CAPARRÓS, María Belén, "La garantía de las pensiones de alimentos en la lucha contra la violencia de género", en María Elena Jaime de Pablos (ed. lit.), *Identidades femeninas en un mundo plural*, 2009, pp. 705-712; PADIAL ALBÁS, Adoración, "Efectos directos e indirectos de la violencia de género sobre los hijos y las hijas (III). El incumplimiento de las pensiones alimenticias como violencia económica: una forma habitual de violencia de género", en Cristina Rodríguez Orgaz, Ana María Romero Burillo (Coords.), *La protección de la víctima de violencia de género: un estudio multidisciplinar tras diez años de la aprobación de la ley orgánica 1/2004*, 2016, pp. 404-422; COLÁS TURÉGANO, María Asunción, "El bien jurídico protegido en delito de impago de pensiones como instrumento de tutela frente a le des-

Por lo que se refiere al secuestro internacional de menores entre progenitores los motivos que impulsan a una persona a secuestrar a sus propios hijos son variados: puede producirse ante la amenaza o peligro de una separación, como expresión del sentimiento de injusticia del sustractor frente a una sentencia judicial, como instrumento de presión para restablecer y/o preservar la vida de pareja, como reacción ante un derecho de acceso o visita difícil o imposible y en alguna ocasión esporádica en defensa del bienestar del menor.

En cualquiera de los casos, la sustracción o retención del hijo común es uno de los mecanismos más efectivos para infligir a la ex pareja el máximo daño posible. Dentro de los medios más utilizados para esta venganza, el dinero o su falta (incluso a través del impago de las pensiones de alimentos como luego vamos a ver) es elemento eficaz de agredir, pero quizá ninguno hay tan seguro en resultado como hacer uso de los hijos. Reafirmar la exclusividad del dominio sobre estos y arrancarlos del otro progenitor es el medio más eficaz de hacer daño.

Aunque tradicionalmente la doctrina ha venido considerando el secuestro tipo como el producido por el padre durante el ejercicio de su derecho de visitas[75], en la actualidad el supuesto más frecuente de secuestro es el del progenitor custodio (madre, víctima de violencia de género) regresando a su país de origen que traslada a los menores con ella.

En cualquier caso, en el tema de los secuestros de menores se analizan actualmente las conexiones entre el secuestro parental y el maltrato doméstico, y más específicamente con la violencia de género, subrayándose el aumento de la tasa de violencia doméstica en algunos de los supuestos de secuestros, usándose el secuestro del menor bien como medio de presión hacia el ex cónyuge o para satisfacer un deseo de revancha[76].

---

igualdad de género", *Actualidad jurídica iberoamericana*, Núm. 5, 2, 2016 (Ejemplar dedicado a: La pensión compensatoria en las crisis familiares en el derecho comparado), pp. 248-258; DOMÍNGUEZ MARTÍNEZ, Pilar, "Un tipo de violencia económica: el impago de pensiones", en Carolina Mesa Marrero, María del Carmen Grau Pineda (Coords.), *Mujeres, contratos y empresa desde la igualdad de género*, 2014, pp. 37-56; SÁINZ-CANTERO CAPARRÓS, María Belén, "El fondo de garantía de pensiones de alimentos como instrumento de prevención contra la violencia de género y la exclusión social de familias desestructuradas", *Revista de derecho de familia: Doctrina, Jurisprudencia, Legislación*, Núm. 39, 2008, pp. 37-52; VELA SÁNCHEZ, Antonio José, "Violencia de género en el ámbito familiar y pensión compensatoria", en Laura López de la Cruz, Marta Otero Crespo (coords.) y María Paz García Rubio (dir.), Rosario Valpuesta Fernández (dir.), *El levantamiento del velo: las mujeres en el derecho privado*, 2011, pp. 833-858; DOMÍNGUEZ MARTÍNEZ, Pilar, "El impago de pensiones como violencia económica", en Mª Ángeles Zurilla Cariñana y Pilar Domínguez Martínez (coord.), *Violencia contra las mujeres. Un enfoque jurídico*, Septem ediciones, Oviedo, 2011, pp. 111 y ss.

75   Me remito a toda la bibliografía antes mencionada.
76   En este sentido los estudios de ESLAVA RODRÍGUEZ, Manuela, "Secuestro internacional de menores y violencia doméstica", *Manuales de formación continuada*, Núm. 25, 2004 (Ejem-

Desde esta perspectiva de género se han intentado construcciones para evitar en estos casos que los Tribunales acuerden el retorno del menor sustraído por el progenitor maltratado[77] ya que se consideran supuestos de violencia psíquica hacia el menor y la pareja en tanto en cuanto están dirigidos a privar al menor de su derecho a relacionarse con uno de sus progenitores. A pesar de considerarse una conexión reciente ya hay pronunciamientos judiciales que han tenido en cuenta para no restituir al menor secuestrado la preexistencia de violencia de género[78].

Por lo que se refiere a la importancia de las obligaciones alimenticias en los casos internacionales es hoy indiscutible. Las cifras no hacen sino confirmar la internacionalización de la vida actual, y por lo tanto, del aumento de casos transfronterizos de obligaciones de alimentos. La Conferencia de La Haya de Derecho Internacional Privado ha mostrado desde hace décadas sensibilidad hacia este tema como lo demuestran los textos que desde los años 50 han visto la luz en su seno. Fue en 1956 cuando apareció el Convenio sobre Ley Aplicable a las Obligaciones Alimenticias respecto a Menores (hecho el 24 de octubre de 1956), al que siguió el Convenio sobre el Reconocimiento y Ejecución de Decisiones en Materia de Obligaciones Alimenticias (hecho el 15 de abril de 1958). En la década de los 70 a estos convenios se les unieron el Convenio de 2 de octubre de 1973 sobre Reconocimiento y Ejecución de Resoluciones relativas a las Obligaciones Alimenticias y el Convenio de 2 de octubre de 1973 sobre Ley Aplicable a las Obligaciones Alimenticias.

Aunque los Convenios habían aumentado la seguridad y protección de las obligaciones alimenticias, a finales de los 90 empezaron a aparecer los primeros informes que apuntaban la necesidad de una nueva reforma o transformación ya

---

plar dedicado a: Los juicios rápidos. Orden de protección: análisis y balance), pp. 131-182; REQUEJO ISIDRO, Marta, "Mediación, secuestro internacional de menores...", ob. cit., pp. 661-700; REQUEJO ISIDRO, Marta, "Secuestro de menores y violencia doméstica en la Unión Europea", *Anuario español de derecho internacional privado*, Núm. 6, 2006, pp. 179-194.

[77] A pesar de que no existe un procedimiento específico de restitución cuando hay violencia de género de por medio como pone de manifiesto LAPIEDRA ALCAMÍ, Rosa, "La sustracción internacional de menores: el Convenio de la Haya de 25 de octubre de 1980", en Paz Lloria García, (dir.), *Secuestro de Menores en el Ámbito Familiar: Un Estudio Interdisciplinar*, Madrid, 1ª ed. Iustel, 2008, pp. 213-216.

[78] Existen antecedentes jurisprudenciales en el marco extracomunitario y en nuestro país, como los casos *Pollastro v. Pollastro*, [Pollastro v. Pollastro,1999; 45 R.F.L. (4th) 404 (Ont. C.A.). Referencia INCADAT: HC/E/CA 373] y *Blondin v. Dubois*, [Blondin v. Dubois, 238 F.3d 153 (2d Cir. 2001). Referencia INCADAT: HC/E/USf 585]; o en nuestro país los casos la SAP de Las Palmas, secc. 3ª, núm. 903/2008, de 18 de diciembre, la AAP de Cádiz, secc. 5ª, núm. 25/2011, de 22 de febrero, o el controvertido asunto de *Desirée Vicente y Philippe Kitsos* en el que ha acabado dictando Sentencia el Tribunal Constitucional (STC 16/2016 de 1 de febrero de 2016, ECLI:ES:TC:2016:16), evitando un retorno de una menor involucrada en un caso de violencia de género.

que el sistema internacional para el cobro de alimentos con respecto a los menores y otras formas de manutención de la familia era "excesivamente complejo, y se necesita reformar y dar un seguimiento adecuado a las normas relativas a la cooperación administrativa"[79]. Este instrumento en el ámbito comunitario lo representa el Reglamento 4/2009 y el Protocolo de La Haya de 2007[80].

Con la eliminación de trabas en el reconocimiento y ejecución de las resoluciones dictadas en estas materias, convirtiéndolas casi en automáticas, se pretende conseguir el objetivo de que el cobro de una pensión transfronteriza no sea una dificultad, ni sea un modo de violencia económica hacia la mujer, quien sigue estadísticamente siendo el progenitor custodio en casi la totalidad de procesos de guarda y custodia de los menores.

3. RELATIVISMO CULTURAL Y DERECHOS DE LA MUJER

No quiero terminar sin hacer, aunque sea mínimamente, una referencia a modo de conclusión sobre el efecto que el territorio tiene sobre el ordenamiento jurídico de algunos Estados. Es innegable que el territorio, la identidad, el relativismo cultural afectan al ordenamiento jurídico. Sirva de ejemplo para ilustrar lo que quiero decir, la normativa marroquí, donde sus normas se enraízan o se basan, tanto en el *Corán* y la *Sunna*, como en la *Idjimà* y en la *Qiyas*. En consecuencia, como explica Quiñones Escámez[81], a pesar de que en los textos constitucionales marroquís se proclame la igualdad política entre hombres y mujeres, la mujer continúa en una situación de clara desventaja, fundamentalmente en lo que respecta a la institución familiar.

Aunque en el año 2004 tuvo lugar una importante reforma con la denominada "nueva" *Mudawana*[82] que ha salvado muchas de las cuestiones más espinosas,

---

[79]   Informe de la primera reunión de la Comisión Especial sobre el cobro internacional de alimentos con respecto a los menores y otras formas de manutención de la familia (5-16 de marzo de 2003), Doc. Prel. Nº 5 de octubre de 2003, elaborado para la atención de la Comisión especial de junio de 2004.

[80]   Sobre ambos textos vid. ÁLVAREZ GONZÁLEZ, Santiago, "El Reglamento 4/2009/CE sobre obligaciones alimenticias: cuestiones escogidas", *Diario La Ley*, Núm. 7230, 2009 y SALES PALLARÉS, Lorena, "Regulación de las obligaciones de alimentos en el ámbito comunitario: el reglamento 4/2009 ...", ob. cit., y bibliografía allí citada.

[81]   QUIÑONES ESCÁMEZ, Ana, *Legislación sobre matrimonio, divorcio y sucesiones. África del norte y América Latina*, ed. Atelier, Barcelona, 2006, p. 47.

[82]   Sobre el mismo vid. DIAGO DIAGO, María del Pilar, "La nueva *Mudawana* marroquí y el Derecho internacional privado", *Revista española de derecho internacional*, Vol. 56, Núm. 2, 2004, pp. 1078-1083; OUALD ALI, Karima, "El estatuto jurídico de la mujer marroquí en la sociedad de origen", *Iniciación a la investigación*, Núm. 1, 2006.

seguimos encontrando como la regulación de las relaciones de progenitores/hijos sigue siendo desigual[83], tanto en lo concerniente al reconocimiento de hijo como a la calificación que el mismo merece, esto sea matrimonial o no matrimonial (para nosotros con idéntico resultado, pero con claras diferencias en el derecho marroquí[84]).

A pesar de reconocer el avance que ha supuesto esta reforma, lo cierto es que la misma ha sido objeto de dura crítica por parte, no solo de la doctrina del país sino de la doctrina europea. Al respecto, la valoración que realiza doctrina especializada española como Cervilla Garzón y Zurita Martín[85], es en el sentido de poner de manifiesto que a pesar del acercamiento a los principios básicos de los ordenamientos jurídicos occidentales, los principios de igualdad y no discriminación se encuentran gravemente lesionados en materia de relaciones paterno-filiales, no tanto por desconocimiento del principio de igualdad por razón de sexo, sino por la inspiración islámica de las normas civiles familiares.

El hecho de que me haya referido a Marruecos o Turquía, países con legislaciones cuanto menos inspiradas en el islam, no significa que me olvide de otros muchos estados donde la situación para la mujer es claramente desventajosa amparándose esta discriminación o violencia en la religión. Estados donde la lapidación, los delitos de honor o el repudio son una constante, una violencia de género recogida y regulada por normas o por costumbres sociales y culturales tan arraigadas que costarán varias generaciones superar.

El repudio, la forma de poner fin al matrimonio musulmán, se ha convertido en algunas zonas en un modo sistemático e invisible de ejercer violencia sobre la mujer. El hecho de que el hombre pronuncie tres veces la palabra *talaq* pone fin al matrimonio, con lo que la mujer repudiada tiene que abandonar el hogar familiar desde ese momento. Aunque prohibido en la mayoría de países de tradición islámica, en la India, hogar de la tercera mayor población musulmana del mundo, sigue vigente este modo de disolución del vínculo matrimonial. Ha sido en mayo de 2017[86] cuando el Tribunal Supremo de la India ha iniciado la vista para deter-

[83]   La tradicional regulación de la filiación en derecho musulmán reposa en tres principios: no se establece verdaderamente si no respecto al padre; no se establece más que en el marco de la legitimidad; y no se establece más que por lazos de sangre, sin admitir la adopción. La reforma de 2004 mantiene estos principios como afirma el art. 50: *La filiación paterna es el vínculo legítimo que une a un padre con su hijo y que se transmite de padre a hijo.*

[84]   El análisis comparado de estos hechos se encuentra muy detallado en CASAS PLANES, María Dolores y GARCÍA LÓPEZ, Petronila, "La igualdad en el Derecho de familia marroquí y español: estudio comparativo de la normativa jurídica…", ob. cit., pp. 1281 y ss.

[85]   Vid. CERVILLA GARZÓN, Mª. Dolores, y ZURITA MARTÍN, Isabel, *El derecho de familia marroquí*, Ed. Difusión Jurídica y Temas de Actualidad, Madrid, 2010, pp. 198 y ss.

[86]   Vid. Prensa, *El País*, 11 de mayo de 2017, *https://internacional.elpais.com/internacional/2017/05/11/actualidad/1494497798_192131.html*, Prensa, *Europa Press*, de 13 de

minar si acaba con esta práctica. También en Egipto[87] parece que se quiere reabrir el tema. Al margen de otras consideraciones sobre las que no quiero extenderme[88], salvo que el repudio se regule como un modo de poner fin al matrimonio *no unilateral* como lo viene siendo en la mayoría de países, sino abierto a ambos cónyuges, seguirá siendo una forma más de discriminar a la mujer y de hacerla objeto de una violencia disfrazada de legalidad.

Quedarían muchos más aspectos por tratar, pero la idea del estudio era plantear algunas modalidades de violencia de género en la esfera internacional que siguen produciéndose como una violencia silenciosa sobre las mujeres en muchos ordenamientos jurídicos. E intentar al menos provocar alguna reflexión para avanzar en la plasmación de ordenamientos jurídicos cada vez más igualitarios entre hombre y mujer, no solo en el plano del deseo sino desde el de la realidad.

BIBLIOGRAFÍA

ABAD ARENAS, Encarnación, "Protección de los derechos de la adolescencia: matrimonios forzosos y el cambio de edad núbil", *La Ley. Derecho de Familia*, Núm. 13, Primer trimestre, 2017.

ABARCA JUNCO, Paloma, "La regulación de la sociedad multicultural", en *Estatuto personal y multiculturalidad de la familia*, coordinado por Alfonso-Luis Calvo Caravaca y José Luis Iriarte Ángel, Madrid, 2000.

[ ]   mayo de 2017, *http://www.europapress.es/internacional/noticia-supremo-india-dice-divorcio-automatico-islam-peor-forma-acabar-matrimonio-20170513074809.html.* En las próximas semanas deberá hacerse pública la resolución que alcancen.

[87]   Vid. Prensa, *El Mundo*, de 7 de febrero de 2017, *http://www.elmundo.es/sociedad/2017/02/07/5899b648e2704e8c3e8b466c.html.*

[88]   Sobre el repudio se puede consultar, QUIÑONES ESCÁMEZ, Ana, *Derecho e inmigración: el repudio islámico en Europa*, Barcelona: Fundación "la Caixa", 2000; CHECA MARTÍNEZ, Miguel, "Reconocimiento de la poligamia y del repudio islámicos en perspectiva comparada: a propósito de la Mudawwana marroquí", en Julio V. Gavidia Sánchez (coord.), *Inmigración, familia y derecho*, 2011, pp. 245-288; AGUILAR GRIEDER, Hilda, "El reconocimiento en los estados de acogida de inmigrantes de los divorcios y repudios pronunciados en países árabes", en Lorena Laureano Domínguez (ed. lit.), Ana Maldonado Acevedo (ed. lit.), Cinta Mesa González (ed. lit.), *Experiencias de género*, ed. Universidad de Huelva, 2015, pp. 303-325; MARCHAL ESCALONA, Nuria, "El repudio ante la jurisprudencia del Tribunal Supremo", *Revista de la Facultad de Derecho de la Universidad de Granada*, Núm. 5, 2002, pp. 367-376; RUIZ-ALMODÓVAR, Caridad, "El repudio en las leyes de familia de los países árabes", *Tiempo de paz*, Núm. 81, 2006, pp. 60-67; GARCÍA-VASO PÉREZ-TEMPLADO, Cristina, "El repudio islámico: posibles soluciones ante su reconocimiento", en Alfonso Luis Calvo Caravaca, Esperanza Castellanos Ruiz (coords.), *El derecho de familia ante el siglo XXI: aspectos internacionales*, 2004, pp. 411-426; COMBALÍA SOLÍS, Zoila, "Repudio islámico y la modernización del derecho en el mundo islámico", *Derecho y religión*, Núm. 1, 2006, pp. 223-238.

Lorena Sales Pallarés

ADAM MUÑOZ, Mª Dolores, "La respuesta del ordenamiento jurídico español ante la mutilación genital femenina", *La Ley: Revista jurídica española de doctrina, jurisprudencia y bibliografía Diario La Ley*, Núm. 2, 2006.

AGUILAR GRIEDER, Hilda, "El reconocimiento en los estados de acogida de inmigrantes de los divorcios y repudios pronunciados en países árabes", en Lorena Laureano Domínguez (ed. lit.), Ana Maldonado Acevedo (ed. lit.), Cinta Mesa González (ed. lit.), *Experiencias de género*, ed. Universidad de Huelva, 2015.

ALONSO PÉREZ, Mariano, "La Familia entre el pasado y la modernidad. Reflexiones a la luz del Derecho civil", *Actualidad Civil*, 1998, Ref. I, tomo 1, pp. 1-29, Editorial LA LEY.

ÁLVAREZ GONZÁLEZ, Santiago, "El Reglamento 4/2009/CE sobre obligaciones alimenticias: cuestiones escogidas", *Diario La Ley*, Núm. 7230, 2009.

ÁLVAREZ GONZÁLEZ, Santiago y GARCÍA RUBIO, María Paz, "El nombre de las personas físicas", Tratado de Derecho de la persona física, tomo I, Cívitas, 2013.

BARRERE UNZUETA, Mª Ángeles, "Igualdad y discriminación positiva: Un esbozo de análisis teórico-conceptual", *Cuadernos electrónicos de filosofía del derecho*, Núm. 9, 2003 (Ejemplar dedicado a: Textos para la discusión en el Seminario "Violencia de género: instrumentos jurídicos en la lucha contra la discriminación de las mujeres". Valencia, 26, 27 y 28 de noviembre de 2003).

BATTIATO, Cassandra, "Il cognome materno alla luce della recente sentenza della Corte Europea dei Diritti dell' Uomo", *Osservatorio Costituzionale*, 02/2014.

BORGES BLÁZQUEZ, Raquel, "La orden europea de protección para las víctimas de violencia de género, ¿una medida legislativa necesaria?", *Diario La Ley*, Núm. 8756, Sección Tribuna, 6 de Mayo de 2016.

BORRÁS RODRÍGUEZ, Alegría, "La cooperación internacional de autoridades: en particular, el caso del cobro de alimentos en el extranjero", *Anuario español de derecho internacional privado*, Núm. 8, 2008.

CAAMIÑA DOMÍNGUEZ, Celia M., "El secuestro internacional de menores: soluciones entre España y Marruecos", *Cuadernos de derecho transnacional*, Vol. 3, Núm. 1, 2011.

CASAS PLANES, María Dolores y GARCÍA LÓPEZ, Petronila, "La igualdad en el Derecho de familia marroquí y español: estudio comparativo de la normativa jurídica de filiación y de la autoridad parental (su incidencia en la protección jurídico-civil del menor de edad durante la vida conyugal de sus padres y las crisis matrimoniales), *ADC*, tomo LXVII, 2014, fasc. IV.

CERVILLA GARZÓN, Mª. Dolores, y ZURITA MARTÍN, Isabel, *El derecho de familia marroquí*, Ed. Difusión Jurídica y Temas de Actualidad, Madrid, 2010.

COLÁS TURÉGANO, María Asunción, "El bien jurídico protegido en delito de impago de pensiones como instrumento de tutela frente a le desigualdad de género", *Actualidad jurídica iberoamericana*, Núm. 5, 2, 2016 (Ejemplar dedicado a: La pensión compensatoria en las crisis familiares en el derecho comparado).

COMBALÍA SOLÍS, Zoila, "Repudio islámico y la modernización del derecho en el mundo islámico", *Derecho y religión*, Núm. 1, 2006.

CHECA MARTÍNEZ, Miguel, "Reconocimiento de la poligamia y del repudio islámicos en perspectiva comparada: a propósito de la Mudawwana marroquí", en Julio V. Gavidia Sánchez (coord.), *Inmigración, familia y derecho*, 2011.

DIAGO DIAGO, María del Pilar, "La nueva *Mudawana* marroquí y el Derecho internacional privado", *Revista española de derecho internacional*, Vol. 56, Núm. 2, 2004.

DÍEZ-PICAZO PONCE DE LEÓN, Luis, *Familia y Derecho*, Madrid, Civitas, 1984.

DOMÍNGUEZ MARTÍNEZ, Pilar, "El impago de pensiones como violencia económica", Mª Ángeles Zurilla Cariñana y Pilar Domínguez Martínez (coord.), *Violencia contra las mujeres. Un enfoque jurídico*, Septem ediciones, Oviedo, 2011.

DOMÍNGUEZ MARTÍNEZ, Pilar, "Un tipo de violencia económica: el impago de pensiones", en Carolina Mesa Marrero, María del Carmen Grau Pineda (Coords.), *Mujeres, contratos y empresa desde la igualdad de género*, 2014.

EGUSQUIZA BALMASEDA, María Ángeles, "Derecho al apellido: tradición, igualdad y ciudadanía europea (a propósito de la STEDH de 18 noviembre 2004, caso Ünal Tekeli)", *Repertorio Aranzadi del Tribunal Constitucional*, Núm. 11, 2005.

ESCRIBANO GAMIR, María del Carmen, "El acceso de la mujer a los Consejos de Administración de las Sociedades Mercantiles: igualdad de género y poder de decisión en el Derecho español", María José Morillas Jarillo (dir.), María del Pilar Perales Viscasillas (dir.), Leopoldo José Porfirio Carpio (dir.), *Estudios sobre el futuro Código Mercantil: libro homenaje al profesor Rafael Illescas Ortiz*, 2015.

ESLAVA RODRÍGUEZ, Manuela, "Secuestro internacional de menores y violencia doméstica", *Manuales de formación continuada*, Núm. 25, 2004 (Ejemplar dedicado a: Los juicios rápidos. Orden de protección: análisis y balance).

ESTEBAN DE LA ROSA, Gloria, OUALD ALI, Karima, y SAGHIR, T.: "El Derecho de hadana de la mujer marroquí con respecto a sus hijas e hijos en relación con el derecho español", *La situación jurídico-familiar de la mujer marroquí en España*, ed. Instituto Andaluz de la Mujer, Sevilla, 2008.

FACIO, Alda, "El derecho como producto del patriarcado", en Alda Facio y Rosalía Camacho (Eds.), *Sobre patriarcas, jerarcas, patrones y otros varones (Una mirada de género sensitiva al Derecho)*, ILANUD, San José de Costa Rica, 1993.

FERNÁNDEZ RUIZ-GÁLVEZ, Encarnación, "*Mainstreaming* de género y cambio social", *Anales de la Cátedra Francisco Suárez*, núm. 49, 2015.

GARCÍA GARCÍA-CERVIGÓN, Josefina, "La mutilación genital femenina en el contexto legal internacional: especial referencia al derecho penal", *La ley penal: revista de derecho penal, procesal y penitenciario*, Núm. 83, 2011.

GARCÍA-VASO PÉREZ-TEMPLADO, Cristina, "El repudio islámico: posibles soluciones ante su reconocimiento", en Alfonso Luis Calvo Caravaca, Esperanza Castellanos Ruiz (coord.), *El derecho de familia ante el siglo XXI: aspectos internacionales*, 2004.

GIL RUIZ, Juana María, "La violencia institucional de género. Editorial", *Anales de la Cátedra Francisco Suárez*, núm. 48, 2015.

GÓMEZ MUÑOZ, José Manuel, "Reconocimiento de la prestación de maternidad a padre biológico de menores nacidos por gestación de sustitución en Estados Unidos. STSJ Cataluña, de 1 de julio de 2015 (AS 2015, 1826)", *Nueva revista española de derecho del trabajo*, Núm. 185, 2016.

INDA ERREA, Mabel, "Prestación por maternidad para el padre de dos niños nacidos por vientre de alquiler. STSJ Cataluña, de 1 julio 2015 (AS 2015, 1826)", *Revista Aranzadi Doctrinal*, Núm. 2, 2016.

JERICÓ OJER, Leticia, "A vueltas con la mutilación genital (artículo 149.2 CP): ¿aplicación exclusiva del delito sólo cuando existan motivos religiosos o culturales?", *Diario La Ley*, Nº 8206, 2013.

JIMÉNEZ GARCÍA, Francisco, "La responsabilidad directa por omisión del Estado más allá de la diligencia debida. Reflexiones a raíz de los crímenes "feminicidas" de Ciudad Juárez", *REDI*, 2011-2.

JIMÉNEZ GARCÍA, Francisco, "La mutilación genital femenina (MGF) y el principio de extraterritorialidad. A propósito de la Sentencia de la Audiencia Nacional 9/2013 de 4 de abril de 2013", *Revista española de derecho internacional*, Vol. 65, Núm. 2, 2013.

KAPLAN MARCUSAN, Adriana y LÓPEZ GAY, Antonio, *Mapa de mutilación genital femenina en España*, 2012, Fundación Wassu-UAB y UAB, Barcelona, 2013.

LA BARBERA, María Caterina, "Inmigración, hipertrofia del derecho penal y fronteras simbólicas: Un análisis comparado de la legislación europea sobre "mutilación genital femenina"", *Revista general de derecho público comparado*, Núm. 8, 2011.

LAPIEDRA ALCAMÍ, Rosa, "La sustracción internacional de menores: el Convenio de la Haya de 25 de octubre de 1980", en Lloria García, P. (dir.), *Secuestro de Menores en el Ámbito Familiar: Un Estudio Interdisciplinar*, Madrid, 1ª ed. Iustel, 2008.

LINACERO DE LA FUENTE, María Asunción, "El principio de igualdad en el orden de transmisión de los apellidos. El art. 49 de la nueva Ley del Registro Civil", *Actualidad Civil*, Núm. 15-16, 2012.

LINACERO DE LA FUENTE, María Asunción, "La igualdad del hombre y la mujer en el orden de transmisión de los apellidos a sus hijos", en Silvia Tamayo Haya (dir.), *La maternidad y la paternidad en el siglo XXI: Proyecto Plan Nacional DER-2011-29379*, 2015.

LLABRÉS FUSTER, Antoni, "El tratamiento de la mutilación genital femenina en el ordenamiento jurídico-penal español", *Europa: derechos, culturas* / coord. por Francisco Javier de Lucas Martín, 2006, pp. 67-86.

LOUSADA AROCHENA, José Fernando, "El derecho fundamental a vivir sin violencia de género", *Anales de la Cátedra Francisco Suárez*, núm. 48, 2014.

MARCHAL ESCALONA, Nuria, "El repudio ante la jurisprudencia del Tribunal Supremo", Revista de la Facultad de Derecho de la Universidad de Granada, Núm. 5, 2002.

MARCHAL ESCALONA, Nuria, "Mutilación genital femenina y violencia de género", en F. J. García Castaño y N. Kressova. (Coords.). *Actas del I Congreso Internacional sobre Migraciones en Andalucía*, Granada: Instituto de Migraciones, 2011.

MARGUÉNAUD, Jean-Pierre, "Le nom du couple binational devant la Cour européenne des droits de l' homme: Cour européenne des droits de l' homme, Losonci Rose et Rose c. Suisse, 9 novembre 2010", *Revue trimestrielle des droits de l' homme*, Année 22, Núm. 88 (Octobre 2011), 2011.

MIRALLES SANGRO, Pedro Pablo, "Acerca de la eficacia de los convenios internacionales contra el "secuestro" internacional de menores", *La Ley: Revista jurídica española de doctrina, jurisprudencia y bibliografía*, Núm. 6, 2002.

MONTÓN GARCÍA, Mar, "La sustracción o "secuestro" internacional de menores: causas y soluciones", en Julia Ropero Carrasco, Beatriz García Sánchez, Marina Sanz-Díez de Ulzurrun Lluch, Victoria García de Blanco (coord.); Antonio Rafael Cuerda Riezu (dir.) *Las tensiones entre la criminalidad internacional y las garantías propias de un Estado de Derecho en un mundo globalizado*, 2008.

MOYA ESCUDERO, Mercedes, "El secuestro internacional de menores", *Cuadernos de derecho judicial*, Núm. 8, 2002, (Ejemplar dedicado a: La multiculturalidad: especial referencia al Islam/ Andrés Rodríguez Benot (dir.)).

MULLERAT BALMAÑA, Ramón María, "La influencia del matrimonio en la nacionalidad de la mujer", *Revista jurídica de Cataluña*, Vol. 74, Núm. 4, 1975.

ORTIZ PRADILLO, Juan Carlos, "Estereotipos legales en la lucha contra la violencia machista: la irrelevancia jurídica de la voluntad de la víctima", *Diario La Ley*, Núm. 8697, Sección Doctrina, 8 de febrero de 2016.

OTERO GARCÍA-CASTRILLÓN, Carmen, "Igualdad, género y medidas de acción - discriminación positiva en la política social comunitaria", *Revista de Derecho Comunitario Europeo*, Año nº 6, Núm. 12, 2002.

OUALD ALI, Karima, "El estatuto jurídico de la mujer marroquí en la sociedad de origen", *Iniciación a la investigación*, Núm. 1, 2006.

PADIAL ALBÁS, Adoración, "Efectos directos e indirectos de la violencia de género sobre los hijos y las hijas (III). El incumplimiento de las pensiones alimenticias como violencia económica: una forma habitual de violencia de género", en Cristina Rodríguez Orgaz, Ana María Romero Burillo (Coord.), *La protección de la víctima de violencia de género: un estudio multidisciplinar tras diez años de la aprobación de la ley orgánica 1/2004*, 2016.

PARAVIZZINI, Giulia, "L' evoluzione della disciplina dell' attribuzione del cognome ai figli alla luce della Sentenza della Corte Europea dei Diritti dell' Uomo sul caso Cusan e Fazzo c. Italia e dei più recenti casi giurisprudenziali italiani", *Ordine internazionale e diritti umani*, 2016.

PARRA RODRÍGUEZ, Carmen, "*Checklist* sobre el cobro internacional de alimentos: una perspectiva española", en Alegría Borrás Rodríguez (ed. lit.), Georgina Garriga Suau (ed. lit.), *Adaptación de la legislación interna a la normativa de la Unión Europea en materia de cooperación civil: homenaje al prof. dr. Ramón Viñas Farré*, 2012.

PERAMATO MARTÍN, Teresa, "Matrimonio infantil, precoz y forzado (1.ª Parte)", *Diario La Ley*, Núm. 8965, Sección Doctrina, 21 de abril de 2017.

PERAMATO MARTÍN, Teresa, "Matrimonio infantil, precoz y forzado (2.ª Parte), *Diario La Ley*, Núm. 8966, Sección Doctrina, 24 de abril de 2017.

PITEA, Cesare, "Trasmissione del cognome e parità di genere: sulla sentenza Cusan e Fazzo c. Italia e sulle prospettive della sua esecuzione nell' ordinamento interno", *Diritti Umani e Diritto Internazionale*. vol. 8, 2014, Núm. 1.

QUIÑONES ESCÁMEZ, Ana, *Derecho e inmigración: el repudio islámico en Europa*, Barcelona: Fundación "la Caixa", 2000.

QUIÑONES ESCÁMEZ, Ana, *Legislación sobre matrimonio, divorcio y sucesiones. África del norte y América Latina*, ed. Atelier, Barcelona, 2006.

REQUEJO ISIDRO, Marta, "Secuestro de menores y violencia doméstica en la Unión Europea", *Anuario español de derecho internacional privado*, Núm. 6, 2006.

REQUEJO ISIDRO, Marta, "Mediación, secuestro internacional de menores y violencia de género", en María Ángeles Catalina Benavente (coord.); Raquel Castillejo Manzanares (dir.) *Violencia de género, justicia restaurativa y mediación*, 2011.

REY MARTÍNEZ, Fernando, "La discriminación positiva de mujeres (Comentario a la STJ de la Comunidad, de 17 de octubre de 1995. Asunto Kalanke)", *Revista española de derecho constitucional*, Año 16, Núm. 47, 1996.

RODRÍGUEZ BENOT, Andrés, "La multiculturalidad: especial referencia al Islam", *Cuadernos de Derecho judicial*, VIII-2002.

RODRÍGUEZ-PIÑERO Y BRAVO-FERRER, Miguel, "Nuevas dimensiones de la igualdad: no discriminación y acción positiva", en *Persona y derecho: Revista de fundamentación de las Instituciones Jurídicas y de Derechos Humanos*, Núm. 44, 2001.

ROPERO CARRASCO, Julia, "La mutilación genital femenina: una lesión de los derechos fundamentales de las niñas basada en razones de discriminación sexual", *Cursos de derechos humanos de Donostia-San Sebastián*, Vol. 4, 2003.

RUIZ-ALMODÓVAR, Caridad, "El repudio en las leyes de familia de los países árabes", *Tiempo de paz*, Núm. 81, 2006.

RUIZ-RICO RUIZ, Catalina, "Aproximación a los nuevos retos jurídicos de la violencia de género: La responsabilidad pública", *Derecho y Cambio Social*, Año 11, Núm. 35, 2014.

SÁINZ-CANTERO CAPARRÓS, María Belén, "El fondo de garantía de pensiones de alimentos como instrumento de prevención contra la violencia de género y la exclusión social de familias desestructuradas", *Revista de derecho de familia: Doctrina, Jurisprudencia, Legislación*, Núm. 39, 2008.

SÁINZ-CANTERO CAPARRÓS, María Belén, "La garantía de las pensiones de alimentos en la lucha contra la violencia de género", en María Elena Jaime de Pablos (ed. lit.), *Identidades femeninas en un mundo plural*, 2009.

SALES PALLARÉS, Lorena, "Regulación de las obligaciones de alimentos en el ámbito comunitario: el reglamento 4/2009 y su relación con el Convenio y el Protocolo de La Haya 2007", en Emilio González Bou, Natacha González Viada (coord.); Francisco Aldecoa Luzárraga (dir.), Joaquim Joan Forner i Delaygua (dir.), *La protección de los niños en el derecho internacional y en las relaciones internacionales: Jornadas en conmemoración del 50 aniversario de la Declaración Universal de los Derechos del Niño y del 20 aniversario del Convenio de Nueva York sobre los Derechos del Niño*, 2010.

SANZ MULAS, Nieves, "Diversidad cultural y política criminal: Estrategias para la lucha contra la mutilación genital femenina en Europa (especial referencia al caso español)", *Revista electrónica de ciencia penal y criminología*, Núm. 16, 2014.

SERRALLONGA Y SIVILLA, María Montserrat "El apellido de la mujer: su desaparición o alteración por razón de matrimonio; su transmisión a los hijos", *Revista jurídica de Cataluña*, Vol. 75, Núm. 2, 1976.

SERRANO TÁRRAGA, María Dolores, "Violencia de género y extraterritorialidad de la ley penal. La persecución de la mutilación genital femenina", *RDUNED. Revista de derecho UNED*, Núm. 11, 2012.

SILVA CUESTA, Ana, "Mutilación genital femenina: de los derechos humanos a la tipificación penal", *Revista General de Derecho Penal*, Núm. 25, 2016.

SOTO RODRÍGUEZ, María Lourdes, "El secuestro interparental", *Diario La Ley*, Núm. 8418, 2014.

TORRES FERNÁNDEZ, María Elena, "La mutilación genital femenina: un delito culturalmente condicionado", *Cuadernos electrónicos de filosofía del derecho*, Núm. 17, 2008 (Ejemplar dedicado a: Textos del Seminario "Mutilación Genital Femenina: aplicación del derecho y desarrollo de buenas prácticas en su prevención" (Valencia, 30 y 31 de octubre de 2008)).

VALLEJO PENA, Carmen, "Mutilación genital femenina: violencia de género con nuevas trabas para su persecución en España", *Revista de estudios jurídicos*, Núm. 14, 2014.

VARGAS-GÓMEZ URRUTIA, Marina, "Vecindad civil de la mujer casada: nuevas reflexiones en torno a la inconstitucionalidad sobrevenida del art. 14.4 C.c. y la retroactividad de la Constitución española en relación a los modos de adquisición de su vecindad civil", *Cuadernos de Derecho Transnacional*, Vol. 3, Núm. 2, 2011.

VARGAS GÓMEZ-URRUTIA, Marina, "Cuando los apellidos traspasan la frontera: reflejos de la desigualdad en el nombre de la persona física en el asunto Losonci-Rose c. Suiza y en la Jurisprudencia del TJUE", *Revista General de Derecho Europeo*, Núm. 28, 2012.

VARGAS GÓMEZ-URRUTIA, Marina, "El cobro internacional de los alimentos. Reflejos del dispositivo protector del acreedor de alimentos en las normas del Reglamento (CE) 4/2009", *Revista de derecho de la Unión Europea*, Núm. 22, 2012 (Ejemplar dedicado a: Familia y persona en la Unión Europea: problemas actuales).

VELA SÁNCHEZ, Antonio José, "Violencia de género en el ámbito familiar y pensión compensatoria", en Laura López de la Cruz, Marta Otero Crespo (coords.) y María Paz García Rubio (dir.), Rosario Valpuesta Fernández (dir.), *El levantamiento del velo: las mujeres en el derecho privado*, 2011.

Capítulo 9

LA TRATA DE MUJERES COMO UNA DE LAS FORMAS MÁS ATROCES DE VIOLENCIA CONTRA LA MUJER[1]

ROSARIO SERRA CRISTÓBAL
Profesora Titular de Derecho Constitucional
Universidad de Valencia

SUMARIO: 1. LAS MUJERES Y NIÑAS COMO PRINCIPALES VÍCTIMAS DE LA TRATA. 2. El FENÓMENO DE LA TRATA FRENTE A LA INMIGRACIÓN ILEGAL. 3. LA MUJER VÍCTIMA DE LA TRATA SOMETIDA A UNA VIOLENCIA EXTREMA. 4. COMBATIR EL FENÓMENO DE LA TRATA. 4.1. La persecución del delito y el procesamiento de sus perpetradores. 4.2. La protección de la mujer víctima de la trata sexual. 4.2.1. La identificación de la mujer como víctima de la trata. 4.2.2. La atención a las primeras necesidades vitales, psicológicas y de seguridad. 4.2.3. El periodo de reflexión y la información debida. 4.2.4. Cuando la mujer decide colaborar con las autoridades en la persecución y procesamiento de los tratantes. 4.2.5. La decisión de la víctima de no colaborar con las autoridades en la persecución y procesamiento de los perpetradores del delito. 4.3. Políticas de prevención para luchar contra la trata. 5. UNA REFLEXIÓN FINAL. BIBLIOGRAFÍA.

1. LAS MUJERES Y NIÑAS COMO PRINCIPALES VÍCTIMAS DE LA TRATA

La violencia contra cualquier individuo constituye un azote a su dignidad como ser humano. La violencia contra las mujeres que recae sobre estas precisamente porque son mujeres genera un daño aún mayor, porque repercute en ellas por su género, un género que constituye su esencia como personas.

La violencia contra las mujeres de la que me gustaría hablar ahora es la que procede de la trata para la explotación sexual, de aquel fenómeno que se está ce-

---

[1]   Trabajo realizado en el marco del Proyecto DIPUCR-16, Estudio Sobre la Violencia de Género y Violencia Doméstica en Castilla La Mancha. Dirigido por: María Martín Sánchez, Universidad de Castilla La Mancha. Y en el marco del Proyecto de I+D del Plan Nacional: Seguridad global y derechos fundamentales, referencia DER2015-65288-R.

bando de la vida de miles de mujeres en el mundo, sometiéndolas a una violencia que podemos calificar de atroz por lo que supone y por las huellas que deja en la víctima, como tendremos ocasión de detallar más abajo. No debemos olvidar que la explotación sexual constituye una forma específica de violencia contra las mujeres. Un delito donde los tratantes y consumidores son mayoritariamente hombres y las víctimas prácticamente siempre mujeres. De acuerdo con el Comité para la Eliminación de la Discriminación contra la Mujer de Naciones Unidas, constituyen actos de violencia basada en el género, pues se trata de "violencia dirigida contra una mujer por ser mujer, o que la afecta de forma desproporcionada a la víctima por el hecho de ser mujer".

Miles de mujeres son compradas y vendidas cada día en diversas partes del mundo. Hablamos de un mercado silente de víctimas que viven en nuestras calles sin que seamos conscientes de la esclavitud a la que están sometidas. Es un fenómeno que ha captado la atención de los legisladores internacionales[2] y nacionales, y de los gobiernos, que han tratado de afrontarla desde diversos ámbitos. La jurisdicción internacional también ha influido en la visibilidad de la trata. El Estatuto de Roma del Tribunal Penal Internacional incluye la violación, la esclavitud sexual, la prostitución forzada, o "cualquier otra forma de violencia sexual de gravedad comparable" como crimen de lesa humanidad cuando se cometa de forma generalizada o sistemática. Y el Tribunal Europeo de Derechos Humanos hizo una llamada de atención a los gobiernos europeos para que adoptasen las medidas legislativas y policiales para perseguir debidamente el fenómeno de la trata[3]. Aún así, todavía supone un gran reto, un reto que debe afrontarse de forma integral.

---

[2]   Destacaríamos de entre los textos adoptados en el ámbito internacional los siguientes:
Protocolo para prevenir, reprimir y sancionar la trata, anexo a la Convención de Naciones Unidas contra la delincuencia organizada (2000), conocido como el Protocolo de Palermo I (Entró en vigor 29 diciembre 2003. Fue ratificado por España en 2003 y la Comunidad Europea lo ratificó en 2006)
Decisión Marco del Consejo de la UE (2002) relativa a la lucha contra la trata de seres humanos.
Directiva de la UE (2004) relativa a la expedición de un permiso de residencia a las víctimas de la trata o de la inmigración ilegal que cooperen con las autoridades. (El plazo de implementación terminó el 6 de agosto de 2006)
Plan de la UE sobre mejores prácticas, normas y procedimientos para luchar contra la trata (2005)
Convenio del Consejo de Europa sobre la lucha contra la trata de seres humanos (2005), que entró en vigor el 1 de febrero de 2008 y que no ha sido firmado por España, aunque el proceso para ello ya se ha iniciado.
Directiva 2011/36/UE relativa a la prevención y lucha contra la trata de seres humanos.
[3]   Véase especialmente los casos *Siliadin c. Francia*, de 26 de julio de 2005, *Rantsev c. Chipre y Rusia*, 7 de enero de 2010, y *C.N. y V. c. Francia*, 11 octubre 2012, *L.E. c. Grecia*, 2016.

La trata de seres humanos constituye, pues, una lacra que no sólo no ha conseguido eliminarse, sino que ha aumentado en los últimos 20 años[4]. Desde entonces viene detectándose, en el mundo en general, y en Europa en particular, un crecimiento preocupante del tráfico de seres humanos para su explotación sexual, laboral o de cualquier otro tipo. Como señalaba Pérez Cepeda, "en el S. XXI la esclavitud no es una monstruosidad del pasado de la cual nos hayamos definitivamente liberado, se trata de un negocio que en el mundo está más en auge que nunca"[5]. De hecho, se dice que la trata representa la segunda fuente de ingresos para las organizaciones criminales después del tráfico de estupefacientes[6].

El fenómeno ha alcanzado dimensiones impensables, aunque las cifras exactas de víctimas son difíciles de contabilizar. Así, la Organización Internacional del Trabajo calcula que existen 20,9 millones de víctimas que en el mundo objeto de explotación laboral o de cualquier otro tipo, de las cuales unos dos millones se encuentra en Europa[7]. Se calcula que por cada víctima de la trata de personas identificada existen 20 más sin identificar, y que las dos terceras partes de las víctimas detectadas por las autoridades son mujeres[8], el 79% de ellas sometidas a explotación sexual, seguido por un 18% de casos con fines de explotación laboral, trabajos o servicios forzados. Según ciertas fuentes, se cree que entre 700.000 y 2 millones de mujeres y niños son objeto de la trata de seres humanos al año en Europa[9].

Los datos más recientes en España sobre la trata hablan de 5600 víctimas de esclavitud liberadas desde 2010 a 2015, 4430 de ellas lo eran de mujeres para la explotación sexual, el resto son víctimas de ambos sexos para explotación laboral, tráfico de órganos, matrimonios forzados u otras más[10].

---

[4]   MAQUEDA ABREU, M. Luisa, "Una nueva forma de esclavitud: el tráfico sexual de personas", en *Inmigración y derecho penal: bases para un debate*, 2002, pp. 255-272.

[5]   PÉREZ CEPEDA, Ana Isabel, *Globalización, tráfico internacional ilícito de personas y derecho penal*, Comares, Granada, 2004, p. 1.

[6]   UNODC, *Informe Trata de personas: delincuencia organizada y venta multimillonaria de personas*. Viena, 2012 (http://www.unodc.org/unodc/es/ Fecha de consulta: 15 de junio de 2016).

[7]   Informe de la Organización Internacional del Trabajo (PIT) de 1 de junio de 2012. Esa misma cifra era la estimada por la Oficina de Naciones Unidas contra el Crimen y las Drogas y el Delito (UNODC) en el espacio Schengen (UNODC, *Trafficking in Persons to Europe for sexual exploitation*, Viena, 2010, p. 7).

[8]   Informe de la Oficina de Naciones Unidas contra la droga y el delito de 2009, https://www.unodc.org/documents/lpo-brazil//sobre-unodc/Fact_Sheet_Dados_Trafico_de_Pessoas_geral_ESP.pdf

[9]   OIPC-Interpol: Asamblea General, Budapest, 24-28 septiembre 2001. (http://www.ilo.org/dyn/declaris/DECLARATIONWEB.GLOBALREPORTSLIST?var_language=EN)

[10]   Ver, citando un informe del Centro de Inteligencia contra Terrorismo y el Crimen organizado (CITCO) del Ministerio del Interior, DOMINGO, Íñigo, "5600 víctimas de esclavitud afloran en España tras los cambios legales", *El País*, 17 de abril de 2017.

Así pues, las cifras demuestran que hay dos colectivos especialmente vulnerables al fenómeno de la trata de personas, las mujeres y los niños, aunque los hombres no quedan excluidos como víctimas. De hecho, no ha de olvidarse que el tan citado Protocolo de Palermo I, anexo a la Convención de Naciones Unidas contra la delincuencia organizada trasnacional (2000), precisamente va dirigido a la prevención, represión y sanción de la trata, "especialmente de mujeres y niños", mención expresa que, como luego se verá, será reiterada en otros textos internacionales posteriores. De hecho, aunque el fenómeno de la trata de seres humanos abarca múltiples modalidades, en Europa los mayores esfuerzos han ido dirigidos a combatir la trata sexual de mujeres y niñas.

2. EL FENÓMENO DE LA TRATA FRENTE AL DE LA INMIGRACIÓN ILEGAL

El difícil deslinde entre trata y el fenómeno migratorio conduce, lógicamente, a confundir fenómenos que no son exactamente lo mismo y que requieren de un tratamiento legal diferenciado. Las mayores confusiones se han producido entre lo que es trata (*trafficking*) y lo que es tráfico ilegal de inmigrantes o inmigración clandestina (*smuggling*). Como se ha señalado, trata de seres humanos y tráfico de personas pueden venir asociados, pero es muy importante abordarlos de forma separada, entre otras cosas, porque los bienes jurídicos vulnerados son distintos[11].

Así, los dos protocolos anexos a la Convención de Naciones Unidas contra la delincuencia organizada trasnacional de 2000, precisamente, regulan de forma separada uno y otro fenómeno[12].

Mientras que en el tráfico ilegal (el *smuggling*) hay un acuerdo, más o menos abusivo, entre el traficante y el emigrante para que aquél le ayude a cruzar ilegalmente la frontera de un Estado, en la trata (el *trafficking)* el factor adicional al traslado de un lugar a otro, que lo distingue del tráfico ilícito de emigrantes, es la presencia de fuerza, coacción y/o engaño[13] durante o en algún momento del

---

[11] LLORIA GARCÍA, Paz, "Trata de seres humanos", en Javier Boix Reig (Coord.), *Manual de Derecho Penal. Parte Especial. Vol. I*, Iustel, Madrid, 2017. NUÑO GÓMEZ, Laura, "La trata de seres humanos con fines de explotación sexual: propuestas para un cambio de paradigma en la orientación de las políticas públicas", *Revista de Derecho Político*, núm. 98, 2017, p. 168.
[12] La principal novedad del citado protocolo de Palermo de 2000 fue la adopción de una definición única que agrupó bajo una misma categoría todos los tipos de trata.
[13] Así, por ejemplo, existe engaño cuando se encubre el propósito de explotación sexual asegurando a la víctima que en España trabajaría como cocinera (STS núm. 1755/2003, de 19 diciembre).

proceso. Y además, dicho engaño, fuerza o coacción es usado con el propósito de explotar a la persona. Por lo tanto, los tres elementos que lo caracterizan son:

El acto: incluye la captación, el transporte, el traslado, la acogida o la recepción de personas.

El propósito: la explotación. La explotación puede incluir trabajos forzados, explotación para el servicio doméstico o prácticas similares, prostitución u otras formas de explotación sexual, tráfico de órganos, explotación de niños, venta de novias/esposas, trata de personas para mendigar, entre otros.

Los medios usados: medios coercitivos, fuerza, fraude o engaño, violencia, intimidación, amenazas, blindaje por deudas o abuso de situación de vulnerabilidad. La circunstancia que más dudas genera es esta última: la vulnerabilidad. Hablar del consentimiento obtenido de una mujer en situación de "vulnerabilidad" es hablar de un concepto vago y de difícil determinación. Bajo su óptica resulta complejo distinguir un supuesto de tráfico, en el que hay explotación de una víctima, de un supuesto de ejercicio voluntario de la prostitución, esto es, de lo que se ha denominado "trabajo sexual". A este respecto la Directiva de la UE 2011/36/EU intenta aclarar que "Existe una situación de vulnerabilidad cuando la persona en cuestión no tiene otra alternativa real o aceptable excepto someterse al abuso".

En todo caso, cuando concurra cualquiera de las circunstancias o medios citados, el consentimiento dado por la víctima para trasladarse o someterse a la explotación del tratante carece de validez, como no podría ser de otra manera.

Aún establecida esta distinción entre *trafficking* y *smuggling*, es cierto que muchas de las víctimas de la inmigración ilegal pueden acabar convirtiéndose en víctimas de la trata[14]. Ello sucede en numerosas ocasiones en la explotación laboral y en la trata para la explotación sexual. Y también las mujeres que migran voluntariamente para ejercer la prostitución pueden acabar en las redes de los traficantes de seres humanos y acabar convertidas en esclavas sexuales y, por consiguiente, en víctimas de violencia de género.

Lo cual nos recuerda algo que ya todos conocemos y es que, en los últimos años, los mercados del sexo han estado en mayor medida alimentados por la inmigración clandestina. Por seguir con cifras, el 92% de las prostitutas en España son extranjeras, aunque es un porcentaje que, en todo caso, incluye a aquellas prostitutas extranjeras que ejercen la actividad voluntariamente, lo cual significa que no toda la prostitución es trata.

---

[14]   MAQUEDA ABREU, M. Luisa, "El extranjero víctima del tráfico ilícito. Tráfico de personas y tráfico sexual: cuestiones concursales", *Estudios Jurídicos. Ministerio Fiscal*, núm. 4, 2002, pp. 239-250.

Lo cierto es que en las últimas décadas gran parte del ejercicio de la prostitución se ha visto ligado a las mafias explotadoras de mujeres. Y todo ello lleva a caer en el error de confundir la trata con otros fenómenos como el de la prostitución voluntaria, la inmigración ilegal, o la migración para la prostitución.

3. LA MUJER VÍCTIMA DE LA TRATA SOMETIDA A UNA VIOLENCIA EXTREMA

Las mujeres víctimas de la trata para la explotación sexual pagan un precio terrible. Los daños físicos y psicológicos que pueden sufrir, inclusive las enfermedades, tienen con frecuencia efectos permanentes[15]. Las mujeres que son forzadas a la esclavitud sexual pueden ser subyugadas con drogas y estar expuestas a una violencia extrema. Además, cuando se traslada a dicha mujer a un lugar donde no puede hablar ni entender el idioma, ello agrava el daño psicológico que causa el aislamiento y la dominación de los tratantes.

Son muchos, por lo tanto, los intereses que hay que proteger en el caso de estas mujeres. Se les ha vulnerado el derecho a la vida, a la libertad, a la dignidad, al libre desarrollo de su personalidad, a la integridad física y psíquica, a la intimidad personal y familiar, a la libertad sexual, y a un innumerable etcétera.

La esclavitud contemporánea conduce a la deshumanización, a la instrumentalización, a la comercialización y a la destrucción social del ser humano. La negación de la mujer en tales situaciones implica la negación de su personalidad. El no respeto a su dignidad como persona y los maltratos a los que puede verse sometida comportan la más grave negación de la humanidad, que es la violación por excelencia de la dignidad de la persona humana[16].

4. COMBATIR EL FENÓMENO DE LA TRATA

Se dice que cuando uno se acerca al fenómeno de la trata debe hacerlo desde el punto de vista de las tres "Ps": Prevención, Persecución de los delincuentes

---

[15]   Las víctimas sexualmente explotadas sufren lesiones físicas y emocionales a casa de una actividad sexual forzada, consumo obligado de sustancias estupefacientes y exposición a enfermedades transmitidas sexualmente, entre ellas el VIH/SIDA, privación de alimentos y tortura psicológica. Algunas víctimas sufren lesiones permanentes en sus órganos reproductivos y muchas otras mueren a causa de la trata. ZIMMERMAN, C. y otros, *Stole smiles: a summary report on the physical and psychological health consequences of women and adolescentes trafficked in Europe*, The London School of Hygiene & Tropical Medicine, Londres, 2006.

[16]   En este sentido, PÉREZ CEPEDA, Ana Isabel: *Globalización...*, ob. cit., p. 42.

y Protección de las víctimas. Porque es importante abordar la cuestión no sólo desde el punto de vista de la prevención y la persecución, sino, especialmente, desde la perspectiva de los derechos fundamentales y, por lo tanto, de protección de la víctima.

4.1. *La persecución del delito y el procesamiento de sus perpetradores*

Una de las medidas fundamentales para luchar contra el fenómeno de la trata es perseguir y castigar a los delincuentes. Diversos textos internacionales de lucha contra la trata han exhortado a los Estados a reforzar su legislación penal no sólo para castigar duramente el fenómeno, sino incluso para que sus Parlamentos aprobasen normas penales que contemplasen el fenómeno de la trata como tal, como un delito que tiene sus singularidades y que merece ser contemplado como un tipo delictivo concreto. Por ejemplo, la Directiva 2011/36/UE relativa a la prevención y lucha contra la trata de seres humanos, principalmente, establece normas mínimas relativas a la definición de las infracciones penales y de las sanciones en el ámbito de la trata de seres humanos.

Siguiendo esta senda abierta desde los primeros años del presente siglo, en diciembre de 2010 entró en vigor en España la reforma del Código Penal que introdujo un capítulo dedicado a la trata de seres humanos, separando ésta de los delitos de tráfico de inmigrantes y estableciendo una regulación que incluye a todas las víctimas de la trata, extranjeras comunitarias, no comunitarias y nacionales, con independencia de que sean víctimas de redes organizadas o de personas o de grupos de personas.

En 2015 se produjo un nuevo cambio en el Código Penal, que amplió los hechos constitutivos de trata, delimitó el concepto de vulnerabilidad, reguló el decomiso de los efectos, bienes, instrumentos y ganancias procedentes de la trata, e incorporó el género como motivo de discriminación en la agravante de comisión del delito. Asimismo, la modificación del artículo 318 bis redujo la sanción por tráfico diferenciándola, sustancialmente, de las penas previstas para la trata.

Desde el punto de vista de la persecución policial de la trata, pese a las elevadas cifras que se han recogido más arriba de presuntas víctimas de dicho fenómeno, el número de detenciones por ese delito y, por ende, de víctimas liberadas es ridículo a efectos comparativos[17]. En algo se está errando, o en los números o en la labor de seguimiento del delito. Ha de reconocerse que la actividad de

---

[17]   Según la UNODC solo el 1% de las víctimas son liberadas (UNODC, *World Day against trafficking in persons. www.endht.org*, 2016, Fecha de consulta: 15 marzo 2017).

investigación y persecución es muy ardua, pues estamos ante de un delito transnacional difícil de perseguir, y, además, se producen muy pocas denuncias de víctimas (1%), o de clientes. De ahí que la gran parte de las actuaciones se inicien a partir de la realización de inspecciones sistemáticas en establecimientos y clubes de alterne. De hecho, en los últimos años se ha producido un refuerzo en la persecución policial, que parece que empieza a dar resultados, intensificado la investigación en los lugares de riesgo.

Judicialmente también se observan cambios importantes. Así, por ejemplo, el Tribunal Supremo español dictó una sentencia novedosa en 2016[18] donde se planteaba la cuestión de si el delito de trata de seres humanos comprende un sujeto pasivo plural o hay tantos delitos como víctimas lo sean del mismo. El alto Tribunal acabó declarando que se ha de sancionar tantos delitos como víctimas lo sean de tal delito. Lo cual, entre otras cosas, agrava la pena del traficante.

4.2. La protección de la mujer víctima de la trata sexual[19]

En segundo lugar, no debe olvidarse que en el centro de cualquier situación de trata hay un ser humano que puede haber sufrido gravísimos atentados a sus derechos más esenciales. Por ello, las políticas de lucha contra el fenómeno de la trata requieren de programas de salvaguardia y de reinserción social de las mujeres afectadas, con plena recuperación y satisfacción de sus derechos.

Así pues, el fenómeno de la trata ha de abordarse, también y principalmente, desde la óptica de la víctima. Como se recogía en la Recomendación del Comité de Ministros del Consejo de Europa de junio de 2006[20], "los Estados deben asegura el reconocimiento efectivo y el respeto de los derechos de las víctimas, así como a sus derechos fundamentales. Deberían en particular respetar la seguridad, la dignidad, la vida privada y familiar de las víctimas y reconocer los efectos negativos que han generado las infracciones sobre ellas". Además, no se puede permitir que durante el proceso de lucha contra el fenómeno de la trata se produzca una segunda victimización o se instrumentalice a la víctima. Hecho que se considera que se produce por cualquier incremento innecesario del daño producido a la víctima como consecuencia de sus relaciones con la administración o el sistema penal y que se traduce en la producción de daños de dimensión psicológica.

---

[18]   STS 538/2016, Sala de lo Penal, núm. recurso 10003/2016.

[19]   Más información puede consultarse en SERRA CRISTÓBAL, Rosario y LLORIA GARCÍA, Paz, La trata sexual de mujeres. De la represión del delito a la tutela de la víctima, Ministerio de Justicia, Madrid, 2007.

[20]   Recomendación Rec (2006) 8, del Comité de Ministros del Consejo de Europa, a los Estados miembros sobre la asistencia a las víctimas de infracciones, de 14 de junio de 2006.

En esta línea, muchos Estados de la UE han puesto en marcha planes de acción[21] en la lucha contra la trata que incluyen cambios legislativos y acciones políticas destinadas no sólo a prevenir y perseguir el delito, sino también a atender a las víctimas de la trata para la explotación sexual.

4.2.1. La identificación de la mujer como víctima de la trata

La atención a la víctima comienza y es más importante en el momento de su liberación e identificación. Es muy importante la correcta identificación de la víctima y el ofrecimiento de un trato digno desde su liberación. Ese tratamiento debiera empezar por su no consideración de inmigrante ilegal y la consiguiente aplicación de las sanciones administrativas correspondientes[22] (art. 59 bis Ley de Extranjería)[23]. Sin embargo, ello no es siempre así. No han sido pocas las ocasiones en las que por la prensa escrita o en los medios televisivos hemos visto junto a la noticia de la desmantelación de una red de prostitución forzosa, la imagen de las mujeres esposadas y metidas en un furgón policial. Nada puede ser más contrario a la justicia que necesitan esas mujeres en ese momento. En ningún tipo de delito dispensaríamos un trato así a la víctima. Y ello es consecuencia, a veces, de una mala identificación de la víctima, porque se las confunde con inmigrantes ilegales y, en otras ocasiones, se hace aún sabiendo que se está indagando un supuesto de trata, lo cual no tiene explicación.

Un reciente caso que ilustra este hecho fue conocido por el Tribunal Europeo de Derechos Humanos precisamente contra España, el asunto G.J. c. España (2016). Una Nigeriana que alegaba ser víctima del *trafficking*, hecho avalado por varias ONGs, puso de manifiesto la frecuente incapacidad de los agentes para identificar a una mujer como víctima de la trata y, por lo tanto, aplicar el protocolo necesario para atender a la misma debidamente. Los agentes públicos

---

[21]   En España en 2010 se aprobó el Plan integral de lucha contra la trata de seres humanos con fines de explotación sexual del Ministerio de igualdad, que fue posteriormente sustituido por Plan el Integral de lucha contra la trata de mujeres y niñas con fines de explotación sexual (2015-2018) del Ministerio de Sanidad, Servicios Sociales e Igualdad. Y en en noviembre de 2011 se adoptó un Protocolo Marco de Protección de Víctimas de trata de seres humanos.

[22]   Ya en los "Principios y directrices sobre la trata" recomendados por el Comité Económico y Social de la ONU en julio de 2002 (E/2002/68/add.1) se señalaba que las personas víctimas de trata no debieran ser detenidas o perseguidas por la irregularidad de su entrada o residencia en los países de tránsito o de destino, o por haberse visto involucradas en actividades ilegales cuando esto sea consecuencia de haber sido objeto de trata (Principio7).

[23]   "Tanto durante la fase de identificación de las víctimas, como durante el período de restablecimiento y reflexión, no se incoará un expediente sancionador por infracción del artículo 53.1.a) y se suspenderá el expediente administrativo sancionador que se le hubiere incoado o, en su caso, la ejecución de la expulsión o devolución eventualmente acordadas".

españoles, en este caso, abordaron los hechos como un supuesto de inmigración ilegal, aplicando sistemáticamente la orden de expulsión por encima de la posible consideración como víctima de trata. Lamentablemente, como se ha señalado[24], a pesar de que el Tribunal de Estrasburgo pudo haber incluido la necesidad de una adecuada identificación como un elemento a considerar para evaluar la corrección de la normativa española sobre trata, no lo hizo. Simplemente se centró en analizar la cuestión formal sobre si *Women' s Link Worldwide*, la ONG que asumió la defensa de la mujer nigeriana ante el mismo, tenía la suficiente autorización para hacerlo, y, con una interpretación bastante restrictiva, desestimó el caso. Se perdió así una oportunidad formidable para avanzar en la protección europea de las víctimas de la trata, especialmente en lo que hace referencia al momento de la identificación.

Todo esto sucedió a pesar de que en el Reglamento de extranjería se indica que "La identificación de la víctima se realizará por las autoridades policiales con formación específica en la investigación de la trata y en la identificación de la víctima", y se establecen garantías para ese proceso de identificación[25]. Por ello es tan necesaria la formación de los agentes policiales, jueces, asistentes sociales y otros agentes que contactan con las víctimas de este tipo de delitos[26]. De hecho, ya hace años que vienen funcionando unidades especiales en materia de trata dentro de las fuerzas de seguridad.

4.2.2. La atención a las primeras necesidades vitales, psicológicas y de seguridad

En segundo lugar, esa liberación debe acompañarse de medidas de atención primaria a la víctima, alimentos, alojamiento, atención médica y psicológica e

---

[24]   MESTRE, Ruth, "G.J. v. Spain and Access to Justice for victims of Human Trafficking", *Strasbourg Observers*, 1 septiembre 2016 (https://strasbourgobservers.com/2016/09/01/g-j-v-spain-and-access-to-justice-for-victims-of-human-trafficking/).

[25]   En el mes de marzo del año 2010, la Secretaría de Estado de Seguridad dictó la Instrucción 1/2010 que desarrolla el procedimiento transitorio a seguir para la detección de víctimas de trata y ofrecimiento del período de restablecimiento y reflexión previsto en la ley, hasta tanto entrara en vigor el nuevo reglamento de desarrollo de la Ley Orgánica 4/2000.

[26]   Conscientes de esta realidad, los redactores del Convenio del Consejo de Europa sobre la lucha contra la trata de seres humanos (2005), han previsto que "las partes verificarán que sus autoridades competentes disponen de personal formado y cualificado para la prevención de la trata de seres humanos y la lucha contra la misma y para la identificación de las víctimas, especialmente cuando se trate de niños y en el apoyo a las mismas y que las diferentes autoridades implicadas colaboran entre ellas, así como con las organizaciones que cumplen funciones de apoyo, con el fin de que sea posible identificar a las víctimas en un proceso que tenga en cuenta la situación específica de las mujeres y de los niños víctimas...".

información de los derechos que le asisten. Y garantía de su seguridad y la de su familia.

Para ello se prevé la colaboración de las ONGs que trabajan con este tipo de víctimas. Debiera profundizarse en esta vía, pues las víctimas sienten muchas veces más seguridad y confort con este tipo de organizaciones que con un trato directo con los agentes de seguridad. Les han infundido el temor de que la policía, por ser inmigrantes "ilegales", las puede detener, por lo que el contacto con personas ajenas a los cuerpos de seguridad o la atención por parte de mujeres en el momento de la prestación de esas primeras necesidades puede facilitar mucho más la salida del estado de shock inicial y facilitar su recuperación.

Ha de subrayarse asimismo que el Comité Económico y Social de Naciones Unidas recordaba que las víctimas deben ser alojadas en un lugar adecuado y seguro, no deben ser enviadas a centros de detención o centros de acogida de personas sin hogar. De ahí la importancia de la creación de centros especiales de acogida, lo cual supone obviamente la previsión de una partida presupuestaria destinada a cubrir estos menesteres.

4.2.3. El periodo de reflexión y la información debida

En tercer lugar, el problema adicional es que nos encontramos ante un proceso de liberación de una persona que ha estado sometida a una presión física y psicológica que imprime una honda huella. La mujer se encuentra en un estado de shock inicial que precisa de un periodo de recuperación. Con tal finalidad, el Convenio de trata del Consejo de Europa contempló como novedad un periodo de 30 días, llamado periodo de reflexión, para restablecerse mínimamente y tomar conciencia de su situación y las alternativas que se le abren. También se hace referencia a dicho periodo en la Directiva de la UE de 2004, aunque sin fijarse un plazo mínimo y añadiendo una coletilla que dice: "sólo si así lo dispone la legislación nacional y en los términos que en la misma se establezcan". En España la Ley de extranjería en su modificación de 2009 (art. 59bis) y el Reglamento lo fijaron en, "al menos, 30 días"[27]. De hecho, la norma decía: "Las administraciones públicas competentes realizarán una evaluación de la situación personal de la víctima a efectos de determinar una posible ampliación del citado periodo". Lo cierto es que 30 días es un periodo demasiado breve para muchas víctimas. Por poner un ejemplo, ese plazo es de 6 meses en Noruega. Afortunadamente, la Ley orgánica 8/2015, de 22 de julio, amplió el plazo de restablecimiento de las víctimas de 30 a 90 días.

---

[27]   La propuesta para la concesión del denominado periodo de reflexión se eleva al Delegado de Gobierno de la provincia donde se encuentra la víctima.

Ese periodo está pensado para que la persona en cuestión pueda restablecerse y escapar a la influencia de los traficantes y/o pueda tomar, con conocimiento de causa y después de haber sido informada en la lengua que entienda, una decisión en lo relativo a su cooperación con las autoridades competentes o a su deseo de ser devuelta a su país de origen.

Durante este plazo no podrá adoptarse ninguna medida de extrañamiento a su respecto. Y durante este plazo las Partes autorizarán la estancia de la persona en cuestión en su territorio.

Por lo tanto, es muy importante que, muy tempranamente, se proporcione a las víctimas de la trata información sobre múltiples aspectos:

- de la posibilidad de colaborar con las autoridades del Estado en la persecución de los delincuentes y los beneficios de tal colaboración.
- de los procedimientos judiciales y administrativos pertinentes.
- de la asistencia jurídica necesaria (por cierto, muy deficitaria. Requeriría de una reforma de la Ley de asistencia gratuita).
- de su derecho a solicitar la reparación por los daños sufridos.
- asimismo, entre otras cosas, la víctima debe ser informada de su derecho de acceso a los representantes diplomáticos y consulares del Estado de su nacionalidad.
- e incluso de su derecho a ser devuelta a su país. Aunque, lo cierto es que la devolución al país de origen no viene siendo ejercido como un derecho, sino como un hecho, como una práctica demasiado habitual.

Como se ha adelantado más arriba, especialmente en ese momento inicial y durante todo el periodo de reflexión es preciso garantizar la presencia de mujeres en las operaciones de los miembros de los Cuerpos y Fuerzas de Seguridad de Estado, incorporar a las ONGs especializadas en la materia y a mediadoras procedentes de los países de origen o a víctimas liberadas de la trata[28].

4.2.4. Cuando la mujer decide colaborar con las autoridades en la persecución y procesamiento de los tratantes

La víctima de la trata que decide colaborar con las autoridades del país en la persecución y procesamiento de los implicados en el delito de trata tienen reconocidos ciertos beneficios. La normativa internacional[29], —así lo hace la Directiva de la UE de 24 de abril de 2004 relativa a la concesión de un permiso de

---

[28]   NUÑO GÓMEZ, Laura, "La trata de seres humanos…", ob. cit., p. 182.
[29]   El Convenio del Consejo de Europa sobre la lucha contra la trata indica que "las Partes verificarán, cuando las autoridades competentes estimen que existen motivos razonables para creer que una persona ha sido víctima de la trata de seres humanos, que no se aleja de su territorio

residencia a las víctimas de la trata—, prevé otorgar a dichas mujeres permisos de estancia temporal en el país con cuyas autoridades judiciales o policiales se está colaborando, periodo en el cual tienen derecho a permanecer en el Estado, a la satisfacción de las necesidades arriba señaladas, y al acceso al mundo laboral. Todo ello, por supuesto, con la adopción de las medidas necesarias para garantizar su seguridad. En España la transposición de dicha Directiva se produjo en 2009 con la modificación del art. 59bis de la Ley de Extranjería. De todos modos, antes de la última reforma la legislación de extranjería ya permitía la concesión de este tipo de permiso. Entre 2000 y 2008 se concedieron unos 1000 permisos a víctimas que colaboraran con las autoridades en la investigación y persecución del delito (art. 59 Ley Ext). 648 se denegaron por no aportar información relevante[30].

Si la mujer decide colaborar, en primer lugar, queda exenta de posibles responsabilidades administrativas por hallarse irregularmente en España. La posible exención por responsabilidad administrativa por estar en condiciones de irregularidad administrativa en España suena a perdón, cuando la víctima no debiera, ni siquiera, estar sometida a un procedimiento por responsabilidad administrativa.

Además, tiene derecho a la obtención de un permiso de residencia y de trabajo, así como a la asistencia legal debida. La concesión de la tarjeta de identidad de extranjero no llevará indicación de que es temporal, ni de que es víctima de la trata, lo cual es enormemente positivo.

En todo caso, la concesión de tal permiso sigue estando fuertemente condicionada a la efectiva colaboración de la víctima. La colaboración significa, entre otras cosas, la necesidad de que la víctima participe en el proceso penal abierto contra los explotadores. Qué duda cabe que tener que revivir el infierno sufrido dificulta la recuperación de la víctima y, por ende, la reintegración en la vida con normalidad. Aunque el testimonio de dichas mujeres en el juicio es en la mayor parte de los casos necesario e inevitable si se quiere condenar a los autores del crimen, han de adoptarse los medios para que, en la medida de lo posible, su intervención y situación durante el proceso penal sean lo menos perniciosas posibles. Por ello es imprescindible que la protección de los derechos de la víctima se garanticen también durante toda la tramitación del proceso: desde su inicio hasta la completa ejecución de la sentencia. Y ese tratamiento se debe concretar bajo las premisas de resarcimiento, seguridad, audiencia, asistencia, dignidad e información.

Hay que recordar que la Directiva de 2011 insiste en esto, dice que los Estados miembros velarán por que la víctimas de la trata reciban un trato especial

---

hasta que finalice el proceso de identificación como víctima…y que goza de la asistencia prevista en el artículo 12, apartados 1 y 2" (art. 10).
[30]   El País, 17 de mayo de 2009, pp. 42-43.

destinado a prevenir la victimización secundaria[31], evitando la práctica de repetir innecesariamente interrogatorios durante la investigación, la instrucción o el juicio, eludiendo el contacto visual entre las víctimas y demandados (con el uso de tecnologías adecuadas), adoptando medidas especiales para testificar en audiencia pública, y debiéndose evitar preguntar sobre la vida privada de la víctima cuando no sea absolutamente necesario.

Las medidas que podrían adoptarse para que la intromisión en la intimidad y otros derechos de la víctima sea la mínima y, al mismo tiempo, garantizar que su testimonio quede libre de intimidaciones pueden ser de diferente tenor.

Si recalamos en la normativa previa aún vigente, en concreto la Ley Orgánica 19/1994, de protección de testigos, se estimó que no cubría realmente las necesidades de dichas mujeres víctimas del tráfico, pues las medidas para la salvaguardia de la víctima-testigo son previsiones de carácter general, es decir, en ningún momento se refieren especialmente a las víctimas de la trata[32].

Afortunadamente, también aquí se han dado pasos positivos con la Ley 4/2015, de 17 de abril, del Estatuto de la Víctima del Delito, que reguló un catálogo general de derechos procesales y extraprocesales para otorgar una respuesta jurídica y social a las víctimas y a sus familiares, concediendo una atención particular a las víctimas de la trata (art. 25).

Ese tratamiento pueden consistir en la limitación de las personas autorizadas a asistir a la audiencia o el acceso a los registros del proceso verbal; la posibilidad de que la mujer testifique sin tener que ver directamente a los explotadores, evitando confrontaciones directas con los acusados; la posibilidad de que testifique mediante videoconferencia; la posibilidad de celebrar la vista a puerta cerrada; la adopción de medidas para evitar que se formulen preguntas relativas a la vida privada de la víctima que no tengan relevancia con el hecho delictivo enjuiciado, salvo que el Juez o Tribunal consideren excepcionalmente que deben ser contestadas para valorar adecuadamente los hechos o la credibilidad de la declaración de la víctima; etc. Son medidas que van dirigidas inicialmente a garantizar la seguridad de la víctima y evitar su intimidación por la presencia del acusado o acusados. Aunque, insistimos, por extensión, el uso de dichas medias contribuye igualmente a la salvaguardia de la intimidad y dignidad de la mujer.

Otro de los elementos a barajar es el papel que juegan los medios de comunicación en la retrasmisión del proceso policial y judicial abierto contra los tratantes, porque una mala praxis por parte de los informadores puede agravar el pro-

---

[31]   Considerandos 14 y 19 de la Directiva relativa a la prevención y lucha contra la trata.
[32]   DE LEÓN VILLALBA, Francisco Javier, *Tráfico de personas e inmigración ilegal*, Tirant lo Blanch, Valencia, 2003, p. 82.

ceso de recuperación de la víctima[33]. Las víctimas de determinados delitos, cuales son los de violencia sexual o las víctimas menores de edad[34], sufren especialmente menoscabo en sus derechos de la personalidad cuando el tratamiento dado por los medios de comunicación a la noticia no es el apropiado[35]. Ello conlleva el riesgo de agravar la situación de la mujer víctima, fundamentalmente porque la libertad informativa ejercida sin limitaciones puede suponer un grave atentado su intimidad, dificultando, aún más, su reintegración social y produciéndose una segunda victimización. Aplicando lo señalado al supuesto de la víctima de la trata sexual, el derecho a la intimidad le confiere un poder —una libertad— de decisión sobre los sufrimientos vividos y las circunstancias que han rodeado su situación de esclavitud. Evitar el conocimiento ajeno de dicha circunstancia ayuda a preservar la libertad recuperada tras la liberación. Y refuerza la capacidad de mantenerse libre, de desarrollar su personalidad libremente y de coadyuvar en la integración en la sociedad sin interferencias o impedimentos externos.

Por último, procede reflexionar sobre los derechos tras el proceso. En primer lugar pensemos en el derecho al resarcimiento por los daños sufridos. En 2009 se creó un fondo con bienes decomisados procedentes de la trata destinados, entre otras, a luchar contra dicho fenómeno, y en los Planes contra la trata se ha previsto que uno de los destinos pueda ser el resarcimiento de la víctima cuando el delincuente no puede satisfacer la compensación económica, que es lo más probable.

Por otro lado, también está contemplado que la mujer víctima de la trata tenga derecho a ser informada y recurrir el auto por el que se vaya a conceder el tercer grado a los traficantes cuando estos estuvieran cumpliendo condena (art. 13 Ley Estatuto de la Víctima del delito).

---

[33] A este respecto puede encontrarse más información en SERRA CRISTÓBAL, Rosario: "Los derechos de la víctima en el proceso vs. medios de comunicación. Un ejemplo en la información de delitos de violencia contra la mujer", *Revista Española de Derecho Constitucional*, 2015, núm. 103, pp. 199-230.

[34] En este sentido la Recomendación (2003)13 del Comité de Ministros del Consejo de Europa aconseja que se preste especial atención al daño que la revelación de información relativa a su identificación puede ocasionar a las personas que como sospechosas, acusadas, condenadas o implicadas de cualquier otra forma intervengan en el proceso. Y añade que una especial protección deberá darse a las partes que sean menores, u otras personas vulnerables, a las víctimas, a los testigos...

[35] Son víctimas que, por sus circunstancias, se encuentran en una especial situación de vulnerabilidad. Sobre la necesidad de adoptar especiales medidas para los colectivos vulnerables (los menores, discapacitados, víctimas de violencia sexual, criminalidad organizada, etc...) puede verse SANZ HERMIDA, Ágata, *Víctimas de delitos: derechos, protección y asistencia*, Iustel, Madrid, 2009, pp. 35 y ss.

4.2.5. La decisión de la víctima de no colaborar con las autoridades en la persecución y procesamiento de los perpetradores del delito

En todo caso, la concesión de tal permiso sigue estando muy condicionada a la efectiva colaboración de la víctima. El problema es que la mayoría de las víctimas no denuncia porque tienen miedo de la policía, y tienen miedo de que sus explotadores les hagan daño o a sus familias.

Uno de los obstáculos mayores para conseguir la colaboración de la víctima de la trata se encuentra en el miedo de ésta a ser perseguida por haber quebrantado la normativa de cruce de fronteras o incluso las posibles prohibiciones sobre el ejercicio de la prostitución, —normativa que, obviamente, la mujer desconoce—. Y su miedo no es infundado, pues, ciertamente, no en pocas ocasiones las víctimas de la trata son confundidas con extranjeras irregulares que ejercen la prostitución, se les imputa la comisión de la infracción administrativa correspondiente y se ven involucradas en un procedimiento de expulsión. La situación es peor cuando, además, dichas mujeres han sido obligadas por sus captores a colaborar adicionalmente con alguna actividad delictiva, como por ejemplo, en materia de drogas.

¿Es comprensible la instrumentalización para fines de política criminal de una víctima ya de por sí cosificada y explotada? En el fondo lo que se produce es una nueva utilización en una relación entre desiguales: la víctima frente a la administración.

Cierto es que el art. 59bis Ley de extranjería establece que el permiso se concederá por colaboración con las autoridades o "en atención a la situación personal de la víctima". Podríamos pensar en la concesión de un permiso de estancia temporal por razones humanitarias, pero en el Reglamento de extranjería, que desarrolla la Ley, este tipo de permiso sólo está pensado para tráfico de inmigrantes, no para víctimas de la trata. Por lo tanto, las mujeres víctimas de la trata generalmente o colaboran o se ven sometidas a un proceso de expulsión y retorno a su país.

Esto contraviene el espíritu del Derecho internacional. No sólo el Convenio europeo de lucha contra la trata habla de esa posibilidad de otorgar permisos a las víctimas por razones humanitarias, sino que la Declaración de la ONU de 1985 sobre principios fundamentales de justicia para las víctimas del delito decía que una víctima en un delito es una víctima siempre, con independencia de que enjuicie o condene al perpetrador o colabore o no con la policía (principio 2).

De igual modo, el art. 11.3 Directiva UE de prevención y lucha contra la trata 2011/36 indicaba: "Los Estados miembros adoptarán las medidas necesarias para garantizar que la asistencia y el apoyo a la víctima no se supediten a la voluntad de esta de cooperar en la investigación penal, la instrucción o el juicio, sin perjuicio de lo dispuesto en la Directiva 2004/81/CE o en normas nacionales similares".

La reinserción de la mujer explotada sexualmente puede ser más fácil en el país de destino, o puede que lo sea en el país de origen, junto a sus familiares y conocidos.

Una vez la mujer ha sido liberada de las garras de la red que la explotaba sexualmente, como regla general, su reenvío inmediato a su país de origen es poco satisfactorio no sólo para la víctima, sino también para las autoridades que están investigando y persiguiendo el delito.

En primer lugar, desde el punto de vista de la víctima, su retorno puede poner en peligro su integridad física y la de su familia. La situación de desamparo, debilidad y rechazo social en la que se ven envueltas a su regreso al país de origen es tal que las sitúa como posibles nuevas víctimas de la trata. Muchas de ellas vuelven a caer en las redes de prostitución. Por ello, si así lo decide ella, han de facilitarse las tareas de repatriación y, no menos importante, dicha repatriación ha de hacerse, por un lado, garantizando la seguridad de la mujer, y en segundo lugar, mediando programas de repatriación que eviten que la víctima de la trata pueda volver a serlo otra vez en su país. Dichos programas deberían proveer a las víctimas de información sobre organizaciones gubernamentales u organizaciones no gubernamentales (que desempeñan un loable papel a este respecto) que puedan ayudarles a su regreso al país de origen, y de medios para favorecer la reinserción, incluida la reinserción en el sistema educativo, en el mercado laboral, etc. Es positivo el retorno asistido que regula el art. 145 del Reglamento de extranjería. Es un retorno informado y voluntario por parte de la víctima. Y es positivo que, conforme a lo que solicitaba el Convenio del Consejo de Europa, se evalúen los riesgos, la seguridad de la víctima en el país de destino, transito, etc. Aquí es donde un refuerzo de los mecanismos de cooperación entre Estados sería deseable para garantizar la asistencia para la recuperación y reinserción en el país de destino. Al igual que sería deseable el establecimiento de programas de seguimiento. De nuevo, ha de recordarse la necesidad de políticas de prevención en los países de origen y de cooperación entre Estados.

Y, en segundo lugar, desde el punto de vista del interés represivo de los Estados, que la mujer explotada vuelva a su país tampoco es positivo, pues significa que ésta no podrá prestar su testimonio o facilitar informaciones útiles a fin de poder luchar efectivamente contra la trata y procesar a los culpables, evitando, al mismo tiempo que nuevas víctimas puedan caer en sus redes.

4.3. Políticas de prevención para luchar contra la trata

Por último, el incremento de las víctimas de la trata sexual no se puede explicar si no se tiene en consideración el origen del fenómeno y el impacto que está teniendo la severidad de las políticas migratorias de los países más favorecidos, la crisis económica mundial, el aumento de situaciones de necesidad extrema o la creciente feminización de la pobreza, entre otros factores.

Decíamos que las víctimas de la trata son en nuestro entorno mayoritariamente mujeres. La desigualdad real, y en ocasiones legal, entre hombres y mujeres en muchos de los países de donde provienen las víctimas del tráfico sitúa a las mujeres en una especial situación de vulnerabilidad. En dichos países de origen las mujeres suelen presentar un grado de formación educativa muy inferior a la de los varones, tienen mayores dificultades para la obtención de un trabajo, y si lo logran, sufren notorias desigualdades salariales. En ocasiones, son objeto de abuso en su propio hogar. En la mayor parte de los casos la opción por un trabajo fuera de su región es visto no sólo como una opción económica, sino también como una forma de huida de sus precarias circunstancias, como un modo de encontrar la libertad personal de la que carecen, o como una forma de ayudar económicamente a sus propias familias[36]. Todas estas circunstancias les impulsan a aceptar trabajos fuera de su comunidad, trabajos ofertados con unas condiciones que luego resultarán ser radicalmente inciertas, siendo finalmente obligadas a ejercer la prostitución, bajo unas condiciones de violencia y sometimiento inhumanas.

Así pues, las situaciones de necesidad extrema golpean especialmente a las mujeres que acaban siendo las principales víctimas de las redes del tráfico de seres humanos. Los ejemplos más recientes los tenemos en los riesgos que sufren las refugiadas de actuales conflictos bélicos como el de Siria.

Para paliar esto se han propuesto diferentes mecanismos, casi todos ellos de carácter educacional. Es necesario fomentar programas de concienciación de la existencia del fenómeno (prensa, poderes públicos...) en los lugares de origen. Es imprescindible informar a los grupos sociales más proclives a caer en las redes de los traficantes sobre los peligros de ofertas de trabajo engañosas.

Asimismo, se hacen necesarios programas educacionales que cambien la imagen de la mujer víctima de la trata ante la sociedad. Programas que ayuden a evitar el rechazo social de las víctimas, a quitarse la lacra de que si está ahí es porque se lo ha buscado, porque se adentró en malos ambientes o porque accedió a ofertas fáciles.

---

[36] ICMPD: *Anti-Trafficking Training Modules for Judges and Prosecutors in UE Member States, Accesion and Candidate Countries*, Vienna, ICMPD, 2005, p. 17.

Por otro lado, no debemos olvidar que hay unos consumidores de ese sexo que se ofrece de forma delictiva en la calle o en la prensa o en pisos o prostíbulos. Nos referimos a los usuarios de servicios sexuales, a los clientes de la prostitución. Una demanda que ha crecido y que otorga a España el deshonor de ser uno de los países europeos como destino sexual más solicitado[37]. Qué duda cabe de que la trata representa un fenómeno estructural en dicho mercado de la prostitución. Si bien es cierto que existe prostitución voluntaria, el mercado de la prostitución se alimenta en gran medida de la trata de mujeres. Aquí las cifras no están consensuadas. Mientras que algunos estudios calculan que un 90% de las mujeres que ejercen la prostitución son víctimas de la trata sexual[38], otros hablan de que de cada siete mujeres que ejercen la prostitución en Europa, una es víctima de la trata (un 15%)[39].

Ante esta realidad, sobre cuya incidencia los datos no coinciden, pero que en el mejor de los casos sigue siendo terrible, caben algunas soluciones. Por un lado, ha de apelarse a la colaboración ciudadana. Concienciar a los clientes de la existencia de este delito e invitarles a denunciar aquellos casos de trata que perciban, aunque sea difícil. El Reglamento de extranjería dice que "cualquiera que tenga noticia de la existencia de una posible víctima de la trata informará inmediatamente de esta circunstancia a la autoridad policial competente…". Algunas campañas de este tipo se han puesto en marcha en nuestro país, pero resultan del todo insuficientes[40].

Asimismo, cabría pensar en la prohibición de publicidad de anuncios de contactos en los medios de comunicación. Algunos periódicos han optado, como política empresarial, por no publicar contactos en su medio, pero todavía hay muchos otros que siguen haciéndolo[41]. Esa publicidad, cuanto menos, colabora con la banalización del consumo del sexo. Pero, sobre todo, supone priorizar los elevados reportes económicos a la seriedad de plantearse el terror que puede esconderse tras algunos anuncios.

Y, por supuesto, hay que acabar con una de las peores manifestaciones del espíritu consumista de los últimos tiempos. Un espíritu creciente de consumo de sexo que lleva a muchos clientes a buscar permanentemente a la chica más

---

[37]   NUÑO GÓMEZ, Laura, "La trata de seres humanos…", ob. cit., p. 175.
[38]   CONGRESO DE LOS DIPUTADOS, "Informe de la Subcomisión para el análisis y estudio de la trata de seres humanos con fines de explotación sexual. Conclusiones y recomendaciones". Comisión de Igualdad. Ministerio de Sanidad, Servicios Sociales e Igualdad, Madrid, 2015.
[39]   Según la Oficina de Naciones Unidas contra la Droga y el Delito (UNODC).
[40]   Piénsese en la campaña del Ministerio de Sanidad, Servicios sociales e Igualdad y los carteles de 2015 que rezaban: "contra la trata de mujeres, toma conciencia. Si lo toleras, lo fomentas. Si lo denuncias, ayudas a liberarlas. Si te aprovechas, eres cómplice".
[41]   El Consejo de Estado en su Dictamen de 9 de marzo de 2011 avaló esa iniciativa.

exótica, de otra raza, que sea nueva, etc. De hecho, muchos clubes se publicitan diciendo que renuevan su oferta de chica cada dos meses. Las mafias mueven continuamente las chicas de unos pisos a otros y de unos clubes a otros, precisamente para satisfacer esa demanda. Aquí de nuevo se abren los interrogantes: ¿Hay una excesiva tolerancia con el consumidor de sexo? Desde luego, en su mayoría, son clientes que no se cuestionan ni se plantean las condiciones de la mujer a la que contratan para un servicio, normalizando uno de los crímenes más despreciables contra las mujeres.

5. UNA REFLEXIÓN FINAL

La trata es una cuestión que requiere de un planteamiento global y multidisciplinar que, en todo caso, no puede solventarse recurriendo exclusivamente a la normativa internacional o a la nacional, precisa, al propio tiempo, de una actuación coordinada entre Estados e instituciones supranacionales, actuaciones políticas que requieren, obviamente, a su vez, de un importante respaldo financiero.

Este planteamiento exige una respuesta política coordinada en particular en el espacio de libertad, seguridad y justicia, las relaciones exteriores, la cooperación al desarrollo, los asuntos sociales y el empleo, la igualdad de género y la no discriminación. Una respuesta que no puede olvidar que en el centro de todo acto de trata se encuentra un ser humano.

Y esto requiere también de un plan de formación para todos aquellos que vayan a tener contacto con el fenómeno de la trata: agentes de seguridad, jueces, agentes aduanas, abogados, personal sanitario, servicios sociales, etcétera.

El modelo que brinda la Ley Orgánica 1/2004, de protección contra la violencia de género, aún con todas sus carencias, podría servirnos de modelo integrador de actuación contra la trata. O seguir el camino marcado en algún texto internacional o en Leyes autonómicas que tienen leyes integrales sobre violencia de género que incluyen la trata como una de las formas de violencia y las víctimas reciben el tratamiento integral de otras víctimas de violencia de género.

Como en esas leyes integradoras, las medidas educativas son también vitales. La trata descansa sobre actitudes y comportamientos sociales que favorecen la explotación de la mujer y que es preciso erradicar con campañas educativas y de concienciación que fulminen la idea de que se puede cosificar a un ser humano y mercadear con él.

Lo llamativo es que el negocio de la trata sexual requiere de la exposición pública de sus víctimas, bien sea en los polígonos, en las carreteras o en la prensa e internet. Y a pesar de ello, parece invisible a nuestros ojos. Las autoridades parecen no verla suficientemente y los clientes son cómplices silentes o deciden mirar a otro lado. Y mientras, el resto de la sociedad asiste con pasividad a un continuo mercadeo de seres humanos.

Efectivamente, las mujeres se han vendido y comprado para su uso sexual a lo largo de la historia, pero nunca con la dimensión actual. Además, lo que es paradójico es que ese aumento de la venta de mujeres se haya producido precisamente cuando la conquista de los derechos humanos se supone que ha alcanzado uno de sus momentos más álgidos y la igualdad de género forma parte de los compromisos nacionales e internacionales como nunca. Tristemente, parece que esa revolución de los derechos y de la igualdad no ha llegado para muchas mujeres que siguen sujetas a una violencia extrema que es observada por la sociedad con ojos de miope.

BIBLIOGRAFÍA

CONGRESO DE LOS DIPUTADOS, Comisión de Igualdad. Ministerio de Sanidad, Servicios Sociales e Igualdad, "Informe de la Subcomisión para el análisis y estudio de la trata de seres humanos con fines de explotación sexual. Conclusiones y recomendaciones", Congreso de los Diputados, Madrid, 2015.

DE LEÓN VILLALBA, Francisco Javier, *Tráfico de personas e inmigración ilegal*, Tirant lo Blanch, Valencia, 2003.

DOMINGO, Íñigo, "5600 víctimas de esclavitud afloran en España tras los cambios legales", *El País*, 17 de abril de 2017.

GARCÍA ARÁN, Mercedes, *La trata de personas y explotación sexual*, Comares, Granada, 2006.

ICMPD: *Anti-Trafficking Training Modules for Judges and Prosecutors in UE Member States, Accesion and Candidate Countries*, Vienna, ICMPD, 2005.

LLORIA GARCÍA, Paz, "Trata de seres humanos", en Javier Boix Reig (Coord.), *Manual de Derecho Penal. Parte Especial. Vol. I*, Iustel, Madrid, 2017.

MAQUEDA ABREU, M. Luisa, "El extranjero víctima del tráfico ilícito. Tráfico de personas y tráfico sexual: cuestiones concursales", *Estudios Jurídicos. Ministerio Fiscal*, núm. 4, 2002, pp. 239-250.

MAQUEDA ABREU, M. Luisa, "Una nueva forma de esclavitud: el tráfico sexual de personas", en *Inmigración y derecho penal: bases para un debate*, 2002, pp. 255-272.

MESTRE, Ruth, "G.J. v. Spain and Access to Justice for victims of Human Trafficking", *Strasbourg Observers*, 1 septiembre 2016 (https://strasbourgobservers.com/2016/09/01/g-j-v-spain-and-access-to-justice-for-victims-of-human-trafficking/).

NUÑO GÓMEZ, Laura, "La trata de seres humanos con fines de explotación sexual: propuestas para un cambio de paradigma en la orientación de las políticas públicas", *Revista de Derecho Político*, núm. 98, 2017, pp. 159-187.

PÉREZ CEPEDA, Ana Isabel, *Globalización, tráfico internacional ilícito de personas y derecho penal*, Comares, Granada, 2004.

SANZ HERMIDA, Ágata, *Víctimas de delitos: derechos, protección y asistencia*, Iustel, Madrid, 2009.

SERRA CRISTÓBAL, Rosario y LLORIA GARCÍA, Paz, *La trata sexual de mujeres. De la represión del delito a la tutela de la víctima*, Ministerio de Justicia, Madrid, 2007.

SERRA CRISTÓBAL, Rosario: "Los derechos de la víctima en el proceso vs. medios de comunicación. Un ejemplo en la información de delitos de violencia contra la mujer", *Revista Española de Derecho Constitucional*, 2015, núm. 103, pp. 199-230.

UNODC, *Informe Trata de personas: delincuencia organizada y venta multimillonaria de personas*. Viena, 2012 (http://www.unodc.org/unodc/es/).

UNODC, *Trafficking in Persons to Europe for sexual exploitation*, Viena, 2010.

UNODC, *World Day against traficking in persons*, Viena, 2016 (*www.endht.org*).

ZIMMERMAN, C. y otros, *Stole smiles: a summary report on the physical and psychological health consequences of women and adolescentes trafficked in Europe*, The London School of Hygiene & Tropical Medicine, Londres, 2006.

Capítulo 10

LA LEY ORGÁNICA CONTRA LA VIOLENCIA DE GÉNERO: REFLEXIONES DESDE EL ÁMBITO LABORAL

NUNZIA CASTELLI

Profesora Contratada Doctora Interina
Universidad de Castilla-La Mancha

SUMARIO: 1. INTRODUCCIÓN. 2. LA VIOLENCIA DE GÉNERO COMO MA-NIFESTACIÓN DE DISCRIMINACIÓN CONTRA LAS MUJERES. 3. LA CRITICA-BLE RESTRICCIÓN DEL CAMPO DE APLICACIÓN DE LA LEY AL ÁMBITO DE LAS RELACIONES DE PAREJA. 4. CENTRALIDAD DE LA PERSPECTIVA LABO-RAL EN LA LUCHA CONTRA LA VIOLENCIA CONTRA LA MUJER Y REMER-CANTILIZACIÓN DEL TRABAJO. 5. DERECHOS SOCIO-LABORALES DE LAS MUJERES VICTIMAS DE VIOLENCIA DE GÉNERO. 5.1. Medidas de fomento del empleo. 5.2. Medidas de fomento de la permanencia en el empleo. 6. CONSIDERA-CIONES CONSCLUSIVAS. BIBLIOGRAFÍA.

1. INTRODUCCIÓN

Se cumplen ya 13 años desde la entrada en vigor de la LO 1/2004, de 28 de diciembre, *De Medidas de Protección Integral contra la Violencia de Género* (LOVG, en adelante). Su aprobación, así como la intensa labor de desarrollo e implementación de su articulado normativo han representado un punto de in-flexión en el refuerzo y la estructuración de un sistema eficaz de prevención y represión de las manifestaciones de violencia contra la mujer y, sin duda, en la protección de las víctimas. Pese a ciertas imperfecciones e incongruencias en la formulación de los preceptos y en la estructuración del entramado normativo[1], así como a la criticable circunscripción de su ámbito de aplicación —volveremos sobre estos aspectos—, no cabe duda de que su entrada en vigor ha contribuido cuantos menos a visibilizar un problema social acuciante, generalizado y de gran magnitud; problema social que hasta hace no mucho permanecía en gran medida

---

[1]   Véase, en este sentido, FERNÁNDEZ LÓPEZ, Mª. F., *La dimensión laboral de la violencia de géne-ro*, Bomarzo, Albacete, 2005, pp. 24 y ss.

oculto a la sociedad y a las instituciones en cuanto mayoritariamente considerado un "asunto privado".

A este proceso de visibilización han coadyuvado sin duda los avances logrados en el derecho internacional —en muchos casos, frutos de la presión ejercida por organizaciones feministas— que han llevado a calificar la violencia contra la mujer como una manifestación —la más grave, odiosa e injusta— de discriminación y una vulneración de los derechos humanos[2]. Así conceptuada, la violencia de las que son víctimas las mujeres ha adquirido una connotación claramente política en cuanto problema social —y no meramente interindividual— estrechamente relacionado no solo con la protección de las víctimas y la persecución de los agresores, sino también y sobre todo con la efectividad del principio de igualdad material y, por ende, del fundamento democrático de la sociedad y las instituciones[3]. Ello ha repercutido en el sentido de incentivar la difusión de actitudes de reprobación y rechazo social hacia la violencia de género, sino que además ha impuesto la necesidad de encuadrar la lucha contra la violencia machista dentro de los objetivos prioritarios de la acción de Gobierno.

Buena muestra del cambio de actitud de la sociedad y de las instituciones frente a esta *nueva* "cuestión social"[4] ha sido, en España, la aprobación de la LOVG, elogiada en su día desde las instituciones internacionales como instrumento ejemplar de lucha contra la violencia contra las mujeres. De especial interés ha resultado en particular el enfoque integral y multidisciplinar de la Ley que se pone en evidencia desde la misma Exposición de Motivos[5]. Es indudable, en efec-

---

[2]   En este sentido, entre los primeros documentos internacionales, véase la *Declaración sobre la Eliminación de la Violencia contra la Mujer,* adoptada con Resolución de la Asamblea General de la ONU de 20 de diciembre de 1993. Desde el marco jurídico-institucional europeo, en el mismo sentido, entre otras, la Recomendación *Rec* (2002) 5, *Protección de las mujeres contra la violencia,* adoptada por el Comité de Ministros del Consejo de Europa el 30 de abril de 2002 que, pese a su carácter no vinculante, fue el primer instrumento a nivel internacional en el que se proponía una estrategia global y coordinada para prevenir la violencia contra la mujer y proteger a las víctimas, incluyendo todas las formas de violencia de género contra las mujeres y la muy reciente la reciente Resolución del Parlamento Europeo, de 14 de marzo de 2017, *sobre la igualdad entre mujeres y hombres en la Unión Europea en 2014-2015.*

[3]   MONEREO PÉREZ, J. L., TRIGUERO MARTÍNEZ, L. A., "El derecho social del trabajo y los derechos sociales ante la violencia de género en el ámbito laboral", *Anales de Derecho,* n. 30/2012, esp. p. 89.

[4]   QUINTANILLA NAVARRO, B., "Violencia de género y derechos sociolaborales: la L. O. 1/2004, de 28 de diciembre, de medidas de protección integral contra la violencia de género", *Revista Temas Laborales,* núm. 80, 2005, pp. 12-17.

[5]   En la que se lee expresamente: en la que se adelanta como "El ámbito de la Ley abarca tanto los aspectos preventivos, educativos, sociales, asistenciales y de atención posterior a las víctimas, como la normativa civil que incide en el ámbito familiar o de convivencia donde principalmente se producen las agresiones, así como el principio de subsidiariedad en las Administraciones

to, el esfuerzo del Legislador español, atendiendo a las recomendaciones de los organismos internacionales, para abarcar en un mismo instrumento normativo los distintos aspectos y facetas que puedan contribuir a realizar el objetivo de la Ley, a saber, "prevenir, sancionar y erradicar esta violencia y prestar asistencia a las mujeres, a sus hijos menores y a los menores sujetos a su tutela, o guarda y custodia, víctimas de esta violencia" (art. 1).

2. LA VIOLENCIA DE GÉNERO COMO MANIFESTACIÓN DE DISCRIMINACIÓN CONTRA LAS MUJERES

Como ya adelantado y como ya empieza a ser notorio, desde el derecho interno e internacional la violencia contra la mujer se reconstruye como "uno de los mecanismos sociales fundamentales mediante los que se coloca a la mujer en una posición de subordinación frente al hombre", es decir, como "una manifestación de las relaciones de poder históricamente desiguales entre mujeres y hombres, que han conducido a la dominación de la mujer por el hombre, la discriminación contra la mujer y a la interposición de obstáculos contra su pleno desarrollo"[6].

En términos similares se expresa la misma LOVG cuya Exposición de Motivos de se abre con la afirmación según la cual "La violencia de género (…) se manifiesta como el símbolo más brutal de la desigualdad existente en nuestra sociedad. Se trata de una violencia que se dirige sobre las mujeres por el hecho mismo de serlo, por ser consideradas, por sus agresores, carentes de los derechos mínimos de libertad, respeto y capacidad de decisión".

Con ello, tanto desde el ámbito internacional como desde el propio del Estado español, se ha pretendido recalcar como la violencia contra la mujer dimana esencialmente de pautas culturales al ser, en sustancia, el resultado de un proceso de construcción social que pretende adjudicar a mujeres y hombres, por el mero hecho de ser tales, roles sociales no solo diferenciados, sino que además jerarquizados en función del sexo. Pese a los indudables avances alcanzados, no cabe duda de que en nuestra cultura sigue siendo bastante arraigada la tendencia a diferenciar hombres y mujeres sobre la base de la forzosa y forzada atribución

---

Públicas. Igualmente se aborda con decisión la respuesta punitiva que deben recibir todas las manifestaciones de violencia que esta Ley regula".

[6]   Párrafos 117 y 118 de la IV Conferencia Mundial de las Naciones Unidas sobre la Mujer de 15 de septiembre de 1995. Ya anteriormente, la Recomendación n. 19 de la Convención sobre la Eliminación de Todas las Formas de Discriminación contra la Mujer (CEDAW) de 1992, se había expresado en términos similares, vinculando estrechamente la violencia contra la mujer a la discriminación.

a unos y otras de características, pautas de comportamiento, actitudes y, en definitiva, de modelos de masculinidad y feminidad diferenciados que funcionan como mecanismos para asegurar una distribución desigual del poder social que termina penalizando a las mujeres, colocándolas en una posición subordinada con respecto al hombre.

Esta reconstrucción de la violencia de género como manifestación de la discriminación que históricamente vienen sufriendo las mujeres obliga a descartar por inadecuado cualquier acercamiento normativo al tema que se limite a intervenir sobre el fenómeno entendiéndolo como conjunto de episodios patológicos, aunque aislados y ocasionales, de violencia entre particulares; violencia ejercida por parte del más fuerte sobre el más débil.

Ello es así puesto que resulta a todas luces necesario evitar la falaz y mistificadora asimilación de la posición de la mujer a la del sujeto débil. Ni atendiendo a conformación jurídica de las relaciones de pareja —a las que come veremos se circunscribe el ámbito de aplicación de la protección dispensada por la LOVG—, ni tampoco a las características biológicas de las partes, es posible pues identificar elementos estructurales de la especial vulnerabilidad y predisposición a sufrir malos tratos de las mujeres. En este sentido no está demás dejar claro una vez más que no es que la mujer es débil y por ello sufre discriminación. Es que la mujer sufre una discriminación sistémica y por tanto se convierte es sujeto más vulnerable[7].

La explicación en clave discriminatoria de la violencia de machista obliga por tanto a considerar las agresiones contra las mujeres como un fenómeno estructural y sistémico que hunde sus raíces y se retroalimenta como efecto de la configuración todavía esencialmente patriarcal de la sociedad y de la familia[8]. En este sentido, la violencia contra la mujer no puede ser interpretada como una manifestación más de violencia; no es fenómeno circunstancial ni neutro, sino instrumental al mantenimiento de un orden de valores que coloca a las mujeres

---

[7]   Era éste sin embargo, el enfoque con el que, desde el ámbito público-institucional español, se empezó a abordar esta problemática, como se puede fácilmente constatar en la Exposición de Motivos de la LO 3/1989, de 21 de julio, que modificó el art. 425 del Código penal anterior, incluyendo el delito de maltrato físico habitual contra el conviviente, hijos u otros menores o incapaces sometidos a tutela o guarda de hecho del agresor, en la que se justificaba la introducción de la nueva figura delictiva en cuanto instrumento destinado a proteger "a los miembros físicamente más débiles del grupo familiar frente a conductas sistemáticamente agresivas de otros miembros del mismo".

[8]   Sobre las relaciones entre patriarcado y capitalismo, se reenvía a las sugerentes reflexiones de MORA CABELLO DE ALBA, L., "La ruina del patriarcado capitalista", *Revista Digital de AHIGE*, Dossier n. 3/2017, disponible en la página web: *http://www.hombresigualitarios.ahige.org/la-ruina-del-patriarcado-capitalista/*.

en una posición subordinada respecto del hombre en el contexto de un espacio de poder dominado por otros[9].

Todo lo dicho ayuda a aclarar y entender mejor las razones que han empujado al Legislador español a limitar el ámbito de actuación y aplicación de la LOVG a las manifestaciones de violencia "física y psicológica, incluidas las agresiones a la libertad sexual, las amenazas, las coacciones o la privación arbitraria de libertad" ejercidas por el hombre sobre la mujer, siempre que entre ambos exista o haya existido una relación de carácter afectivo-sentimental.

Dejando por el momento de lado este último aspecto —la vinculación sentimental entre las partes—, el carácter sexuado impreso por parte de la Ley al agresor (necesariamente varón) y a la víctima (necesariamente mujer) se justifica, en palabras del mismo Consejo de Europa, puesto que "Al contrario de lo que ocurre con la violencia cometida contra las mujeres, la violencia contra los hombres no es «una manifestación de las históricas desigualdades de poder entre mujeres y hombres», no ha dado lugar al dominio ni a la discriminación de los hombres por parte de las mujeres ni impide a los hombres desarrollarse plenamente y disfrutar de sus derechos fundamentales"[10]. Dicho de otra forma, pese a que no son infrecuentes las agresiones que se ejercen sobre los hombres tanto dentro como fuera del ámbito doméstico, y que, obviamente, el ordenamiento jurídico ha de hacerse cargo de ofrecer respuestas jurídicas (preventivas, protectoras y sancionadoras) efectivas y eficaces también en estos casos, la violencia contra la mujer merece sin

---

[9]   En este sentido, Convenio del Consejo de Europa sobre la Prevención y Lucha contra la Violencia contra las Mujeres y la Violencia Doméstica, adoptado por el Comité de Ministros en fecha 7 de abril de 2011 (más conocido como Convenio de Estambul), ratificado por España en abril de 2014 y entrado en vigor el 1 de agosto de 2014, en donde se afirma "la naturaleza estructural de la violencia contra las mujeres está basada en el género, y que la violencia contra las mujeres es uno de los mecanismos sociales cruciales por los que se mantiene a las mujeres en una posición de subordinación con respecto a los hombres". El carácter estructural de la violencia contra las mujeres contribuye además a explicar el por qué resulte extremadamente difícil identificar un perfil determinado de mujer maltratada. Así lo reconoce el mismo Consejo de Europa cuando afirma que "Si bien es cierto que algunos factores, como el origen étnico, la religión, la posición económica, la clase, la orientación sexual y la discapacidad, determinan las diversas formas de violencia sufridas, la violencia contra la mujer no se limita a ninguna cultura, país ni religión en concreto. Es su carácter universal lo que la convierte en una forma endémica de discriminación contra las mujeres". CONSEJO DE EUROPA, "Informe final de actividad. Grupo de trabajo del Consejo de Europa para combatir la violencia contra la mujer, incluida la violencia doméstica", en MINISTERIO DE IGUALDAD, "El Consejo de Europa y la violencia de género. Documentos elaborados en el marco de la Campaña Paneuropea para combatir la violencia contra las mujeres (2006-2008)", p. 25, disponible en la página web: http://www.violenciagenero.msssi.gob.es/violenciaEnCifras/estudios/colecciones/pdf/libro4_consejoeuropa.pdf que también hace referencia al coste económico y social de este tipo de violencia.

[10]   CONSEJO DE EUROPA, "Informe final de actividad...", op. cit. p. 200.

embargo un tratamiento autónomo en cuanto fenómeno diferenciado, cargado de un especial desvalor con respeto a las demás manifestaciones de violencia entre particulares[11].

Se trata de valoración compartida por el mismo Tribunal Constitucional que, llamado a juzgar la posible vulneración del principio de igualdad del art. 14 CE por parte de los preceptos de la LOVG que, modificando el Código Penal, endurecen la respuesta punitiva en atención a la diferenciación sexual de los sujetos del delito[12], no ha dudado en confirmar su conformidad a la CE argumentando que "La sanción no se impone por razón del sexo del sujeto activo ni de la víctima ni por razones vinculadas a su propia biología. Se trata de la sanción mayor de hechos más graves, que el legislador considera razonablemente que lo son por constituir una manifestación específicamente lesiva de violencia y de desigualdad". No es por tanto "el sexo en sí de los sujetos activo y pasivo lo que el legislador toma en consideración con efectos agravatorios, sino —una vez más importa resaltarlo— el carácter especialmente lesivo de ciertos hechos a partir del ámbito relacional en el que se producen y del significado objetivo que adquieren como manifestación de una grave y arraigada desigualdad"[13].

Ello es así, en palabra del mismo TC puesto que "una agresión supone un daño mayor en la víctima cuando el agresor actúa conforme a una pauta cultural —la desigualdad en el ámbito de la pareja— generadora de gravísimos daños a sus víctimas y dota así consciente y objetivamente a su comportamiento de un efecto añadido a los propios del uso de la violencia en otro contexto"[14].

---

[11]   Ello sin considerar los efectos en términos económicos de la discriminación de la mujer. En este sentido, la reciente Resolución del Parlamento Europeo, de 14 de marzo de 2017, sobre la igualdad entre mujeres y hombres en la Unión Europea en 2014-2015, en donde se afirma que "una participación equitativa de las mujeres y los hombres en el mercado de trabajo y unos salarios mejores y más justos para estas no solo aumentarían la independencia económica de las mujeres, sino que también incrementarían de forma significativa el potencial económico de la Unión y consolidarían su carácter equitativo e integrador" y que "según las previsiones de la OCDE, una convergencia plena de las tasas de participación se traduciría en un aumento del 12,4 % del PIB por habitante de aquí a 2030" (punto 11).

[12]   En concreto, en el recurso se insiste en que el delito de maltrato ocasional tipificado en el art. 153.1 CP se castiga con la pena de prisión de seis meses a un año cuando el sujeto activo fuera un varón y el sujeto pasivo una mujer, mientras la misma conducta es castigada con la pena de prisión de tres meses a un año si el sujeto activo fuera una mujer y el sujeto pasivo un varón (art. 153.2 CP).

[13]   F.J. 9 Sentencia TC 59/2008 de 14 de mayo.

[14]   Críticamente, MARTÍN VALVERDE, A., "La ley de Protección Integral contra la Violencia de «Género»: análisis jurídico e ideológico", en CASAS BAAMONDE, Mª. E., DURÁN LÓPEZ, F., CRUZ VILLALÓN, J. (COORDS.), *Las transformaciones del derecho del trabajo en el marco de la Constitución Española, Estudio en Homenaje al Profesor Miguel Rodríguez-Piñero y Bravo Ferrer*, La Ley, Madrid, 2006, p. 468 y ss.

Todo ello lleva al TC a descartar cualquier posible vulneración del principio de igualdad formal puesto que la especificidad del fenómeno de la violencia machista impide cualquier asimilación a otros tipos de violencia que se dirigen hacia el colectivo de los hombres[15], resultando por tanto inimputable al Legislador el hecho de haber tratado de forma diferente a situaciones asimilables.

Dicho de otra forma, el tratamiento diferenciado del fenómeno de la violencia machista respecto del que el ordenamiento jurídico reserva a la violencia doméstica sin más resulta a todas luces razonable y justificado de forma tal que haya que descartar cualquier vulneración del principio de igualdad. No es pues que se pretende hacer recaer sobre el maltratador la responsabilidad por actos cometidos por otros, "sancionado al sujeto activo de la conducta por las agresiones cometidas por otros cónyuges varones". Lo que se sanciona es "el especial desvalor de su propia y personal conducta: por la consciente inserción de aquélla en una concreta estructura social a la que, además, él mismo, y solo él, coadyuva con su violenta acción"[16].

Se trata, a nuestro parecer, de una elucidación de especial trascendencia puesto que contribuye a aclarar el significado de la intervención normativa realizada por la Ley de 2004. Su propósito no es pues atajar la violencia doméstica, entendiendo por tal la que se genera en el ámbito de las relaciones familiares y que abarca todo tipo de violencia ejercida, tanto por hombres como por mujeres, sobre otros miembros de la familia sean éstos mujeres u hombres[17]. Lo que se propone es, específicamente, "actuar contra la violencia que, como manifestación de la discriminación, la situación de desigualdad y las relaciones de poder de los hombres sobre las mujeres, se ejerce sobre éstas" (art. 1.1 LOVG)[18]. La intervención normativa y política específica sobre este

---

[15] Para un análisis de la sentencia, se reenvía a Larrauri Pijoan, E., "Igualdad y violencia de género. Comentario a la STC 59/2008", disponible en la página web: *http://www.indret.com/pdf/597.pdf.*

[16] Con esta argumentación, el TC descarta la posible vulneración del principio de culpabilidad y la creación de un "derecho penal de autor".

[17] Según los últimos datos disponibles, el número de víctimas de violencia de género con orden de protección o medidas cautelares inscritas en el Registro Central para la Protección de las Víctimas de Violencia doméstica y de género en 2016 fue de 28.281 mujeres mientras el número de víctimas de violencia doméstica fue de 6.863. De éstas últimas, 2.574 fueron hombres. Resulta relevante la incidencia del sexo también en relación con los sujetos denunciados. De un total de 5.400 personas denunciadas, 4.091 fueron hombres. Datos INE, Nota de Prensa del 31 de mayo de 2017, disponible en la página web: *http://www.ine.es/prensa/evdvg_2016.pdf.*

[18] Critica la introducción en la definición legal de violencia del género del art. 1 de la LOVG de esta "nota accesoria" Martín Valverde, A., "La ley de Protección Integral contra...", op. cit. 447 según el cual: "la presencia de este enunciado ideológico en la definición legal de violencia de género desconoce una de las reglas básicas de la técnica legislativa, según la cual las definiciones legales deben limitarse a la indicación de las notas del concepto definido,

fenómeno se justifica pues no solo y no tanto atendiendo al dato cuantitativo —la especial incidencia de la violencia intrafamiliares sobre las mujeres ejercida por parte de las parejas o exparejas sentimentales de éstas[19]— sino también y, sobre todo, desde el punto de vista cualitativo, sobre la base de la especial lesividad y reprobación de este tipo de violencia, de su carácter pluriofensivo y de su características etiología[20].

Dicho esto, la definición del ámbito de aplicación de la ley adolece sin duda de defectos de los que se intentará dar sumaria cuenta en el epígrafe siguiente.

3. LA CRITICABLE RESTRICCIÓN DEL CAMPO DE APLICACIÓN DE LA LEY AL ÁMBITO DE LAS RELACIONES DE PAREJA

Pese a que, como adelantado, la misma Exposición de Motivos de la LOVG se abre con la afirmación según la cual la violencia de género no es un problema agotable en el ámbito privado, su campo de aplicación se circunscribe —como es sabido y como ya adelantado— a las manifestaciones de violencia que se ejercen sobre las mujeres en el ámbito privado-familiar, y más concretamente, en el contexto de las relaciones sentimentales de pareja. En efecto, para poder activar todo el aparato preventivo, protector y represivo-sancionador predispuesto en la LOVG se requiere expresamente que las agresiones contra la mujer se lleven a cabo "por parte de quienes sean o hayan sido sus cónyuges o de quienes estén o hayan estado ligados a ellas por relaciones similares de afectividad, aun sin convivencia" (art. 1.1).

---

sin introducir hipótesis explicativas sobre el origen del mismo", siendo además, en cuanto "mero juicio o valoración de causalidad del fenómeno (...) prácticamente inservible en la visa jurídica".

[19] Según los datos ofrecidos por el *Observatorio Contra la Violencia Doméstica y de Género* del Consejo Judicial del Poder Judicial, el número de hombres que han perdido la vida presuntamente a manos de sus parejas o ex parejas a lo largo de 2014 asciende a 8, frente a las 54 mujeres asesinadas en el mismo periodo. CONSEJO GENERAL DEL PODER JUDICIAL, "Informe sobre víctimas mortales de la violencia de género y de la violencia doméstica en el ámbito de la pareja o expareja en 2014, disponible en la página web: *http://www.poderjudicial.es/ cgpj/es/Poder-Judicial/En-Portada/La-violencia-domestica-y-de-genero-se-cobro-en-2014-la-vida-de-66-personas.*

[20] Critica la impostación ideológicamente orientada de la LOVG, MARTÍN VALVERDE, A., "La ley de Protección Integral contra la Violencia de «Género» ...", op. cit. p. 462 y ss. "Lo que llama la atención en la LO 1/2004 no es que indique la influencia del patriarcado en las conductas que pretende prevenir o corregir, sino que, en línea con la perspectiva de género, lo eleve a la condición de axioma no necesitado de demostración, y de explicación monocausal de la violencia ejercida sobre las mujeres".

De esta forma, quedan excluidas del ámbito de aplicación de la Ley no solo todas aquellas agresiones en las que las víctimas no sean mujeres y los agresores no sean hombres[21], sino también las agresiones contra las mujeres que procedan de personas distintas de las parejas o ex parejas sentimentales[22], así como las que se materializan en otros ámbitos distintos del doméstico/familiar, como por ejemplo, el laboral o profesional.

Es cierto que, como es sabido y como se dirá más adelante, el contexto de las relaciones laborales se toma en cuenta por parte de la LOVG como ámbito en el que la violencia que la mujer sufren el ámbito doméstico-familiar trasciende y repercute y que el desempeño de una actividad laboral extra-doméstica se considera por parte del Legislador de 2004 como instrumento fundamental para hacer frente al aislamiento, la exclusión y la subordinación en la que se ve relegada la mujer en consecuencia de la violencia que sufre y por tanto como medio fundamental de emancipación económica, personal y de inserción social.

Cierto es también, sin embargo, que la LOVG no aborda la violencia que se ejerce sobre las mujeres en el lugar de trabajo[23]. Para ello, hemos tenido que esperar a la aprobación de la LO 3/2007, de 22 de marzo, para la Igualdad Efectiva

---

[21]   Como ha tenido ocasión de puntualizar la Fiscalía General del Estado en su Circular nº4/2005 "la dicción legal del art. 1 LO 1/2004 implica que las parejas de un mismo sexo han quedado excluidas de su ámbito de especial protección". Así lo ha confirmado el Tribunal Supremo en la sentencia 1068/2009 de 4 de noviembre. Sin embargo, sigue la Circular, puesto que "no puede ignorarse que en algún supuesto en ellas podrían reproducirse relaciones de dominación análogas a las perseguidas en esta Ley por interiorización y asunción de los roles masculinos y femeninos y de sus estereotipos sociales", ha de estimarse posible la aplicación de la Ley en los casos de parejas de distinto sexo formadas por transexuales" siempre y cuanto el agresor sea el varón y la víctima la mujer y hubieran obtenido el reconocimiento legal de su identidad sentida. Véase también la Circular nº 6/2011 Sobre Criterios para la Unidad de Actuación Especializada del Ministerio Fiscal en relación a la Violencia sobre las Mujeres (apartado II.1.1.2 e)).

[22]   Según los datos recopilados en la Macroencuesta de violencia contra la mujer 2015 realizada por el Ministerio de Sanidad, Servicios Sociales e igualdad en el año 2015, un 11,6% de las mujeres residentes en España de 16 y más años ha sufrido violencia física por parte de alguna persona con la que no mantienen ni han mantenido una relación de pareja en algún momento de su vida y un 7,2% ha sufrido violencia sexual por parte de alguna persona con la que no mantienen ni han mantenido una relación de pareja en algún momento de su vida (p. 281 y 300 respectivamente). La violencia sexual ha afectado a un 13,7% de mujeres a lo largo de toda su vida y a un 1,9% en los últimos doce meses (p. 304). En total, el 24,2% de las mujeres residentes en España de 16 o más años han sufrido violencia física y/o sexual a lo largo de sus vidas de parejas, exparejas o terceros (p. 311).

[23]   Salvo en los casos, claramente minoritarios, en que se dé la circunstancia de que la violencia que se ejerce sobre ella en este ámbito proceda de sujeto —compañero de trabajo o empresario— que al mismo tiempo sea o haya sido pareja sentimental de la víctima.

de Mujeres y Hombres, que se ha encargado de remediar a esta grave laguna en el ordenamiento jurídico español[24].

La ausencia de una regulación específica, coherente y eficaz en materia de violencia de género en el trabajo mantenida hasta 2007 y la exclusión de la misma del ámbito de aplicación de la Ley de 2004 resultan tanto más sorprendentes si se tiene en cuenta que, en cuanto estructura necesariamente jerarquizada en donde se producen y reproducen relaciones de poder desequilibradas entre empresario y trabajadores, la empresa se eleva a ámbito privilegiado de ejercicio de autoridad privada y que la línea que separa el ejercicio de autoridad legítima de la violencia del poder privado es muy sutil. Por otra parte, el proceso de re-expansión del unilateralismo en la gestión y organización del trabajo fomentados por los últimos cambios normativos llevados a cabo al albur de la crisis, la perdida de centralidad del valor político del trabajo que ha permitido en gran medida esos cambios dejando al trabajo sin representación política clara, así como cierta reconfiguración del trabajo en términos de ocasiones cada vez más escasas, precarias y saltuarias e individualizadas de empleo han contribuido a fomentar cierta regresión en la configuración del espacio empresarial cada vez más reconstruido como "espacio privado", oculto en gran medida a la vigilancia pública; espacio en el que las relaciones cada vez más desequilibradas entre capital y trabajo y entre géneros, en la medida en que acentúan las desigualdades existentes, fomentan necesariamente el autoritarismo y violencia[25]. Es la misma configuración del proceso de producción y la organización del trabajo que generan violencia en cuanto cada vez menos estructuradas atendiendo a las exigencias derivadas de la configuración en sentido social y democrático del Estado, de la sociedad y de todas sus instituciones (empresa incluida).

Si pues es verdad que la empresa, por su misma naturaleza y como consecuencia del cambio de actitud de los poderes públicos, se configura cada vez más como ámbito privilegiado de expresión de violencia, no cabe duda de que también lo es para el caso específico de la violencia de género. Pese a ello, como adelantado, ha sido solo a partir de 2007 cuando el ordenamiento jurídico español se ha encargado de articular respuestas jurídicas orientadas a reaccionar ante este tipo de violencia en el trabajo cuando la misma se materializa bajo las formas del acoso

---

[24] Se reenvía para una panorámica general sobre el tema, PÉREZ DEL RIO, T., "La violencia de género en el trabajo: el acoso sexual y el acoso por razón de género", *Temas Laborales*, n. 91/2007, pp. 175 y ss.

[25] Para una panorámica sobre el impacto de las reformas "anticrisis" sobre la negociación colectiva en los países del sur de Europa, BAYLOS GRAU, A, CASTELLI, N., TRILLO PÁRRAGA, F., *Negociar en crisis: la negociación colectiva en los países del sur de Europa*, Bomarzo, Albacete, 2014.

sexual y del acoso por razón de sexo, en la denominación procedente de la Unión Europea[26].

Dejando de lado este tema que excede de los objetivos de este trabajo, lo que se pretende subrayar es la criticable (y criticada) delimitación del ámbito de intervención del Legislador de 2004 en la medida en que deja fuera de la protección dispensada por la LOVG a manifestaciones de violencia seguramente reconducibles a la violencia de género como las que se acaban de recordar (y muchas otras), sino que además contrasta con las delimitaciones conceptuales de la misma que predominan en el ámbito internacional. En los instrumentos del derecho internacional que abordan este gravísimo problema social y político se adoptan en efecto definiciones de violencia de género o violencia contra las mujeres en las que no solo no se hace referencia alguna ni al sexo del agresor ni al tipo de relación que éste mantenía con la víctima, sino que además se procura dejar claro que la protección dispensada por el ordenamiento jurídico ha de abarcar a toda agresión que se realice tanto en la vida privada, como en la pública[27].

En este sentido, también se expresa el Convenio del Consejo de Europa sobre Prevención y Lucha contra la Violencia contra las Mujeres y la Violencia Doméstica (más conocido como Convenio de Estambul), firmado por 25 Países el 11 de mayo de 2011[28] y entrado en vigor el 1 de agosto de 2014. Su indiscu-

---

[26]   La referencia es sin duda a la Directiva 2006/54/CE del Parlamento y del Consejo de 5 de julio, relativa a la aplicación del principio de igualdad de trato entre hombres y mujeres en asunto de empleo y ocupación (refundición). Para un comentario sobre la misma, LOUSADA AROCHENA, J. F., "La transposición en España de la Directiva 76/207/CEE", AFDUC, n. 18/2014, 461y ss.

[27]   *Recomendación Rec (2002) 5* del Comité de Ministros del Consejo de Europa a los Estados miembros sobre la protección de la mujer contra la violencia, adoptada por el Comité de Ministros el 30 de abril de 2002, define la violencia de género como «todo acto de violencia por razón de género que cause o pueda causar daño o sufrimiento físico, sexual o psicológico a la mujer, incluidas las amenazas de realizar tales actos, la coacción o la privación arbitraria de libertad, tanto en la vida pública como en la privada». De forma parecida, el art. 1 de la Declaración sobre la eliminación de la violencia contra la mujer adoptada con Resolución de la Asamblea General de la ONU del 20 de diciembre de 1993 define la "violencia contra la mujer" como "todo acto de violencia basado en la pertenencia al sexo femenino que tenga o pueda tener como resultado un daño o sufrimiento físico, sexual o sicológico para la mujer, así como las amenazas de tales actos, la coacción o la privación arbitraria de la libertad, tanto si se producen en la vida pública como en la vida privada".

[28]   Ratificado por España en junio de 2014. Para un comentario general sobre el mismo, LOUSADA AROCHENA, J. F., "El convenio del Consejo de Europa sobre prevención y lucha contra la violencia contra las mujeres y la violencia de género", *Aequalitas, Revista Jurídica de Igualdad de Oportunidades entre Mujeres y Hombres*, n. 35/2014, pp. 6 y ss. Nótese que en fecha 4 de marzo de 2016, con Decisión del Consejo, presentada por la Comisión el 4 de marzo de 2016, relativa a la firma, en nombre de la Unión Europea, del Convenio del Consejo de Europa sobre prevención y lucha contra la violencia contra las mujeres y la violencia doméstica (COM(2016)0111) se ha propuesto la ratificación del Convenio por parte de la UE.

tible importancia reside en que se trata del primer Tratado Europeo de carácter vinculante que aborda específicamente el tema de la violencia contra las mujeres estableciendo responsabilidades claras para los Estados que se hayan adherido. En él mismo, se adopta una definición mucho más amplia de violencia de género, incluyendo en la misma la violencia sexual, los matrimonios forzosos, las mutilaciones genitales femeninas, el aborto y la esterilización forzosas, el acoso sexual, así como la asistencia o complicidad de terceros y la tentativa[29].

Además de identificar claramente la violencia contra las mujeres como una violación de los derechos humanos y una manifestación de discriminación contra las mujeres y de incluir en su definición los actos de violencia que produzcan no solo daño o sufrimiento "de naturaleza física, sexual, psicológica (...) incluidas las amenazas de realizar dichos actos, la coacción o la privación arbitraria de libertad", sino también la violencia "económica" (art. 3), el Convenio de se preocupa de realizar algunas aclaraciones conceptuales de especial relevancia. Así, en la misma línea de las consideraciones que se acaban de realizar, se procede a diferenciar la violencia contra las mujeres (art. 3, a) y d)) de la violencia doméstica (art. 3, b)), abarcando ésta última los actos de violencia física, sexual psicológica o económica perpetrados no solo entre cónyuges (incluyendo por tanto también la violencia hacia los hombres) sino, más en general, por cualquier miembro del núcleo familiar hacia cualquiera de ellos. De esta forma, al tiempo que asume la especial incidencia de la violencia en el ámbito intrafamiliar, violencia que potencialmente procede y se dirige hacia cualquiera de los integrantes de la unidad familiar, entiende también que la violencia que se ejerce sobre las mujeres dentro y fuera de esta estructura social, merece una consideración a parte y un tratamiento autónomo y diferenciado. La definición del campo de aplicación del Convenio como inclusivo de ambas manifestaciones de violencia (de género y doméstica) resulta por otra parte coherente con la consagración, en su art. 4, de un verdadero "derecho (fundamental) de todos, en particular de las mujeres, a vivir a salvo de la violencia tanto en ámbito público como en el ámbito privado".

La naturaleza vinculante del Convenio y las discrepancias con respecto a la normativa española han contribuido a relanzar un movimiento político y social que aboca por reformar y actualizar la LOVG. En este sentido, cabe recordar que, en fecha de 15 de noviembre de 2016, el Pleno del Congreso de los Di-

---

[29]   También parece oportuno recordar que en ocasiones, la legislación aprobada en la materia a nivel de Comunidades Autónomas se muestra más sensible en este aspecto. Véase la ley catalana 5/2008, de 24 de Abril, del derecho de las mujeres a erradicar la violencia machista, que ya contempla, por ejemplo, la violencia en el ámbito laboral, la violencia sexual por parte de personas desconocidas, la trata de mujeres con fines de explotación sexual, la mutilación genital femenina o el matrimonio forzoso.

putados aprobó por unanimidad una iniciativa acordada por PSOE y PP para promover un Pacto de Estado para luchar contra la violencia de género[30]. A este fin, en febrero de 2017 se constituyó la Subcomisión encargada de elaborar, en el plazo de cuatro meses (que, después de la prorroga acordada por el Pleno del Congreso en fecha de 14 de junio 2017, finalizará el 30 del mismo mes), un informe en el que se identifiquen los problemas que impiden avanzar en la erradicación de las diferentes formas de violencia de género y se propongan las reformas que deben acometerse para dar complimiento efectivo a este fin. Al mismo tiempo, la iniciativa se propone como finalidad también la de proceder a actualizar la normativa española a las recomendaciones de los organismos internacionales y, en especial, a los requerimientos derivados de la ratificación del Convenio de Estambul.

4. CENTRALIDAD DE LA PERSPECTIVA LABORAL EN LA LUCHA CONTRA LA VIOLENCIA CONTRA LA MUJER Y REMERCANTILIZACIÓN DEL TRABAJO

Pese a que la LOVG no se encarga de ofrecer respuestas normativas a los casos de violencia contra la mujer que se perpetren fuera del contexto privado-familiar de las relaciones de pareja, ya anticipamos como la norma de 2004 sí que contempla el laboral no solo como ámbito en el que esta violencia puede repercutir, sino también en cuanto considera la inserción laboral de la mujer víctima de violencia machista como un instrumento indispensable de lucha contra el maltrato y de atención a las víctimas.

No cabe duda en efecto que el trabajo remunerado extra-doméstico puede representar un medio fundamental para allegar recursos que permitan a la mujer víctima de violencia alcanzar no solo autosuficiencia económica y, con ello, más amplios márgenes de autodeterminación personal y social, favoreciendo de esta forma el proceso de emancipación del agresor, sino también mayor prestigio social que repercutirá en beneficio de su posición dentro de la familia y la sociedad y, por ende, sobre una configuración más igualitaria, equilibrada y respetuosa de las relaciones de pareja. La centralidad de la perspectiva laboral se explica también atendiendo a la fundamental función integradora y socializadora del trabajo que puede contribuir a romper el "círculo de sujeción" de la mujer al hombre, salir del aislamiento doméstico, compartir experiencias, etc.

---

[30]   Véase la noticia: *http://www.europapress.es/epsocial/igualdad/noticia-congreso-aprueba-subcomision-pacto-estado-contra-violencia-genero-20161130165227.html.*

Al mismo tiempo, tampoco se pueden albergar dudas de que el acceso y la permanencia en el empleo pueden verse seriamente comprometidos por la situación de violencia que se sufra la mujer en el ámbito privado-familiar[31]. Ello es así no solo en razón de las secuelas físicas y psicológicas que la violencia pueda ocasionar en la mujer, sino más en general como consecuencia del impacto que tal violencia puede producir en la capacidad de autodeterminación, expresión y desarrollo personal y profesional de la mujer.

Consciente de ello, la LOVG arbitra toda una serie de medidas orientadas a favorecer el acceso y la permanencia en el empleo de las mujeres que acrediten la condición de víctimas de violencia de género a fin de evitar que las circunstancias personales de la mujer impidan su integración laboral o conduzcan a su desprofesionalización. De ello se dará sumaria cuenta más adelante.

Lo que ahora se pretende resaltar es, por un lado, la evidente paradoja derivada del proceso de cada vez más acusado de precarización, pauperización y vaciamiento de las garantías socio-laborales, drásticamente acelerado en el actual contexto de crisis, que está terminando por comprometer la función emancipadora del trabajo del siglo XXI[32]. La referencia no es solo a los cambios y las transformaciones que se van registrando en los modelos y sistemas de dirección, organización y control de la producción y del trabajo, a la introducción de las nuevas tecnologías de la información y comunicación que multiplican las invasiones en las esferas privadas y personales de los trabajadores de ambos sexos, ocasionan nuevas pero no menos graves vulneraciones de los derechos a la intimidad y dignidad de éstos y expanden las posibilidades de control sobre la prestación laboral más allá de los confines espaciales de la empresa y temporales de la prestación de trabajo pactada en el contrato, sometiendo a los trabajadores a nuevas e inéditas formas de subordinación y de estrés. La referencia es sobre todo al proceso de acelerada remercantilización

---

[31]   "Se ha estimado que en los Estados Unidos, basándose en datos de 1995, las personas que fueron objeto de graves actos de violencia de pareja perdieron un total de casi 8 millones de días de trabajo remunerado, es decir, el equivalente de más de 32 000 puestos de trabajo a tiempo completo, y cerca de 5,6 millones de días de productividad en los hogares, como consecuencia de la violencia". OIT, "Documento base para el debate en la Reunión de expertos sobre la violencia contra las mujeres y los hombres en el mundo del trabajo (3-6 octubre de 2016), 2016, p. 16, disponible en la página web: *http://www.ilo.org/wcmsp5/groups/public/---dgreports/--gender/documents/meetingdocument/wcms_524929.pdf*

[32]   Se reenvía a Baylos Grau, A, Pérez Rey, J., *El despido y la violencia del poder privado*, Trotta, Madrid, 2009, espec., pp. 35 y ss. Buena muestra de ello la encontramos con solo reparar en el incremento exponencial del fenómeno de los trabajadores pobres. Véase a este propósito el "Informe 2014. Pobreza y trabajadores pobres en España", Fundación 1º de Mayo, n. 106/2014, disponible en la página web: *http://www.1mayo.ccoo.es/nova/files/1018/Informe106.pdf*

tanto del trabajo —cada vez más fragmentado, individualizado, precario—, como de los servicios públicos[33].

Ello es así, sobre todo considerando que, como admite el mismo Parlamento Europeo, "en los países afectados por la crisis económica y los recortes presupuestarios, las mujeres se han visto afectadas de forma desproporcionada, en particular, las mujeres jóvenes, las de edad avanzada, las madres solteras y las mujeres que sufren diferentes tipos de discriminación, y que esto las ha llevado a una situación de pobreza y marginación social al excluirlas cada vez más del mercado laboral"[34]. Dicho de otra forma, pobreza, precariedad laboral, la segmentación —horizontal y vertical— del mercado laboral son fenómenos sexuados que, aun afectando a hombres y mujeres, no lo hacen de la misma forma[35]. De ahí que el proceso en curso de acelerada transferencia de los recursos entre las clases sociales afecte de forma especial a las mujeres.

De ello es bien consciente también la Organización Internacional del Trabajo (OIT, en adelante) cuando señala que los cambios que se han venido produciendo en la organización del trabajo y en las modalidades de ocupación, con un aumento significativo de las formas atípicas de empleo, del empleo de duración determinada, en turnos de guardia, del trabajo eventual/temporal y la «conversión» de los trabajadores asalariados a la condición de subcontratistas por cuenta propia, al igual que el aumento del trabajo no declarado y de la economía informal, que se suele identificarse con la existencia de malas condiciones laborales y de empleo, con el aumento de la volatilidad y con la limitación de la protección social, cuando ésta existe, sumados a la intensificación generalizada de los ritmos del

---

[33]   Trillo Párraga, F. J., Castelli, N., "Relaciones público-privado o la privatización del interés general", en García López, J., Trillo Párraga (coord.), *En defensa de lo común: lo público no se vende, lo público se defiende*, Bomarzo, Albacete, 2014, pp. 145 y ss.

[34]   Considerando G y H de la citada Resolución del Parlamento Europeo de 14 de marzo de 2017. Según un informe presentado por el Sindicato USO, en la legislatura 2012-2016 el recorte presupuestario en igualdad ha sido de un 20,9%, llegando al 47,6% respecto de 2009. "A pesar de las recomendaciones de la CEDAW, el programa de igualdad de oportunidades ha disminuido un 61% desde 2006". La misma suerte ha sufrido el programa para la prevención de la violencia machista que se ha recortado un 26% desde 2010. "Los recortes aplicados en este ámbito tienen efectos directos que han supuesto el cierre de algunos puntos de encuentro (...), así como el menor número de profesionales en estos servicios". Denuncian por tanto como "La falta de dinero en igualdad y violencia lleva dejando la Ley sin contenido, como el Plan Nacional de Sensibilización y Prevención de la Violencia de Género, que sigue sin medios económicos para su desarrollo". USO, "Informe violencia de género 2016", pp. 19 y 22, disponible en la página web: *http://www.uso.es/wp-content/uploads/2016/11/INFORME-VIOLENCIA-DE-G%C3%89NERO-20161.pdf.*

[35]   En este sentido, Informe Fundación 1º de Mayo, "El deterioro laboral de las mujeres como efecto de la crisis", n. 85/2014, disponible en la página web: *http://www.1mayo.ccoo.es/nova/files/1018/Informe85.pdf.*

trabajo y de los condiciones psicosociales de prestación de la actividad laboral, representan todos factores de riesgos que inciden sobre los niveles de violencia en el trabajo y fuera de ello[36].

A ello se añade, sigue la OIT, "que los recortes en los servicios públicos de asistencia y sanidad", más allá del impacto que pueden tener sobre los niveles de empleo femenino y en la calidad del mismo, "conllevan una transferencia de la responsabilidad de los cuidados, que deja de recaer en la sociedad para volver a los hogares, afectando mayormente a las mujeres".

Más en general, hay que recordar que "los índices extremadamente elevados de desempleo, pobreza y exclusión social de las mujeres están estrechamente vinculados a los recortes presupuestarios en los servicios públicos tales como la asistencia sanitaria, la educación, los servicios sociales y las prestaciones sociales" y que estas políticas claramente antisociales "conducen a una mayor precarización del trabajo, en especial por el incremento de los contratos a tiempo parcial y temporales no deseados"[37]. Ello es tanto más grave si se considera que la contracción y precarización del empleo, al reducir la oportunidad de acceso a un trabajo digno, desincentivan a las mujeres a denunciar por temor a no encontrar empleo o a que su marido o pareja lo pierda y por tanto a encontrarse sin recursos económicos suficientes para ellas y sus hijos[38].

Si eso es verdad, las transformaciones en la consideración del trabajo y en la estructuración material y jurídica de las relaciones de trabajo no pueden no afectar a la función emancipadora que la LOVG asigna al trabajo a través del reconocimiento de un conjunto de derechos socio-laborales y de actuaciones de los poderes públicos. De éstos daremos sumaria cuenta a continuación.

5. DERECHOS SOCIO-LABORALES DE LAS MUJERES VICTIMAS DE VIOLENCIA DE GÉNERO

5.1. *Medidas de fomento del empleo*

Como ya adelantado, bajo el presupuesto de que el trabajo remunerado extra-doméstico represente un insalvable medio de emancipación económica y personal y de inserción social, la LOVG se encarga de fomentar el acceso y la

---

[36]   OIT, "Documento base para el debate en la Reunión de expertos sobre la violencia contra las mujeres y los hombres en el mundo del trabajo…, op. cit. p. 16.

[37]   Idem, p. 17.

[38]   Es esta una de las conclusiones del IV Informe sobre Violencia de Género y Empleo, elaborado por la Fundación Adecco y publicado el 17 de noviembre de 2015, disponible en la página web: *http://www.fundacionadecco.es/_data/SalaPrensa/Estudios/pdf/654.pdf*.

permanencia en el empleo de la mujer que acredite la condición de víctima de violencia de género.

En este sentido y con esta finalidad, el art. 22 LOVG obliga a los poderes públicos, a la hora de poner en marcha el Plan Nacional de Empleo, a elaborar "un programa de acción específico para las mujeres víctimas de violencia de género inscritas como demandantes de empleo" que funcione también como instrumento de fomento del trabajo por cuenta propia. Para ello, el Real Decreto 1917/2008, de 21 de noviembre, *por el que se aprueba el programa de inserción sociolaboral para mujeres víctimas de violencia de género*[39]establece la necesidad del ofrecimiento a las demandantes de empleo víctimas de violencia de genero de un itinerario de inserción sociolaboral no solo individualizado, sino que además realizado por personal especializado, así como de un Programa formativo específico para favorecer su inserción social y laboral[40].

Con la misma finalidad, se prevén también ayudas económicas destinadas a sufragar los gastos que puedan derivar de la necesidad de cambio de residencia habitual motivada por la contratación (gastos de desplazamiento en sentido estricto tanto de la beneficiaria como de los familiares a cargo que convivan con ella, gastos de transporte de mobiliario y enseres, gastos de alojamiento, y gastos de guardería y de atención a personas dependientes)[41].

Otra batería de medidas pretende sin embargo incentivar a las empresas a la contratación de este colectivo recurriendo, como ya viene siendo habitual en el sistema español, a los incentivos económicos. Éstos se sustancian en bonificaciones específicas de las cuotas empresariales a la Seguridad Social cuya cuantía varía en funcional de la naturaleza indefinida o temporal del contrato celebrado, de acuerdo con lo establecido en la Ley 43/2006, de 29 de diciembre, *para la Mejora del Crecimiento y del Empleo*[42].

---

[39] También cabe mencionar, en cuanto complemento de la acción emprendida con la promulgación de citado RD, la aprobación de la Estrategia Nacional para Erradicación violencia contra la mujer 2013-2016 y del Plan Estratégico para la Igualdad de Oportunidades PEIO (2014-2016).

[40] Al margen de ello, en el mismo precepto también se prevén incentivos económicos, concedidos a las mujeres que quieran empezar una actividad por cuenta propia con arreglo a lo previsto en el en el Programa de Promoción del Empleo Autónomo (aumentados de un 10% con respecto a los establecidos para las demás trabajadoras), y también a las empresas que las contraten cuya cuantía varía en función de la naturaleza indefinida o temporal del contrato celebrado.

[41] Ministerio de Sanidad, Servicios Sociales e Igualdad, *VIII Informe del Observatorio Estatal de violencia sobre la mujer 2014*, 2016, p. 239, disponible en la página web: *http://www.violenciagenero.msssi.gob.es/violenciaEnCifras/observatorio/informesAnuales/docs/Libro_21_VII_Informe.pdf*.

[42] Se reenvía, en general, sobre la materia, a LÓPEZ ARRANZ, A., LÓPEZ COIRA, J., "El impacto de las políticas de protección de la violencia de género sobre el empleo", en CABEZA PEREIRO, J., FERNÁNDEZ PROL, F., *Políticas de empleo*, Aranzadi, Madrid, 2013, pp. 299 y ss.

Cruzando los datos relativos de un lado, a las denuncias por malos tratos presentadas y, por el otro con el número de contratos bonificados celebrados con mujeres maltratadas, nos damos cuenta sin embargo de la escasa eficacia de este tipo de medidas cuya efectividad en términos de fomento del empleo en general resulta ya desde hace tiempo bastante cuestionable y cuestionada. En efecto frente a 126.742 denuncias presentadas a lo largo de 2014[43] y frente a los 7.303.025 contratos celebrados con mujeres, el *VIII Informe del Observatorio Estatal de violencia sobre la mujer 2014*, señala que los contratos bonificados para mujeres víctimas de violencia ascendieron a tal solo 725 en el mismo periodo, equivalente a un 0,57%[44].

Si pues el fomento del empleo de la mujer maltratada a través de los incentivos económicos a su contratación no parece haber producido resultados satisfactorios, los datos relativos a la modalidad de encuadramiento contractual realizados con este tipo de contratación revelan además una clara preminencia de la contratación temporal. En efecto, según la misma fuente, de los 661 contratos bonificados celebrados con mujeres víctimas de violencia de género, hasta 554 fueron temporales (el 84, 3%)[45]. Como se ve obligado a precisar el informe, a ello hay que añadir que "La temporalidad en los contratos bonificados para mujeres víctimas de violencia respecto del total de contratos bonificados ha aumentado 5,2 puntos porcentuales respecto a los habidos en 2013" puesto que "se observa un incremento de los contratos temporales del 23,4% y un descenso en las contrataciones indefinidas del 13% respecto a los contratos formalizados en 2013"[46]. La situación tampoco mejora si se amplía el arco temporal de referencia puesto que, en la década 2003-2014, la proporción entre contratos temporales e indefinidos se ha mantenido en torno al 73-27% respectivamente[47]. Si es verdad pues que la precariedad laboral afecta de forma más significativa a las mujeres que a los hombres, ello es aún más cierto cuando se trate de mujeres víctimas de violencia de género.

Otro dato de interés es el relativo al tamaño de las empresas y al sector de actividad que concentran este tipo de contrataciones. Los datos revelan en efecto que por un lado, la contratación de mujeres víctima de violencia de género se realiza en más de la mitad de los casos en empresas de hasta 25 trabajadores (mientras que las empresas de más de 10.000 trabajadores sólo han realizado el

[43] CONSEJO GENERAL DEL PODER JUDICIAL, Observatorio contra la violencia doméstica y de género, *Memoria del año 2015*, disponible en la página web: *www.poderjudicial.es*.
[44] *VIII Informe del Observatorio Estatal de violencia sobre la mujer 2014...*, cit., p. 215.
[45] Ídem, pp. 215-16.
[46] Ídem, p. 211.
[47] Idem, p. 217.

0,04% de estas contrataciones)[48]. Por el otro, se trata de contrataciones que se concentran en el sector servicios que aglutina a casi la totalidad de ellas, representando en 2014 el 97% de todos los contratos suscritos con mujeres víctimas de violencia[49]. Una vez más, las empresas de grandes dimensiones son paradójicamente las que más a menudo consiguen escabullirse de todo tipo de responsabilidad social, entendiendo aquí la expresión en sentido lato, como interiorización de racionalidades alternativas a la puramente económico-productiva. Por otro lado, la concentración de los contratos bonificados en el sector servicios no hace más que confirmar la estratificación y segmentación horizontal del mercado de trabajo en función del sexo de los trabajadores a cuya superación las medidas comentadas no parecen contribuir.

Aunque sea solo de forma residual, la LOVG se preocupa también de hacer frente a la situación que le deriva a la mujer víctima de violencia de género del hecho de no poder contar con una renta derivada del trabajo recurriendo a la conformación de ayudas económicas a tal efecto.

Se trata fundamentalmente de ayudas económicas de pago único cuya cuantía varía en función de las circunstancias personales de la mujer (responsabilidades familiares, minusvalía de los familiares a cargo)[50] a las que solo tienen derecho aquellas víctimas de violencia de género que consigan acreditar "especiales dificultades para obtener un empleo" derivadas de la "edad, falta de preparación general o especializada y circunstancias sociales" y por tanto no concedidas con carácter universal a todas[51]. Con ello, lo que se pretende es ofrecer a las mujeres víctimas de violencia machista una fuente de ingresos alternativa al trabajo cuando el acceso al empleo se vez especialmente dificultados en atención a las características personales y familiares de las mismas y siempre que carezcan de fuentes alternativas de ingresos. Si el objetivo es fomentar la autonomía personal y económica del colectivo de mujeres maltratadas entendida como requisito fundamental para su recuperación y reinserción social, así como atender a las nuevas responsabilidades que puedan derivar de la separación conyugal, está claro que

---

[48]   Ídem, p. 220

[49]   Idem, p. 221.

[50]   Art. 27 LOVG y RD 1453/2005, de 2 de diciembre, por el que se regula la ayuda económica establecida en el art. 27 de la Ley Orgánica 1/2004, de 28 de diciembre, de medidas de protección integral contra la violencia de género. Según los datos recopilados en el citado *VIII Informe del Observatorio Estatal de violencia sobre la mujer...*, cit., p. 255, en el año 2014 se han concedido 606 ayudas económicas a mujeres víctimas de violencia de género al amparo del artículo 27, un 25,73% más que en el año 2013.

[51]   Se trata por tanto de una medida que se añade a la posibilidad de acogerse a las ayudas dispensadas en el marco del Real Decreto 1369/2006, de 24 de noviembre, por el que se regula el programa de renta activa de inserción para desempleados con especiales necesidades económicas y dificultad para encontrar empleo.

se trata de ayudas claramente insuficientes atendiendo tanto a su cuantía, como a la restrictiva delimitación del ámbito subjetivo de aplicación.

A los escasos resultados en términos cuantitativos y cualitativos de este tipo de medidas hay que añadir su limitada originalidad puesto que, ya desde el año 2003, las mujeres víctimas de violencia de género aparecían como uno de los colectivos de protección específica en las normas nacionales y autonómicas de fomento de empleo[52] y que ya se habían puesto en marcha medidas similares[53].

5.2. Medidas de fomento de la permanencia en el empleo

En relación con las medidas pensadas para favorecer la permanencia en el empleo de la mujer maltratada, hay que decir que se trata fundamentalmente de medidas orientadas a asegurar ciertos márgenes de conciliación entre las exigencias derivadas de la situación de violencia sufrida y los requerimientos y las obligaciones que dimanan del desempeño de una actividad profesional. En este sentido se expresa el art. 2 que, entre los principios rectores a los que se inspira la LOVG, indica el de "Garantizar derechos en el ámbito laboral y funcionarial que concilien los requerimientos de la relación laboral y de empleo público con las circunstancias de aquellas trabajadoras o funcionarias que sufran violencia de género". De esta forma, como ocurre en otras parcelas del derecho del trabajo, se pretende imponer a las empresas una racionalidad y una responsabilidad adicional a la meramente económico-productiva, obligándola a ajustar sus decisiones

---

[52] Así en la Ley 62/2003 de Medidas Fiscales, Administrativas y del Orden Social, establece para dicho año "una la bonificación en las cuotas de la Seguridad Social a las empresas que contraten mujeres víctimas de malos tratos"; y el RD 945/2003 por el que se regula para el año 2003 el Programa de Renta Activa de Inserción para desempleados con especiales necesidades económicas y dificultad para encontrar empleo, considera como requisitos para ser beneficiario de la misma —entre otros sujetos social y económicamente débiles—, las personas que tengan "acreditada por la Administración competente la condición de víctima de violencia doméstica" siempre que cumplan los demás requisitos de estar inscritos como demandante de empleo y no tener derecho a las prestaciones o subsidios por desempleo o a la renta agraria, así como carecer de rentas de cualquier naturaleza superiores en cómputo mensual al 75% del SMI. En el mismo programa se establecía una ayuda específica para subvencionar el cambio de residencia únicamente dirigido a víctimas de violencia doméstica, consistente en una cantidad equivalente a tres meses de renta activa de inserción en un pago único, sin que ello minorase la duración máxima de dicha renta. Igualmente se habían puesto en marcha programas específicos, como el Programa Clara (Instituto de la Mujer), para mujeres en proceso de integración social y laboral.

[53] Así, por ejemplo, el Real Decreto-Ley 5/2002, de Reforma de la Protección por Desempleo, había introducido un Programa de fomento de la movilidad geográfica dirigido a trabajadores desempleados que se desplacen para ocupar puestos de trabajo de carácter indefinido, y comprenden los gastos de desplazamiento y de enseres y mobiliario, si bien en este caso se amplían las ayudas en función de diferentes situaciones.

organizativas y productivas a las vicisitudes personales de las trabajadoras a sus servicios.

Así se reconoce a las víctimas el derecho "a la reducción o la reordenación de su tiempo de trabajo a la movilidad geográfica, al cambio de centro de trabajo, a la suspensión de la relación laboral con reserva el puesto de trabajo y a la extinción del contrato de trabajo" (art. 21.1 LOVG).

La adscripción al ámbito de los instrumentos de conciliación de la vida personal y laboral de la víctima de violencia de género parece poderse confirmar con solo atender a art. 37.7 ET (así como modificado por la Disp. Final 15.2 de la Ley 3/2012, de 6 de julio) que asocia expresamente el "derecho a la reducción de jornada con disminución proporcional del salario"[54] y la "reordenación del tiempo de trabajo, a través de la adaptación del horario, de la aplicación del horario flexible o de otras formas de ordenación del tiempo de trabajo que se utilicen en la empresa" a la necesidad de "hacer efectiva su protección o su derecho a la asistencia social integral". El mismo precepto reenvía, para la concreción del nuevo horario de trabajo, al convenio colectivo, acuerdo de empresa o pacto individual al que llegue con el empresario, de forma tal que por un lado, para la activación y el disfrute efectivo del derecho no es suficiente la mera voluntad de la trabajadora, y por el otro, en todo caso de falta de acuerdo, la solución de las discrepancias se remite al mecanismo diseñado por el art. 139 de la Ley Reguladora de la Jurisdicción Social (aplicable en el caso de discrepancias en la concreción horaria y la determinación del periodo de disfrute del permiso de lactancia y de reducción de jornada previstos en los apartados 4 y 5 del art. 37 ET) y por tanto a la necesaria intervención del juez de lo Social[55].

---

[54]   Se ha criticado la ausencia de medidas específicas que compensen la reducción salarial derivada del ejercicio del derecho a la reducción de la jornada laboral, sobre todo teniendo en cuenta que se prevén incentivos (de hasta 500 euros/mes hasta un máximo de 12 meses) que compensen las diferencias salariales para el caso de mujeres que hayan tenido que abandonar el mercado laboral como consecuencia de su situación de víctimas de violencia de género y que, al reinsertarse en el mercado laboral, consigan un nuevo empleo cuya retribución sea inferior a la anteriormente percibida.
De estas críticas se ha hecho eco, entre otros, la Confederación sindical de Comisiones Obreras que en su comparecencia ante la mencionada Subcomisión para un Pacto en materia de Violencia de Género ha propuesto extender a esta hipótesis la consideración de situación legal de desempleo con derecho a la correspondiente prestación, evitando así la penalización económica que dicha reducción supone. Documento disponible en el siguiente enlace: *http://www.ccoo. es/cms/g/public/o/1/o222588.pdf.*

[55]   Se reenvía, en la materia, a MARTÍNEZ YÁÑEZ, N. Mª, "La protección de la víctima de violencia de género en el ET (I). Reducción y reordenación del tiempo de trabajo", en MELLA MÉNDEZ, (dir.), *Violencia de género y derecho del trabajo: estudios actuales sobre puntos críticos*, La Ley, Madrid, 2012, pp. 299 y ss.

En la misma lógica se mueven las disposiciones en materia de movilidad geográfica que atribuyen a las víctimas un derecho preferente a la ocupación temporal —durante un periodo inicial de 6 meses— de "otro puesto de trabajo, del mismo grupo profesional o categoría equivalente, que la empresa tenga vacante en cualquier otro de sus centros" (art. 40. 3 bis ET como modificado por la Disp. Final 15.3 de la Ley 3/2012). Terminado el plazo inicial, la trabajadora tendrá que elegir entre regresar a su antiguo puesto o continuar en el nuevo, perdiendo, en este último caso, el derecho a la conservación de su puesto de procedencia. Nótese que, con redacción sin duda poco clara, el disfrute de este derecho se vincula desde la ley a la condición de que la mujer se vea "obligada" a abandonar su puesto de trabajo en la localidad en donde venía prestando sus servicios "para hacer efectiva su protección o su derecho a la asistencia social integral"[56]. Se trata de condicionamiento que se añade a los demás explicitados en la misma disposición, a saber, la titularidad de un empleo en una empresa que cuente con más de un centro de trabajo y la existencia de una vacante correspondiente al mismo grupo profesional o categoría equivalente. Con respecto al mismo, la ley impone al empresario la obligación de comunicar a la trabajadora las vacantes existentes en dicho momento o las que pudieran producirse en el futuro.

Otro mecanismo para asegurar la conciliación laboral y personal es el previsto en el apartado 4 del art. 21 de la LOVG que, modificando el art. 52 ET, impide computar las ausencias y las faltas de puntualidad en el trabajo a efecto de despido por absentismo, entendiendo que se trata de ausencias y faltas justificadas cuando "motivadas por la situación física y psicológica derivada de violencia de género". Para ello será sin embargo necesario obtener una acreditación en tal sentido por parte de "los servicios sociales de atención o servicios de salud"[57]. Pese al criticable silencio de la ley en este punto, ha de interpretarse que, al tener que considerarse justificadas, estas irregularidades en el cumplimiento de las obligaciones laborales tampoco pueden dar lugar a otras consecuencias sancionadoras distintas del despido[58].

Cuando estas medidas no sean suficientes, la ley otorga además a la trabajadora el derecho a la suspensión o incluso extinción del contrato de trabajo. En cuan-

---

[56] Se reenvía a este propósito a Lousada Anchorena, J. F., "Aspectos laborales y de seguridad social de la violencia de género en la relación de pareja", *Revista del Poder Judicial*, n. 88/2009, pp. 267 y ss.

[57] Críticamente, Ortíz Lallana, C., "La violencia de género en la relación de trabajo en España", *Revista Internacional y Comparada de Relaciones Laborales y Derecho del Empleo ADAPT*, n.4/2013, p. 10 y esp. nota n. 24. Más en general, Rodríguez, Rodríguez, E., "La protección de la víctima de violencia de género en el ET (IV). Las ausencias al trabajo y su relación con el despido", en Mella Méndez, (dir.), *Violencia de género y derecho del trabajo...*, op. cit. pp. 415 y ss.

[58] Se reenvía a este propósito a, Perán Quesada, S., "La protección de la trabajadora víctima de violencia de género ante el despido", *Aranzadi Social*, n. 16/2009, pp. 33 y ss.

to al primer supuesto, el art. 45.1 n) ET (apartado introducido por la Disp. Ad. 7.3 de la LOVG) incluye, entre las causas de suspensión del contrato de trabajo, la "decisión de la trabajadora que se vea obligada a abandonar su puesto de trabajo como consecuencia de ser víctima de violencia de género". La suspensión tendrá una duración inicial de 6 meses que solo podrá prorrogarse —hasta un máximo de 18 meses— por intervención del juez cuando "de las actuaciones de tutela judicial resultase que la efectividad del derecho de protección de la víctima requiriese la continuidad de la suspensión" (art. 48.6 ET añadido por la Disp. Ad. 7.4 LOVG).

Si tampoco, la suspensión del contrato resulta medida adecuada y suficiente, la trabajadora siempre podrá solicitar la extinción contractual. Pese a la aparente contradicción de esta medida con respecto a la finalidad perseguida por la LOVG, a saber, la de fomentar el acceso y asegurar la permanencia de la mujer maltratada en el mercado de trabajo, lo cierto es que la situación personal de la víctima puede imposibilitar el mantenimiento de la relación laboral. Consciente de ello, la LOVG la incluye entre los derechos socio-laborales a modo de último recurso, considerándola como "una verdadera denuncia extraordinaria del contrato de trabajo" en cuanto tal no sometida a formalidad alguna, ni a deber de preaviso[59]. Ello explica la introducción de una hipótesis diferenciada de rescisión contractual por voluntad del trabajador. Se aclara demás que tanto la suspensión como la extinción del contrato de trabajo motivadas por la situación de violencia de género de la trabajadora "darán lugar a situación legal de desempleo", computándose el periodo de suspensión "como periodo de cotización efectiva a efectos de las prestaciones de la Seguridad Social y de desempleo" (art. 21.2 LOVG). La medida resulta coherente con la constatación de que la decisión suspensiva o extintiva de la relación laboral tomada como consecuencia de la imposibilidad de cumplir con las obligaciones laborales de la mujer víctima de violencia de género solo en sentido lato puede considerarse desempleo voluntario[60].

Las cifras de mujeres que han suspendido o extinguido su contrato de trabajo conservando su derecho a prestación de desempleo, crecieron entre 2006 y 2011, pero descendieron ligeramente a partir de este año[61]. Quizás eso descenso se deba la especial incidencia de la destrucción de empleo en los primeros años de crisis

---

[59] Cfr. FERNÁNDEZ LÓPEZ, Mª. F., *La dimensión laboral de la violencia de género...*, op. cit. p. 59.

[60] Se ha criticado sin embargo que la protección otorgada a la suspensión o extinción del contrato de trabajo no se haya extendido también a la hipótesis de ejercicio del derecho de reducción de jornada que, al ir acompañado a una proporcional reducción salarial, termina penalizando fuertemente a la mujer maltratada que decida acogerse a este derecho. SÁNCHEZ TRIGUEROS, C., CONDE COLMENERO, P., "La protección social de las trabajadoras víctimas de violencia de género", *Trabajo*, n.17/2006, pp. 133 y ss.

[61] En 2014 han descendido un 8,2% las mujeres que han percibido la prestación contributiva con respecto a 2013. En total, se han contabilizado 67 mujeres que han suspendido o extinguido

sobre el sector masculino que ha alimentado un repunte en la tasa de actividad de las mujeres que se han visto así incentivadas a permanecer vinculadas al mercado laboral. Quizás sea también consecuencia de la escasa efectividad o de la dificultad de acceso a las medidas de conciliación de tipo no extintivo.

Nótese que para evitar posibles represalias empresariales, con una norma de cierre, la LOVG establece también la sanción de la nulidad para la decisión extintiva empresarial que tenga su causa en el ejercicio de los derechos hasta aquí mencionados (art. 55.5, b) ET) con correspondiente derecho de la trabajadora injustamente despedida a la readmisión inmediata con abono de los salarios dejados de percibir (art. 55.6 ET). Nada se dice sin embargo acerca del supuesto de despido de mujer víctima de violencia que no haya ejercitado ninguno de esos derechos.

La misma finalidad de cierre tiene también la previsión según la cual en todo caso de incumplimiento de las obligaciones que le derivan al empresario de tener a sus servicios una trabajadora víctima de violencia de género, ésta podrá resolver su relación laboral, teniendo derecho a la indemnización correspondiente a la prevista en caso de despido improcedente (art. 50.1 ET)[62].

Con el probable propósito de amortiguar el impacto que el reconocimiento de estos derechos laborales pueda causar en la empresa y con ello evitar que los mismos se traduzcan en un desincentivo a la contratación de mujeres víctima de violencia de género, se prevé que las empresas que formalicen contrato de interinidad para la sustitución de mujeres que haya ejercido su derecho a la suspensión del contrato, a la movilidad geográfica o al cambio de centro de trabajo tendrá derecho a una bonificación del 100% de las cuotas empresariales a la Seguridad Social por contingencias comunes, durante todo el período de suspensión de la trabajadora sustituida o durante seis meses en los supuestos de movilidad geográfica o cambio de centro de trabajo (art. 21.3 LOVG)[63].

---

su contrato en 2014. Datos recopilados por el citado VIII Informe del Observatorio Estatal de violencia sobre la mujer..., p. 240.

[62] Se reenvía sobre este aspecto a, QUESADA SEGURA, R., "Dimisión provocada por ser víctima de violencia de género", en MONEREO PÉREZ, J.L., *Modalidades de extinción del contrato de trabajo: análisis de su régimen jurídico*, Comares, Granada, 2014, p. 321 y ss.

[63] Según los datos ofrecido por el ya citado VIII Informe del Observatorio Estatal de violencia sobre la mujer..., p. 223: "Los contratos de sustitución de trabajadoras víctimas de violencia de género (que pueden ser suscritos tanto por hombres como por mujeres) han ido aumentando de forma continua a lo largo de todo el período 2005-2013, descendiendo bruscamente en el último año, al experimentar un crecimiento negativo del 73,5%. En el 2014 hubo un total de 143 contratos de sustitución de víctimas de violencia de género. En 104 casos las trabajadoras víctimas de violencia de género fueron sustituidas por mujeres y en 39 casos por hombres".

6. CONSIDERACIONES CONCLUSIVAS

Calibrar el nivel de efectividad real de la LOVG a la hora de luchar contra la violencia machista es sin duda operación complicada puesto que la misma depende de un conjunto no siempre controlable de factores de naturaleza no solo jurídica. Entre ellos, cabe mencionar el impacto que sobre el trabajo de las mujeres ha tenido el actual contexto de crisis económica y social y las medidas de respuesta a la misma elaboradas desde el ámbito nacional y europeo. Éstas últimas han incidido profundamente no solo en la financiación de los servicios de sensibilización, prevención y asistencia de las mujeres víctima de malos tratos, sino más en general sobre la cantidad y calidad de los servicios públicos en general, así como sobre la calidad del empleo público y privado.

Como se ha tenido ocasión de subrayar, ello ha producido consecuencias diferenciadas en función del sexo, puesto que el aumento de la precariedad laboral, de la pobreza —muy difundida también entre los trabajadores— la contracción de los servicios públicos y su deterioro cualitativo —la creciente individualización de las relaciones laborales y, más en general, la dilución del significado político del trabajo y de los servicios públicos son todos factores que han tenido un impacto específico sobre el colectivo femenino.

El paso del tiempo y la aplicación práctica del conjunto de medidas socio-laborales predispuesto en la LOVG ha evidenciado también incongruencias y deficiencias en la respuesta institucional a esta lacra social que reclaman una pronta rectificación. En este sentido, a la espera de conocer el contenido del nuevo Pacto de Estado en la materia, así como el resultado del informe sobre las propuestas de modificación de la normativa, no nos queda que reivindicar también la exigencia de un nuevo Pacto Social —a nivel estatal-nacional, europeo e internacional— que vuelva a poner en el centro del sistema el trabajo en su dimensión de instrumento de emancipación personal y social y de integración social; Pacto Social recalibrado no solo en función de las transformaciones materiales de la realidad socio-política y económico-productiva, sino también en función de la dimensión de género[64].

BIBLIOGRAFÍA

BAYLOS GRAU, A, Castelli, N., Trillo Párraga, F., *Negociar en crisis: la negociación colectiva en los países del sur de Europa,* Bomarzo, Albacete, 2014.

BAYLOS GRAU, A, Pérez Rey, J., *El despido y la violencia del poder privado,* Trotta, Madrid, 2009.

---

[64]   En este sentido, CASTELLI, N., *Contrato, consenso, representación. Reflexiones sobre la juridificación de las relaciones laborales,* Bomarzo, Albacete, 2014, p. 267-68 y más en general, Cap. III.

CASTELLI, N., *Contrato, consenso, representación. Reflexiones sobre la juridificación de las relaciones laborales*, Bomarzo, Albacete, 2014.

CONSEJO GENERAL DEL PODER JUDICIAL, Observatorio contra la violencia doméstica y de género, *Memoria del año 2015*, disponible en la página web: www.poderjudicial.es.

FERNÁNDEZ LÓPEZ, Mª. F., *La dimensión laboral de la violencia de género*, Bomarzo, Albacete, 2005.

Fundación 1º de Mayo, "El deterioro laboral de las mujeres como efecto de la crisis", n. 85/2014, disponible en la página web: http://www.1mayo.ccoo.es/nova/files/1018/Informe85.pdf.

Fundación Adecco, "IV Informe sobre Violencia de Género y Empleo", disponible en la página web: http://www.fundacionadecco.es/_data/SalaPrensa/Estudios/pdf/654.pdf.

LARRAURI PIJOAN, E., "Igualdad y violencia de género. Comentario a la STC 59/2008", disponible en la página web: *http://www.indret.com/pdf/597.pdf*.

LÓPEZ ARRANZ, A., LÓPEZ COIRA, J., "El impacto de las políticas de protección de la violencia de género sobre el empleo", en CABEZA PEREIRO, J., FERNÁNDEZ PROL, F., *Políticas de empleo*, Aranzadi, Madrid, 2013, pp. 299 y ss.

LOUSADA ANCHORENA, J. F., "Aspectos laborales y de seguridad social de la violencia de género en la relación de pareja", *Revista del Poder Judicial*, n. 88/2009, pp. 267 y ss.

LOUSADA AROCHENA, J. F., "El convenio del Consejo de Europa sobre prevención y lucha contra la violencia contra las mujeres y la violencia de género", *Aequalitas, Revista Jurídica de Igualdad de Oportunidades entre Mujeres y Hombres*, n. 35/2014, pp. 6 y ss.

LOUSADA AROCHENA, J. F., "La transposición en España de la Directiva 76/207/CEE", AFDUC, n. 18/2014, 461 y ss.

MARTÍN VALVERDE, A., "La ley de Protección Integral contra la Violencia de «Género»: análisis jurídico e ideológico", en Casas Baamonde, Mª. E., Durán López, F., Cruz Villalón, J. (Coords.), *Las transformaciones del derecho del trabajo en el marco de la Constitución Española, Estudio en Homenaje al Profesor Miguel Rodríguez-Piñero y Bravo Ferrer*, La Ley, Madrid, 2006, pp. 433 y ss.

MARTÍNEZ YÁÑEZ, N. Mª, "La protección de la víctima de violencia de género en el ET (I). Reducción y reordenación del tiempo de trabajo", en Mella Méndez, (dir.), *Violencia de género y derecho del trabajo: estudios actuales sobre puntos críticos*, La Ley, Madrid, 2012, pp. 299 y ss.

MINISTERIO DE SANIDAD, SERVICIOS SOCIALES E IGUALDAD, "VIII Informe del Observatorio Estatal de violencia sobre la mujer 2014", 2016, disponible en la página web: http://www.violenciagenero.msssi.gob.es/violenciaEnCifras/observatorio/informesAnuales/docs/Libro_21_VII_Informe.pdf.

MONEREO PÉREZ, J. L., TRIGUERO MARTÍNEZ, L. A., "El derecho social del trabajo y los derechos sociales ante la violencia de género en el ámbito laboral", *Anales de Derecho*, n. 30/2012, pp. 42 y ss.

MORA CABELLO DE ALBA, L., "La ruina del patriarcado capitalista", *Revista Digital de AHIGE*, Dossier n. 3/2017, disponible en la página web: *http://www.hombresigualitarios.ahige.org/la-ruina-del-patriarcado-capitalista/*.

OIT, "Documento base para el debate en la Reunión de expertos sobre la violencia contra las mujeres y los hombres en el mundo del trabajo…, op. cit. p. 16.

ORTÍZ LALLANA, C., "La violencia de género en la relación de trabajo en España", *Revista Internacional y Comparada de Relaciones Laborales y Derecho del Empleo ADAPT*, n.4/2013.

PERÁN QUESADA, S., "La protección de la trabajadora víctima de violencia de género ante el despido", *Aranzadi Social*, n. 16/2009, pp. 33 y ss.

PÉREZ DEL RIO, T., "La violencia de género en el trabajo: el acoso sexual y el acoso por razón de género", *Temas Laborales*, n. 91/2007, pp. 175 y ss.

QUESADA SEGURA, R., "Dimisión provocada por ser víctima de violencia de género", en MONEREO PÉREZ, J.L., *Modalidades de extinción del contrato de trabajo: análisis de su régimen jurídico*, Comares, Granada, 2014, p. 321 y ss.

QUINTANILLA NAVARRO, B., "Violencia de género y derechos sociolaborales: la L. O. 1/2004, de 28 de diciembre, de medidas de protección integral contra la violencia de género", *Revista Temas Laborales*, núm. 80, 2005.

RODRÍGUEZ RODRÍGUEZ, E., "La protección de la víctima de violencia de género en el ET (IV). Las ausencias al trabajo y su relación con el despido", en Mella Méndez, (dir.), *Violencia de género y derecho del trabajo…*, op. cit. pp. 415 y ss.

SÁNCHEZ TRIGUEROS, C., CONDE COLMENERO, P., "La protección social de las trabajadoras víctimas de violencia de género", *Trabajo*, n.17/2006, pp. 133 y ss.

TRILLO PÁRRAGA, F. J., CASTELLI, N., "Relaciones público-privado o la privatización del interés general", en GARCÍA LÓPEZ, J., TRILLO PÁRRAGA (coord.), *En defensa de lo común: lo público no se vende, lo público se defiende*, Bomarzo, Albacete, 2014, pp. 145 y ss.

MORA CABELLO DE ALBA, L., "La ruina del patriarcado capitalista", *Revista Digital de AHIGE*, Dossier n. 3/2017, disponible en la página web: *http://www.hombresigualitarios.ahige.org/la-ruina-del-patriarcado-capitalista/*.

Capítulo 11

VIOLENCIAS DE GÉNERO EN REDES SOCIALES: ANÁLISIS DESDE LA PERSPECTIVA DEL TRABAJO SOCIAL

PATRICIA FERNÁNDEZ MONTAÑO

Profesora de Derecho del Trabajo y Trabajo Social
Universidad de Castilla La Mancha[1].

SUMARIO: 1. INTRODUCCIÓN. 2. GÉNERO, PATRIARCADO Y SEXISMO. 3. VIOLENCIAS SIMBÓLICAS Y VIOLENCIAS DE GÉNERO. 4. VIOLENCIAS DE GÉNERO Y REDES SOCIALES. 5. ANÁLISIS EXPLORATORIO SOBRE VIOLENCIAS DE GÉNERO EN REDES SOCIALES: EL CASO DE TWITTER. 6. CONCLUSIONES Y PROPUESTAS. BIBLIOGRAFÍA.

1. INTRODUCCIÓN

Las redes sociales se han convertido en un contexto idóneo en el que continuar perpetuando conductas desigualitarias y violentas contra las mujeres, y permiten el sostenimiento de manifestaciones sexistas de sus usuarias/os. Twitter, en concreto, se constituye como un nicho informativo en el que la ironía, los chistes, los insultos o los ataques confluyen de una manera naturalizada y en el que las mujeres se sitúan como un perfil habitual sobre el que se vuelcan todos ellos. Muchas mujeres, famosas o anónimas, sufren diariamente acoso y violencia en Twitter y otras redes sociales, por el mero hecho de participar en ellas o por cualquier otro motivo asociado a un ideario patriarcal que permanece anclado en el imaginario social de parte de las/os usuarias/os. Silenciarlas es precisamente uno de los objetivos que pretenden este tipo de conductas violentas, consiguiendo en muchos casos que las usuarias ignoren los mensajes o borren sus perfiles como medida preventiva contra la violencia.

---

[1] Este artículo ha sido elaborado en el marco del proyecto DIPUCR-16, Estudio sobre la Violencia de Género Doméstica en Castilla La Mancha. Dirigido por: María Sánchez, Universidad de Castilla La Mancha.

En este capítulo se pretende visibilizar una realidad normalizada y escasamente explorada, desde las Ciencias Sociales en general y desde el Trabajo Social en particular. Parte de la necesidad de ahondar en la problemática de la violencia de género, entendida no solo como agresiones físicas, psíquicas o sexuales a las mujeres dentro de sus relaciones de pareja, sino también como una representación de las distintas formas de violencia explícita y simbólica que sufren las mujeres diariamente fuera de las relaciones sentimentales por el mero hecho de pertenecer a dicho sexo. Las redes sociales son una muestra de ello, al manifestarse dentro de las mismas una realidad virtual que sostiene posicionamientos y valores violentos, ya sea de forma explícita o simbólica, contra las mujeres.

Se realiza, en primer lugar, un abordaje conceptual sobre el fenómeno de las violencias de género online y su origen histórico, para posteriormente aportar los resultados preliminares de un estudio exploratorio realizado en la red social más pública y con mayor repercusión que existe actualmente, Twitter.

2. GÉNERO, PATRIARCADO Y SEXISMO

La creencia sobre la inferioridad de las mujeres al respecto de los hombres y su necesaria sumisión a éstos se extendió a lo largo de los siglos basándose en diversos supuestos morales, intelectuales, biológicos y/o religiosos que se fueron transmitiendo de forma naturalizada a través de la mayor parte de los agentes sociales, incluida la escuela[2]. Esta creencia ha estado incluso legalizada, habiendo privado de derechos a las mujeres en diversos ámbitos y vinculándolas a un rol de madres y esposas sumisas atrapadas en un laberinto patriarcal legitimado. Todo ello ha ido arrastrando consecuencias para éstas a lo largo de los siglos, a pesar de la incesante lucha feminista por la promoción de los derechos de las mujeres, encontrándonos actualmente frente a numerosos fenómenos que continúan perpetuando un sistema desigual para mujeres y hombres.

En palabras de Simone de Beauvoir[3], la mujer no nace, sino que se hace. Y nada más lejos de la realidad, la condición femenina responde en mayor medida a un constructo socio-cultural, el *género*, que a una mera asignación biológica vinculada al sexo. Por tanto, haciendo referencia a los dos conceptos básicos de *sexo* y *género*, se puede considerar que el primero se constituye como una categoría anatómica, mientras que el segundo atiende a la idea de una categoría social re-

---

[2]   BOSCH, Esperanza, FERRER, Victoria y ALMAZORA, Aina. *El laberinto patriarcal: reflexiones teórico-prácticas sobre la violencia contra las mujeres*. Anthropos, Barcelona, 2006.
[3]   BEAUVOIR, Simone De, *El segundo sexo*, Siglo XX, Buenos Aires, 1981.

ferida al comportamiento y a las conductas que se desarrollan en el medio social y que se construyen en éste.

Dejours[4] se postula sobre la idea de que la identidad de género no viene dada desde el nacimiento pero, sin embargo, se establece de manera muy precoz en niñas y niños. Por su parte, Money y Ehrhardt[5] introducen el constructo *género* en las ciencias biológicas para desvelar aquellos aspectos que hasta entonces habían quedado ocultos bajo el término *sexo* y que hacen referencia a una realidad psicosocial concreta. Para Stoller[6], la categoría *género* es un complemento imprescindible de la variable *sexo* que posibilita el análisis de las complejas interacciones que se producen entre los factores biológicos y aquellos que, desde el nacimiento de las/os individuas/os, acontecen en el contexto psicosocial. Se entiende, por tanto, el *género* como una variable multidimensional que se puede definir como un conjunto de roles, valores, funciones y expectativas que se atribuyen de manera diferencial a hombres, por un lado, y a mujeres, por otro, en el imaginario colectivo. Detrás del concepto *género* se encuentran las atribuciones que se les han realizado a los *sexos*, otorgando a cada uno de ellos un poder diferenciado y socio-construido que determina posiciones diferentes en función de si se es mujer u hombre. La atribución histórica apunta a la ubicación de los hombres en una posición de poder superior al respecto de las mujeres, y es en esa diferenciación en la que se sustenta el concepto de *sexismo*. A grandes rasgos, este concepto puede definirse como un perjuicio basado en el género y que engloba las actitudes, creencias y conductas de las/os individuas/os, así como las prácticas organizacionales, institucionales y culturales que, o bien reflejan actitudes perniciosas para las personas por razón de su género, o bien apoyan la existencia de un desigual estatus de hombres y mujeres[7]. El sexismo se sustenta en las actitudes que se tienen sobre los roles y responsabilidades que se consideran adecuados para los hombres y para las mujeres, incluyéndose también las creencias sobre las relaciones que se deben mantener entre ellos[8].

---

[4]   DEJOURS, Cristophe, "L'indifférence des sexes: fiction ou défi?" (pp. 39-65), en Jacques Andrè y Cristophe Dejours, *Les sexes indifferent*, Presses Universitaires de France, Paris, 2005.

[5]   MONEY, John y EHRHARD, Anke, *Desarrollo de la sexualidad humana: diferenciación y dimorfismo de la identidad de género desde de la concepción hasta la madurez*, ediciones Morata, Madrid, 1982.

[6]   STOLLER, Robert Jesse, *Sex and Gender*, vol. 1, Science House, New York, 1968.

[7]   SWIM, Janet, AIKIN, Kathryn, HALL, Wayne y HUNTER, Barbara, "Sexism and racism: Old-fashioned and modern prejudices", *Journal of Personality and Social Psychology*, 68, 1995.

[8]   MOYA, Miguel, "Sobre la existencia y el origen de las diferencias en el liderazgo entre hombres y mujeres", *Revista de Psicología Social*, 18(3), 2003.

Las identidades femenina y masculina que se han venido construyendo han quedado sujetas a las consecuencias de la cultura patriarcal. Este hecho se ha traducido en que las mujeres han experimentado de manera tradicional la dominación masculina y los hombres se han integrado en dichos contextos dominadores[9]. La transformación de la masculinidad hegemónica y complaciente de los hombres no responde a una esencia natural de los masculino, sino a un vínculo cultural tradicional entre masculinidad y poder[10]. La dominación masculina y la violencia asociada en muchos casos a ella, no responde a un efecto natural inevitable, sino al efecto social de prácticas aprehendidas por las personas que se describe a la perfección a través de la siguiente falacia: "La presunta naturaleza superior de los hombres, que justifica en nombre de la razón y del orden natural de las cosas, la dominación masculina, las jerarquías entre los sexos, las estrictas fronteras que se asignan convencionalmente a los géneros masculino y femenino, el sexismo y en última instancia el ejercicio del poder y de la opresión contra las mujeres. El orden masculino impregna así el inconsciente colectivo y la organización de las sociedades con una serie de esquemas estructurales, tanto éticos como culturales y simbólicos, convirtiéndose no sólo en el único orden natural, legítimo y razonable sino además en un orden neutro y objetivo al servicio de la sociedad"[11].

La naturalización de la noción de feminidad, la orientación e identidad sexual y la expresión de género, son el resultado de una construcción-producción social, histórica y cultural, y por lo tanto no existen papeles sexuales o roles de género, esencial o biológicamente inscritos en la naturaleza humana[12].

Para Butler, Laclau y Zizek[13], la sexualidad hegemónica se construye mediante la *performatividad*, es decir, por medio de la repetición ritualizada (interacción) de actos de habla y de todo un repertorio de gestos corporales que obedecen a un estilo relacionado con uno de los dos géneros culturales, y se encuentra encaminada a producir aquellos fenómenos que regulan y constriñen la conducta en relación con la identidad sexual. Cuando se produce el resultado esperado,

---

[9]   BOURDIEU, Pierre, *La dominación masculina*, Anagrama, Barcelona, 1990.
[10]   CONNELL, Raewyn, *Masculinities. Power and social change,* University of California Press, Berkeley, 1995.
[11]   LOMAS, Carlos, " ¿El otoño del patriarcado? El aprendizaje de la masculinidad y de la feminidad en la cultura de masas y la igualdad entre hombres y mujeres" (p. 264), *Cuadernos de Trabajo Social*, 18, 2005.
[12]   DUQUE ACOSTA, Carlos Andrés, "Judith Butler: performatividad de género y política democrática radical", *Revista de educación y pensamiento*, N°. 17, 2011.
[13]   BUTLER, Judith, LACLAU, Ernesto y ZIZEK, Slavoja, "Resignificación de lo universal: hegemonía y límites del formalismo" (p. 34), en Judith Butler, Ernesto Laclau y Slovaj Zizek (editores), *Contingencia, hegemonía, universalidad*, FCE, Buenos Aires, 2003.

tenemos un *género* y una *sexualidad* culturalmente considerados congruentes con el sexo del sujeto.

Para comprender cuáles son las causas y las consecuencias del mantenimiento de las estructuras que sostienen el sexismo, y por tanto la desigualdad por razón de género en la sociedad occidental, concretamente en España, se debe analizar el concepto de *patriarcado*. El sistema patriarcal es identificado por las y los teóricas/os de género como el origen directo de la desigualdad entre mujeres y hombres, así como la causa de mantenimiento de este fenómeno a lo largo del tiempo. Lerner[14] definió el patriarcado como la manifestación e institucionalización del dominio masculino sobre las mujeres y niñas, así como la extensión de dicho dominio sobre las mujeres en general. Podría afirmarse, por tanto, que el patriarcado se constituye como un orden social de poder que se basa en la dominación masculina y que asegura la supremacía de los hombres sobre lo femenino[15].

Este término comienza a utilizarse de forma oficial a partir de la obra de Kate Millett, *Política Sexual* (1969), que incluye dos componentes básicos que sostienen el patriarcado: por un lado, el hecho de que se constituye como una estructura social que crea y mantiene una situación en la que los hombres cuentan con mayor poder y privilegios que las mujeres, y por otro, una ideología que legitima que esto sea así. Millett[16] añade además diversas acepciones para el concepto de patriarcado:

a) Conjunto de creencias que legitiman el poder y la autoridad de los maridos sobre las mujeres en el matrimonio/pareja.

b) Conjunto de actitudes que justifican la violencia contra aquellas mujeres que se considera violan los ideales de la familia tradicional patriarcal.

Por tanto, se puede afirmar que las instituciones sociales articuladas en base al sistema patriarcal se han desarrollado en torno a la figura de los hombres, existiendo una dominación ideológica impuesta y naturalizada. Un sistema de organización social en el que los puestos clave de poder (político, económico, religioso y militar) se hallan, exclusiva o mayoritariamente, en manos de varones, siendo una organización histórica de gran antigüedad que llega hasta nuestros días[17]. Las reformas y avances legales llevados a cabo hasta el momento han mejorado en gran medida las condiciones de las mujeres y se han constituido como parte esencial de su proceso de emancipación, si bien, no han logrado modificar de raíz la estructura patriarcal. De ello se desprende la necesidad de continuar

---

[14]   LERNER, Gerda, *La creación del patriarcado*, Crítica, Barcelona, 1990.
[15]   LAGARDE, Marcela, "El género: la perspectiva de género" (pp. 13-38), en Marcela Lagarde, *Género y feminismo. Desarrollo humano y democracia*, Horas y Horas, Madrid, 1996.
[16]   MILLETT, Kate, *Política sexual*, ediciones Cátedra, Madrid, 1969.
[17]   PULEO, Alicia, *10 palabras clave sobre Mujer*, Editorial Verbo Divino, Pamplona, 1995.

integrando las reformas dentro de la revolución cultural que consiga erradicar la tradicional desigualdad entre mujeres y hombres.

La mayor parte de las y los autoras/es que han teorizado sobre patriarcado, sostienen que éste es el origen directo de la discriminación hacia las mujeres y del sexismo imperante, articulados ambos fenómenos por un tipo de sociedad consentidora y por una tradición histórica de la que es deudora. A pesar de los numerosos esfuerzos realizados desde el movimiento feminista y otros agentes sociales para obtener los avances logrados, las caras visibles del poder económico y político continúan estando representadas por hombres, no existiendo ninguna forma concreta y explícita que institucionalice esta discriminación hacia la mujer. Es precisamente el sistema patriarcal el que sustenta el bagaje cultural que reciben niñas y niños desde su nacimiento y hasta su adultez, inculcando en ellas y ellos valores desigualitarios y normalizando la ubicación de la mujer fuera del reparto de poderes[18].

De manera tradicional, las conductas sexistas se han dirigido principalmente hacia las mujeres de forma negativa y se puede afirmar que ha ido evolucionado con el paso tiempo hacia otras formas de sexismo menos visibles. Se puede hablar así de un viejo sexismo y de un nuevo sexismo o *neosexismo*. Cuando una relación social se caracteriza por la desigualdad de poder entre dos partes, la primera de ellas suele generar una ideología que facilite la perpetuación de dicha dominación: en el caso de mujeres y hombres, la ideología es el *sexismo*[19]. Por tanto, el sexismo se entiende como una actitud dirigida hacia las personas por el mero hecho de pertenecer a uno de los dos grupos organizados según el sexo biológico, mujeres y hombres[20]. Si se analiza etimológicamente el término sexismo, se puede hacer referencia a las actitudes en función del sexo, de forma genérica. De forma tradicional, esta realidad se ha estudiado poniendo el foco en las actitudes hacia las mujeres, de forma casi exclusiva, por ser éstas quienes sufren las consecuencias discriminatorias de la jerarquía de roles impuesta a los sexos[21]. Siguiendo la propuesta de estas autoras, la superación del sexismo debe pasar por la de los estereotipos que de forma paralela se asumen sobre los hombres para

---

[18]   MANSO, Almudena y DA SILVA, Altenira, "Micromachismos o Microtecnologías de poder: La subyugación e infravaloración, que mantienen el significado político y social del "Ser Mujer" como la desigual", *Conpedi Law Review 1* (3), 2016.

[19]   GLICK, Peter y FISKE, Susan, "The ambivalent sexism inventory: differentiating hostile and benevolent sexism", *Journal of Personality and Social Psychology*, 12, 1996.

[20]   ALLPORT, Gordon Willard, *The Nature of Prejudice, Reading*, Addison-Wesley, London, 1954.

[21]   RODRÍQUEZ, Yolanda, LAMEIRAS, María, CARRERA, María Victoria y FRAILE, María José, "Aproximación conceptual al sexismo ambivalente: Estado de la Cuestión", *SUMMA Psicológica UST*, 6 (2), 2009.

justificar su posición de superioridad. El sexismo tradicional, o lo que hoy podemos denominar *sexismo hostil*, hace referencia a una actitud de prejuicio o a una conducta discriminatoria que se basa en una supuesta inferioridad de las mujeres como grupo. Los enfoques predominantes en las últimas décadas advierten, sin embargo, que las manifestaciones del sexismo han ido evolucionando, habiéndose camuflado las formas hostiles bajo una máscara benevolente que resulta igualmente dañina para las mujeres.

Las actitudes ambivalentes entre mujeres y hombres (positivas y negativas) surgen de unas condiciones biológicas y sociales donde los hombres responden al control de las instituciones legales, políticas y económicas, pero sin embargo dependen del poder diádico de las mujeres, que se postulan como imprescindibles para la reproducción, la crianza de los hijos y el sexo. Así, se puede hablar de la *teoría del sexismo ambivalente*, que se basa en una ideología de género ambivalente marcada por la coexistencia de sentimientos positivos y negativos hacia la mujer, quedando conformado el sexismo por dos componentes diferenciados y relacionados. Este tipo de sexismo representa una combinación que mantiene la subordinación de la mujer, actuando como un sistema articulado de castigos (sexismo hostil) y de recompensas (sexismo benevolente)[22]. Por una parte, el sexismo hostil, caracterizado por un conjunto de creencias y sentimientos tradicionales de antipatía hacia las mujeres, y por otra, el sexismo benévolo, caracterizado por el sostenimiento de ciertos estereotipos y roles que pueden contener un tono afectivo. En resumen, una visión sobre la mujer como una criatura débil y desprotegida que debe ser colocada en un pedestal, donde son admirados sus roles naturales como esposa y madre. Una visión marcada por un tono afectivo positivo que idealiza los roles tradicionales de las mujeres, a la par que resalta su debilidad y necesidad de protección del hombre. Sin embargo, este tipo de sexismo encubre el control sobre las mujeres porque descansa en la dominación tradicional del varón y tiene aspectos comunes con el sexismo hostil que son igualmente peligrosos para la igualdad de género. En otras palabras, nos encontraríamos ante un tipo de sexismo maquillado, que protege y cuida a las mujeres que se adhieren a los roles tradicionalmente asignados a éstas, y que perpetúa los estereotipos tradicionales y la dominación del hombre. El sexismo benévolo no es percibido en muchos casos como sexismo, tornándose así más peligroso y dañino para las mujeres[23]. Así, una mujer que amenaza la dominancia masculina reivindicando la igualdad

[22]   GLICK, Peter y FISKE, Susan, "Hostile and benevolent sexism: measuring ambivalent sexist attitudes toward women", *Psychology of Women Quarterly*, 21, 1997.
[23]   BARRETO, Manuela y ELLEMERS, Naomi, "The burden of benevolent sexism: How it contributes to the maintenance of gender inequalities", *European journal of social psychology*, 35 (5), 2005.

y cuestionando los roles que tradicionalmente le han venido correspondiendo, podrá ser castigada con la hostilidad masculina.

Por su parte, el neosexismo aparece como una nueva forma de sexismo más relacionada con la esfera organizacional y laboral que nace tras la incorporación masiva de las mujeres al mundo laboral, político y social, y que se postula como una nueva forma de sexismo que aboga sigilosamente, como ocurre con el sexismo benévolo, por el mantenimiento del estatus tradicional de hombres y mujeres. Puede definirse como una manifestación de un conflicto entre los valores igualitarios y los sentimientos residuales negativos hacia las mujeres y las premisas que sostiene este concepto pueden resumirse en las siguientes[24]:

- La discriminación hacia la mujer "ya no es un problema".
- La mujer está presionando demasiado, lo que amenaza los intereses colectivos de los hombres.
- Muchos de los logros actuales de las mujeres son inmerecidos.

3. VIOLENCIAS SIMBÓLICAS Y VIOLENCIAS DE GÉNERO

Al hablar de las diferentes manifestaciones que puede generar el sexismo, resulta fundamental introducir el concepto de *violencia de género*, pues tal y como corroboran diversos estudios realizados a nivel nacional e internacional existe una relación entre ambos conceptos, habiéndose confirmado que el sexismo puede constituirse como un predictor de la violencia de género explícita[25]. Los análisis realizados por éstos últimos autores confirmaron la correlación positiva entre sexismo (hostil, benevolente y ambivalente) y la justificación de la violencia, por tanto, la consideración del sexismo como variable predictiva explicativa relevante de la violencia. Otras/os autoras/es[26] también evidenciaron las relaciones directas existentes entre sexismo y violencia física y verbal hacia las mujeres. En este sentido, hay autores que demuestran que las creencias que conducen a la violencia se relacionan estrechamente con las creencias sexistas[27]. Gran parte de estos estudios han consensuado, además, que un rol de género más tradicional, tanto

---

[24]   SWIM, Janet, AIKIN, Kathryn, HALL, Wayne y HUNTER, Barbara, "Sexism and racism: Old-fashioned and modern prejudices", *Journal of Personality and Social Psychology*, 68, 1995.

[25]   EXPÓSITO, Francisca y MOYA, Miguel, "Violencia de género" (pp. 201-227), en Francisca Expósito y Miguel Moya (editores), *Aplicando la psicología social*, Pirámide, Madrid, 2005.

[26]   GARCÍA-LEIVA, Patricia, PALACIOS, María Soledad, TORRICO, Esperanza y NAVARRO, Yolanda, "El sexismo ambivalente, ¿un predictor de maltrato? " *Asociación Latinoamericana de Psicología jurídica y forense*, 2009.

[27]   EXPÓSITO, Francisca y MOYA, Miguel, ob.cit., p. 224.

en hombres como en mujeres, se relaciona con actitudes más favorables hacia los hombres que ejercen actos de agresión física, menor atribución de culpa a los agresores[28] y mayor justificación de la violencia ejercida contra la mujer[29]. Hasta este punto pareciera que únicamente el sexismo hostil es el componente que se relaciona de forma más estrecha con la violencia de género. Sin embargo, otros hallazgos evidencian que también alta puntuación en sexismo benevolente puede predecir actitudes propensas a ejercer violencia contra las mujeres[30].

Por tanto, y concluyendo con la justificación de la relación existente entre los conceptos sexismo y violencia de género explícita, cabe señalar que la relación entre el sexismo y la violencia de género, es un hecho constatado.

La mayor parte de modelos que actualmente explican la violencia de género son multicausales, y coinciden en señalar que debe darse una convergencia de factores específicos en el marco general de la desigualdad sexista entre mujeres y hombres[31]. Aunque la violencia de género es el resultado de una combinación de diversos factores socio-culturales e individuales, tiene su origen en las conductas sexistas que sostienen la desigualdad de género entre mujeres y hombres. Además, el sexismo no solo puede ser un predictor de la violencia de género, sino que también puede formar parte de ella en su vertiente más invisible: la violencia simbólica.

La Organización de las Naciones Unidas[32], reconoce la violencia de género como "Todo acto de violencia basado en la pertenencia al sexo femenino que tenga o pueda tener como resultado un daño o sufrimiento físico, sexual o psicológico para la mujer, así como las amenazas de tales actos, la coacción o la privación arbitraria de la libertad, tanto si se producen en la vida pública como en la privada". Además, el mismo organismo especifica que "la violencia física, sexual y psicológica en la familia, incluidos los golpes, el abuso sexual de las niñas en el hogar, la violencia relacionada con la dote, la violación por el marido, la mutilación genial y otras prácticas tradicionales que atentan contra la mujer, la

---

[28]   PAVLOU, Maria y KNOWLES, Ann, "Domestic violence: Attributions, recommended punishments and reporting behavior related to provocation by the victim" *Psychiatry, Psychology and Law, 8*, 2001.

[29]   HAJ-YAHIA, Muhammad y UYSAL, Aynur, "Beliefs about wife beating among medical students from Turkey", *Journal of family Violence, 23*, 2008.

[30]   SAKALLI, Nuray, "Beliefs about wife beating among Turkish college students: The effects of patriarchy, sexism, and sex differences", *Sex roles, 44*(9), 2001.

[31]   HEISE, Lori y GARCÍA-MORENO, Claudia, *La violencia en la pareja*, Informe mundial sobre violencia y salud, Madrid, 2003.

[32]   ORGANIZACIÓN DE NACIONES UNIDAS, "Declaración sobre la eliminación de la violencia contra la mujer", resolución de la Asamblea General 48/104 del 20 de diciembre de 1993, en *Declaración sobre la eliminación de la violencia contra la mujer*. Resolución de la Asamblea General 48/104 de 20 de diciembre de 1993.

violencia ejercida por personas distintas del marido y la violencia relacionada con la explotación; la violencia física, sexual y psicológica al nivel de la comunidad en general, incluidas las violaciones, los abusos sexuales, el hostigamiento y la intimidación sexual en el trabajo, en instituciones educacionales y en otros ámbitos, el tráfico de mujeres y la prostitución forzada; y la violencia física, sexual y psicológica perpetrada o tolerada por el Estado, dondequiera que ocurra".

Otras definiciones ofrecen una aproximación al concepto, y que en el caso concreto de España se plasma en la Ley Orgánica 1/2004 de 28 de diciembre de Medidas de Protección Integral Contra la violencia de género, que enuncia en su artículo 1: "La presente Ley tiene por objeto actuar contra la violencia que, como manifestación de la discriminación, la situación de desigualdad y las relaciones de poder de los hombres sobre las mujeres, se ejerce sobre éstas por parte de quienes sean o hayan sido sus cónyuges o de quienes estén o hayan estado ligados a ellas por relaciones similares de afectividad, aun sin convivencia".

El planteamiento que ofrece este artículo vincula la violencia de género al ámbito de la relación de pareja o expareja, dejando de lado aquellas otras formas que se producen en el seno de la sociedad en general y que se concretarán posteriormente. Dicho artículo señala, además, que la violencia de género comprende todo acto de violencia física y psicológica, incluidas las agresiones a la libertad sexual, las amenazas, las coacciones o la privación arbitraria de libertad, si bien, y extrapolando estas características al significado práctico del artículo 1 de esta ley, se refiere en todo caso a aquellas formas de violencia que se suceden en el marco de la relación sentimental.

A pesar de la tentativa de visibilización de la ley sobre este problema como un fenómeno social, la ley mencionada acaba circunscribiendo en la práctica esta violencia a aquella que ocurre en el marco de la pareja, dejando al margen y desprotegiendo otras formas de violencia internacionalmente reconocidas como violencias de género, tales como el acoso sexual, los delitos contra la libertad sexual, la mutilación genital, o el tráfico de mujeres, entre otras.

Es necesario, por tanto, ampliar la denominación de este concepto, ya que las formas de violencia de género reconocidas por organismos internacionales son muy variadas y se reproducen en diferentes ámbitos de la vida cotidiana fuera de las relaciones de pareja, no estando sin embargo protegidas por la ley española algunos de los supuestos. Sanmartín, Molina y García[33] establecen diferentes contextos, entre los que destacan el institucional, laboral o público, entre otros.

---

[33]   SANMARTÍN, José, MOLINA, Alicia y GARCÍA, Yolanda, *Informe internacional 2003: violencia contra la mujer en las relaciones de pareja: estadísticas y legislación*, Centro Reina Sofía para el estudio de la violencia, 2003.

Analizando las definiciones expuestas en este epígrafe, tanto la que ofrece la Organización de Naciones Unidas, como la de la Ley Integral contra la Violencia de Género española, se puede afirmar que las violencias de género que pueden perpetrarse hacen alusión a un carácter explícito, ya sea a nivel físico, psíquico o sexual. Sin embargo, no ahondan ni concretan en la denominada *violencia simbólica,* y que puede afectar a cualquier mujer en su día a día, dentro y fuera de su domicilio. La violencia, percibida no sólo como explícita, puede ser también invisible y se constituye como la raíz cultural de las sociedades[34].

La experiencia de un orden social en el que las tareas se adjudican aún por sexos, están adquiridas bajo la forma de esquemas profundamente arraigados y difícilmente accesibles a la conciencia. Esto hace que se encuentre normal o natural y evidente, el orden social tal y como existe actualmente. Las mujeres incorporan así las estructuras a través de las cuales se realiza la dominación que sufren por parte de los hombres, una sumisión inconsciente que se da en todas las víctimas de violencia simbólica. En palabras de Bourdieu[35], los hombres pueden realizar actos discriminatorios, excluyendo a las mujeres incluso sin intención de las posiciones de autoridad, reduciendo sus reivindicaciones a caprichos y ejerciendo sin apenas darse cuenta una forma de violencia simbólica contra aquellas. Este autor afirma que el orden social masculino está tan profundamente arraigado, que no requiere justificación. Es tomado como algo natural y biológico gracias al acuerdo no escrito que se obtiene por parte de las estructuras sociales y de las estructuras cognitivas inscritas en la mente de cada persona. Así, la dominación de género permite corroborar que la violencia simbólica se lleva a cabo a través de un acto de falso reconocimiento que no necesariamente se encuentra vinculado a los controles de la conciencia y la voluntad[36]. El concepto de violencia simbólica, además, se sitúa como epicentro del análisis de la dominación de Bourdieu, que considera al mismo como fundamental para explicar fenómenos tan supuestamente dispares como la dominación personal en las sociedades tradicionales, la dominación de clase en las sociedades avanzadas o la dominación masculina en ambos tipos de sociedad. Bourdieu afirma en su obra que la dominación masculina y el modo en el que ha permanecido impuesto en la sociedad, se constituye como el mejor ejemplo de violencia simbólica.

No hay que olvidar su carácter invisible, que normaliza ciertas conductas discriminatorias y consigue restar importancia a muestras habituales de intimidación hacia las mujeres. Este hecho remarca la importancia de retomar el análisis

---

[34]   MANSO, Almudena y DA SILVA, Altenira, ob. cit., p. 6.
[35]   BOURDIEU, Pierre, *La dominación masculina…* ob. cit., p. 4.
[36]   LOMAS, Carlos, *¿Iguales o diferentes? Género, diferencia sexual, lenguaje y educación.* Piadas Educador, Barcelona, 1999.

y denuncia de este tipo de situaciones, ya sean sexistas benevolentes, sexistas hostiles o neosexistas, pues éstas pueden constituir y de hecho constituyen la antesala de la violencia explícita contra las mujeres[37]. O en palabras de Canterla[38] "la violencia física sobre las mujeres es solo la punta del iceberg de la violencia simbólica que un sistema cultural elaborado por hombres ejerce sobre ellas (...) Existe una institucionalización de un complejo sistema de conceptos patriarcales como sistema cultural imperante, hecho que ejerce sobre la mujer una tipología de violencia no por simbólica menos destructiva".

Por tanto, la violencia de género, ya sea física, psíquica, sexual o simbólica, o ya suceda dentro o fuera de las relaciones de pareja, constituye un enorme obstáculo para conseguir la igualdad entre mujeres y hombres, y se establece como uno de los mecanismos sociales por los que la mujer queda subordinada respecto al hombre, diluyendo las oportunidades de las que debe disponer ésta con respecto a la igualdad jurídica, social, política y económica en la sociedad. De esta afirmación se desprende ineludiblemente la necesidad de visibilizar, cuestionar y analizar las formas variadas en las que este tipo de violencia se transmite y sostiene, todo ello con el objetivo firme de erradicar paulatinamente la desigualdad entre mujeres y hombres. Por ello, y tal y como se ha justificado teóricamente de manera previa, este trabajo parte de la consideración de que las violencias de género engloban todas aquellas situaciones violentas, manifiestas o simbólicas, que puede sufrir cualquier mujer y que es perpetrada por hombres, no solo dentro del ámbito de la pareja, sino fuera de él, por razón de su sexo. Estas incluirían, por tanto, no solo la violencia explícita y hostil ejercida contra las mujeres, sino todas aquellas formas de violencias simbólicas que pueden generar un perjuicio o situación injusta para las mujeres por el mero hecho de serlo.

4. VIOLENCIAS DE GÉNERO Y REDES SOCIALES

La violencia de género online ha circulado por internet desde su misma creación, sin embargo, no será hasta 2011 cuando mujeres de diversos contextos y posiciones, comiencen a hablar públicamente sobre el acoso y la violencia que

---

[37]   BONINO, Luis, "Desvelando los micromachismos en la vida conyugal" (pp. 191-208), en Jorge Corsi (editor), *Violencia masculina en la pareja. Una aproximación al diagnóstico y a los modelos de intervención*, Paidós, Buenos Aires, 1995.
[38]   CANTERLA GONZÁLEZ, Cinta, "Mujer y derechos humanos: universalismo y violencia simbólica de género" (p. 27) en Dolores Ramos y Teresa Vera, (coordinadoras), *Discursos, realidades, utopías: la construcción del sujeto femenino en los SXIX-XX*, Anthropos, Barcelona, 2002.

existe en entornos online contra éstas[39]. Progresivamente, las denuncias online sobre esta temática y las investigaciones internacionales al respecto, comienzan a sucederse con el objetivo fundamental de visibilizar la problemática social que suponen[40].

Las nuevas formas online de comunicación cuentan con un carácter accesible que se fundamenta en un espíritu democrático de compartir información que aparentemente se desarrolla bajo el velo de la neutralidad y horizontalidad. Sin embargo, categorías sociales como el género se han visto amenazas en este nuevo entorno, quedando las mujeres expuestas a agresiones de todo tipo[41]. Esta realidad virtual genera sus propias reglas y da lugar a un universo paralelo que carece de límites, y donde las características de la realidad se reinventan[42]. Un claro ejemplo de ello lo constituye un suceso (de los cientos de que se dan a diario) acaecido en el verano de 2013, cuando mujeres periodistas y activistas británicas, fueron víctimas simultáneas de comentarios violentos reiterados emitidos por diferentes usuarios a través de la red social Twitter. Tras la publicación en la prensa de estos incidentes, una periodista americana, Amanda Hess, relató su propia experiencia sobre el continuo acoso sexista al que estaba sometida por usuarios de Twitter. Al igual que ella, otras mujeres, conocidas o no en la esfera pública, comenzaron a manifestar a través de las redes sociales el constante acoso al que estaban expuestas, denunciando socialmente dicha situación y generando con ello un intenso debate sobre el sexismo y la violencia de género online. También en España se han sucedido casos de acoso sexista en la red que han trascendido, como el de Alicia Murillo en 2012, una activista feminista que sufría de forma continua el acoso en la red. Cinco años después, la denuncia pública de este tipo de situaciones a través de las redes sociales, no penadas ni castigadas apenas de manera formal, continúa siendo un hecho palpable que, sin embargo, aún no dispone de un conocimiento profundo que permita saber cuál es la dimensión real. Las redes sociales han proporcionado a los agresores un nuevo contexto en el que ejercer conductas violentas, en el que la gratuidad, facilidad de acceso, anonimato, dificultad de rastreo, diversificación en las formas de acoso y sensación de falta de

---

[39]   JANE, Emma, "Flaming? What Flaming? The Pitfalls and Potentials of Researching Online Hostility", *Ethics of Information Technology*, 17, 2015.

[40]   SANDOVAL, Greg, "The End of Kindness: Weev and the Cult of the Angry Young Man" *Verge*, (2013, September 12), recuperado de
https://www.theverge.com/2013/9/12/4693710/the-end-of-kindness-weev-and-the-cult-of-the-angry-young-man

[41]   DONOSO-VÁZQUEZ, Trinidad, (coordinadora), *Violencias de género 2.0*, kit-book, Barcelona, 2014.

[42]   ESTÉBANEZ, Ianire, y VÁZQUEZ, Norma, *La desigualdad de género y el sexismo en las redes sociales*. Central de Publicaciones del Gobierno Vasco, Gipuzkoa, 2013.

control para la víctima constituyen elementos determinantes para los potenciales acosadores o agresores[43].

Este nuevo universo online se ha convertido en un objeto de estudio fundamental para poder realizar una aproximación a la realidad de la violencia contra las mujeres. Conseguir una aproximación a los discursos violentos que se producen en las redes sociales constituye un elemento necesario para poder establecer tanto un diagnóstico social al respecto, como unas líneas de actuación, tanto desde el Trabajo Social como desde otras disciplinas sociales, que favorezcan, tanto la intervención como la prevención de las actitudes y valores sociales que fomenten la desigualdad de género.

En base a la bibliografía revisada que se detalla a lo largo del presente capítulo, puede determinarse que las incursiones realizadas sobre el objeto de estudio de esta investigación son muy escasas nivel nacional, aunque cada vez más extendidas a nivel internacional. Esto puede deberse a la relativa novedad de las redes sociales y también porque, por lo general, los estudios realizados en redes sociales desde una perspectiva de género se han ceñido al análisis sobre la violencia que tiene lugar en relaciones de pareja[44]. Aunque existen algunas investigaciones que sí aplican una perspectiva teórica de género en el análisis, la mayor parte de las que abordan este eje temático se centran en el acoso en la red y no analizan en profundidad la violencia de género, y en otros casos se investiga la violencia de género, pero no se analiza la red. Igualmente, en especial en los estudios internacionales, se analiza la "misoginia en las redes sociales", también en Twitter, pero desde una perspectiva cuantitativista, o cuanto menos, analizada por profesionales dedicados al sector informático y no a disciplinas sociales. De ahí la necesidad de ahondar en el fenómeno de la violencia contra las mujeres más allá de las relaciones de pareja, en las redes sociales y desde la perspectiva del Trabajo Social: visibilizar los posicionamientos sexistas que se reproducen dentro del mundo online, así como las manifestaciones violentas o microviolentas que tienen lugar en las mismas tras el anonimato de los usuarios, se constituye como una premisa fundamental para dimensionar y atajar este tipo de fenómenos y para erradicar la desigualdad de género en la sociedad actual. Confirmar si las relaciones desiguales por razón de género se reproducen en las redes sociales, así como los estereotipos y las formas de violencia que sostienen la dominación masculina y

---

[43]   SOUTHWORTH, Cynthia, FINN, Jerry, DAWSON, Shawndell, FRASER, Cynthia y TUCKER, Sarah, "Intimate partner violence, technology, and stalking" *Violence against women*, 13(8), 2007.
[44]   DONOSO-VÁZQUEZ, Trinidad, RUBIO HURTADO, Mª José, VILÀ BAÑOS, Ruth, y VELASCO MARTÍNEZ, Anna, "La violencia de género 2.0: La percepción de jóvenes en Sant Boi de Llobregat" (pp. 255-265), en AIDIPE (editor), *Investigar con y para la sociedad*, vol. 1, Bubok, Cádiz, 2015.

que quedan sustentadas por el sistema patriarcal, constituye un desafío necesario para el debate social y para la toma de medidas y decisiones en su erradicación.

El acoso en internet se trata de un comportamiento caracterizado por repetirse en el tiempo de forma no deseada y materializado de forma intrusiva a través de amenazas, acosos o difamaciones llevadas a cabo a través de comunicaciones en espacios virtuales que causan miedo[45]. Sin embargo, esta definición describe de una forma muy general el fenómeno, no particularizando en el binomio mujer-hombre. Por ello, y tomando como referencia los conceptos descritos en los apartados anteriores, se propone una definición ampliada que facilite el análisis de los mensajes violentos hallados en Twitter. El concepto de *violencias de género online* englobaría todas aquellas formas de discriminación sexista, ya sean explícitas o simbólicas, benevolentes u hostiles, neosexistas, abusivas y/o que lleven a cabo apología de la violencia contra las mujeres, que son transmitidas a través de las redes sociales e internet por cualquier usuario, vinculado o no sentimentalmente con la víctima y que generen un perjuicio en la misma. Las violencias de género online pueden pasar inadvertidas por su carácter benevolente o simbólico o bien adquirir un componente hostil más explícito.

Para Lewis, Rope y Wiper[46], la violencia online contra las mujeres debe ser abordada y categorizada como violencia de género, por estar sostenida por una base patriarcal que justifica y normaliza las agresiones contra las mujeres por el mero hecho de serlo. Los antecedentes apuntan a la existencia de diversas formas de denominar múltiples tipos de violencia de género online, tales como *flaming*[47], *Trolling* o *gendertrolling*[48] o *cyberhate*[49]. Sin embargo, la mayor parte de estos estudios se ha limitado a analizar las formas de comunicación hostil o formas de violencia explícitas contra las mujeres, y no tanto los componentes sexistas y microviolentos estructurales que subyacen a la misma y que permanecen invisibilizados en muchos casos. La violencia de género online es una extensión del comportamiento que puede llevarse a cabo fuera de las redes sociales e internet, sin embargo, personas que fuera del entorno virtual no realizan comportamien-

[45] D`OVIDIO, Rob y DOYLE, James, "Study on cyberstalking: Understanding investigative hurdles", *FBI Law Enforcement Bulletin*, 72(3), 2003.
[46] LEWIS, Ruth, ROWE, Michael y WIPER, Clare, "Online Abuse of Feminists as An Emerging form of Violence Against Women and Girls", *British Journal of Criminology*, 2016.
[47] O'SULLIVAN, Patrick y FLANAGIN, Andrew, "Reconceptualizing 'flaming' and other problematic messages", *New Media and Society*, 5(1), 2003.
[48] DONATH, Judith, "Identity and Deception in the Virtual Community" (pp. 29-59), en Mark Smith y Peter Kollock (editores), *Communities in Cyberspace*, Routledge, London, 1999.
[49] CITRON, Danielle y NORTON, Hellen, "Intermediaries and Hate Speech, fostering Digital Citizenship for Our Information Age", *Boston University Law Review*, 91, 2001.

tos sexistas o misóginos, sí pueden manifestarlos en entornos online. Muchos hombres y mujeres utilizan el anonimato y el ingenio humorístico para reproducir conductas sexistas y violentas en entornos online[50]. Y es que precisamente el anonimato es una de las características más relevantes que define a las/os usuarias/os de algunas de las redes sociales, entre las que se encuentra Twitter, que invita a la participación de *trolls* violentos contra las mujeres tras una máscara virtual[51]. Igualmente invita a la participación de otras/os usuarias/os, con o sin nombre real, que perpetúan conductas discriminatorias para las mujeres a través de discursos sexistas y violentos online. "*'Trolling* se define como un tipo específico de comportamiento online malvado o dañino que llevan a cabo determinadas/os usuarias/os, con el fin último de disruptir interacciones"[52]. Este particular comportamiento es conocido también como *cyber-bullying* o *flaming* y se ha visto incrementado en los últimos años con el auge de las redes sociales, hasta el punto de ser plenamente visible, normalizado, socialmente aceptado e incluso institucionalizado[53]. En el momento actual, la función principal de los *trolls* es la de transmitir una práctica discursiva que permita sostener de manera impune una ideología poderosa en la red que en ocasiones perpetúa discursos históricos sobre las mujeres, justificando su inferioridad[54]. El anonimato, sumado a la insuficiencia de marcos normativos protectores contra la violencia online[55] que se transmite a través ideas sexistas, estereotipadas y antifeministas, constituyen el caldo de cultivo para el sostenimiento de una situación desigualitaria para las mujeres. Una cultura sexista sostenida por una estructura patriarcal hegemónica que permite la perpetuación y normalización de las agresiones contra las mujeres, tanto en su versión explícita como en relación al trato microviolento o simbólico validado[56].

---

[50]   SHAW, Adrienne, "The Internet is full of jerks, because the world is full of jerks: What feminist theory teaches us about the Internet", *Communication and Critical/ Cultural Studies*, 11, 2014.

[51]   STOEFFEL, Katherine, "Women Pay the Price for the Internet's Culture of Anonymity", *NYMag.com*, 2014, August 17, recuperado de http://str.md/54333d1342513f513b001a81

[52]   COLES, Bryn y WEST, Melanie, "Trolling the trolls: Online Forum Users Constructions of the Nature and Properties of Trolling" (p. 233) *Computers in Human Behaviour, 60*, 2016.

[53]   JANE, Emma, "'Your a Ugly, Whorish, Slut' Understanding E-bile", *Feminist Media Studies*, 14, 2014.

[54]   TOSH, Jemma, *Psychology and Gender Dysphoria: Feminist and Transgender Perspectives*. Routledge, London, 2015.
         FOUCAULT, Michel, *The Archaeology of Knowledge*, Routledge, London, 2002.

[55]   CITRON, Danielle, *Hate Crimes in Cyberspace*, Harvard University Press, Cambridge, 2014.

[56]   BANET-WEISER, Sarah y MILTNER, Kate Margaret, "#MasculinitySoFragile: culture, structure, and networked misogyny", *Feminist Media Studies, 16* (1), 2016.

Entre las redes sociales más utilizadas en el momento actual, cabe destacar las particularidades que ofrece Twitter al respecto de las violencias de género online. El hecho de que se trate de una red pública y abierta, a la que cualquier persona registrada puede acceder sin limitaciones, y la existencia de anonimato de gran parte de sus usuarios/as, cuyas identidades reales permanecen ocultas tras *nicks*, se constituyen como elementos muy relevantes. El anonimato desde el que se puede tuitear resulta imprescindible para analizar posicionamientos sexistas y las actitudes hostiles hacia las mujeres, ya que esto favorece que los emisores de mensajes que contengan este tipo de contenido no puedan ser reprendidos. Algunos estudios han corroborado la gran influencia que ejerce el anonimato para la desinhibición en Twitter, así como su asociación con mayor hostilidad contra otros[57]. Aunque la desinhibición no tiene por qué influir negativamente en todos los casos, sí puede relacionarse estrechamente con conductas negativas tales como *trolling* o *cyberbullying*[58].

Además, en Twitter se suceden numerosos *hashtags* relacionados con materia de género, que en algunos casos han sido virales y sobre los que miles de usuarias/os han tuiteado, tales como #LiesToldByFemales, #IhateFemalesWho, #RulesFor-Girls, #ThatWhatSlutsDo o #GetBackToTheKitchen, entre otros, en los que se han promovido los estereotipos y la hostilidad contra las mujeres[59]. En muchos de estos *hashtags*, no existen muestras de sexismo necesariamente hostiles, pero sí ciertamente dañinas, que se expresan a través del humor[60]. De la misma forma, se han dado otros *hashtags* a modo de respuesta contra la injusticia social que sufren las mujeres y que han generado igualmente una nueva forma de activismo feminista que triunfa en las redes sociales[61].

---

[57]   HALPERN, Daniel y GIBBS, Jennifer, "Social media as a catalyst for online deliberation? Exploring the affordances of Facebook and YouTube for political expression", *Computers in Human Behavior*, 29, 2013.
SULER, John, "The online disinhibition effect", *Cyberpsychology and Behavior*, 7, 2004.
ROWE, Ian, "Civility 2.0: A comparative analysis of incivility in online political discussion", *Information, Communication and Society*, 18, 2014.

[58]   DILLON, Kelly y BUSHMAN, Brad, "Unresponsive or un-noticed? Cyberbystander intervention in an experimental cyberbullying context", *Computers in Human Behavior*, 45, 2015.

[59]   UDRIS, Reinis, "Cyberbullying among high school students in Japan: Development and validation of the Online Disinhibition Scale", *Computers in Human Behavior*, 41, 2014.

[60]   MARWICK, Alice, *Status update: Celebrity, publicity, and branding in the social media age*. Yale University Press, New York, 2013.

[61]   CLARK, Rosemary, "#NotBuyingIt: Hashtag Feminists Expand the Commercial Media Conversation", *Feminist Media Studies*, 14 (6), 2014.
THRIFT, Samantha, "#YesAllWomen as Feminist Meme Event" *Feminist Media Studies*, 14(6), 2014.

5. ANÁLISIS EXPLORATORIO DE LAS VIOLENCIAS DE GÉNERO EN REDES SOCIALES: EL CASO DE TWITTER

Con el objetivo fundamental de descubrir los posicionamientos discursivos violentos que se dan en Twitter contra las mujeres, como ejemplo de la realidad virtual que se sucede en redes sociales, se ha llevado a cabo un estudio exploratorio que pretende ofrecer una radiografía sobre las violencias de género en esta red social. Esta investigación, que parte de una metodología netnográfica cualitativa, basa su trabajo de campo en la monitorización de Twitter, que por un lado es sometido al impacto de una serie de palabras clave, y por otro, monitorea un *hashtag* cuya temática versa sobre género. Durante un período de cuatro meses, se lleva a cabo dicha monitorización, realizada a través de aplicación de monitoreo que ofrece Twitter, *API streaming*. Una vez recopilados todos los tuits, tanto los sometidos a las palabras clave como los hallados en el *hashtag*, se realizan una serie de filtros tendentes a la obtención de una muestra manejable de tuits identificados como violentos, según los constructos teóricos de partida, y que finalmente asciende a un total de 4.000. Una vez analizados todos ellos, se obtienen una serie de resultados relevantes que se exponen a continuación:

Como primer resultado preliminar de este trabajo, señalar que existen posicionamientos violentos explícitos contra las mujeres en Twitter, especialmente contra aquellas que participan activamente, son visibles y/o se alejan de los patrones estéticos y/o normativos esperados socialmente. Una parte de la realidad imperante en esta red social apunta a la existencia de una problemática naturalizada que, en muchas ocasiones, conlleva que las mujeres, víctimas recurrentes de la violencia y el acoso online, elijan, o bien dejar de participar en las redes como medida preventiva a dichos ataques, o bien borrar los innumerables mensajes a los que se enfrentan como una acción habitual en su rutina.

El segundo resultado obtenido se relaciona con la existencia de un tipo de violencia simbólica e invisible que pervive en Twitter, sostenida por posicionamientos patriarcales tradicionales escondidos que mantienen un sexismo de tipo benevolente o microviolento y/o que trivializan la violencia. Por ejemplo, el fomento de la creencia sobre la debilidad de las mujeres y su necesidad de protección, así como sobre los mitos asociados al amor romántico.

Por su parte, y como tercer resultado de este trabajo, destacar que las bromas y chistes de Twitter al respecto de las mujeres proliferan en la red, y han generado imaginarios virtuales de tipo sexista que quedan sostenidos por nuestra estructura social y que dan forma a una parte de nuestro bagaje cultural[62]. Gran

---

[62]   SHIFMAN, Limor y LEMISH, Dafna, "Between Feminism and Fun(ny)mism: Analyzing Gender in Popular Internet Humor", *Information, Communication & society*, Vol. 13, Issue 6, 2010.

parte de estas bromas refuerzan tópicos o desfiguran identidades, como ocurre de manera clara con el caso de las mujeres feministas, un colectivo violentado sin filtros en Twitter. Todo ello se constituye como algo revelador sobre este entorno de socialización, que genera y que moldea actitudes y opiniones bajo un antifaz humorístico tras el que todo es válido y no existen límites. En este sentido, cabe plantearse dónde se ubican los límites del humor y cómo este tipo de prácticas socialmente aceptadas ejercen influencia sobre el sostenimiento de condiciones desigualitarias entre mujeres y hombres. El humor conforma una de las manifestaciones microviolentas que puede darse en Twitter y los resultados indican que este tipo de comportamientos llevados a cabo contra las mujeres son una muestra más de la cristalización del patriarcado[63].

Como cuarto resultado de este estudio, cabe señalar que en la red social Twitter existe una corriente antifeminista que violenta a aquellas mujeres que promueven la igualdad o cuestionan las estructuras patriarcales, o que sencillamente opinan o responden ante agresiones sexistas. Este hecho, que traspasa las fronteras de lo virtual y trasciende a entornos offline, ha institucionalizado la figura de las *feminazis* como un tipo de mujer desvirtualizada que engloba a cualquiera que critique o denuncie situaciones de igualdad. De ello se desprende una hipotética tendencia de muchas mujeres feministas a silenciarse como medida preventiva de ataques o a la existencia de un feminismo vergonzante: "no digo que soy feminista para que no me tachen de *feminazi* y me insulten".

6. CONCLUSIONES Y PROPUESTAS

En vista de los resultados preliminares expuestos, cabe plantear la necesidad de transformar los imaginarios colectivos sobre la diferencia y la diversidad entre hombres y mujeres que se da tanto dentro como fuera de Twitter, y deconstruir el orden simbólico imperante que sostiene el discurso normativo hegemónico y que prescribe comportamientos y actitudes sexistas y violentas, deconstruyendo las dicotomías con el fin de desestabilizar todas las identidades y conseguir la igualdad real entre sexos[64]. El efecto que pretende generar gran parte de la violencia y/o hostilidad que se da en Twitter es precisamente el de reducir la inclusividad de

---

[63] WORTH, Anna, AUGOUSTINOS, Martha, y HASTIE, Brianne, "'Playing the gender card': Media representations of Julia Gillard's sexism and misogyny speech", *Feminism & Psychology*, 26(1), 2016.

[64] CASTELLANOS, Gabriela, "Determinación y libertad en la construcción de las subjetividades subordinadas y colectividades politizadas" (p. 12), en Delfín Ignacio Grueso y Gabriela Castellanos (editores), *Identidades colectivas y reconocimiento: Razas, etnias, géneros y sexualidades*, Universidad del Valle, Programa Editorial, 2000.

las mujeres en entornos online. Por tanto, se puede afirmar que la violencia hostil que se lleva a cabo contra las mujeres en Twitter se constituye como una muestra de patriarcado cristalizada, reproducida y preservada a través de discursos retóricos explícitos que representan herramientas que la ideología patriarcal utiliza para minimizar las contribuciones intelectuales de las mujeres en público[65]. La hostilidad que se da contra mujeres online en muchos casos consigue silenciarlas. Con ello, se puede estar contribuyendo al sostenimiento de una brecha digital de género que por lo general se ha venido atribuyendo a una menor accesibilidad tecnológica de las mujeres con respecto a los hombres, y no a una expulsión de las primeras por parte de los segundos, que es precisamente hacia la dirección que apuntan los resultados de este estudio. Existen datos que corroboran que las mujeres se conectan a internet en menor medida que los hombres, en concreto un 10 % menos[66]. Las razones tradicionalmente atribuidas a este hecho se han relacionado con la *tecnofobia femenina,* que se basa por un lado en que los valores de uso de ciencia y tecnología han sido tradicionalmente atribuidos a los hombres, y por otro a las dificultades de acceso o conciliación entre trabajo, familia y otras tareas generalmente atribuidas a las mujeres, y que pueden provocar en ellas una falta de interés en el uso de las nuevas tecnologías[67]. Sin embargo, los resultados de este estudio apuntan a la existencia de otras posibles causas de exclusión de las mujeres de internet y redes sociales, relacionadas con la expulsión intencionada que se realiza de aquellas que sí utilizan la tecnología, y que deciden dejar de hacerlo o *mantenerse en la sombra* ante el acoso que reciben en las redes. Nos encontraríamos ante un hallazgo que apunta a la existencia de una forma de exclusión digital o brecha que limita las posibilidades de las mujeres para disfrutar de internet con libertad y autonomía[68] y que puede desembocar en su *e-exclusión.*

Se considera de especial relevancia dar continuidad a la investigación de las violencias que se dan contra las mujeres en los entornos online. Proseguir en la denuncia de las manifestaciones sexistas y violentas que se dan en este tipo de entornos, se considera fundamental de cara a la sensibilización de la sociedad sobre la problemática. La normalización de las conductas agresivas contra las mujeres,

[65] MEGARRY, Jessica, "Online incivility or sexual harassment? Conceptualising women's experiences in the digital age", *Women's Studies International Forum (Vol. 47),* 2014.
[66] ARENAS RAMIRO, Mónica, "Brecha digital de género: la mujer y las nuevas tecnologías", Anuario de la Facultad de Derecho (Universidad de Alcalá), no. 4, 2011.
[67] VÁZQUEZ, Silvia y CASTAÑO, Cecilia, "La brecha digital de género: prácticas de e-inclusión y razones de exclusión de las mujeres", *Asparkía: investigació feminista,* (22), 2011.
[68] TORRES ALBERO, Cristóbal, ROBLES MORALES, José Manuel y DE MARCO, Stefano, *El ciberacoso como forma de ejercer la violencia de género en la juventud: un riesgo en la sociedad de la información y del conocimiento,* Ministerio de Sanidad, Servicios Sociales e Igualdad, Centro de Publicaciones, Madrid, 2014.

ciega en ocasiones a las personas que las presencian, hasta el punto de restar importancia a la gravedad que supone el acoso constante al que son sometidas muchas mujeres en redes sociales e internet. Esto se traduce en la necesidad de implementar cambios en políticas, leyes y actitudes culturales que se impliquen en la lucha contra la violencia online contra las mujeres. Continuar investigando y visibilizando los tipos de violencias de género que se suceden y transmiten en este tipo de entornos, se constituye como una línea insalvable para investigaciones futuras y como un requisito necesario para la concienciación de la sociedad en su conjunto.

También se plantea la necesidad de continuar en la promoción de la igualdad entre mujeres y hombres, indagando e investigando todas aquellas manifestaciones que perpetúan la existencia de injusticias por razón de género, y que sostienen la posición social de las mujeres en un lugar de inferioridad. Visibilizar este tipo de conductas, así como cuestionar las estructuras patriarcales que las sostienen, debe establecerse como línea prioritaria de acción para las y los investigadoras/es del futuro más inmediato. Además, se considera especialmente necesario proceder a la revisión normativa de la violencia de género en España, pues el limitado acotamiento que ofrece la Ley de protección de víctimas de violencia de género permite que diversas formas de violencia que sufrimos las mujeres en la vida cotidiana no estén penalizadas, ni tan siquiera reconocidas, y sí trivializadas.

Asimismo, y continuando con la necesidad de alcanzar la igualdad real entre mujeres y hombres, cabe plantear el reto que supone la educación en igualdad desde edades tempranas. Un reto que va de la mano del uso de las nuevas tecnologías como contexto idóneo para la sensibilización y concienciación de la población más joven, que utiliza diariamente este tipo de entornos tanto para informarse como para socializarse. En el ámbito educativo el feminismo tiene la responsabilidad de educar en los valores del respeto e igualdad y en el reconocimiento de los derechos humanos para todas las personas independientemente de su sexo. Romper los estereotipos y mitos que acompañan al concepto de feminismo supone saber que éste es el motor que cambia las relaciones entre mujeres y hombres[69]. El conocimiento acertado y la educación rica en contenido igualitario con el feminismo como base, conllevaría una actitud positiva hacia él en mayor medida, con la consiguiente disminución de reacciones adversas ante cada logro, lo cual facilitaría la lucha contra el sexismo, base de la violencia machista[70].

---

[69]   VARELA, Nuria, *Feminismo para principiantes*, Ediciones B, Madrid, 2005.
[70]   GARCÍA JIMÉNEZ, María, CALA CARRILLO, Mª Jesús y TRIGO SÁNCHEZ, Eva, "Conocimiento y actitudes hacia el feminismo", *FEMERIS: Revista Multidisciplinar de Estudios de Género*, 1(1/2), 2016.

Es igualmente relevante profundizar en las causas de la brecha digital de género, generalmente atribuida a aquellas relacionadas con una menor accesibilidad de las mujeres con respecto a los hombres.

Igualmente, y como propuesta de intervención futura, se plantea el uso de las redes sociales como medio idóneo para el fomento de la participación, del empoderamiento y de la colaboración tanto de entidades sociales como de la ciudadanía, en la lucha por la igualdad de género. El feminismo online ha supuesto el resurgimiento de las comunidades feministas, de los debates y la teorización, lo cual está suscitando el interés académico en este sentido[71] además de generar nuevas opciones de reivindicación de la igualdad entre mujeres y hombres.

BIBLIOGRAFÍA

ALLPORT, Gordon Willard, *The Nature of Prejudice*, Reading, Addison-Wesley, 1954.

ARENAS RAMIRO, Mónica, "Brecha digital de género: la mujer y las nuevas tecnologías", *Anuario de la Facultad de Derecho* (Universidad de Alcalá), no. 4, 2011.

BANET-WEISER, Sarah y MILTNER, Kate Margaret, "#MasculinitySoFragile: culture, structure, and networked misogyny", *Feminist Media Studies*, 16 (1), 2016.

BARRETO, Manuela y ELLEMERS, Naomi, "The burden of benevolent sexism: How it contributes to the maintenance of gender inequalities", *European journal of social psychology,* 35 (5), 2005.

BEAUVOIR, Simone De, *El segundo sexo*, Siglo XX, Buenos Aires, 1981.

BONINO, Luis, "Desvelando los micromachismos en la vida conyugal" (pp. 191-208), En Jorge Corsi (editor), *Violencia masculina en la pareja. Una aproximación al diagnóstico y a los modelos de intervención*, Paidós, Buenos Aires, 1995.

BOURDIEU, Pierre, *La dominación masculina*, Anagrama, Barcelona, 1990.

BUTLER, Judith, LACLAU, Ernesto y ZIZEK, Slavoja, "Resignificación de lo universal: hegemonía y límites del formalismo" (p. 34), en Judith Butler, Ernesto Laclau y Slovaj Zizek (editores), *Contingencia, hegemonía, universalidad*, FCE, Buenos Aires, 2003.

BOSCH, Esperanza, FERRER, Victoria y ALMAZORA, Aina. *El laberinto patriarcal: reflexiones teórico-prácticas sobre la violencia contra las mujeres*. Anthropos, Barcelona, 2006.

CANTERLA GONZÁLEZ, Cinta, "Mujer y derechos humanos: universalismo y violencia simbólica de género" (pp. 17-28), en Dolores Ramos y Teresa Vera, (coordinadoras*)*, *Discursos, realidades, utopías: la construcción del sujeto femenino en los SXIS-XX*, Anthropos, Barcelona, 2002.

---

[71]   LEWIS, Ruth y MARINE, Susan, "Weaving a Tapestry, Compassionately: Towards an Understanding of Young Women's Feminisms", *Feminist Formations*, 27, 2015.
         DEAN, Jonathan y AUNE, Kristine, "Feminism Resurgent? Mapping Contemporary Feminist Activisms in Europe", *Social Movement Studies*, 14, 2015.

CASTELLANOS, Gabriela, "Determinación y libertad en la construcción de las subjetividades subordinadas y colectividades politizadas" (p. 12), en Delfín Ignacio Grueso y Gabriela Castellanos (editores), *Identidades colectivas y reconocimiento: Razas, etnias, géneros y sexualidades,* Universidad del Valle, Programa Editorial, 2000.

CITRON, Danielle y NORTON, Hellen, "Intermediaries and Hate Speech, fostering Digital Citizenship for Our Information Age", *Boston University Law Review,* 91, 2001.

CITRON, Danielle, *Hate Crimes in Cyberspace,* Harvard University Press, Cambridge, 2014.

CLARK, Rosemary, "#NotBuyingIt: Hashtag Feminists Expand the Commercial Media Conversation", *Feminist Media Studies, 14* (6), 2014.

COLES, Bryn y WEST, Melanie, "Trolling the trolls: Online Forum Users Constructions of the Nature and Properties of Trolling", *Computers in Human Behaviour, 60,* 2016.

CONNELL, Raewyn, *Masculinities. Power and social change,* University of California Press, Berkeley, 1995.

DEAN, Jonathan y AUNE, Kristine, "Feminism Resurgent? Mapping Contemporary Feminist Activisms in Europe", *Social Movement Studies,* 14, 2015.

DEJOURS, Cristophe, "L' indifférence des sexes: fiction ou défi?" (pp. 39-65), en Jacques Andrè y Cristophe Dejours, *Les sexes indifferent,* Presses Universitaires de France, Paris, 2005.

DEWEY, Caitlin, "Rape Threats, Then No Response: What It Was like to Be a Woman on Twitter in 2014", *Washington Post,* 2014, recuperado de http://www.washingtonpost.com/news/the-intersect/wp/2014/12/17/rape-threats-then-no-responsewhat-it-was-like-to-be-a-woman-on-twitter-in-2014/

DÍAZ-AGUADO JALÓN, María José, y MARTÍNEZ ARIAS, Mª JOSÉ, *La construcción de la igualdad y la prevención de la violencia contra la mujer desde la educación secundaria.* Serie estudios n°73, Instituto de la Mujer, Madrid, 2001.

DONOSO-VÁZQUEZ, Trinidad, (coordinadora), *Violencias de género 2.0,* kit-book, Barcelona, 2014.

DONOSO-VÁZQUEZ, Trinidad, RUBIO HURTADO, Mª José, VILÀ BAÑOS, Ruth, y VELASCO MARTÍNEZ, Anna, "La violencia de género 2.0: La percepción de jóvenes en Sant Boi de Llobregat" (pp. 255-265), en AIDIPE (editor), *Investigar con y para la sociedad,* vol. 1, Bubok, Cádiz, 2015.

D`OVIDIO, Rob y DOYLE, James, "Study on cyberstalking: Understanding investigative hurdles", *FBI Law Enforcement Bulletin,* 72 (3), 2003.

DUQUE ACOSTA, Carlos Andrés, "Judith Butler: performatividad de género y política democrática radical", *Revista de educación y pensamiento, N°. 17,* 2011.

DONATH, Judith, "Identity and Deception in the Virtual Community" (pp. 29-59), en Mark Smith y Peter Kollock (editores), *Communities in Cyberspace,* Routledge, London, 1999.

DILLON, Kelly y BUSHMAN, Brad, "Unresponsive or un-noticed? Cyberbystander intervention in an experimental cyberbullying context", *Computers in Human Behavior,* 45, 2015.

DUGGAN, Maevve, "Online Harassment. Pew Research Internet Project", recuperado de http://www.pewinternet.org/2014/10/22/online-harassment/ (2014, October 22).

EXPÓSITO, Francisca, "Violencia de género", *Mente y cerebro,* 48, 2011.

EXPÓSITO, Francisca y MOYA, Miguel, "Violencia de género" (pp. 201-227), en Francisca Expósito y Miguel Moya (editores), *Aplicando la psicologia social*, Pirámide, Madrid, 2005.

ESTÉBANEZ, Ianire, y VÁZQUEZ, Norma, *La desigualdad de género y el sexismo en las redes sociales*, Central de Publicaciones del Gobierno Vasco, Guipuzkoa, 2013.

FORBES, Gordon, JOBE, Rebecca, WHITE, Kay, BLOESCH, Emily y ADAMS-CURTIS, Leach, "Perceptions of dating violence following a sexual or nonsexual betrayal of trust: effects of gender, sexism, aceptance of rape myths and vengeance motivation", *Sex Roles*, 52 (3-4), 2005.

FOUCAULT, Michel, *The Archaeology of Knowledge*, Routledge, London, 2002.

FOX, Jesse, CRUZ, Carlos y LEE, JI YOUNG, "Perpetuating online sexism offline: Anonymity, interactivity, and the effects of sexist hashtags on social media", *Computers in Human Behavior*, 52, 2015.

GARCÍA JIMÉNEZ, María, CALA CARRILLO, Mª Jesús y TRIGO SÁNCHEZ, Eva, "Conocimiento y actitudes hacia el feminismo", *FEMERIS: Revista Multidisciplinar de Estudios de Género*, 1 (1/2), 2016.

GARCÍA-LEIVA, Patricia, PALACIOS, María Soledad, TORRICO, Esperanza y NAVARRO, Yolanda, "El sexismo ambivalente, ¿un predictor de maltrato?" *Asociación Latinoamericana de Psicología jurídica y forense*, 2009.

GLICK, Peter y FISKE, Susan, "The ambivalent sexism inventory: differentiating hostile and benevolent sexism", *Journal of Personality and Social Psychology*, 12, 1996.

GLICK, Peter y FISKE, Susan, "Hostile and benevolent sexism: measuring ambivalent sexist attitudes toward women", *Psychology of Women Quarterly*, 21, 1997.

HALPERN, Daniel y GIBBS, Jennifer, "Social media as a catalyst for online deliberation? Exploring the affordances of Facebook and YouTube for political expression", *Computers in Human Behavior*, 29, 2013.

HAJ-YAHIA, Muhammad y UYSAL, Aynur, "Beliefs about wife beating among medical students from Turkey", *Journal of family Violence*, 23, 2008.

HEISE, Lori y GARCÍA-MORENO, Claudia, "La violencia en la pareja" *Informe mundial sobre violencia y salud*, 2003.

JANE, Emma, "Your a Ugly, Whorish, Slut' Understanding E-bile", *Feminist Media Studies*, 14, 2014.

JANE, Emma, "Flaming? What Flaming? The Pitfalls and Potentials of Researching Online Hostility", *Ethics of Information Technology*, 17, 2015.

LOMAS, Carlos, *¿Iguales o diferentes? Género, diferencia sexual, lenguaje y educación*. Piadas Educador, Barcelona, 1999.

LOMAS, Carlos, " ¿El otoño del patriarcado? El aprendizaje de la masculinidad y de la feminidad en la cultura de masas y la igualdad entre hombres y mujeres" *Cuadernos de Trabajo Social*, 18, 2005.

LEWIS, Ruth, ROWE, Michael y WIPER, Clare, "Online Abuse of Feminists as An Emerging form of Violence Against Women and Girls", *British Journal of Criminology*, 2016.

LERNER, Gerda, *La creación del patriarcado*, Crítica, Barcelona, 1990.

LAGARDE, Marcela, "El género: la perspectiva de género" (pp. 13-38), en Marcela Lagarde, *Género y feminismo. Desarrollo humano y democracia*, Horas y Horas, Madrid, 1996.

LEWIS, Ruth y MARINE, Susan, "Weaving a Tapestry, Compassionately: Towards an Understanding of Young Women' s Feminisms", *Feminist Formations*, 27, 2015.

MANSO, Almudena y DA SILVA, Altenira, "Micromachismos o Microtecnologías de poder: La subyugación e infravaloración, que mantienen el significado político y social del "Ser Mujer" como la desigual", *Conpedi Law Review 1* (3), 2016.

MARWICK, Alice, *Status update: Celebrity, publicity, and branding in the social media age*. Yale University Press, New York, 2013.

MEGARRY, Jessica, "Online incivility or sexual harassment? Conceptualising women' s experiences in the digital age", *Women' s Studies International Forum (Vol. 47)*, 2014.

MILLETT, Kate, *Política sexual*, ediciones Cátedra, Madrid, 1969.

MONEY, John y EHRHARD, Anke, *Desarrollo de la sexualidad humana: diferenciación y dimorfismo de la identidad de género desde de la concepción hasta la madurez*, ediciones Morata, Madrid, 1982.

MOYA, Miguel, "Sobre la existencia y el origen de las diferencias en el liderazgo entre hombres y mujeres", *Revista de Psicología Social*, 18 (3), 2003.

O' SULLIVAN, Patrick y FLANAGIN, Andrew, "Reconceptualizing 'flaming' and other problematic messages", *New Media and Society*, 5 (1), 2003.

ORGANIZACIÓN DE NACIONES UNIDAS, "Declaración sobre la eliminación de la violencia contra la mujer", resolución de la Asamblea General 48/104 del 20 de diciembre de 1993, en *Declaración sobre la eliminación de la violencia contra la mujer. Resolución de la Asamblea General 48/104 de 20 de diciembre de 1993*.

PENNY, Laurie, *Unspeakable Things: Sex, Lies and Revolution*, Bloomsbury, London, 2014.

PAVLOU, Maria y KNOWLES, Ann, "Domestic violence: Attributions, recommended punishments and reporting behavior related to provocation by the victim" *Psychiatry, Psychology and Law*, 8, 2001.

PULEO, Alicia, *10 palabras clave sobre Mujer*, Editorial Verbo Divino, Pamplona, 1995.

RODRÍQUEZ, Yolanda, LAMEIRAS, María, CARRERA, María Victoria y FRAILE, María José, "Aproximación conceptual al sexismo ambivalente: Estado de la Cuestión", *SUMMA Psicológica UST*, 6 (2), 2009.

ROWE, Ian, "Civility 2.0: A comparative analysis of incivility in online political discussion", *Information, Communication and Society*, 18, 2014.

SAKALLI, Nuray, "Beliefs about wife beating among Turkish college students: The effects of patriarchy, sexism, and sex differences", *Sex roles*, 44 (9), 2001.

SANDOVAL, Greg, "The End of Kindness: Weev and the Cult of the Angry Young Man" *Verge*, (2013, September 12), recuperado de
https://www.theverge.com/2013/9/12/4693710/the-end-of-kindness-weev-and-the-cult-of-the-angry-young-man

SANMARTÍN, José, MOLINA, Alicia y GARCÍA, Yolanda, *Informe internacional 2003: violencia contra la mujer en las relaciones de pareja: estadísticas y legislación*, Centro Reina Sofía para el estudio de la violencia, 2003.

SHAW, Adrienne, "The Internet is full of jerks, because the world is full of jerks: What feminist theory teaches us about the Internet", *Communication and Critical/ Cultural Studies*, 11, 2014.

SHIFMAN, Limor y LEMISH, Dafna, "Between Feminism and Fun (ny) mism: Analyzing Gender in Popular Internet Humor", *Information, Communication & society*, Vol. *13*, Issue 6, 2010.

SOUTHWORTH, Cynthia, FINN, Jerry, DAWSON, Shawndell, FRASER, Cynthia y TUCKER, Sarah, "Intimate partner violence, technology, and stalking" *Violence against women*, *13* (8), 2007.

STOEFFEL, Katherine, "Women Pay the Price for the Internet' s Culture of Anonymity", *NYMag.com*, 2014, August 17, recuperado de http://str.md/54333d1342513f-513b001a81

STOLLER, Robert Jesse, *Sex and Gender*, vol. 1, Science House, New York, 1968.

SULER, John, "The online disinhibition effect", *Cyberpsychology and Behavior*, 7, 2004.

SWIM, Janet, AIKIN, Kathryn, HALL, Wayne y HUNTER, Barbara, "Sexism and racism: Old-fashioned and modern prejudices", *Journal of Personality and Social Psychology*, 68, 1995.

SWIM, Janet y HYERS, Lennie, *Sexism. Handbook of prejudice, stereotyping and discrimination*, Psychology Press, London, 2009.

UDRIS, Reinis, "Cyberbullying among high school students in Japan: Development and validation of the Online Disinhibition Scale", *Computers in Human Behavior*, 41, 2014.

THRIFT, Samantha, "#YesAllWomen as Feminist Meme Event", *Feminist Media Studies*, *14* (6), 2014.

TORRES ALBERO, Cristóbal, ROBLES MORALES, José Manuel y DE MARCO, Stefano, *El ciberacoso como forma de ejercer la violencia de género en la juventud: un riesgo en la sociedad de la información y del conocimiento*, Ministerio de Sanidad, Servicios Sociales e Igualdad, Centro de Publicaciones, Madrid, 2014.

TOSH, Jemma, *Psychology and Gender Dysphoria: Feminist and Transgender Perspectives*, Routledge, London, 2015.

VÁZQUEZ, Silvia y CASTAÑO, Cecilia, "La brecha digital de género: prácticas de e-inclusión y razones de exclusión de las mujeres", *Asparkía: investigació feminista*, (22), 2011.

VARELA, Nuria, *Feminismo para principiantes*, Ediciones B, Madrid, 2005.

WORTH, Anna, AUGOUSTINOS, Martha y HASTIE, Brianne, "'Playing the gender card': Media representations of Julia Gillard' s sexism and misogyny speech", *Feminism & Psychology*, 26 *(1)*, 2016.

Capítulo 12
DEMOCRACIA PARITARIA Y CUOTAS ELECTORALES

Mª DEL PILAR MOLERO MARTÍN-SALAS
Profesora Contratada Doctora de Derecho Constitucional
Universidad de Castilla-La Mancha

SUMARIO: 1. INTRODUCCIÓN. 2. PARIDAD Y CUOTAS. 3. ¿SON NECESARIAS LAS CUOTAS ELECTORALES? 4. PRINCIPALES CRÍTICAS REALIZADAS. 4.1. Eficacia conseguida con la imposición de cuotas. 4.2. El efecto producido en la consideración de la mujer. 4.3. Problemas de inconstitucionalidad. 4.3.1. La posible afectación de la unidad e indisolubilidad de la Nación Española. 4.3.2. La posible limitación de la libertad de los partidos. 5. ¿SON MEDIDAS TEMPORALES DE ACCIÓN AFIRMATIVA? 6. RESERVA DE CUOTAS EN EL ORDENAMIENTO JURÍDICO ESPAÑOL. 6.1. Regulación estatal. 6.2. Regulación autonómica. 7. FUNDAMENTOS DEL TRIBUNAL CONSTITUCIONAL. 8. CONCLUSIONES. BIBLIOGRAFÍA.

1. INTRODUCCIÓN

No es necesario acudir a sesudos manuales de teoría política para tener una idea clara de lo que podemos entender por democracia. Ya desde la época de Platón, y posteriormente de Aristóteles, se habla de democracia como "el gobierno de todos". Si acudimos a la RAE para conocer cómo se define dicho concepto, podemos resumirlo como el poder ejercido por todos los ciudadanos, o las decisiones adoptadas por todos[1]. Obviamente cuando hablamos de "ciudadanos", o de "todos", no es necesario matizar que se trata del conjunto de hombres y mujeres; resultaría

---

[1] Según la RAE, democracia:
Del lat. tardío *democratĭa*, y este del gr. δημοκρατία *dēmokratía*.
1. f. Forma de gobierno en la que el poder político es ejercido por los ciudadanos.
2. f. País cuya forma de gobierno es una democracia.
3. f. Doctrina política según la cual la soberanía reside en el pueblo, que ejerce el poder directamente o por medio de representantes.
4. f. Forma de sociedad que practica la igualdad de derechos individuales, con independencia de etnias, sexos, credos religiosos, etc. Vivir en democracia. U. t. en sent. fig.
5. f. Participación de todos los miembros de un grupo o de una asociación en la toma de decisiones. En esta comunidad de vecinos hay democracia.

una reflexión redundante. Hablar de democracia es hablar, de manera implícita, de hombres y mujeres, pues es así como se estructura la sociedad de manera natural.

Es habitual que el sustantivo se acompañe de algún adjetivo, con la intención de concretar su significado o su ámbito de actuación: democracia directa, democracia representativa, democracia liberal, democracia cristiana...así, en los últimos años, encontramos numerosas referencias a la democracia paritaria. Dicho concepto quedaría formalmente definido en la I Cumbre Europea "Mujeres en el Poder", celebrada en Atenas en 1992. En la declaración resultante de dicha cumbre se incorpora este concepto, para referirse a la presencia igualitaria de hombres y mujeres en ámbitos públicos y políticos[2].

Si atendemos al concepto de democracia visto al inicio, como el poder de todos, o las decisiones de todos, resulta redundante hablar de democracia paritaria, pues la democracia en sí lleva implícita la paridad. Sin embargo, debemos entender que, con el uso del concepto democracia paritaria se trata de poner el énfasis en ámbitos concretos, como son el público, el político o el que sustenta el poder y la capacidad para adoptar decisiones colectivas; ámbitos que en la práctica han sido ajenos, por lo general, al sexo femenino. Quizá por ello Salazar afirma que "la democracia paritaria no se basa en el hecho natural de ser hombre o mujer, sino en la identidad y relaciones de género que implica ser hombre y ser mujer en el modelo construido sobre las bases del patriarcado"[3]. De hecho, no debe ser tan obvio que la paridad forma parte del ADN de la democracia, cuando algunos autores, entre ellos el mismo Salazar, consideran que una eventual reforma constitucional debería aprovecharse para incluir la democracia paritaria[4].

2. PARIDAD Y CUOTAS

Habitualmente se relaciona la democracia paritaria, con la paridad política, y ésta con las cuotas electorales, si embargo no hablamos de conceptos sinónimos. Más bien podríamos decir que nos indican tres niveles distintos; desde el más general al más concreto.

La democracia paritaria no sólo supone paridad política, y la paridad política es algo más que cuotas electorales. Ciertamente no pueden entenderse como conceptos coincidentes, si embargo es habitual que cuando se habla de paridad se haga referencia de manera directa a la existencia de cuotas electorales y la

[2]   Puede consultarse la declaración en: *http://www.democraciaparitaria.com/documentos_detalle.php?documento=30*
[3]   SALAZAR BENÍTEZ, Octavio, "Ciudadanía, género y poder: la paridad como principio constitucional", en *Cuestiones de género: de la igualdad y la diferencia*. Núm. 10, 2015, p. 27.
[4]   SALAZAR BENÍTEZ, Octavio, "Ciudadanía... ob. cit., p. 17.

reserva de un porcentaje en las listas de candidatos para cada uno de los sexos. Surgen así conceptos como la paridad electoral, la equidad de género o las cuotas electorales. Es por ello que Salazar opina que en los últimos años las reflexiones que se han realizado respecto a la paridad "se han centrado más en la dimensión "cuantitativa" que "cualitativa" del concepto, por lo que de entrada lo han privado de la fuerza transformadora que debería tener"[5].

Aunque con una cronología heterogénea, podemos afirmar que sí se ha conseguido la igualdad formal en lo que respecta a los derechos de carácter político[6]. Mujeres y hombres pueden ejercer tanto el sufragio activo como el pasivo, de manera libre y voluntaria. Posiblemente uno de los países pioneros fue Australia, pues ya en 1902 reconocía el sufragio activo y pasivo para ambos sexos. En el caso de España dicha posibilidad no llegaría hasta 1931, con la II República.

Si en lo que respecta a votar "hace tiempo que no hay entre hombres y mujeres diferencias significativas, ni jurídicas ni sociales"[7], en lo que respecta al acceso por parte de la mujer a cargos públicos, formalmente nada impide que pueda incorporarse a los mismos, pues la ley ofrece igual oportunidad para ambos sexos. Aún así, históricamente, la mujer ha estado relegada cuando se trataba de participar en la vida pública de manera activa, máxime si dicha participación suponía ejercer posiciones de poder o representación.

Este desequilibrio entre lo regulado formalmente y lo conseguido realmente, ha llevado a gran parte de los estados a implementar medidas encaminadas a la búsqueda de la igualdad real en la materia, esto es, que el acceso de la mujer a cargos públicos, especialmente políticos, no quedara en el mundo de lo formal y fuese una realidad. De ahí la búsqueda de la paridad, y el frecuente uso del concepto; que normalmente se traduce en imponer una cuota electoral.

Me parece bastante descriptiva la frase que utiliza Gurrera cuando afirma "no sólo igualdad de oportunidades, sino también de resultados"[8]. No es lo mismo que el ordenamiento permita el sufragio pasivo femenino, que efectivamente las mujeres participen en listas electorales de manera igualitaria a los hombres.

Europa ha sido pionera en incorporar dicha paridad en sus legislaciones electorales internas, así Francia lo hizo en le año 2000[9], Bélgica en 2002[10], y España

---

[5]   SALAZAR BENÍTEZ, Octavio, "Ciudadanía... ob. cit., p. 18.

[6]   Evidentemente me refiero a estados democráticos con una cultura jurídica, política y social similar.

[7]   RUIZ MIGUEL, Alfonso, "Paridad electoral y cuotas femeninas" en *Revista jurídica de igualdad de oportunidades entre hombre y mujeres*, núm. 1, 1999, p. 1.

[8]   GURRERA ROIG, Matilde, "Veinticinco años de paridad política hombre-mujer", en *Revista de Derecho Político*. Núm. 58-59 (2003-2004), p. 271.

[9]   Ley aprobada por el Parlamento francés el 6 de junio de 2000.

[10]   Ley de 18 de julio de 2002.

en 2007[11], si bien numerosos países, con el paso del tiempo, han ido incorporando la medida[12].

Concretamente en España se cumple una década desde la imposición de las cuotas electorales mediante ley. Como veremos unas páginas más adelante fue una incorporación polémica, rodeada de críticas y tachada por muchos de inconstitucional. 10 años después, y aunque la discusión está más superada (aunque yo diría que más bien el asunto de las cuotas ha sido asumido, entiendo que no en todo caso con igual agrado), seguimos encontrando opiniones disidentes y dudas respecto a su efectividad y constitucionalidad.

Prevista y asumida la paridad electoral en numerosos países del mundo, sigue estando acompañada por el rechazo de ciertos sectores o grupos, que se resisten al cambio y a la eliminación de la estructura patriarcal propia de otros tiempos, si bien adaptando dicho rechazo a nuevas formas, que tratan de enmascarar el mismo objetivo de siempre; impedir que la mujer participe en ámbitos tradicionalmente reservados al hombre.

El reconocimiento del sufragio para ambos sexos afortunadamente termina con la exclusión *de iure* que las mujeres han sufrido durante siglos, mientras que la adopción de medidas encaminadas a una mayor participación de la mujer en la vida pública, especialmente la política, trata de eliminar la exclusión que han sufrido *de facto*. Sin embargo, el hecho de que ya sean numerosos los estados que prevén determinadas cuotas electorales, está provocando la aparición de un fenómeno, relativamente reciente, que la doctrina ha catalogado como violencia política[13]. Así Albaine afirma que "…la competencia electoral en términos de género suele estar acompañada por el fenómeno del acoso y violencia política de género, entendida como una expresión de violencia de género en el espacio político que obstruye los derechos políticos y los derechos

---

[11]   LO de 3/2007, de 22 de marzo.

[12]   Un análisis de los diferentes sistemas electorales en Europa, y cómo han ido incorporando la exigencia de cuotas electorales, lo podemos encontrar en REY MARTÍNEZ, Fernando, "Discriminación por razón de género y sistema electoral en Europa y España", en *Temas Selectos de Derecho Electoral*. Núm. 9. Tribunal Electoral del Poder Judicial de la Federación (TEPJF), México, 2009. También puede consultarse, respecto a la experiencia en países de nuestro entorno como Francia e Italia, y de manera más sucinta en otros muchos países, en MACÍAS JARA, María, *La democracia representativa paritaria*. Servicio de publicaciones de la Universidad de Córdoba, 2008, pp. 111 y ss.

[13]   Se trata de un asunto muy interesante, y su tratamiento jurídico resulta relativamente novedoso en Europa, si bien más consolidado en otras partes del mundo como Latinoamérica. No puede profundizarse más en su análisis pues iría más allá de los objetivos marcados para este trabajo. Puede consultarse un capítulo de esta misma obra dedicado en concreto a este tema, REBATO PEÑO, Elena, "Los derechos de participación política de las mujeres: la violencia política como nuevo reto en este ámbito", pp. 379 y ss.

humanos de las mujeres"[14]. "El incremento de las mujeres en la competencia político-electoral promovido por las cuotas y la paridad ha sido percibido como una amenaza por los varones, quienes han reforzado el ejercicio de prácticas de violencia física y psicológica contra las mujeres, ahora expresadas en el ámbito político como estrategia para mantener espacios de poder"[15].

La aparición de dicho tipo de violencia, pues no deja de ser una manifestación más de la violencia que viene sufriendo la mujer en otros ámbitos, responde al hecho de que las sociedades siguen están fuertemente marcadas por un sistema patriarcal, donde todavía se es reticente a que la mujer se incorpore a sectores que tradicionalmente han sido dominados por los hombres. Sin embargo, la aparición de este tipo de situaciones no puede provocar un retroceso en lo conseguido, deberá ser el Ordenamiento jurídico el que establezca los mecanismos de control, y de tutela, en su caso, para este tipo de situaciones. Así Rey Martínez se refiere a este asunto, si bien referido a los casos que se han producido en México, afirmando que "Frente a cualquier pretensión de esta clase se ha erguido como un muro la jurisprudencia del Tribunal Electoral, que se ha tomado la igualdad de género electoral absolutamente en serio"[16].

3. ¿SON NECESARIAS LA CUOTAS ELECTORALES?

La paridad puede venir exigida desde la Constitución, a través de la ley electoral, o desde los propios partidos, mediante la inclusión en sus estatutos de medidas de este tipo.

Si centramos el análisis en el Ordenamiento jurídico español, resulta bastante obvio el reconocimiento que desde la Constitución se hace de la igualdad en general, y de la igualdad en el acceso a los cargos públicos en particular.

Como es sobradamente conocido, hablar de igualdad supone mencionar los tres artículos clave en este asunto, y que suponen el núcleo duro del reconocimiento de la misma: el artículo 1.1. que reconoce la igualdad como valor superior, mostrando una visión global de la misma, el artículo 14 que reconoce la igualdad formal y el artículo 9.2. que hace referencia a la igualdad real. Junto a estos preceptos debe mencionarse el artículo 23, que dice expresamente que "1.

14 ALBAINE, Laura, "Obstáculos y desafíos de la paridad de género. Violencia política, sistema electoral e interculturalidad", en Íconos. Revista de Ciencias Sociales. Núm. 52, mayo 2015, p. 147.
15 ALBAINE, Laura, "Obstáculos... ob. cit., p. 151.
16 REY MARTÍNEZ, Fernando, "Cuotas 2.0. Un nuevo enfoque de las cuotas electorales de género", en Cuadernos de divulgación de la justicia electoral. Tribunal Electoral del Poder Judicial de la Federación, México, 2013, p. 24.

Los ciudadanos tienen el derecho a participar en los asuntos públicos, directamente o por medio de representantes, libremente elegidos en elecciones periódicas por sufragio universal. 2. Asimismo, tienen derecho a acceder en condiciones de igualdad a las funciones y cargos públicos, con los requisitos que señalen las leyes"[17].

También los propios partidos políticos han trabajado en esta línea, pues en la mayoría de sus estatutos internos se prevé la presencia igualitaria entre hombres y mujeres. Sin embargo, cuando estas medidas se han plasmado en una ley y han supuesto una imposición para los partidos políticos, es cuando han surgido los conflictos[18]. Lo inadecuado de imponer una medida de este tipo ha sido objetado por ciertos sectores políticos desde la misma tramitación de la ley, considerando que sus partidos defienden la necesidad de la presencia equilibrada entre hombres y mujeres, pero esa presencia no debe ser nunca impuesta. Del mismo modo, plantean como posible alternativa para incentivar la presencia de la mujer en la vida política, por ejemplo, mayores subvenciones para los escaños obtenidos por mujeres o mayor tiempo gratuito en los medios de comunicación para las candidaturas con mayor equilibrio entre hombres y mujeres[19].

Ciertamente dichas medidas deben tenerse en buena consideración, pues podrían propiciar una mayor presencia de la mujer en dicho ámbito, de manera más natural y sin que fuese necesaria la imposición por parte del legislador. Lástima que estas buenas intenciones no hayan provocado el efecto esperado.

A pesar de los mandatos constitucionales, y las buenas intenciones por parte de los partidos políticos, lo cierto es que en la práctica no se estaba produciendo la finalidad perseguida, esto es, una mayor presencia de las mujeres en cargos políticos y de representación.

En puridad no existe un mandato constitucional que establezca la paridad, pero debería ser suficiente reconocer que somos un estado democrático, en el que se reconoce y tutela la igualdad en diferentes partes del texto constitucional, y que además, de manera expresa, se garantiza el acceso a cargos públicos en condiciones de igualdad. Como decía antes, hablar de democracia debería llevar implícita la paridad. El paso de los años nos ha demostrado que no ha sido así, y finalmente la paridad ha venido impuesta por el legislador.

---

[17]   Respecto al marco constitucional para la igualdad en el acceso a cargos públicos, puede leerse MACÍAS JARA, María, *La democracia...*ob. cit., pp. 45 y ss.

[18]   En cuanto a esta idea, existe un estudio pormenorizado de la misma en JIMÉNEZ GLUCK, David, *Una manifestación polémica del principio de igualdad: Acciones positivas moderadas y medidas de discriminación inversa*, Tirant lo Blanch, Valencia, 1999.

[19]   Durante la tramitación de la ley de igualdad, Susana Camarero, diputada del Partido Popular, presentó una enmienda en ese sentido.

La medida impuesta por la ley de igualdad en materia electoral, no ha dejado indiferente a nadie, provocando el conflicto principalmente en el ámbito político. Sin embargo, este tipo de medidas no son una novedad, en la Unión Europea se viene trabajando en los últimos años en este sentido, tratando de incentivar y fomentar la participación de la mujer en la vida pública y representativa, existiendo diversas Recomendaciones y Resoluciones por parte del Consejo de Europa y del Parlamento europeo.

Más allá de los argumentos a favor o en contra de la imposición de cuotas, me parece muy acertada la observación que realiza Rey Martínez al respecto, y que no debe olvidarse cuando se analiza este asunto. Si bien la imposición de cuotas es una medida radical, pone en evidencia dos cuestiones relevantes: la menor participación femenina en el ámbito político y que otras medidas de menor calado, con la intención de buscar una mayor presencia de la mujer, no han dado resultado[20]. Posiblemente la mayoría compartimos la idea expuesta por el profesor Santolaya, cuando dice "...que ese objetivo debería haberse logrado de forma natural por el propio avance de la sociedad...", refiriéndose a la incorporación de la mujer al ámbito político[21], pero también la mayoría reconocemos que esto, desgraciadamente, no ha sido así.

4. PRINCIPALES CRÍTICAS REALIZADAS

En la doctrina encontramos numerosos trabajos que han analizado el tema de las cuotas electorales, dando lugar a una prolija literatura en cuanto a los pros y los contras de dichas medidas.

Los aspectos que han suscitado más interés, y que por tanto han sido objeto de más críticas, pueden resumirse en tres:

– La eficacia de las cuotas electorales. Si realmente han provocado el efecto esperado. Se trata de un elemento puramente cuantitativo.

– El efecto que dichas medidas han provocado en la propia consideración de la mujer. Hablamos en este caso de un aspecto más cualitativo.

– Si se trata de medidas constitucionales. En este punto han sido dos las principales dudas planteadas: Si provocan alguna alteración en la unidad de España, y si limitan la libertad de los partidos.

Veamos cada uno de estos aspectos con más detalle.

---

[20]   REY MARTÍNEZ, Fernando, "Cuotas 2.0...ob. cit., p. 14.
[21]   SANTOLAYA MACHETTI, Pablo, "Democracia paritaria y partidos políticos", en *Parlamento y partidos políticos. XV Jornadas de la Asociación Española de Letrados de Parlamentos*. Tecnos, Madrid, 2009, p. 172.

4.1. *Eficacia conseguida con la imposición de cuotas*

Como decía anteriormente se trata de un elemento puramente cuantitativo, pues se trata de determinar si tras la imposición de las medidas son más el número de mujeres que participan en la vida público-política.

Parte de la doctrina considera que la medida no es necesaria para conseguir el fin que persigue, esto es, aumentar el número de mujeres en cargos políticos o representativos, pues la propia sociedad está cambiando y poco a poco el número de mujeres va aumentando en estos sectores. "...La situación de incremento constante (se refiere a la participación de la mujer), aunque moderado, en todos los órdenes de representación política no parece que plantee una necesidad imperiosa de introducción de cuotas..."[22].

Posiblemente ese incremento natural sí se ha ido produciendo, pues es obvio que el número de mujeres dedicadas a la política es superior al de hace tan sólo 25 o 30 años, pero dicho incremento no se ha producido al ritmo deseable, y dichas medidas han supuesto un impulso para la incorporación de la mujer en estos ámbitos.

Para determinar si realmente el número de mujeres ha aumentado por la exigencia de las cuotas, deberíamos analizar datos estadísticos al respecto, si bien algunos autores, como Álvarez Rodríguez, adelantan su opinión negativa, entendiendo que las medidas no han conseguido el objetivo pretendido[23].

En un sentido similar Salazar, pues considera que las medidas no han dado mucho resultado. Considera que como los políticos únicamente están obligados a respetar un equilibrio en el conjunto de la lista, es fácil situar a los hombres y a las mujeres de tal forma que finalmente sean los hombres los que accedan a los cargos de representación. Entiende el autor que si fuese un sistema realmente paritario los resultados serían totalmente distintos[24]. La situación que describe Salazar es perfectamente posible, sobre todo en aquellas circunscripciones que eligen seis o menos diputados. Los partidos políticos, cuando elaboran sus listas, libremente pueden destinar los tres primeros lugares a hombres y los siguientes a mujeres, de tal forma que cumplan con lo que establece la ley reservando como mínimo un 40% a un sexo por cada tramo de cinco miembros. A la hora de repartir los escaños, si los tres primeros de la lista son hombres en todos los partidos, al final puede darse la paradoja de que ninguna mujer consiga ser diputada.

---

[22]   MONTOYA MELGAR, Alfredo y SÁNCHEZ-URÁN AZAÑA, Yolanda, *Igualdad de hombres y mujeres. Comentario a la Ley Orgánica 3/2007, de 22 de marzo, para la igualdad efectiva de mujeres y hombres*, Thomson/Civitas, Navarra, 2007, p. 276.

[23]   ÁLVAREZ RODRÍGUEZ, Ignacio, *Democracia equilibrada* versus *Democracia representativa*, Congreso de los Diputados, Madrid, 2012, pp. 128 y ss.

[24]   SALAZAR BENÍTEZ, Octavio, "Ciudadanía... ob. cit., p. 19.

Macías Jara considera que con las previsiones de la ley en cuanto a cuotas electorales no es suficiente, entendiendo que las reformas deberían ser más transversales para alcanzar la igualdad real. Propone reformas a ciertos niveles, si bien las de mayor calado deberían producirse en la propia ley de partidos, mediante una mayor concreción del principio de democracia paritaria, y previendo mecanismos para controlar, e impugnar en su caso, si realmente el partido cumple con el principio democrático en su organización interna[25].

También suele relacionarse el tema de la eficacia con el hecho de que las listas sean abiertas o cerradas, entendiendo, en la mayoría de los casos, que las listas abiertas darían al electorado una mayor posibilidad de decisión, y por tanto más facilidad para elegir mujeres; sin que sea necesario que la ley lo imponga. Personalmente considero que, de no existir la exigencia legal de equilibrio en las candidaturas, en contra de lo que podría pensarse, las listas abiertas dificultarían la mayor presencia de la mujer en el ámbito político. Queramos o no, y aunque se ha avanzado mucho, todavía vivimos en una sociedad con un alto componente patriarcal, y posiblemente una gran mayoría sigue considerando que el hombre desempeña mejor labores ligadas al ámbito público y político[26].

Volviendo al tema de los datos estadísticos, el Ministerio del Interior publica, tras la celebración de elecciones locales, un informe (bastante pormenorizado y rico en datos) con el impacto que ha tenido la imposición de cuotas en los resultados obtenidos. Las últimas elecciones locales se producen en mayo de 2015, y en el citado informe sobre las mismas, el Ministerio llega a la conclusión de que "el número de concejalas crece en más de 600 respecto de 2011. Esto supone un incremento de 2,4 puntos porcentuales, llegando a un 42,5% del total". En la presentación de dicho informe también se hace referencia a los resultados obtenidos en elecciones Generales y al Parlamento europeo, y se afirma que en todas ellas el número de mujeres ha aumentado desde la entrada en vigor de la ley que establece las cuotas electorales[27].

También es interesante el minucioso análisis que realiza Uribe Otarola, si bien se publica en 2013 y por tanto no incluye los resultados de las últimas elecciones realizadas. Transcurridos cinco años desde la entrada en vigor de la ley que impo-

---

25   MACÍAS JARA, María, "La ausencia de democracia paritaria en la democracia interna de los partidos políticos", en *Cuestiones de género: de la igualdad y la diferencia*. Servicio de publicaciones de la Universidad de León, núm. 10, 2015, pp. 70 y ss.

26   Una opinión similar la encontramos en SALAZAR BENÍTEZ, Octavio, "Ciudadanía…ob. cit., p. 20.

27   *Elecciones Locales 2015.Impacto de la Ley Orgánica 3/2007, de 22 de marzo, para la igualdad efectiva de mujeres y hombres*. Ministerio del Interior, Madrid, 2015. http://www.interior.gob.es/documents/642317/1201381/Elecciones_locales_2015_Impacto_Ley_Igualdad_12616046X.pdf/09a9e5cc-26b7-4710-bce6-3b15a6377dc5

ne las cuotas electorales, la autora llega a la conclusión que si bien en el Senado puede afirmarse un aumento de senadoras como consecuencia de la ley, para el caso del Congreso, paradójicamente, en las elecciones de 2008 se produce un ligero retroceso. También pone de manifiesto la mayor presencia de la mujer en aquellas Comunidades Autónomas en las que existe una exigencia del sistema de cremallera (50% para cada sexo), y la importancia que estas leyes han tenido en el empoderamiento general de la mujer. Aunque reconoce, con matices, que se ha producido un amento global de la presencia femenina tras la aprobación de la ley, también afirma algo importante, que hay sectores que siguen estando vedados a la mujer, como por ejemplo el ocupar los primeros lugares de las listas[28].

A nivel europeo es interesante un estudio que realiza el Parlamento Europeo respecto a su propia composición. El informe presentado en marzo de 2017 pone de manifiesto el aumento del número de diputadas en el Parlamento, pasando de un 16% (1979-1984) a un 37% (2014-2019). El propio informe reconoce que este incremento puede deberse a la exigencia por los países miembro de que las listas respeten determinadas cuotas electorales[29].

Posiblemente la eficacia no ha sido todo lo óptima que se esperaba, y la imposición de cuotas provoca otras desviaciones que deben pulirse. Pero no podemos olvidar el importante influjo que ejercen los cánones sociales en todo esto. Especialmente reveladora me parece la idea aportada por Uribe Otarola, quien opina que "la clave de la paridad electoral no reside tanto en la aplicación de una cuota, sino en la voluntad del legislador a la hora de diseñar la cuota, en el sistema electoral y en los propios partidos políticos. En esta línea, la utilidad de la Ley se desdibuja ante estos hechos, que demuestran que, en la práctica, no se puede imponer la igualdad, más allá del papel, por lo que la Ley Orgánica 3/2007 no ha tenido el éxito esperado, no tanto por la redacción de la misma, sino porque la sociedad española no es una sociedad plenamente igualitaria y aún perviven en ella clichés y estereotipos sociales de género"[30].

4.2. El efecto producido en la consideración de la mujer

A diferencia del punto anterior, que trataba un aspecto puramente cuantitativo, en este caso quisiera referirme a un aspecto más cualitativo. Parte de

---

[28]   URIBE OTAROLA, Ainhoa, "Las cuotas de género y su aplicación en España: Los efectos de la ley de igualdad (LO 3/2007) en las Cortes Generales y los Parlamentos Autonómicos", *Revista de Estudios Políticos,* Madrid, núm. 160, abril-julio 2013, pp. 159-197.

[29]   Puede consultarse: *http://www.europarl.europa.eu/RegData/etudes/BRIE/2017/599256/ EPRS_BRI(2017)599256_ES.pdf*

[30]   URIBE OTAROLA, Ainhoa, "Las cuotas de género...ob. cit., p. 192.

la doctrina ha considerado que la imposición de cuotas podría afectar negativamente a la mujer, especialmente en dos aspectos a los que me referiré a continuación.

Quizá una de las opiniones más recurrentes en contra del sistema de cuotas sea el considerar que en aras de cumplir con dicha exigencia, se eligen a determinadas mujeres, no por su valía personal, sino porque debe cumplirse con la paridad exigida legalmente. En este sentido Uribe Otarola considera que "la experiencia española demuestra que la Ley Orgánica 3/2007 ha conseguido sentar mujeres en escaños antes ocupados por varones, aunque ellas siguen siendo las «segundonas» e incluso parece que van de «relleno» en las listas, puesto que la Ley no ha conseguido darles el impulso necesario" incluso afirmando que "los espacios menos «interesantes» desde el punto de vista político, como el Parlamento Europeo (o el Senado) es donde las mujeres entran más fácilmente en los primeros tramos de las listas"[31]. Gurrera no admite dicho argumento, pues opina que igual que se sobreentiende que al elegir a un hombre para estar en una lista electoral es por su valía, lo mismo debemos entender cuando se elige a una mujer[32].

Posiblemente este sea uno de los argumentos "fáciles", basando este tipo de medidas en una cuestión únicamente de números, sin embargo esta es una consideración incompleta, pues también debe acompañarse de un elemento cualitativo. Realmente creo que la llegada de estas medidas ha provocado un impulso importante, que trata de paliar la diferencia numérica tradicional, y la incorporación de la mujer a un sector tradicionalmente masculino. Pero la implantación de las mismas no puede implicar el olvido o desplazamiento de un requisito esencial y previo, esto es, que deben elegirse a los mejores. Si no se olvida esta exigencia, y se cumple con el porcentaje establecido en la ley, conseguiremos una adecuada representación tanto cuantitativa como cualitativa.

Con esta medida no sólo se debe pretender dar cumplimiento al principio de igualdad referido en el artículo 23, respecto al acceso a cargos públicos, sino también a la exigencia primera a la hora de conformar un partido político o una lista electoral, esto es, que formen parte de la misma los mejores, los más cualificados para ello. Me temo que una idea como esta, que forma parte de la teoría clásica de los partidos, ha quedado en el olvido.

El otro aspecto al que quería referirme es la posibilidad de que la presencia de la mujer no se vea favorecida por la aplicación de las cuotas, sino al contrario.

En primer lugar, quisiera referirme al argumento generalizado de que puesto que la medida sólo fija una reserva, pero no lo hace a favor de ninguno de los dos sexos, no podemos entender que favorezca más a un sexo que otro, o que se esté

---

[31] URIBE OTAROLA, Ainhoa, "Las cuotas de género... ob. cit., p. 191.
[32] GURRERA ROIG, Matilde, "Veinticinco años... ob. cit., p. 274.

pensando en alguno en concreto para que cumpla uno u otro porcentaje. Si bien esta afirmación es cierta, creo que debe ser matizada, pues de la propia exposición de motivos de la ley puede deducirse que cuando se hace referencia a la cuota mínima, se está pensando en que sea reservada para la mujer, pues es el sexo que hasta ahora ha contado con menor representación.

En segundo lugar, quisiera hacer referencia a un elemento ya expuesto con anterioridad. Como veremos, el porcentaje exigido por la ley es de 60/40, sin especificar sexo, y dicho porcentaje debe respetarse en tramos de cada cinco miembros. Los partidos pueden realizar una composición de listas respetuosas con la ley, pero deliberadamente encaminadas a que la mujer finalmente quede fuera de la elección de escaños. Como ya decía en un momento anterior, esto puede producirse en aquellos lugares en los que deben elegirse seis o menos escaños, pues si todos los partidos que concurren deciden situar a hombres en los primeros puestos, puede ocurrir que finalmente ninguna mujer pueda ser elegida.

Por último, también hay quien considera que la medida impuesta por la ley de igualdad provoca que en determinados lugares se perjudique a la mujer, pues deban reformarse listas electorales que cuenten con un porcentaje de mujeres por encima del 60%. En estos casos la medida perdería la finalidad que pretende, esto es, aumentar la presencia de la mujer en el ámbito político, provocando precisamente el efecto contrario. "...la rigidez de la cuota produce un efecto perverso, como es el de impedir la formación de candidaturas que voluntariamente estén integradas sólo o mayoritariamente por mujeres..."[33] Entiendo que, aunque esta situación efectivamente pueda darse, también hay que decir que serán supuestos muy excepcionales.

4.3. *Problemas de inconstitucionalidad*

La tercera gran crítica apunta directamente a la constitucionalidad de la norma, siendo esencialmente dos los argumentos que suscitan la duda.

4.3.1. *La posible afectación de la unidad e indisolubilidad de la Nación española*

Se ha considerado que la medida puede provocar una fragmentación del cuerpo electoral, pues otros grupos sociales podrían reivindicar la existencia de cuotas a su favor, por ejemplo los discapacitados o minorías sociales. Así algunos autores hablan de la "pendiente resbaladiza" que estas medidas pueden provocar.

---

[33] MONTOYA MELGAR, Alfredo y SÁNCHEZ-URÁN AZAÑA, Yolanda, *Igualdad de...*ob. cit., p. 269.

Belda Pérez-Pedrero dice que "resulta constitucionalmente prohibido quebrar la igualdad jurídica de los elegibles en nombre de la promoción social de la mujer, del hombre, del anciano, del discapacitado, del joven, del marginado, o de la minoría cultural o religiosa, por valiosa o deseable que pueda ser la mejora de su condición. La categoría de ciudadano, a efectos de elegibilidad, es indivisible y el legislador carece de base jurídica para crear diferencias internas dentro de esta categoría"[34].

Álvarez Rodríguez considera que las cuotas impuestas por la ley podrían resultar incompatibles con dicha unidad, pues entiende que el Parlamento debe representar a todo el pueblo y además se prohíbe el mandato imperativo. No se puede atender a intereses particulares de ciertos grupos o colectivos, pues precisamente esto supondría una contradicción con dicha prohibición[35].

No puedo compartir dicha opinión, y por ende la expuesta anteriormente por Belda; ni la mujer es un grupo o minoría, ni podemos entender que por ello va a representar sólo a las mujeres, o van a tener únicamente interés por su propio sexo. Como acertadamente indica Santolaya "...la democracia paritaria no propugna que un determinado número de escaños deban necesariamente ser ocupados por mujeres porque representen algún tipo de interés particularizado que merezca ser protegido..." considera que más bien responde al hecho de que si la sociedad se divide al 50% entre hombres y mujeres, ese mismo porcentaje se refleje en la representación. Afirma tajante que "Ni se rompe la categoría de ciudadano ni se disuelve el interés general"[36].

En un sentido similar Sevilla Merino quien considera que ese argumento no es sostenible pues, además de que esa consecuencia no se ha producido en otros países en los que se ha reformado la ley electoral en un sentido similar, "las mujeres no son un grupo, sino el cincuenta por ciento de toda la sociedad"[37].

Destaca Salazar, respecto a la presencia de las mujeres en la sociedad, "su consideración no como grupo o minoría, sino como exactamente la mitad de la ciudadanía", además advierte, de manera muy acertada, que la mujer también forma parte, de manera igualitaria, de esos colectivos, grupo o minorías reiteradamente mencionados[38]. Por lo tanto, estas medidas no fragmentan para nada la representatividad ni alteran el carácter universal tradicional de la representación.

---

[34] BELDA PÉREZ-PEDRERO, Enrique, "La paridad electoral como finalidad disociada de las acciones positivas a favor de un sexo" en *Parlamento y Constitución. Anuario*. Cortes de Castilla-La Mancha y Universidad de Castilla-La Mancha, núm. 10, años 2006-2007, p. 183.

[35] ÁLVAREZ RODRÍGUEZ, Ignacio, Democracia... ob. cit., pp. 67 y ss.

[36] SANTOLAYA MACHETTI, Pablo, "Democracia paritaria...ob. cit., pp. 171 y 172.

[37] SEVILLA MERINO, Julia, en GARRIGUES JIMÉNEZ, Amparo. (coord), *Comentarios a la ley de igualdad*, CISS, Valencia, 2007, p. 583.

[38] SALAZAR BENÍTEZ, Octavio, "Ciudadanía... ob. cit., p. 23.

Motivos similares podrían alegarse para negar la fragmentación de la soberanía, pues la misma descansa en los ciudadanos, que de manera natural se dividen en hombres y mujeres.

Como indica Ruíz Miguel, "en realidad, desde las cuotas femeninas hasta los distritos personales hay todavía un largo trecho, pues las cuotas afectan únicamente al sufragio pasivo pero no al activo, y de un modo que no convierte a las mujeres en un grupo que vota y se vota a sí mismo aparte, sino que simplemente las garantiza un cierto porcentaje en cualquier candidatura para ser votadas por todos los electores del ámbito territorial correspondiente. A esa diferencia, en apariencia sólo técnica, se liga también una diferencia sustantiva decisiva: la pretensión de la reserva electoral femenina no es obtener una representación diferenciada de las mujeres, consideradas como portadoras de una ideología o unos intereses propios y distintivos, sino incrementar su igualdad en todo el arco de las convicciones y ofertas políticas y, así, promover una sociedad más integrada en su conjunto"[39].

Martínez Alarcón tampoco considera que la medida provoque una división del pueblo ni del cuerpo electoral, si bien matiza que esto es así siempre que la medida se entienda como algo provisional, y que trate de satisfacer el principio de igualdad en el acceso a cargos representativos. Advierte la autora que la argumentación sería distinta si la medida fuese definitiva[40].

4.3.2. La posible limitación de la libertad de los partidos

Otro de los argumentos recurrentes es que la imposición de las cuotas podría vulnerar la libertad de los partidos políticos en cuanto a su libertad de expresión, libertad ideológica y libertad para formar las candidaturas (6, 16.1, 20.1.a y 22.1 de la Constitución).

Creo que es especialmente importante distinguir entre afectar y vulnerar, como así ha quedado demostrado al analizar la incidencia que producen ciertas actuaciones en otros derechos. Coincido con Martínez Alarcón en que la exigencia de cuotas electorales por parte del legislador sí afecta a la facultad que tienen los partidos políticos de organizarse internamente[41], a diferencia de lo que opina en TC en la sentencia 12/2008. Otra cosa es que podamos afirmar que vulnera dicha facultad y que conllevaría la inconstitucionalidad de la medida; aspecto que entiendo no se produce.

---

[39]   RUIZ MIGUEL, Alfonso, "Paridad electoral... ob. cit., p. 51.
[40]   MARTÍNEZ ALARCÓN, María Luz, "Comentario a la Sentencia del Tribunal Constitucional 12/2008, de 29 de enero, sobre la Ley Orgánica para la igualdad efectiva entre mujeres y hombres", en *Teoría y Realidad Constitucional*, núm. 22, 2008, p. 623.
[41]   MARTÍNEZ ALARCÓN, María Luz, "Comentario a la sentencia... ob. cit., p. 617.

Puede haber partidos cuyos ideales sean contrarios a la igualdad entre el hombre y la mujer o incluso que defiendan ideas que podemos denominar "machistas", es por ello que Rey Martínez sí considera que las medidas legales que se imponen a los partidos pueden vulnerar su libertad ideológica. Sin embargo Ruiz Fernández entiende que las cuotas afectan o limitan la libertad del partido para elaborar las listas, pero se trata de una limitación admisible pues la libertad de los partidos no es absoluta[42]. Considero que esta idea parece razonable, sobre todo si tenemos en cuenta que la propia ley electoral establece límites, como es el caso de las causas de inelegibilidad.

Martínez Alarcón considera que la medida debería ser inconstitucional pues no supera el juicio de proporcionalidad en sentido estricto. Aunque son varios los beneficios que se obtienen, sacrifican en exceso la libertad de asociación de los partidos, y por ende, el valor del pluralismo político[43]. No puedo compartir esta opinión, pues el pluralismo político hace referencia a la existencia de diversas ideologías, y que todas ellas sean igualmente respetadas, aspecto que no se coarta porque se imponga una cuota electoral. La composición de la lista no afecta a la defensa de la ideología propia del partido, pero sí afecta a un elemento básico de la democracia, la posibilidad de que todos participemos en ella en condiciones de igualdad.

También afirma la autora que "...el legislador no puede regular los partidos políticos de forma que los haga irreconocibles en cuanto a los objetivos y contenidos a cuya satisfacción los destinó el legislador constituyente..."[44]. No creo en absoluto que la inclusión de cuotas electorales conviertan al partido en un ente irreconocible, ni que afecte para nada sus objetivos como asociación, es más, la exigencia de cuotas entiendo que contribuye a que los partidos cumplan más correctamente con su función pública y que la misma sea más acorde con un estado democrático.

Dice la autora que la paridad no se puede justificar a cualquier precio, y que su búsqueda puede realizarse de diversas formas, y que no todas son igual de eficaces e igual de válidas[45]. La paridad es un hecho, no hay nada que justificar, la sociedad está compuesta por hombres y por mujeres, el problema es que no se ha respetado esta paridad natural, durante siglos, y estas medidas lo que pretenden

---

[42] Ambas referencias se han tomado de REY MARTÍNEZ, Fernando y RUIZ MIGUEL, Alfonso, "Paridad electoral y cuotas femeninas", *Aequalitas, Revista Jurídica de Igualdad entre oportunidades entre mujeres y hombres,* Universidad de Zaragoza, núm. 1, mayo, 1999.

[43] MARTÍNEZ ALARCÓN, María Luz, "Comentario a la sentencia...ob. cit., p. 619.

[44] MARTÍNEZ ALARCÓN, María Luz, "Comentario a la Sentencia...ob. cit., p. 620.

[45] MARTÍNEZ ALARCÓN, María Luz, "Ley orgánica para la igualdad efectiva de mujeres y hombres y la Sentencia del Tribunal Constitucional 12/2008, de 29 de enero" en *Revista de Estudios Políticos.* Nº 142, Madrid, octubre-diciembre (2008), p. 127.

es buscar el equilibrio natural que se les ha negado a las mujeres. Claro que hay otras medidas más coherentes con el resto de derechos, pero estas medidas no han resultado eficaces.

El partido político es una asociación privada, pero no por ello debe entenderse que sus facultades son ilimitadas. Pero además es una asociación de relevancia constitucional, y su funcionamiento tiene que ser democrático. La Constitución exige democracia interna en los partidos y la Ley Orgánica 6/2002, de 27 de junio, de Partidos Políticos, en su artículo 7.1. también exige que la estructura interna y el funcionamiento de los partidos políticos deberán ser democráticos. Son asociaciones privadas que han requerido regulación especial por el reconocimiento de la función que cumplen en los Estados democráticos. Son expresión de pluralismo. Por ello se cuida especialmente su libertad de creación y de autoorganización en la que los partidos políticos no parecen encontrar el equilibrio entre el derecho a la libertad y la exigencia de democracia interna[46].

Para Macías Jara, el exigir criterios de democracia paritaria a los partidos, no es un mero condicionante cuantitativo, sino un exponente cualitativo para asegurar la proyección del partido en la representación democrática[47]. Según esta autora la democracia interna de los partidos es uno de los problemas clave, pues la misma no incluye una democracia paritaria. Aunque la exigencia de cuotas electorales introducidas por la ley ha paliado en cierta medida dicha ausencia paritaria en los partidos, no se ha traducido, según ella en "igualdad efectiva ni en representación cualitativamente paritaria"[48]. "Si se parte de que la democracia lleva implícita la participación plena de hombres y de mujeres, no se entiende que la estructura interna de los partidos políticos escape a esta exigencia"[49].

Tampoco puede olvidarse la función pública que estas asociaciones desempeñan[50]. Precisamente por la labor especial y esencial que cumplen los partidos, la democracia interna paritaria (aunque sigo pensando que puede resultar redundante, pues democracia y paridad deben entenderse como conceptos indisolubles) no puede entenderse como una opción, o un "buen hacer" o una "buena voluntad" de los partidos, sino como una obligación, "…no se trataría tanto de

---

[46]   SEVILLA MERINO, Julia, "Democracia paritaria y Constitución", http://www.democraciaparitaria.com/administracion/documentos/ficheros/28112006125125JULIASEVILLA%20democracia%20paritaria%20y%20constitucion.pdf p. 52.

[47]   MACÍAS JARA, María, "La ausencia de democracia…ob. cit., p. 67.

[48]   MACÍAS JARA, María, "La ausencia de democracia…ob. cit., pp. 63 y ss.

[49]   MACÍAS JARA, María, "La ausencia de democracia…ob. cit., p. 64.

[50]   Puede profundizarse en el análisis de la función constitucional de los partidos políticos en BASTIDA FREIJEDO, Francisco José, "La función constitucional de los partidos", en *Parlamento y partidos políticos. XV Jornadas de la Asociación Española de Letrados de Parlamentos*. Tecnos, Madrid, 2009, pp. 21 a 41.

incentivas o de compensar a aquellos partidos que garanticen convenientemente el equilibrio de mujeres y hombres tanto a nivel interno como externo, como de exigirles como requisito esencial para su misma existencia pública la garantía efectiva de un principio democrático esencial como el de paridad"[51].

Es particularmente revelador que en países que se pretenden democráticos, la exclusión de las mujeres de las instancias y de los lugares de representación y de participación política, no sea destacado por la opinión pública, los medios de comunicación o el discurso político. Lo que llama la atención no es el déficit democrático de un sistema político institucional que efectivamente reserva o reservaba el 95% de los escaños a los hombres en las Asambleas Legislativas, lo que se ve como un escándalo es la tentativa de repartir los escaños de una manera más equilibrada entre los sexos, conforme al principio de igualdad entre hombres y mujeres[52].

5. ¿SON MEDIDAS TEMPORALES DE ACCIÓN AFIRMATIVA?

Además de los aspectos vistos hasta el momento, también es habitual en la doctrina encontrar opiniones respecto a la temporalidad de las medidas, y su consideración con acciones afirmativas.

Las medidas que incorporan cuotas electorales, por lo general, son entendidas como temporales, y que deberían desaparecer cuando se entienda que ya no son necesarias.

Así Albaine considera que deben mantenerse hasta lograr el objetivo principal, que no es otro que la consecución de la igualdad política entre hombres y mujeres. La paridad, por el contrario, es una medida definitiva, que reformula la concepción del poder político, redefiniéndolo como un espacio que debe ser compartido igualitariamente entre hombres y mujeres[53]. En un sentido similar Gurrera pues también coindice en la temporalidad de estas medidas[54].

Macías Jara considera que no puede entenderse únicamente como una medida temporal, que cumpla con un determinado criterio cuantitativo, pues esto podría provocar igualdades ficticias. Una vez conseguido dicho porcentaje la norma no debería seguir aplicándose, si bien ello no significa que se haya conseguido una representación de calidad[55].

---

[51] SALAZAR BENÍTEZ, Octavio, "Ciudadanía… ob. cit., p. 26.
[52] SEVILLA MERINO, Julia, "Democracia paritaria… ob. cit. p. 52.
[53] ALBAINE, Laura, "Obstáculos… ob. cit., p. 148.
[54] GURRERA ROIG, Matilde, "Veinticinco años… ob. cit., p. 273.
[55] MACÍAS JARA, María, "La ausencia de democracia… ob. cit., p. 62.

Por su parte Martínez Alarcón opina, al analizar la STC 12/2008, que no se puede asegurar con certeza si la medida impuesta por el legislador en cuanto a la exigencia de cuotas, puede entenderse temporal o definitiva, pues en dicha sentencia se encuentran argumentos en uno y otro sentido[56]. Lo que sí afirma la autora es que se trata de una medida de discriminación inversa, y como tal, debería desaparecer cuando la diferencia sustancial que la justificó desaparece[57].

Personalmente me uno a la opinión mayoritaria, entendiendo que dichas medidas deberían ser transitorias. Lo mas coherente es que las mismas desaparezcan cuando la diferencia que las justificó ya no existe, pero coincidiendo con Martínez Alarcón, me temo que dicha posibilidad no se producirá a corto plazo. Redundando en ideas ya expuestas, este tipo de medidas no deberían ser necesarias, ya que deberían ir implícitas en el propio contexto de un estado democrático, pero esto no es así, por ello entiendo que siguen siendo necesarias, y su temporalidad una característica a largo plazo. Tampoco debería ser necesario que nos adviertan expresamente, como hace el art. 23, que existe igualdad en el acceso a los cargos públicos, sin embargo así lo plasmó el constituyente en aras de ofrecer una mayor protección.

Me temo que aunque deberían ser medidas temporales, y aun considerando que no deberían entenderse como definitivas, veo lejano el momento en que no sean necesarias porque las ideas patriarcales, tan fuertemente enraizadas en nuestro sociedad, se hayan superado, y que podamos decir que se ha alcanzado un alto nivel de cultura democrática.

En lo que respecta a su consideración como acciones afirmativas, la mayoría de la doctrina se refiere a las cuotas como medidas relacionadas o basadas en dichas acciones, usando en muchos casos conceptos como discriminación positiva o acción positiva de manera sinónima, aunque no lo son. De hecho quienes consideran que la reserva de cuotas no vulnera la Constitución, hacen alusión a la jurisprudencia del Tribunal Constitucional que defiende la existencia de medidas de discriminación positiva, pues aunque con estas medidas se limita la igualdad de ciertos colectivos, se hace con la finalidad de proteger a otros considerados tradicionalmente como desfavorecidos en una determinada materia. En este caso la menor presencia de la mujer en cargos públicos y representativos legitimaría una medida de este tipo.

Por ejemplo Gurrera considera que las cuotas son medidas de discriminación positiva[58], y Ruiz Miguel opina que de estipularse una medida de "reserva electoral femenina", como el propio autor lo denomina, y teniendo en cuenta que el

---

[56]   MARTÍNEZ ALARCÓN, María Luz, "Comentario a la Sentencia... ob. cit., pp. 610 y 611.
[57]   MARTÍNEZ ALARCÓN, María Luz, "Comentario a la Sentencia... ob. cit., p. 611.
[58]   GURRERA ROIG, Matilde, "Veinticinco años... ob. cit., p. 273.

artículo se escribe antes de la entrada en vigor de las medidas que hoy conocemos tanto a nivel autonómico como estatal, el autor dice que de implementarse esta medida, debería considerarse como de acción positiva, esto es, debe entenderse como una "medida desigual a favor de la igualdad de un grupo discriminado"[59].

Álvarez Rodríguez propone un concepto de acción positiva, como aquella medida o plan público que busca «la igualdad de hecho entre grupos y colectivos con rasgos hasta cierto punto inmutables y a su vez definitorios de su posición, eliminando las barreras y los obstáculos que pudieran existir a tal fin». Según este autor las características esenciales del concepto son las siguientes: 1.º Se trata de medidas temporales que «diferencian para igualar», operando conforme a factores transparentes e inmutables (o cuando menos, de costoso cambio). 2.º Gozan de universalidad y transversalidad. 3.º La adopción de este tipo de medidas no es ilimitada: la razonabilidad y la proporcionalidad operan como criterios jurídicos a la hora de evaluar su legitimidad[60].

Sin ánimo de exhaustividad, sí quisiera referirme a la clasificación ofrecida por Rey Martínez, porque aunque no la comparto plenamente, sí que la conclusión final a la que llega es similar a la que trato de defender (opinión que él mismo considera minoritaria), esto es, que las cuotas no pueden entenderse como medidas de acción afirmativa.

El autor entiende que hablar de medidas de acción afirmativa supone hablar de igualdad de oportunidades, si bien considera que dichas acciones pueden ser de dos tipos: las llamadas de discriminación positiva o inversa (que el autor entiende que son iguales) y las llamadas de acción positiva. En ambos casos las medidas consisten en dar un trato distinto y favorable a un colectivo porque sufre algún tipo de desventaja, por lo que lo diferencia ambas categorías es el perjuicio que dicho trato distinto puede provocar en el resto, lo cual sólo se produce en la discriminación positiva y no en la acción positiva. Rey Martínez entiende que las cuotas no son discriminación positiva, pues no provocan un perjuicio en los derechos de los candidatos, que se siente excluidos al resultar elegidas las mujeres, pues realmente no se trata de un derecho, sino de una mera expectativa. Pero tampoco pueden considerarse acciones positivas, pues las cuotas no dan un trato distinto ni favorable a las mujeres[61].

Aquí es donde entiendo está el verdadero quid de la cuestión. Dice Macías Jara que la acción positiva es un concepto que se queda corto para alcanzar la Democracia paritaria[62]. Coincido con ella en esta visión, pues hablar de Demo-

[59]   RUIZ MIGUEL, Alfonso, "Paridad electoral... ob. cit., p. 45.
[60]   ÁLVAREZ RODRÍGUEZ, Ignacio, *Democracia equilibrada...* ob. cit., p. 63.
[61]   REY MARTÍNEZ, Fernando, "Cuotas 2.0... ob. cit., pp. 43 y ss.
[62]   MACÍAS JARA, María, "La ausencia de democracia... ob. cit., p. 62.

cracia paritaria supone mucho más que cuotas electorales paritarias, pero yo iría
más allá, pues incluso dudo que podamos hablar de acción afirmativa al hecho
de que el legislador obligue a cumplir unas cuotas electorales. No tratamos de
favorecer a un colectivo desfavorecido, ni podemos entender la medida como
correctora. Normalmente cuando se habla de acciones afirmativas nos referimos
a situaciones cuyo punto de partida no es el mismo, pero sí entendemos que el
punto de llegada debe ser el mismo. Eso no se da en el ámbito de la representación
política, tanto hombres como mujeres en teoría parten del mismo punto, pues el
sufragio pasivo se les reconoce a ambos. Lo que provoca esta medida es que el
derecho sea real y efectivo para ambos sexos, y que a lo largo de los años no lo ha
sido[63]. Entiendo que no nos movemos en el ámbito del derecho social, sino en el
del derecho democrático, con el reconocimiento del sufragio universal.

Más allá de las distinciones que maneja la doctrina, el propio Tribunal Constitucional considera, en términos generales, y haciendo una referencia muy sucinta de algunas de sus interpretaciones, que estas medidas consisten en dar un trato
distinto para provocar un beneficio[64], sin embargo no creo que den un trato de
favor a un colectivo para equilibrar una situación históricamente discriminatoria,
al contrario, otorgan el mismo trato a dos colectivos, hombres y mujeres.

En el caso de la reserva de plazas para minusválidos sí nos encontramos ante
medidas de acción afirmativa, pues finalmente puede conseguir la plaza una persona con minusvalía pero con menos calificación que una persona sin minusvalía.
El punto de partida no es el mismo, pero con dichas acciones se pretende que
ambos puedan conseguir el mismo punto de llegada. En el ámbito político no se
produce esta circunstancia, pues además de que el derecho al sufragio pasivo se
reconoce por igual a hombres y mujeres, no se tienen en cuenta ciertos méritos
que puedan dar lugar a derechos adquiridos en cuanto al acceso. "A diferencia de
lo que suele ocurrir en ámbitos como el laboral, el funcionarial o el académico, en
el ámbito político los méritos no sirven para atribuir derechos previos conforme
a los que quepa afirmar que se ha producido una preferencia discriminatoria o
injusta. En efecto, tengan la importancia que tengan en el ámbito político, los
méritos ahí no se pueden medir como en aquellos otros ámbitos, atendiendo a
baremos objetivables de antigüedad, habilidades o conocimientos, sino, todo lo
más, mediante una elección o cooptación exenta de la obligación de cualquier
justificación y en la que es difícil negar que interviene de hecho y de manera muy
relevante un sesgo sexista a favor de las candidaturas masculinas"[65].

---

[63]   MACÍAS JARA, María, "La ausencia de democracia… ob. cit., p. 63.
[64]   Algunos ejemplos de sentencias: 128/1987, de 16 de julio y 269/1994, de 3 de octubre.
[65]   RUIZ MIGUEL, Alfonso, "Paridad electoral… ob. cit., p. 49.

Muy acertadamente Ruiz Miguel afirma "es cierto que la limitación que imponen las cuotas puede tener como resultado la no colocación de varones que sin ellas tal vez habrían sido incluidos en la lista. Ahora bien, ¿eso produce una discriminación injusta contra los varones por tales exclusiones? En realidad, afirmar que en tales casos hay discriminación en favor de las mujeres parece presuponer que ellas no habrían sido propuestas de no ser por la reserva, pero eso no hace sino confirmar que la libertad de propuesta viene operando de hecho para tratar preferentemente a los varones en las listas, consagrando la tradicional discriminación contra las mujeres en el ámbito de las elecciones políticas"[66]

Fernando Rey considera que las cuotas son garantías contra una discriminación indirecta o de impacto. Llega a esta conclusión tras responderse a sí mismo a una serie de preguntas cuya transcripción me parece necesaria: "¿Cómo se llaman en derecho antidiscriminatorio estas situaciones en las que no hay diferencias de trato formales y expresas entre mujeres y hombres, pero que, de hecho, por la diversa situación fáctica en que se encuentran mujeres y hombres (por la vigencia de los estereotipos sociales) se producen resistencias severas, un suelo pegajoso para avanzar en la igualdad real entre ellos (y es evidente que no habría igualdad real mientras no haya un número de representantes que refleje aproximadamente el porcentaje de mujeres y de hombres que hay en la sociedad)? A esto lo se denomina discriminaciones indirectas o de impacto, que es una clase de la llamada discriminación por indiferenciación, que personalmente prefiero llamar discriminación por igualación"[67].

6. RESERVA DE CUOTAS EN EL ORDENAMIENTO JURÍDICO ESPAÑOL

6.1. Regulación estatal

Creo importante matizar que el sistema de cuotas que exige la ley electoral estatal, y que será analizado a continuación, impide que podamos hablar de paridad electoral, pues no nos encontramos antes un sistema paritario sino equilibrado. Básicamente de lo que se trata es de conseguir un equilibrio entre sexos en el conjunto de la candidatura, pero no exige paridad total. Por ello en nuestro sistema es más propio hablar de democracia equilibrada, pues no es paritaria al 100%

En el año 2007 se aprueba, por la Cortes Generales, la Ley Orgánica 3/2007, de 22 de marzo, para la igualdad efectiva de hombres y mujeres (en adelante ley

---

[66] RUIZ MIGUEL, Alfonso, "Paridad electoral… ob. cit., p. 45.
[67] REY MARTÍNEZ, Fernando, "Cuotas 2.0… ob. cit., pp. 41 y 42.

de igualdad). Uno de los principales objetivos que pretende esta ley, como su propio título indica, es terminar con todas las manifestaciones discriminatorias por razón de sexo que aún existen, pues a pesar de haberse conseguido avances muy importantes en la materia, aún no han sido suficientes para alcanzar la igualdad plena y efectiva entre hombres y mujeres. La propia exposición de motivos hace referencia a diversos elementos que demuestran que todavía queda camino por andar hasta que podamos hablar de plena igualdad; la violencia de género, la desigualdad salarial, la dificultad de la mujer para conciliar vida familiar y laboral, la escasa presencia de las mujeres en cargos directivos, políticos o de responsabilidad...

Con la intención de paliar y mejorar esta situación, la ley de igualdad establece una serie de instrumentos jurídicos encaminados, no sólo a favorecer la igualdad entre hombres y mujeres, sino que pretende fomentar la presencia de la mujer en distintos niveles, estableciendo medidas preventivas contra las conductas discriminatorias, políticas activas encaminadas a la plena efectividad del principio de igualdad, la creación de diversos instrumentos tales como la Comisión Interministerial de Igualdad, medidas para fomentar la igualdad en la empresa privada, informes del impacto de género.

La aprobación de esta ley de igualdad ha supuesto que numerosas disposiciones legales deban ser modificadas, pues su contenido se ha visto afectado con la aparición de esta nueva regulación, tal es el caso de la Ley Orgánica del Poder Judicial[68], la Ley General de Sanidad[69], la Ley de Enjuiciamiento Civil[70] o la Ley de Empleo[71], entre otras.

Una de las principales novedades que aporta esta ley, y que ha sido objeto, además de un recurso y una cuestión de inconstitucionalidad ante el Tribunal Constitucional, de numerosos debates y conflictos políticos y sociales, es la modificación que introduce en la Ley Orgánica 5/1985, de 19 de junio, de Régimen Electoral General (en adelante ley electoral), introduciendo el tan polémico y debatido equilibrio en las listas electorales.

Una de las máximas preocupaciones para el legislador es la igualdad entre hombres y mujeres dentro del ámbito político y que se consiga una presencia igualitaria de ambos sexos. Lo que se pretende con la nueva ley es asegurar una representación similar de hombres y mujeres en los cargos de mayor responsabilidad, para ello se opta porque las listas electorales tengan una composición equilibrada en cuanto a género se refiere.

---

[68]   Ley Orgánica, 6/1985, de 1 de julio, del Poder Judicial.
[69]   Ley 14/1986, de 25 de abril, General de Sanidad.
[70]   Ley 1/2000, de 7 de enero, de Enjuiciamiento Civil.
[71]   Ley 56/2003, de 16 de diciembre, de Empleo.

La Disposición Adicional Segunda de la ley de igualdad introduce una importante modificación en la ley electoral[72]. La principal novedad se produce por la

---

[72] **La Disposición Adicional Segunda dice textualmente lo siguiente:** Modificación de la Ley Orgánica de Régimen Electoral General.
Se modifica la Ley Orgánica 5/1985, de 19 de junio, del Régimen Electoral General, en los siguientes términos:
Uno. Se añade un nuevo artículo 44 bis, redactado en los siguientes términos:
Artículo 44 bis.
1. Las candidaturas que se presenten para las elecciones de diputados al Congreso, municipales y de miembros de los consejos insulares y de los cabildos insulares canarios en los términos previstos en esta Ley, diputados al Parlamento Europeo y miembros de las Asambleas Legislativas de las Comunidades Autónomas deberán tener una composición equilibrada de mujeres y hombres, de forma que en el conjunto de la lista los candidatos de cada uno de los sexos supongan como mínimo el cuarenta por ciento. Cuando el número de puestos a cubrir sea inferior a cinco, la proporción de mujeres y hombres será lo más cercana posible al equilibrio numérico.
En las elecciones de miembros de las Asambleas Legislativas de las Comunidades Autónomas, las leyes reguladoras de sus respectivos regímenes electorales podrán establecer medidas que favorezcan una mayor presencia de mujeres en las candidaturas que se presenten a las Elecciones de las citadas Asambleas Legislativas.
2. También se mantendrá la proporción mínima del cuarenta por ciento en cada tramo de cinco puestos. Cuando el último tramo de la lista no alcance los cinco puestos, la referida proporción de mujeres y hombres en ese tramo será lo más cercana posible al equilibrio numérico, aunque deberá mantenerse en cualquier caso la proporción exigible respecto del conjunto de la lista.
3. A las listas de suplentes se aplicarán las reglas contenidas en los anteriores apartados.
4. Cuando las candidaturas para el Senado se agrupen en listas, de acuerdo con lo dispuesto en el artículo 171 de esta Ley, tales listas deberán tener igualmente una composición equilibrada de mujeres y hombres, de forma que la proporción de unas y otros sea lo más cercana posible al equilibrio numérico.
Dos. Se añade un nuevo párrafo al apartado 2 del artículo 187, redactado en los siguientes términos:
Lo previsto en el artículo 44 bis de esta Ley no será exigible en las candidaturas que se presenten en los municipios con un número de residentes igual o inferior a 3.000 habitantes.
Tres. Se añade un nuevo párrafo al apartado 3 del artículo 201, redactado en los siguientes términos:
Lo previsto en el artículo 44 bis de esta Ley no será exigible en las candidaturas que se presenten en las islas con un número de residentes igual o inferior a 5.000 habitantes.
Cuatro. Se modifica el apartado 2 de la disposición adicional primera, que queda redactado en los siguientes términos:
2. En aplicación de las competencias que la Constitución reserva al Estado se aplican también a las elecciones a Asambleas Legislativas de Comunidades Autónomas convocadas por éstas, los siguientes artículos del título I de esta Ley Orgánica:
1 al 42; 44; 44 bis; 45; 46.1, 2, 4, 5, 6 y 8; 47.4; 49; 51.2 y 3; 52; 53; 54; 58; 59; 60; 61; 62; 63; 65; 66; 68; 69; 70.1 y 3; 72; 73; 74; 75; 85; 86.1; 90; 91; 92; 93; 94; 95.3; 96; 103.2; 108.2 y 8; 109 a 119; 125 a 130; 131.2; 132; 135 a 152.

incorporación del artículo 44 bis[73], y que en términos generales dispone que las candidaturas que se presenten a las elecciones deberán tener una composición equilibrada de hombres y mujeres, de tal forma que cada uno de los sexos debe suponer como mínimo un cuarenta por ciento del conjunto de miembros que formen esa lista electoral[74].

En cuanto al ámbito de aplicación de la misma es el más amplio posible, previéndose la misma fórmula de equidad electoral para el ámbito autonómico, local e incluso supraestatal, cuando se trata de la elección de los diputados al Parlamento Europeo. Además, cuando se trata de elecciones autonómicas, la propia ley matiza que las leyes electorales propias de cada Comunidad Autónoma podrán prever otras medidas que favorezcan la mayor presencia de las mujeres en las candidaturas[75].

El desacuerdo que ha provocado la citada ley de igualdad, en lo que respecta a la modificación operada en materia electoral, se ha producido prácticamente desde su entrada en vigor. La ley fue aprobada en marzo de 2007 y en mayo de ese mismo año se planteaba la primera cuestión de inconstitucionalidad frente a ella.

Presentadas candidaturas para la celebración de elecciones (se trataba de elecciones locales que se celebrarían en mayo de 2007), la Junta Electoral de Zona de Icod de los Vinos (Santa Cruz de Tenerife) se niega a realizar la proclamación de una candidatura por no cumplir lo previsto en el artículo 44 bis de la ley electoral (el ya mencionado equilibrio en las listas electorales). El representante del partido político al que se le niega la proclamación de la candidatura considera que la previsión del artículo 44 bis es inconstitucional y plantea recurso contencioso-electoral ante el Juzgado de lo contencioso-administrativo nº1 de Santa Cruz de Tenerife, planteándose por el Juez titular del mismo cuestión de inconstituciona-

---

Cinco. Se añade una nueva disposición transitoria séptima, redactada en los siguientes términos:
En las convocatorias a elecciones municipales que se produzcan antes de 2011, lo previsto en el artículo 44 bis solo será exigible en los municipios con un número de residentes superior a 5.000 habitantes, aplicándose a partir del 1 de enero de ese año la cifra de habitantes prevista en el segundo párrafo del apartado 2 del artículo 187 de la presente Ley.

[73]   Aunque también se hacen pequeñas modificaciones en lo artículos 187.2, 201.3 y Disposición Adicional 1ª2. de la ley electoral.

[74]   Hay tres supuestos en los que no se aplica la medida de paridad, hasta 2011 a los municipios que no superen los 5.000 habitantes (Disposición Transitoria 7ª de la ley electoral), a partir del año 2011 a los municipios que no superen los 3.000 habitantes (art. 182.2 de la ley electoral) y a las islas que no superen los 5.000 habitantes (art. 201.3 de la ley electoral).

[75]   En lo que se refiere a las elecciones autonómicas, debemos entender que la regulación que realiza la ley electoral estatal es de mínimos, pues la ley electoral de la Comunidad Autónoma puede mejorar lo previsto en la ley electoral estatal. Veremos más adelante, que esto ya se venía produciendo en determinadas Comunidades Autónomas.

lidad ante el Tribunal Constitucional para que, como máximo intérprete de la Constitución, derima si la normativa en cuestión es o no acorde a la Constitución.

Además de la citada cuestión de inconstitucionalidad, el asunto también llega al TC a través de un recurso de inconstitucionalidad. El 21 de junio de 2007, un grupo de diputados del Partido Popular, presenta ante el Tribunal Constitucional recurso de inconstitucionalidad frente a la Disposición Adicional segunda de la ley de igualdad, pues considera que vulnera determinados preceptos de la Constitución, básicamente los referidos anteriormente. El 29 de enero de 2008 el Tribunal Constitucional dicta sentencia en la que resuelve, no sólo el recurso de inconstitucionalidad, sino también la cuestión de inconstitucionalidad que meses antes se había planteado desde el Juzgado de Santa Cruz de Tenerife.

6.2. Regulación autonómica

Ya antes de implantar la reserva de cuotas a nivel estatal, diversas Comunidades Autónomas habían regulado en el mismo sentido. Así las leyes electorales de Castilla-La Mancha[76] y de las Islas Baleares[77] fueron modificadas en el año 2002, estableciendo que las listas electorales debían alternar hombres y mujeres (principio de cremallera). El Presidente de aquél momento planteó recurso de inconstitucionalidad frente a ambas. Posteriormente hubo un cambio de gobierno y el proceso en ambos casos se extinguió por desistimiento del abogado del Estado.

Como vemos en estos casos se exige un mayor equilibrio que a nivel estatal, pues mientras la ley electoral estatal exige una equidad flexible de 40% como mínimo a favor de un sexo y 60% como máximo a favor de otro, estas leyes electorales autonómicas prevén una paridad rígida, estipulando el 50% para cada sexo. Así algunos autores opinan que "Cabe discutir la constitucionalidad de la regla de paridad estricta en las listas electorales. En la medida que constituye una cuota inflexible y sin matizaciones resulta una limitación excesiva de la libertad de configuración de las listas de candidatos..."[78].

La ley electoral de Andalucía[79] también se modificó en 2005, estableciéndose la alternancia de hombres y mujeres como fórmula a la hora de elaborar las listas de candidatos. La ley electoral del País Vasco[80] también operó una modificación

---

[76]   Ley 5/1986, de 23 de diciembre.
[77]   Ley 8/1986, de 26 de noviembre.
[78]   MONTOYA MELGAR, Alfredo y SÁNCHEZ-URÁN AZAÑA, Yolanda, *Igualdad de...*ob. cit., p. 266.
[79]   Ley 1/1986, de 2 de enero (modificación incorporada por la ley 5/2005, de 8 de abril).
[80]   Ley 5/1990, de 15 de junio (modificación incorporada por la ley 4/2005, de 18 de febrero).

similar, aunque estableciendo la siguiente fórmula "las listas deben estar integradas al menos por un 50% de mujeres". Ambas modificaciones también fueron
recurridas ante el Tribunal Constitucional por diputados del Partido Popular.

7. FUNDAMENTOS DEL TRIBUNAL CONSTITUCIONAL

La cuestión y el recurso de inconstitucionalidad estatales fueron resueltos a
través de la STC 12/2008, de 29 de enero. Los recursos interpuestos frente a las
leyes autonómicas han sido resueltos por la STC 13/2009, de 29 de enero, para
la ley del País Vasco, y la STC 40/2011, de 31 de marzo, para la ley andaluza. La
sentencia de 2011 recapitula argumentos de las dos anteriores, y de igual forma la
de 2009 se basa en los dados por la sentencia del 2008 para los recursos estatales.

Expondremos a continuación, por tanto, los principales argumentos ofrecidos
por el Alto tribunal en la primera de las sentencias, si bien de manera sucinta
pues existen diversos trabajos que se centran en dicho análisis con mucha mayor
profundidad[81].

Los fundamentos ofrecidos por el Tribunal Constitucional concluyen con la
desestimación de ambos planteamientos, tanto del recurso como de la cuestión.

– El Tribunal Constitucional en primer lugar alude a los textos de Derecho
Internacional así como los producidos en el seno del Consejo de Europa, recordando que estos textos ponen de relieve que la búsqueda de la igualdad formal
y material entre hombres y mujeres, se considera la piedra angular del Derecho
Internacional, si bien estos textos no se pronuncian sobre los instrumentos concretos que deba utilizar cada Estado para conseguir la mencionada igualdad[82].

– Aclara que la medida impuesta sólo tiene por destinatarios a aquellos que
pueden presentar candidaturas, por lo que la medida no puede ser considerada
como una causa de inelegibilidad, además afecta a partidos, coaliciones, federaciones y grupos de electores, por lo que el derecho de sufragio pasivo individual
no se ve afectado[83].

– El Tribunal considera que la ley objeto de recurso establece una fórmula
de equilibrio entre sexos, no favoreciendo a uno sobre otro. Las proporciones se
establecen por igual para ambos sexos. Además, no se trata de una fórmula estric-

---

[81]   MARTÍNEZ ALARCÓN, María Luz, "Comentario a la sentencia… ob. cit., ÁLVAREZ
       RODRÍGUEZ, Ignacio, *Democracia equilibrada*… ob. cit., p.p. 128 y ss., BIGLINO CAMPOS,
       Paloma, "Variaciones sobre las listas electorales de composición equilibrada (comentario a la
       STC 12/2008)", *Revista Española de Derecho Constitucional*. Núm. 83, mayo-agosto (2008),
       pp. 277-299…entre otros.

[82]   FJ 2.

[83]   FJ 3.

tamente paritaria, pues no se exige el 50% para cada sexo, si no que se permite el 40%-60%, sin que se establezca que sexo debe cumplir con el 40 y que sexo con el 60[84].

– Recuerda el Tribunal que el artículo 9.2. de la Constitución expresa la voluntad del constituyente de conseguir no sólo la igualdad formal, sino también la igualdad sustantiva, material o real, y que ese mismo precepto encomienda al legislador actualizar y materializar esa igualdad real[85]. El Tribunal Constitucional considera que las medidas impuestas a los partidos políticos son un cauce válido para cumplir las exigencias del artículo 9.2[86].

– Las previsiones del artículo 44 bis de la ley electoral persiguen la efectividad del artículo 14 de la Constitución en el ámbito de la representación política, en el que las mujeres han estado siempre preteridas. La disposición impugnada, no sólo permite que el partido político cumpla como instrumento para la participación política, sino que además permite que se haga efectiva la libertad que se propugna en el artículo 9.2. de la Constitución[87].

– La libertad de presentar candidaturas, al igual que el resto de libertades, no pude considerarse ilimitadas, pueden establecerse límites en atención a otros valores, como es el caso, ya que lo que se protege y persigue con la medida es la igualdad efectiva entre hombres y mujeres[88].

– La normativa que se impugna no impide que haya partidos políticos con ideas contrarias a la igualdad entre hombres y mujeres, o que haya partidos que defiendan ideas "feministas" o "machistas", lo único que se impone es que para defender esas ideas se debe partir de candidaturas que estén formadas por hombres y por mujeres[89].

– Puesto que hay una igualdad efectiva en cuanto a división de la sociedad en sexos, lo que se pretende es no desvirtuar esta realidad en el ámbito político por la excesiva presencia de uno de ellos[90].

8. CONCLUSIONES

En todo estado democrático la paridad debe entenderse como algo implícito de su propia esencia. La democracia implica precisamente esto, que todos partici-

---

[84]   FJ 3 y 5.
[85]   FJ 4.
[86]   FJ 5.
[87]   FJ 5.
[88]   FJ 5.
[89]   FJ 7.
[90]   FJ 7.

pan y todos pueden adoptar decisiones. Si de manera natural el mundo se divide entre hombres y mujeres, debemos entender que ese "todos" está formado por ambos sexos.

Aunque esto debería considerarse una obviedad, lo que sí resulta obvio es que la mujer ha estado relegada en números aspectos, sobretodo cuando se trata del ámbito público y la representación, por ello la participación en política ha sido uno de los grandes desafíos para la mujer, y que afortunadamente poco a poco se está convirtiendo en una realidad. Sin embargo el camino ha sido duro, y lento, y aunque en el caso del sufragio activo la participación de la mujer se ha normalizado casi plenamente, no ha sido así con el sufragio pasivo, en el que la presencia femenina siempre ha sido menor.

Ciertamente la sociedad va evolucionando, la participación de la mujer va aumentando y se considera cada vez más natural su presencia en cargos representativos. De igual forma los partidos políticos han establecido medidas internas para favorecer esta incorporación. Sin embargo dicha evolución ha sido lenta, y el número de mujeres dedicadas a estos ámbitos no era el deseable.

Para impulsar una mayor participación de la mujer se han venido adoptando en gran número de estados, entre ellos España, medidas encaminadas a reservar determinadas cuotas electorales, de tal forma que deban respetarse ciertos porcentajes entre el sexo masculino y el femenino. Concretamente en España, a nivel estatal, este porcentaje es de 60/40, si bien ya existen Comunidades Autónomas que exigen un 50/50.

La adopción de estas medidas, al menos en términos globales, sí ha permitido una mayor incorporación de la mujer en el mundo político, si bien también provoca otras desviaciones o afectaciones.

Precisamente para minimizar lo más posible esas desviaciones, y que las medidas sigan siendo efectivas, no sólo debe incorporarse una legislación que imponga cuotas, sino también otras regulaciones en otros aspectos tales como el orden de clasificación de los candidatos o las listas de suplentes. Además deben establecerse las sanciones para posibles incumplimientos.

Si se considera que estas medidas son posibles y constitucionales, y lo que realmente se busca es la paridad en el ámbito político, posiblemente lo más acertado y coherente sería establecer una paridad al 50%, similar a la ya exigida por ciertas Comunidades Autónomas.

La mayor participación de la mujer, no sólo se consigue con la imposición de cuotas, hay otras medidas, sobre todo al alcance de los partidos políticos, que pueden mejorar e impulsar la presencia de la mujer en el ámbito político.

De todas formas no podemos olvidar que el aspecto social sigue siendo esencial en estos asuntos, y que la igualdad no llegará simplemente porque una ley lo imponga. Debemos reconocer que vivimos en una sociedad en la que la estructura patriarcal sigue vigente, y por tanto afecta a numerosas facetas de la vida; con especial énfasis en sectores tradicionalmente masculinos. Posiblemente sea necesario el cambio en numerosos aspectos para que la igualdad sea una realidad a todos los niveles.

Sí a las medidas de este tipo, pues suponen un impulso necesario, pero no como única solución; ni son milagrosas ni son suficientes. No pueden perderse de vista otros elementos como la capacidad de los elegidos, sean hombres o mujeres, y el fomento de otras medidas encaminadas a eliminar patrones que se repiten generación tras generación, y que impiden que la igualdad sea real y efectiva.

BIBLIOGRAFÍA

ALBAINE, Laura, "Obstáculos y desafíos de la paridad de género. Violencia política, sistema electoral e interculturalidad", en Íconos. Revista de Ciencias Sociales. Núm. 52, mayo 2015.

ÁLVAREZ RODRÍGUEZ, Ignacio, *Democracia equilibrada* versus *Democracia representativa*, Congreso de los Diputados, Madrid, 2012.

BASTIDA FREIJEDO, Francisco José, "La función constitucional de los partidos", en *Parlamento y partidos políticos. XV Jornadas de la Asociación Española de Letrados de Parlamentos*. Tecnos, Madrid, 2009.

BELDA PÉREZ-PEDRERO, Enrique, "La paridad electoral como finalidad disociada de las acciones positivas a favor de un sexo" en *Parlamento y Constitución. Anuario*. Cortes de Castilla-La Mancha y Universidad de Castilla-La Mancha, núm. 10, años 2006-2007.

BIGLINO CAMPOS, Paloma, "Variaciones sobre las listas electorales de composición equilibrada (comentario a la STC 12/2008)", *Revista Española de Derecho Constitucional*. Núm. 83, mayo-agosto (2008).

GURRERA ROIG, Matilde, "Veinticinco años de paridad política hombre-mujer", en *Revista de Derecho Político*. Números 58-59 (2003-2004).

JIMÉNEZ GLUCK, David, *Una manifestación polémica del principio de igualdad: Acciones positivas moderadas y medidas de discriminación inversa*, Tirant lo Blanch, Valencia, 1999.

MACÍAS JARA, María, *La democracia representativa paritaria*. Servicio de publicaciones de la Universidad de Córdoba, 2008.

– "La ausencia de democracia paritaria en la democracia interna de los partidos políticos", en *Cuestiones de género: de la igualdad y la diferencia*. Servicio de publicaciones de la Universidad de León, núm. 10, 2015.

MARTÍNEZ ALARCÓN, María Luz, "Comentario a la Sentencia del Tribunal Constitucional 12/2008, de 29 de enero, sobre la Ley Orgánica para la igualdad efectiva entre mujeres y hombres", en *Teoría y Realidad Constitucional*, núm. 22, 2008.

– "Ley orgánica para la igualdad efectiva de mujeres y hombres y la Sentencia del Tribunal Constitucional 12/2008, de 29 de enero" en *Revista de Estudios Políticos*. Nº 142, Madrid, octubre-diciembre (2008).

MONTOYA MELGAR, Alfredo y SÁNCHEZ-URÁN AZAÑA, Yolanda, *Igualdad de hombres y mujeres. Comentario a la Ley Orgánica 3/2007, de 22 de marzo, para la igualdad efectiva de mujeres y hombres*, Thomson/Civitas, Navarra, 2007.

REBATO PEÑO, Elena, "Los derechos de participación política de las mujeres: la violencia política como nuevo reto en este ámbito", pp. XXXX.

REY MARTÍNEZ, Fernando, "Discriminación por razón de género y sistema electoral en Europa y España", en *Temas Selectos de Derecho Electoral*. Núm. 9. Tribunal Electoral del Poder Judicial de la Federación (TEPJF), México, 2009.

– "Cuotas 2.0. Un nuevo enfoque de las cuotas electorales de género", en *Cuadernos de divulgación de la justicia electoral*. Tribunal Electoral del Poder Judicial de la Federación, México, 2013.

REY MARTÍNEZ, Fernando y RUIZ MIGUEL, Alfonso, "Paridad electoral y cuotas femeninas", *Aequalitas, Revista Jurídica de Igualdad entre oportunidades entre mujeres y hombres*, Universidad de Zaragoza, núm. 1, mayo, 1999.

RUIZ MIGUEL, Alfonso, "Paridad electoral y cuotas femeninas" en *Revista jurídica de igualdad de oportunidades entre hombre y mujeres*, núm. 1, 1999.

SALAZAR BENÍTEZ, Octavio, "Ciudadanía, género y poder: la paridad como principio constitucional", en *Cuestiones de género: de la igualdad y la diferencia*. Núm. 10, 2015.

SANTOLAYA MACHETTI, Pablo, "Democracia paritaria y partidos políticos", en *Parlamento y partidos políticos. XV Jornadas de la Asociación Española de Letrados de Parlamentos*. Tecnos, Madrid, 2009.

SEVILLA MERINO, Julia, en GARRIGUES JIMÉNEZ, Amparo. (coord), *Comentarios a la ley de igualdad*, CISS, Valencia, 2007.

– "Democracia paritaria y Constitución", http://www.democraciaparitaria.com/administracion/documentos/ficheros/28112006125125JULIASEVILLA%20democracia%20paritaria%20y%20constitucion.pdf

URIBE OTAROLA, Ainhoa, "Las cuotas de género y su aplicación en España: Los efectos de la ley de igualdad (LO 3/2007) en las Cortes Generales y los Parlamentos Autonómicos", *Revista de Estudios Políticos*, Madrid, núm. 160, abril-julio 2013.

Capítulo 13

LOS DERECHOS DE PARTICIPACIÓN POLÍTICA DE LAS MUJERES: LA VIOLENCIA POLÍTICA COMO NUEVO RETO EN ESTE ÁMBITO

Mª ELENA REBATO PEÑO
Profesora Titular de Derecho Constitucional
Universidad de Castilla-La Mancha[1]

SUMARIO: 1. INTRODUCCIÓN. 2. LOS DERECHOS POLÍTICOS DE LAS MUJERES EN LA HISTORIA. 3. EL RECONOCIMIENTO INTERNACIONAL DE LOS DERECHOS POLÍTICOS DE LA MUJER; 4. HACIA EL EJERCICIO EFECTIVO DE LA PARTICIPACIÓN POLÍTICA: UN BREVE ESBOZO SOBRE CUOTAS ELECTORALES 5. UNA NUEVA FORMA DE VIOLENCIA DE GÉNERO: LA VIOLENCIA POLÍTICA. 6. A MODO DE REFLEXIÓN FINAL. BIBLIOGRAFÍA.

1. INTRODUCCIÓN

"Coya, Come Home"

Estas palabras que servían de titular a una carta del marido de la primera congresista mujer en el Estado de Minesota, Coya Knutson, y que fue difundida por los periodistas, supusieron que Coya Knutson no fuera reelegida en 1958, por apenas unos cientos de votos. En esta misiva que luego se reveló como una maniobra de sus adversarios políticos, el marido de Coya le reprochaba su entrega a la política y que él se encontraba sólo, enfermo y abandonado[2]. La realidad era bien diferente, pero bastó una simple referencia a los roles tradicionalmente asignados a la mujer (el cuidado del hogar y la familia), para que perdiera una

---

[1]   El presente artículo debe enmarcarse en el seno del Proyecto DIPUCR-16, Estudio Sobre la Violencia de Género y Violencia Doméstica en Castilla La Mancha. Dirigido por: María Martín Sánchez, Universidad de Castilla La Mancha.

[2]   *"Coya, I want you to tell the people of the 9th District this Sunday that you are through in politics. That you want to go home and make a home for your husband and son. As your husband I compel you to do this. I'm tired of being torn apart from my family. I'm sick and tired of having you run around with other men all the time and not your husband. I love you, honey".*

elección que hasta el momento todo apuntaba que iba ganando. Era el inicio de una realidad silenciosa que suponía una nueva forma de violencia de género y de vulneración de los derechos de la mujer.

En el siglo XXI, la participación de la mujer en la vida política es una realidad. Sin embargo, es precisamente esta presencia cada vez más habitual de la mujer en los foros en los que se adoptan las decisiones políticas y de los que había sido tradicionalmente excluida, lo que ha motivado la aparición de la violencia política.

> *"El incremento de las mujeres en la competencia político electoral promovido por las cuotas y la paridad ha sido percibido como una amenaza por los varones, quienes han reforzado el ejercicio de prácticas de violencia física y psicológica contra las mujeres, ahora expresadas en el ámbito político como estrategia para mantener espacios de poder"*[3].

Con el término violencia política, se está haciendo referencia a aquellos actos de violencia o acoso contra las mujeres que ejercen la representación política. Esta afectación a los derechos políticos de la mujer, no se ha visibilizado aún en Europa a nivel normativo, pero un simple vistazo a la hemeroteca arroja multitud de casos.

El más reciente ha sido la denuncia de la eurodiputada Iratxe García en abril de este año 2017, quien tras un enfrentamiento con otro europarlamentario que justificó la brecha salarial de género por la inferioridad femenina, recibió numerosas amenazas de muerte en las redes sociales. Amenazas, con claro contenido sexista y en las que se utilizaban expresiones insultantes que jamás son empleadas contra los hombres.

Algunos años antes, en 2013, la Presidenta del Parlamento italiano denunció que desde su llegada al cargo había recibido mensajes insultantes con claro carácter machista, junto con amenazas de agresiones sexuales e incluso fotomontajes de mujeres violadas y ultrajadas. También en ese mismo año, parlamentarias británicas demandaron ante los tribunales por mensajes recibidos a través de twitter, claramente discriminatorios.

Tal y como señalan Lena Krook y Restrepo Salín, no se trata de una violencia subsumible en el concepto más amplio de violencia contra los políticos, en un clima de hastío popular frente a ellos, puesto *"que la violencia contra las mujeres en política tiene la motivación específica de buscar restringir la participación política de las mujeres como mujeres, lo que la hace una forma distinta de la violencia, que afecta no solo a la víctima individual, sino que comunica a*

---

3   ALBAINE, Laura. "Obstáculos y desafíos de la paridad de género. Violencia política, sistema electoral einterculturalidad". Íconos. Revista de Ciencias Sociales, nº 52, 2015, p. 151.

las mujeres y a la sociedad que las mujeres como grupo no deberían participar en política"[4].

Esta nueva forma de violencia y por tanto de discriminación y vulneración de los derechos de las mujeres tiene sus raíces más profundas en una sociedad patriarcal, que ve como amenaza que las mujeres salgan del entorno privado y ocupen las primeras posiciones en el ámbito público y político.

Después son las condiciones socioculturales y políticas de cada país o entorno, las que hacen que esta tenga mayor virulencia, como en el caso de los países de América o África o pase más desapercibida por el momento como en el viejo continente.

Cualquier forma de violencia de género, incluida la violencia política, viene a reforzar los tradicionales roles de género existentes y por tanto a acrecentar la histórica situación de desigualdad entre hombres y mujeres. Por ello es necesario referirse a ella para erradicarla y evitar su efecto expansivo a otras sociedades.

Tal y como señala Machicao *"(...) el acoso político se perfila como un fenómeno estructural de magnitud política y social, cuyo tratamiento y reflexión debe inducir a abordar el tema desde diferentes aristas, en el contexto de la violencia de género, que da cuenta de las diversas modalidades y manifestaciones que ésta adquiere en contra de las mujeres sin distinción de clase, pertenencia cultural o representación partidaria (...) y que representa un ejercicio extremo de autoridad y autoritarismo considerado legítimo por los sujetos que lo ejercen"*[5].

El conocimiento de esta nueva forma de violencia, nos ha hecho reflexionar sobre cuál es la situación de la titularidad y ejercicio de los derechos políticos de las mujeres y en segundo y último lugar, si es precisamente ese déficit de base en la participación política de la mujer lo que provoca esta forma de violencia de género, como es la violencia política.

2. LOS DERECHOS POLÍTICOS DE LAS MUJERES EN LA HISTORIA

La marginación de la mujer en todos los aspectos de la vida pública (y también privada) podemos decir sin temor a equivocarnos que es consustancial al surgimiento de la civilización occidental.

---

[4]   LENA KROOK, Mona y RESTREPO SANÍN, Juliana. "Violencia contra las mujeres en política. En defensa del concepto" *Política y Gobierno*, vol. XXIII, nº 2, 2016, p

[5]   MACHICAO, Ximena. *El acoso político: un tema urgente que enfrentar. Centro de Información y Desarrollo de la Mujer*, Bolivia, 2004, p. 4.

Ya en el siglo V a.C. en la Ley de las XII Tablas de Roma, se sometía a las mujeres a la *"tutela mulieris"* debido a la ligereza del juicio femenino y a ser considerada como el sexo débil. Era ignorante de los asuntos del foro y por ello no era tenida en cuenta en la vida política. La situación de la mujer en Roma, es ligeramente mejor que la que tenía en Grecia, donde estaba reducida a un papel reproductor y doméstico, estando confinada literalmente a las paredes de su casa; pero desde luego carece totalmente de cualquier derecho político. Platón en su obra La República, reconocía que no había tareas propias de hombres y mujeres y que por tanto habría que educarlas de igual forma que a los hombres[6]. No obstante, posteriormente en las Leyes declara la subalternidad social y jurídica de la mujer al hombre al restaurar el concepto de familia firmando respecto a la mujer *"que este sexo, que es de un carácter muy diferente al nuestro, por la razón misma de su debilidad se ve más inclinado que nosotros los hombres a ocultarse y caminar por vías torcidas"* Libro VI. Por tanto, debía abstenerse de participar o aparecer en la vida pública.

En la época de la Ilustración, los teóricos Locke y Rousseau excluyeron a las mujeres del contrato social. Según estos autores la razón estaba en el Estado de naturaleza, aunque mucho tiempo después autores como Pateman, que realiza un análisis feminista de la teoría del contrato social, considera que la mujer no fue excluida del contrato social por el Estado de naturaleza, sino por el contrato sexual que habían firmado antes[7] y este hecho es precisamente la base de la sociedad patriarcal.

Ni siquiera en la Francia revolucionaria y en concreto en la Declaración de Derechos del Hombre y del Ciudadano aprobada por la Asamblea Nacional constituyente francesa el 29 de agosto de 1789, se tiene en cuenta a la mujer, ya que se refiere únicamente al hombre y el ciudadano. En este contexto histórico Olympe de Gouges presenta ante la Asamblea Nacional francesa la Declaración de Derechos de la Mujer y la Ciudadana, en la que parafraseando la Declaración de 1789, realiza el alegato más contundente hasta el momento a favor de la

---

[6]   "Por consiguiente, también a las mujeres habría que introducirlas en la música y la gimnasia e igualmente en lo relativo a la guerra; y será preciso tratarles de la misma manera" Libro IV.

[7]   PATEMAN, Carole. *"Los varones crean la sociedad civil patriarcal y el nuevo orden social está estructurado en dos esferas. La esfera privada está separada de la vida pública civil; la esfera privada es y no es parte de la sociedad civil y las mujeres son y no son parte del orden civil. Las mujeres no son incorporadas como individuos sino como mujeres, lo que en la historia del contrato original significa que participan en tanto subordinados naturales (los esclavos son propiedad). El contrato original puede llevarse a cabo y los varones pueden obtener reconocimiento de su derecho patriarcal solo si la sujeción de las mujeres se asegura en la sociedad civil"*, El contrato sexual. Universidad Autónoma Metropolitana, México, 1995, p. 250.

emancipación femenina y la igualdad de derechos[8], reclamando expresamente la participación de la mujer en la elaboración de la ley:

> *"Artículo Sexto: La ley debe ser la expresión de la voluntad general; todas las ciudadanas y ciudadanos deben participar en su formación personalmente o por medio de sus representantes. Debe ser la misma para todos; todas las ciudadanas y todos los ciudadanos, por ser iguales a sus ojos, deben ser igualmente admisibles a todas las dignidades, puestos y empleos públicos, según sus capacidades y sin más distinción que la de sus virtudes y sus talentos".*

Esta Declaración fue rechazada por la Asamblea francesa y Olympic moriría en la guillotina dos años después, en 1793, precisamente el año en que se disuelven las asociaciones femeninas con el argumento de que las mujeres están más expuestas al error y a la seducción y tienen una mayor tendencia a la exaltación. El Código Civil Napoleónico de 1803 no supone un avance en esta materia, ya que somete a la mujer a la tutela del marido como si fuera un menor de edad y se priva a la mujer del acceso a la educación, que no sea orientada al ejercicio de las virtudes y labores de su sexo o como señalaba Gaspar Melchor de Jovellanos a *"una educación para formar buenas y virtuosas madres de familia"*[9].

En este contexto histórico, la reivindicación del ejercicio del derecho de voto para la mujer era prácticamente una utopía que tenemos que situar en el despegue del sufragismo y del movimiento feminista. Concretamente en el siglo XIX y sobre todo en la Declaración de Séneca Falls en 1848[10]. Esta Declaración firmada por 78 mujeres y 32 hombres reunidos en la capilla de Seneca Falls en Nueva

---

[8]   *"Las madres, las hijas, las hermanas, representantes de la Nación, solicitan ser constituidas en asamblea nacional. Considerando que la ignorancia, el olvido o la desestimación de los derechos de la mujer son las únicas causas de las calamidades públicas y de la corrupción de los gobiernos; estas han decidido exponer en una declaración solemne de los derechos naturales, inalienables y sagrados de la mujer, con el fin de que dicha declaración, constantemente presente en la mente de todos los miembros del cuerpo social, les recuerde de continuo sus derechos y sus obligaciones; con el fin de que los actos de poder de las mujeres y los del poder de los hombres, que pueden ser en cualquier momento comparados con la meta de toda institución política, adquieran mayor consideración; con el fin de que las reivindicaciones de las ciudadanas, basadas de ahora en adelante en principios sencillos e incontrovertidos apunten siempre en pro del mantenimiento de la Constitución, de las buenas costumbres y de la felicidad de todos los ciudadanos"* Preámbulo.

[9]   JOVELLANOS, Gaspar Melchor de. *Obras completas del excelentísimo señor Gaspar Melchor de Jovellanos*, Librería La Anticuaria, Barcelona, 1865, tomo IV. p. 26.

[10] Antes de ese año, se habían producido algunas irrupciones ocasionales de la mujer en la vida pública, como las de Simone Beauvoir o Mary Wollstonecraft, que redactó la obra "Vindicación de los Derechos de la Mujer" en 1792 y en la que incitaba a las propias mujeres a ser las protagonistas de un cambio radical en las costumbres femeninas y al Estado una modificación de las leyes educativas para garantizar un sistema educativo igualitario.

York, constituye una reivindicación pública del voto femenino, que será enarbolada como la bandera del sufragismo femenino a partir de ese momento.

> *"Decidimos: Que es deber de las mujeres de este país asegurarse el sagrado derecho del voto".*

Pero hasta llegar al reconocimiento internacional y vinculante de los derechos de participación política de las mujeres tendrían que pasar aún algunos años. A partir del final de la Primera Guerra Mundial, las mujeres van a ir consiguiendo el reconocimiento del ejercicio del derecho al voto en condiciones de igualdad. Previamente en 1893 se había reconocido en Nueva Zelanda el derecho de sufragio a las mujeres, si bien sólo en su vertiente del derecho a votar, pero no del derecho a ser candidatas, para lo cual que tendrían que esperar a 1919. En Australia se reconoció el derecho de sufragio en toda su extensión desde 1902 y a partir de ese momento y siguiendo sus propios ritmos, cada país reconoció a la mujer la igualdad en cuanto al ejercicio del derecho del voto. Sin ánimo de exhaustividad pueden mencionarse entre otros, Finlandia en 1906, Noruega en 1913, Estados Unidos en 1920, Uruguay en 1927, España en 193, Francia en 1944, Italia en 1946 o México en 1953.

3. EL RECONOCIMIENTO INTERNACIONAL DE LOS DERECHOS POLÍTICOS DE LA MUJER

Ya hemos podido ver, como la consecución del derecho al voto para las mujeres no ha sido ni un camino fácil ni rápido en ningún lugar del mundo. Este logro ha sido más tardío en la realidad que en su reconocimiento en textos y tratados internacionales sobre declaraciones de Derechos.

Así, la Declaración Universal de Derechos Humanos de 1948, señala expresamente en su artículo 2º que *"Toda persona tiene todos los derechos y libertades proclamados en esta Declaración, sin distinción alguna de raza, color, sexo, idioma, religión, opinión política o de cualquier otra condición"*; para acto seguido, contemplar en el artículo 21 que *"Toda persona tiene derecho a participar en el gobierno de su país, directamente o por medio de representantes* "y de acceso en condiciones de igualdad en las funciones públicas.

También lo hace el Pacto Internacional de Derechos Civiles y Políticos, en su art. 25 que establece que todos los ciudadanos sin ninguna distinción, ni restricción indebida, tendrá derecho a *"participar en la dirección de los asuntos públicos directamente o por medio de representantes (...)"* y a *"votar y ser elegidos en elecciones periódicas auténticas, realizadas por sufragio universal e igual y por voto secreto que garantice la libre expresión de la voluntad de los electores"*

En el ámbito regional, encontramos preceptos semejantes en el art. 23 de la Convención Americana de Derechos Humanos de 1969, por ejemplo[11].

El caso del Convenio Europeo de Derechos Humanos de 1950, muestra una situación un tanto peculiar. En este sólo se hace referencia a los derechos de libertad de reunión y asociación, que también son considerados derechos políticos, sin hacer mención alguna al derecho de sufragio activo y pasivo ni al derecho de acceso a la función pública.

No obstante, esta laguna se completó de forma temprana a partir del primer Protocolo realizado al Convenio Europeo de Derechos Humanos en cuyo artículo 3 se reconoce el compromiso de las Partes Contratantes a organizar a intervalos razonables, elecciones libres en condiciones que garanticen la libertad de expresión de la opinión del pueblo[12]. La interpretación jurisprudencial de este artículo 3 ha concluido que en el mismo se reconocen derechos subjetivos de participación: *"el derecho de voto y el derecho de presentarse como candidato en las elecciones al Parlamento"*[13].

En conclusión, si a nivel internacional y regional la titularidad y ejercicio de los derechos políticos se encuentran reconocidos en términos de igualdad, parecería innecesario que hubiera pronunciamientos específicos sobre los derechos políticos de las mujeres. Pero la realidad es bastante diferente y se han necesitado instrumentos específicos para paliar la discriminación histórica de la mujer, no solo en el campo político, que es al que nos estamos refiriendo, sino también por ejemplo en el ámbito salarial, para lo cual la Organización Internacional del Trabajo adoptó el Convenio 100 sobre igual remuneración del hombre y la mujer ante el mismo valor del trabajo.

---

[11]   *"Todos los ciudadanos deben gozar de los siguientes derechos y oportunidades: a) de participar en la dirección de los asuntos públicos, directamente o por medio de representantes libremente elegidos; b) de votar y ser elegidos en elecciones periódicas auténticas, realizadas por sufragio universal e igual y por voto secreto que garantice la libre expresión de la voluntad de los electores, y c) de tener acceso, en condiciones generales de igualdad, a las funciones públicas de su país. 2. La ley, puede reglamentar el ejercicio de los derechos y oportunidades a que se refiere el inciso anterior exclusivamente por razones de edad, nacionalidad, residencia, idioma, instrucción, capacidad civil o mental, o condena, por juez competente, en proceso penal.".*

[12]   *"Las Altas Partes contratantes se comprometen a organizar, a intervalos razonables elecciones libres con escrutinio secreto, en condiciones que garanticen la libre expresión del pueblo en las elecciones del cuerpo legislativo.".*

[13]   *"En cuanto a la naturaleza de los derechos que de esta manera confirma el artículo3, el criterio de la Comisión ha evolucionado. De la idea de un derecho institucional a la organización de elecciones libres (resolución de 18 de septiembre de 1961 sobre la admisión a trámite de la demanda núm. 1028/1961, X contra Bélgica (...)), se ha pasado al concepto de sufragio universal (...); y después como consecuencia se ha hablado de derechos subjetivos de participación: el derecho de voto y el derecho de presentarse como candidato en las elecciones al Parlamento".* Párrafo. 51. Caso, Mathieu Mohin y Clerfayt contra Bélgica, 2 de marzo de 1987.

En el campo que nos ocupa, sin lugar a dudas la primera reacción en este sentido fue la de la Asamblea General de las Naciones Unidas ante la desigualdad real de la mujer en el ámbito de los derechos políticos y la constatación de que todavía en el año 1952, existían números países que no habían reconocido a las mujeres el derecho de sufragio Por ello, aprueba la Convención sobre los Derechos Políticos de la Mujer, el 20 de diciembre de 1952, en la que en sus tres primeros artículos reconoce el derecho de las mujeres en condiciones de igualdad con los hombres; a votar, a ser elegibles en todos los organismos públicos electivos, a ocupar cargos públicos y a ejercer todas las funciones públicas.

4. HACIA EL EJERCICIO EFECTIVO DE LA PARTICIPACIÓN POLÍTICA: UN BREVE ESBOZO SOBRE CUOTAS ELECTORALES[14]

Tal y como hemos visto en el apartado anterior, la igualdad jurídica de ambos sexos está reconocida en los textos internacionales y constitucionales de los países desde hace un siglo Esta igualdad jurídica va a suponer que a hechos iguales, se deriven consecuencias jurídicas iguales; salvo en aquellos casos en los que se permita un trato desigual no discriminatorio basado en una justificación objetiva, razonable y proporcionada.

Sin embargo, la representación política de la mujer aún es una cuestión pendiente y por lo tanto se sigue requiriendo dar el salto de la igualdad formal a la igualdad material[15].

Promover condiciones, remover obstáculos y facilitar la participación son los cometidos que desde los textos constitucionales e internacionales se imponen a los poderes públicos para que de este modo conviertan la igualdad jurídica en igualdad material y por tanto para que el sexo no sea un obstáculo a la hora de ejercer los derechos políticos por parte de las mujeres. Se van a utilizar para ello de forma legítima, medias de acción positiva y de discriminación inversa.

A este compromiso llegaron los Estados asistentes a la IV Conferencia de las Naciones Unidas sobre Mujeres en septiembre de 1995, en la que se reconoce que pese a que la mujer ha avanzado en algunos aspectos, aún persisten desigual-

---

[14]   Un estudio detallado sobre las Cuotas Electorales puede encontrarse en otros capítulos de esta obra, por lo que nosotros únicamente haremos una breve referencia a las mismas.

[15]   Los poderes públicos están obligados, tal y como señala el artículo 9.2 de la Constitución española a, *"promover las condiciones para que la libertad y la igualdad del individuo y de los grupos en que se integra sean reales y efectivos y a remover los obstáculos que impidan o dificulten su plenitud y facilitar la participación de todos los ciudadanos en la vida política, económica, cultural y social"*.

dades para hacer efectivos ciertos derechos como los políticos. En consecuencia, en la Resolución que se adopta en esta IV Conferencia se insta entre otros a los gobiernos de los Estados a introducir medidas de Acción Positiva que favorezcan el acceso de las mujeres a los órganos de decisión política, tales como *"medidas (...) en los sistemas electorales, que alienten a los partidos políticos a integrar a las mujeres en los cargos públicos electivos y no electivos en la misma proporción y en las mismas categorías que los hombres"* (Párrafo 190.b de la Resolución).

También exhorta a los partidos políticos *"a examinar la estructura y los procedimientos de los partidos a fin de eliminar todas las barreras que discriminen directa o indirectamente contra la participación de la mujer; o a establecer iniciativas que permitan a las mujeres participar plenamente en todas las estructuras internas de adopción de decisiones y en los procesos de nombramiento por designación o elección; o incorporar las cuestiones de género a su programa político tomando medidas para lograr que las mujeres puedan participar en la dirección de los partidos políticos en pie de igualdad con los hombres"* (Párrafo 191 de la Resolución).

Las medias de acción positiva consisten en desarrollar actuaciones públicas a favor de un determinado grupo social, sin que esto perjudique directamente a ningún otro sector. Ejemplos de este tipo lo constituyen la concesión de ayudas o subvenciones. Las acciones positivas tienen su origen en los Estados Unidos en los años 70, en los que se utilizaron como un instrumento para la promoción de grupos étnicos postergados, especialmente la minoría negra. Posteriormente se extenderán a otros países, como por ejemplo España, cuya primera medida de acción positiva fue otorgar un complemento retributivo económico en concepto de guardería a las mujeres que trabajaran en un centro y que tuvieran hijos menores de seis años. Complemento económico que sólo se atribuiría a los hombres con hijos menores de edad en estado de viudedad. Esta medida fue declarada constitucionalmente admisible y acorde con el principio de igualdad por el Tribunal Constitucional español en la sentencia 128/1987[16], tras el recurso de amparo de un trabajador varón del centro.

En España la Ley Orgánica 3/2007 para la Igualdad Efectiva de Mujeres y Hombres es la primera norma que con carácter general, contempla mecanismos de acción positiva y también de discriminación inversa a favor de las mujeres,

---

[16] La lectura de esta sentencia sólo puede hacerse entendiendo el contexto y la situación social de la mujer en la sociedad española de los años 80. El cuidado del hogar y la responsabilidad de los hijos era exclusivamente femenino, y por tanto los varones no parten de la misma situación que la mujer a la hora de acceder al mercado laboral, por ello *"no hay, en consecuencia, vulneración del principio de igualdad, al darse tratamientos diferentes a sujetos en situaciones que resultan distintas, de acuerdo con criterios razonables a juicio de este Tribunal"*.

más allá de las normativas en materia electoral de las Comunidades Autónomas, a las que luego nos referiremos.

A diferencia de las medidas de acción positiva, las medidas de discriminación inversa, suponen discriminar favorablemente a un determinado colectivo, frente a otro u otros a los que pueden causar algún perjuicio. Sin lugar a dudas una de las medidas de discriminación inversa más conocidas es la asignación o reserva de cuotas a determinados colectivos, bien para acceder a determinados bienes o servicios de la colectividad o bien para hacer efectivo el derecho de sufragio pasivo. Algunos autores consideran éstas como mecanismos de acción positiva, pero en nuestra opinión, al igual que señala Aranda, las cuotas constituyen, la manifestación más extrema de las políticas antidiscriminatorias. *"No se conforma con introducir una desigualdad para conseguir la igualdad como objetivo, sino que, además esa desigualdad provoca un daño directo en los miembros de los colectivos no beneficiados"*[17].

El primer país del mundo en introducir una cuota electoral a favor de las mujeres fue Argentina, reservando un 30% de las candidaturas para este sexo en 1991. En Europa, deberíamos esperar tres años más hasta que Bélgica en 1994, implanta una ley electoral que exige una representación mínima de candidatas del 25% en todas las listas electorales, que luego se aumentará al 33%, a partir de 1999.

En el caso de España, fue la Ley Orgánica 3/2007, en su Disposición Adicional Segunda, la que modifica la redacción de la Ley Orgánica del Régimen Electoral General, en el sentido de exigir que todas las candidaturas de los procesos políticos que se celebren en nuestro país, tengan una composición equilibrada de mujeres y hombres de forma que en el conjunto de la lista los candidatos de cada uno de los sexos supongan como mínimo el cuarenta por ciento.

En el caso de las elecciones a las Asambleas Legislativas de las Comunidades Autónomas estas medidas de discriminación inversa pueden ser más favorables aun a la presencia de las mujeres en las candidaturas. Esta situación ya se encontraba de facto en la legislación electoral de Castilla-La Mancha, Valencia o el País Vasco, en las que se impone el principio cremallera en la elaboración de las listas de candidatos. Por ejemplo, la Ley 11/2002 de Castilla-La Mancha, que modifica la Ley Electoral 5/1986, exige que las candidaturas que presenten los partidos políticos, federaciones, coaliciones o agrupaciones de electores alternarán hombres y mujeres, ocupando los de un sexo los puestos pares y los del otro los impares.

¿Estamos seguros de que estas medidas favorecen el acceso de la mujer a la vida política de manera constitucional y legítima? En Europa, algunos Tribunales

---

[17]   ARANDA ÁLVAREZ, Elviro. *Cuota de mujeres y régimen electoral*. Dykinson, 2001, p.40.

Constitucionales se han pronunciado sobre la constitucionalidad de las cuotas electorales. En el año 1992 el Consejo Constitucional declaró inconstitucional una ley electoral que preveía que una lista electoral no pudiera tener más del 75% de candidatos del mismo sexo. En la actualidad la Constitución francesa se reformó en 1999 para garantizar a nivel constitucional que "*la ley garantizará el igual acceso de hombres y mujeres a los mandatos electorales y cargos electivos (...)*" (art. 1 Constitución francesa).

También la Corte Constitucional italiana en sentencia de 12 de septiembre de 1995 consideró inconstitucional una ley electoral que prohibía que las candidaturas locales estuviesen formadas por una proporción superior a los 2/3 de candidatos de un sexo determinado. Por tanto, no toda medida de este tipo tuvo una acogida favorable en los supremos órganos constitucionales de sus países. Como veremos, hoy la situación es diferente.

En España, nuestro Alto Tribunal, separándose de las resoluciones de sus homólogos europeos ante expuestas, se ha pronunciado al respecto en la sentencia 12/2008, de 29 de enero. En esta resolución el Tribunal Constitucional avala la imposición a los partidos políticos, ex. art. 44 bis LOREG, de unas cuotas de sexo en la composición de sus candidaturas, como un cauce válido para el logro de la sustantivación de la igualdad formal propugnada por el artículo 9.2 de la Constitución española. Se desestima también que la imposición de unas determinadas cuotas electorales vulnere otros derechos como el derecho de asociación o como el de la libertad de presentación y selección de candidaturas de los partidos políticos (art. 6), puesta que tal libertad no es absoluta sino limitada "*en atención a otros valores y bienes constitucionales protegidos*"; en este caso la consecución de la igualdad formal y material.

En nuestro caso los interrogantes que me plantean este tipo de medidas de discriminación inversa, más que de constitucionalidad, cuestión que ha sido resuelta por el sumo intérprete de la Constitución en España, son de efectividad de las mismas.

Por ejemplo en España, en la actualidad hay 140 Diputadas en el Congreso, seis menos que en la octava legislatura, antes de aplicarse la Ley Orgánica de Igualdad Efectiva de Hombres y Mujeres 3/2007. Es cierto que en las primeras elecciones generales en las que se aplicó esta Ley, el número de Diputadas ascendió de 146 a 158 y ha tenido su máximo en la décima legislatura (2011-2016), con 175 Diputadas.

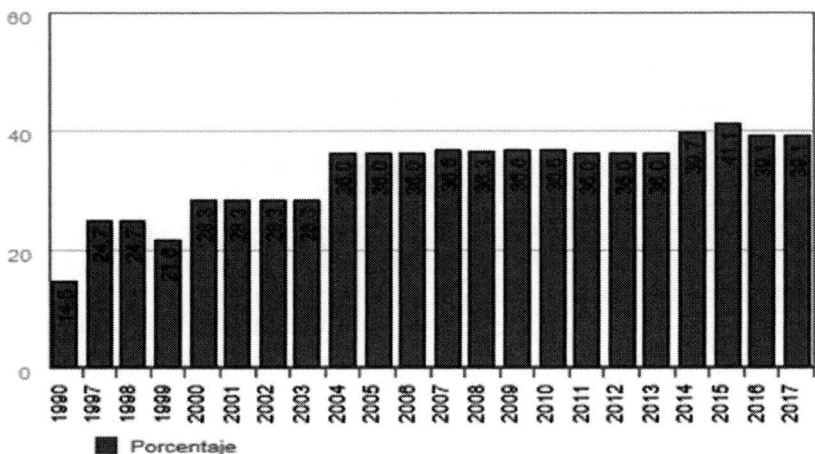

Fuente: Observatorio de Igualdad de Género de América Latina y el Caribe. Datos año 2015

Por tanto, la eficacia de la implementación de las cuotas electorales en España debe ponerse al menos en cuarentena.

La situación ha sido bastante diferente por ejemplo en Francia. Tras las últimas elecciones en junio de este mismo año, el Parlamento cuenta con una cifra record de mujeres. Concretamente 223 mujeres diputadas, frente a las 156 de la legislatura anterior. Las diputadas constituyen el 38.6 % de la composición de la Cámara, frente al 26.9% anterior. La Ley Electoral Francesa 2000-493 de 6 de junio que estableció la paridad electoral con un sistema cremallera, después de la reforma constitucional de 1999, supuso un aumento de la presencia de las mujeres en la Asamblea progresivo y moderado desde su implantación, hasta estas últimas elecciones en que el crecimiento ha sido casi exponencial. También ha contribuido a una mayor presencia de las mujeres en el Parlamento en Italia, la Ley 52/2015, que establece al igual que su homóloga francesa, la paridad electoral y un sistema cremallera, con importantes precisiones en relación al género y a las sanciones que se impondrían en caso de incumplimiento[18].

Casi sin apenas darnos cuenta, hemos pasado de hablar de cuotas y porcentajes a observar los efectos de leyes electorales que establecen un sistema estricto de paridad electoral con un 50% de representación de un sexo y un 50% de

---

[18]   Puede encontrarse un estudio detallado de la nueva ley electoral italiana en FUSARO, Carlo "La nueva ley electoral italiana de 2015, un reto para el parlamentarismo débil", *Teoría y Realidad Constitucional*, nº 38, 2016.

representación del otro. Esta última proporción creemos que es más acorde con el término democracia paritaria, ya que la definición que realiza el Diccionario de la Real Academia de la Lengua Española es la de "igualdad de las cosas entre sí".

En líneas generales puede afirmarse, que desde su implantación las cuotas electorales en la mayor parte de los países han paliado, aunque no solucionado, el problema de la infrarrepresentación de la mujer en el ámbito político. Salvo casos excepcionales, como puede ser el de España, el establecimiento bien de cuotas legislativas o de cuotas en el seno de los mismos partidos políticos han supuesto un aumento en el porcentaje de participación de las mujeres en los Parlamentos como puede verse en el siguiente gráfico del Observatorio de Igualdad de Género de América Latina y el Caribe (datos año 2015).

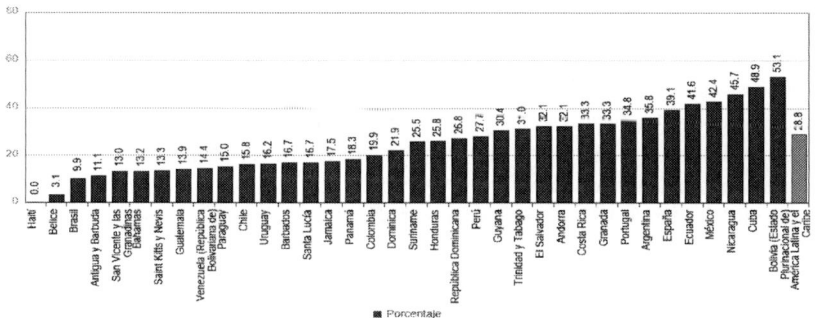

En nuestra opinión, las cuotas electorales en ninguna de sus modalidades, ni pueden ni deben considerarse la solución permanente al problema de la infra-rrepresentación política de la mujer. Deben tener una acción temporal limitada, pues de lo contrario contribuyen a perpetuar las diferencias de género en vez de superarlas. En estos momentos la rigidez de la cuota electoral en España, impe-diría por ejemplo la presentación de una candidatura íntegramente formada por mujeres en su totalidad, como la configurada en el municipio tinerfeño de Gara-chico y que fue inadmitida por la Junta Electoral de Canarias y posteriormente por el Tribunal Constitucional que no admitió a trámite el Recurso de Amparo presentado por las candidatas de esta lista electoral en junio de 2007. Situaciones de este tipo no contribuyen a solucionar el problema de la infrarrepresentación de la mujer en los órganos de decisión política.

Las medidas de discriminación inversa como las cuotas, únicamente deben utilizarse cuando efectivamente se compruebe que la inferioridad real de un de-terminado colectivo social en un ámbito determinado, como por ejemplo el ac-ceso a los cargos públicos representativos, continua y deben tener estrictamente un carácter temporal[19], permaneciendo hasta que la sociedad haya alcanzado el grado de madurez suficiente para no necesitar la intervención estatal en estas cuestiones[20].

El Derecho no es siempre la mejor ni única solución al problema, ya que en determinadas situaciones junto a las medidas jurídico-normativas deben articularse políticas sociales de educación en la igualdad que las complementen y en su momento destierren a las primeras. Como ya se señaló en la IV Conferencia de las Naciones Unidas en Pekín, la desigualdad en el terreno político *"tienen muchas veces su raíz en las actitudes y prácticas discriminatorias y en el desequilibrio en las relaciones de poder entre la mujer y el hombre que existen en el seno de la familia "*(párrafo 185), como la desigual división del trabajo y de las responsabilidades en el hogar. Estas circunstancias dificultan que la mujer dedique tiempo a formarse, a adquirir conocimientos y exponerlos en los foros públicos.

Por ello, la mayor presencia de la mujer en la toma de decisiones políticas y en la vida pública en general, facilitada e impulsada por la implantación de las cuotas, puede ser el origen de la errónea percepción de que su intervención se debe única y exclusivamente a su pertenencia a un colectivo que tiene asegurado un porcentaje mínimo de participación. Esta falsa apreciación en una sociedad patriarcal como la que sigue existiendo puede ser una de las bases de la violencia política.

5. UNA NUEVA FORMA DE VIOLENCIA DE GÉNERO. LA VIOLENCIA POLÍTICA

La integración de la mujer en los órganos de decisión política a todos los niveles (ayuntamientos, parlamentos regionales, autonómicos e internacionales), parece haber abierto la caja de Pandora y originar que estemos ante una nueva modalidad de violencia de género y más concretamente de violencia contra la mujer por razón de género[21], —la violencia política—.

---

[19]   Una opinión contraria a esta puede encontrarse en MACIAS JARA quien no considera *"que la temporalidad sea un elemento esencial en la justificación de la acción positiva porque el carácter temporal de una medida dependerá del tipo y de su formulación"*; "La democracia en clave de igualdad. Entre la alternancia y las listas abiertas para la igualdad efectiva de género", *AsparKia*, n° 26, 2015, p. 55.

[20]   Mucho más crítico con nosotros con las cuotas se muestra Fernando Rey, quien afirma que *"las discriminaciones positivas electorales plantean más problemas de los que resuelven (…), ya que se trata de medidas innecesarias, paternalistas, contraproducentes, e incluso potencialmente lesivas de derechos fundamentales en particular"*, "Cuotas electorales reservadas a mujeres y Constitución", *Aequalitas*, n° 1999, p. 59.

[21]   Por violencia de género, hemos de entender cualquier acto de violencia física o psíquica contra una persona o grupo de personas por razón de su sexo o su género. Es por tanto un

El reconocimiento normativo de la violencia política contra la mujer, no llega hasta la Declaración sobre la Violencia y el Acoso Políticos contra las Mujeres, adoptada en Lima en 2015. Previamente los organismos internacionales se habían pronunciado, si bien respecto a un concepto más amplio como era el de la violencia contra la mujer por razón de género.

Así, la Convención sobre la Eliminación de todas las formas de Discriminación contra la mujer (CEDAW, en adelante) de 1979, ratificada por España en 1984, si bien no hace referencia a la violencia de género contra la mujer, sin embargo sí contempla la prohibición de discriminación contra la mujer en todas sus formas y el compromiso de los Estados firmantes del Tratado para adoptar todas las medidas necesarias, incluidas las legislativas *"para asegurar el pleno desarrollo y adelanto de la mujer, con el objeto de garantizarle el ejercicio y el goce de los derechos humanos y libertades fundamentales en igualdad de condiciones con el hombre"* (art.3). No se mencionan expresamente los derechos políticos, ni ninguna forma de violencia en concreto. No obstante, esta omisión inicial es subsanada por el Comité para la Eliminación de la Discriminación contra la Mujer en dos Recomendaciones posteriores. La primera de ellas es la Recomendación General n° 19[22], en la que incluye la violencia basada en el sexo dentro de la definición de discriminación y algunos años después, en la Recomendación n° 23, se exhorta a los Estados de forma específica a eliminar la discriminación de la mujer en el ámbito de la vida política, mediante la adopción de medidas que garanticen su derecho a:

> *"a) Votar en todas las elecciones y referéndums públicos y ser elegibles para todos los organismos cuyos miembros sean objeto de elecciones públicas;*
> *b) Participar en la formulación de las políticas gubernamentales y en la ejecución de éstas, y ocupar cargos públicos y ejercer todas las funciones públicas en todos los planos gubernamentales;*
> *c) Participar en organizaciones no gubernamentales y asociaciones que se ocupen de la vida pública y política del país".*

---

concepto aplicable tanto al hombre como a la mujer, aunque tradicionalmente se ha asociado (y nosotros así lo hemos venido utilizando a lo largo de este trabajo) al concepto de violencia contra las mujeres por razón de género, que será el término que utilicemos a lo largo de esta investigación.

[22] *"6. En el artículo 1 de la Convención se define la discriminación contra la mujer. En la definición de la discriminación se incluye la violencia basada en el sexo, es decir, la violencia dirigida contra la mujer porque es mujer o que la afecta en forma desproporcionada. Se incluyen actos que infligen daño o sufrimiento de índole física, mental o sexual, las amenazas de esos actos, la coacción y otras formas de privación de libertad. La violencia contra la mujer puede contravenir disposiciones concretas de la Convención, independientemente de que en ellas se mencione expresamente la violencia o no.".*

Señalando además que en el concepto de vida política deberían incluirse todas las esferas de la vida pública y política, o tal como señala en el Antecedente, nº 5 *"El término abarca todos los aspectos de la administración pública y la formulación y ejecución de la política a los niveles internacional, nacional, regional y local. El concepto abarca también muchos aspectos de la sociedad civil, entre ellos, las juntas públicas y los consejos locales y las actividades de organizaciones como son los partidos políticos, los sindicatos, las asociaciones profesionales o industriales, las organizaciones femeninas, las organizaciones comunitarias y otras organizaciones que se ocupan de la vida pública y política"*.

La Declaración de las Naciones Unidas sobre la Eliminación de la Violencia contra la Mujer (1993), define la violencia de género como:

> *"Todo acto de violencia basado en la pertenencia al sexo femenino que tenga o pueda tener como resultado un daño o sufrimiento físico, sexual o psicológico para la mujer, así como las amenazas de tales actos, la coacción o privación arbitraria de la libertad tanto si se produce en la vida pública como en la privada* "Art. 1.

En el ámbito del Sistema Interamericano de Derechos Humanos, la Convención Interamericana para Prevenir, Sancionar y Erradicar la Violencia contra la mujer, de 1994, conocida como Convención *"Belém do Pará"*, define en su artículo primero la violencia contra la mujer como *"cualquier acción o conducta basada en su género, que case muerte, daño o sufrimiento físico, sexual o psicológico de la mujer, tanto en el ámbito público como en el privado"*.

Como vemos se incluye en el concepto de violencia el aspecto físico y el psíquico, el ámbito público que sería en el que nos centraríamos en el caso de la violencia política, pero también el privado, al igual que en la Declaración de las Naciones Unidas. Se exige además a los Estados que adopten todas las medidas necesarias para que las mujeres gocen de una vida libre de violencia en todos los ámbitos y dimensiones.

Pero sin lugar a dudas, la definición expresa y precisa de la violencia política, la encontramos en la Declaración sobre la Violencia y el Acoso Políticos contra las Mujeres, adoptada en Lima en 2015, en el seno de la sexta conferencia de los Estados parte de la Convención de Belém do Pará. En esta Declaración, que es el primer acuerdo en el ámbito interamericano sobre este tema particular, se reconoce la necesidad de avanzar en la definición de la violencia política contra la mujer, señalando de forma clara y contundente que, en el ámbito del acoso y la violencia política contra las mujeres, deben incluirse:

> *"cualquier acción, conducta u omisión entre otras, basada en su género, de forma individual o grupal, que tenga por objeto o resultado menoscabar, anular, impedir, obstaculizar o restringir sus derechos políticos (...)"*.

Estas acciones u omisiones vulnerarían el derecho de las mujeres a participar en los asuntos públicos en igualdad de condiciones con los hombres y les anularía como seres políticos.

La importancia de esta Declaración, radica entre otras cuestiones, no solo en la definición que hace de violencia política, sino en otros dos elementos. Sitúa el germen de este tipo de violencia en el aumento de la participación política de las mujeres en los cargos de representación política, desmitificando así que las cuotas electorales, a las que nos hemos referido en puntos anteriores, sean la solución para el acceso igualitario de las mujeres y hombres en todas las instituciones estatales y organizaciones políticas. El segundo elemento importante es la proposición de una serie de medidas en materia de violencia y acoso político contra las mujeres, como las siguientes:

- Impulsar la realización de normas, programas y medidas para la prevención, atención, protección y erradicación de la violencia y el acoso político contra las mujeres.
- Fomentar y divulgar investigaciones que tomen en cuenta la especificidad de la violencia política contra la mujer.
- Alentar cambios en los factores estructurales que inciden en la violencia e incorporarlos a las políticas públicas de prevención, atención y sanción de la violencia política.
- Promover la participación de las propias mujeres políticas en la elaboración, ejecución y fiscalización de las políticas públicas en materia de violencia y acoso.
- Inducir a los partidos políticos, organizaciones sindicales, medios de comunicación y redes sociales a crear sus propios instrumentos y códigos éticos para prevenir y combatir el acoso y violencia política.
- Promocionar la realización de campañas de sensibilización de la población, frente a este problema.

En definitiva, la Declaración señala las causas principales que motivan el acoso y violencia políticos, define qué debe entenderse por tal e incita a los principales actores políticos (Estado, sociedad, partidos políticos y medios de comunicación) a realizar medidas para detectar, prevenir y sancionar estos actos de violencia de género contra las mujeres.

Esta Declaración tiene como base la Ley contra el Acoso y la Violencia Política hacia las Mujeres (nº 243) de Bolivia, aprobada en mayo de 2012. Esta Ley pionera en la materia tiene su origen en el trabajo de visibilización realizado en Bolivia desde el año 2000, cuando un grupo de concejalas convocan en la Cámara de Diputados una reunión sobre el tema para exponer los actos de violencia sufridos por mujeres candidatas. Estos actos, unidos a los llevados a cabo por la Asociación de Concejalas de Bolivia y al trabajo académico, fructificaron en la Ley nº 243, en la que se define qué debe entenderse por acoso y violencia política y que actos constituyen violencia y/o acoso político. Pero antes de la promulgación de la misma fueron necesarias más de 500 denuncias por acoso llevadas a cabo por candidatas y la muerte de las concejalas Daguimar Rivera y Juana Quispe, después de reiteradas denuncias en el mismo año 2012.

Según señala la ley, se entiende el acoso político, como *"acto o conjunto de actos de presión, persecución, hostigamiento o amenazas, cometidos por una persona o grupo de personas, directamente o a través de terceros, en contra de mujeres candidatas, electas, designadas o en ejercicio de la función político-pública o en contra de sus familias, con el propósito de acortar, suspender, impedir o restringir las funciones inherentes a su cargo, para inducirla u obligarla a que realice, en contra de su voluntad, una acción o incurra en una omisión, en el cumplimiento de sus funciones o en el ejercicio de sus derechos"* (art.7.a)[23]. Continúa la ley detallando los actos que pueden definirse como actos de acoso y los procedimientos y órganos competentes para presentar las denuncias por este acoso y/o violencia.

Esta importante ley, no ha sido objeto de desarrollo reglamentario que permitiera su aplicación práctica hasta octubre de 2016 en que se promulga el Decreto Supremo Nº 2935, de 05 de octubre de 2016, Reglamento de la Ley Nº 243. En el Decreto se establecen mecanismos de capacitación, prevención y atención inmediata ante los actos de acoso y/o violencia políticas[24]. Se crean también Comisiones de Ética en los órganos de deliberación que son competentes para sancionar las faltas de acoso y violencia política que son descritas en el art. 8 de la Ley de Violencia, siempre que la víctima haya escogido esta vía y no cualquiera de las otras vías previstas en la Ley[25].

---

[23]   También hace referencia a la violencia política definiéndola como *"las acciones, conductas y/o agresiones físicas, psicológicas, sexuales cometidas (...) en contra de las mujeres candidatas, electas, designadas o en ejercicio o en ejercicio de la función político-pública, o en contra de su familia, para acortar, suspender, impedir o restringir el ejercicio de su cargo o para inducirla u obligarla a que realice, en contra de su voluntad, una acción o incurra en una omisión, en el cumplimiento de las funciones o en el ejercicio de sus derechos"* (art.7.b).

[24]   Se pone en funcionamiento el Mecanismo de Prevención y Atención Inmediata que se activará por sus miembros ante el conocimiento de un caso de gravedad de acoso y/o violencia política, que pone en riesgo inminente la vida o integridad física de la afectada. Este Mecanismo estará integrado por *"Representantes nombrados por la máxima autoridad ejecutiva del Ministerio de Justicia, Ministerio de Gobierno, incluida la Policía Boliviana, Ministerio de Autonomías, Órgano electoral plurinacional, Ministerio Público y Defensor del Pueblo; y organizaciones representativas de autoridades electas a nivel nacional y de las entidades territoriales autónomas"* (art.5).

[25]   *"11.I. La Comisión de Ética de cada órgano deliberativo es la instancia encargada de conocer y resolver las denuncias en la vía administrativa sobre acoso y/o violencia política contra autoridades electas tanto titulares como suplentes. II. La Comisión de Ética deberá estar conformada considerando criterios de pluralidad representativa y equidad de género, de acuerdo a su nor-*

Hasta el momento de redactar estas líneas, Bolivia es el único país que cuenta con una normativa específica de violencia de género contra las mujeres en cuestiones de acoso y/o violencia política. Costa Rica, Ecuador y Perú tienen proyectos de leyes que aún no han fructificado. En México se han realizado algunas modificaciones en las leyes ya existentes (Ley General de Instituciones y Procedimientos Electorales y Ley General de Acceso de las Mujeres a una Vida Libre de Violencia) para dar cabida a esta nueva realidad[26], sin perjuicio de la existencia de un Protocolo para atender la violencia política contra las mujeres, que pretende servir de guía para identificar la violencia política y establecer los cauces para la denuncias de las mujeres que ven sus derechos político-electorales afectados por estos actos de violencia[27].

En Europa, aún no se cuenta con un marco normativo específico para prevenir y denunciar los casos de acoso político y aquellas situaciones de las mujeres parlamentarias mencionadas en la introducción de este trabajo, subsumibles en este tipo de violencia, se sustancian jurídicamente en el marco del discurso del odio y los límites a la libertad de expresión en las redes sociales.

El Convenio del Consejo de Europa para prevenir y combatir la violencia contra la mujer y la violencia doméstica (Convenio de Estambul) de 2011 es el marco jurídico europeo en materia de violencia de género contra las mujeres. Más de una treintena de países lo ha ratificado, entre ellos España, donde entró en vigor el 1 de agosto de 2014. Se trata del primer tratado internacional vinculante en materia de violencia de género contra la mujer en el ámbito europeo. En el mismo se busca prevenir la violencia contra la mujer, proteger a la víctima, establecer un mecanismo de acciones judiciales frente a los actos de violencia, así como sensibilizar a la población en esta materia. También obliga a los Estados signatarios de la Convención a llevar a cabo una serie de medidas para conseguir los fines del Convenio, entre las cuales se encuentran: la formación de profesionales en materia de violencia de género; campañas de sensibilización en esta cuestión, programas preventivos de intervención y tratamiento para aquellos que ejercen la violencia

---

mativa interna. III. No puede ser integrante de la Comisión de Ética, la servidora o el servidor público que tenga antecedentes de violencia".

[26]   Pueden encontrarse algunas legislaciones estatales, como la Ley Estatal de Acceso de las Mujeres a una vida Libre de Violencia de Género de Oaxaca, que desde 2016 reconoce como una forma de violencia la violencia política, definiéndola en su art. 7.7 como "cualquier acción u omisión cometida por una o varias personas o servidores públicos por sí o a través de terceros, que causen daño físico, psicológico, económico o sexual en contra de una o varias mujeres y/o de su familia, para acotar, restringir, suspender o impedir el ejercicio de sus derechos ciudadanos y político-electorales o inducirla a tomar decisiones en contra de su voluntad".

[27]   Puede consultarse en detalle este Protocolo en la siguiente dirección web http://www.fepade. gob.mx/actividades_ins/2016/marzo/ProtocoloViolencia_140316.pdf

de género, creación de casas de acogidas y de números de teléfono gratuitos durante 24 horas siete días a la semana donde denunciar la violencia sufrida y un sistema de información estadística con datos relativos a la violencia de género.

El Convenio de Estambul hace referencia un concepto muy amplio de violencia, ya que define la violencia física, psicológica, sexual, económica y la violencia doméstica, pero en ningún momento se refiere a la violencia política con carácter expreso.

En nuestra opinión se perdió una importante oportunidad para hacer visible una forma de violencia contra la mujer por razón de género, que afecta a sus derechos políticos y que tiene especificidad propia. Es cierto que realizando una interpretación extensiva del Convenio, la violencia política, podría incluirse en el concepto genérico de violencia por razón de género, que es definida en el artículo 3.d), como una violencia contra la mujer porque es una mujer y por tanto también gozaría del marco protector de la Convención. Pero de este modo queda difuminada e incluso "disfrazada" entre otras formas de violencia y finalmente se termina protegiendo, tal y como ya hemos comentado en el caso de las diputadas en Europa a través de demandas en contra del discurso del odio, y en definitiva en el marco de la libertad de expresión y sus límites.

En España, ni la Ley Orgánica 1/2004 de Medidas de Protección Integral contra la Violencia de Género, ni la Ley Orgánica 3/2007 para la Igualdad Efectiva de mujeres y hombres, marco normativo en materia de violencia de género y de igualdad, contemplan la violencia política como tal.

Consideramos que es un error que en Europa se "oculte" esta forma de violencia, camuflándola en cualquier otra forma de violencia y en cualquier otro tipo penal, como por ejemplo un simple delito de amenazas. Es una muestra más del estancamiento en materia de igualdad de género en la Unión Europea que ha sido denunciada por el propio Parlamento Europeo en su Resolución de 147 de marzo de 2017, tras comprobar que la brecha salarial por cuestiones de género no solo no disminuye, sino que aumenta. En esta resolución, pese a que el Parlamento Europeo reconoce la necesidad de la representación paritaria en los órganos de decisión política y que la *"clara insuficiencia en la representación de las mujeres en los cargos políticos, tanto electivos como designados a escala de la Unión y de sus Estados miembros, constituye un déficit democrático que socava la legitimidad de los procesos decisorios, tanto a nivel nacional como de la Unión"*; no hace ni una simple referencia a la violencia que sufren aquellas mujeres que a través de las cuotas o de la paridad en la representación han llegado a la primera línea en el ejercicio de los derechos políticos. Estas mujeres tienen que sufrir presiones para que renuncien a los cargos que ocuparon o insultos y amenazas a ellas y a sus familias por el hecho de ser una mujer que participa en los asuntos públicos.

Tampoco encontramos ninguna alusión en el ámbito europeo a la doble discriminación que sufren aquellas mujeres candidatas o diputadas que además pertenecen a una minoría étnica, como por ejemplo las mujeres gitanas, que sufren esta violencia de forma duplicada, como mujer política y como perteneciente a una cultura en la que la igualdad entre hombres y mujeres dista mucho de ser un objetivo conseguido. Esa es la situación que también viven en Latinoamérica las mujeres indígenas[28].

6. A MODO DE REFLEXIÓN FINAL

Independientemente del país o continente en el que nos encontremos, podemos observar situaciones que pueden considerarse de violencia política contra las mujeres, aunque en Europa se utilicen otros términos como sexismo o acoso sexual en política entre los que se difumina el concepto.

En 2006, la Presidenta de la Asamblea Italiana, Laura Boldrini reclamó a sus compañeros diputados a través de su cuenta de Twitter, que dejasen de lado los tópicos anticuados de muñecas hinchables y demás sátiras machistas. En Francia 17 ex-ministras francesas publicaron una Declaración contra el acoso sexual en política, denunciando haber sufrido durante sus mandatos afirmaciones, gestos y comportamientos totalmente sexistas e inadecuados. La primera ministra de Australia, Julia Gillard, tuvo que soportar como una entrevista política en televisión se convirtió en un cuestionario sobre su vida sentimental y sobre la orientación sexual de su pareja; algo que desde luego no preguntarían a un jefe de gobierno varón.

En América Latina los ejemplos son más numerosos y más impactantes. Mujeres asesinadas, agredidas[29], amenazadas e insultadas por su participación en política.

En este contexto, las cuotas electorales garantizan un mínimo de participación femenina en la toma de decisiones, pero no es la solución al problema de la

---

[28]   Una interesante referencia en este tema puede encontrarse en AGUILAR LEÓN, Norma Inés. "La igualdad jurídica y política del hombre y la mujer. Mujeres construyendo sus propios derechos político-electorales", *Quid Iuris*, nº. 29, junio 2015, p. 187 y ss. En este artículo la autora relata la violencia política que sufren las mujeres indígenas en México cuya cultura las relega al ámbito privado. En las páginas 197 y ss. Aguilar Leon realiza un estudio riguroso del Caso de Eufrosina Cruz Mendoza, que vio limitado el ejercicio del derecho de participación política en su comunidad en base a los usos y costumbres; y de las mujeres del municipio de San Bartolo Coyotepec, Oaxaca, a las que se les impidió por el mero hecho de su sexo, ser consideradas como candidatas a integrar el ayuntamiento de ese municipio.

[29]   Sólo por citar un pequeño ejemplo en enero de este año 2017, el alcalde de San Martín Peras, de Oaxaca, México, ordenó que castigaran a latigazos a una mujer indígena que pretendía formar parte del cabildo y ejercer sus derechos políticos.

infrarrepresentación de la mujer en la política. En nuestra opinión, las cuotas entre otros factores, como la no superación de la desigualdad de sexos y asignación de roles en la vida privada, han provocado una reacción de violencia de género en una manifestación nueva —la violencia política—. Asegurada la presencia de las mujeres en los Parlamentos, el paso siguiente no es evitar que a través de artimañas de los propios partidos políticos desvirtúen su participación en la política (para ello ya se han establecido sanciones o anulación de listas electorales para los partidos que no cumplen las cuotas; el establecimiento de las cuotas también en las listas de suplentes o listas cremallera, entre otras); sino concienciar a los partidos políticos y a la sociedad para que no sea tolerante ante conductas de violencia política, distinguiéndolas claramente.

Se deben sancionar moral y jurídicamente en los casos más graves, conductas como:

– Insultos a las mujeres políticas en el ejercicio de su cargo, que tengan un claro contenido sexista y por el mero hecho de ser mujer.

– Alusiones al abandono de la familia y de los roles tradicionales de género como consecuencia de su participación en la política.

– La violencia verbal contra las candidatas, diputadas o mujeres en cargos públicos representativos, en los medios de comunicación, en forma de entrevistas y comentarios cuando no se trate de simples discrepancias de opinión; sino de insultos precisamente por razón de su sexo.

Al mismo tiempo debe continuarse en la línea de fomentar políticas públicas, entre las cuales en algunas sociedades pueden estar las cuotas. Pero en este caso, estas cuotas deben avanzar hacia la auténtica paridad electoral (50% de candidatos de ambos sexos). Todo ello unido a la realización de campañas educativas para desterrar la tradicional división de funciones en el ámbito privado de hombres y mujeres que acarrean sentimientos de culpabilidad a las mujeres que los destierran y deciden dar el salto a la vida pública.

Muchos retos aún pendientes, difícilmente comprensibles si se tiene en cuenta que el reconocimiento de la titularidad de los derechos políticos por parte de la mujer en condiciones de igualdad con el hombre hace años que era un hecho jurídico.

BIBLIOGRAFÍA

AGUILAR LEON, Norma Inés. "La igualdad jurídica y política del hombre y la mujer. Mujeres construyendo sus propios derechos político-electorales", *Quid Iuris*, nº 29, 2015.

ALBAINE, Laura. "Obstáculos y desafíos de la paridad de género. Violencia política, sistema electoral e interculturalidad", *Revista de Ciencias Sociales*, nº 52, 2015.

ARANDA ÁLVAREZ, Elviro. *Cuota de mujeres y régimen electoral*. Cuadernos Bartolomé de las Casas, Dykinson, 2001.

CLERICO, Laura y NOVELLI, Celeste. "La violencia contra las mujeres en las producciones de la Comisión y la Corte Interamericana de Derechos Humanos", *Estudios constitucionales*, n° 1, 2014.

FLORES SALAZAR, Ana Lorena. "Igualdad y derechos políticos de las mujeres. Medias especiales de carácter temporal, paridad y políticas dinámicas y efectivas recomendadas por la CEDAW". *Revista de Derecho Electoral*, n° 22, 2016.

FUSARO, Carlo "La nueva ley electoral italiana de 2015, un reto para el parlamentarismo débil", *Teoría y Realidad Constitucional*, n° 38, 2016.

JOVELLANOS, Gaspar Melchor de. *Obras completas del excelentísimo señor Gaspar Melchor de Jovellanos*, Librería La Anticuaria, Barcelona, 1865.

LENA KROOK, Mona y RESTREPO SANÍN, Juliana. "Violencia contra las mujeres en política. En defensa del concepto" *Política y Gobierno*, vol. XXIII, n° 2, 2016.

MACHICAO, Ximena. *El acoso político: un tema urgente que enfrentar*. Centro de Información y Desarrollo de la Mujer, Bolivia, 2004.

MACÍAS JARA, María. "La democracia en clave de igualdad. Entre la alternancia y las listas abiertas para la igualdad efectiva de género", *Asparkía*, N°. 26, 2015.

MARTÍNEZ ALARCÓN, Mª Luz. *Cuota electoral de mujeres y Derecho Constitucional*. Congreso de los Diputados, 2008.

MARRADES PUIG, Ana. "Los derechos políticos de las mujeres: evolución y retos pendientes", *Cuadernos constitucionales de la Cátedra Fadrique Furió Ceriol*, n° 36/37, 2001.

PATEMAN, Carole. *El contrato sexual*. Universidad Autónoma Metropolitana, México, 1995.

REY MARTÍNEZ, Fernando. "Cuotas electorales reservadas a mujeres y Constitución" *Aequalitas. Revista jurídica de igualdad de hombres y mujeres*, n°. 1, 1999.

SAAVEDRA RUIZ, Paloma (dir.). *La democracia paritaria en la construcción europea*. Celem, Madrid, 2000.

SERRA CRISTOBAL, Rosario. "La presencia de mujeres en los Parlamentos Autonómicos. La efectividad de las medidas de paridad adoptadas por los partidos políticos y por el legislador", *Revista de Estudios Políticos*, n°. 141, 2008.

SEVILLA MERINO, Julia. *Mujeres y ciudadanía: la democracia paritaria*. Universidad de Valencia, 2004.

VVAA. *Cuotas de género. Visión comparada*. Tribunal Electoral del Poder Judicial de la Federación, México, 2013.

PARTE TERCERA
RESPUESTA PENAL E INSTITUCIONAL A LA VIOLENCIA DE GÉNERO

Capítulo 14

DERECHO PENAL Y VIOLENCIA DE GÉNERO: ¿UN NUEVO CAMBIO DE PARADIGMA?

MARÍA ACALE SÁNCHEZ
Catedrática de Derecho Penal
Universidad de Cádiz

SUMARIO: 1. DE LA DISCRIMINACIÓN NEGATIVA, A LA IGUALDAD. 2. DE LA NEUTRALIDAD, A LA DIFERENCIACIÓN FEMINISTA. 2.1. Concepto y consecuencias. 2.2. Las reformas del Código penal operadas por la LOPIVG, 3. LAS SENTENCIAS DEL TRIBUNAL CONSTITUCIONAL. 4. EL MANTENIMIENTO DE LA DISCRIMINACIÓN POSITIVA Y LA INCLUSIÓN SIMULTÁNEAMENTE DE NUEVOS TIPOS NEUTROS. 4.1. Presentación. 4.2. Reforma de la circunstancia agravante de discriminación. 4.3. Eliminación del Libro III. 4.4. Incorporación de nuevos delitos no sexuados. 4.5. Reformas penológicas. 4.5.1. Los cambios legales en materia de suspensión/sustitución. 4.5.2 Los cambios legales en materia de libertad vigilada. 4.5.3. El efecto boomerang de la inclusión de la prisión permanente revisable. 5. EL CÓDIGO PENAL ANTE LAS NUEVAS FORMAS DE VIOLENCIA DE GÉNERO: LOS AJUSTES NECESARIOS. 6. A MODO DE CONCLUSIONES. BIBLIOGRAFÍA.

1. DE LA DISCRIMINACIÓN NEGATIVA, A LA IGUALDAD

La tradición decimonónica española nos muestra los mejores ejemplos de lo que puede reconocerse bajo la etiqueta de "derecho penal machista" o de un "derecho penal femenino" —lo mismo es—, que pretendía mantener a las mujeres en el redil que la sociedad patriarcal había preestablecido para ellas: siempre dentro del hogar, y atentas a los cuidados de su familia. Para ilustrar ese modelo, basta detenerse en el Código penal de 1822, en el que se agravaba la pena en atención al "desprecio de sexo femenino"[1], se castigaba el delito de uxoricidio con una pena muy inferior a la que le correspondería al autor de la muerte si no fuera el marido

---

[1]   En el art. 106 se establecía que agravaban la responsabilidad criminal en los delitos contra las personas "la tierna edad, el sexo femenino, la dignidad, la debilidad, la indefensión, desamparo o conflicto de la persona ofendida".

de la víctima sorprendida en acto de adulterio[2], mientras que se incluían tipos de autoría exclusivamente femenina, como el adulterio[3] o el incumplimiento del deber de guardar el luto al marido difunto[4]. Es más, en ese Código se daba carta de naturaleza de "pena" a la "pena marital"[5], que no era otra cosa que el castigo

---

[2]   El art. 619 lo definía en los siguientes términos: "el homicidio voluntario que alguno cometa en la persona de su hija, nieta o descendiente en línea recta o en la de su muger, cuando la sorprenda en acto carnal con un hombre, ó el que cometa entonces en el hombre que yace con ellas, será castigado con un arresto de seis meses a dos años y con un destierro de dos a seis años del lugar en que ejecutase el delito y veinte leguas de contorno. Si la sorpresa no fuere en acto carnal, sino en otro deshonesto y aproximado o preparatorio del primero, será la pena de uno a cuatro años de reclusión, y de cuatro a ocho de destierro en los mismos términos". El art. 620 alargaba el ámbito de la tipicidad del delito de uxoricidio a la "hermana, nuera o entenada" (si bien en estos casos la pena a imponer era más grave: reclusión de dos a cinco años y destierro de cuatro a ocho años, aunque no llegara a la prevista para el delito de homicidio).
      Con todo, los Códigos penales sucesivos eliminaron la pena de prisión y se conformaron con el destierro del marido, lo que era tanto como una exención encubierta de castigo, para un crimen tolerado y fagocitado por la propia norma penal.

[3]   Art. 683: "la mujer casada que cometa adulterio perderá todos los derechos de la sociedad conyugal, y sufrirá una reclusión por el tiempo que quiera el marido, con tal que no pase de diez años. Si el marido muere sin haber pedido la soltura, y faltare más de un año para cumplirse el término de la reclusión, permanecerá en ella la muger un año después de la muerte del marido; y si faltare menos tiempo, acabará de cumplirlo. El cómplice en el adulterio sufrirá igual tiempo de reclusión que la muger, y será desterrado del pueblo mientras viva el marido, á no ser que este consienta lo contrario".

[4]   Así, todos los Códigos penales posteriores al de 1822, hasta el vigente de 1995 han procedido a castigar a "la viuda que casare antes de los 301 días desde la muerte de su marido, o antes de su alumbramiento si hubiere quedado en cinta, incurrirá en las penas de arresto mayor y multa de 20 a 200 duros. En la misma pena incurrirá la mujer cuyo matrimonio se hubiere declarado nulo si casare antes de su alumbramiento o de haberse cumplido 301 días después de su separación legal". El respeto debido a su marido se prolongaba pues más allá del concreto momento de su muerte, en la medida en que la mujer venía obligada legalmente a guardarle "luto". El Código penal de 1928 alargó la responsabilidad criminal hasta abarcar la conducta del hombre, al que pasó a considerar "como coautor en los casos previstos en este artículo el otro cónyuge, si tuviera noticia de la infracción", igualando la responsabilidad de hombre y mujer en el sentido más opuesto a la libertad, a la vez que incluyó una figura nueva dentro de los delitos de matrimonios ilegales: "los adúlteros que contraviniendo lo dispuesto en la ley civil contrajeren entre sí matrimonio incurrirán en la pena de dos meses y un día a seis años de prisión y multa de 1.000 a 5.000 pts. Los que lo contrajeren después de haber sido condenados como autores o cómplices de la muerte del cónyuge, aunque no hubieren cometido adulterio, serán castigados con la pena de dos a seis años de prisión y multa de 1.000 a 5.000 ptas". Vid. ACALE SÁNCHEZ, María, La discriminación hacia la mujer por razón de género en el Código penal, Reus, Madrid, 2006, pp. 33 y ss; de la misma, "Mujer, Constitución de 1812 y Derecho penal", en J.M. TERRADILLOS BASOCO (coord.), Política criminal de "La Pepa", Servicio de Publicaciones de la Universidad de Cádiz, Cádiz, 2012, pp. 11 y ss.

[5]   El art. 561 del Código penal de 1822 reconocía al padre y, en su defecto, a la madre viuda, en aquellos casos en los que no fueran suficientes las amonestaciones y moderados castigos domésticos, permitidos por el Derecho civil, a llevar al hijo o a la hija que estuviera sometido a la

que el marido (y el padre también) podía imponer a su esposa (y a su hija) si ésta no cumplía sus órdenes[6].

Pocas dudas caben hoy de que este es el caldo de cultivo de la violencia de género que hoy soportan las mujeres, en la medida en que se trataba de instrumentos que permitían al hombre lo que hoy se le recrimina.

Superado ya el debate en torno a la necesidad de eliminar ese derecho penal machista —o ese derecho penal femenino, según se mire—, desde entonces ha habido cambios muy relevantes dentro de las leyes penales, que han sido desenmascaradas poco a poco y han dejado al descubierto que su objetivo no era proteger a las mujeres, sino a los papeles que tradicionalmente habían venido desempeñando aquéllas en el seno de esa sociedad patriarcal. De ahí las dificultades que al día de hoy existen para erradicar la forma violenta que tienen algunos hombres de solventar los problemas que tienen con las mujeres con las cuales se creen que están unidos sentimentalmente.

La eliminación de ese derecho penal machista —o femenino, según se entienda— se convirtió en una tarea inaplazable a partir de la aprobación de la Constitución de 1978[7], que a la vez que proclamaba la igualdad y el derecho a no ser discriminado, obligaba a los poderes públicos a remover los obstáculos que dificultaran que la misma fuera real y efectiva (arts. 14 y 9.3).

Con la entrada en vigor de la Carta magna, se hizo necesaria la aprobación de un nuevo Código penal, que se adaptara desde sus entrañas, al modelo político criminal a ella subyacente, presidido por los principios de igualdad, culpabilidad, proporcionalidad y dignidad de la persona. Y este fue también uno de los objetivos que pretendió alcanzar el CP de 1995. En efecto, su Exposición de motivos señalaba que: "se ha procurado avanzar en el camino de la igualdad real y efectiva, tratando de cumplir la tarea que, en ese sentido, impone la Constitución a los poderes públicos. Cierto que no es el Código penal el instrumento más importante para llevar a cabo esa tarea; sin embargo, puede contribuir a ella, eliminando regulaciones que son un obstáculo para su realización o introduciendo medidas

---

patria potestad ante el alcalde del pueblo para que éste le reprendiese y le hiciera saber cuáles eran sus deberes si "se ausentase de su casa sin licencia de su padre", o que cometiere "exceso grave" o "notable desacato", o "mostrare mala inclinación". Si después de la amonestación, el hijo o la hija reincidían en sus faltas, el padre podía ponerlos "en conocimiento y auxilio del alcalde, en una casa de corrección por espacio de un mes a un año". Pues bien, según establecía el art. 569: "lo dispuesto en el art. 561 del capítulo precedente es aplicable a la autoridad de los maridos respecto a sus mugeres, cuando estas incurriesen en las faltas de que allí se trata".

6   Por todos, véase ACALE SÁNCHEZ, María, *La discriminación hacia la mujer,* cit., pp. 33 y ss.

7   CRUZ BLANCA, María José, "Derecho penal y discriminación por razón de sexo. La violencia doméstica en la codificación penal", en Lorenzo MORILLAS CUEVA (coord.), *Estudios penales sobre violencia doméstica,* DIJUSA, Madrid, 2002, p. 20.

de tutela frente a situaciones discriminatorias. Además de las normas que otorgan una protección específica frente a las actividades tendentes a la discriminación, ha de mencionarse aquí la nueva regulación de los delitos contra la libertad sexual. Se pretende con ella adecuar los tipos penales al bien jurídico protegido, que no es ya, como fuera históricamente, la honestidad de la mujer, sino la libertad sexual de todos. Bajo la tutela de la honestidad de la mujer se escondía una intolerable situación de agravio, que la regulación que se propone elimina totalmente".

En este sentido, el Código de 1995[8] reformó completamente los delitos contra la libertad sexual, equiparando en la violación el acceso carnal vaginal con otras modalidades de acceso, una de las reivindicaciones de algunos movimientos feministas, que resaltaban que, de otra forma, se ponía de manifiesto que la finalidad última perseguida era evitar la deshonra familiar de un eventual embarazo, amén de la predisposición del hombre a mantener el coito siempre y el papel de la mujer, sumisa, inferior y llamada a oponer una resistencia brutal al acto sexual[9]; también incluyó dentro de los delitos contra los derechos de los trabajadores, el de discriminación en el ámbito laboral por entre otras razones, el sexo "u orientación sexual" en el art. 314[10]; se procedió a tipificar el delito de incitación a la discriminación o a la violencia contra grupos o asociaciones por distintos motivos, entre ellos, el sexo o la orientación sexual[11] en el art. 510; en el art. 511 castigó al "particular encargado de un servicio público que deniegue a una persona una prestación a la que tenga derecho por razón de su sexo u orientación sexual"[12]; finalmente, también procedió a incluir dentro del catálogo de asociaciones ilícitas

[8]   Sobre las novedades introducidas por el Código penal de 1995 en materia de protección de la igualdad *vid.* CONDE-PUMPIDO TOURÓN, Cándido, "La sanción penal de la discriminación: especial referencia a la discriminación por razón de enfermedad y al nuevo delito de discriminación en el trabajo", *Cuadernos de Derecho Judicial,* 1996, pp. 289 y ss; LAURENZO COPELLO, Patricia, "La discriminación en el Código penal de 1995", *Estudios Penales y Criminológicos,* núm. XIX, 1995, pp. 232 y ss; PORTILLA CONTRERA, Guillermo, "Delitos relativos a la discriminación", en Adela ASÚA BATARRITA (ed.), *Jornadas sobre el nuevo Código penal de 1995,* Servicio Editorial de la Universidad del País Vasco, Bilbao, 1998, pp. 337 y ss.

[9]   Sobre la evolución habida en estos delitos ver: BOIX REIG, Javier, "De la protección de la moral a la tutela de la libertad sexual", en Virgilio LATORRE LATORRE (coord.), *Mujer y Derecho Penal,* Tirant lo Blanch, Valencia, 1995, pp. 11 y ss; BERNAL DEL CASTILLO, Jesús, *La discriminación en el Derecho penal,* Comares, Granada, 1998, especialmente, pp. 59 y ss.

[10] Junto a razón de ideología, religión o creencias, su pertenencia a una etnia, raza o nación, situación familiar, enfermedad o minusvalía, por ostentar la representación legal o sindical de los trabajadores, por el parentesco con otros trabajadores de la empresa o por el uso de algunas de las lenguas oficiales dentro del Estado español.

[11] Racistas, antisemitas u otros referentes a la ideología, religión o creencias, o situación familiar, la pertenencia de sus miembros a una etnia o raza, su origen nacional, enfermedad o minusvalía.

[12] Su ideología, religión o creencias, su pertenencia a una etnia o raza, su origen nacional, situación familiar, enfermedad o minusvalía.

"las que promuevan la discriminación, el odio o la violencia contra personas, grupos o asociaciones por razón de su sexo u orientación sexual"[13] en el art. 515.5. En la parte general, además incluyó dentro del art. 22 una circunstancia agravante genérica de "discriminación", referente a distintos criterios, dentro de los cuales se incluyeron ya en ese momento el sexo y la orientación sexual[14].

Lógicamente, la eliminación de todo este derecho penal machista —o femenino, según se entienda— no significó que se eliminaran todas las previsiones relativas a la mujer en razón de su sexo. Así, los delitos de aborto o de inseminación artificial no consentidos necesariamente requieren a una mujer como sujeto pasivo; por lo mismo, el delito de suposición de parto del art. 220 necesita una autoría femenina, porque sólo las mujeres pueden naturalmente parir (lo que no impide que tenga partícipes[15]). Por su parte, el art. 607 bis 5, tras la reforma sufrida por la LO 15/2003, castiga dentro de los delitos de lesa humanidad, el embarazo forzado de una mujer y el art. 612 al que con ocasión de un conflicto armado "viole las prescripciones sobre el alojamiento de mujeres y familias o sobre protección especial de mujeres y niños establecidas en los tratados internacionales".

Todas estas disposiciones fueron el vehículo usado por el legislador para lanzar a la ciudadanía la necesidad de garantizar la igualdad, proscribiendo la discriminación con carácter general y especialmente, la llevada a cabo por motivos de género: se pasó pues de un Código penal machista —o femenino, según se entienda— a otro caracterizado por su neutralidad en lo que a la identificación de los sujetos activos y pasivos se trata, en virtud de un elenco de bienes jurídicos de titularidad individual o colectiva asexuado.

2. DE LA NEUTRALIDAD, A LA DIFERENCIACIÓN FEMINISTA

2.1. Concepto y consecuencias

Tras la entrada en vigor del Código penal de 1995, el 18 de noviembre de 1997 se produjo el asesinato de Ana Orantes a manos de su marido. En el momento de producirse esos hechos, víctima y agresor habían iniciado los trámites para la separación, pero seguían compartiendo la misma vivienda. A aquella

---

[13]   "De su ideología, religión o creencias, la pertenencia de sus miembros o de alguno de ellos a una etnia, raza o nación, situación familiar, enfermedad o minusvalía o inciten a ello".

[14]   Ideología, religión o creencias de la víctima, la etnia, raza o nación a la que pertenezca, o la enfermedad o minusvalía que padezca.

[15]   Con razón afirma FERRAJOLI ("Igualdad y diferencia", en el mismo, *Derechos y garantías. La Ley del más débil*, Trotta, Madrid, 1999, p. 85) que el derecho a decidir sobre la maternidad es un derecho fundamental exclusivo de las mujeres.

muerte le siguieron muchas otras, de las que en estos momentos es de justicia resaltar la de Encarnación Rubio, el 1 de abril de 2004, que se produjo también a manos de su marido del que se encontraba en ese momento en vías de separación; la víctima le había denunciado por amenazas de muerte: fue la primera mujer muerta con orden de protección[16]. Ambas muertes tuvieron lugar en el pueblo granadino de Cúllar Vega.

Pues bien, después de varias reformas puntuales del Código penal[17], la LOPI-VG procedió a reformar el conjunto del ordenamiento jurídico, a fin de facilitar la interposición de la denuncia por parte de la víctima y con ello, la separación del agresor, para proteger más a las mujeres; con esa finalidad, no dudó en volver a introducir en el Código Penal tipos penales sexuados, al discriminar la respuesta punitiva que le corresponde al hombre y a la mujer que maltratan a su pareja, exigiendo más requisitos en uno que en otro caso; de esta forma vio la luz el Código penal más feminista con una base democrática incuestionable: (basta pensar el acuerdo unánime que alcanzó la LOPIVG en el Parlamento[18]).

La publicación de esta ley abrió una etapa nueva en el camino emprendido en España para acabar con esta concreta clase de violencia de género. Su objetivo fundamental quedaba reflejado en su art. 1.1: "La presente Ley tiene por objeto actuar contra la violencia que, como manifestación de la discriminación, la situación de desigualdad y las relaciones de poder de los hombres sobre las mujeres, se ejerce sobre éstas por parte de quienes sean o hayan sido sus cónyuges o de quienes estén o hayan estado ligados a ellas por relaciones similares de afectividad, aun sin convivencia". En su interior se establecieron medidas de protección integral cuya finalidad fue la de "prevenir, sancionar y erradicar esta violencia y prestar asistencia a las mujeres, a sus hijos menores y a los menores sujetos a su tutela, o guarda y custodia, víctimas de esta violencia"[19]. Con todo, se trató de

---

[16]   Ley 27/2003, de 31 de julio, reguladora de la Orden de protección de las víctimas de la violencia doméstica.

[17]   Llevadas a cabo en 1999 y 2003, que modificaron parcelas muy significativas del Código, pero que en lo que aquí interesa tuvieron como objetivo fundamental las penas de alejamiento, la expulsión del extranjero condenado penalmente, así como la incorporación del periodo de seguridad en el art. 36, en virtud del cual los penados debían pasar más tiempo dentro de prisión en regímenes penitenciarios más cerrados y por tanto menos proclives a la reinserción social. Por todos vid. ACALE SÁNCHEZ, María, Medición de la respuesta punitiva y Estado de Derecho, Aranzadi, Pamplona, 2010, pp. 89 y ss.

[18]   En esta sólida base democrática basó su declaración de constitucionalidad el Tribunal Constitucional cuando sometió a examen la LOPIVG en las sentencias a las que se hará referencia a continuación, resaltando que la decisión de sexualizar la letra de la ley penal, es una decisión de política criminal en la que él no entra.

[19]   El apartado 2 fue modificado por la disposición final 3.1 de la Ley Orgánica 8/2015, de 22 de julio. A pesar de estas limitaciones, el número 3 del art. 1 señalaba que la violencia de género

una definición de violencia de género parcelada, en la medida en que solo consideraba tal, la llevada a cabo por un hombre sobre una mujer, dejando de lado las relaciones violentas que se pudieran establecer en el seno de parejas del mismo sexo, con independencia precisamente de que por razón de género, uno de los miembros hubiera adoptado en su pareja el rol que en las uniones heterosexuales en las que se producían actos de violencia, solían adoptar los hombres (de maltratadores) o las mujeres (el de maltratadas). Así mismo, se seleccionaba dentro de la violencia doméstica de sexo en razón de género, la que ejercía el hombre que era o había sido marido o compañero sentimental, con independencia de la convivencia, dejando de lado la violencia de género que se pudiera producir entre el hijo y su madre, su abuela o su hermana.

El efecto práctico que lleva consigo aparejado esta definición es de sobra conocido: solo las víctimas de esa concreta clase de violencia de género, son titulares del conjunto de derechos reconocidos en la ley. No puede dejarse de reconocer la limitación de su letra pero también, en positivo, hay que poner en valor el hecho de que por lo menos esas víctimas sí tuvieran reconocidos esos derechos[20]. Al rodearlas de ellos, la LOPIVG pretendía favorecer la ruptura de los nidos[21]/nichos[22] de convivencia en los que se llevaban a diario actos de violencia para evitar su reiteración, así como el aumento de su aflictividad en una cadena cíclica que viene a explicar este fenómeno criminal que se caracteriza criminológicamente porque se trata de una clase de violencia que se reitera en el tiempo y que tiende a ir aumentando la intensidad de los sucesivos actos que cada vez se producen más pronto.

Con todo, y a los efectos de las reformas operadas en el Código penal (en el Título IV, a las que se hará referencia a continuación), durante la tramitación de la ley se optó por incluir junto a la mujer que está o estuvo casada o unida sentimentalmente con el agresor aún sin convivencia, un segundo grupo de víctimas formado por las "personas especialmente vulnerables que convivan con el autor"[23]: se trató de hacer pura ingeniería legislativa, más que otra cosa. Ello fue

---

a la que se refería esa ley comprendía "todo acto de violencia física y psicológica, incluidas las agresiones a la libertad sexual, las amenazas, las coacciones o la privación arbitraria de libertad".

[20] Los derechos que les reconocía a las víctimas son a la información, a la asistencia social integral, a la formación e inserción laboral, a la asistencia jurídica especializada, laborales y de seguridad social, así como derechos económicos (ayudas sociales y acceso privilegiado a la vivienda de protección oficial).

[21] De "amor".

[22] De "muertes".

[23] Critican la inclusión de este grupo de personas en una ley cuyo objetivo es la violencia de género por constituir "un cuerpo extraño que viene a distorsionar el sentido y justificación de las agravaciones basadas en el sexo de la víctima": LAURENZO COPELLO, Patricia, "La violencia de género en la Ley Integral. Valoración político-criminal", *Revista Electrónica de*

fruto de una enmienda transaccional del PSOE aceptada por todos los Grupos políticos, con cuya inclusión se pretendía literalmente limar "incluso intelectualmente, una serie de aristas que había desde el punto de vista de quienes sostenían la posible inconstitucionalidad de este proyecto, y aunque en ningún caso existía, quitamos ese debate y no por razones de constitucionalidad sino por razones de oportunidad política"[24]. De la forma que fuera, la inclusión de este segundo grupo de víctimas no calzaba bien en el seno de una ley que pretende luchar contra la violencia de "género" que sufren las "mujeres", pero ha conseguido el resultado de frenar la declaración de inconstitucionalidad de la ley por violación del principio de igualdad y el derecho a no ser discriminado: basta observar el papel decisivo que ha jugado en las sentencias del Tribunal Constitucional, a las que se hará referencia posteriormente. Ahora bien, no debe llevarnos a engaño: las personas especialmente vulnerables que conviven con el autor no son titulares del conjunto de derechos reconocidos a las mujeres víctimas de la "violencia de género doméstica".

2.2. Las reformas del Código penal operadas por la LOPIVG

Las reformas que emprendía su Título IV pueden sistematizarse en tres grupos.

En el primero se incluirían las que afectaron al sistema de la suspensión y sustitución de la pena privativa de libertad de corta duración[25], con la introducción de un régimen específico para los supuestos de "violencia de género" (de acuerdo

---

Ciencia Penal y Criminología (RECPC 07-08/2005) *http://criminet.ugr.es/recpc.*1, p. 10 (nota 26); CAMPOS CRISTÓBAL, Raquel, "Tratamiento penal de la violencia de género", en Javier BOIX REIG y Elena MARTÍNEZ GARCÍA (coords.), *La nueva Ley contra la Violencia de Género*, Iustel, Madrid, 2005, p. 270; GONZÁLEZ RUS, Juan José, "La constitucionalidad de la LO 1/2004, de medidas de protección integral contra la violencia de género, en relación con la reforma de los delitos de lesiones, amenazas y coacciones", en Juan Carlos CARBONELL MATEU y otros (coords.), Estudios penales en *homenaje al Prof. Cobo del Rosal*, Dykinson, Madrid, 2005, p. 495. Sobre el concepto de persona especialmente vulnerable véase: GONZÁLEZ PASTOR, Calos, "Delimitación del concepto de "persona especialmente vulnerable" en la LO 1/2004 de 28 de diciembre, de medidas de protección integral contra la violencia de género", *La Ley, Revista Jurídica Española*, 2004/2, pp. 53 y ss, para quien con semejante expresión se refiere el legislador a "otros tipos de víctimas que convivan con el agresor y que puedan sufrir, en sus carnes, los delitos de lesiones, malos tratos, amenazas o coacciones"; ALASTUEY DOBÓN, Carmen, "Desarrollo parlamentario de la Ley Integral contra la violencia de género", en Miguel Ángel BOLDOVA PASAMAR y María Ángeles RUEDA MARTÍN (coords.), *La reforma penal en torno a la violencia doméstica y de género*, Atelier, Madrid, 2006, p. 63.

[24]   *Diario de Sesiones del Congreso de los Diputados. Pleno y Diputación permanente.* Año 2004. VIII Legislatura, núm. 39, Sesión Plenaria núm. 35, 7.10.2004, p. 1.722.

[25]   Hoy ampliamente modificadas por la LO 1/2015, como se analizará posteriormente.

con lo que define el art. 1 LOPIVG), del que quedaban al margen los condenados por delitos cometidos sobre las otras personas especialmente vulnerables que convivieran con el autor. Así, respecto a la suspensión de la ejecución de la pena de prisión, se reformaban los arts. 83 y 84, de manera que se establecía que, en todo caso, el juez debía condicionar la suspensión de la ejecución no sólo al cumplimiento de la condición principal (no delinquir), sino también a las prohibiciones de acudir a determinados lugares, de aproximarse a la víctima, o a aquellos de sus familiares u otras personas que determine, o de comunicarse con ellos, y a la obligación de participar en programas formativos, laborales, culturales, de educación vial, sexual y otros similares. Por su parte, el art. 84 señalaba que el incumplimiento de dichas condiciones y prohibiciones, determinaría la revocación de la suspensión de la ejecución de la pena y por ende, el cumplimiento de la pena de prisión impuesta. El efecto pretendido no era otro que limitar parcialmente la discrecionalidad judicial de la que desconfiaba abiertamente, pues si bien el juez podía seguir decidiéndose libremente por el cumplimiento de la pena de prisión impuesta, por la suspensión, o por la sustitución, si optaba por la suspensión, ésta —en todo caso— debía ir acompañada de las prohibiciones mencionadas.

Idéntica finalidad limitadora de la discrecionalidad judicial perseguía la reforma del régimen de sustitución de la pena, al establecer entonces el art. 88 que cuando se tratara de una pena de prisión impuesta en un proceso por violencia de género aquélla sólo podía ser sustituida por la de trabajos en beneficio de la comunidad, evitando así la imposición de penas de multa que tan fácilmente en supuestos de dependencia económica de la víctima del agresor, termina recayendo sobre ella y, en todo caso, la imposición de las mismas prohibiciones y condiciones que se establecen en materia de suspensión de la ejecución de la pena.

La entidad de esta reforma no puede ser objeto de valoración desconociendo que en el régimen general, la suspensión de la ejecución de la pena, se adoptaba ya "atendidas las circunstancias personales del delincuente, las características del hecho y la duración de la pena" (art. 80); mientras que la sustitución de las penas privativas de libertad se tenía en consideración "las circunstancias personales del reo, la naturaleza del hecho, su conducta y, en particular, el esfuerzo para reparar el daño causado" (art. 88); a la vista de ello, se dejaba entrever que el efecto finalmente alcanzado no fue otro que evitar el razonamiento judicial y por ende, evitar que la determinación de la pena se adaptara a las características del caso concreto.

Dentro del segundo bloque de reformas, han de incluirse las que afectaron a la parte especial del Código, que distinguían la pena a imponer según el concreto miembro de la unidad familiar objeto de violencias. Así, el art. 148 agravó la pena del delito de lesiones del art. 147 "si la víctima fuere o hubiere sido esposa, o mujer que estuviere o hubiere estado ligada al autor por una análoga relación de afectividad, aun sin convivencia" (número 4º), y "si la víctima fuera una persona especialmente vulnerable que conviva con el autor" (número 5º). Si se observa detenidamente, ambos criterios de agravación se relacionan con las características del autor y de la víctima, con lo que parece *a priori*, que poco tienen que ver con "el resultado causado", ni con "el riesgo producido", que son los criterios que determinan las circunstancias de agravación de la pena incluidas en el art. 148, según su propio tenor literal[26]. En cualquier caso, como ha venido a decir el Tribunal Constitucional, el juez no está obligado, en todo caso a aplicar la pena agravada dispuesta en este precepto, pues tal como allí se señala, se trata de una agravación potestativa, a diferencia del resto de agravaciones de pena incluidas en el Código penal en los delitos de mal trato singular, amenazas y coacciones leves, en los que en todo caso, la agravación tiene carácter obligatorio[27].

También se modificaban los delitos de mal trato singular (art. 153), amenazas (art. 171) y coacciones (art. 172), imponiendo la pena de prisión de 6 meses a 1 años o de trabajos en beneficio de la comunidad de 31 a 80 días y, en todo caso, privación del derecho a la tenencia y porte de armas de 1 año y 1 día a 3 años, así como, cuando el Juez o Tribunal lo estime adecuado al interés del menor o incapaz, inhabilitación para el ejercicio de la patria potestad, tutela, curatela, guarda o acogimiento hasta 5 años, al hombre que "por cualquier medio o procedimiento causare… menoscabo psíquico o una lesión no definidos como delito en este Código, o golpeare o maltratare de obra… sin causarle lesión", "de modo leve amenace" y al que "de modo leve coaccione", respectivamente, cuando la víctima sea o haya sido su esposa o compañera sentimental, aún sin convivencia, así como a quien realice dichos actos sobre persona especialmente vulnerable que conviva con el autor.

---

[26] En efecto, según el art. 148: "las lesiones previstas en el apartado 1 del artículo anterior podrán ser castigadas con la pena de prisión de dos a cinco años, atendiendo al *resultado causado* o al *riesgo producido*"…

[27] STC 52/2010, de 4 de octubre, 41/2010, de 22 de julio, y 45/2010 de 28 de julio: "la agravación recogida en el art. 148.4 CP es de aplicación facultativa para el órgano judicial, debiendo atenderse para ello "al resultado causado y al riesgo producido", lo que exige, junto al requisito de que la víctima sea mujer que sea o haya sido pareja del autor, que los hechos expresen un injusto cualificado, un mayor desvalor derivado ya de la intensidad del riesgo generado por la acción del autor, ya de la gravedad del resultado causado. En este sentido, la mayor gravedad de la pena en el precepto cuestionado no vendría dada exclusivamente por la existencia presente o pasada de una relación de pareja entre el sujeto activo hombre y la mujer, sino por la concurrencia añadida de una particular gravedad de la conducta para el bien jurídico protegido, pudiendo optar el juzgador por no imponer la agravación si, aun estando ante un supuesto de violencia de género, no se aprecia tal particular intensidad lesiva en el riesgo o en el resultado (STC 41/2010, de 22 de julio, FJ 9)".

En paralelo, en estos tres supuestos se establecía una pena específica para quien sometiera a *parecidos* actos de violencia "a alguna de las personas a las que se refiere el artículo 173.2, exceptuadas las contempladas en el apartado anterior de este artículo", entre otros, al hombre víctima de dichos actos a manos de su esposa o compañera sentimental cuando no se pueda probar su especial vulnerabilidad o la convivencia entre ambos, y a la mujer víctima de violencia a manos de algún miembro de su familia que no sea quien es o ha sido su marido o compañero sentimental aún sin convivencia o cuando no se pueda probar su especial vulnerabilidad o no exista entre ellos convivencia. No obstante en estos casos, el tratamiento no es uniforme, en la medida en que existen grandes diferencias pues aunque en el ámbito del delito de mal trato la conducta típica coincide con independencia de los sujetos activos y pasivos, en las amenazas cuando se trate de estas personas ya no se castiga la "amenaza leve", sino la "amenaza leve con armas u otros instrumentos peligrosos", mientras que en el ámbito de las coacciones, cuando la coacción fuera dirigida a alguna de las personas a las que se refería el art. 173.2 con la excepción de la mujer pareja o la persona especialmente vulnerable que conviviera con el autor, la conducta ya no era constitutiva de delito, sino de mera falta, recogida en el entonces art. 620[28]. Como consecuencia de la separación en grupos de las personas víctimas de estos delitos y de los sujetos activos, la pena establecida era inferior a la que le correspondía al hombre que sometiera a actos de violencia a quien es o ha sido su esposa o su compañera sentimental, así como cuando se tratara de actos de violencia sobre persona especialmente vulnerable que conviva con el autor: en este sentido, los arts. 171. 5 y 172.2 imponen "pena de prisión de 3 meses a 1 año o de trabajos en beneficio de la comunidad de 31 a 80 días y, en todo caso, privación del derecho a la tenencia y porte de armas de 1 año y 1 día a 3 años, así como, cuando el juez o tribunal lo estime adecuado al interés del menor o incapaz, inhabilitación para el ejercicio de la patria potestad, tutela, curatela, guarda o acogimiento de 6 meses a 3 años", mientras que el art. 620 señalaba una pena de localización permanente de 4 a 8 días, siempre en domicilio diferente y alejado de la víctima, o trabajos en beneficio de la comunidad de 5 a 10 días.

Todo lo anterior determinaba que también en el ámbito penal se procedió a distinguir la respuesta penológica en atención al sexo y a la relación existente entre los sujetos activos y pasivos. Si nos centramos por un momento en la regulación de las coacciones, se observará no ya sólo las diferencias existentes en cuanto

---

[28]   Que también fue objeto de reformas por parte de la LOPIVG, aunque en este caso, la misma consistió sólo en aclarar que lo allí dispuesto sólo sería de aplicación, cuando el hecho no sea constitutivo de delito. Esta falta, como se verá posteriormente, ha sido eliminada del Código por la LO 1/2015.

414 María Acale Sánchez

a la pena a imponer, sino que el hecho de que alguna de ellas seguían siendo faltas y otras se habían elevado al ámbito de los delitos, provocaba un conglomerado de efectos; así, como señala el Auto del Juzgado de lo Penal núm. 1 de Murcia 547/2005, 3 de agosto de 2005 —en el que se plantea una cuestión de inconstitucionalidad sobre la entonces nueva regulación de las amenazas— hay que tener en consideración que la calificación como meras faltas, impedía la inscripción del "antecedente" en el Registro de Penados y Rebeldes, su comisión no provocaba la suspensión previamente concedida por otro delito, no daba lugar en el futuro a la apreciación de la agravante de reincidencia, la determinación de la pena no se sometía a las pautas establecidas en los artículos 66 y siguientes (art. 638 del Código penal hoy derogado), el plazo de suspensión de la pena en caso de concederse era inferior a si se califica como delito, las penas accesorias del art. 57 eran potestativas y no eran imponibles penas accesorias del art. 56, mientras que finalmente, el régimen de medidas cautelares era muy distinto pues no cabía adoptar la prisión provisional. Estos mismos argumentos son reproducidos en el Auto del Juzgado de lo Penal núm. 4 de Murcia 305/2005, de 29 de julio de 2005, por el que se plantea cuestión de inconstitucionalidad en relación con el art. 153.1 tras la redacción que al mismo le ha dado la LOPIVG.

Y, en tercer lugar, dentro del grupo de reformas que afectan a la parte especial del Código, brillaba con luz propia la del delito de quebrantamiento de condena, en la medida en que según el art. 468.2, se impondrá en todo caso la pena de prisión de 6 meses a 1 año a los que quebrantaren una pena de las contempladas en el art. 48 de este Código o una medida cautelar o de seguridad de la misma naturaleza impuestas en procesos criminales "en los que el ofendido sea alguna de las personas a que se refiere el art. 173.2", sin distinguir pues dentro del ámbito familiar, a ninguna víctima en particular. Este hecho no significa que la mujer que está o estuvo casada o unida sentimentalmente a su agresor de sexo masculino —aún sin convivencia— quede desprotegida: simplemente, significa que en todo caso se impone la misma pena quizás teniendo en consideración que el delito de quebrantamiento de condena protege un bien jurídico de titularidad colectiva: la administración de justicia.

3. LAS SENTENCIAS DEL TRIBUNAL CONSTITUCIONAL

La operación de cirugía estética que sufrió la LOPIVG en fase de proyecto, con la inclusión del segundo grupo de personas especialmente protegidas — "las personas especialmente vulnerables que convivan con el autor" — resultó determinante de su constitucionalidad, a la vista del recurso que de ellas hizo el propio Tribunal Constitucional para argumentar la constitucionalidad de la Ley. La primera de dichas Sentencias fue la número 59/2008, de 14 de mayo. Pero a ellas le siguieron más[29]. Los motivos de inconstitucionalidad invocados en instancia vinieron a coincidir en todas ellas en la supuesta vulneración de los principios de igualdad ante la ley, de culpabilidad, dignidad de la persona y presunción de inocencia y al hilo del estudio de cada uno de ellos, se analizaba también la proporcionalidad de la pena[30].

Afirma la STC 59/2008, de 14 de mayo que para evitar la violación del principio de igualdad es preciso demostrar que la situación de desigualdad legal obedece a un "fin discernible y legítimo"; que además articule la respuesta "en términos no inconsistentes con tal finalidad" y que no se incurra en "desproporción manifiesta". En este punto, lo que interesa es resaltar la identificación del bien jurídico que lleva a cabo el legislador[31]: el "*fin discernible y legítimo*" no es otro que hacer frente a la violencia de género en el ámbito de las relaciones de pareja. En este sentido afirma que "no constituye el sexo de los sujetos activos y pasivos y un factor exclusivo o determinante de los tratamientos diferenciados… La diferencia normativa la sustenta el legislador en su voluntad de sancionar más unas agresiones que entiende que son más graves y más reprochables socialmente a partir del contexto relacional en el que se producen y a partir también de que tales conductas no son otra cosa, como a continuación se razonará, que el trasunto de una desigualdad en el ámbito de las relaciones de pareja de gravísimas consecuencias para quien de un modo constitucionalmente intolerable ostenta una posición subordinada". La construcción del bien jurídico se completa con las siguientes afirmaciones: "cabe considerar que esta inserción supone una mayor lesividad para la víctima: de un lado, para su seguridad, con la disminución de las expecta-

---

[29] Sentencias sobre el delito de mal trato singular (art. 153): 59/2008, de 14 de mayo, 76/2008, de 3 de julio; 81, 82 y 83/2008, de 17 de julio; 95, 96, 97, 98, 99 y 100/2008, de 24 de julio. Sentencias sobre el delito de amenazas leves (art. 171.4): 45/2009, de 19 de febrero; 213/2009, de 26 de noviembre. Sentencias sobre el delito de coacciones leves (art. 172.2): 127/2009, de 26 de mayo; "pertenencia al género femenino históricamente discriminado a manos del género masculino" Sentencia 59/2008, de 14 de mayo; presunción *iuris et de iure* de especial necesidad de protección de la mujer por el hecho de serlo. Sentencia sobre delito de lesiones agravadas (art. 148.5): 52/2010, de 4 de octubre, 41/2010, de 22 de julio y 45/2010 de 28 de julio.

[30] En la línea de interpretación del Tribunal Constitucional en virtud de la cual, "el principio de proporcionalidad no constituye en nuestro ordenamiento constitucional un canon de constitucionalidad autónomo cuya alegación pueda producirse de forma aislada respecto de otros preceptos constitucionales" (STC 55/1996, de 28 de marzo). Aunque en la STC 99/2008, de 24 de julio se invoca como canon autónomo de constitucionalidad, no aporta nada que no hubieran dicho ya las sentencias anteriores. *Vid* el análisis que realiza de esta cuestión DE LA MATA BARRANCO, Norberto Javier, *El principio de proporcionalidad penal*, Tirant lo Blanch, Valencia, 2007, pp. 43 y ss.

[31] Posteriormente se analizará las referencias contenidas en la Sentencia comentada al principio de culpabilidad.

tivas futuras de indemnidad, con el temor a ser de nuevo agredida; de otro, para su libertad, para la libre conformación de su voluntad, porque la consolidación de la discriminación agresiva del varón hacia la mujer en el ámbito de la pareja añade un efecto intimidatorio a la conducta, que restringe las posibilidades de actuación libre de la víctima; y además para su dignidad, en cuanto negadora de igual condición de persona y en tanto que hace más perceptible ante la sociedad un menosprecio que la identifica con el grupo menospreciado. No resulta irrazonable entender, en suma, que en la agresión del varón hacia la mujer que es o fue su pareja se ve peculiarmente dañada la libertad de ésta; se ve intensificado su sometimiento a la voluntad del agresor y se ve peculiarmente dañada su dignidad, en cuanto persona agredida al amparo de una arraigada estructura desigualitaria que la considera inferior, como ser con menores competencias, capacidades y derechos a los que cualquier persona merece"; y termina recordando que se trata de castigar un tipo de violencia que es "manifestación de la discriminación, la situación de desigualdad y las relaciones de poder de los hombres sobre las mujeres. En la opción legislativa ahora cuestionada, esta inserción de la conducta agresiva la dota de una violencia peculiar y es, correlativamente, peculiarmente lesiva para la víctima. Y esta gravedad mayor exige una mayor sanción que redunde en una mayor protección de las potenciales víctimas"[32].

Con esto, no puede desconocerse la importancia que tiene el contexto social en el que se han producido en el pasado y se producen en la actualidad este tipo de agresiones, así como tampoco puede desconocerse que autor y víctima, se encuentran incluidos en unos concretos colectivos: el de quienes históricamente discriminan a las mujeres, y el de quienes históricamente sufren las agresiones de aquéllos. En esta línea parece no ser descabellada la siguiente afirmación: el plus de pena se justificaría por la "pertenencia al género femenino históricamente discriminado a manos del masculino"[33,] que es un bien jurídico de exclusiva titularidad femenina[34]. Este es el "grupo menospreciado" al que se refiere la STC 59/2007, de 14 de mayo, desde donde habría que deducir quién es el grupo menospreciante: el formado por los hombres, o lo que parece ser lo mismo, el género masculino, que es el "culpable" de la situación en la que se encuentra aquél.

---

[32]   En términos similares, se manifiesta dentro de la doctrina LAURENZO COPELLO, Patricia, "La violencia de género en la Ley integral", cit., pp. 4 y ss; FARALDO CABANA, Patricia, "Razones para la introducción de la perspectiva de género en Derecho penal a través de la Ley Orgánica 1/2004, de 28 de diciembre, sobre medidas de protección integral contra la violencia de género", *Revista Penal*, núm. 17, 2006, pp. 90 y ss.

[33]   ACALE SÁNCHEZ, María, *La discriminación hacia la mujer en razón de género en el Código penal*, cit., pp. 151 y ss.

[34]   LAURENZO COPELLO, Patricia, "La violencia de género en la Ley integral", cit., pp. 4 y ss; FARALDO CABANA, Patricia, "Razones para la introducción...", cit., pp. 90.

Visto cuál es el bien jurídico protegido, pasa el Tribunal a analizar si la diferenciación penológica se articula "en términos no inconsistentes con tal finalidad". Y en este sentido afirma que la mayor pena para el hombre obedece a la "mayor necesidad objetiva de protección de determinados bienes de las mujeres en relación con determinadas conductas delictivas. Tal necesidad la muestran las altísimas cifras en torno a la frecuencia de una grave criminalidad que tiene por víctima a la mujer y por agente a la persona que es o fue su pareja. Esa frecuencia constituye un primer aval de razonabilidad de la estrategia penal del legislador de tratar de compensar esta lesividad con la mayor prevención que pueda procurar una elevación de la pena".

Como es sabido, la LOPIVG no modificó la pena del delito de homicidio ni de asesinato, a pesar de que los atentados contra la vida de la mujer por razón de género son los más graves por la irreversibilidad de la situación. Tampoco modificó la pena de las agresiones sexuales, aunque basta leer la jurisprudencia para comprender que muchas víctimas de la violencia de género doméstica soportan indistintamente bofetadas y vejaciones de contenido sexual con violencia, intimidación o prestan su consentimiento para evitar "males mayores"; ni del delito de detenciones ilegales, aunque si una figura delictiva ofrece las coordenadas esenciales de la violencia de género esa es la detención ilegal, pues el agresor pretende cometiendo estos actos, aislar a la mujer de todos sus resortes. Sobre estas exclusiones, la STC 57/2009 ha afirmado que "al tratarse de delitos de un significado mayor desvalor" tienen asignada una "pena significativamente mayor"; añadiendo que "lo que la argumentación más bien sugiere es o un déficit de protección en los preceptos comparados —lo que supone una especie de desproporción inversa sin, en principio, relevancia constitucional— o una desigualdad por indiferenciación en dichos preceptos merecedora de similar juicio de irrelevancia".

Con la referencia a que estas figuras delictivas están ya "suficientemente penadas" se dejaba ver que en el fondo, la pretensión del legislador no era otra que castigar más duramente a los hombres que maltrataban a sus mujeres, aunque desde esa premisa, en sí misma considerada, no pudiera deducirse ya una mayor o mejor protección de las víctimas, a pesar de que se trató de una ley que se denominaba "de protección integral frente a la violencia de género".

Piénsese en la complejidad que planteaba la consideración o no de la violación como un caso de violencia de género[35]. Si se atendía a la definición del art. 1 de la LOPIVG, si era llevada a cabo por el hombre con el que la mujer estaba o había estado unida aún sin convivencia, sí era un acto de violencia de género,

---

[35]   *Vid.* CUERDA ARNAU, María Luisa, "Los delitos contra la libertad sexual de la mujer como tipos de violencia de género. Consideraciones críticas", *Revista General de Derecho penal*, Iustel, núm. 13, 2010, pp. 1-44.

al que por otra parte de forma expresa se hacía mención en el núm. 3 de dicho artículo, cuando se mencionaban los delitos contra la libertad sexual. A pesar de ello, la misma ley que había considerado a estos delitos como un claro ejemplo de violencia de género, posteriormente no procedió a modificar la pena de ninguno de ellos. Con lo cual, técnicamente puede decirse que si se hace una valoración *in totum* del acto de contenido sexual practicado con violencia o intimidación, la violación no es un delito relacionado con la violencia de género, pero si se tiene en cuenta de forma separada los dos actos que sumados conforman el delito de violación (esto es, el acto sexual y la violencia o intimidación), la violencia o la intimidación que sea constitutiva de mal trato, amenazas o coacciones, sí podía ser considerado un acto de violencia de género (y aplicarle por tanto las disposiciones específicas para esta clase de violencia en el ámbito de la suspensión y sustitución de la pena, lo que no dejaba de ser paradójico).

La lectura de la reforma penal operada por la LOPIVG, junto con la interpretación que de la misma hizo el Tribunal Constitucional, no resolvían todas las dudas que estaban pendientes y seguía planteando algunas distorsiones, como que no se exigiera probar el ánimo discriminatorio (que se presumía en todo caso); que el bien jurídico colectivo "pertenencia al género femenino históricamente discriminado a manos del masculino" terminara olvidándose de la singular víctima que no puede disponer de él (imposición del alejamiento sin su consentimiento); que el sujeto activo no era ya el hombre que maltrataba, lesionaba, coaccionaba o amenazaba, sino el "género masculino", que atentaba contra todas las mujeres, que se encontraban representadas en la concreta víctima del delito[36]; la desproporción inherente a la reforma en la medida en que se impone más pena por amenazar levemente, que por actualizar el contenido de la amenaza, matando a la víctima; así como por el efecto criminógeno de incitar al autor a que amenace o coaccione más gravemente porque le sale "gratis" el plus de amenaza/coacción.

Si a todos estos riesgos se añadía la imagen de la mujer que se desprendía del conjunto de reforma, como un ser débil, necesitado de una especial protección, había que hacer un esfuerzo para "repensar la idoneidad de otras fórmulas informales o también formales de resolución de conflictos, tales como el recurso a otras instancias jurídicas, civiles, laborales o administrativas"[37].

---

[36] GARCÍA ARÁN, Mercedes, "Injusto individual e injusto social en la violencia machista (a propósito de la STC 59/2008 sobre el maltrato masculino a la mujer pareja", en VVAA, *Constitución, derechos fundamentales y sistema penal. Semblanzas y estudios con motivo del setenta aniversario del Prof. Tomás Salvador Vives Antón*, Tomo I, Tiran lo Blanch, Valencia, 2009, pp. 649 y ss.

[37] MAQUEDA ABREU, M.L., "La violencia de género. Entre el concepto jurídico y la realidad social", *Revista Electrónica de Ciencia Penal y Criminología* (RECPC 08-02/2006, *http://criminet.ugr.es/recpc*, p. 13.

Criticar la reforma penal operada por la LOPIVG no significaba que no fuera posible otra perspectiva de género en Derecho penal aunque desde la perspectiva de los principios de igualdad, proporcionalidad, ofensividad y lesividad[38].

4. EL MANTENIMIENTO DE LA DISCRIMINACIÓN POSITIVA Y LA INCLUSIÓN SIMULTÁNEAMENTE DE NUEVOS TIPOS NEUTROS

4.1. Presentación

La LO 1/2015 ha llevado a cabo la última gran reforma de nuestro Código penal. Los cambios son considerables, y afectan a las penas, a sus sustitutivos, al número y a la clase de infracciones penales y al concreto catálogo de delitos, y a la vista de su extensión, es fácil colegir que el sistema diseñado por la LOPIVG ha sufrido cambios considerables, pues aquellos han apuntado al centro del modelo, dinamitando los cimientos del edificio construido entonces, hasta el punto de que al día de hoy debe hacernos reflexionar ampliamente sobre si tras ella, aquel modelo instaurado en 2004 sigue teniendo sentido. Es más, si sigue habiendo un "modelo". En otros términos, no es posible mantener tipos penales leves en los que se impone más pena al hombre que victimiza a su mujer, a la vez que se incorporan nuevos tipos no sexuados, porque o se eliminan los delitos incorporados al Código en 2004, o se sexualizan los llegados al mismo en 2015. Mantener ambos no genera más que dudas e inseguridad jurídica, lo que resta credibilidad al sistema penal y en definitiva, perjudica a las víctimas que empiezan a perder la consideración de "colectivo" a los ojos de la ley penal.

Con independencia del debate habido durante los años que ha tardado en tramitarse la LO 1/2015, lo cierto es que las concretas reformas que han afectado tan profundamente al tratamiento de la violencia de género pasaron desapercibidas en sede parlamentaria, y como consecuencia, también han pasado desapercibidas para la jurisprudencia, que ha seguido operando con los viejos tipos de 2004, sin darse cuenta de los efectos provocados en 2015.

Por tanto, el dato que ha de retenerse antes de entrar a analizar pormenorizadamente estos nuevos cambios es que la reforma del modelo de la LOPIVG no ha sido intencionada: solo es el fruto de una carambola o de un tiro perdido al aire, ayuno de una sólida fundamentación.

---

[38]   Vid. más ampliamente: ACALE SÁNCHEZ, María, "Sobre el fundamento de las reformas operadas por la Ley Orgánica 1/2004, de 28 de diciembre, de protección integral frente a la violencia de género", *Revista General de Legislación y Jurisprudencia*, núm. 3, 2007, pp. 327 y ss.

Confiamos que ahora que se ha abierto el debate en torno a la necesidad de modificar la LOPIVG, en el marco del Pacto de Estado contra la violencia de género, se medite sobre el desorden que en esta materia impera en nuestro Código penal[39].

4.2. *Reforma de la circunstancia agravante de discriminación*

El art. 22. 4 del Código agrava la pena en atención al móvil discriminatorio del autor. Se trata de una circunstancia que ha sufrido distintas modificaciones desde que el legislador la llevó al Código en 1995. Entonces, y en lo que aquí interesa, agravaba la pena "cometer el delito por motivos" del "sexo u orientación sexual" de la víctima. Posteriormente, tras la LO 5/2010, se tenía en cuenta "su sexo, orientación o identidad sexual" y finalmente la LO 1/2015 señala ahora "su sexo, orientación o identidad sexual, razones de género"[40]. Las sucesivas incorporaciones de la identidad sexual y de las razones de género vienen en cierta medida a especificar aún más el contenido o el motivo de la discriminación, pues la orientación sexual abarcaba ya la identidad sexual y las razones de género. El hecho de que se haya especificado viene a poner de manifiesto la intención del legislador de ampliar su aplicación. En este sentido, desde que llegó en 1995 al Código, pero más ahora por las adiciones que se han llevado a cabo en su tenor literal, cuando el autor cometa un delito con la finalidad de discriminar a su víctima, la circunstancia debe ser aplicada.

Como es sabido, las circunstancias modificativas de la responsabilidad criminal añaden un plus de injusto (ya sea por incremento del desvalor de acción o por incremento del desvalor de resultado) o de culpabilidad al delito cometido. En el caso de la circunstancia de discriminación parece que el plus que justifica el aumento de pena se basa en el mayor desvalor de acción de la conducta del autor.

En todo caso, el ámbito de delitos a los que era de aplicación la agravación se circunscribía a aquéllos que protegen bienes jurídicos personales de la víctima, no siendo aplicable en bienes jurídicos colectivos, porque cuando se llevara a cabo un acto con la finalidad de discriminar a un colectivo, había que estar al delito castigado en al art. 510[41].

---

[39]   En extenso ACALE SÁNCHEZ, María, "Aspectos del Pacto de Estado español contra la violenca de género, en Rivista diDiritlo Penale Comremporáneo, 1/2018.

[40]   En el Código penal español, el delito de incitación al odio no puede comprenderse del todo si no es teniendo en consideración que la circunstancia de agravación de la pena del art. 22.4 cuando se trata de ataques contra bienes jurídicos de titularidad de una víctima concreta si se lleva a cabo por motivos de discriminación en razón del "sexo, orientación o identidad sexual, razones de género". De no ser así, no se comprendería bien el motivo por el cual la incitación al odio por razón de género es delito y no agrava la pena cuando se cometa un concreto delito en base al mismo.

[41]   Que antes de la reforma operada por la LO 1/2015 castigaba a "los que provocaren a la discriminación, al odio o a la violencia contra grupos o asociaciones, por motivos racistas, antisemitas

El problema que se planteaba era si dicha circunstancia debía ser aplicada cuando se tratara de los tipos penales sexuados incluidos por la LOPIVG, en la medida en que la propia idea de discriminación se encuentra diluida dentro de la definición de violencia proscrita por el art. 1 que se produce entre otras cosas "como manifestación de la discriminación". De ahí que de aplicarse la agravante a un delito de violencia de género se violaría el principio *non bis in idem*.

Ahora bien, nada impide que se aplique al resto de delitos no sexuados, como la violación, las detenciones ilegales, el homicidio, las coacciones o las amenazas graves si se prueba el elemento subjetivo de la discriminación; la necesidad de prueba hace necesario caso por caso comprobar la concurrencia de los elementos objetivos y subjetivos que conforman la agravación, por lo que se evita el automatismo indeseado de su aplicación.

Así, la Sentencia de la Audiencia Provincial de Oviedo 18/2017, de 20 de enero de 2017 ha condenado por asesinato con alevosía y con las circunstancias agravantes de discriminación por desprecio de género y de parentesco a un hombre que mató a la mujer con la que tenía establecida una relación sentimental. En vida, la arruinó económicamente, la aisló de su familia y de sus amistades, "manteniéndola asilada y sometida, ejerciendo un control absoluto sobre la misma en todos los aspectos de su vida, tanto afectivo como familiar, imponiéndole su criterio en lo referente a las relaciones sociales y cuestiones económicas, anulando su capacidad de decisión". Por lo que se refiere a la agravante de discriminación en razón de género, la Sentencia señala que: "se fundamenta en la mayor culpabilidad del autor por la mayor reprochabilidad del móvil que le impulsa a cometer el delito, siendo por ello decisivo que se acredite la intención de cometer el delito contra la mujer por el hecho de ser mujer y como acto de dominio y superioridad, circunstancia acreditada en el presente caso por las declaraciones claras, precisas y sumamente esclarecedoras prestadas por el testigo…, de la que se desprenden cómo el acusado fue distanciando a la víctima de su círculo de amigos, manteniéndola asilada y sometida, ejerciendo un control absoluto sobre la misma en todos los aspectos de su vida, tanto afectivo como familiar, imponiéndole su criterio en lo referente a las relaciones sociales y cuestiones económicas, anulando su capacidad de decisión, hasta acabar con su vida como acto final de dominación". Puede decirse que esta es la primera sentencia en la que por la vía judicial, se ha dado cuerpo de naturaleza dentro de nuestra jurisprudencia al feminicidio en España aunque no exista el delito de homicidio/asesinato especialmente circunstanciado por el móvil discriminatorio hacia la víctima.

---

u otros referentes a la ideología, raza, su origen nacional, su sexo, orientación sexual, enfermedad o minusvalía, serán castigados con la pena de prisión de uno a tres años y multa de seis a doce meses". Como es sabido, la LO 1/2015 ha sometido a una amplísima reforma a este delito.

La cuestión que ha de plantearse, una vez asentada ya la presencia de esta circunstancia de agravación dentro del Código, es si tiene sentido seguir castigando expresamente en los arts. 148.4, 153.1, 171.4 y 172.2 las lesiones, mal trato, amenazas y coacciones leves que lleve a cabo el hombre sobre la mujer con la que está o estuvo unido sentimentalmente con independencia de la convivencia. Piénsese por un momento qué ocurriría si no existieran estos preceptos: así, en el caso de que se llevaran a cabo las conductas de maltratar, amenazar o coaccionar levemente a la mujer con la que el autor está o estuvo casado o unido sentimentalmente aún sin convivencia, se trataría de imponer una pena de prisión de tres meses a un año que con la concurrencia de la agravante de discriminación, daría lugar a la imposición de la pena en su mitad superior, esto es de 7 meses y medio a un año, siendo así que la pena que hoy establece el art. 153 para castigar al hombre que maltrate a la mujer que es o ha sido su esposa o compañera sentimental, aún sin convivencia, es la de prisión de 6 meses a un año, beneficiando al autor a efectos de pena porque la criminalización expresa debe ser determinante de la resolución de ese concurso de normas a favor de la ley especial.

La única diferencia entre la aplicación de los tipos neutros con la agravante de discriminación y los tipos sexuados es que en estos últimos el móvil discriminatorio no hay que probarlo especialmente, sino que es parte de la base sobre la que se levanta el propio concepto de violencia de género (así lo ha entendido el Tribunal Constitucional, que ha defendido la aplicación automática de los tipos agravados[42]). Y esto a pesar de que aunque el Tribunal Constitucional entendiera que no era necesario el móvil discriminatorio, la jurisprudencia menor lo ha tenido en cuenta para sacar del concepto de violencia de género las agresiones mutuas. En este sentido se ha manifestado la SAP de Barcelona, de 14 de noviembre de 2005 [RJ 2006/42607]; en ella se entiende que cuando de riñas mutuas se trate[43], no es aplicable el número 1 del art. 153, partiendo de que esta clase de violencias requiere "ser instrumento de discriminación, dominación o subyugación de alguno de los sujetos que comprende" y en la medida en que entiende que no se trata más que de una riña entre dos personas adultas en igualdad de condiciones y sin que ninguna de ellas se encuentre en una posición inferior a la de la otra parte en la contienda, "deberá limitarse a la falta de lesiones, al maltrato o a la amenaza que definen los artículos 617 y 620 CP". Si bien la intención del juzgador ha sido la de someter a una lectura restrictiva la nueva regulación,

42   *Vid.* las sentencias citadas anteriormente.
43   Puede verse otro supuesto de riña mutua entre dos cónyuges en la SAP de Valladolid 745/2002, de 14 de octubre [JUR 2002/284.106], en la que si bien en instancia se castigó al hombre como autor de una falta de mal trato, y a la mujer como autora de una falta de lesiones, la Audiencia absolvió al primero por falta de pruebas y mantuvo la condena de ella.

nada hubiera impedido la absurda solución de castigarlos con distintas penas, es más, según la definición del art. 1 LOPIVG, ésta debió ser la solución en la medida en que como se vio anteriormente, durante la tramitación parlamentaria de la hoy LOPIVG se eliminó del art. 1 la referencia que se hacía a que la violencia sobre la mujer era la "utilizada como instrumento para mantener la discriminación, la desigualdad y las relaciones de poder de los hombres sobre las mujeres", bastando desde entonces que se trate de una violencia que sea "manifestación de la discriminación, la situación de desigualdad y las relaciones de poder de los hombres sobre las mujeres", hombres y mujeres, en este caso, entendidos como colectivos, no como el concreto hombre que somete a una concreta mujer a este tipo de actuaciones.

Recuérdese por otra parte, que el Tribunal Constitucional resaltaba la necesidad de que se castigara suficientemente las amenazas, coacciones y malos tratos leves, objetivo que se alcanza aplicándole a la pena de 3 meses a un año la mitad superior en su mitad superior por la concurrencia de la circunstancia agravante del art. 22.4 (vid., por ejemplo, la Sentencia 127/2009, de 26 de mayo).

Durante la tramitación parlamentaria de la LOPIVG hubo un sector doctrinal, que defendió esta solución: inclusión de una agravante genérica de discriminación por razón de género femenino, que fuera aplicable cada vez que se actuara con el móvil discriminatorio[44].

Ponderar estos factores puede hacerse igualmente a través del incremento de injusto por incremento de desvalor de acción inherente a los actos de discriminación.

Por otra parte, la vía que ha abierto la STSJ de Palmas de Gran Canaria (Sala de lo Social) 1/2007, 7 de marzo de 2017, es muy interesante, y se persigue que "del reconocimiento de los derechos humanos a la igualdad y a la no discriminación por razón de género, deriva la impartición de justicia con base en una perspectiva de género", en virtud de la cual se entiende que "la interpretación social del Derecho con perspectiva de género exige la contextualización y la actuación conforme al principio *pro persona*, que se configura en este ámbito como un criterio hermenéutico que obliga a los órganos jurisdiccionales a adoptar interpretaciones jurídicas que garanticen la mayor protección de los derechos humanos, en especial los de las víctimas". En este sentido, la sentencia apunta la idea de que la implementación del principio de igualdad y del derecho a la no discriminación exige una labor constante por parte de la jurisprudencia, que excede con

---

[44] Comas D'Argemir i Cendra lo señaló expresamente durante su comparecencia ante la Comisión de Trabajo y Asuntos Sociales: *Diario de Sesiones, Congreso de los Diputados, Comisiones*, núm. 65, 20-07-2004, p. 5; ACALE SÁNCHEZ, María, *La discriminación hacia la mujer*, cit., p. 400.

mucho —en el ámbito penal— a los cuatro delitos que vieron sexualizada su letra en 2004 por parte del legislador. En otras palabras: cuando se analiza un caso de legítima defensa de una mujer maltratada, o se decide si se aprecia o no el parentesco como criterio de agravación de la pena en el delito de violación, nuestros tribunales han de operar desde una perspectiva de género, pues de no hacerlo así, difícilmente podrán dictar resoluciones que sean justas. Fallos judiciales como estos nos ponen por delante una labor jurisprudencial más libre, espontánea y por tanto más justa. En definitiva, corresponde pues a la jurisprudencia la labor de llevar a cabo una lectura de género del derecho.

4.3. *Eliminación del Libro III*

La eliminación del Libro III incide en el modelo instaurado por la LOPIVG, dentro del cual se incluía la falta de vejaciones del art. 620 que desempeñaba un relevante papel en la sanción no ya de la violencia de género, pero sí de la violencia doméstica. En su interior se castigaba en el número 2° a "los que causen a otro una amenaza, coacción, injuria o vejación injusta de carácter leve, salvo que el hecho sea constitutivo de delito". El precepto añadía que en estos supuestos, "cuando el ofendido fuere alguna de las personas a las que se refiere el art. 173.2, la pena será la de localización permanente de 4 a 8 días, siempre en domicilio diferente y alejado del de la víctima, o trabajos en beneficio de la comunidad de 5 a 10 días. En estos casos no será exigible la denuncia a que se refiere el párrafo anterior de este artículo, excepto para la persecución de las injurias"[45].

En particular, la eliminación de esta falta ha dado lugar a la inclusión de los delitos leves de amenazas en el art. 171.7[46], de coacciones en el art. 172[47] y de maltrato habitual en el art. 173.2[48].

---

[45] Procesalmente ha de tenerse en consideración que la disposición adicional segunda de la LO 1/2015 establece que "la instrucción y el enjuiciamiento de los delitos leves cometidos tras la entrada en vigor de la presente Ley se sustanciarán conforme al procedimiento previsto en el Libro VI de la vigente Ley de Enjuiciamiento Criminal, cuyos preceptos se adaptarán a la presente reforma en todo aquello que sea necesario. Las menciones contenidas en las leyes procesales a las faltas se entenderán referidas a los delitos leves".

[46] "Fuera de los casos anteriores, el que de modo leve amenace a otro será castigado con la pena de multa de uno a tres meses. Este hecho sólo será perseguible mediante denuncia de la persona agraviada o de su representante legal.
Cuando el ofendido fuere alguna de las personas a las que se refiere el apartado 2 del artículo 173, la pena será la de localización permanente de cinco a treinta días, siempre en domicilio diferente y alejado del de la víctima, o trabajos en beneficio de la comunidad de cinco a treinta días, o multa de uno a cuatro meses, ésta última únicamente en los supuestos en los que concurran las circunstancias expresadas en el apartado 2 del artículo 84. En estos casos no será exigible la denuncia a que se refiere el párrafo anterior".

La elevación a delito de estas faltas, acaba con las críticas más graves que se hacían al tratamiento de las coacciones y amenazas leves como meras "faltas" cuando sujetos activos y pasivos fueran miembros de la unidad familiar distintos al hombre y mujer pareja. Simultáneamente, la elevación a delito leve de esas conductas supone pues la equiparación del tratamiento procesal de todas ellas en torno a la detención, la denuncia o los antecedentes penales con las previsiones contenidas en los arts. 153.2 y 171.5 para los supuestos en los que la víctima sea "alguna de las personas a las que se refiere el art. 173.2", exceptuadas la mujer que sea o haya sido la esposa, o haya estado ligada al autor por una análoga relación de afectividad, aún sin convivencia, o las personas especialmente vulnerables que convivan con el autor.

Al elevar todas estas conductas al Libro II, simultáneamente se ha producido una agravación de las penas que el legislador venía estableciendo para cada una de ellas, no ya porque individualmente se haya considerado que ha aumentado el desvalor de acción y el desvalor de resultado inherente a esos comportamientos, sino por una opción de política criminal contraria a la que consagró la LOPIVG.

En este sentido, si se vuelve a la lectura del Auto del Juzgado de lo Penal núm. 1 de Murcia 547/2005, 3 de agosto de 2005, en el que se ponía el acento entre otros motivos, en el diferente tratamiento procesal entre las conductas constitutivas de delito y de faltas, la reforma operada por la LO 1/2015 ha suavizado las diferencias, pero no ha eliminado del todo dispar el trato de la violencia doméstica y el de la violencia de género: especialmente, puede verse el art. 80.2.1 donde se señala que la suspensión previa de una pena por un delito leve no impide la suspensión de otra pena siguiente o el art. 22.8 en el que se señala que no se aprecia

---

[47]   "3. Fuera de los casos anteriores, el que cause a otro una coacción de carácter leve, será castigado con la pena de multa de uno a tres meses. Este hecho sólo será perseguible mediante denuncia de la persona agraviada o de su representante legal.
Cuando el ofendido fuere alguna de las personas a las que se refiere el apartado 2 del artículo 173, la pena será la de localización permanente de cinco a treinta días, siempre en domicilio diferente y alejado del de la víctima, o trabajos en beneficio de la comunidad de cinco a treinta días, o multa de uno a cuatro meses, ésta última únicamente en los supuestos en los que concurran las circunstancias expresadas en el apartado 2 del artículo 84. En estos casos no será exigible la denuncia a que se refiere el párrafo anterior".

[48]   "4. Quien cause injuria o vejación injusta de carácter leve, cuando el ofendido fuera una de las personas a las que se refiere el apartado 2 del artículo 173, será castigado con la pena de localización permanente de cinco a treinta días, siempre en domicilio diferente y alejado del de la víctima, o trabajos en beneficio de la comunidad de cinco a treinta días, o multa de uno a cuatro meses, esta última únicamente en los supuestos en los que concurran las circunstancias expresadas en el apartado 2 del artículo 84.
Las injurias solamente serán perseguibles mediante denuncia de la persona agraviada o de su representante legal".

a los efectos de la reincidencia, y aunque se impone la pena de alejamiento, tiene una duración inferior (art. 57).

4.4. *Incorporación de nuevos delitos no sexuados*

Finalmente, la LO 1/2015 ha castigado una serie de conductas sin sexualizar legalmente su letra en unos fenómenos que criminológicamente sí están sexuados: se trata de los delitos de matrimonios forzados del art. 172 bis[49], que debe relacionarse con una de las nuevas modalidades del delito de trata de seres humanos del art. 177.e) cuando la trata se lleve a cabo con la finalidad de "la celebración de matrimonios forzados" (del delito de trata también es necesario resaltar la expresa referencia como criterio de agravación de la pena al "estado de gestación" de la víctima); el delito de *stalking* del art. 172 ter[50]; del delito contra la intimidad en el art. 197.7[51]; y, finalmente, ha de resaltarse la incorporación del nuevo de-

---

[49] "1. El que con intimidación grave o violencia compeliere a otra persona a contraer matrimonio será castigado con una pena de prisión de seis meses a tres años y seis meses o con multa de doce a veinticuatro meses, según la gravedad de la coacción o de los medios empleados.
2. La misma pena se impondrá a quien, con la finalidad de cometer los hechos a que se refiere el apartado anterior, utilice violencia, intimidación grave o engaño para forzar a otro a abandonar el territorio español o a no regresar al mismo.
3. Las penas se impondrán en su mitad superior cuando la víctima fuera menor de edad".

[50] "1. Será castigado con la pena de prisión de tres meses a dos años o multa de seis a veinticuatro meses el que acose a una persona llevando a cabo de forma insistente y reiterada, y sin estar legítimamente autorizado, alguna de las conductas siguientes y, de este modo, altere gravemente el desarrollo de su vida cotidiana:
1.ª La vigile, la persiga o busque su cercanía física.
2.ª Establezca o intente establecer contacto con ella a través de cualquier medio de comunicación, o por medio de terceras personas.
3.ª Mediante el uso indebido de sus datos personales, adquiera productos o mercancías, o contrate servicios, o haga que terceras personas se pongan en contacto con ella.
4.ª Atente contra su libertad o contra su patrimonio, o contra la libertad o patrimonio de otra persona próxima a ella.
Si se trata de una persona especialmente vulnerable por razón de su edad, enfermedad o situación, se impondrá la pena de prisión de seis meses a dos años.
2. Cuando el ofendido fuere alguna de las personas a las que se refiere el apartado 2 del artículo 173, se impondrá una pena de prisión de uno a dos años, o trabajos en beneficio de la comunidad de sesenta a ciento veinte días. En este caso no será necesaria la denuncia a que se refiere el apartado 4 de este artículo.
3. Las penas previstas en este artículo se impondrán sin perjuicio de las que pudieran corresponder a los delitos en que se hubieran concretado los actos de acoso.
4. Los hechos descritos en este artículo sólo serán perseguibles mediante denuncia de la persona agraviada o de su representante legal".

[51] "7. Será castigado con una pena de prisión de tres meses a un año o multa de seis a doce meses el que, sin autorización de la persona afectada, difunda, revele o ceda a terceros imágenes o

lito de quebrantamiento de condena castigado en el art. 468.3[52]. Todas ellas son conductas que entran dentro de las formas de la violencia de género del art. 1.3 LOPIVG porque incluyen actos de violencia física o psicológica, pero no pueden ser consideradas como tales porque el art. 1.2, como es sabido, la restringe a aquellas formas de violencia llevadas a cabo por el hombre sobre la mujer con la que está o estuvo casado o unido sentimentalmente, aún sin convivencia, y en el caso en el que sean llevadas a cabo por el hombre que es o ha sido el marido o el compañero sentimental de la víctima aún sin convivencia, la calificación del acto como uno de violencia de género solo puede producirse desde un punto de vista sociológico, pero no legalmente porque no tiene sexualizada la letra de la ley.

Todas estas nuevas figuras delictivas intentan hacer frente a fenómenos que desde el punto de vista criminológico, están perfectamente sexuadas pues se trata de comportamientos que la propia sociedad patriarcal que los produce, los sesga en atención al sexo masculino del autor y al sexo femenino de la víctima[53]: ambos actúan como hombres y mujeres, por el mero hecho de serlo. Esta forma de intervenir penalmente pone de manifiesto que se ofrece la misma protección a hombres y mujeres con independencia del sexo del sujeto activo, invisibilizando a las mujeres, pero no desprotegiéndolas porque se trata de figuras que han nacido precisamente para hacerlo: que los hombres también puedan ser sujetos pasivos de las mismas a manos de otro hombre o de una mujer, es una cuestión completamente secundaria.

Pongamos el ejemplo del nuevo delito contra la intimidad del art. 197.1, que castiga con la pena de prisión de tres meses a un año o multa de seis a doce meses al que "sin autorización de la persona afectada, difunda, revele o ceda a terceros imágenes o grabaciones audiovisuales de aquélla que hubiera obtenido con su anencia en un domicilio o en cualquier otro lugar fuera del alcance de la mirada de terceros, cuando la divulgación menoscabe gravemente la intimidad personal

---

[52]   grabaciones audiovisuales de aquélla que hubiera obtenido con su anuencia en un domicilio o en cualquier otro lugar fuera del alcance de la mirada de terceros, cuando la divulgación menoscabe gravemente la intimidad personal de esa persona.
        La pena se impondrá en su mitad superior cuando los hechos hubieran sido cometidos por el cónyuge o por persona que esté o haya estado unida a él por análoga relación de afectividad, aun sin convivencia, la víctima fuera menor de edad o una persona con discapacidad necesitada de especial protección, o los hechos se hubieran cometido con una finalidad lucrativa".
        "3. Los que inutilicen o perturben el funcionamiento normal de los dispositivos técnicos que hubieran sido dispuestos para controlar el cumplimiento de penas, medidas de seguridad o medidas cautelares, no los lleven consigo u omitan las medidas exigibles para mantener su correcto estado de funcionamiento, serán castigados con una pena de multa de seis a doce meses".

[53]   Sobre el nuevo delito contra la intimidad del art. 197.7 vid. ACALE SÁNCHEZ, María, "Derecho penal. Imagen e intimidad: especial referencia a los procesos de victimización de las mujeres", Revista de Derecho Penal y Criminología, núm. 10, 2013, pp. 13 y ss.

de esta persona": puede comprobarse como victimas especialmente atrayentes de estas conductas son las mujeres, como así se pone de manifiesto en la vida diaria. Así, las imágenes "sustraídas" de contenido sexual que llegan a la opinión pública suelen pertenecer a mujeres, victimas por excelencia de este fenómeno criminal. En efecto, si se analiza la jurisprudencia española en todos estos casos, sujeto activo de la conducta es un hombre, sujeto pasivo es una mujer, entre ambos existe o ha existido ya sea en el momento de la captación de las imágenes, o en el momento de la difusión y divulgación de las mismas, una relación sentimental, de la que se aprovechan para violar la intimidad de las víctimas: es decir, actúan con abuso de confianza.

Entre otras, la SAP de Lleida (sec. 1ª), núm. 90/2004, de 25 de febrero [ARP/2004/636] analiza el caso de un sujeto que grabó una cinta de vídeo en la que participaban él mismo y una mujer que consintió la grabación mientras mantenían relaciones sexuales, y posteriormente procedió a su difusión a terceros que la vieron[54]; la SAP de Islas Baleares (sec. 2ª) núm. 216/2011, de 13 de octubre [JUR/2011/402016] indaga sobre la tipicidad del comportamiento consistente en colgar sin consentimiento de la víctima en el perfil de una página web destinada a contactos, fotografías en las que se exhibe a aquella posando desnuda[55]; la SAP de Vizcaya (sec. 6ª) núm. 755/2011, de 13 de octubre [JUR/2012/175469] analiza la responsabilidad criminal de quien se encuentra un teléfono móvil, descubriendo en su interior un video de contenido íntimo que tras enseñárselo a varias personas que conocen a la víctima, termina colgándolo en internet[56]; la SAP de Almería (sec. 1ª) núm. 242/2005, de 2 de noviembre [JUR/2006/217074], castiga como autor de un delito de descubrimiento y revelación de secretos al sujeto que recibiendo de su compañera de trabajo un reportaje fotográfico de su viaje de bodas para su revelado, "escaneó una de ellas en las que aparece en ropa interior y, sin conocimiento de la afectada, la difundió por correo electrónico entre una

---

[54]   Se absuelve del delito contra la intimidad porque se entiende que la cinta de video en la que se contenía la relación sexual con la víctima se grabó con consentimiento de ésta, y que al estar en poder del sujeto activo, no requirió de "apoderamiento", incidiendo en la idea de que la violación de la intimidad ha de producirse en el momento en el que se captan las imágenes y en ese momento existió consentimiento: así se afirma que "a pesar de lo reprobable de la conducta del acusado la difusión de la cinta de video por el mismo no tienen encaje jurídico penal entre los delitos contra la intimidad ya que para ello es preciso que los datos o las imágenes que se revelan hayan sido descubiertos o captados por el sujeto activo mediante una intromisión o injerencia ilícita en la intimidad ajena, que no concurre cuando, como es el caso, el sujeto pasivo ha prestado su consentimiento para la grabación de las imágenes". La exención de responsabilidad por el atentado contra la intimidad no impidió no obstante el castigo por injurias.

[55]   Se castiga por un delito contra la intimidad del número 2º del art. 197.

[56]   Se castiga por atentado contra la intimidad del art. 197.1 y 3.

serie de destinatarios junto a otras fotografías de contenido erótico"[57]; o la SAP de Almería (sec. 1ª), núm. 68/1998, de 22 de junio [ARP/1998/2648], en la que se estudia la calificación jurídica del hecho "visionar ante distintas amistades una cinta de video doméstico de carácter erótico-sexual en la que aparecían el acusado y la denunciante, en aquel momento su novia, sin el consentimiento de ésta, acompañado de comentarios jocosos y groseros"[58].

Se trata de actos que se realizaron al amparo de una "confidencialidad compartida" y que son revelados por la voluntad siempre del hombre. Desde esta perspectiva, y a la vista de lo establecido en el art. 1.1 LOPIVG, de protección integral frente a la violencia de género, han de considerarse constitutivos de violencia de género los hechos a los que se hace referencia en la medida en que se producen como "manifestación de la discriminación, la situación de desigualdad y las relaciones de poder de los hombres sobre las mujeres, se ejerce sobre éstas por parte de quienes sean o hayan sido sus cónyuges o de quienes estén o hayan estado ligados a ellas por relaciones similares de afectividad, aun sin convivencia", y ello con independencia de que expresamente no se haga mención a la intimidad de las mujeres en el número 3 del mismo art. 1 cuando menciona las formas que adoptan los actos constitutivos de violencia de género, en la medida en que sin duda alguna son actos que entran dentro de la propia violencia psicológica a la que se hace referencia.

Nótese el escenario en el que se producen estas conductas, que refleja la propia construcción machista de la sociedad: la mujer aparece en estos actos como objeto sexual ajeno, no como sujeto que conduce su sexualidad; mientras que el hombre es el dominador del acto sexual, el autor del mismo y quien a su vez detenta el dominio del hecho sobre la intimidad de la mujer, controlándola en todo caso. A partir de ello puede comprenderse que si bien para las mujeres la publicación de estos datos atenta contra su intimidad, pues revelan actos practicados en privado, y la publicación de los mismos es motivo de vergüenza o de escarnio, porque se culpabilizan de su sucedido, olvidándose que estaban ejerciendo una parcela de su libertad, para el hombre —cuya intimidad sexual también sale a relucir— el hecho de que ese acto sea conocido por terceros no genera vergüenza sino "orgullo" —o un sentimiento similar— porque la sociedad husmea en la vida de la víctima pero engrandece la vileza del autor. Estos efectos no son más que la consecuencia natural de la

---

[57]   Acto éste que según la sentencia "*constituye precisamente el apoderamiento y divulgación proscritos por la normativa en cuestión y que constituye el frontal atentado al derecho a la intimidad*": los hechos fueron castigados como delito de descubrimiento y revelación de secretos de los números 1 y 3 el art. 197.

[58]   Se castiga por un delito de injurias, en atención a lo dispuesto en el Código penal de 1973.

distinta valoración social que al día de hoy sigue teniendo la esfera sexual de hombres y mujeres[59].

Si a estos argumentos se le añaden los dos siguientes, no cabe duda del cambio de la técnica legislativa empleada por el legislador. El primero, es que el art. 197.7, agrava la pena indiferenciadamente *"cuando los hechos hubieran sido cometidos por el cónyuge o por persona que esté o haya estado unida a él por análoga relación de afectividad, aun sin convivencia, la* víctima *fuera menor de edad o una persona con discapacidad necesitada de especial protección, o los hechos se hubieran cometido con una finalidad lucrativa"*; a lo que ha de añadirse el hecho de que la reforma de la Ley Orgánica del Poder Judicial operada por la Ley Orgánica 7/2015, de 21 de julio, por la que se modifica la Ley Orgánica 6/1985, de 1 de julio, del Poder Judicial, ha incorporado al listado de delitos de los que es competencia el Juzgado de Violencia sobre la Mujer, los delitos contra la intimidad. En este sentido, el hecho de que no se haya hecho expresa referencia al hombre o a la mujer víctima del delito, sino al *"cónyuge"* o *"persona que esté o haya estado unida a él…"* no ha impedido que se amplíe la competencia procesal.

Si a los nuevos delitos no sexuados pero dirigidos a proteger formas claras y comunes de violencia de género, se le unen los delitos de mutilación genital o incluso los relativos a la prostitución, se constata que no todas las formas de la violencia de género tienen el mismo tratamiento en el Código Penal. Y la cuestión es que no se entiende muy bien los motivos por los cuales en unos sitios sí, y en otros no. La cuestión no es baladí si se tiene en consideración estos dos argumentos: en primer lugar, porque son las primeras reformas desde 2004 en las que se vuelven a llevar al Código conductas que entran dentro del concepto de violencia de género del art. 1 LOPIVG sin que se haya procedido a sexualizar su letra, como se hizo entonces; pero además, en segundo lugar, porque a los efectos de la suspensión de la ejecución de la pena se prevé un régimen especial para los casos de "violencia de género": y no lo son si no están sexuados.

4.5. *Reformas penológicas*

Dos son las reformas que se han llevado a cabo en el ámbito penológico y que directa o indirectamente han afectado al modelo de intervención en materia de violencia de género diseñado por la LOPIVG. A ellas ha de añadirse otro cambio que, sin afectar directamente al tratamiento penal de esta clase de violencia, sí

---

[59]   *Vid* más ampliamente: ACALE SÁNCHEZ, María, "Derecho penal. Imagen e intimidad…", cit., pp. 13 y ss.

puede estar detrás del aumento de la violencia —en general— y de género —en particular— en nuestro país.

4.5.1. Los cambios legales en materia de suspensión/sustitución

Así, en primer lugar, la suspensión y la sustitución de las penas sufren un profundo cambio con carácter general, al unificarse en una sola forma de evitar la ejecución de la pena privativa de libertad correspondiente.

El art. 83 señala ahora entre las pautas que puede adoptar el juez la de "participar en programas formativos, laborales, culturales, de educación vial, sexual, de defensa del medio ambiente, de protección de los animales, de igualdad de trato y no discriminación y otros similares". En este punto la referencia expresa a la "discriminación" no se encontraba antes de la reforma, aunque sí se incluían dentro del cajón de sastre de los "otros similares".

La novedad se incorpora al art. 84.2, cuando afirma que "2. Si se hubiera tratado de un delito cometido sobre la mujer por quien sea o haya sido su cónyuge, o por quien esté o haya estado ligado a ella por una relación similar de afectividad, aun sin convivencia, o sobre los descendientes, ascendientes o hermanos por naturaleza, adopción o afinidad propios o del cónyuge o conviviente, o sobre los menores o personas con discapacidad necesitadas de especial protección que con él convivan o que se hallen sujetos a la potestad, tutela, curatela, acogimiento o guarda de hecho del cónyuge o conviviente, el pago de la multa a que se refiere la medida 2.ª del apartado anterior solamente podrá imponerse cuando conste acreditado que entre ellos no existen relaciones económicas derivadas de una relación conyugal, de convivencia o filiación, o de la existencia de una descendencia común". Esta disposición estaba contenida ya en el art. 88.1 párrafo 3º en el que se establecía que en el caso de condenados por violencia de género "la pena de prisión sólo podrá ser sustituida por la de trabajos en beneficio de la comunidad". En paralelo, el art. 620 establecía que la pena que le correspondía al autor de la vejación injusta sería de "localización permanente "siempre en domicilio diferente y alejado del de la víctima" o trabajos en beneficio de la comunidad, impidiendo la aplicación de la multa a fin de evitar que el castigo repercutiera negativamente sobre la víctima en caso de dependencia económica. Debe valorarse positivamente la previsión expresa que incorpora ahora el nuevo art. 84.2, en la medida en que la multa es una pena alternativa de la localización permanente y de los trabajos en beneficio de la comunidad también, en los supuestos de violencia de género cuando se pueda constatar que no existe perjuicio para la víctima.

4.5.2. Los cambios legales en materia de libertad vigilada

En segundo lugar, también la LO 1/2015 ha previsto la imposición en el art. 156 ter para los imputables condenados por delitos de mal trato (art. 153) y lesiones agravadas (art. 148) de una medida de seguridad postpenitenciaria de libertad vigilada "cuando la víctima fuere alguna de las personas a que se refiere el apartado 2 del artículo 173", dentro de las que se encuentran todas las víctimas de la violencia doméstica, incluidas las mujeres cuando sujeto activo sea el hombre que es o ha sido su marido o compañero sentimental. Idéntica previsión incorpora el delito de malos tratos habituales (art. 173). Con independencia ya de la opinión que merezca el unificación del régimen de penas y medidas de seguridad de libertad vigilada al condenado imputable[60], debe subrayarse el hecho de que al imponer esta consecuencia jurídica a estos delitos y no a las amenazas y coacciones leves, se rompe el tratamiento penológico común dispuesto por la LOPIVG.

Por otra parte, la decisión de imposición de esta medida de libertad vigilada en estos concretos supuestos viene a poner de manifiesto la falta de confianza por parte del legislador en el éxito de otra de las medidas contenidas en la LOPIVG: en este sentido, el art. 42 señalaba que: "1. La Administración penitenciaria realizará programas específicos para internos condenados por delitos relacionados con la violencia de género. 2. Las Juntas de Tratamiento valorarán, en las progresiones de grado, concesión de permisos y concesión de la libertad condicional, el seguimiento y aprovechamiento de dichos programas específicos por parte de los internos a que se refiere el apartado anterior". En efecto, puede comprenderse que la mera imposición de la medida de seguridad postpenitenciaria supone una desconfianza plena en la eficacia de esos programas específicos para esos internos, así como de la individualización de la ejecución de esa pena atendiendo al aprovechamiento de los mismos por parte del interno. Por otro lado, nunca se llevó a cabo la reforma prevista en la disposición final quinta de la LOPIVG, en virtud de la cual, "el Gobierno, en el plazo de seis meses desde la aprobación de esta Ley, procederá a la modificación del artículo 116.4 del Real Decreto 190/1996, de 9 de febrero, por el que se aprueba el Reglamento Penitenciario, estableciendo la obligatoriedad para la Administración Penitenciaria de realizar los programas específicos de tratamiento para internos a que se refiere la presente Ley".

Con todo, el hecho de que no se haya llevado a cabo durante estos años de vigencia de la LOPIVG la reforma prevista en la disposición final quinta y que

---

[60]   En contra de esta posibilidad, en sentido amplio, por todos vid. ACALE SÁNCHEZ, María, *Medición de la respuesta punitiva y Estado de Derecho*, cit., especialmente en pp. 155 y ss.

ahora se recurra a la medida de seguridad de libertad vigilada encierra una contradicción *ad radice*. En este sentido, como afirma LAMAS LIETE, se constata que la caída en descrédito de la reinserción se debe, no ya a un fracaso de los programas diseñados para llevarla a cabo, sino a la inexistencia de un verdadero trabajo rehabilitador[61].

4.5.3. El efecto boomerang de la inclusión de la prisión permanente revisable

Como es sabido, la LO 1/2015 ha incorporado al Código la pena de prisión permanente revisable. Y a la vista de los hechos que tuvieron lugar el mismo verano de 2015 en el que entró en vigor, es posible concluir que la falta de conocimiento exacto por parte de la ciudadanía de los supuestos para los que se preveía dicha pena, ha podido determinar un recrudecimiento de los delitos más graves cometidos en España. En un sentido pues victimológico, la entrada en vigor de la pena máxima puede haber supuesto un aumento de la situación de peligro para las víctimas, pues los autores aseguran mejor su ejecución: en esto consiste el efecto boomerang, en el hecho de que la circulación del "rumor" sobre la entrada en vigor en España de la pena de prisión permanente revisable, puede haber determinado más que una mayor protección de las víctimas, un envalentonamiento de los autores que, ante la eventual imposición de esa pena, han decidido llevar a cabo sus hechos "con todas sus consecuencias".

Así, basta recordar el elevado número de crímenes violentos vividos en España durante el verano de 2015, recién entrada en vigor la pena. Si se aprecia, el índice epidemiológico subió considerablemente una vez entró en vigor la pena de prisión permanente revisable.

---

[61]   LAMAS LEITE, André, "Nueva penología, punitive turn y Derecho penal: *quo vadimus?* Por los caminos de la incertidumbre pos(moderna)", en *InDret*, núm. 2, 2013, p. 13.

GRÁFICO I: NÚMERO DE MUJERES MUERTAS ENERO Y NOVIEMBRE DE 2015

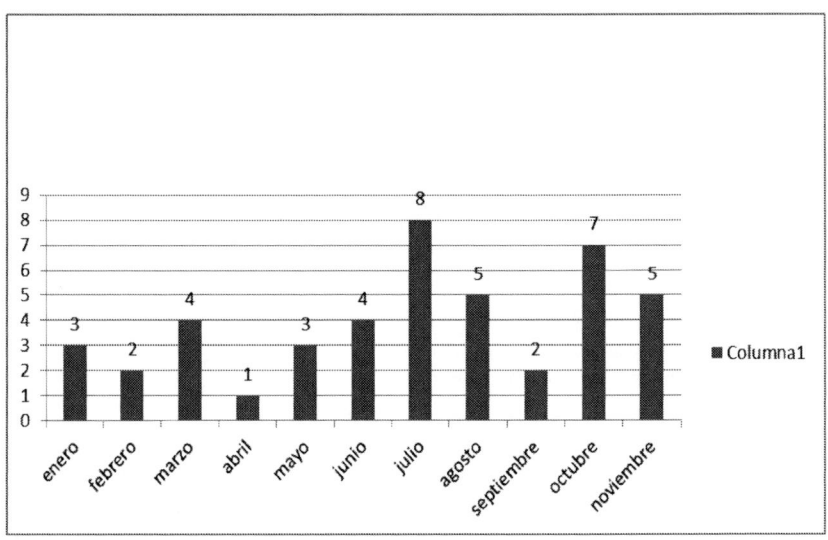

Elaboración propia con datos del Ministerio del Interior

El primero tuvo lugar el 30 de junio, un día antes de la entrada en vigor de la LO 1/2015: en Villajoyosa un hombre que estaba en proceso de divorcio de su esposa, mata a los hijos de ambos —una niña de 14 años y un niño de 7— y a su madre; tras causarles la muerte, prendió fuego a la vivienda con él dentro, a consecuencia de lo cual también murió[62].

El 1 de agosto un hombre mató —presumiblemente— a sus dos hijas de 4 y 9 años en Pontevedra: la prensa lo presentó como "el primer acusado que se enfrentará a la prisión permanente revisable"[63]. Después de su ingreso en la prisión de A Lama, tuvo que ser trasladado a otro establecimiento, "ante la certeza de que existían amenazas de otros reclusos contra su integridad física. Se considera, incluso, que algunas eran de muerte"[64]. El preso estaba sometido al programa de prevención de suicidios porque se temía que intentara acabar con su vida. Todas estas circunstancias no son fortuitas, sino fruto de la improvisación legal porque cuando se le ingresó en prisión por la comisión de

---

[62]   *Vid. El País*, de 23 de agosto de 2015 (última consulta: 7 de octubre).
[63]   *Vid. El Mundo*, 2 de agosto de 2015, última consulta: 7 de octubre.
[64]   *La Voz de Galicia*, 6 de agosto de 2015, última consulta: 7 de octubre.

los dos asesinatos, nada se había ni se ha previsto sobre las condiciones en las que se cumpliría esa prisión provisional, ni sobre el establecimiento, ni sobre el régimen penitenciario, ni sobre el tratamiento, ni sobre las características de las personas encargadas de su custodia, ni durante el tiempo que pueda prolongarse esa situación[65].

Cinco días después, el 6 de agosto un hombre mató a su mujer y a sus dos hijos, pero se suicidó en Castelldefels[66].

Por otra parte, el 17 de julio se encontró el cuerpo de un niño recién nacido en un contenedor de basuras en Madrid, que tras ser oído su llanto por dos personas que paseaban por allí y a la intervención eficaz de la policía, pudo salvar su vida. Su madre fue detenida y se encuentra en prisión provisional acusada de tentativa de asesinato del art. 140.1. 1ª: de haber fallecido, le hubiera correspondido una pena de prisión permanente revisable. Téngase en consideración que el art. 70.4 establece que la pena inferior en grado a la de prisión permanente revisable es la de prisión temporal de 20 a 30 años.

Otro hecho que impactó a la opinión pública se produjo el 29 de julio, cuando un concejal de un Ayuntamiento denunció el incendio de su vivienda con su mujer dentro a consecuencia de lo cual ella murió asfixiada. Tras las investigaciones policiales se procedió a la detención del mismo, denuncia pues "aquel olor a gasolina seguía en la nariz de los agentes que acudieron a sofocar el incendio". El juez decretó la prisión provisional sin fianza y a pesar de estar sometido al programa de prevención de suicidios, acabó con su vida colgándose con una sábana en la celda de la enfermería de la prisión en la que se encontraba[67].

El caso no obstante que más conmovió a la opinión pública fue el que se puede recordar como el segundo "crimen de Cuenca": la madrugada del 5 al 6 de agosto desaparecieron las jóvenes Marina y Laura. Lo último que se supo de ellas con vida es que la primera iba a casa de su ex novio a recoger sus pertenencias y le pidió a su amiga que le acompañara. Días más tarde aparecieron sus cadáveres semienterrados en cal. El sospechoso, ex novio de Marina, fue detenido en Rumania el 13 de agosto. Algunos medios de comunicación centraron la atención en las autopsias que se les estaban practicando a los cadáveres pues, o revelaban que se había atentado contra la libertad sexual de las víctimas, o no cabría imponer la prisión permanente revisable, a pesar de la repulsa social que provocaron estos hechos. Las declaraciones de la Delegada del Gobierno para la Violencia de Género son muy clarificadoras en este sentido: "a lo mejor hay que plantearse" la

---

[65] ACALE SÁNCHEZ, María, *La prisión permanente revisable: ¿pena o cadalso?*, Iustel, Madrid, 2016, pp. 183 y ss.

[66] *Vid. El País*, de 6 de agosto de 2015 (última consulta: 7 de octubre).

[67] *Vid. El Mundo*, 9 de agosto de 2015 (última consulta: 7 de octubre).

prisión permanente revisable para su autor[68]. Prácticamente todos los medios de comunicación se hicieron eco de este debate[69].

No hay certeza de cuál ha sido la causa que puede haber generado esta violencia tan violenta de ese verano. Sin embargo, sí es posible adivinar que quienes han perpetrado estos delitos tan crueles han podido haberse hecho eco de la entrada en vigor de la prisión permanente revisable, que puede haber causado el efecto criminógeno de agravar los graves crímenes para los que está prevista esa pena: es decir, una vez que la espada de Damocles de la pena de prisión permanente revisable pende —real o erróneamente— sobre el autor de un crimen horrendo, cuando más horrendo, mayor seguridad en conseguir el resultado deseado.

La simultaneidad en la comisión de estos delitos tan graves y la entrada en vigor de la pena de prisión permanente revisable parece que vienen a poner de manifiesto, por otra parte, que no existe una correspondencia entre elevación de la pena y disminución de delitos, al igual que tampoco puede hacerse una equiparación entre disminución de la pena y aumento del delito, porque los delitos precisamente a los que se hacía anteriormente referencia (asesinatos de menores) no son delitos que se "preparen" a conciencia, sino que son delitos que se cometen —por así decirlo— "sobre la marcha"[70].

Si se tiene ahora en consideración el número de mujeres muertas en España durante 2017 —hasta 30 de mayo— y se tiene en cuenta la serie de datos de muertes de mujeres desde el 1 de enero hasta el 30 de mayo desde 2003 (antes de que entrara en vigor la LOPIVG) hasta 2017.

---

[68] *El Confidencial*, 17 de agosto. Fecha última consulta: 7 de octubre 2015.

[69] La primera sentencia en la que se ha hecho referencia a la prisión permanente revisable es la SAP de A Coruña de 11 de noviembre de 2015, por la que se declaran culpables del asesinato de su hija a los padres de la niña "Asunta". En su interior, se recurre al hecho de que la víctima es menor de 12 años para poner de manifiesto un mayor desvalor de acción en el correspondiente delito de asesinato cometido.

[70] A idéntica conclusión llega CUERDA RIEZU (*La cadena perpetua y las penas muy largas de prisión: por qué son inconstitucionales en España*, Atelier, Barcelona, 2011, p. 52) cuando tras analizar la derogación de la pena de muerte por la Constitución en 1978, constata que no se produjo un aumento de los delitos que estaban castigados con ella, afirmando que: "*el incremento de las penas no determina necesariamente una reducción de la criminalidad correspondiente*".

GRÁFICO II: MUJERES MUERTAS POR AÑO HASTA 30 DE MAYO

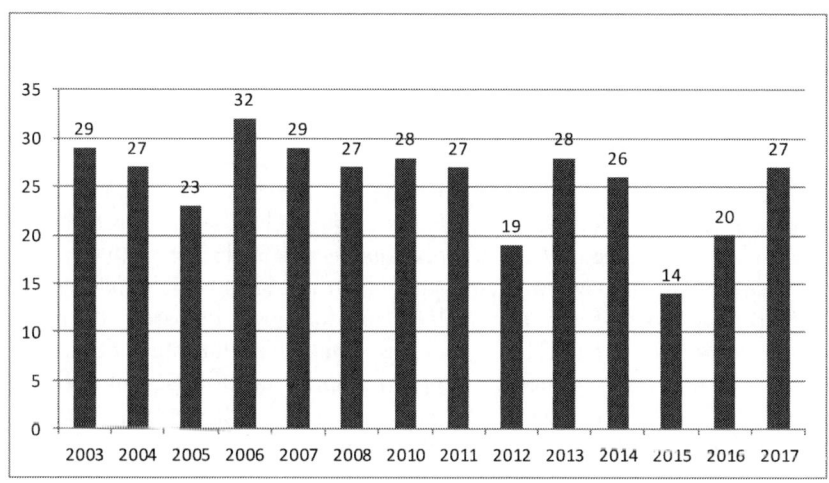

Elaboración propia a partir de datos del Ministerio del Interior

Puede comprobarse como desde 2015 hasta 2017 el índice no para de subir quizás, como se decía, porque el maltratador decida ya echar toda su "suerte" en un macabro juego de cartas en el que cuenta con tres posibilidades: quedar en libertad y libre de su mujer si la policía no descubre sus hechos; suicidarse si cree que va a ser descubierto y no soporta vivir el resto de su vida sin la mujer que le daba sentido a su existencia o la prisión permanente revisable, esto es, la cadena perpetua.

5. EL CÓDIGO PENAL ANTE LAS NUEVAS FORMAS DE VIOLENCIA DE GÉNERO: LOS AJUSTES NECESARIOS (A MODO DE CONCLUSIONES)

Pasados 17 años de la entrada en vigor de la LOPIVG, quizás ha llegado ya el momento de replantearse el modelo instaurado por ella, y sacar cinco conclusiones principales (desde las que es posible sacar unas cuantas más):

1. El concepto de violencia de género debe cohonestarse con el concepto del Convenio del Consejo de Europa sobre prevención y lucha contra la violencia contra las mujeres y la violencia doméstica (Estambul, 11 de mayo de 2011), aumentando las modalidades a aquellas que se producen en la vida pública y

ampliando la clase de relaciones que puede dar lugar a la violencia de género doméstica más allá de las relaciones de pareja[71].

En este sentido, la ampliación del número de víctimas de la violencia de género debe ir acompañada de un aumento de las partidas presupuestarias destinadas a luchar contra esta clase de violencia, no a dividir la cantidad que hoy se destina a ella entre más víctimas, pues lo único que se conseguiría es disminuir la protección de las víctimas que desde 2004 tienen esa consideración legal y difícilmente alcanzaría para ofrecer una protección eficaz a las nuevas víctimas, que correrían el riesgo además de relajar los mecanismos de autotutela al sentirse "protegidas".

2. Si se está de acuerdo en el hecho de que se trata de luchar contra una violencia de género, "de género", habrá que plantearse si es posible independizar el género del sexo, de forma que también cuando se trate de parejas del mismo sexo, pueda admitirse esta clase de violencia si uno de los miembros de la pareja somete al otro a actos de violencia por el hecho de identificarse con el rol que normalmente desempeñan las mujeres en las parejas heterosexuales y el otro con el que desempeñan los hombres en las parejas en las que se producen actos de violencia. De no admitirse esta clase de violencia de "género", deberá aclararse que la prohibida es una violencia en razón del puro sexo de la víctima y del agresor.

3. En el ámbito penal, la inclusión del género de la víctima y del agresor en sede de tipicidad, debería replantearse, dada la imagen que reflejan de especial vulnerabilidad de las mujeres por el hecho de serlo.

Por ello es tan importante eliminar las referencias expresas en los arts. 148, 153, 171 y 172 a la mujer víctima, en la medida en que la incorporación de la agravante de discriminación en razón de género del art. 22.4 permite llegar aún más allá que esos tipos penales que en cierta medida minimizan la lucha contra un fenómeno bastante más grave que lo que a la luz de la lectura de los mismos se sugiere. En cualquier, caso, la reforma operada por la LO 1/2015 de la circunstancia agravante de discriminación, incluyendo el género de forma expresa, hace necesario replantearse las reformas operadas en 2004.

La necesidad de "probar" los hechos con sus respectivos elementos objetivos y subjetivos no debe ser temida: no es más que el fruto del estado de derecho diseñado en nuestra Constitución que consagra la presunción de inocencia como un derecho fundamental del ciudadano y la necesidad de desvirtuarla.

4. Ponderar estos factores puede hacerse igualmente bien a través de otros derroteros, interpretando el tipo, la antijuricidad, la culpabilidad y la punibilidad

---

[71] Allí se admite la violencia de género en la vida pública y privada (art. 3), y en los arts. 33 a 40 se incluyen dentro del listado de delitos relacionados con la violencia de género a la violencia psicológica, el acoso, la violencia física, la violencia sexual, matrimonios forzados, mutilaciones genitales, aborto y esterilización forzoso y acoso sexual.

desde una perspectiva de género. La vía que ha abierto, por otro lado, la Sentencia del Tribunal Superior de Justicia de Palmas de Gran Canaria (Sala de lo Social) 1/2007, 7 de marzo de 2017[72], debe ser tenida en consideración: la justicia debe ser impartida con base en una perspectiva de género.

Con todo, esa justicia de género ha de tener en consideración que no es capaz de ser impartida desde este mismo momento: es necesario formar y especializar a jueces y tribunales y a los operadores jurídicos con carácter general en género y justicia.

5. Si a los nuevos delitos no sexuados pero dirigidos a proteger formas claras y comunes de violencia de género, se le unen los delitos de mutilación genital o incluso los relativos a la prostitución, se da la sensación de que hay más delitos no sexuados que los sexuados. Y la cuestión es que no se entiende muy bien los motivos por los cuales en unos sitios sí, y en otros no. Sobre todo porque a los efectos de la suspensión allí se menciona se limita a señalar el sexo de los sujetos activos y pasivos, y no se limita al concreto delito cometido, es decir, sea este o no sexuado. En este sentido, en materia de suspensión sustitución de penas se prevé un régimen especial para los casos de "violencia de género": y no lo son si no están sexuados.

Este catálogo de propuestas de reforma de la legislación vigente se hace teniendo en consideración fundamentalmente el derecho que tienen las mujeres víctimas de esta clase de violencia a recibir una respuesta coherente por parte del ordenamiento jurídico.

BIBLIOGRAFÍA

ACALE SÁNCHEZ, María, "Derecho penal. Imagen e intimidad: especial referencia a los procesos de victimización de las mujeres", *Revista de Derecho Penal y Criminología*, núm. 10, 2013.

ACALE SÁNCHEZ, María, "Mujer, Constitución de 1812 y Derecho penal", en Juan María TERRADILLOS BASOCO (coord.), *Política criminal de "La Pepa"*, Servicio de Publicaciones de la Universidad de Cádiz, Cádiz, 2012.

ACALE SÁNCHEZ, María, "Sobre el fundamento de las reformas operadas por la Ley Orgánica 1/2004, de 28 de diciembre, de protección integral frente a la violencia de género", *Revista General de Legislación y Jurisprudencia*, núm. 3, 2007.

ACALE SÁNCHEZ, María, *La discriminación hacia la mujer por razón de género en el Código penal*, Reus, Madrid, 2006.

---

[72] En la sentencia se analiza el reconocimiento de una pensión de viudedad derivada del fallecimiento del causante bajo la modalidad víctima de violencia de género. Que a su vez parte de la STS de 20 de enero de 2016 (Recurso 3106/2014).

ACALE SÁNCHEZ, María, *La prisión permanente revisable: ¿pena o cadalso?*, Iustel, Madrid, 2016.

ACALE SÁNCHEZ, María, *Medición de la respuesta punitiva y Estado de Derecho*, Aranzadi, Pamplona, 2010.

ALASTUEY DOBÓN, Carmen, "Desarrollo parlamentario de la Ley Integral contra la violencia de género", en Miguel Ángel BOLDOVA PASAMAR y María Ángeles RUEDA MARTÍN (coords.), *La reforma penal en torno a la violencia doméstica y de género*, Atelier, Madrid, 2006.

BERNAL DEL CASTILLO, Jesús, *La discriminación en el Derecho penal*, Comares, Granada, 1998.

BOIX REIG, Javier, "De la protección de la moral a la tutela de la libertad sexual", en Virgilio LATORRE LATORRE (coord.), *Mujer y Derecho Penal*, Tirant lo Blanch, Valencia, 1995.

CAMPOS CRISTÓBAL, Raquel, "Tratamiento penal de la violencia de género", en Javier BOIX REIG y Elena MARTÍNEZ GARCÍA (coords.), *La nueva Ley contra la Violencia de Género*, Iustel, Madrid, 2005.

CONDE-PUMPIDO TOURÓN, Cándido, "La sanción penal de la discriminación: especial referencia a la discriminación por razón de enfermedad y al nuevo delito de discriminación en el trabajo", *Cuadernos de Derecho Judicial*, 1996.

CRUZ BLANCA, María José, "Derecho penal y discriminación por razón de sexo. La violencia doméstica en la codificación penal", en Lorenzo MORILLAS CUEVA (coord.), *Estudios penales sobre violencia doméstica*, DIJUSA, Madrid, 2002.

CUERDA ARNAU, María Luisa, "Los delitos contra la libertad sexual de la mujer como tipos de violencia de género. Consideraciones críticas", *Revista General de Derecho penal*, Iustel, núm. 13, 2010.

CUERDA RIEZU, Antonio, *La cadena perpetua y las penas muy largas de prisión: por qué son inconstitucionales en España*, Atelier, Barcelona, 2011.

DE LA MATA BARRANCO, Norberto Javier, *El principio de proporcionalidad penal*, Tirant lo Blanch, Valencia, 2007.

FARALDO CABANA, Patricia, "Razones para la introducción de la perspectiva de género en Derecho penal a través de la Ley Orgánica 1/2004, de 28 de diciembre, sobre medidas de protección integral contra la violencia de género", *Revista Penal*, núm. 17, 2006.

FERRAJOLI, Luigi, "Igualdad y diferencia", en el mismo, *Derechos y garantías. La Ley del más débil*, Trotta, Madrid, 1999.

GARCÍA ARÁN, Mercedes, "Injusto individual e injusto social en la violencia machista (a propósito de la STC 59/2008 sobre el maltrato masculino a la mujer pareja)", en VVAA, *Constitución, derechos fundamentales y sistema penal. Semblanzas y estudios con motivo del setenta aniversario del Prof. Tomás Salvador Vives Antón*, Tomo I, Tiran lo Blanch, Valencia, 2009.

GONZÁLEZ PASTOR, Calos, "Delimitación del concepto de "persona especialmente vulnerable" en la LO 1/2004 de 28 de diciembre, de medidas de protección integral contra la violencia de género", *La Ley, Revista Jurídica Española*, núm. 2, 2004.

GONZÁLEZ RUS, Juan José, "La constitucionalidad de la LO 1/2004, de medidas de protección integral contra la violencia de género, en relación con la reforma de los delitos de lesiones, amenazas y coacciones", en J.C. CARBONELL MATEU y otros (coords.), *Estudios penales en homenaje al Profesor Cobo del Rosal*, Dykinson, Madrid, 2005.

LAMAS LEITE, André, "Nueva penología, punitive turn y Derecho penal: *quo vadimus?* Por los caminos de la incertidumbre pos (moderna)", *InDret*, núm. 2, 2013.

LAURENZO COPELLO, Patricia, "La discriminación en el Código penal de 1995", *Estudios Penales y Criminológicos*, núm. XIX, 1995.

LAURENZO COPELLO, Patricia, "La violencia de género en la Ley Integral. Valoración político-criminal", *Revista Electrónica de Ciencia Penal y Criminología* (RECPC 07-08/2005) http://criminet.ugr.es/recpc.1.

MAQUEDA ABREU, M.L., "La violencia de género. Entre el concepto jurídico y la realidad social", *Revista Electrónica de Ciencia Penal y Criminología* (RECPC 08-02/2006, http://criminet.ugr.es/recpc.

PORTILLA CONTRERA, Guillermo, "Delitos relativos a la discriminación", en Adela ASÚA BATARRITA (ed.), *Jornadas sobre el nuevo Código penal de 1995*, Servicio Editorial de la Universidad del País Vasco, Bilbao, 1998.

Capítulo 15
LA EJECUCIÓN DE LAS PENAS DE PRISIÓN EN LOS DELITOS DE VIOLENCIA DE GÉNERO: ¿UNA ASIGNATURA PENDIENTE?

CRISTINA RODRÍGUEZ YAGÜE
Profesora Titular Acreditada
Universidad de Castilla-La Mancha

SUMARIO: 1. INTRODUCCIÓN: LA "INVISIBILIDAD" DE LA EJECUCIÓN PENITENCIARIA EN LA LOVG Y EN EL PACTO DE ESTADO CONTRA LA VIOLENCIA DE GÉNERO. 2. PARTICULARIDADES EN MATERIA DE CLASIFICACIÓN PENITENCIARIA. 2.1. Variables de clasificación y acceso al tercer grado. 2.2. El acceso a la libertad condicional. 3. EL CONDICIONAMIENTO DE LAS RELACIONES EN EL EXTERIOR POR EL ALEJAMIENTO DE LA VÍCTIMA. 3.1. Comunicaciones y visitas. 3.2. Permisos de salida. 4. ACCESO A LOS BENEFICIOS PENITENCIARIOS: A VUELTAS CON LA CONCESIÓN DEL INDULTO PARTICULAR EN LOS DELITOS DE VIOLENCIA DE GÉNERO. 5. EL TRATAMIENTO PENITENCIARIO DEL CONDENADO POR VIOLENCIA DE GÉNERO. 5.1. Principios generales del tratamiento penitenciario. 5.2. Programas de tratamiento en materia de violencia de género dentro de la prisión. 5.2.1. Programa de Intervención para Agresores (PRIA). 5.2.2. Programas de tratamiento para la mujer víctima de violencia de género y, además, reclusa. 6. PROHIBICIÓN DE LA MEDIACIÓN EN LOS DELITOS DE VIOLENCIA DE GÉNERO: SU INCIDENCIA EN LA EJECUCIÓN PENAL. 7. LA PROTECCIÓN DEL MALTRATADOR EN PRISIÓN. 7.1. El programa de prevención de suicidios. 7.2. Medidas regimentales de protección. 8. UNA REFLEXIÓN FINAL. BIBLIOGRAFÍA.

1. INTRODUCCIÓN: LA "INVISIBILIDAD" DE LA EJECUCIÓN PENITENCIARIA EN LA LOVG Y EN EL PACTO DE ESTADO CONTRA LA VIOLENCIA DE GÉNERO

La lucha contra la violencia de género requiere de una actuación integral. Así lo entendió el legislador cuando en la LO 1/2004, de 28 de diciembre, de *Medidas de Protección Integral contra la Violencia de Género* (LOVG) orientó la actuación a tres grandes frentes: a la prevención y sensibilización contra la violencia de género, a través de medidas dirigidas a la intervención en el ámbito educativo, publicitario y en la actuación de los medios de comunicación; a la detección de esa violencia de género, particularmente en el ámbito sanitario; y, por último, a la actuación una vez ocurrido el acto violento, con medidas para la atención a las víctimas (protección, información, configuración de ayudas, reconocimiento de derechos laborales y civiles) y de respuesta sancionadora frente al maltratador. Echando la vista atrás, parece que son estas últimas las que en parte han eclipsado el resto del contenido de la Ley, perdiendo la perspectiva de la base que subyace a este tipo de violencia, la actuación machista, que solo puede ser eficazmente combatida a partir de la prevención mediante la educación.

La actuación en el ámbito procesal esencialmente ha buscado establecer los mecanismos necesarios para proteger a la víctima hasta el momento del juicio, con la configuración de la orden de protección (art. 544 ter LECrim)[1], y reformulando los presupuestos de la prisión provisional para posibilitar su aplicación en los casos en los que, aún no cumpliéndose el presupuesto de que el delito imputado tuviera una pena igual o superior a dos años de prisión, pudiera ser adoptada si su fin era evitar que el sujeto actuase contra bienes jurídicos de la víctima, especialmente de tratarse de las personas a las que se refiere el art. 173,2 CP, esto es, violencia de género y familiar (art. 503.1 c) LECrim)[2]. Asimismo, se ha procurado garantizar una rápida actuación a través de la tramitación de las causas que cumplan los requisitos como juicios rápidos[3], junto a la intervención de un órgano judicial especializado como son los Juzgados de Violencia sobre la mujer[4], con asunción en la instrucción y, en su caso, fallo de causas penales en materia de violencia de género y de las causas civiles relacionadas[5].

---

[1]   Introducido por la Ley 27/2003, de 31 de julio, *reguladora de la Orden de Protección de las víctimas de la violencia doméstica*.

[2]   Incorporado por la LO 13/2003, de 24 de octubre, *de reforma de la Ley de Enjuiciamiento Criminal en materia de prisión provisional*.

[3]   Previsto en la Ley 38/2002, de 24 de octubre, *de reforma parcial de la Ley de Enjuiciamiento Criminal sobre procedimiento para el enjuiciamiento rápido e inmediato de determinados delitos y faltas y de modificación del procedimiento abreviado*, y la LO 8/2002, de 24 de octubre, complementaria a la anterior. Y ello porque entre los delitos que podrán ser tramitados por este procedimiento se recogen los delitos de lesiones, coacciones, amenazas o violencia física o psíquica habitual, cometidos contra las personas a las que se refiere el art. 173.2 del CP. Debe tratarse de delitos castigados con pena privativa de libertad que no exceda de cinco años o con cualesquiera otras penas cuya duración no exceda de diez, que se trate de delitos flagrantes y de una instrucción presumiblemente sencilla (art. 795 LECrim).

[4]   Creados por la LO 1/2004, de 28 de diciembre, que reforma los artículos 87 bis y 87 ter de la Ley Orgánica del Poder Judicial (LOPJ).

[5]   En concreto, el art. 87 ter de la LOPJ, reformado por el art. 44 LOVG y posteriormente por la LO 7/2015, de 21 de julio, atribuye la competencia en el ámbito penal a los Juzgados de Violencia sobre la mujer para: a) la instrucción de los procesos para exigir responsabilidad penal por los delitos recogidos en los títulos del Código Penal relativos a homicidio, aborto,

En el ámbito sancionador penal, las reformas penales se han dirigido principalmente a la modificación, mediante su importante endurecimiento, de las consecuencias jurídicas asignadas a los delitos de violencia de género en el ámbito sentimental[6]. Así, en cuanto a las penas privativas de libertad, el legislador ha optado por seleccionar para todos los tipos penales la pena de prisión, si bien en los casos de menor entidad de manera alternativa con los trabajos en beneficio de la comunidad, pero nunca con la multa (arts. 153, 171.4, 172.2 CP). Asimismo ha incrementado y extendido la penalidad en algunas conductas, previamente transmutadas para la violencia doméstica de falta a delito[7], de ser la víctima la mujer (arts. 153, 171.4 y 172.2 CP)[8], técnica que utiliza también para algunos delitos a través de los cuales puede materializarse una conducta de violencia de género, como en las lesiones agravadas del tipo básico (art. 148.4) pero sorprendentemente no en el resto (piénsese en el homicidio o asesinato, aborto no consentido, delitos sexuales, detenciones ilegales,...)[9]. En cuanto a las penas accesorias, el legislador opta por la protección obligatoria de la víctima, incluso en contra de su consentimiento, al establecer como medida de imposición imperativa para los delitos de violencia de género y doméstica enumerados en el art. 57.1 la prohibición de aproximación a la víctima recogida en el art. 48.2 CP

---

lesiones, lesiones al feto, delitos contra la libertad, delitos contra la integridad moral, contra la libertad e indemnidad sexuales, contra la intimidad y el derecho a la propia imagen, contra el honor o cualquier otro delito cometido con violencia o intimidación, siempre que se hubiesen cometido contra quien sea o haya sido su esposa, o mujer que esté o haya estado ligada al autor por análoga relación de afectividad, aun sin convivencia, así como de los cometidos sobre los descendientes, propios o de la esposa o conviviente, o sobre los menores o personas con la capacidad modificada judicialmente que con él convivan o que se hallen sujetos a la potestad, tutela, curatela, acogimiento o guarda de hecho de la esposa o conviviente, cuando también se haya producido un acto de violencia de género; b) la instrucción de los procesos para exigir responsabilidad penal por cualquier delito contra los derechos y deberes familiares, cuando la víctima sea alguna de las personas señaladas como tales en la letra anterior; c) la adopción de las correspondientes órdenes de protección a las víctimas, sin perjuicio de las competencias atribuidas al Juez de Guardia; d) el conocimiento y fallo de los delitos leves que les atribuya la ley cuando la víctima sea alguna de las personas señaladas como tales en la letra a) de este apartado.

6   Tras la tardía tipificación del maltrato familiar habitual en la reforma del CP de 1973 operada por LO 3/1989, de 21 de junio.

7   Por la LO 11/2003, de 29 de septiembre, *de medidas concretas en materia de seguridad ciudadana, violencia doméstica e integración social de los extranjeros.*

8   Reformas operadas por la LO 1/2004, de 28 de diciembre.

9   Circunstancia que la reforma del CP por la LO 1/2015, de 30 de marzo, permite matizar pues, optando por una técnica legislativa distinta, modifica la circunstancia agravante de discriminación del art. 22.4 de tal manera que posibilita su aplicación cuando el delito, cualquier delito, se cometa por "razones de género".

(art. 57.2 CP)[10], medida reforzada por la reforma del delito de quebrantamiento del art. 468 CP[11].

En segundo lugar, el legislador ha establecido una regulación particularizada en los casos de las alternativas penales, tras la reforma penal de 2015 aunadas bajo la figura de la suspensión de la pena privativa de libertad, en el sentido de condicionar obligatoriamente la suspensión al cumplimiento de dos prohibiciones y un deber: aproximación a la víctima, residir en un lugar determinado o acudir al mismo y la participación en programas de tratamiento (art. 80.2 CP)[12]. Asimismo se impide la posibilidad de condicionar la suspensión de la pena al pago de la multa en los casos de violencia de género si no se ha acreditado que no existen relaciones económicas derivadas de la relación conyugal, de convivencia, filiación o de la existencia de una descendencia común (art. 84.2 CP).

Un último paquete de medidas se han dirigido a expandir el control del condenado una vez que ha terminado de cumplir su pena, a través de la previsión de la aplicación de la medida de seguridad de la libertad vigilada (art. 106 CP) acumulada a la pena, figura que, inicialmente limitada para imputables en origen al terrorismo y delincuencia sexual, se ha extendido en la reforma del 2015 además de a todos los delitos contra la vida, a los delitos de lesiones y maltrato singular si se trata de violencia de género y doméstica (arts. 156 ter) y al delito de violencia doméstica habitual (art. 173.2)[13].

Junto a ello, el legislador ha ido introduciendo en sucesivas reformas del Código penal el castigo de conductas de violencia de género, que pueden producirse ya en el ámbito sentimental y/o familiar o fuera del mismo, pero que construye frente a los casos anteriores de una manera neutra, sin configurar expresamente como víctima a la mujer. Es lo que ocurre, por ejemplo, con el delito de mutilación genital (art. 149.2)[14], el matrimonio forzoso (art. 172 bis) o el hostigamiento (art. 172 ter)[15].

Frente a este modelo, podemos decir, de excepcionalidad en la tutela penal contra la violencia de género en las relaciones sentimentales[16], el ámbito de la

---

[10]   Reforma introducida por la LO 1/2004, de 28 de diciembre.
[11]   Previendo en todo caso la pena de prisión de seis meses a un año a los que quebrantaran una pena del art. 48 o una medida cautelar o de seguridad de la misma naturaleza impuestas en procesos criminales si el ofendido es alguna de las personas referidas en el art. 173.2. Precepto introducido por la LO 1/2004, de 28 de diciembre.
[12]   Incorporado por la LO 1/2004, de 28 de diciembre y posteriormente reformado por la LO 5/2010, de 22 de junio y la LO 1/2015, de 30 de marzo.
[13]   Introducido por la LO 1/2015, de 30 de marzo.
[14]   Introducido por LO 11/2003, de 29 de septiembre.
[15]   Ambos incorporados al CP por la LO 1/2015, de 30 de marzo.
[16]   O, en palabras de LAURENZO COPELLO, P., de "derecho penal expansivo". "Violencia de género y Derecho penal de excepción: entre el discurso de la resistencia y el victimismo punitivo", *Estudios penales en Homenaje a Enrique Gimbernat*, Tomo II, Madrid, 2008, pp. 2093 y ss.

ejecución parece que, al menos para el legislador, ha pasado hasta el momento más desapercibido. Salvo la importante previsión contemplada en el art. 42 de la LOVG que establece la obligatoriedad para la Administración penitenciaria de realizar programas específicos para condenados por delitos de violencia de género, no encontramos más referencia en la Ley sobre el ámbito de la ejecución penal. Tampoco la Ley Orgánica General Penitenciaria (LOGP) y el Reglamento Penitenciario (RP) han sido hasta el momento reformados con el objeto de incorporar ninguna particularidad en este ámbito, ni al menos, lo que es aún más llamativo, para dar cumplimiento al mandato establecido por la LOVG de reforma del RP en materia de previsión del tratamiento para los maltratadores.

Lamentablemente, el esperado y necesario Pacto de Estado contra la violencia de género parece que continúa por este camino. En efecto, si sorprende que ante la Subcomisión constituida dentro de la Comisión de Igualdad para un Pacto de Estado en materia de violencia de género[17] no haya comparecido en las sesiones celebradas desde el 15 de febrero al 1 de julio de 2017[18] (salvo error propio en la revisión del Informe) ningún experto del ámbito penitenciario para explicar cuáles eran las actuaciones que desde la Administración penitenciaria se estaban llevando a cabo para la rehabilitación de los maltratadores y cuáles los problemas y necesidades detectados en el ámbito de la ejecución de pena con el fin de mejorar no solo el logro de la finalidad resocializadora de la pena sino la tutela adecuada de las víctimas[19], más lo hace que el informe del Pacto de Estado, ela-

---

[17] Aprobada por el Pleno del Congreso de los Diputados en su sesión del 21 de diciembre de 2016 con el objeto de "elaborar un informe en el que se identificarán y analizarán los problemas que impiden avanzar en la erradicación de las diferentes formas de violencia de género, y que contendrá un conjunto de propuestas de actuación entre las que se incluirán específicamente las principales reformas que deberán acometerse para dar cumplimiento a ese fin, así como a las recomendaciones de los organismo internacionales, ONU y Convenio de Estambul".

[18] Comparecencias que se acuerda clasificar, el 8 de febrero de 2017, en los siguientes bloques temáticos: 1. Violencia de género; 2. Violencia sexual; 3. Mujeres inmigrantes (incluyendo mutilación genital y matrimonios forzosos); 4. Discapacidad en relación con la violencia de género; 5. Violencia de género en la adolescencia; 6. Violencia contra hijos e hijas de mujeres víctimas de violencia de género; 7. Trata y asilo; 8. Prostitución; 9. Redes sociales y nuevas formas de violencia de género; 10. Medios y publicidad; 11. Violencia contra las mujeres LGTB.

[19] Sí lo hizo en su comparecencia D. Fernando Chacón Fuertes, vicepresidente primero del Consejo General de colegios Oficiales de Psicólogos, que se refirió a los resultados obtenidos en la intervención con agresores —mencionando un estudio de Echeverría, Sarasúa, Zubizarreta y del Corral, con una tasa de éxito del 88%— y recomendó que las intervenciones en centros penitenciarios las realicen psicólogos profesionales y no voluntarios o estudiantes en prácticas, como muchas veces sucede, al tiempo que habló de la necesidad de contar con programas estables de intervención. También D. Abel González García, Presidente de la Federación de Asociaciones de Criminólogos de España, quien en su comparecencia insistió en la necesidad de trabajar con los agresores. Otras intervenciones, como la de D. Joaquín Pérez de la Peña, Jefe de la Unidad de Coordinación contra la violencia sobre la mujer de la Delegación del Gobierno en

borado finalmente por la Subcomisión[20] apenas se refiera al mundo penitenciario, nuevamente poniendo de manifiesto la invisibilidad que parece tener esta parte de la intervención frente a la violencia de género[21].

En efecto, en las 213 medidas propuestas[22], el informe del Pacto de Estado profundiza, en cuanto a las medidas de intervención referidas al ámbito de actuación penal, en la línea marcada por el legislador en la LOVG y en las reformas penales posteriores, en el sentido de eliminar espacios de atenuación o disminución de la pena en los delitos de violencia de género[23], incrementando la penalidad[24], reformando la tipificación de algunas conductas[25], extendiendo la aplicación no solo de consecuencias jurídicas accesorias y agravando su incumplimiento[26], sino

---

Andalucía se refieren a la necesidad de integrar el Sistema de seguimiento integral de los casos de violencia de género (VIOGEN) con el sistema penitenciario para mejorar la protección de las víctimas, facilitando la comunicación automática de los cambios en la situación penitenciaria de los agresores, debiendo ser los centros penitenciarios los que debieran incorporar directamente los datos en el sistema.

[20] Aprobado por la Comisión de Igualdad del Congreso el 28 de julio de 2017 y el Pleno del Congreso el 28 de septiembre de 2017.

[21] Puede consultarse su contenido en el *Boletín Oficial de las Cortes Generales*, Congreso de los Diputados, XII Legislatura, de 8 de agosto de 2017.

[22] Batería de medidas ordenadas bajo los siguientes bloques: 1. Ruptura del silencio: sensibilización y prevención; 2. Mejora de la respuesta institucional: coordinación. Trabajo en red; 3. Perfeccionamiento de la asistencia, ayuda y protección a la víctima; 4. Intensificar la asistencia y protección de los menores; 5. Impulso de la formación que garantice la mejor respuesta asistencial; 6. Seguimiento estadístico; 7. Recomendaciones a Comunidades Autónomas, Entidades Locales y otras instituciones. 8. Visualización y atención a otras formas de violencia contra las mujeres. 9. Seguimiento del Pacto.

[23] Con la supresión de la atenuante de confesión (medida 88) y de reparación del daño causado (medida 89) en delitos de violencia de género.

[24] Pretendiendo generalizar la aplicación de la circunstancia agravante del art. 22.4 CP para los casos de mutilación genital femenina (medida 90) y recomendando la aplicación de la circunstancia 22.4 en todos los casos en los que resulte probado el elemento subjetivo de motivos machistas o discriminatorios hacia la mujer, o por razones de género, en los casos de agresión sexual y abuso sexual de los artículos 178 a 183 bis CP (medida 93).

[25] Con medidas como la de perfeccionar la tipificación de los delitos en el ámbito digital (medida 91), estudiar la posible modificación del art. 172 ter que no cubre conductas como la suplantación de personalidad (salvo para adquirir productos o para hacer anuncios sexuales) (medida 93); no considerar las injurias y calumnias a través de las redes sociales en el ámbito de la violencia de género como únicamente un delito leve (medida 94); o incluir en la redacción del art. 184 CP una circunstancia específica en los delitos de acoso sexual, que debería contemplar el móvil de actuar por razones de género, atentando gravemente contra la dignidad de la mujer (medida 95).

[26] Como al extender la pena accesoria de privación de tenencia y porte de armas no solo al delito de lesiones, como hasta ahora, sino también a las coacciones o amenazas (medida 96), establecer como medida cautelar y como pena privativa de derechos la prohibición de comunicarse a través de las redes sociales cuando el delito se cometa a través de nuevas tecnologías

también del control penal, ya antes de que la sentencia sea firme[27], ya una vez cumplida la condena[28].

Las referencias a medidas con incidencia en el ámbito penitenciario son más que escasas, centradas en el refuerzo de la protección de las víctimas[29] y menores[30], pero sorprendentemente el texto carece de propuestas encaminadas al ámbito de la mejora en la intervención tratamental dentro de las prisiones, no solo de los agresores, sino ignorando también la existencia y necesidades de un número muy relevante de mujeres víctimas de violencia de género que están en prisión. Tampoco el Informe recuerda el ámbito penitenciario al referirse a la formación especializada en violencia de género que sí se propugna respecto a profesionales de otras Administraciones[31] ni prevé la necesidad de recogida de

---

(medida 118) o al establecer consecuencias a los sucesivos quebrantamientos de las órdenes de alejamiento, como por ejemplo, el uso de los instrumentos de vigilancia electrónica, cuando concurran los supuestos legalmente previstos (medida 99).

[27] Así, la medida 97 pretende que se utilice la libertad vigilada sobre el maltratador en los momentos en que la víctima se encuentra más desprotegida, como cuando se dicta sentencia condenatoria y aún no se ha ejecutado dicha sentencia y el agresor ya ha cumplido la pena de alejamiento durante el proceso.

[28] Proponiendo extender la libertad vigilada a los restantes delitos en el ámbito de la violencia de género (medida 98).

[29] Así, la medida 79, referida a la necesidad de implementar un Plan Estratégico para avanzar en la plena comunicación y compartición de información entre las bases de datos informáticos de las diferentes Administraciones Públicas (centros penitenciarios, órganos judiciales, Fuerzas y Cuerpos de Seguridad del Estado, centros sanitarios, servicios sociales, bases de datos de permisos de armas), todo ello desde el respeto a la Ley de Protección de Datos. En especial, debe avanzarse en la coordinación del Sistema de Seguimiento integral en los casos de Violencia de Género (Sistema VioGén) y sistema de Registros Administrativos de apoyo a la Administración de Justicia (SIRAJ) entre sí, así como con Instituciones Penitenciarias.

[30] Con la prohibición de las visitas de los menores al padre en prisión condenado por violencia de género (medida 145).

[31] Para ello la medida 158 propone ampliar la formación especializada que reciben los profesionales de la Administración de Justicia (recordemos que la Administración penitenciaria depende del Ministerio del Interior), y las Fuerzas y Cuerpos de Seguridad del Estado en materia de prevención de la violencia de género y en materia de trata (...). La medida 159 propone introducir temas de derecho antidiscriminatorio, incluyendo la perspectiva de género y la transversalidad en las oposiciones a judicatura, Escuela Judicial y en la información continua anual impartida por el CGPJ y la 160 proponer al Consejo General de la Abogacía Española que impulse para sus colegiados la homogeneización de una formación de calidad en esta materia. Junto a ellas, la medida 163 propone implementar un programa formativo especializado para profesionales sanitarios y de la educación y la 164 respecto a los equipos psicosociales que intervienen en materia de derecho de familia y violencia de género, e incluso la promoción de la mejora recibida por los responsables de recursos humanos de las empresas y representantes sindicales en materia de violencia de género (medida 165). Pero sobre la formación de los profesionales penitenciarios el Informe del Pacto guarda nuevamente un inquietante silencio.

datos y realización de estudios específicos en el medio penitenciario que permitan mejorar la lucha contra la violencia de género[32].

Frente a esta "aparente" invisibilidad ante el legislador y los poderes públicos, la importante dimensión que en el ámbito de la prisión tiene la gestión de los condenados por delitos de violencia de género nos la dan las cifras, puesto que han pasado a ser el tercer grupo más numeroso dentro de los establecimientos penitenciarios. Según el Informe General de Instituciones Penitenciarias de 2015, los hombres se encuentran en prisión principalmente por la comisión de delitos contra el patrimonio y orden socioeconómico (35%), contra la salud pública (22.7%) y delitos relacionados con violencia de género (7.9%), seguidos del homicidio y sus formas (7.4%) y contra la libertad sexual (5.9%)[33].

Es la Administración penitenciaria la que recibe el efecto que sobre el sistema penal ha producido la suma de las reformas operadas en materia procesal (particularmente de la prisión preventiva), de incremento de las penas, de establecimiento de medidas de prohibición de aproximación a la víctima y de configuración específica de alternativas, y lo hace tanto en su obligación de arbitrar la ejecución de las penas de prisión de los condenados por estos delitos como en la gestión, seguimiento e intervención de aquellos a los que se les ha suspendido la pena y se les ha condicionado la misma a la realización de un programa de rehabilitación.

Y, tal y como pretendemos analizar en este estudio, la Administración penitenciaria no ha dejado de trabajar en esta materia dirigiendo sus esfuerzos en una doble dirección. Por un lado, apostando por la consecución del mandato resocializador recogido en el art. 25.2 CE, a través de la articulación de programas específicos de tratamiento para potenciar la rehabilitación del penado y evitar nuevas agresiones cuando salgan en libertad, ya contra la misma víctima o contra otra persona con la que rehaga su vida. Por otro, procurando la tutela de la víctima, a través de su información, la posibilidad de intervención y el establecimiento de mecanismos de seguridad y protección, en ámbitos como las comunicaciones, permisos, tercer grado o libertad condicional. En este trabajo pretendemos analizar todos aquellos aspectos en los que las particularidades de la violencia de género, bien por las características

---

[32]   Y a lo que se refiere, sin mencionar en ningún momento el ámbito penitenciario, el punto 6, sobre seguimiento estadístico, con las medidas 166 a 174.

[33]   Lo que en 2015 equivalió a 3.846 personas condenadas por delitos y faltas de violencia de género, de los cuales 3386 eran penados, 37 estaban en prisión provisional, 37 penados con preventivas, 45 con medidas de seguridad y 378 preventivos. *Informe General de 2015*. Ministerio del Interior, 2016, p. 25.

del agresor y del delito cometido, ya por las necesidades de protección de la víctima, se pueden manifestar en el ámbito de la ejecución de las penas privativas de libertad, ya en materia de clasificación, en el condicionamiento de las relaciones con el exterior o en la aplicación de los programas de tratamiento y sus consecuencias penitenciarias. En este sentido es necesario advertir que el ámbito de la ejecución no está libre del riesgo de excepcionalización legislativa que ha sufrido respecto a otras tipologías delictivas, particularmente terrorismo y delincuencia organizada y, más tímidamente, sexual. Medidas como el veto absoluto a la mediación o la voluntad de eliminar la posibilidad del indulto en estos delitos ya apuntan excepciones, dentro de la ejecución, en la ejecución de estos delitos.

No podemos olvidar, por último, otro aspecto relevante en la ejecución penal de estos delitos y que se vincula con la obligación que tiene la Administración penitenciaria de garantizar la vida e integridad de todas las personas que, en calidad de presos, preventivos o penados, se encuentran bajo su responsabilidad. Dadas las características del perfil del agresor y la forma de realización de algunos de sus delitos, pueden tratar de llevar a cabo conductas autolíticas en prisión o bien ser objeto de amenazas o agresiones por parte de sus compañeros, aspectos que trataremos en la parte final de este trabajo.

Para ello, y aun defendiendo un concepto extenso de violencia de género frente al que, hasta el momento, prevé el art. 1 LOVG[34], nos centraremos en los delitos de violencia de género cometidos en el seno de las relaciones sentimentales, pasadas o presentes, donde la víctima es una mujer o, también, sus hijos cuando son utilizados como medios para el ataque a ella, puesto que es frente a este tipo de violencia de género frente a la que hasta el momento se ha procedido a desarrollar los programas y protocolos de actualización especializada y a la que se han dirigido la mayor parte de las reformas procesales y penales señaladas.

---

[34] Como el recogido en el artículo 3 del Convenio del Consejo de Europa sobre la prevención y lucha contra la violencia contra la violencia contra las mujeres y la violencia doméstica, Convenio de Estambul, que entiende por violencia contra las mujeres: "una violación de los derechos humanos y una forma de discriminación contra las mujeres, y designará todos los actos de violencia basados en el género que implican o pueden implicar para las mujeres daños o sufrimientos de naturaleza física, sexual, psicológica o económica, incluidas las amenazas de realizar dichos actos, la coacción o la privación arbitraria de libertad, en la vida pública o privada". En el mismo sentido el Informe del Pacto de Estado declara como formas de violencia contra las mujeres, junto a la contenida en el art. 1 LOVG, la violencia física, psicológica y sexual, incluida la violación, la mutilación genital femenina, el matrimonio forzado, el acoso sexual y el acoso por razones de género, el aborto forzado y la esterilización forzada, incluso en los casos en los que no exista con el agresor la relación requerida para la aplicación de la LO 1/2004 (medida 86.3).

2. PARTICULARIDADES EN MATERIA DE CLASIFICACIÓN PENITENCIARIA.

2.1. *Variables de clasificación y acceso al tercer grado de tratamiento*

Las especificidades incorporadas en la legislación penal en materia de penas y alternativas no han llegado, en lo que se refiere a la delincuencia de género, a este ámbito de la ejecución penal. Si bien la LOGP de 1979 optó por un sistema de clasificación basado eminentemente en aspectos subjetivos, referidos al pronóstico y evolución del penado, posteriores reformas del CP y de la LOGP[35] han ido introduciendo modificaciones que incorporan la duración de la pena impuesta y la tipología delictiva para endurecer y limitar la flexibilidad de figuras clave en la ejecución como el acceso a permisos, tercer grado, libertad condicional y beneficios penitenciarios. La duración de la pena o penas impuestas repercute tanto en el aumento del límite máximo de cumplimiento de la pena de prisión (art. 76 CP) como en los especiales cómputos previstos para la aplicación de la figura del cumplimiento íntegro en determinados supuestos de acumulación delictiva (art. 78 CP), en la posibilidad de establecimiento de períodos de seguridad que requieran el cumplimiento de la mitad de la condena dentro de la prisión antes del acceso al tercer grado (art. 36 CP) o en el enrevesado sistema de plazos en caso de acumulación delictiva planteado por el legislador en la prisión permanente revisable para la concesión del tercer grado y de la libertad condicional. En el caso de la tipología delictiva, hasta el momento el legislador ha limitado las particularidades en materia de ejecución a dos formas: terrorismo y delincuencia organizada. La condena por estos delitos condicionará la aplicación de determinadas figuras, tanto en lo referido al tiempo (como en los plazos especiales previstos para el acceso a permisos, tercer grado y libertad condicional en la prisión permanente revisable o en la obligatoriedad de imposición del período de seguridad para el tercer grado y la no posibilidad de desactivación por el Juez de Vigilancia si hay pronóstico individualizado y favorable de resocialización), como en los requisitos especiales exigidos para el acceso a estas figuras (ya en el mayor tiempo de cumplimiento de pena requerido para desactivar la figura del cumplimiento íntegro, ya al exigir la desvinculación y colaboración con las autoridades para acceder a tercer grado y libertad condicional), o incluso en la eliminación de su aplicación, como ocurre con las distintas modalidades del beneficio de adelantamiento de la

---

[35]   Desde el Código de 1995, pero esencialmente mediante sus reformas por la LO 7/2003, de 30 de junio, *de medidas de reforma para el cumplimiento íntegro y efectivo de las penas*, pero también la reciente LO 1/2015, de 30 de marzo.

libertad condicional[36]. Ciertas especificidades se han incorporado en el CP más tarde para la delincuencia sexual (en la prohibición de acceso al adelantamiento de libertad privilegiado para condenas de primarios no superiores a tres años y, si se trata de víctimas menores, en la aplicación obligatoria, y sin posibilidad de reversión, del período de seguridad para el acceso al tercer grado)[37].

Sin embargo, hasta el momento no se han introducido previsiones especiales para los condenados por delitos relacionados con la violencia de género. En estos casos las particularidades vendrán, no por la tipología delictiva en sí, sino por la duración de la pena impuesta. Como a continuación veremos, las trabas impuestas por el legislador son para el acceso a las figuras que implican la excarcelación, tercer grado y libertad condicional, en el mal entendimiento del que parte desde 2003 al interpretar que cumplimiento de pena (de ahí su mención a íntegro y efectivo en el propio título de la LO 7/2003) es el que se lleva a cabo dentro de la prisión, desconociendo que también lo es el pasado en tercer grado y, hasta la reforma del 2015, lo era el de la libertad condicional.

Es verdad que una lectura estricta del desarrollo reglamentario de la LOGP podría llevarnos a interpretar que, por la modalidad comisiva, muchos de los condenados a delitos de violencia de género podrían ser clasificados en primer grado de tratamiento y conducidos al régimen de cumplimiento de mayor dureza previsto en prisión[38]. La Ley contempla este régimen con carácter excepcional, frente al ordinario y el abierto, para los penados calificados de peligrosidad extrema o para

---

[36]   Un análisis de todas estas especificidades puede encontrarse en MUÑOZ DE MORALES RO-MERO, M., RODRÍGUEZ YAGÜE, C.: *Terrorismo vs. Leyes y jueces. El reconocimiento de condenas penales europeas a efectos de acumulación. A propósito del caso Picabea.* Tirant lo Blanch, Valencia, 2016, pp. 19 a 49.

[37]   Véase sobre ello RODRÍGUEZ YAGÜE, C.: "Delincuencia sexual: reforma y ejecución penal". *Tratamiento penal de la delincuencia sexual. Comparativa entre los sistemas norteamericano y europeo.* Roig Torres, M (Coord). Tirant lo Blanch, Valencia, 2014.

[38]   Su cumplimiento es de excepcionalidad dureza. En módulos o departamentos separados del resto de internos, los internos cumplen su condena en una celda individual, con una importante limitación del tiempo de convivencia con otros internos y de las actividades en común y con un aumento del control, vigilancia, medidas de seguridad, orden y disciplina. En la práctica supone la vida en aislamiento, solo, durante 21 horas diarias. Si el penado está en régimen cerrado por evidenciar especial peligrosidad (art. 91 RP), tendrá un mínimo de 3 horas diarias de patio (hasta 3 más de actividades programadas, si las hay), se procederá diariamente a su cacheo y al registro de su celda. Se limita a dos el número de internos que pueden estar juntos en el patio y a 5 los que podrán participar en actividades programadas. Si en cambio está en primer grado por su inadaptación a otros regímenes (art. 94 RP), se establece la posibilidad de que esté hasta 4 horas diarias de vida en común (pudiendo aumentar 3 más para actividades programadas), en las que puede haber un mínimo de 5 internos en actividades en grupo. Sobre la dureza de este régimen y su impacto en el individuo, no solo físico sino particularmente psicológico, véase RÍOS MARTÍN, J.C.: *Mirando al abismo. El régimen cerrado.* Madrid, 2002.

casos de inadaptación a los otros dos regímenes (art. 10.1). Es el art. 102.5 RP el que desglosa los factores que, ponderados, pueden dar lugar a la clasificación en primer grado. Y entre ellos podemos encontrar algunos factores referidos al tipo de delito cometido y a la modalidad de realización que podrían dar lugar a la utilización de esta forma de clasificación para los delitos que estamos estudiando, ya por la "naturaleza de los delitos cometidos a lo largo de su historial delictivo, que denote una personalidad agresiva, violenta y antisocial" ya por la "comisión de actos que atenten contra la vida o la integridad física de las personas, la libertad sexual o la propiedad, cometidos en modos o formas especialmente violentos".

Sin embargo la vinculación entre comisión de delito violento y consecuente asignación a primer grado por su categorización directa como interno peligroso por la naturaleza delictiva está —y debe estar— superada. El régimen penitenciario busca, como bien establece el art. 73 RP, "la consecución de una convivencia ordenada y pacífica que permita alcanzar el ambiente adecuado para el éxito del tratamiento y la retención y custodia de los reclusos". Su fin no es otro, para los penados, que lograr "el ambiente adecuado para el éxito del tratamiento" (art. 71.1 LOGP). La clasificación en primer grado, tanto por su dureza y restricción de los derechos reconocidos a los internos, como por los efectos perjudiciales que provoca en el sujeto y que empecen cualquier orientación resocializadora de la pena, debe ser excepcional y, de adoptarse, solo durante el tiempo que sea estrictamente necesaria para controlar y revertir los motivos que han dado lugar a su aplicación[39]. En todo caso debe ser porque, en la convivencia del centro, el interno haya demostrado esa peligrosidad extrema o esa inadaptación que lo hagan peligroso para otros internos, personal del centro o terceras personas dentro de la prisión. Por tanto, la peligrosidad que pueda presentar un interno hacia el exterior, por la naturaleza del delito cometido, no debe condicionar su clasificación dentro de la prisión siempre que en ella no manifieste tal carácter, pues existen otros mecanismos para impedir su salida —no acceso a permisos, no progresión a tercer grado— y, con ello, evitar la materialización de ese riesgo hacia la sociedad.

En consecuencia, su aplicación será —y debe ser— residual en este tipo de condenas. Solo si concurren otros factores que denoten la peligrosidad del pena-

---

[39]   Así lo interpreta la Administración Penitenciaria que en su Instrucción 9/2007, relativa a la Clasificación Penitenciaria, establece como principios generales de la clasificación en primer grado su carácter excepcional ("que implica que debe ser entendido como la última solución, cuando no existan otros mecanismos disponibles, dado que se trata de un régimen de vida que intensifica la desocialización y dificulta la reintegración y reinserción del interno), su transitoriedad ("el tiempo que el interno esté en régimen cerrado ha de ser el imprescindible para reconducir sus conductas y actitudes hacia el régimen ordinario, de ahí que resulte imprescindible la intervención activa, intensa y dinámica con este grupo de internos") y subsidiaria ("su aplicación exige descartar las patologías psiquiátricas graves descompensadas que hayan de ser abordadas de forma especializada").

do, dentro de la prisión, y no existen otras medidas que permitan remitir tal situación, se justificaría su adopción, siempre por un tiempo lo más limitado posible.

Realmente será en el acceso al régimen abierto, a través de la clasificación en tercer grado, donde existirán mayores dificultades, no en la ley, sino en la praxis, para los penados condenados por delitos de violencia de género. Los datos existentes confirman esa dificultad de acceso al tercer grado. En estos delitos predomina la clasificación de los penados en segundo grado de tratamiento. En datos analizados por la Administración penitenciaria en 2010, se cifraba la diferencia de concesión del tercer grado en siete puntos respecto al resto de penados. También el porcentaje de clasificados en primer grado es algo superior al resto[40].

La dificultad de progresión a un régimen abierto ocasiona que gran parte de la condena, cuando no toda, se ejecute bajo una clasificación en segundo grado, bajo un régimen ordinario[41]. Su acceso estará condicionado, en primer lugar, a la duración de la pena y, en segundo, al cumplimiento de una serie de requisitos.

En cuanto a lo primero, la diversidad de delitos a través de las cuales se materializa la violencia de género, y consecuentemente la naturaleza y duración de las penas impuestas al agresor, condicionarán el acceso al tercer grado. De tratarse de una pena de prisión, su duración puede ir de los seis meses[42] hasta los 25 años[43]

---

[40]   Así, en la comparación entre la muestra del estudio, el 2.8% de los condenados por violencia de género estaban clasificados en primer grado, frente al 2.11% de la población en general; en el caso del segundo grado, lo estaban el 87.5% frente al 80.5% de la población penitenciaria general. Y en el caso del tercer grado, la diferencia es mayor: 9.7% de los delincuentes de género frente al 17.4% de la población general. Llaman la atención estos datos puesto que estos internos mantienen normalmente una conducta adaptada en prisión, por lo que podrían responder a una "tendencia restrictiva y prudente de acuerdo al tipo de delito y a la alarma social que genera". YAGÜE OLMOS, C. (coord.): *El delincuente de género en prisión. Estudio de las características personales y criminológicas y la intervención en el medio penitenciario.* Ministerio del Interior, Madrid, 2010, pp. 25 y 26.

[41]   Como apunta CERVELLÓ DONDERIS, V., "el segundo grado actúa como un cajón de sastre en el que cabe casi todo, frente a la excepcionalidad del primero y tercer grado". "Los nuevos criterios de clasificación penitenciaria". *La Ley Penal* nº 8, 2004, p. 11.

[42]   Así, para los delitos reformados por la LOVG para incrementar su penalidad en los casos de violencia de género, en los de maltrato simple del art. 153, amenazas leves del art. 171.4 o coacciones leves del art. 172.2, la pena de prisión contemplada —de manera alternativa a la de trabajo en beneficio de la comunidad—es la de seis meses a 1 año. No obstante, los tres tipos penales incorporan un tipo atenuado, que permitiría rebajar la pena en un grado (de 3 a 6 meses), en atención a las circunstancias personales del autor y las concurrentes en la realización del hecho (art. 153.3, 171.6 y 172.2). El también modificado tipo agravado del delito de lesiones del 147, el 148.4 contempla una penalidad de 2 a 5 años si la víctima es la mujer o ex mujer —pareja o ex pareja— del agresor. El resto de delitos de lesiones no contemplan una agravación similar que podrá realizarse, en su caso, a través de la aplicación de la agravante del art. 22.4: "cometer el delito por... razones de género".

[43]   En el caso del asesinato del art. 139.1 CP.

—o más, si se trata de la comisión de varios hechos delictivos[44]—. También podrá ser impuesta la pena de prisión permanente revisable si se trata de uno de los delitos de asesinato cualificado del art. 140; por ejemplo, si el asesinato es subsiguiente a un delito contra la libertad sexual o, también, si lo que realiza el autor es un asesinato de un menor de 16 años o persona especialmente vulnerable como forma de infligir dolor a la madre.

Por lo tanto, la duración de la pena determinará la posibilidad de clasificación en tercer grado.

Lo hará, en primer lugar, respecto a la posibilidad de clasificación directa en este grado. Tal posibilidad está prevista en el art. 104.3 RP: "para que un interno que no tenga extinguida la cuarta parte de la condena o condenas pueda ser propuesto para tercer grado, deberá transcurrir el tiempo de estudio suficiente para obtener un adecuado conocimiento del mismo y concurrir, favorablemente calificadas, las variables intervinientes en el proceso de clasificación penitenciaria enumeradas en el art. 102.2, valorándose, especialmente, el historial delictivo y la integración social del penado"[45]. Como establece el RP, los criterios de clasificación que deben ser ponderados por las Juntas de Tratamiento son la personalidad y el historial delictivo individual, familiar, social y delictivo del interno, la duración de las penas, el medio social al que retorne el recluso y los recursos, facilidades y dificultades existentes en cada caso y momento para el buen éxito del tratamiento (art. 102.2).

La Instrucción 9/2007 de Instituciones Penitenciarias señala que "serán clasificados inicialmente en tercer grado aquellos internos que presenten un pronóstico de reincidencia medio bajo a muy bajo, y no presenten factores de inadaptación significativos". La propia Instrucción concreta los factores que podrán ser evaluados para determinar cuándo existe un pronóstico de reincidencia bajo: ingreso voluntario, condenas no superiores a 5 años, primariedad delictiva o reincidencia de escasa importancia, antigüedad en la causa por la que ingresó (más de 3 años), correcta adaptación social desde la comisión de los hechos hasta el ingreso, baja prisionización, apoyo familiar pro social, asunción del delito, personalidad responsable, en el caso de adicciones, que se halle en disposición de tratamiento, y no concurrencia de factores de inadaptación significativos como la pertenencia a organizaciones delictivas, personalidad de rasgos de carácter psicopático, inadaptación a prisión o escalada delictiva.

---

[44]   Con los límites previstos para la acumulación delictiva previstos en el art. 76 CP.

[45]   Recuerda CERVELLÓ DONDERIS, V., que el RP de 1981 exigía en su redacción inicial al menos dos meses de observación del interno antes de proceder a la clasificación de tercer grado de quienes no hubieran si quiera cumplido una cuarta parte de la condena, requisito suprimido por la reforma operada por el RD 1764/1993 sustituyéndolo por la referencia al tiempo de estudio suficiente para un adecuado conocimiento del interno, en la línea de lo mantenido posteriormente por el RP de 1996. "Los nuevos criterios de clasificación penitenciaria", ob. cit., p. 11.

Por tanto, la posibilidad de clasificación directa, máxime en los casos de penas de prisión de corta duración, es posible teóricamente, siempre y cuando se evalúe la existencia de un bajo pronóstico de reincidencia. Pero precisamente por esa potencialidad de reiteración y la alta peligrosidad que pueda suponer para las víctimas, es necesario reforzar y analizar, con instrumentos adecuados, el riesgo que presenta el agresor y su pronóstico de peligrosidad. En este sentido, creemos que muy posiblemente el penado se va a encontrar con una segunda traba en la praxis penitenciaria para el acceso directo al tercer grado: si tratándose de delitos con una pena inferior a dos años el Juez ha decidido la no aplicación de la suspensión de la pena y, con ello, el ingreso en prisión, aunque es factible su clasificación en tercer grado, la Administración penitenciaria seguramente sea reticente a una clasificación directa en la gran mayoría de estos casos.

El acceso al tercer grado por progresión desde un segundo grado puede verse también condicionado por aspectos temporales, añadidos al cumplimiento del resto de requisitos establecidos para ello a los que nos referiremos a continuación. Y ello se manifiesta en tres aspectos. El primero ocurre con las penas de prisión de corta duración y se refiere a la dificultad en la práctica de poder acceder al tercer grado, y en consecuencia a la libertad condicional, por la propia duración del procedimiento de clasificación y revisión de la misma. En efecto, según el art. 103 RP, la propuesta de la Junta de Tratamiento de clasificación inicial al Centro Directivo se realizará en el plazo máximo de dos meses desde la recepción del testimonio de la sentencia. A su vez el Centro Directivo tiene dos meses, que pueden ampliarse a dos más, para dictar la resolución sobre la clasificación inicial. Seis meses que, en condenas de seis meses a un año (caso de maltrato simple, coacciones o amenazas leves), suponen la totalidad de la pena impuesta. Por ello se prevé en su apartado 7, que si se trata de penados con condenas de hasta un año, la clasificación inicial pueda formularse por la Junta de Tratamiento, siempre que sea adoptada por acuerdo unánime de sus miembros y no se trate de una clasificación en primer grado. Estos casos permiten sortear las consecuencias negativas de la lentitud en la clasificación inicial (en aspectos como el acceso a permisos o a la progresión de grado). Sin embargo las dificultades para llevar a cabo el itinerario completo de cumplimiento (con progresión de segundo a tercer grado y acceso a la libertad condicional) continúan, pues la revisión de la clasificación inicial está prevista con un plazo máximo de seis meses que, aunque no haya que apurar, unido al tiempo requerido por Centro Directivo para decidir[46], puede implicar en

---

[46]   O bien para recurrir el interno ante el Juez de Vigilancia en el caso en el que la Junta de Tratamiento no considere oportuno proponer al Centro Directivo el cambio en el grado asignado, o si el Centro Directivo mantiene la clasificación en segundo grado.

la práctica en condenas de corta duración el cumplimiento íntegro de la pena en un régimen ordinario.

El segundo aspecto se refiere a condenas de mayor duración, en concreto, cuando la pena de prisión impuesta sea superior a cinco años. En estos casos, conforme establece el art. 36.2 CP, el juez o tribunal "podrá ordenar que la clasificación del condenado en el tercer grado de tratamiento penitenciario no se efectúe hasta el cumplimiento de la mitad de la pena impuesta". Si bien esta previsión del período de seguridad para el acceso al tercer grado nació con carácter imperativo[47], sus negativos efectos sobre el incremento de la población penitenciaria en los años posteriores llevaron a su flexibilización a través de su conversión en una medida potestativa salvo para determinados delitos[48], entre los que no se encuentran, como ya adelantamos, los relacionados con la violencia de género[49]. Por lo tanto, para las condenas por la comisión de algún delito de violencia de género con una pena superior a cinco años[50], el juez o tribunal tiene la potestad de imponer este período de seguridad, que obstaculizará el acceso al tercer grado hasta que el penado cumpla la mitad de la condena. No obstante, siempre que exista un previo pronóstico individualizado y favorable de reinserción, el Juez de Vigilancia puede desactivar este período de seguridad, lo que conllevará la aplicación del régimen general de cumplimiento. Para ello se valorarán las circunstancias personales del reo y su evolución en el tratamiento reeducador, y se acordará una vez oídos el Ministerio Fiscal, Instituciones Penitenciarias y las demás partes.

El tercer aspecto se refiere a los delitos que den lugar a la aplicación de la prisión permanente revisable. Aquí el acceso al tercer grado se ve sometido, junto al cumplimiento de los requisitos que veremos a continuación, a un estricto y complejo sistema de cómputos que, actuando como períodos de seguridad, condicionan temporalmente la concesión de esta figura[51]. Así, si se trata de un único delito castigado con la prisión permanente revisable, el penado no podrá acceder

---

[47]   Por LO 7/2003, de 30 de junio.

[48]   Más detenidamente sobre ello, RODRÍGUEZ YAGÜE, C.: *El sistema penitenciario español ante el siglo XXI*, Iustel, Madrid, 2013, pp. 78 y ss.

[49]   En efecto, si bien por LO 5/2010, de 22 de junio se le dota de carácter potestativo, se incorporan una serie de delitos en los que su imposición es preceptiva, al tiempo que se impide la desactivación para ellos por parte del Juez de Vigilancia en casos de pronóstico favorable de resocialización: delitos referentes a organizaciones y grupos terroristas y delitos de terrorismo del capítulo VII del Título XXII del Libro II del CP; delitos cometidos en el seno de una organización o grupo criminal; delitos del art. 183; delitos del capítulo V del Título VIII del Libro II del CP, cuando la víctima sea menor de trece años.

[50]   Por ejemplo, por la comisión de los delitos de lesiones de los artículos 149 o 150, delitos de homicidio o asesinato o supuestos de acumulación delictiva.

[51]   Y que en el caso de condenas por terrorismo contempla además tiempos de cumplimiento mayores, que oscilan entre los 20 y los 32 años (art. 36.1 CP).

al tercer grado hasta el cumplimiento de quince años de "prisión efectiva" (art. 36.1 b) CP). Este plazo se incrementa en el caso de concurrencia delictiva: si junto a la pena de prisión permanente revisable, el penado ha sido condenado a uno o varios delitos cuyas penas impuestas sumen un total que exceda de cinco años, el tiempo mínimo de permanencia en prisión antes de poder acceder al tercer grado será de dieciocho años; se incrementará a veinte años si la condena es por un delito castigado con prisión permanente revisable y el resto de penas impuestas sumen un total que exceda de quince años; y a un mínimo de veintidós años en prisión si el condenado lo ha sido por dos o más delitos castigados con prisión permanente revisable o uno de ellos castigado con esta pena y el resto de penas impuestas sumen un total de veinticinco años o más (art. 78 bis 1 CP)[52].

Junto al requisito temporal en el caso de existir período de seguridad, el acceso a la clasificación del tercer grado, ya inicialmente ya como progresión desde el segundo grado, se condiciona a la satisfacción de una serie de exigencias. En su configuración inicial, la clasificación en el tercer grado se construía desde criterios subjetivos, exigiendo un pronóstico individualizado y favorable de reinserción, a partir de la evolución positiva del interno que mostrase su capacitación para vivir en un régimen de semilibertad[53]. Sin embargo, progresivamente se han ido añadiendo otros requisitos objetivos, ya los temporales vistos, ya la exigencia de la satisfacción de la responsabilidad civil derivada del delito[54] o, en el caso de condenados por delitos de terrorismo o delitos cometidos en el seno de organizaciones criminales, el abandono de los fines y medios terroristas y la colaboración activa con las autoridades (art. 72.5 y 6 LOGP).

El primero, la existencia de una evolución favorable en el penado, nos sitúa en una cuestión tan relevante como no exenta de polémica: la necesariedad-obligatoriedad del tratamiento penitenciario. Como veremos más adelante, el tratamiento penitenciario es de aceptación voluntaria, lo que deriva del derecho constitucional al libre desarrollo de la personalidad. De hecho el art. 112.3 del RP garantiza que "el interno podrá rechazar libremente o no colaborar en la

---

[52]　Además para esta pena el CP incorpora una serie de especificidades en cuanto al procedimiento y órgano encargado de su concesión, respecto a la pena de prisión. Será el tribunal sentenciador, y no el Centro Directivo, el que autorizará la clasificación en tercer grado, previo pronóstico individualizado y favorable de reinserción social, oídos el Ministerio Fiscal e Instituciones Penitenciarias. Más detenidamente un análisis sobre el sistema de ejecución de esta nueva pena perpetua en: RODRÍGUEZ YAGÜE, C.: *La ejecución de las penas de prisión permanente revisable y de larga*. Tirant lo Blanch, Valencia, 2018.

[53]　Configuración que está todavía presente en el art. 103.4 RP: "La clasificación en tercer grado se aplicará a los internos que, por sus circunstancias personales y penitenciarias, estén capacitados para llevar a cabo un régimen de semilibertad".

[54]　Incorporada por la LO 7/2003, de 30 de junio.

realización de cualquier técnica de estudio de su personalidad, sin que ello tenga consecuencias disciplinarias, regimentales ni de regresión de grado". Por lo tanto, la negativa a participar en una actividad tratamental, o de aceptar el tratamiento en su conjunto, no puede por sí suponer la imposibilidad de progresión de grado. Como continúa este artículo, en estos casos "la clasificación inicial y las posteriores revisiones de la misma se realizarán mediante la observación directa del comportamiento y los informes pertinentes del personal penitenciario de los Equipos Técnicos que tengan relación con el interno, así como utilizando los datos documentales existentes".

Sin embargo, Instituciones Penitenciarias, en la evaluación de cuándo un interno presenta una evolución favorable para el acceso a una progresión a tercer grado, sí que realiza en la praxis una vinculación importante entre la progresión al tercer grado y el tratamiento; y no solo en cuanto a su éxito sino también respecto a la posibilidad de su seguimiento adecuado fuera de la prisión. Así, la Instrucción 9/2007 sobre *Clasificación Penitenciaria* cifra la existencia de una evolución favorable en datos como: "haber obtenido una valoración normal o superior en las evaluaciones, dentro de las actividades programadas con carácter prioritario en el Programa Individualizado de Tratamiento (PIT)" y el "estar incluido en un programa de tratamiento al que se le pueda dar continuidad en medio comunitario"[55]. Asimismo, añade que "en el caso de delitos de extrema gravedad o que hayan provocado alarma social, se exigirá un estudio exhaustivo de las circunstancias y, en su caso, de los posibles tratamientos que deban seguir, para que en ningún caso estos condicionantes impidan la progresión". Junto a ello, la evolución favorable se evalúa también a partir de los "permisos disfrutados sin incidencias o internos que, sin haber disfrutado permisos, su evolución y las fechas de cumplimiento aconsejan un tercer grado" de "ausencia de sanciones disciplinarias".

De manera más explícita, la Instrucción 2/2005, *relativa a la modificación sobre las Indicaciones de la Instrucción 2/004, para la adecuación del procedimiento de actuación de las Juntas de Tratamiento a las modificaciones normativas introducidas por la LO 7/2003, de 30 de junio, de medidas de reforma para el cumplimiento íntegro y efectivo de las penas*, al establecer las normas para la tramitación de las propuestas de clasificación inicial o progresión a tercer grado por parte de las Juntas de Tratamiento, señala que se deberán tomar en consideración los principios introducidos por la LO 7/2003, "en cuanto a la importancia de la

---

[55]   De hecho la Instrucción señala que "la clasificación en régimen abierto presupone, generalmente, la existencia de algunas de las siguientes situaciones: continuidad en el exterior en programas de tratamiento que ya venga realizando el interno; necesidad de tratamiento en medio comunitario; y proyecto de vida válido y contrastable para hacer una vida honrada en libertad".

evolución favorable en el tratamiento reeducador y pronóstico de reinserción social así como al resarcimiento por parte del penado del daño ocasionado por el delito, valorando tales extremos con criterios objetivables". En concreto, en cuanto al informe específico sobre el pronóstico individualizado y favorable de reinserción social del interno, con valoración sobre sus circunstancias personales y la evolución del tratamiento, la Instrucción señala que podrán tomarse en consideración los siguientes criterios: a) asunción o no del delito, entendiendo por aquella el reconocimiento y valoración por el interno del significado de su conducta recogida en los "hechos probados"; b) actitud respecto a la víctima o víctimas, manifestada a través de un compromiso firmado de arrepentimiento y asunción o reparación de las consecuencias derivadas del delito; c) conducta efectiva llevada a cabo en libertad, en su caso, entre la comisión del delito y el ingreso en prisión y pruebas que la avalen; d) participación en programas específicos de tratamiento tendentes a abordar las carencias o problemas concretos que presente y que guarden relación con la actividad delictiva, así como la evolución demostrada en ellos. Todos estos criterios, como vemos, se relacionan con el seguimiento y éxito del tratamiento, lo que parece estar pensando, aunque no lo indica explícitamente, en tipologías delictivas sobre las que se han elaborado protocolos específicos de actuación como ocurre con los delitos de violencia de género, violencia doméstica o libertad sexual[56].

Sin hacerlo obligatorio —lo que por un lado a nuestro juicio no pasaría el juicio de constitucionalidad, al tiempo que no sería operativo un tratamiento impuesto en contra de la voluntad del penado—, la trascendencia de la participación del penado en los programas específicos de tratamiento en materia de violencia de género es evidente[57].

También la asunción del delito es implícitamente presupuesto y objetivo de la reparación del daño causado. En el caso del tercer grado, en 2003 se incorpora la satisfacción de la responsabilidad civil derivada del delito como requisito para la clasificación o progresión al tercer grado. A tales efectos se considera la

---

[56]   Así lo indica CERVELLÓ DONDERIS, V., quien advierte que estas premisas están sumamente abandonadas por el tratamiento penitenciario respecto a otro tipo de delincuencia mayoritaria, como la relacionada con delitos como el robo con violencia o tráfico de drogas, salvo en lo que se refiere a la intervención sobre drogodependientes. "Los nuevos criterios de clasificación penitenciaria", ob. cit., p. 14.

[57]   En este sentido, hay que recordar que el TC ha admitido en su sentencia 167/2003, de 29 de septiembre, que la negativa de un interno a aceptar un programa individualizado de tratamiento que se le había propuesto para suplir las deficiencias personales que se entendían relacionadas con la actividad delictiva por la que el interno cumplía condena puede ser legítimamente valorada por el centro penitenciario, junto con otras variables, para justificar la denegación de un permiso de salida.

conducta efectivamente observada en orden a restituir lo sustraído, reparar el
daño e indemnizar los perjuicios materiales y morales, las condiciones personales
y patrimoniales del culpable a efectos de valorar su capacidad real, presente y
futura para satisfacer la responsabilidad civil que le correspondiera; las garantías
que permitan asegurar la satisfacción futura; la estimación del enriquecimiento
que el culpable hubiera obtenido por la comisión del delito y, en su caso, el daño
o entorpecimiento producido al servicio público, así como la naturaleza de los
daños y perjuicios causados por el delito, el número de perjudicados y su condición (art. 72.5 LOGP). Si bien esta previsión nació con la vista particularmente
situada sobre la delincuencia patrimonial y económica en la que el culpable había
obtenido un importante enriquecimiento ilícito[58], su exigencia es predicable de
igual manera al resto de delitos, también a los de violencia de género[59]. En cualquier caso este requisito en el ámbito del acceso al tercer grado o también para la
libertad condicional debe ser interpretado no como una condición absoluta para
su disfrute, sino desde una perspectiva preventivo-especial propia de la ejecución,
en el sentido de valorar el esfuerzo realizado por el penado para satisfacer los intereses patrimoniales de la víctima de acuerdo con sus posibilidades y teniendo en
cuenta que el ingreso en prisión durante un cierto tiempo conlleva a la dificultad
de generar ingresos[60].

[58]   De hecho, el art. 72.5 incorpora una singular precisión, de naturaleza más simbólica que diferenciadora, que resalta que "singularmente, se aplicará esta norma cuando el interno hubiera
sido condenado por la comisión de alguno de los siguientes delitos: a) delitos contra el patrimonio y contra el orden socioeconómico que hubieran revestido notoria gravedad y hubieran
perjudicado a una generalidad de personas; b) delitos contra los derechos de los trabajadores;
c) delitos contra la Hacienda Pública y contra la Seguridad Social; d) Delitos contra la Administración Pública comprendidos en los capítulos V al IX del Título XIX del Libro II del CP".
[59]   Es la Instrucción 2/2005 de Instituciones Penitenciarias la que establece la forma de proceder
para la acreditación de las circunstancias exigidas por la LOGP. Así, para la acreditación del
criterio objetivo, el pago de la responsabilidad, será necesario confirmar ante el Tribunal sentenciador tal cumplimiento o la declaración de insolvencia del penado en la sentencia condenatoria, para lo que se solicitará del Tribunal sentenciador el informe correspondiente o una copia
de la pieza de responsabilidad civil. Para el resto de criterios, referidos a la voluntad y capacidad de pago y a las garantías que permitan asegurar la satisfacción futura, criterios eminentemente valorativos, se procederá a su valoración por parte de la Junta de Tratamiento a la hora
de realizar las propuestas de tercer grado, siendo necesario acompañar a la propuesta copia de
la resolución judicial de declaración de insolvencia del penado dictada en los correspondientes
procesos penales, así como justificar la situación económica actual del interno que le impide
afrontar el pacto y el compromiso firmado por el mismo de comenzar a satisfacerla si durante
el tercer grado o el disfrute de la libertad condicional desarrolla un trabajo remunerado. En el
caso de que el interno ya fuera pagando fraccionadamente la responsabilidad civil, se señalará
tal extremo.
[60]   FARALDO CABANA, P.: "Satisfacción de los intereses patrimoniales de la víctima y resocialización del condenado". *Estudios penales y criminológicos* n° 26, 2006, pp. 37 y 38.

La importancia que en la ejecución quiere darse a la reparación del daño causado, como requisito de acceso a tercer grado y libertad condicional, contrasta, a nuestro juicio, con la voluntad manifestada en el Pacto de Estado contra la violencia de Género de solicitar la supresión de la posibilidad de aplicación de la atenuante de reparación del daño causado recogida en su medida n° 88 en la fase de imposición de pena. En nuestra opinión tal voluntad podría encontrar más justificación, aunque con importantes problemas conforme a los principios penales, respecto a la atenuante de confesión en delitos de violencia de género —de ahí que la propuesta matice que la supresión de la atenuante de confesión en delitos de violencia de género sea "cuando las circunstancias de los hechos permitan atribuir fehacientemente su autoría, siempre que se respeten los estándares de constitucionalidad en relación al principio de igualdad"—, en tanto se ha detectado que una forma habitual de comportamiento de los maltratadores, normalmente tras el asesinato u homicidio de su pareja, es la de entregarse a las fuerzas y cuerpos de seguridad, si no han intentado suicidarse, lo que se traduce en una rebaja sistemática de la pena en casos que no suelen responder a la voluntad de participar con la justicia tal y como pretende promover la atenuante del art. 21.4. Sin embargo, la voluntad de suprimir la atenuación de reparación del daño causado a la víctima en cualquier momento del procedimiento y con anterioridad a la celebración del acto del juicio oral supone una renuncia a una medida de reparación del daño causado que no puede encontrar justificación. Al contrario, el reconocimiento del daño causado y el intento de su reparación es el primer paso en el proceso de asunción del delito cometido, fundamental en cualquier proceso de resocialización del delincuente. Además, la entidad y sinceridad de esa reparación puede ser evaluada por el Juez o Tribunal a la hora de determinar su aplicación o no en casos en los que pretenda ser utilizada de manera torticera por el agresor para obtener una rebaja de su penalidad.

En cualquier caso, para posibilitar la progresión a tercer grado de un condenado siempre que exista una evolución positiva en su tratamiento y un pronóstico favorable de reinserción, la Administración penitenciaria dispone de diferentes modalidades que permitan ir comprobando tal evolución, preparando al interno para su vuelta a la sociedad, al tiempo que se establecen mecanismos de protección para las víctimas con el objeto de garantizar su integridad.

Una de esas posibilidades es la de aplicar inicialmente un régimen abierto restringido, previsto en el art. 82 RP, tal y como apunta la Instrucción 9/2007 cuando las "circunstancias diversas del penado así lo aconsejen o sea precisa una intervención específica preparatoria de un régimen abierto pleno". Así, mientras que este último permite que los internos salgan de los establecimientos para desarrollar actividades laborales, formativas, familiares, de tratamiento o de otro tipo, destinadas a su integración social, debiendo permanecer como norma general dentro del establecimiento ocho horas diarias de descanso nocturno, más el tiempo necesario para las actividades de tratamiento (art. 86 RP), además de disfrutar regularmente de salidas de fin de semana (de las 16 horas del viernes a las 8 horas de la mañana del lunes, por norma general), junto a los permisos de salida estipulados legalmente, el régimen abierto restringido permite que la Junta de Tratamiento establezca de manera individualizada la modalidad de vida del penado, restringiendo las salidas al exterior y estableciendo las condiciones, controles y medios de tutela que en su caso se entienda que el penado deba observar durante esas salidas. Está previsto, señala el RP, para internos con una peculiar trayectoria delictiva, personalidad anómala o condiciones personales diversas, así como cuando exista imposibilidad de desempeñar un trabajo en el exterior o si lo aconseja su tratamiento penitenciario (art. 82 RP).

Otra de las posibilidades que para este tipo de condenados puede ser adecuada es la de la concesión del régimen abierto —pleno o también restringido— sujeto a un control de carácter telemático. Esa posibilidad realmente surge con una finalidad distinta, pues el art. 86.4 RP la introduce para exceptuar la pernoctación en el establecimiento penitenciario ante la presencia de circunstancias, esencialmente familiares o sanitarias, que dificulten la vuelta del interno al establecimiento[61]. En el caso de los penados condenados por violencia de género, sin embargo, la exigencia del control telemático —cuando se estime necesario y previa aceptación voluntaria del sujeto para acceder a la progresión— permitiría el acceso a un régimen de semilibertad en el proceso individualizado de resocialización de aquellos penados que cumplan los requisitos al tiempo que se establecen mecanismos de control de su localización con el objeto de garantizar la protección de la víctima a través del alejamiento físico con su agresor. Ello posibilitaría hacer frente a otro de los problemas que se va a plantear la Administración penitenciaria en la concesión del tercer grado: la existencia de una pena accesoria de alejamiento entre agresor y víctima y que, en este ámbito, va a condicionar el lugar de cumplimiento del tercer grado en caso de ser concedido. Eso sí, siempre con el objeto

---

[61]   Así, en su desarrollo por la Instrucción 9/2007 se señala que será cuando existan necesidades personales, familiares, sanitarias, laborales, tratamentales u otras análogas que, para su debida atención, requieran del interno una mayor dedicación diaria que la permitida con carácter general en medio abierto, señalando como situaciones posibles la atención del progenitor a hijos menores de edad en horarios incompatibles con los de la sección abierta; convalecencias médicas para recuperarse mejor de una enfermedad o intervención quirúrgica, siempre que la misma no pueda llevarse a cabo con las mismas garantías en el establecimiento de destino; necesidades familiares para la atención y cuidado de miembros de la unidad familiar en horarios incompatibles con la sección abierta; expectativas de futuro favorable para aquellos internos que han demostrado una evolución positiva en medio abierto contrastada y con una perspectiva de integración social favorable; ausencia de consumo de tóxicos.

de proteger a las víctimas, hay que tener en cuenta la previsión que, con carácter general, realiza la Instrucción 13/2006 *referida a la aplicación del art. 86.4 RP* cuando señala que "no es aconsejable la inclusión de aquellos internos que presenten rasgos comportamentales que requieran la aplicación de un programa de intervención especializada de los contemplados en el art. 116 del Reglamento, sin que hayan llegado a alcanzarse, de forma satisfactoria, los objetivos terapéuticos perseguidos". Y ello porque esta Instrucción asienta la posibilidad de acceso a este control sobre la obtención previa de una valoración positiva en las diferentes evaluaciones relativas al cumplimiento de los objetivos del programa individualizado de tratamiento.

Sin embargo, el control telemático que desarrolla el art. 86.4 del RP se limita a la instalación de los dispositivos adecuados de localización telemática que permiten a la Administración penitenciaria obtener información segura sobre la presencia del interno en un lugar preestablecido, normalmente su vivienda habitual, en los límites horarios fijados en su programa de seguimiento. Esto es así en tanto este artículo lo que prevé no es sino una excepción a la pernoctación nocturna en el establecimiento penitenciario (ya sea un módulo abierto, ya un centro de inserción social)[62].

En cambio, la utilización de sistemas de control electrónico en penados en tercer grado condenados por este tipo de delitos, siempre y cuando por sus circunstancias particulares así se requiera para garantizar la protección de sus víctimas, requeriría otro tipo de mecanismos, como los brazaletes electrónicos, que permitiesen su localización no solo durante la noche.

Esta situación está resuelta en el caso de que el sujeto tenga impuesta una medida o pena de alejamiento en materia de violencia de género que esté vigente durante el cumplimiento de la condena, con la consignación de la utilización de medios electrónicos de control. Así el legislador ha optado por la no exenta de polémica imposición preceptiva de la pena accesoria de aproximación a la víctima en los delitos de violencia de género y doméstica (art. 57)[63], quedando

---

[62]   De ahí que la Instrucción requiera que el interno posea en su domicilio la infraestructura adecuada para que pueda instalarse en él el dispositivo de localización y comunicación que arbitre la Administración penitenciaria, además de aceptar de forma expresa las condiciones de su aplicación y ser responsable del correcto uso y cuidado de los elementos técnicos instalados en su persona y en su domicilio y de cumplir con el tiempo de permanencia obligada y controlada en el domicilio.

[63]   Es el art. 57.2 CP el que establece que en todo caso se aplicará la pena prevista del art. 48.2 cuando los delitos referidos en el primer párrafo de este artículo (delitos de homicidio, aborto, lesiones, contra la libertad, de torturas y contra la integridad moral, trata de seres humanos, contra la libertad e indemnidad sexuales, la intimidad, el derecho a la propia imagen y la inviolabilidad del domicilio, el honor, el patrimonio y el orden socioeconómico) se hayan cometido contra quien sea o haya sido el cónyuge, o sobre persona que esté o haya estado

en manos de los jueces la posibilidad de aplicar el resto de prohibiciones contempladas en el art. 48: privación del derecho a residir en determinados lugares o acudir a ellos o la prohibición de comunicación con la víctima o familiares. Como establece expresamente el art. 48.4: "el juez o tribunal podrá acordar que el control de estas medidas se realice a través de aquellos medios electrónicos que lo permitan"[64].

Es la Instrucción 9/2015, relativa al *Protocolo de actuación en el ámbito penitenciario del sistema de seguimiento por medios telemáticos del cumplimiento de las medidas y penas de alejamiento en materia de violencia de género* la que recoge el procedimiento para llevar a cabo la instalación y desinstalación en el ámbito penitenciario de los medios telemáticos en estos casos[65]. El objeto de esta Instrucción es el establecimiento de las pautas generales de actuación y comunicación con ocasión del ingreso, conservación de los dispositivos telemáticos y salidas o excarcelación de un centro penitenciario de las personas que sean usuarias del sistema de seguimiento, con el fin de garantizar que los portan durante la ejecución

---

ligada al condenado por una análoga relación de afectividad aun sin convivencia, o sobre los descendientes, ascendientes o hermanos por naturaleza, adopción o afinidad, propios o del cónyuge o conviviente, o sobre los menores o personas con discapacidad necesitadas de especial protección que con él convivan o que se hallen sujetos a la potestad, tutela, curatela, acogimiento o guarda de hecho del cónyuge o conviviente, o sobre persona amparada en cualquier otra relación por la que se encuentre integrada en el núcleo de su convivencia familiar, así como sobre las personas que por su especial vulnerabilidad se encuentran sometidas a su custodia o guarda en centros públicos o privados. Su duración no excederá de 10 años si el delito es grave y de 5 si es leve, aunque se recoge la posibilidad de imposición, por un tiempo que no exceda de seis meses en el caso de los delitos mencionados si tienen la consideración de leves. Si el juez o tribunal acuerda la imposición de estas prohibiciones junto con una pena de prisión, lo hará por un tiempo superior entre uno y diez años al de la duración de la pena de prisión impuesta en la sentencia si el delito es grave y entre uno y cinco años si fuera menos grave. En este supuesto, la pena de prisión y las prohibiciones se cumplirán necesariamente por el condenado de forma simultánea.

[64] Más detenidamente sobre la posibilidad de aplicación de este control en la ejecutoria penal, aunque no se haya hecho constar en la sentencia, MAGRO SERVET, V.: "La implantación de las pulseras electrónicas en la ejecutoria penal a penados por delitos de violencia de género que han cumplido la pena de prisión y tienen pendiente la pena de alejamiento", *La Ley* n° 7792, 2012.

[65] Su aprobación es resultado del Acuerdo suscrito entre el Consejo General del Poder Judicial, el Ministerio de Justicia, el Ministerio del Interior, el Ministerio de Sanidad, los Servicios Sociales e Igualdad y la Fiscalía General del Estado de 19 de octubre de 2013. El objetivo de este acuerdo era extender formalmente la aplicación del sistema al cumplimiento de las penas de prohibición de aproximación, dando a su vez cumplimiento a una de las medidas contempladas en el objetivo de mejora de la respuesta institucional de la "Estrategia Nacional para la erradicación de la violencia contra la mujer 2013-2016". Su apartado número cinco se refiere a la instalación y desinstalación de estos medios en el ámbito penitenciario, para lo cual se desarrolla el protocolo aprobado por la Administración Penitenciaria en la Instrucción 9/2015.

de las medidas establecidas procurando con ello la seguridad y protección de las víctimas de violencia de género[66].

La Instrucción determina el procedimiento a seguir por Instituciones Penitenciarias ante las libertades condicionales de los internos, que es similar a cuando se establece la libertad de un penado y que se extiende también al resto de salidas sin custodia de Fuerzas y Cuerpos de Seguridad. En todo caso, en tanto se trata de gestionar las excarcelaciones de sujetos sometidos a medidas o penas de prohibición de aproximación, la Administración se limita a gestionar el procedimiento para posibilitar la utilización del dispositivo durante el tiempo en libertad y su comunicación con el órgano judicial competente que adoptó la medida y con el centro de control del sistema de seguimiento por medios telemáticos de las medidas y penas de alejamiento en materia de violencia de género. Es, por tanto, distinto a cuando es la Administración penitenciaria la que impone la utilización de un dispositivo telemático en el domicilio, en aplicación del art. 86.4 RP, para controlar la pernoctación nocturna de un interno en el tercer grado.

Dos pueden ser las situaciones. La primera es que el órgano judicial competente para el seguimiento de la medida cautelar o de la pena de prohibición de aproximación o, en su defecto, el que ha dictado la prohibición de aproximación, al que en el momento del ingreso del sujeto en el centro penitenciario la Administración penitenciaria le comunicó tal ingreso al efecto de que acordase lo que procediese sobre la vigencia de la resolución y el período estipulado de vigencia de la medida o la correspondiente liquidación de condena de la pena de aproximación, haya estipulado las disposiciones necesarias para la instalación del dispositivo en caso de concesión de permisos de salida o excarcelación. En este caso, se seguirán

---

[66] Este Protocolo pretende configurar las pautas generales de actuación y comunicación ante las circunstancias específicas que se plantean en el ámbito penitenciario con el cumplimiento de las medidas y penas de alejamiento en materia de violencia de género, partiendo de tres posibles circunstancias: a) el ingreso en prisión de un sujeto (detenido, preventivo o penado) con una medida cautelar o pena de prohibición de aproximación controlada por el sistema de seguimiento, en tanto no puede permanecer con el mismo dentro de prisión por razones de seguridad salvo en el departamento de ingresos; b) el ingreso en un centro penitenciario de un detenido, preventivo o condenado usuario del sistema de seguimiento cuyo uso ha sido acordado por un órgano judicial distinto al que ha ordenado su ingreso en prisión, lo que obliga a garantizar la comunicación de la entrada en prisión al órgano judicial que hubiera dictado la resolución por la que se acuerda el uso del sistema de seguimiento para que pueda acordar lo que proceda en cuanto al control de la medida o pena por el sistema de seguimiento con ocasión del ingreso en un centro penitenciario; c) el control de las personas internas en un centro penitenciario que tienen impuesta una medida o pena de prohibición de aproximación controlada por el sistema de seguimiento cuando salgan del centro penitenciario por un permiso penitenciario o cualquier otra salida, o bien en su excarcelación, debiendo ser en este caso el dispositivo de seguimiento instalado en una sede judicial. Nosotros nos ocuparemos de este último supuesto. Sobre el resto, véase el contenido de la Instrucción 9/2015 en sus puntos 1 y 2.1.

las instrucciones que el órgano judicial hubiera dictado en resolución expresa. Si, por el contrario, el órgano judicial no hubiera dictado esas instrucciones para la posterior instalación del dispositivo del sistema de seguimiento en caso de puesta en libertad, cuando se trate de un interno condenado, el centro penitenciario comunicará, por fax o por vía telemática, como mínimo 48 horas antes, la fecha de puesta en libertad del interno al órgano judicial competente para el conocimiento del sistema de seguimiento con el fin de que este pueda acordar lo que proceda a los efectos de instalación del dispositivo. En su caso, el centro de control establecerá contacto personal con la víctima para acordar el momento y el lugar de la instalación del dispositivo. Asimismo se establece que la puesta en libertad del interno se comunique de forma inmediata al centro de control por teléfono y por fax o por vía telemática. Y el centro penitenciario comunicará de forma inmediata, por fax o vía telemática, al órgano judicial competente para el conocimiento del sistema de seguimiento o, en su defecto, al órgano judicial de guardia, la puesta en libertad del interno y las actuaciones seguidas.

Junto a ese control telemático, también podrían en su caso adoptarse otras medidas de control, también establecidas en la Instrucción 13/2006, como complementarias o sustitutivas de la localización telemática[67] y que en este caso su adopción sí sería competencia de la Administración penitenciaria.

Por último, una medida intermedia, de carácter excepcional, a medio camino entre el segundo y el tercer grado, es la posibilidad de aplicación del principio de flexibilidad contemplado en el art. 100.2 RP y que permite la combinación de características de dos grados de tratamiento, siempre y cuando exista un programa específico de tratamiento que de otra manera no pueda ser ejecutado y que, a propuesta de la Junta de Tratamiento, sea aprobada por el Juez de Vigilancia Penitenciaria. De esta manera se permitiría, por ejemplo, conceder ciertas salidas contempladas para el tercer grado a penados clasificados en segundo que, ya por no cumplir los requisitos (por ejemplo, por la existencia de un período de seguridad todavía no satisfecho), ya por presentar ciertas peculiaridades que requieren una actuación progresiva individualizada por parte de la Administración, no pueden acceder todavía al régimen de semilibertad.

Por otro lado, en tanto la salida de prisión del agresor puede implicar un riesgo potencial para la víctima, la Subdirección General de Tratamiento y Ges-

---

[67] Tales como las visitas de un profesional del establecimiento al lugar de trabajo u ocupación del interno; presentaciones del interno en una unidad de la Administración penitenciaria; presentaciones del interno en dependencias policiales o de la Guardia Civil; comunicaciones telefónicas en uno u otro sentido; comprobaciones relativas a la documentación de carácter laboral; controles sobre actividades terapéuticas; entrevistas con el interno por parte de diferentes profesionales penitenciarios; o entrevistas con miembros de la unidad familiar del interno.

tión Penitenciaria de la Administración Penitenciaria ha elaborado en 2009 un *Protocolo de actuación para todas las salidas y modificaciones de situación penitenciaria de personas encausadas o condenadas por delitos de violencia de género.* Su objeto es establecer un Modelo Unificado de Notificaciones a las distintas instituciones implicadas de todos aquellos actos judiciales o administrativos que supongan la salida y/o excarcelación y otros movimientos intrapenitenciarios de internos condenados o encausados por delitos de violencia de género[68]. En concreto, se articula el procedimiento para comunicar a la Unidad de Violencia contra la Mujer adscrita a la Delegación o Subdelegación del Gobierno y a las Fuerzas y Cuerpos de Seguridad del Estado los movimientos de cualquier interno condenado o encausado por violencia de género y también si el motivo del ingreso es otro delito contra la vida o la integridad física teniendo constancia de que la víctima es, o ha sido, cónyuge o persona que esté o haya estado ligada por análoga relación de afectividad. Los movimientos de los que se informarán serán el ingreso, los traslados a otros centros así como las diferentes modalidades de excarcelación: libertades definitivas, libertad provisional, libertad condicional, permisos de salida, salidas programadas o incluidas en el programa específico de tratamiento, salidas con custodia, salidas a régimen abierto y no reingresos.

En cuanto a la salida a régimen abierto, el Protocolo señala que, propuesto por la Junta de Tratamiento el tercer grado, en cualquiera de sus modalidades, se comunicará tal extremo a la Unidad de Violencia contra la Mujer[69] y a las Fuerzas y Cuerpos de Seguridad del Estado. Nuevamente se les notificará a ambos una vez aprobada la propuesta y el pase al régimen de semilibertad, procurando en todo caso hacer tal notificación con una antelación mínima de una semana respecto a la fecha real de incorporación al nuevo régimen de vida del penado. Si se trata de una clasificación en tercer grado por la vía del art. 103.7 RP, esto es, clasificación inicial en tercer grado en condenas de hasta un año aprobadas por unanimidad por la Junta de Tratamiento, en tanto despliegan sus efectos desde el mismo día de la notificación al interno, debe notificarse a la Unidad de Violencia contra la mujer y a las Fuerzas y Cuerpos de Seguridad el mismo día de la celebración de la Junta.

---

[68]   De tal función se encargan las Oficinas de Gestión de los centros penitenciarios, mediante el Sistema de Información Penitenciaria (SIP), haciendo llegar a las distintas instituciones implicadas vía fax los actos judiciales y penitenciarios que supongan la excarcelación o salida u otros movimientos interpenitenciarios del sujeto.

[69]   Cuya creación era una de las medidas previstas dentro del Catálogo de Medidas Urgentes contra la Violencia de Género que aprobó el 15 de diciembre de 2006 el Consejo de Ministros. A estas Unidades se les atribuyen funciones de apoyo a la protección integral de las víctimas y el seguimiento de las situaciones de violencia de género que se produzcan en cada provincia.

Asimismo, de existir una orden de protección, por ejemplo, impuesta con posterioridad al ingreso del penado que incluso esté en régimen abierto, o vaya a acceder al mismo en el cumplimiento de otro delito, tal y como recoge el art. 544 ter LECrim, existe el deber de informar permanentemente a la víctima sobre la situación procesal del investigado o encausado así como sobre el alcance y vigencia de las medidas cautelares adoptadas, debiendo ser informada en todo momento de la situación penitenciaria del presunto agresor, para lo que se dará cuenta de la orden de protección a la Administración penitenciaria[70]. Para su aplicación, la Instrucción 1/2005 de Instituciones Penitenciarias, *relativa a la actualización de la Instrucción 19/96 relativa a las oficinas de régimen, cumplimiento de condenas y régimen disciplinario*, señala que en los casos de existir una orden de protección conforme a lo establecido por el art. 544 ter LECrim, se procederá a comunicar a la víctima directamente —de conocer su localización— o a través de la autoridad judicial, los servicios sociales o institución competente, según proceda, la situación del interno así como cualquier tipo de salida o excarcelación prevista, con la debida antelación, recogiéndose la fecha, lugar y motivo de la misma. Esta Instrucción extiende además ese deber de información a los casos en los que al penado le haya sido aplicado el artículo 57 del CP en relación con las medidas del art. 48 CP.

Un paso más en ese derecho a la información de la víctima se produce con la aprobación de la Ley 4/2015, de 27 de abril, que regula el *Estatuto de la Víctima* y que afecta no solo al derecho a recibir información sino también a la posibilidad de intervención de la víctima en la fase de cumplimiento de la pena.

En cuanto a lo primero, el artículo 7 de la Ley prevé que toda víctima que previamente lo haya solicitado[71], "será informada sin retrasos innecesarios de la fecha, hora y lugar del juicio, así como del contenido de la acusación dirigida contra el infractor, y se le notificarán las siguientes resoluciones: a) la resolución por la que se acuerde no iniciar el procedimiento penal; b) la sentencia que ponga fin

---

[70]   Para estos casos la Instrucción 9/2015, relativa al *Protocolo de actuación en el ámbito penitenciario del sistema de seguimiento por medios telemáticos del cumplimiento de las medidas y penas de alejamiento en materia de violencia de género* prevé que, cuando con posterioridad al ingreso de una persona en un centro penitenciario, se reciba comunicación de una resolución judicial por la que se acuerda que una medida cautelar o una pena de prohibición de aproximación sea controlada por el sistema de seguimiento, se hará constar en el expediente penitenciario, con la finalidad de llevar a cabo las distintas actuaciones descritas en la Instrucción dependiendo de su situación como preventivo o como penado.

[71]   Conforme a lo recogido en el art. 5.1. m) que regula el derecho a la información desde el primer contacto con las autoridades competentes y que establece el derecho a efectuar una solicitud para ser notificada de las resoluciones a las que se refiere el art. 7, para lo que designará una dirección de correo electrónico y, en su defecto, una dirección postal o domicilio, al que le serán remitidas las comunicaciones y notificaciones por la autoridad.

al procedimiento; c) las resoluciones que acuerden la prisión o la posterior puesta en libertad del infractor, así como la posible fuga del mismo; d) las resoluciones que acuerden la adopción de medidas cautelares personales o que modifiquen las ya acordadas, cuando hubieran tenido por objeto garantizar la seguridad de la víctima; e) las resoluciones o decisiones de cualquier autoridad judicial o penitenciaria que afecten a sujetos condenados por delitos cometidos con violencia o intimidación y que supongan un riesgo para la seguridad de la víctima. En estos casos y a estos efectos, la Administración penitenciaria comunicará inmediatamente a la autoridad judicial la resolución adoptada para su notificación a la víctima afectada; f) las resoluciones a que se refiere el artículo 13"[72]. De tratarse de víctimas de delitos de violencia de género, el art. 7.3 explica que les serán notificadas las resoluciones referidas en las letras c) y d) sin necesidad de que la víctima lo solicite, salvo en los casos en los que haya manifestado su deseo de no recibir notificaciones.

Pero la gran novedad, no exenta de polémica[73], es el papel que asigna el Estatuto a la víctima en la fase de ejecución penitenciaria. En concreto, su artículo 13 permite recurrir a las víctimas que hubieran solicitado previamente recibir

---

[72]   Estas comunicaciones, señala el art. 7, incluirán al menos la parte dispositiva de la resolución y un breve resumen del fundamento de la misma y les serán remitidas a su dirección de correo electrónico y, de no disponerlo, por correo ordinario a la dirección que haya facilitado. Si la víctima se hubiera personado formalmente en el procedimiento las resoluciones serán notificadas a su procurador y comunicadas a la víctima por correo electrónico.

[73]   Si bien algunos autores se han pronunciado favorablemente sobre tal configuración, en tanto supone reforzar los derechos de las víctimas de los delitos, ofreciéndoles apoyo y protección y contribuyendo a su reparación material (véase NISTAL BURÓN, J.: "La participación de la víctima en la ejecución penal. Su posible incidencia en el objetivo resocializador del victimario". *La Ley* nº 855, 2015 o LEGANÉS GÓMEZ, S.: "La víctima del delito en la ejecución penitenciaria". *La Ley* nº 8619, 2015), la doctrina mayoritaria se ha manifestado en contra por diversos motivos tanto desde un punto de vista práctico, como la dificultad de identificación de las víctimas para su notificación cuando haya varias causas o se desconozca el domicilio actual, haya problemas de localización o haya transcurrido mucho tiempo desde la sentencia firme; por la introducción de un tratamiento diferenciado entre víctimas en atención a la naturaleza del delito del que fueron objeto; desde el mismo sentido de los fines de la pena y la posible distorsión que supone la introducción de la víctima en esta fase y, con ella, de la incorporación de otro tipo de elementos de naturaleza vindicativa, que deben ser ajenos a la ejecución penal y también desde el impacto que sobre la víctima puede tener la perpetuación de tal rol durante décadas. Véase más detenidamente las críticas en CASTILLEJO MANZANARES, R.: "El estatuto de la víctima y las víctimas de violencia de género", *La Ley* nº 8884, 2015; PLASENCIA DOMÍNGUEZ, N.: "Participación de la víctima en la ejecución de las penas privativas de libertad", *La Ley* nº 8683, 2015; RENART GARCÍA, F.: "Del olvido a la sacralización. La intervención de la víctima en la fase de ejecución de la pena". *Revista Electrónica de Ciencia Penal y Criminología* 17-14, 2015; REBOLLO VARGAS, R.: "Algunos aspectos de la nueva regulación de la libertad condicional", *Revista General de Derecho Penal*, nº 26, 2016, ACALE SÁNCHEZ, M.: *La prisión permanente revisable: ¿pena o cadalso?* Iustel, Madrid, 2016; o

su notificación, aunque no se hubieran mostrado parte de la causa, entre otras resoluciones el Auto por el que el Juez de Vigilancia penitenciaria autoriza, conforme al art. 36.2 CP, la posible clasificación del penado en tercer grado antes de la extinción de la mitad de la condena, si la víctima lo es, entre otros, de los delitos de homicidio, aborto del art. 144 CP, lesiones, contra la libertad, tortura e integridad moral, libertad e indemnidad sexual[74]. También el Auto por el que el Juez de Vigilancia acuerde la desactivación del cumplimiento íntegro de la pena del art. 78.3 CP conforme al cual se devolverá al régimen general el cómputo de los permisos de salida, clasificación en tercer grado y libertad condicional si se trata de los delitos señalados.

La víctima deberá anunciar al Secretario Judicial competente su voluntad de recurrir dentro del plazo máximo de 5 días contados a partir del momento de la notificación e interponer el recurso en el plazo de 15 días desde esta. Dado que no se requiere para el anuncio de la presentación del recurso la asistencia de abogado, y sin perjuicio del papel de las Oficinas de Asistencia a víctimas[75], el Pacto de Estado pretende "reforzar la asistencia jurídica a las mujeres víctimas antes y durante todo el procedimiento judicial, incluso después de este, durante la fase de ejecución de condena, incorporando un mayor número de letrados y letradas a los turnos de oficio especializados y mejorando la formación especializada de los mismos" (medida 115).

Por último hay que señalar que todas las resoluciones de clasificación o progresión a tercer grado adoptadas por el Centro Directivo o por acuerdo unánime de la Junta de Tratamiento se notificarán, con el informe de la Junta de Tratamiento, al Ministerio Fiscal dentro de los tres días hábiles siguientes a la fecha de su adopción (art. 107 RP). El Ministerio Fiscal, conforme establece la Disposición Adicional 5.9 LOPJ, podrá interponer recurso de apelación contra las resoluciones en materia de clasificación —y de libertad condicional—, recurso que tratándose de condenados por delitos graves y que puedan dar lugar a la excarcelación del interno, tendrá efecto suspensivo, impidiéndose la puesta en libertad del condenado hasta la resolución del recurso o, en su caso, hasta que

---

GARCÍA VALDÉS, C.: "Tres temas de actualidad". *Revista de Estudios Penitenciarios* n° 258, 2015.

[74] A los que se añaden los delitos de robo cometidos con violencia o intimidación, terrorismo y trata de seres humanos.

[75] En concreto, el artículo 38 del RD 1109/2015, de 11 de diciembre, atribuye a las Oficinas de Asistencia a las Víctimas la competencia para informar y asistir a estas sobre la ejecución penitenciaria, facilitándoles información sobre la posibilidad de participación en la misma en los términos previstos en el art. 13 del Estatuto de la víctima y realizando las actuaciones de asistencia que resulten precisas para que la víctima pueda ejercer los derechos que la ley les reconoce en este ámbito.

la Audiencia Provincial o la Audiencia Nacional se hayan pronunciado sobre la suspensión (Disposición Adicional 5.5 LOPJ).

2.2. El acceso a la libertad condicional.

Similares consideraciones a las realizadas respecto al acceso al tercer grado deben hacerse en cuanto a la libertad condicional. Eso sí, teniendo en cuenta que tras la reforma operada en 2015 sobre esta figura se ha endurecido su régimen. Y lo ha hecho fundamentalmente en dos cuestiones. La primera, por el cambio de naturaleza jurídica que ha experimentado la libertad condicional, pasando de ser la última fase de la ejecución en el sistema de individualización jurídica a transmutarse en una suerte de suspensión de la última parte de la pena, eso sí, construida aparentemente sobre las mismas condiciones que hasta el momento se habían venido exigiendo por el Código penal[76]. Este cambio de naturaleza implica, como advierte expresamente el art. 90.7, que la revocación de la suspensión de la ejecución del resto de la pena y libertad condicional dará lugar a la ejecución de la pena pendiente de cumplimiento, no siendo computado el tiempo transcurrido en libertad condicional como tiempo de cumplimiento de condena. En segundo lugar también comporta un endurecimiento respecto a la regulación precedente de la libertad condicional la posibilidad de que el plazo de suspensión no sea el correspondiente a la parte de pena que al sujeto le reste por cumplir, estableciéndose por el art. 90.5 CP un plazo de suspensión de dos a cinco años, con un límite inferior que impide que dicho plazo pueda ser menor a la duración de la parte de pena pendiente de cumplimiento, pero que no prohíbe que pueda ser superior[77],

---

[76] Cambio acogido de manera muy crítica por la doctrina. Por todos, afirma FERNÁNDEZ BERMEJO, D., que "esta sorprendente alteración de la naturaleza de la libertad condicional supone una modificación de los principios estructurales característicos de la más consolidada tradición jurídica española y, lamentablemente, debilita el actual sistema de ejecución de condenas, que tantos años lleva aplicándose en España y que se ha practicado desde sus orígenes sin haber sido cuestionado por la doctrina ni por la práctica administrativa penitenciaria, así como tampoco por la jurisprudencia". "La desnaturalización de la libertad condicional a la luz de la Ley Orgánica 1/2015, de 30 de marzo, de reforma del Código penal". *La Ley Penal* nº 115, 2015. Denuncia en este sentido GARCÍA VALDÉS, C., que esta regulación supone desmontar todo el entramado de la figura de la libertad condicional construido por uno de nuestros más grandes penitenciarios y penitenciaristas, Fernando Cadalso. "Sobre la prisión permanente revisable y sus consecuencias penitenciarias". *Contra la cadena perpetua.* Arroyo Zapatero, L., Lascuraín Sánchez, J.A., Pérez Manzano, M. (dirs), Rodríguez Yagüe, C. (Coord.). Ediciones de la Universidad de Castilla-La Mancha, Cuenca, 2016, pp. 177 y 178.

[77] También muy crítico con esta posibilidad FERNÁNDEZ BERMEJO, D., quien denuncia que esta regulación no solo conduce a un evidente agravio comparativo entre condenados a penas cortas de libertad y aquellos que estuvieran cumpliendo penas de larga duración, sino que además atenta contra el principio de seguridad jurídica. "La desnaturalización de la libertad

previsión que está llevando en la praxis de los Juzgados de Vigilancia a la situación anormal de renuncias por parte de los penados al disfrute de esta figura, particularmente en los adelantamientos de la libertad a los 2/3 de la condena[78].

Junto a ello, otra novedad incorporada al CP por la reforma del 2015 e igualmente objeto de crítica por la doctrina es la de la introducción de los aspectos que el Juez de Vigilancia Penitenciaria —el Tribunal sentenciador de tratarse de la pena de prisión permanente revisable— deberá valorar para la concesión de la libertad condicional para apreciar la concurrencia del tercero de los requisitos, la buena conducta, que debe darse junto con el cumplimiento de las ¾ partes de la condena y la clasificación previa en tercer grado[79]. La crítica deviene porque en la enumeración de esos factores, el legislador ha introducido una serie de elementos referidos al delito cometido y a su forma de comisión que no solo han sido ya objeto de enjuiciamiento y apreciados para la selección de la penalidad aplicada sino que además no son susceptibles de modificación durante la ejecución penitenciaria por parte del recluso[80]. Así ocurre con los antecedentes, las circunstancias del delito cometido o la relevancia de los bienes jurídicos que podrían verse afectados por una reiteración en el delito. El resto, la conducta durante el cumplimiento de la pena, con matices sus circunstancias familiares y sociales y los efectos que quepa esperar de la propia suspensión de la ejecución del cumplimiento de las medidas que fueren impuestas sí son bien susceptibles de ser modificadas por el interno a lo largo de la ejecución, bien corresponden al pronóstico de peligrosidad que realiza la Junta de Tratamiento del centro penitenciario en la propuesta de concesión de libertad condicional que formula al Juez de Vigilancia

---

condicional a la luz de la Ley Orgánica 1/2015, de 30 de marzo, de reforma del Código penal", ob. cit.

[78]   En la misma dirección señala REBOLLO VARGAS, R. al analizar el problema planteado sobre la retroactividad de esta reforma, que si bien es cierto que la nueva regulación de la libertad condicional no produce un aumento en la duración de la pena de prisión, es indiscutible que en el caso de revocación aumenta el tiempo de cumplimiento efectivo, además de incrementar el período que el condenado está sujeto a su ejecución. Como señala este autor, la nueva configuración de la libertad condicional aproxima la institución a esquemas retributivos que poco tienen que ver con su fundamento y finalidad. "Algunos aspectos de la nueva regulación de la libertad condicional: algo más que conjeturas problemáticas", ob. cit., pp. 6 y 16.

[79]   Junto a ello suma como requisitos la satisfacción de la responsabilidad civil derivada del delito en los supuestos y conforme a los criterios establecidos en el art. 72 LOGP. E igualmente la facilitación del decomiso en tanto es causa de denegación de la suspensión de la ejecución que el penado hubiera dado información inexacta o insuficiente sobre el paradero de bienes u objetos cuyo decomiso hubiera sido acordado, igual que no dar cumplimiento conforme a su capacidad al compromiso de pago de las responsabilidades civiles a que hubiese sido condenado o facilitar información inexacta o insuficiente sobre su patrimonio (art. 90.4 CP).

[80]   Por todos, véase DAUNIS RODRÍGUEZ, "La libertad condicional como forma de suspensión de la ejecución de la pena". Revista General de Derecho Penal n° 21, 2014, pp. 17 a 20.

y que se concretan en el informe pronóstico final[81]. Y este es el primer obstáculo con el que pueden encontrarse no solo los condenados por estos delitos, pero también, en el caso en el que la tipología delictiva pese más que la evolución del interno y su pronóstico resocializador.

Como establece el art. 67 LOGP, relacionándolo con el seguimiento del tratamiento, "concluido el tratamiento o próxima la libertad del interno, se emitirá un informe pronóstico final, en el que se manifestarán los resultados conseguidos por el tratamiento y un juicio de probabilidad sobre el comportamiento futuro del sujeto en libertad que, en su caso, se tendrá en cuenta en el expediente para la concesión de la libertad condicional". Y si bien la reforma del 2015 hace desaparecer la mención expresa a este informe pronóstico de la regulación de la libertad condicional[82], Instituciones Penitenciarias ha interpretado que la enumeración de los factores que deberán ser ponderados para su concesión requiere la existencia de un pronóstico de baja peligrosidad criminal, por lo que se continuará incoando el informe pronóstico final desde las Juntas de tratamiento una vez se entienda que concurren los requisitos objetivos para la tramitación del expediente de suspensión de condena por libertad condicional, previa petición del interno[83]. Junto

---

[81] En efecto, el expediente de libertad condicional contiene, junto al informe pronóstico de integración social, los siguientes documentos: testimonio de sentencia o sentencias recaídas y de la correspondiente liquidación de condena; certificación acreditativa de los beneficios penitenciarios y de la clasificación en tercer grado; resumen de su situación penal y penitenciaria, con indicación de las fechas de prisión continuada y de las de cumplimiento de las 2/3 partes y ¾ de la condena, así como de la fecha de libertad definitiva. Igualmente se indicarán los permisos de salida disfrutados y sus incidencias, así como las sanciones y sus cancelaciones, para lo cual se podrá aportar copia de los ficheros informáticos penitenciarios; programa individual de libertad condicional y plan de seguimiento; acta de compromiso de acogida por parte de su familia, persona allegada o instituciones sociales extrapenitenciarias; manifestación del interesado sobre la localidad en que piensa fijar su residencia y sobre si acepta la tutela y control de un miembro de los servicios sociales del centro, que informarán sobre las posibilidades de control del interno; manifestación del interesado sobre el trabajo o medio de vida de que dispondrá al salir en libertad o, en el supuesto de que no disponga, informe de los servicios sociales sobre la posibilidad de trabajo en el exterior; y certificación literal del acta de la Junta de Tratamiento del establecimiento en la que se recoja el acuerdo de iniciación del expediente donde, en su caso, se propondrá al Juez de Vigilancia la aplicación de una o varias reglas de conducta previstas en el CP (art. 195 RP).

[82] Lo que ha sido denunciado por la doctrina, al entender que la eliminación de cualquier referencia directa a la intervención de la Administración en la concesión de la libertad condicional despoja a la Junta de Tratamiento de la facultad de intervenir en el proceso de su concesión, devolviendo al juez la capacidad total de decisión. Véase, por ejemplo, DAUNIS RODRÍGUEZ, A.: "La libertad condicional como forma de suspensión de la ejecución de la pena", ob. cit., p. 16.

[83] Así lo afirma en la Instrucción 4/2015, *relativa a los aspectos de la ejecución penal afectados por la reforma del Código penal en la LO 1/2015, de 30 de marzo*. Como recuerda REBOLLO VARGAS, R., se trata de un informe que, no siendo vinculante, era realizado por "quien podía

a la propuesta de concesión de libertad condicional emanada de Instituciones Penitenciarias y que se mantiene en la LOGP —ley que el legislador penal parece haber olvidado adecuar a las importantes reformas en materia de penas introducidas en 2015 en el Código penal—, el art. 90.7 CP prevé que la suspensión de la ejecución del resto de pena y concesión de la libertad penal sea resuelta de oficio por el juez de vigilancia a petición del penado —lo que no deja de ser contradictorio—; de no estimarse, el juez o tribunal —si es prisión permanente revisable— podrá fijar un plazo de seis meses, que motivadamente podrá ser prolongado a un año, hasta que la pretensión pueda ser nuevamente planteada.

Al igual que ocurría con el acceso al tercer grado, la concesión de la libertad condicional —más en esta figura que se construye sobre el requisito temporal— puede quedar dificultada por los inexorables plazos temporales, particularmente en las penas cortas y en las penas de muy larga duración. En el caso de las penas cortas, porque los plazos requeridos para la clasificación, propuesta de progresión a tercer grado —que recordemos es requisito previo para el acceso a la libertad condicional— y elevación de expediente condicional pueden superar en la praxis el tiempo de duración de la pena. En el caso de la pena de prisión permanente revisable estos plazos temporales se amplían considerablemente en un juego de modalidades construidas por el legislador a partir de si se trata de un único delito —cifrando el acceso a los 25 años (art. 92 CP)— o bien si se trata de varios, caso que dependerá de las cuantías del resto de penas con las que concurra y de si se ha tratado de un delito de terrorismo o cometido en el seno de una organización criminal o no (art. 78 bis CP)[84], a lo que habrá que sumar, como en todas las penas de prisión de larga duración, las dificultades añadidas que el proceso resocializador se encuentra por el fuerte impacto negativo de la larga permanencia en prisión y por la inexistencia de programas de tratamiento configurados para un plazo temporal tan elevado.

---

emitir un informe fundado acerca del pronóstico que le merecía el penado", también entendiendo que la desaparición de su mención en el CP no tiene por qué significar que no puede realizarse. "Algunos aspectos de la nueva regulación de la libertad condicional: algo más que conjeturas problemáticas", ob. cit., pp. 25 y 26.

[84]   Así, si se trata de un penado por varios delitos, uno de ellos castigados con pena de prisión permanente revisable y el resto de penas impuestas suman un total que exceda de cinco años no podrá acceder hasta cumplir un mínimo de 25 años —28 si es terrorismo o delincuencia organizada—; si el penado lo ha sido por varios delitos, uno de ellos castigado con pena de prisión permanente revisable y el resto de las penas impuestas suman un total que exceda de quince años, se mantiene en 25 años como norma general, y 28 para terrorismo y delincuencia organizada; y si se trata de dos condenas por prisión permanente revisable o la concurrencia de una de estas y el resto de penas impuestas suman un total de veinticinco años o más, el plazo aumenta a 30 años y a 35 si se trata de terrorismo o delincuencia organizada (art. 78 bis. 2 y 3 CP).

Por último, también la necesidad de garantizar la protección de la víctima y el alejamiento de su agresor condicionará más que la concesión de la libertad condicional —puesto que de no existir un pronóstico favorable de reinserción del individuo al existir riesgo de reiteración de la conducta no accederá a esta figura—, su forma de cumplimiento. En primer lugar, respecto al lugar de fijación de residencia que deberá manifestar el interesado sobre la localidad en que piensa fijar su residencia. En este sentido señala el RP que se habrá de tener en cuenta la prohibición de residir en un lugar determinado o de volver a determinados lugares que, en su caso, hubiera impuesto el tribunal. Asimismo el interesado deberá manifestarse sobre si acepta la tutela y control de un miembro de los servicios sociales del centro penitenciario que además informarán sobre la posibilidad de control del interno (art. 195 g).

En segundo lugar, de existir vigentes la medida cautelar o la pena accesoria de prohibición de aproximación a la víctima, habrá que procederse conforme a lo establecido en la Instrucción 9/2015 en relación con la instalación de los dispositivos telemáticos y su comunicación al órgano judicial competente para su seguimiento o, en su defecto, a quien la impuso así como al Centro de Control, que ya analizamos al referirnos al acceso al tercer grado.

Y, por último, el Juez de Vigilancia —y en el caso de la prisión permanente revisable el tribunal sentenciador— puede condicionar la suspensión al cumplimiento de las prohibiciones y deberes que se recogen en el art. 83 CP —relativo a la suspensión de la pena—. Eso sí, se requiere que su adopción resulte necesaria para evitar el peligro de comisión de nuevos delitos y se prohíbe que puedan establecerse deberes y obligaciones que resulten excesivos y desproporcionados. Entre esas medidas, se establecen una serie de prohibiciones que pretenden evitar el contacto entre víctima y agresor. La primera de ellas es la prohibición de aproximarse a la víctima o a aquellos de sus familiares u otras personas que se determine por el juez o tribunal, a sus domicilios, a sus lugares de trabajo o a otros lugares habitualmente frecuentados por ellos, o de comunicar con los mismos por cualquier medio. Esta prohibición será comunicada a las personas con relación a las cuales sea acordada. Junto a ella se recogen dos medidas referidas al lugar de residencia; la primera supone mantener el lugar de residencia en un lugar determinado con prohibición de abandonarlo o ausentarse temporalmente sin autorización del juez o tribunal; y la segunda supondría la prohibición de residir en un lugar determinado o acudir al mismo, cuando en ellos pueda encontrar la ocasión o motivo para cometer nuevos delitos. Asimismo se establece como posible regla de conducta la participación en programas formativos, laborales, culturales, de educación vial, sexual, de defensa del medio ambiente, de protección de los animales, de igualdad de trato y no discriminación y otros similares.

En tanto el art. 90.5 CP afirma que resultarán aplicables las normas contenidas en el art. 83 CP a los casos de suspensión de la ejecución del resto de la pena y concesión de la libertad condicional, se hace extensivo también a estos supuestos el párrafo segundo de este último artículo en el que se hace preceptiva la aplicación de la prohibición de aproximación a la víctima, la prohibición de residir en un lugar determinado o acudir al mismo y la participación en programas formativos y educativos[85]. El incumplimiento de forma grave o reiterada de estas prohibiciones o deberes o la sustracción al control de los servicios de gestión de penas y medidas alternativas de la Administración penitenciaria darán lugar a la revocación de la suspensión y a la ejecución del resto de la pena que quedaba por cumplir. Si el incumplimiento no llega a tener carácter de grave o reiterado, el juez puede imponer nuevas prohibiciones, deberes o condiciones o modificar las ya impuestas o bien prorrogar el plazo de suspensión, sin que en ningún caso pueda exceder de la mitad de la duración inicialmente fijada (art. 86.1 y 2 CP). Si el Juez de Vigilancia o el tribunal decide revocar la suspensión, resolverán tras haber oído al fiscal y a las demás partes, aunque puede revocarla y ordenar el ingreso inmediato en prisión si es imprescindible para evitar el riesgo de huida del penado o asegurar la protección de la víctima (art. 83.4 CP).

Por tanto, por la vía indirecta de la conversión de la libertad condicional en una forma de suspensión de la pena y la aplicación de las condiciones de esta —y en concreto de la sumisión obligatoria al tratamiento que introdujo la LOVG en su art. 33— se extiende al ámbito de ejecución, en concreto, de la libertad condicional, el condicionamiento al seguimiento de un tratamiento, junto a las prohibiciones de aproximación, comunicación y vivir en un lugar determinado—, lo que no deja de llamar la atención cuando no se exige para la fase precedente, el régimen abierto, fase en la que si bien la Administración penitenciaria tiene más flexibilidad en la valoración y condicionamiento en el acceso a ese tercer grado, no está obligada a la exigencia de estas prohibiciones —a no ser que tenga el penado una pena accesoria vigente— y deberes de seguimiento de un tratamiento.

Otra cuestión es la referida a la obligación de comunicación a la víctima de esta nueva situación penitenciaria del penado. Por un lado, ya señalamos que la Instrucción 1/2005 de Instituciones Penitenciarias prevé que tanto en los casos de existir una orden de protección conforme al art. 544 ter LECrim, como si al penado se le ha aplicado el art. 57 CP en relación con el art. 48 CP, se procederá a

---

[85] La imposición de las dos primeras será comunicada a las Fuerzas y Cuerpos de Seguridad del Estado, que velarán por su cumplimiento (art. 83.3). El control del cumplimiento de la participación en programas corresponde en cambio a los servicios de gestión de penas y medidas alternativas de la Administración penitenciaria, que informarán al juez o tribunal de ejecución sobre el cumplimiento con una periodicidad al menos trimestral (art. 83.4).

comunicar a la víctima directamente —de conocer su localización— o a través de la autoridad judicial, los servicios sociales o institución competente, según proceda, la situación del interno como cualquier tipo de salida o excarcelación prevista, con la debida antelación, recogiéndose la fecha, lugar y motivo de la misma.

En segundo lugar, el *Protocolo de Actuación para todas las salidas y modificaciones de situación penitenciaria de personas encausadas o condenadas por delitos de violencia de género* de 2009 señala que la Administración penitenciaria notificará a la Unidad de Violencia contra la Mujer y a las Fuerzas y Cuerpos de Seguridad tal situación; en concreto, lo hará en el momento en el que la Junta de Tratamiento dé traslado al Juzgado de Vigilancia Penitenciaria del expediente de libertad condicional conforme a lo establecido en el art. 198 RP, para que aquel emita la correspondiente resolución, tanto si el informe pronóstico es favorable o desfavorable. Una vez recibida en el establecimiento penitenciario la resolución judicial aprobando la libertad condicional, se notificará inmediatamente a la Unidad de Violencia contra la Mujer y a las Fuerzas y Cuerpos de Seguridad del Estado indicando la fecha de excarcelación[86]. También se les notificarán los cambios de destino del liberado condicional, por asignarse otro centro penitenciario.

Además, recordemos que el Estatuto de la Víctima del delito recoge en su art. 7.1 el derecho a recibir información de las víctimas que lo hayan solicitado, entre ellas, de "las resoluciones que acuerden la prisión o la posterior puesta en libertad del infractor, así como la posible fuga del mismo" así como "las resoluciones o decisiones de cualquier autoridad judicial o penitenciaria que afecte a sujetos condenados por delitos cometidos con violencia o intimidación y que supongan un riesgo para la seguridad de la víctima".

Pero no solo se configura el derecho a la información de la víctima. Además, en el reconocimiento de un papel relevante de la víctima en la ejecución, siempre que se trate de los delitos referidos expresamente en el art. 13.1 a)[87], se faculta a las víctimas que hayan solicitado previamente la notificación de estas resoluciones a recurrir el Auto del Juez de Vigilancia que desactiva la figura del cumplimiento íntegro del art. 78.3 permitiendo que el cómputo de la libertad condicional se haga conforme al régimen general. También, y si se trata de los delitos en los que el período de seguridad del art. 36.2 CP es obligatorio, se les permite recurrir el

---

[86]   Señala el Protocolo que si por tener el interno las ¾ partes o los 2/3 de la condena ya cumplidos, la excarcelación fuera a ser realizada el mismo día de recepción del Auto del Juez de Vigilancia, la notificación se hará sin demora.

[87]   En concreto, en los delitos de homicidio, aborto del art. 144 CP, lesiones, delitos contra la libertad, delitos de tortura y contra la integridad moral, delitos contra la libertad e indemnidad sexual, delitos de robo cometidos con violencia o intimidación, delitos de terrorismo y delitos de trata de seres humanos.

Auto por el que se concede al penado la libertad condicional cuando se hubiera impuesto una pena de más de cinco años de prisión.

Asimismo el Estatuto de la Víctima legitima a las víctimas a interesar que se impongan al liberado condicional las medidas o reglas de conductas previstas por la ley que consideren necesarias para garantizar su seguridad, cuando aquel hubiera sido condenado por hechos de los que pueda derivarse razonablemente una situación de peligro para la víctima (art. 13.2).

Por su parte, el Ministerio Fiscal, como ya vimos respecto al tercer grado, está facultado para interponer recurso de apelación contra las resolución de concesión de libertad condicional (Disposición Adicional 5.9 LOPJ), recurso que de tratarse de condenados por delitos graves, tendrá efecto suspensivo (Disposición Adicional 5.5 LOPJ).

3. EL CONDICIONAMIENTO DE LAS RELACIONES CON EL EXTERIOR POR EL ALEJAMIENTO DE LA VÍCTIMA

3.1. Comunicaciones y visitas

La vinculación del interno con el exterior, particularmente a través del contacto con sus familiares y allegados, es un elemento fundamental en el proceso de resocialización, no solo dándole estabilidad y sirviendo de enlace necesario con la vida fuera de la prisión sino también como mecanismo para reducir los efectos nocivos de la privación de libertad, como el desarraigo, la prisionización o la institucionalización. De ahí su configuración como derecho (arts. 51 LOGP[88] y 4.2 RP[89]). La importancia que para la legislación penitenciaria tienen las comunicaciones y visitas queda manifestada a través de las diferentes modalidades que contempla. En primer lugar, todos los internos, con independencia de su situación penal y penitenciaria, tienen derecho a comunicar periódicamente a través de comunicaciones orales, en locutorios habilitados al efecto —denominadas usualmente "por cristales"— dos veces por semana con una duración de veinte minutos cada comunicación, si bien normalmente por las dificultades de

---

[88]   "1. Los internos estarán autorizados para comunicar periódicamente, de forma oral y escrita, en su propia lengua, con sus familiares, amigos y representantes acreditados de Organismos e instituciones de cooperación penitenciaria, salvo en los casos de incomunicación judicial. Estas comunicaciones se celebrarán de manera que se respete al máximo la intimidad y no tendrán más restricciones, en cuanto a las personas y al modo, que las impuestas por razones de seguridad, de interés de tratamiento y del buen orden del establecimiento (...)".

[89]   "En consecuencia, los internos tendrán los siguientes derechos (...): e) derecho a las relaciones con el exterior previstas en la legislación".

desplazamiento se acumulan en una comunicación semanal de cuarenta minutos. En estas comunicaciones el interno podrá comunicar hasta con cuatro personas simultáneamente. Para llevarlas a cabo los familiares deberán acreditar el parentesco con los internos mientras que los visitantes que no tengan tal vínculo deberán obtener previamente una autorización con el Director para poder comunicar (art. 42 RP).

En segundo lugar, con el fin de mantener un contacto más personal entre el interno y sus familiares y allegados, sin barreras físicas y con una mayor duración, la legislación prevé una serie de comunicaciones especiales que se celebrarán en locales especialmente adecuados para ello. A estas comunicaciones solo tienen acceso aquellos internos que no disfrutan de permisos de salida ordinarios (art. 53 LOGP y 45 RP). Son tres las modalidades de comunicaciones especiales: la íntima, también denominada *vis a vis*, que se concederán previa solicitud del interno, una vez al mes como mínimo, y con una duración no superior a tres horas y no inferior a una, salvo que lo impidan razones de orden o de seguridad del establecimiento; las familiares, previa solicitud del interno, con familiares y allegados, que se concederán una vez al mes como mínimo y cuya duración no será superior a tres horas ni inferior a una; y las de convivencia, también previa solicitud del interesado, con su cónyuge o persona ligada por semejante relación de afectividad e hijos que no superen los diez años de edad, teniendo una duración máxima de seis horas[90]. Además estas comunicaciones pueden concederse, con carácter extraordinario, como incentivo de buen comportamiento a través de su configuración como recompensa[91].

Asimismo, todos los internos tienen derecho a comunicaciones escritas, sin limitación en cuanto al número de cartas que pueden recibir y remitir, a no ser que hayan de ser intervenidas, caso en el que el número de cartas semanales que podrán escribir será de dos como mínimo por semana (art. 46 RP). Las comunicaciones telefónicas podrán ser autorizadas cuando los familiares residan en localidades alejadas o no puedan desplazarse para visitar al interno o si el interno ha de comunicar algún asunto importante a sus familiares, abogado defensor

---

[90] Pese a lo establecido en el RP, Instituciones Penitenciarias a través de su Instrucción 4/2005, *de actualización de la Instrucción 24/96, de 16 de diciembre*, sobre comunicaciones, restringe la posibilidad de concesión en la medida en que establece que se concederán dos comunicaciones (una íntima y otra familiar) al mes —salvo que el centro no tenga capacidad necesaria para efectuarlas, caso en el que el Consejo de Dirección pueda autorizar el mínimo de tiempo de duración en cada una o acumular el tiempo de ambas en una sola con un mínimo de dos horas a petición del interno— y a una trimestral en el caso de las comunicaciones de convivencia.

[91] En concreto, la Instrucción 4/2005 contempla la posibilidad de que se pueda conceder de manera adicional, dentro del mismo mes, una comunicación especial más, íntima o familiar, como recompensa por importantes y comprobados motivos debidamente justificados en cada caso.

u otras personas; su frecuencia máxima será de cinco llamadas a la semana, de cinco minutos de duración cada una (art. 47 RP).

Todas estas comunicaciones están condicionadas, en el caso de las condenas por violencia de género, a la inexistencia de una medida cautelar vigente o bien de una pena accesoria que prohíba la comunicación con la víctima[92]. Recordemos que el artículo 57.2 CP establece para la violencia de género y doméstica como pena accesoria de imposición obligatoria la prohibición de aproximación a la víctima (art. 48.2 CP), lo que impedirá la posibilidad de comunicaciones orales y especiales, pero también posibilita que el juez o tribunal imponga la prohibición de comunicación con la víctima por cualquier medio de comunicación o medio informático o telemático, contacto escrito, verbal o visual (art. 48.3 CP), lo que determinará, de haberse impuesto, la imposibilidad de comunicar por escrito o telefónicamente.

Por ello la Instrucción de Instituciones Penitenciarias 4/2005 prevé que a "los internos que se encuentren detenidos, presos o penados por delito de violencia doméstica y/o sobre los que se haya dictado orden judicial de alejamiento, no se les autorizarán comunicaciones con las víctimas, salvo que resoluciones judiciales dispongan lo contrario". En consecuencia, y aun incluso cuando la realización de la comunicación es a solicitud de la víctima, lo que ocurre en ocasiones, la dirección del establecimiento penitenciario no podrá autorizar ninguna comunicación existiendo una medida o una pena accesoria que implique alejamiento.

Son varios los mecanismos que tiene la Administración penitenciaria para controlar los intentos de sustraerse de ese control. Además de la necesidad de acreditación previa del parentesco para las comunicaciones orales y especiales[93] y la titularidad

---

[92]   En virtud de lo establecido en el art. 544 bis LECrim, en los casos en los que se investigue un delito de los mencionados en el art. 57 CP, el Juez o Tribunal podrá, de forma motivada y cuando resulte estrictamente necesario al fin de protección de la víctima, imponer cautelarmente al inculpado la prohibición de residir en un determinado lugar, barrio, municipio, provincia u otra entidad local, o CCAA. En las mismas condiciones puede imponerle cautelarmente la prohibición de acudir a determinados lugares, barrios, municipios y provincias u otras entidades locales o CCAA o de aproximarse o comunicarse, con la graduación que sea precisa, a determinadas personas. Asimismo, el art. 544 ter regula la orden de protección, que será dictada por el Juez de Instrucción en los casos de violencia de género y violencia doméstica ante la existencia de indicios fundados de la comisión de un delito contra la vida, integridad física o moral, libertad sexual, libertad o seguridad, resultando una situación objetiva de riesgo para la víctima que requiera la adopción de alguna medida de protección que, en la garantía de la vida e integridad, podrán ser cualquiera de las medidas cautelares penales recogidas en la LECrim.

[93]   Los familiares deberán acreditar su relación con el interno documentalmente, a través de DNI, NIE (número de identificación de extranjeros y tarjeta de residencia), pasaporte, carnet de conducir, libro de familia, certificado de convivencia o certificado de parejas de hecho expedido por el ayuntamiento de la localidad, tal y como dispone la Instrucción 4/2005 de Instituciones Penitenciarias.

de los teléfonos destinatarios de las llamadas telefónicas[94], las comunicaciones orales y escritas pueden ser suspendidas o intervenidas por el Director del establecimiento, dando cuenta de tal decisión a la autoridad judicial competente (art. 51 LOGP)[95].

Esa prohibición de acercamiento y comunicación con las víctimas puede extenderse también a los menores a cargo del agresor[96]. En el caso de tratarse de un sujeto en prisión en calidad de detenido o preso, puede pesar sobre el mismo la adopción de alguna de las medidas previstas en la LOVG referidas a la suspensión de comunicaciones[97] o a la suspensión de la patria potestad o la custodia de menores[98] o del régimen de visitas, estancia, relación o comunicación con los menores[99].

---

[94]   Su control se realiza, en primer lugar, puesto que el Director autoriza la comunicación, señalando la hora de celebración, tras comprobar los requisitos para su celebración. Además, los teléfonos con los que se comunica deben ser previamente conocidos, autorizados y constar en el expediente físico personal de cada interno. Para su debido control, además, se procede a archivar mensualmente en soporte informático por un período máximo de tres meses los datos de la llamada en el sistema de memoria. Instrucción 4/2005.

[95]   En el caso en el que las comunicaciones orales deban ser restringidas en cuanto a las personas, o bien intervenidas o denegadas, el Director del establecimiento, previo informe de la Junta de tratamiento en el caso en el que la restricción, intervención o denegación se fundamentase en el tratamiento, lo acordará en resolución motivada, que es notificada al interno y de la que se da cuenta al Juez de Vigilancia en el caso de penados o a la autoridad competente si se trata de detenidos o presos (art. 43.1 RP). La intervención de las comunicaciones escritas, ya por razones de seguridad, del buen orden del establecimiento o del interés del tratamiento, también es acordada por el Director, decisión que se comunicará a los internos afectados y al Juez de Vigilancia o autoridad judicial competente (art. 46.5 RP). Por las mismas razones, también podrá procederse a la intervención por resolución motivada del Director en el caso de las comunicaciones telefónicas (art. 47.6 RP).

[96]   El interés prioritario del menor también queda reflejado en la Instrucción 4/2005, al afirmar respecto a las visitas familiares que cuando se trate de menores se extremarán las medidas de control establecidas, recurriendo si fuera necesario para la verificación de la documentación aportada a los servicios sociales.

[97]   Así el artículo 64 LOVG recoge las medidas de salida del domicilio, alejamiento o suspensión de las comunicaciones. En concreto, prevé que el juez pueda prohibir al inculpado que se aproxime a la persona protegida, fijando una distancia mínima entre inculpado y esta, pudiendo prohibir toda clase de comunicación.

[98]   El art. 65 LOVG se refiere a las medidas de suspensión de la patria potestad o la custodia de menores, posibilitando que el Juez pueda suspender para el inculpado por violencia de género el ejercicio de la patria potestad, guarda y custodia, acogimiento, tutela, curatela o guarda de hecho, respecto de los menores que de él dependa. Si no lo acuerda, deberá pronunciarse en todo caso sobre la forma en la que se ejercerá la patria potestad y, en su caso, la guarda y custodia, acogimiento, tutela o curatela o guarda de hecho, adoptando las medidas necesarias para garantizar la seguridad, integridad y recuperación de los menores y de la mujer y realizará un seguimiento periódico de su evolución.

[99]   Recogida en el art. 66 LOVG, establece la posibilidad de que el Juez pueda ordenar la suspensión del régimen de visitas, estancia, relación o comunicación del inculpado por violencia de

También puede venir por la imposición de las penas accesorias recogidas en el Código penal. Así, en primer lugar, la prohibición de aproximación a la víctima o familiares del art. 48.2 CP, de aplicación preceptiva conforme al art. 57.2 CP en los delitos de violencia de género y doméstica, deja en "suspenso, respecto de los hijos, el régimen de visitas, comunicación y estancia que, en su caso, se hubiese reconocido en la sentencia civil hasta el total cumplimiento de esta pena". Asimismo, se prevé como pena accesoria a la pena de prisión igual o superior a diez años que el Tribunal pueda disponer la inhabilitación especial para el ejercicio de la patria potestad, tutela, curatela, guarda o acogimiento o bien la privación de la patria potestad cuando estos derechos hubieren tenido relación directa con el delito cometido, vinculación que deberá determinarse expresamente en la sentencia (art. 55 CP). En las penas de prisión inferiores a diez años, los jueces o tribunales también pueden imponer, en atención a la gravedad del delito, la pena de inhabilitación especial para el ejercicio de la patria potestad, tutela, curatela, guarda o acogimiento o la privación de la patria potestad, si estos derechos hubieran tenido relación directa con el delito cometido, debiendo igualmente determinar en la sentencia esta vinculación (art. 56.1 CP).

Más allá, el Pacto de Estado sobre Violencia de Género requiere, entre las medidas dirigidas a intensificar la asistencia y protección de los menores, "prohibir las visitas de los menores al padre en prisión condenado por violencia de género" (medida nº 145). Asimismo, el Pacto pretende establecer "el carácter imperativo de la suspensión del régimen de visitas en todos los casos en los que el menor hubiera presenciado, sufrido o convivido con manifestaciones de violencia, sin perjuicio de adoptar medidas para impulsar la aplicación de los artículos 65 y 66 de la LOVG (nº 144)[100].

3.2. Permisos de salida

La segunda figura penitenciaria configurada por la LOGP para mantener y fortalecer los vínculos familiares y sociales del interno es la de los permisos de

---

[100] género respecto de los menores que dependan de él. De no acordar la suspensión, el Juez deberá pronunciarse en todo caso sobre la forma en la que se ejercerá el régimen de estancia, relación o comunicación del inculpado por violencia de género respecto de los menores que dependan del mismo y adoptará las medidas necesarias para garantizar la seguridad, integridad y recuperación de los menores y de la mujer, realizando un seguimiento periódico de su evolución. En la misma dirección, el Pacto de Estado establece en su medida nº 143 que se adopten las medidas que permitan que la custodia compartida en ningún caso se imponga en casos de violencia de género en los supuestos previstos en el art. 92.7 CC y que no pueda adoptarse, ni siquiera provisionalmente, si está en curso un procedimiento penal por violencia de género y existe orden de protección.

salida. Pero su función no queda ahí. Además de ser un potente incentivo que pretende estimular el buen comportamiento del penado, al tiempo que aliviar la tensión propia de la privación de libertad, se trata de un instrumento fundamental para la preparación del interno en su vuelta a la sociedad. En este último sentido, actúa como un importante mecanismo de prueba, controlada, que permite al Equipo Técnico del centro penitenciario observar la evolución del penado y su comportamiento fuera de la prisión en una salida de corta duración antes de que llegue el momento de la libertad definitiva. A todas estas dimensiones de los permisos de salida se refiere el TC en su sentencia 112/1996, de 24 de junio, cuando afirma que "todos los permisos cooperan potencialmente a la preparación de la vida en libertad del interno, pueden fortalecer los vínculos familiares, reducen las tensiones propias del internamiento y las consecuencias de la vida continuada en prisión que siempre conlleva el subsiguiente alejamiento de la realidad diaria. Constituyen un estímulo a la buena conducta, a la creación de un sentido de responsabilidad del interno, y con ello al desarrollo de su personalidad. Le proporcionan información sobre el medio social en el que ha de integrarse, e indican cuál es la evolución del penado".

Pero, como acabamos de señalar, el permiso de salida no deja de ser un mecanismo de prueba que, además, se realiza fuera del establecimiento penitenciario, con el consiguiente riesgo que puede plantear para las víctimas en el caso de un mal uso del mismo.

Dos son los tipos de permisos de salida que contempla la legislación. Los primeros, los ordinarios, buscan preparar al interno para la vida en libertad (art. 47.2 LOGP). Están previstos solo para los penados clasificados en segundo y tercer grado de tratamiento, siempre y cuando cumplan los requisitos exigidos para ello: extinción de la cuarta parte de la condena y no observancia de mala conducta[101]. Su duración será de hasta siete días, hasta un total de treinta y seis días por año para los clasificados en segundo grado y de cuarenta y ocho días por año para los clasificados en tercer grado. A los permisos extraordinarios, en cambio, tienen acceso todos los reclusos, también los preventivos o los penados clasificados en primer grado, puesto que pretenden atender a la necesidad de contacto familiar provocada por una situación excepcional como las enumeradas por el art. 47.1 LOGP: fallecimiento o enfermedad grave de los padres, cónyuge, hijos, hermanos y otras personas íntimamente vinculadas con los internos, alumbramiento de la esposa u otros importantes y comprobados motivos. Es el Juez de Vigilancia penitenciaria el órgano competente para la autorización de los permisos de salida extraordinarios de los internos clasificados en primer grado y

---

[101] Requisito que es evaluado a partir de la inexistencia de sanciones firmes y sin cancelar por faltas graves o muy graves.

respecto de los ordinarios, cuando tengan una duración superior a dos días, salvo para los clasificados en tercer grado, que lo serán en todos los supuestos por el Centro Directivo, que también es el competente para autorizar los permisos ordinarios de penados de hasta dos días de duración. En el caso de preventivos, es necesaria la autorización expresa de la autoridad judicial a cuya disposición se encuentre el interno (arts. 76 LOGP y 161 RP)[102].

La importancia de los permisos de salida como instrumento del proceso resocializador y la necesidad de protección de la víctima son las dos variables que deben ser detenidamente ponderadas en estos casos.

En cuanto a lo primero, no debe renunciarse categóricamente a la utilización de los permisos de salida en todos los supuestos de violencia de género, sino que es necesario discernir los casos en los que el condenado presenta un grado considerable de peligrosidad para la víctima y de posibilidad de reiteración del hecho delictivo de aquellos otros en los que no exista tal riesgo. En este sentido, además de poderse llevar actuaciones por parte de la Administración penitenciaria en orden a preparar a los internos para el disfrute de los permisos de salida[103], los permisos de salida pueden formar parte del plan individualizado de intervención, por lo que, en tanto instrumento tratamental incorporado en el programa individualizado de tratamiento, permite al Equipo Técnico identificar el momento en el que el interno esté preparado para poder tener un permiso de salida ordinario y con ello reducir el riesgo de fracaso[104]. En este sentido, el RP señala que el informe del Equipo Técnico, que es preceptivo en el proceso de concesión del permiso ordinario, será desfavorable cuando por la peculiar trayectoria delictiva, la personalidad anómala del interno o por la existencia de variables cualitativas desfavorables, resulte probable el quebrantamiento de la condena, la comisión de

---

[102]   No obstante y en los casos de permisos extraordinarios ante supuestos de urgencia, el permiso podrá ser autorizado por el Director del establecimiento, previa consulta al Centro Directivo si hubiera lugar a ello y sin perjuicio de comunicar a la Junta de Tratamiento la autorización concedida (art. 161.4 RP).

[103]   Con tal fin la Administración Penitenciaria ha previsto que se articulen como fase previa a su concesión actuaciones de intervención encaminadas a preparar a los internos para sus primeras salidas al exterior, tanto desde un punto de vista normativo, como el entrenamiento en habilidades sociales, solución de problemas, análisis de expectativas y factores de riesgo, planificación del tiempo, relación con la familia,... Este programa tendrá una duración no superior a los dos meses, siendo la Junta de Tratamiento la que evalúe el grado de necesidad que presenta cada interno de seguir o no esta preparación específica y previa a la obtención de permisos de salida. Estas actuaciones se encuentran recogidas en la Instrucción 1/2012, *relativa a Permisos de salida y salidas programadas.*

[104]   En esta línea la Instrucción 1/2012 señala que el estudio de solicitud de permisos de un interno debe incardinarse en su Programa Individualizado de Tratamiento y supondrá un detallado análisis de toda la información disponible por parte del Equipo Técnico.

nuevos delitos o una repercusión negativa de la salida sobre el interno desde la perspectiva de su preparación para la vida en libertad o de su programa individualizado de tratamiento (art. 156.1).

Para la realización del informe favorable o desfavorable de concesión del permiso por parte del Equipo Técnico, la Administración penitenciaria ha elaborado dos instrumentos que tienen como objeto valorar el riesgo de su mala utilización[105] y, que en todo caso no deben ser determinantes, sino que son un medio más en manos del Equipo Técnico a ser valorado junto con el resto de información disponible[106]. El primero es la tabla de variables de riesgo (TVR) que contempla una serie de variables de riesgo identificadas por la Administración penitenciaria como la extranjería, la drogodependencia, la profesionalidad, la reincidencia, los quebrantamientos previos, la previa clasificación en primer grado, la ausencia de permisos previos, el déficit convivencial, la lejanía y la existencia de presiones internas dentro del establecimiento. El resultado de esta ponderación es cruzado con el segundo instrumento, la Tabla de concurrencia de circunstancias peculiares (M-CCP) que introduce en la ponderación una serie de variables referidas a la obtención de un alto resultado de riesgo en la TVR (si el riesgo es igual o superior a 65 puntos), al tipo delictivo, a la pertenencia a una organización delictiva, a la trascendencia social del delito, a la lejanía del cumplimiento de las ¾ partes (si le resta más de cinco años para el cumplimiento de este plazo temporal), a la existencia de un trastorno psicopatológico o a la existencia de una resolución judicial o administrativa de expulsión[107].

Precisamente la condena por delitos contra las personas, libertad sexual o violencia de género se incorporan como un elemento de riesgo dentro de la M-CCP.

---

[105] Tabla prevista en la Instrucción 22/1996 y mantenida con la regulación actual prevista en la Instrucción 1/2012.

[106] Así también lo contempla la Instrucción 1/2012, cuando señala que el Equipo Técnico debe realizar un análisis de toda la información disponible, refiriéndose expresamente al análisis documental del historial penal y penitenciario del interno (con el objeto de deducir la existencia o no de los requisitos objetivos exigidos legalmente como la clasificación en 2º o 3º grado, el cumplimiento de la cuarta parte y la no existencia de mala conducta); las entrevistas con el interno (para obtener un conocimiento próximo sobre las razones de su solicitud, su grado de preparación para el disfrute en función de su evolución en el proceso de reinserción, así como los riesgos y posibles efectos el permiso), y el estudio social del medio familiar y del entorno en el que está previsto el disfrute.

[107] El estudio a través de la Tabla de Variables de Riesgo y de Concurrencia de Circunstancias Peculiares, como señala la Instrucción 1/2012, se realiza de forma completa en todos los casos de permiso inicial, cuando los permisos hayan sido acordados por el Juez de Vigilancia sin que hubiera mediado informe favorable por parte del Equipo Técnico o cuando desde el último permiso se haya producido alguna incidencia significativa. En el resto de casos, los estudios posteriores del Equipo Técnico se limitarán a revisar el estudio inicial y la valoración del anterior permiso.

Si bien la presencia de este factor no es decisivo, pues debe ser ponderado tanto con el resto de circunstancias peculiares concurrentes como con los factores de riesgo de la TVR, su presencia es tenida en cuenta como un elemento negativo. También juega tal papel la existencia de trascendencia social del hecho cometido, lo que la Instrucción cifra en la existencia de especial ensañamiento en la ejecución, pluralidad de víctimas o que estas sean menores de edad o especialmente desamparadas, elementos que pueden estar presentes en muchos delitos de violencia de género.

De hecho su acceso a los permisos es inferior respecto al resto de los internos, como reconoce la Administración penitenciaria en el estudio realizado en 2010. Del análisis realizado en ese año y de la muestra estudiada (48 internos), el 14% de los penados disfrutaba de permisos, cuando la ratio global es del 36% de los penados. En cuanto a la clasificación, de los internos en segundo grado disfrutaron permisos el 8.8%, incrementándose en el régimen abierto al 77.4% También demuestra la cautela de la Institución a la hora de la concesión de los permisos respecto a este tipo de penados que la concesión del primer permiso haya sido en casi un tercio de los agresores por vía recurso ante la autoridad judicial (32.2%), observándose que el 22.7% de los internos que disfrutan de permisos posteriores también los han conseguido vía recurso ante la autoridad judicial, aunque también para estos delincuentes existe un mayor porcentaje de permisos denegados por los Jueces de Vigilancia[108].

En cuanto a la segunda cuestión, la necesidad de protección de la víctima, son varios los aspectos que deben ser contemplados cuando se prevea la concesión de un permiso de salida a un condenado por violencia de género. Si bien no en todos los casos la víctima estará en una situación de riesgo potencial, no hay que perder de vista que, frente a otros delitos en las que las víctimas potenciales no son identificables ni cuantificables a priori, en la violencia de género solo hay una víctima, totalmente identificada, la que puede ser objeto de la actuación violenta del sujeto. Y el grado de reincidencia, en tanto el comportamiento violento se construye sobre un pensamiento de naturaleza machista, puede ser más evidente en este tipo de delitos. Por ello se hace necesario actuar en varios frentes: en el establecimiento de medidas dirigidas a hacer efectiva tal protección al tiempo que a posibilitar el buen uso del permiso, en la comunicación a la víctima de la concesión del permiso de salida a su agresor y en la información a los órganos y servicios encargados de la protección de la víctima.

En primer lugar, la Administración penitenciaria puede establecer una serie de medidas de seguridad que garanticen el buen uso del permiso y la protección de la

---

[108] YAGÜE OLMOS, C. (coord.): *El delincuente de género en prisión. Estudio de las características personales y criminológicas y la intervención en el medio penitenciario*, ob. cit., pp. 26 a 28.

víctima. Su virtualidad cobra especial importancia en delitos de esta naturaleza, por el peligro potencial que existe para la víctima. En este sentido el art. 156.2 RP señala que el Equipo de Técnico en ese informe preceptivo que debe realizar para la concesión del permiso de salida ordinario establecerá las condiciones y controles que se deban observar, en su caso, durante el disfrute del permiso de salida, cuyo cumplimiento será además valorado para la concesión de nuevos permisos. En el caso de los permisos extraordinarios, donde puede existir un riesgo mayor en tanto su concesión responde a otros motivaciones de naturaleza extraordinaria y a los que tienen acceso internos que pueden presentar factores de riesgo, se prevé que su concesión se realice con las medidas de seguridad adecuadas (art. 47.1 LOGP). La adopción de estas medidas quedará recogida en el acuerdo de concesión de la Junta de Tratamiento.

Entre estas medidas, que se desarrollan en la Instrucción 1/2012, para los supuestos que estamos analizando debemos destacar como más adecuadas dos[109]: la prohibición justificada de acudir a determinados lugares o localidades, con independencia de las obligadas prohibiciones que pudiera contener el fallo condenatorio de sentencia y la aplicación de medidas de carácter tecnológico que pudieran implementarse, en supuestos claramente justificados. Por tanto, la Administración penitenciaria puede condicionar el disfrute del permiso ya a que este se realice en una localidad distinta a la que vive la víctima, ya a que, de manera alternativa o acumulativa, esté sujeto a un control telemático.

Puede ser que ese control por medios telemáticos ya estuviera preestablecido por tratarse de un interno que a su ingreso tuviera una medida cautelar o una pena de prohibición de aproximación controlada por el sistema de seguimiento y que continúan vigentes en el momento de disfrute del permiso de salida. En

---

[109] Junto a la posibilidad de adoptar otras como: presentación en la Comisaría o puesto de la Guardia Civil del municipio donde se va a disfrutar el permiso (a su inicio o en los días señalados por la Junta de Tratamiento); presentación en el centro penitenciario o en otro distinto o en los Servicios Sociales externos durante uno o varios días del permiso; exigencia de tutela familiar o institucional, concretada en la necesidad de que el interno sea recogido en el centro penitenciario a la salida del permiso y acompañado igualmente al reingreso, previo compromiso por escrito de la persona que vaya a asumir la mencionada responsabilidad; establecer contactos telefónicos del interno con algún trabajador del centro penitenciario, en fechas y horas determinadas, pudiendo dar lugar la no realización de los mismos, a que este extremo se comunique a las Fuerzas de Seguridad, si se considera oportuno; indicación de las fechas en las que debe ser disfrutado el permiso o en las que no debe serlo; obligación de acudir a alguna institución extrapenitenciaria de carácter asistencial o terapéutico, bien de forma puntual o como residencia si es el lugar de acogida durante el permiso; realización por parte del interno de cualquier tarea o gestión encaminada a facilitar su futura reinserción social o laboral (visita a familiares, oficina de empleo) o la posibilidad de ser sometido a controles de consumos de tóxicos, con anterioridad, durante el permiso o a su regreso, en función del compromiso previo.

estos casos y, en tanto vimos, ese dispositivo le habrá sido retirado a su entrada en prisión, es necesario su nueva instalación en el penado. Según la Instrucción 9/2015, *relativa al Protocolo de actuación en el ámbito penitenciario del sistema de seguimiento por medios telemáticos del cumplimiento de las medidas y penas de alejamiento en materia de violencia de género*, la forma de proceder será la misma referida anteriormente para las libertades y libertades condicionales[110]. Asimismo se prevé que el centro penitenciario comunique al Centro de Control por teléfono, fax o vía telemática, con toda la antelación posible y, en todo caso, con una antelación mínima de 24 horas, cuál es la hora de finalización del permiso, de modo que el personal instalador comparezca en el centro penitenciario en ese momento para efectuar la retirada del dispositivo.

Establece también esta Instrucción el modo de proceder en el caso de permisos extraordinarios que no se realicen con la custodia de las Fuerzas y Cuerpos de Seguridad y que, por sus circunstancias de urgencia, requieren de una tramitación inmediata, como puede ser, por ejemplo, ante el fallecimiento o enfermedad grave de un familiar. En la medida de las posibilidades, se tratará de acomodar el procedimiento a lo establecido para las libertades de los internos penados[111]. Pero, de no ser posible la instalación del dispositivo, el centro penitenciario comunicará por fax o vía telemática al órgano judicial para el conocimiento del asunto, o en su defecto, al órgano judicial de guardia, la salida del interno y cuáles han sido las actuaciones seguidas.

En segundo lugar, se prevé la comunicación a la víctima de la concesión de los permisos de salida. Por un lado, la LECrim, en su artículo 544.9 ter, en caso de existir una orden de protección, obliga a la Administración penitenciaria a informar a la víctima en todo momento de la situación penitenciaria del presunto agresor. Pensemos, por ejemplo, de un permiso extraordinario dado al presunto agresor en prisión preventiva o bien a un condenado por otro delito que disfruta

---

[110]   Así, en defecto de resolución expresa por parte del órgano judicial en la que se hubieran dictado instrucciones para la posterior instalación del dispositivo del sistema de seguimiento en caso de puesta en libertad, cuando se trate de un interno condenado, el centro penitenciario comunicará, por fax o por vía telemática, como mínimo 48 horas antes, la fecha de puesta en libertad del interno, al órgano judicial competente para el conocimiento del sistema de seguimiento para que por este pueda acordarse lo que proceda a los efectos de la instalación del dispositivo. En su caso, el Centro de Control establecerá contacto personal con la víctima para acordar el momento y el lugar de la instalación del dispositivo. Además el centro penitenciario comunicará de forma inmediata, por fax o por vía telemática, al órgano judicial competente para el conocimiento del sistema de seguimiento, o en su defecto, al órgano judicial de guardia la puesta en libertad del interno y las actuaciones seguidas.

[111]   Una vez finalizado el permiso, el personal del centro penitenciario encargado de verificar la identidad y formalizar el ingreso, solicitará de forma inmediata al Centro de Control por teléfono, fax o vía telemática, que a la mayor brevedad se desplace el personal instalador al centro penitenciario para efectuar la retirada del dispositivo.

un permiso ordinario sobre el que a su vez pesa de manera sobrevenida una orden de protección por la presunta comisión de otro hecho delictivo sobre el que no se ha dictado prisión provisional[112]. Ya vimos que por ello la Instrucción 1/2005 de Instituciones Penitenciarias, *relativa a la actualización de la Instrucción 19/96 relativa a las oficinas de régimen, cumplimiento de condenas y régimen disciplinario*, señalaba que se procederá a comunicar a la víctima directamente —de conocer su localización— o a través de la autoridad judicial, los servicios sociales o institución competente, según proceda, la situación del interno como cualquier tipo de salida o excarcelación prevista, con la debida antelación, recogiéndose la fecha, lugar y motivo de la misma tanto en los supuestos de existencia de una orden de protección vigente como en los casos en los que al penado le haya sido aplicado el artículo 57 del CP en relación con las medidas del art. 48 CP.

Por otro, el art. 7 del Estatuto de la Víctima incluye dentro de las resoluciones sobre las que la víctima que así lo haya solicitado previamente tiene derecho a recibir información: "e) las resoluciones o decisiones de cualquier autoridad judicial o penitenciaria que afecten a sujetos condenados por delitos cometidos con violencia o intimidación y que supongan un riesgo para la seguridad de la víctima. En estos casos y a estos efectos, la Administración penitenciaria comunicará inmediatamente a la autoridad judicial la resolución adoptada para su notificación a la víctima afectada".

En tercer lugar, de la concesión del permiso también hay que informar a los órganos encargados del seguimiento de las víctimas.

Como regla general la Instrucción 1/2012 prevé que de forma previa a la salida se dé cuenta de los permisos ordinarios que vayan a disfrutar los internos clasificados en segundo grado a la Comandancia de la Guardia Civil y/o Comisaría provincial de la Policía del lugar en el que se vaya a disfrutar. Y de tratarse de violencia de género, la Instrucción prevé además que siempre que se le conceda o autorice un permiso, tanto ordinario como extraordinario, o una salida programada a un interno condenado por delito de violencia de género, se comunicará dicho extremo, con indicación de fechas y lugar de disfrute, a la correspondiente Unidad de Violencia contra la Mujer, adscrita a la Delegación o Subdelegación de Gobierno, y a las Fuerzas de Seguridad del Estado[113].

---

[112] Puesto que, en tal caso, conforme al art. 104.2 RP, al penado ya clasificado al que se le decreta una prisión preventiva, se le deja sin efecto dicha clasificación y, por tanto, no podrá disfrutar de permisos ordinarios hasta que tal situación de convivencia entre una condena y una prisión provisional termine.

[113] De conformidad con lo establecido en el *Protocolo de actuación para todas las salidas y modificaciones de situación penitenciaria de personas encausadas o condenadas por delitos de violencia de género*, aprobado con fecha de 16 de abril de 2009.

Es el ya referido *Protocolo de actuación para todas las salidas y modificaciones de situación penitenciaria de personas encausadas o condenadas por delitos de violencia de género* formulado por Instituciones Penitenciarias en 2009, el que establece el Modelo unificado de notificaciones a las distintas instituciones implicadas de los actos judiciales o administrativos que suponen la salida y/o excarcelación y otros movimientos intrapenitenciarios de internos condenados o encausados por delitos de violencia de género. En cuanto a los permisos, el Protocolo diferencia entre si se trata de permisos ordinarios, permisos extraordinarios sin custodia o salidas con custodia. Para los primeros, la primera comunicación se hará a las Unidades contra la Violencia sobre la Mujer y a las Fuerzas y Cuerpos de Seguridad del Estado en cuanto la Junta de Tratamiento estudie la concesión de cada permiso de salida solicitado por el interno, de tal manera que se consiga alertar con antelación suficiente para localizar a la víctima y estudiar las medidas de protección. Una vez autorizado el permiso (ya por vía ordinaria por el Juzgado de Vigilancia, vía recurso por el mismo órgano judicial o en apelación por la Audiencia Provincial) se notificará con indicación de las fechas previstas para su disfrute tanto a las Unidades contra la Violencia sobre la Mujer como a las Fuerzas y Cuerpos de Seguridad del Estado. De ser posible, se tratará de realizar este aviso con 15 días de antelación[114]. En cuanto a los permisos extraordinarios sin custodia, si son concedidos por procedimiento de urgencia, en el caso de internos que ya han disfrutado previamente de permisos o salidas y si el motivo previsto exige que fuera autorizado por el director, se comunicará con antelación suficiente los extremos del mismo (lugar, duración, medidas impuestas) a la Unidad de Violencia contra la Mujer y a las Fuerzas y Cuerpos de Seguridad. Si se concede por procedimiento ordinario siempre que el motivo pueda ser previsto con antelación, una vez autorizado (en vía ordinaria por el Juzgado de Vigilancia, vía recurso por el mismo órgano judicial o en apelación por la Audiencia Provincial) se notificará con indicación de las fechas previstas a la Unidad de Violencia contra la Mujer y a las Fuerzas y Cuerpos de Seguridad del Estado, intentando que sea con una antelación de 15 días. En tercer lugar, de tratarse de una salida con custodia, se le hará saber a la Fuerza conductora la condición del interno, penado o preventivo por delitos de violencia de género[115].

En esta línea de reforzar la comunicación entre las distintas Administraciones, el Pacto de Estado contra la violencia de género propone, como medida nº 79[116],

---

[114]   Previamente se le pedirá al interno opinión sobre las fechas de preferencia para su disfrute, pero garantizando en cualquier caso un plazo necesario para efectuar las notificaciones pertinentes y la adopción de medidas preventivas.

[115]   Y de tratarse de una salida a los Juzgados, con especial relevancia, pues es previsible la coincidencia con la víctima.

[116]   Lo que ya formaba parte, como medida nº 72, del Plan Estratégico de Igualdad de Oportunidades 2014-2016, aprobado por el Consejo de Ministros de 7 de marzo de 2014: "Fomentarla

"Implementar un Plan Estratégico para avanzar en la plena comunicación y compartición de información entre las bases de datos informáticos de las diferentes Administraciones Públicas (centros penitenciarios, órganos judiciales, Fuerzas y Cuerpos de Seguridad del Estado, centros sanitarios, servicios sociales, bases de datos de permisos de armas), todo ello desde el respeto a la Ley de Protección de Datos. En especial, debe avanzarse en la coordinación de Sistema de Seguimiento Integral en los casos de Violencia de Género (Sistema VioGén) y sistema de Registros Administrativos de apoyo a la Administración de Justicia (SIRAJ) entre sí, así como con Instituciones Penitenciarias"[117].

Por último hay que señalar que las mismas actuaciones para la comunicación y protección de la víctima se adoptarán en el caso de si el penado disfruta de una salida programada, figura prevista para la realización de actividades específicas de tratamiento que permiten su salida fuera del establecimiento, acompañados por personal del centro penitenciario o de otras instituciones o por voluntarios que habitualmente realicen actividades de esta naturaleza y cuya duración no será, por regla general, superior a dos días. Para su realización, además será necesario cumplir los requisitos establecidos para los permisos ordinarios de salida —cumplimiento de ¼ de la condena, previa clasificación en segundo o tercer grado y buena conducta—, debiendo ser propuestas por la Junta de Tratamiento, aprobadas por el Centro Directivo y, en su caso, autorizadas posteriormente por el Juez de Vigilancia en los casos que por su duración o el grado de clasificación del interno, sea competencia de este último (art. 114 RP).

4. ACCESO A LOS BENEFICIOS PENITENCIARIOS: A VUELTAS CON LA CONCESIÓN DEL INDULTO PARTICULAR EN LOS DELITOS DE VIOLENCIA DE GÉNERO

Los beneficios penitenciarios configurados en la legislación se convierten en eficaces instrumentos que pretenden incentivar la evolución positiva del penado. Pese a su nombre, que parece aludir a una naturaleza distinta en tanto "concesión

---

coordinación, para la protección a las víctimas de violencia de género, a través del Sistema de seguimiento integral en los casos de violencia de género (Sistema VdG o VIOGÉN)".

[117] Y ello en tanto en lo que a la comunicación con la Institución penitenciaria se refiere, si bien se están realizando esfuerzos para conseguir el traspaso informático directo de los datos relativos a la violencia de género desde el Sistema de Información Penitenciaria (SIP) al Sistema VioGén, mientras tanto esta información está siendo remitida vía fax por las Oficinas de Gestión a las distintas instituciones, Unidades contra la violencia sobre la mujer y Fuerzas y Cuerpos de Seguridad del Estado. CASADO FUNES, M.P.: "Violencia de género y Administración penitenciaria". *Enfoque* nº 5, Acaip, 2016, p. 9.

graciosa de la Administración", la legislación penitenciaria se ha encargado de aclarar su configuración como derecho subjetivo del interno. Así el art. 4.2 h) del RP, que recoge el listado de derechos de los internos, incluye el "derecho a los beneficios penitenciarios previstos en la legislación".

Una vez desaparecida, tras la aprobación del Código de 1995, la redención de penas por el trabajo, dos son las modalidades que Código y legislación penitenciaria contemplan: el adelantamiento de la libertad condicional y el indulto particular. Frente a otras figuras, los beneficios penitenciarios permiten la reducción de la duración de la condena impuesta en sentencia firme —es el caso del indulto— o del tiempo efectivo de internamiento —así es en el adelantamiento de la libertad condicional— (art. 202 RP).

Como ya hemos comentado, la voluntad del legislador penitenciario de 1979 era la de configurar una Ley aplicable a todos los privados de libertad, con independencia de la naturaleza de su delito o duración de la condena. Puesto que se hacía pivotar la ejecución de la pena sobre el mandato constitucional de resocialización, lo relevante era el proceso individual de evolución del penado. De ahí que no se establecieran diferenciaciones en el acceso a los beneficios penitenciarios, como tampoco las hubo para la redención de penas, en función de los tipos penales cometidos.

Así se ha mantenido hasta la actualidad, salvo dos importantes excepciones. La LO 7/2003, *de 30 de junio, de medidas de reforma para el cumplimiento íntegro y efectivo de las penas*, introdujo la criticable exclusión del acceso al beneficio penitenciario de adelantamiento de la libertad condicional de los condenados por terrorismo o por delitos cometidos en el seno de organizaciones criminales (art. 91), exclusión que se ha mantenido hasta la redacción actual del CP tras la reforma del 2015 para sus tres modalidades (art. 90.8 último párrafo). Es precisamente esta última, la LO 1/2015, de 30 de marzo, la que al tiempo de introducir una nueva modalidad de este beneficio, para condenas que no superen los tres años, excluye de su disfrute además a los condenados por delitos contra la libertad e indemnidad sexuales.

En cambio la regulación penitenciaria del beneficio del indulto particular no contempla excepción por tipología delictiva. En este sentido es significativo evidenciar que la legislación penitenciaria permanece en este punto inalterada desde su configuración originaria. Las excepciones, como acostumbra en esta materia el legislador, siempre además con voluntad de endurecer la ejecución penitenciaria, se incorporan vía reforma del Código penal de instituciones que deberían estar reguladas exclusivamente en la legislación penitenciaria.

El primero de los beneficios penitenciarios es el adelantamiento de la libertad condicional. Su concesión por parte del Juez de Vigilancia Penitenciaria permite exceptuar el requisito objetivo del cumplimiento de las ¾ partes de la condena para el acceso a esta figura. Tres son las modalidades de este beneficio que configura el art. 90.2 CP.

La primera de ellas consiste en la posibilidad de adelantar su concesión a los 2/3 de la condena, siempre que además de acreditar el cumplimiento de los requisitos generales exigidos para el acceso a la libertad condicional (clasificación previa en tercer grado y que haya observado buena conducta), el penado durante el cumplimiento de su pena haya desarrollado actividades laborales, culturales u ocupacionales, bien de forma continuada, bien con un aprovechamiento del que haya derivado una modificación relevante y favorable de aquellas de las circunstancias personales relacionadas con su actividad delictiva previa.

La segunda, la libertad condicional cualificada, permite al Juez de Vigilancia, a propuesta de Instituciones Penitenciarias y previo informe del Ministerio Fiscal, adelantar la concesión de la libertad condicional hasta un máximo de noventa días por cada año transcurrido de cumplimiento efectivo de la pena. Para ello el interno, además de cumplimentar los requisitos genéricos exigidos para la libertad condicional salvo el temporal de las ¾ partes, debe haber extinguido la mitad de la condena. Para acceder al mismo se requiere que el penado haya desarrollado continuamente actividades laborales, culturales u ocupacionales y además, que acredite la participación efectiva y favorable en programas de reparación a las víctimas o programas de tratamiento o desintoxicación, en su caso. Frente a la modalidad anterior, donde se permitía el desarrollo de actividades que, aunque no fueran continuadas, sí hubieran tenido un aprovechamiento relevante para el interno, en esta modalidad se restringe a la participación continuada.

La última de las modalidades, incorporada al texto penal en 2015, es de aplicación excepcional por el Juez de Vigilancia, al que se permite su concesión en casos de primera condena que no supere los tres años de duración, una vez se haya extinguido la mitad de la misma y siempre que se acredite, por un lado, la clasificación previa en tercer grado y la buena conducta y, por otro, el desarrollo por el interno de actividades laborales, culturales u ocupacionales, ya de forma continuada, ya con un aprovechamiento del que haya derivado una modificación relevante y favorable de las circunstancias personales relacionadas con su actividad delictiva previa. Se excluye expresamente a los condenados por delitos sexuales

Es la legislación penitenciaria la que regula el procedimiento para su propuesta, vinculándolo a la finalidad que tienen los beneficios: "las exigencias de la individualización de la pena en atención a la concurrencia de factores positivos en la evolución del interno, encaminados a conseguir su reeducación y reinserción social como fin principal de la pena privativa de libertad" (art. 203 RP). La propuesta al Juez de Vigilancia Penitenciaria la formulará la Junta de Tratamiento del centro penitenciario, previa emisión de un pronóstico individualizado y favorable de reinserción (art. 205 RP). Para ello ponderará razonadamente los factores que la motivan, así como la acreditación de la concurrencia de buena conducta, el trabajo, la participación del interesado en las actividades de reeducación y reinserción social y la evolución positiva en el proceso de reinserción (art. 204 RP).

Por tanto, y dado que el legislador penal no los ha excluido expresamente, los condenados por delitos relacionados con la violencia de género, ya en general, ya en el ámbito de las relaciones sentimentales, pueden acceder a los beneficios penitenciarios de adelantamiento de la libertad condicional siempre que cumplan los estrictos requisitos establecidos para ello en el CP y RP. También en la última de las modalidades introducidas, la de los primarios condenados a penas de prisión que no superen los tres años, puesto que como ya vimos una gran parte de los delitos de violencia de género tienen una penalidad inferior. Eso sí, deberán satisfacer tanto los requisitos generales de acceso a la libertad condicional, estando previamente clasificados en tercer grado y presentando buena conducta, como los específicos exigidos para cada una de estas modalidades.

El segundo de los beneficios penitenciarios es la propuesta de indulto particular. Correspondiendo el derecho de gracia al Rey conforme al art. 62 i) CE, este beneficio penitenciario lo que atribuye es la posibilidad de que la Junta de Tratamiento, previa propuesta del Equipo Técnico, solicite al Juez de Vigilancia la tramitación del indulto particular ante el Ministerio de Justicia en la cuantía que aconsejen las circunstancias. Siguiendo la tónica señalada de la legislación penitenciaria, los requisitos establecidos para su propuesta no quedan condicionados a la tipología delictiva del penado. Coherentemente con el sentido de la legislación penitenciaria, el RP huye de requisitos objetivos como el del tipo de delito cometido y configura las circunstancias de una manera subjetiva, vinculadas al proceso y esfuerzo individual en el proceso resocializador. En concreto, exige que concurran, de manera continuada durante un tiempo mínimo de dos años y en un grado que se pueda calificar de extraordinario cada una de las siguientes circunstancias: buena conducta; desempeño de una actividad laboral normal, bien en el establecimiento o bien en el exterior, que se pueda considerar útil para su preparación para la vida en libertad; y participación en las actividades de reeducación y reinserción social (art. 206 RP).

La configuración del indulto particular como beneficio penitenciario no deja de ser un cauce, importante, instrumental o vehicular, para acceder a la figura del indulto regulada por la Ley de 18 de junio de 1870, de Reglas para el ejercicio de la gracia de indulto. Obviamente el respaldo de una propuesta por parte de la Administración penitenciaria y el de su tramitación por el Juez de Vigilancia ante el Ministerio de Justicia amplía los visos de prosperar de esta iniciativa frente a los indultos solicitados directamente por parte del penado o de sus familiares o por cualquier otra persona en su nombre (art. 19). Y es que también su finalidad es diferente, en tanto que mientras que la función general de la figura del indulto es la de la mitigación del rigor de la ley, en aquellos casos en los que su aplicación puede dar lugar a situaciones en la práctica de injusticia material, en el caso del indulto como beneficio penitenciario su finalidad es la de reforzar o recompensar un cambio en el comportamiento o un avance significativo en el procedimiento de rehabilitación[118].

Hasta el momento, la Ley del indulto tampoco establece a priori exclusiones por tipología delictiva. Su artículo 1 señala que "los reos de toda clase podrán ser indultados, con arreglo a las disposiciones de esta ley, de toda o parte de la pena en que aquellos hubiesen incurrido"[119]. Eso sí, se requiere la existencia de condena firme y la disposición del penado por el Tribunal sentenciador para su cumplimiento (art. 2). Pero incluso la exclusión contemplada en este artículo para los reincidentes en el mismo o cualquier otro delito queda excepcionada si, a juicio del Tribunal sentenciador, hay razones suficientes de justicia, equidad o conveniencia pública para otorgarles la gracia.

En consecuencia, y hasta el momento, teóricamente también los condenados por delitos relacionados con violencia de género pueden ser beneficiados por la figura del indulto, tanto si su solicitud ha sido tramitada de manera directa (a solicitud del penado, familiar, tribunal sentenciador, Tribunal Supremo o Fiscal de cualquiera de ellos según el art. 20 Ley de indulto), como si se trata de un beneficio penitenciario solicitado por la Junta de Tratamiento (art. 206 RP). No obstante, este último tiene una limitación temporal, además de los estrictos requisitos exigidos ya señalados, en tanto estos últimos deben darse, y de manera continuada, durante un tiempo mínimo de dos años, lo que impide su concesión por esta última vía en condenas de duración inferior o incluso superior, pero en las que no haya dado tiempo al sujeto a acceder al desempeño de una actividad laboral normal[120].

Sin embargo, precisamente la posibilidad de acceso al indulto de este tipo de delitos (junto a otros como los de delitos relacionados con la corrupción) es una de las cuestiones objeto de controversia en los últimos tiempos, controversia

---

[118]   MADRID PÉREZ, A.: "Análisis de los indultos concedidos por el Gobierno español durante 2012". *Revista Crítica Penal y Poder* nº 6, 2014, p. 115.

[119]   Sí existe la previsión, en el art. 102.3 de la CE, de que no serán sujetos indultables el Presidente y demás miembros del Gobierno.

[120]   Eso sí, pretendiendo una lectura menos estricta, la Instrucción 17/2007 de Instituciones Penitenciarias, *referida al beneficio penitenciario de indulto particular*, matiza que "el período mínimo de dos años durante el que de modo continuado y en grado extraordinario deben concurrir las circunstancias que justifiquen la tramitación del indulto, no tiene por qué referirse de forma necesaria a la situación del penado, de conformidad con el modelo individualizado de intervención para internos preventivos establecido en el art. 20.1 del RP. Sí se requiere, lógicamente, que el interno se encuentre en la situación de penado en el momento en que se propone el indulto, con independencia del grado de tratamiento en el que esté clasificado".

alimentada además por la falta de transparencia y motivación que acompaña a la concesión de esta figura.

En esta línea, uno de los compromisos políticos que se recogieron por unanimidad en la Proposición no de Ley aprobada por el Pleno del Congreso de los Diputados en su sesión de 15 de noviembre de 2016 en la que se reclamaba un Pacto de Estado contra la violencia de género era la no concesión de indultos para los delitos de violencia de género[121].

La concreción de esta propuesta entendemos que puede hacerse por dos vías: bien a través de una modificación de la Ley del indulto que incorpore una exclusión expresa de posibilidad de concesión de indulto a los condenados por este tipo de delitos, bien a través del compromiso político de los diferentes partidos políticos de no promover la concesión de ningún indulto, en tanto la propuesta del Ministerio de Justicia debe ser aprobada por el Consejo de Ministros antes de su elevación para su ejercicio al Jefe del Estado[122].

Es verdad que la figura del indulto no deja de ser controvertida en tanto puede parecer una aparente intromisión del ejecutivo en el poder judicial que es a quien el art. 117.3 CE atribuye el mandato de "juzgar y hacer ejecutar lo juz-

---

[121] Con motivo del debate acumulado de la Proposición no de Ley del Grupo Parlamentario Popular en el Congreso, relativa a mejorar y actualizar la LO 1/2004, de 28 de diciembre y de la Proposición de Ley del Grupo Parlamentario Socialista, relativa a promover un Pacto Social, Político e Institucional que recupere el espíritu de consenso de la LOVG, vinculando a todos los partidos políticos, poderes del Estado y sociedad civil en un compromiso firme en pro de una política sostenida para la erradicación de la violencia de género. El texto transaccional acordado insta al Gobierno, entre otras medidas, a "adoptar el compromiso político de no conceder ningún indulto en cualquier delito vinculado a la violencia de género".

[122] Vía que hasta el momento ya se ha tratado de poner en marcha y ha resultado fallida. Como evidencian DOVAL PAÍS, A. y VIANA BALLESTER, C., "pese a los propósitos declarados algunas veces por los gobiernos a través de sus ministros de justicia en sus eventuales comparecencias en las Cortes de excluir clases enteras de crímenes del beneficio del perdón (singularmente, delitos que plantean un particular rechazo social, como los siguientes: Delitos de terrorismo, crimen organizado, malos tratos, agresión o tráfico sexual, violencia doméstica, tortura, tráfico de drogas graves, delitos relacionados con la seguridad vial y delitos de corrupción o enriquecimiento ilícito en el ejercicio de cargos públicos)" se han venido indultando delitos de todas clases. "El indulto a revisión: razones y propuesta para una modificación legislativa". *El cronista del Estado Social y Democrático de* Derecho n° 43, 2014, p. 42. Véanse en este sentido los datos aportados por el estudio de DOVAL PAÍS, A., BLANCO CORDERO, I., FERNÁNDEZ-PACHECO ESTRADA, C., VIANA BALLESTER, C., SANDOVAL CORONADO, J.C.: "Las concesiones de indultos en España (2000-2008)". *Revista Española de Investigación Criminológica* n° 9, 2011. En ese iter temporal analizado, solo se indultó un caso de delito de violencia doméstica, lo que supone un 0.02% respecto al total de delitos; p. 16. No obstante, sí hay un mayor porcentaje de indultos en los delitos de lesiones (8.3%), o menor en los delitos contra la vida (1.1%) sin que exista un desglose que permita distinguir si se han producido o no en el ámbito de una relación sentimental. Véase los datos en p. 17.

La ejecución de las penas de prisión en los delitos de violencia de género...

gado". Sin embargo, el derecho de gracia es por otro lado necesario en atención a razones de justicia, equidad o conveniencia pública, para reparar situaciones de injusticia material que la misma ejecución de la ley puede plantear o no conseguir sortear[123]. La necesaria limitación de la discrecionalidad, cuando no arbitrariedad y falta de publicidad y justificación, con la que pueda parecer que se conceden algunos de los indultos debe ser a nuestro juicio corregida no por la vía de exclusión categórica de determinados tipos de condenados, lo que nos llevaría a ver cómo se justifica tal diferenciación conforme a los principios de igualdad y de proporcionalidad —¿sí un terrorista? ¿sí un asesino? ¿sí un violador? ¿no alguien condenado por un delito de lesiones si se trata de un delito de género?—. Su corrección debería realizarse desde la exigencia de controles de la arbitrariedad tales como la necesidad de su motivación[124], de su publicidad y de la posibilidad de control judicial[125] o, incluso, desde su sometimiento a la existencia de informes favorables por parte del Tribunal sentenciador, Fiscalía o, incluso, Administración Penitenciaria o que en el proceso se incorpore, para ser escuchada, la víctima.

---

[123] En este sentido el debate doctrinal se encuentra entre una posición minoritaria, particularmente crítica, que propugna la abolición de esta figura por su carácter pernicioso en los sistemas penales (véase en esta dirección el trabajo de SANTANA VEGA, D.: "Desmontando el indulto (especial referencia a los delitos de corrupción)". *Revista Española de Derecho Constitucional* nº 198, 2016, pp. 53 y ss.) y quienes propugnan, a nuestro juicio correctamente, la necesidad de conciliar esta figura con las reglas del Estado constitucional, creando un régimen más determinado, por razones de seguridad jurídica, posibilitando algún tipo de control jurisdiccional, en atención a la interdicción de la arbitrariedad de los poderes públicos y el conocimiento público de su uso, por exigencias de transparencia democrática, como propugnan, por ejemplo, DOVAL PAÍS, A., y VIANA BALLESTER, C.: "El indulto a revisión: razones y propuesta para una modificación legislativa", ob. cit., p. 44.

[124] Obligación que fue eliminada por la reforma operada por la Ley 1/1988, de 14 de enero en la Ley de 1870 con la supresión de la exigencia de su publicación por "decreto motivado" y su sustitución por la simple alusión a su publicación en Real Decreto (art. 30); lo que contrasta, con la obligación de motivar las sentencias judiciales. Como críticamente evidencian DOVAL PAIS, A. y VIANA BALLESTER, C., la publicidad de los indultos se ha reducido a la mera publicación en el Diario Oficial, lo que lo ha convertido en un "instituto silencioso, más bien ignoto y opaco, al menos en cuanto a su aplicación". "El indulto, a revisión. Razones y propuesta para una modificación legislativa", ob. cit., p. 40.

[125] En la actualidad es verdad que, como ha señalado el TS en su jurisprudencia (por ejemplo, sentencias de 27 de mayo de 2003, 16 de febrero de 2005 o de 11 de enero de 2006) la concesión del indulto por el Consejo de Ministros es un acto controlable en vía jurisdiccional (control que podrá hacer el propio Tribunal sentenciador y luego la jurisdicción contencioso-administrativa) pero lo es solo en la cuestión formal, para comprobar si se ajusta a las previsiones de la ley en su concesión en cuanto a los aspectos formales de su tramitación, pero no a las de fondo. MAGRO SERVET, V.: "Particularidades de la medida de gracia del indulto frente a las decisiones del poder judicial". *La Ley Penal* nº 103, 2013, p. 3.

Y en este sentido es necesaria una reflexión sobre la existencia de esos mayores controles previos en el caso de los indultos particulares que son tramitados, desde la Administración penitenciaria, como beneficio penitenciario. Formalmente, a los filtros previstos de manera general por la Ley de indulto en su tramitación[126], se añaden la previa participación del Equipo Técnico y la Junta de Tratamiento del centro penitenciario del que nace la propuesta, así como del Juez de Vigilancia Penitenciaria que tiene que pronunciarse sobre su trámite al Ministerio de Justicia. Pero además, materialmente, los requisitos establecidos para la concesión del indulto particular como beneficio, no existentes cuando su solicitud es directa ante el Ministerio de Justicia, permiten restringir los casos a los supuestos que, como exige el RP, presentan en un grado "que se pueda calificar de extraordinario" los estrictos requisitos exigidos[127]. La naturaleza de estos requisitos, referidos al proceso individualizado de resocialización del interno, permiten no solo motivar formalmente la justificación de su concesión, sino también encontrar razones para su otorgamiento en los fines constitucionales de la pena y distanciarlo de otros motivos espúreos[128]. De hecho, su concesión es bastante

---

[126] Así, la Ley de Indulto establece en su artículo 23 que las solicitudes de indulto, incluidas las que directamente se presentaren al Ministro de Justicia, se remitirán a informe del Tribunal Sentenciador que pedirá, conforme señala el artículo 24, informe sobre la conducta del penado al jefe del establecimiento en el que se encuentre cumpliendo la condena (o al gobernador de la provincia de residencia si la pena no es privativa de libertad) y oirá después al Fiscal y a la parte ofendida, si la hubiera. Asimismo, en su informe el Tribunal sentenciador tiene que hacer constar una serie de datos que deben ser valorados y permitir esa necesaria motivación, imprescindible a su vez para el control judicial posterior. Tal y como establece el art. 25, el tribunal sentenciador hará constar en su informe la edad, estado y profesión del penado, su fortuna si fuera conocida, méritos y antecedentes, si fue con anterioridad procesado y condenado por otro delito y si cumplió la pena impuesta o fue indultado, por qué causa y en qué forma, circunstancias agravantes o atenuantes que hubieran concurrido en la ejecución del delito, tiempo de prisión provisional cumplida, conducta posterior a la ejecutoria y especialmente pruebas o indicios de arrepentimiento que se hubieran observado, si hay o no parte ofendida y si el indulto perjudica el derecho de tercero, y cualquier otro dato que pueda servir para el mejor esclarecimiento de los hechos, concluyendo por consignar su dictamen sobre la justicia o conveniencia y forma de la concesión de la gracia. Además, conforme señala el art. 26, el Tribunal sentenciador remitirá con su informe al Ministro de Justicia la hoja histórico-penal y el testimonio de la sentencia ejecutoria del penado, con los demás documentos que considere necesarios para la justificación de los hechos.

[127] Por ejemplo, la Instrucción 17/2007 entiende que se considerará que el penado ha participado en actividades de reeducación y reinserción social en grado extraordinario cuando, dentro del período considerado, la evaluación global de sus actividades prioritarias haya sido "excelente" al menos durante un año y nunca inferior a "destacada".

[128] Como señala MADRID PÉREZ, A., tras el análisis de los indultos concedidos por el gobierno español durante 2012, en algunos de los usos que este hizo "se aprecia una clara confrontación

limitada[129]. Además, frente a la amplitud con la que se recoge la posibilidad de extensión del indulto en la Ley de 1870, en el ámbito penitenciario se restringe tanto por el RP, cuando se refiere en su nomenclatura a particular como concretamente cuando el art. 206 señala que se propondrá "en la cuantía que aconsejen las circunstancias"[130].

Es necesario advertir que el compromiso buscado por la Proposición no de ley aprobada por el Congreso el 15 de noviembre de 2016 para la no concesión de indultos para este tipo de delitos empecería la posibilidad de su tramitación también por esta vía de beneficio penitenciario, lo que a nuestro juicio no estaría justificado en tanto se trata de un mecanismo vinculado a los objetivos resocializadores de la pena y sometido a los controles referidos tanto de la Administración penitenciaria, del Juez encargado de la ejecución y del tribunal sentenciador. Su prohibición implicaría la renuncia a un instrumento que pretende incentivar la

---

entre el poder judicial y el poder ejecutivo"; de ahí la necesidad que señala de equilibrar los poderes ejecutivo y judicial. "El indulto como excepción. Análisis de los indultos concedidos por el Gobierno español durante 2012", ob. cit. p. 112. Afirman en este sentido críticamente el GRUPO DE ESTUDIOS DE POLÍTICA CRIMINAL que la concesión por el poder ejecutivo en los últimos años de los indultos ha acentuado demasiado frecuentemente sus características arbitrarias, de forma que la capacidad de presión e influencia políticas de los afectados o sus representantes deviene determinante, además de ser, cada vez más, una vía para eludir la pena de quienes ejercen el poder político o económico o de los encargados de ejecutar sus instrucciones. *Una alternativa a algunas previsiones penales utilitarias. Indulto, prescripción, dilaciones indebidas y conformidad procesal.* 2013, p. 11.

[129]　Así lo reconocía la propia Administración penitenciaria en la Instrucción 17/2007 al señalar que pese a que los requisitos para su concesión aparecen claramente establecidos en el RP, resulta escasa la utilización de este instrumento de reinserción vienen efectuando las Juntas de Tratamiento, debido quizás a que su tramitación completa se contempla alejada del ámbito estrictamente penitenciario. Para ello, la Administración penitenciaria, añade, ha llevado a cabo los oportunos contactos con el Departamento de Justicia para facilitar la gestión de este procedimiento, habiéndose acordado facilitar a aquella instrucciones claras relativas a su aplicación. En 2012 solo 20 de los 543 indultos concedidos procedieron por esta vía, lo que supuso el 3.7% de los casos, frente al 88.5% formulados por el particular, 6.3% a propuesta del Ministro de Defensa o el 1.1% a propuesta del Tribunal sentenciador. Así lo recoge en su estudio sobre los indultos de este año MADRID PÉREZ, A.: "El indulto como excepción. Análisis de los indultos concedidos por el Gobierno español durante 2012", ob. cit., p. 123.

[130]　Previsión que a su vez se ve limitada, sin justificación a nuestro juicio, por una Instrucción de Instituciones Penitenciarias, como la 17/2007, que establece una suerte de regla de conversión de máximos: "hasta un máximo de tres meses por año de cumplimiento en el que se hayan acreditado tales circunstancias". Eso sí, se permite por la Instrucción que la Junta de Tratamiento pueda proponer más de un beneficio de indulto particular si continúan dándose las circunstancias que lo justifican, pero no podrá volverse a tener en cuenta en esa propuesta el período de cumplimiento que se haya contabilizado para un beneficio de indulto ya concedido.

participación del interno en los programas de tratamiento[131], y responder, adecuando la pena, a la evolución positiva penitenciaria[132].

De naturaleza distinta a los beneficios penitenciarios son las recompensas. Frente a los primeros, estas últimas no suponen reducción del tiempo efectivo de estancia en prisión. Y por esa razón, y su conexión directa con el régimen penitenciario, su concesión queda en manos de la Comisión Disciplinaria del centro penitenciario, también competente para la imposición de sanciones disciplinarias. Tampoco realiza aquí distingos el RP respecto a los sujetos destinatarios de estos incentivos, de naturaleza instrumental, y que podrán consistir en la concesión de comunicaciones especiales y extraordinarias adicionales a las previstas para todos los internos como derecho; becas de estudio, donación de libros y otros instrumentos de participación en las actividades culturales y recreativas del centro; prioridad en la participación en salidas programadas para la realización de actividades culturales; reducción de las sanciones impuestas; premios en metálico; notas meritorias en el expediente penitenciario; o cualquier otra recompensa de naturaleza análoga (art. 263 RP).

5. EL TRATAMIENTO PENITENCIARIO DEL CONDENADO POR VIOLENCIA DE GÉNERO

5.1. *Principios generales del tratamiento penitenciario*

La intervención con los condenados por delitos de violencia de género es un buen ejemplo de la confluencia de los dos conceptos de tratamiento penitenciario que conviven en la legislación y praxis penitenciarias.

---

[131]   Véase a este respecto la Instrucción 12/2006 de Instituciones Penitenciarias, *sobre Programación, evaluación e incentivación de actividades y programas de tratamiento*, que dedica su tercera parte a establecer, tras la configuración del procedimiento para programación de actividades educativas, deportivas, culturales y ocupacionales, y de los programas específicos de tratamiento, el procedimiento para la evaluación e incentivación de la participación de los internos en actividades y programas de tratamiento. En este tercer procedimiento deben "establecerse las actuaciones que en los centros penitenciarios deberán seguirse en la asignación de las actividades prioritarias y complementarias del interno desde el momento de su ingreso en el centro, los criterios para la valoración de la participación en dichas actividades y para la obtención de recompensas y beneficios penitenciarios con el objetivo de potenciar y estimular la participación del conjunto de la población penitenciaria en los programas individualizados de tratamiento".

[132]   En este sentido la Instrucción 17/2007 afirma que "su significación reside en el reconocimiento de un perdón en función del cambio obrado por la propia ejecución penal. Su valor como incentivo para la evolución positiva de los penados es innegable".

En efecto, la LOGP de 1979 apostó por un concepto de tratamiento más restrictivo, de carácter clínico, que definido como "el conjunto de actividades directamente dirigidas a la consecución de la reeducación y reinserción de los penados" (art. 59.1), se construye sobre "el estudio científico de la constitución, el temperamento, el carácter, las aptitudes y las actitudes del sujeto a tratar, así como de su sistema dinámico-motivacional y del aspecto evolutivo de su personalidad", guardando relación directa con el diagnóstico de su personalidad criminal y con un juicio pronóstico inicial formulado por el Equipo Técnico a partir del estudio del penado y de su actividad delictiva, y el resto de datos ambientales individuales, familiares y sociales que le rodeen. Con tal fin, la LOGP apelaba a la utilización de "métodos médico-biológicos, psiquiátricos, psicológicos, pedagógicos y sociales, en relación a la personalidad del sujeto" (art. 62). Este concepto potencia la labor de las ciencias de la conducta, particularmente de la psicología, la sociología y la pedagogía, que emergen con fuerza a mitad del siglo XX como el instrumento para llevar a cabo la labor "reformadora" asignada por entonces al concepto de resocialización. En efecto, este concepto clínico de tratamiento tiene una importante connotación subjetiva en la medida en la que se orienta a la modificación del comportamiento del penado. El propio artículo 59.2 LOGP establece su objetivo: "el tratamiento pretende hacer del interno una persona con la intención y la capacidad de vivir respetando la Ley penal, así como de subvenir a sus necesidades. A tal fin, se procurará, en la medida de lo posible, desarrollar en ellos una actitud de respeto a sí mismos y de responsabilidad individual y social con respecto a su familia, al prójimo y a la sociedad en general".

Frente a esta acepción, el RP de 1996, aprobado por el RD 190/1996, de 9 de febrero, viene a introducir un nuevo concepto de tratamiento penitenciario más amplio, de carácter integral, que por un lado posibilite una actuación integral del individuo, ofreciéndole los instrumentos y recursos necesarios para su vida fuera de prisión[133], y, por otro, que dote de contenido el tiempo de privación de libertad[134].

---

[133] El Preámbulo del RP así lo señala: "el Reglamento opta por una concepción amplia del tratamiento que no solo incluye las actividades terapéutico-asistenciales, sino también las actividades formativas, educativas, laborales y socioculturales, recreativas y deportivas, concibiendo la reinserción del interno como un proceso de formación integral de su personalidad, dotándole de instrumentos eficientes para su propia emancipación".

[134] También referido por el Preámbulo: "Es en el aspecto de la ejecución del tratamiento —conforme al principio de individualización científica que impregna la LOGP— donde se encuentra el potencial más innovador para que la Administración penitenciaria pueda mejorar el cumplimiento de la misión de preparación de los reclusos para la vida en libertad que tiene encomendada, cuya consecución exige ampliar la oferta de actividades y de programas específicos para los reclusos, potenciando las prestaciones dirigidas a paliar, en lo posible, las creencias y problemas que presentan los internos y, en definitiva, evitando que la estancia de los internos en los centros penitenciarios constituya un tiempo ocioso y perdido".

Este giro sirve para tratar de orientar la vida en prisión hacia la intervención integral en el individuo, lo que a la Administración Penitenciaria le permite multiplicar su ámbito de actuación tanto en lo referido a la naturaleza y cantidad de actividades, como en el número de sujetos al que les van a ser ofertadas. Respecto a lo primero no serán concebidas como tratamiento solo las de naturaleza estrictamente clínica o terapéutica, sino que, de manera acumulativa o no, el tratamiento ofertado al interno se ampliará en actividades de otra naturaleza, ya educativa, formativa, laboral, deportiva o de gestión de ocio. En cuanto a los sujetos, esta concepción amplia permite ofertar estas actividades no estrictamente terapéuticas también a los internos preventivos, dotándoles de esta manera de contenido el día a día en prisión[135].

Así, tras el ingreso de un preso en prisión y de la realización de las entrevistas con el Trabajador Social, Educador y Médico, estos profesionales emiten una planificación educativa, sociocultural y deportiva y de actividades de desarrollo personal que sirve para que la Junta de Tratamiento elabore el modelo individualizado de intervención. En el caso de los penados, estas entrevistas se completan con las del Jurista y el Psicólogo y la propuesta será de un programa individualizado de tratamiento sobre aspectos tales como la ocupación laboral, formación cultural y profesional, aplicación de ayuda, *tratamiento* y las que hubieran de tenerse en cuenta para el momento de la liberación (art. 20 RP).

Sin embargo este último concepto no consigue sustituir totalmente el concepto clínico mantenido en la regulación de la Ley. Y ello porque convive con la articulación y puesta en marcha de una serie de programas de tratamiento específicos, dirigidos a la actuación frente a determinados perfiles y problemáticas presentes en la prisión y que se han ido diseñando por los técnicos de la Administración Penitenciaria desde comienzos del siglo XXI. Entre ellos, se encuentra el Programa de Intervención para Agresores (PRIA) diseñado en 2010 al que nos referiremos a continuación.

A estos programas de actualización especializada se refiere el art. 116 RP; en concreto, a los programas de deshabituación para toxicómanos (puntos 1 y 2) y a los condenados por delitos contra la libertad sexual (punto 4).

Y es aquí donde precisamente encontramos uno de los "olvidos" más significativos en el desarrollo de lo ordenado por la LOVG, precisamente en la única referencia que aparece en la Ley al ámbito penitenciario. Así, su artículo 42, rela-

---

[135] Más detenidamente sobre este giro en el cambio de la acepción del tratamiento, véase RODRÍGUEZ YAGÜE, C.: *El sistema penitenciario español ante el siglo XXI*, ob. cit., pp. 154 y ss; y GONZÁLEZ COLLANTES, T.: "La convivencia de dos conceptos del tratamiento resocializador en el Ordenamiento penitenciario español". *Revista General de Derecho Penal* nº 22, 2014.

tivo a la Administración penitenciaria, establece que: "1. La Administración penitenciaria realizará programas específicos para internos condenados por delitos relacionados con la violencia de género. 2. Las Juntas de Tratamiento valorarán, en las progresiones de grado, concesión de permisos y concesión de la libertad condicional, el seguimiento y aprovechamiento de dichos programas específicos por parte de los internos a que se refiere el apartado anterior".

En su Disposición Final Quinta, la LOVG dio un plazo de seis meses al Gobierno desde la aprobación de la Ley (28 de diciembre de 2004) para la modificación del art. 116.4 del RP, "estableciendo la obligatoriedad para la Administración penitenciaria de realizar los programas específicos de tratamiento para internos a que se refiere la presente Ley"[136].

Ese proyecto de Real Decreto para la reforma del RP, cuyo texto fue elaborado[137], informado por el CGPJ[138] y pasada su evaluación de impacto económi-

---

[136] Críticamente con la técnica legislativa utilizada, ACALE SÁNCHEZ, M. señala que el hecho de que este artículo 42 no conlleve la modificación de precepto alguno de la legislación penitenciaria, frente a lo que acontece con los artículos referidos a reformas en materia penal, civil o procesal en los que el texto prevé directamente la reforma del CP, CC y LECrim, "está poniendo de manifiesto su carácter de mera llamada de atención para conducir en un concreto sentido la actividad de las cárceles españolas. Ello es tanto como afirmar que la LOVG en materia de tratamiento penitenciario se ha contentado con dar indicaciones a la Administración penitenciaria, en vez de modificar directamente la LOGP, en el entendimiento a primera vista de que su letra es lo suficientemente amplia como para dar acogida a las indicaciones que propone en su interior". "Ejecución de penas y tratamiento postdelictual del maltratador". *Tutela jurisdiccional frente a la violencia de género: aspectos procesales, civiles, penales y laborales*. De Hoyos Sancho, M. (directora). Lex Nova, Valladolid, 2009, p. 87.

[137] Y que proponía la reforma del art. 116.4 en dos sentidos; el primero, sustituyendo la actual "la Administración penitenciaria *podrá* realizar" por la formulación imperativa "La Administración penitenciaria *realizará*". A continuación, incorporaba lo prescrito por la LOVG quedando la redacción del art. 116.4: "La Administración Penitenciaria realizará programas específicos de tratamiento para internos condenados por delitos relacionados con la violencia de género, contra la libertad sexual, para aquellos internos por delito violentos y graves con un perfil de alta peligrosidad, y aquellos que estime oportunos a tenor de un diagnóstico previo que justifique la necesidad de intervención. El seguimiento y aprovechamiento de estos programas, que tendrán carácter voluntario, será valorado convenientemente por las Juntas de Tratamiento en las clasificaciones y progresiones de grado, concesión de permisos, beneficios penitenciarios y libertad condicional".

[138] Que destacó que cumplimentaba adecuadamente el mandato dirigido por la LOVG al Gobierno para la modificación del precepto reglamentario, extendiéndolo incluso más allá de lo ordenado por el legislador al exigir también la aplicación de estos programas específicos a delincuentes sexuales y violentos con alto perfil de peligrosidad criminal, extensión que merecía una favorable acogida por su virtualidad resocializadora. Asimismo señaló que respetaba el principio de voluntariedad en el tratamiento penitenciario establecido en la LOGP y en el RP. Existió un voto particular formulado por dos vocales en el sentido de recomendar que la Administración debería expresar —objetivar— las valoraciones llevadas a cabo para decidir sobre la

co[139], nunca vio la luz. Tampoco se aprovechó la posterior reforma realizada en el texto por el RD 419/2011, de 25 de marzo, para hacer efectivo el mandato del legislador en la LOVG. Doce años después, de manera inexplicable[140], el RP permanece sin ser reformado en este aspecto. Tal ausencia tiene, eso sí, un fuerte significado simbólico.

Frente a esta inquietante falta de atención política, contrasta el trabajo realizado por la Administración penitenciaria para atender al mandato del art. 42 LOVG en la configuración y puesta en marcha de los programas de intervención contra este tipo de violencia, cuya necesidad es, a nuestro juicio, incuestionable, no solo desde el punto de la rehabilitación del agresor, sino también de la víctima y de la propia sociedad[141].

---

concesión o denegación del beneficio penitenciario de tal modo que permitiera la tutela judicial con plenitud, si el penado recurriera la decisión administrativa.

[139] Pues al texto acompañaban dos memorias económicas, una del Ministerio de Justicia correspondiente al coste estimado de implantación de los programas específicos de tratamiento en los centros penitenciarios del territorio gestionado por el Ministerio del Interior y otra de la Generalitat de Cataluña referida al coste correspondiente a los Centros Penitenciarios dependientes de Cataluña, junto a una memoria justificativa y un informe de impacto de género.

[140] Seguramente debido a las reticencias manifestadas por algunos sectores que dudaban de la posible rehabilitación del maltratador y que cuestionaban que la puesta en marcha de estos programas supusiera la detracción de recursos destinados a las víctimas en beneficio de sus agresores. RODRÍGUEZ YAGÜE, C.: "La tutela de la mujer contra la violencia de género en el derecho penal español". *Revista chilena de Derecho y ciencias penales* n° 2, 2013. En este sentido ya apuntaba LARRAURI PIJOAN, E., que las reticencias originarias de los movimientos feministas respecto al tratamiento de los agresores provenían ya del temor de que con ello se individualizara el problema social haciéndolo aparecer como producto de unos cuantos individuos desviados o enfermos, ignorando las estructuras y apoyos sociales que permiten tales comportamientos, ya de la creencia de que los programas desvían los fondos que de otro modo irían destinados a las víctimas de las agresiones o también por la preocupación ante la posibilidad de que estos programas den esperanzas a la mujer de que su pareja puede cambiar y con ello contribuyan a mantenerla atrapada en una relación violenta. La autora identifica las críticas formuladas en España en contra del establecimiento de los programas de tratamiento en torno a la benevolencia de la respuesta y a su ineficacia. "¿Es posible el tratamiento de los agresores de violencia doméstica?". *Dogmática y ley penal. Libro Homenaje a Enrique Bacigalupo*. Tomo I. López Barja de Quiroga, J. y Zugaldía Espinar, J.M. (coords), Marcial Pons, Madrid, 2004, pp. 362 y 363.

[141] Como señala ACALE SÁNCHEZ, M.: el agresor va a contar con apoyo especializado en aspectos esenciales para modificar su comportamiento en el futuro como con el control de su agresividad, su ira, odio, impotencia, desprecio,... Es beneficioso igualmente para la víctima puesto que puede volver a verse involucrada en un acto de violencia, ya porque rehaga su vida con el agresor, lo que no es infrecuente, ya para otras potenciales víctimas. Y lo es también para la sociedad en su conjunto puesto que los programas de tratamiento, en prisión y fuera de ella, son un instrumento más de la LOVG para luchar contra la lacra social de la violencia de género. "Ejecución de penas y tratamiento postdelictual del maltratador", ob. cit., pp. 92 y 93.

No olvidemos que la Administración penitenciaria no solo tiene que dar respuesta a los condenados a penas de prisión por la comisión de delitos relacionados con la violencia de género, que ya vimos que debido a las reformas penales es la tercera causa de entrada en prisión, sino que además, con la reforma operada en el CP por la LOVG condicionando la suspensión y sustitución de las penas por los delitos relacionados con la violencia de género al seguimiento obligatorio de un programa de tratamiento y la asignación de su configuración y seguimiento a la Administración penitenciaria[142], esa labor se amplía con la competencia para realizar los programas de tratamiento también fuera de la prisión para los condenados a los que se les suspende la pena —y antes de la reforma del 2015 también para los casos de sustitución—. Su complejidad es evidente: el incremento tan progresivo como imparable de personas condenadas por estos delitos ha demostrado la existencia de una diversidad de perfiles; asimismo se enfrentan al cumplimiento de diversas penas, algunas de las cuales serán suspendidas, si bien sujetas al seguimiento de un tratamiento, mientras que en muchos otros casos serán ejecutadas en prisión, con una duración mínima de seis meses (tres si se ha reconocido) a un máximo estipulado tras la reforma del 2015 en la prisión permanente revisable.

Antes de ver el contenido de los programas establecidos, es necesario señalar que su ejecución se encuentra con diversos obstáculos. En primer lugar, su carácter voluntario. La LOGP lo formula de manera positiva, cuando afirma que "se fomentará que el interno participe en la planificación y ejecución de su tratamiento y colaborará para, en el futuro, ser capaz de llevar, con conciencia social, una vida sin delitos", para lo que "serán estimulados, en cuanto sea posible, el interés y la colaboración de los internos en su propio tratamiento" (art. 61). Es el RP, en su art. 112, el que garantiza que el interno pueda "rechazar libremente o no colaborar en la realización de cualquier técnica de estudio de su personalidad, sin que ello tenga consecuencias disciplinarias, regimentales ni de regresión de grado". En estos casos, continúa, la clasificación inicial y sus posteriores revisiones se realizarán mediante la observación directa del comportamiento y los informes pertinentes del personal penitenciario de los Equipos Técnicos que tengan relación con el interno y de la utilización de los datos documentales existentes.

---

[142]   Inicialmente en los artículos 15 y 16 del RD 515/2005, de 6 de mayo, actualmente sustituido por el RD 840/2011, de 17 de junio, *por el que se establecen las circunstancias de ejecución de las penas de trabajos en beneficios de la comunidad y de localización permanente en centro penitenciario, de determinadas medidas de seguridad, así como de la suspensión de la ejecución de las penas privativas de libertad y sustitución de penas*, en sus artículos 14 y 15. Actualmente además, tras la reforma del 2015, el CP asigna expresamente en el art. 83.4 el control del cumplimiento de este deber a los servicios de gestión de penas y medidas alternativas de la Administración penitenciaria.

La propia Administración reconoce este elemento como una diferencia notable que debe ser tenida en cuenta en la conformación de los programas de intervención entre los penados con pena de privación de libertad y los sometidos a una pena alternativa, pues mientras que en estos últimos su seguimiento es obligatorio al estar condicionada la suspensión de la pena a su aceptación, en el caso de los internos en centros penitenciarios se reconoce que "normalmente no solicitan *motu proprio* la participación en el tratamiento"[143]. De hecho, con datos del 2010, solo el 34.4% de los internos habían solicitado participar en el programa de tratamiento específico de violencia de género, frente al 60% que no lo hizo[144]. El motivo principal del interno para rechazar su participación en el programa es la ausencia de percepción de ayuda de tratamiento al no considerar el delito como tal (92%)[145].

Precisamente partiendo del presupuesto de la voluntariedad del tratamiento, pero con el propósito de incentivar de manera positiva la participación en el mismo del penado, puesto que se trata de agresores que normalmente presentan una gran resistencia al cambio, la LOVG previó en su art. 42 que las Juntas de Tratamiento valoraran en las progresiones de grado, permisos y libertades condicionales el seguimiento y aprovechamiento de estos programas específicos.

Otro problema para la aplicación del tratamiento deviene de la duración en sí de la pena. Puesto que para varias conductas delictivas (véase art. 153, 171 y 172 CP) la pena prevista es la de seis meses a un año, con dificultad puede conjugarse

---

[143] RUIZ ARIAS, S., NEGREDO LÓPEZ, L., RUIZ ALVARADO, A., GARCÍA-MORENO BAS-CONES, C., HERRERO MEJÍAS, O., YELA GARCÍA, M., PÉREZ RAMÍREZ, M.: *Programa de Intervención para Agresores (PRIA)*. Documentos Penitenciarios nº 7. Ministerio del Interior, Madrid, 2010, p. 6.

[144] Y de los que lo solicitan, el 39% lo hacen por propia iniciativa, mientras que el resto lo hace por sugerencia de un tercero, siendo la Junta de Tratamiento quien principalmente lo hace (45%), seguido de recomendación judicial (9%) y de otro interno (7%). YAGÜE OLMOS, C. (coord.): *El delincuente de género en prisión. Estudio de las características personales y criminológicas y la intervención en el medio penitenciario*, ob. cit., p. 45. Señalando esta disonancia entre la imposición coactiva del tratamiento en las alternativas a la pena privativa de libertad, además en un momento histórico de desencanto respecto a las posibilidades de la intervención resocializadora del delincuente, y la configuración de la voluntariedad en el tratamiento dentro de la prisión, garante con el libre desarrollo de la personalidad del art. 10 CE, FARALDO CABANA, P.: "Suspensión y sustitución de las penas privativas de libertad para condenados por violencia de género. La situación tras la reforma de 2010", *Violencia de género, justicia restaurativa y mediación*. Castillejo Manzanares, R. (Dir). La Ley, Madrid, 2011, p. 452. Con razón muestra también LARRAURI PIJOAN su extrañeza ante la regulación de la obligatoriedad del tratamiento en el caso de que el juez suspenda la pena en prisión y no la prevea como opción cuando el juez impone la pena de trabajos en beneficio de la comunidad. *Criminología crítica y violencia de género*, Trotta, Madrid, 2007, p. 95.

[145] Frente al 7% que no lo hace porque interfiere en sus ocupaciones y el 1% que no lo considera necesario. YAGÜE OLMOS, C. (coord.): *El delincuente de género en prisión. Estudio de las características personales y criminológicas y la intervención en el medio penitenciario*, ob. cit., p. 51.

su cumplimiento con el seguimiento de un programa de tratamiento, lo que fía al final a las únicas finalidades inocuizadoras y preventivo generales de la pena, pero sin garantizar la finalidad prioritaria de la resocialización[146]. Y de tratarse de penas de larga duración, no existen programas de tratamiento que se adecúen temporalmente a las mismas, lo que al final se solventa en muchos casos con la oferta del seguimiento del tratamiento una vez avanzado el cumplimiento de la pena, sin que además haya en la práctica posibilidad efectiva de realizar los recordatorios, revisiones y seguimientos necesarios tras su realización.

Por último, pero no de menor relevancia, otra cuestión fundamental es la referida a la necesidad de una mayor dotación para la ejecución de estos tratamientos. La plantilla de profesionales en la prisión se ha visto importantemente reducida a partir de la perversa confluencia de dos factores: por un lado, la sobrepoblación penitenciaria sufrida durante la década pasada, que provoca que los esfuerzos en dotación de plantillas se dirijan a resolver los problemas derivados de esa mayor ocupación y, por tanto, se destinen a las plazas para cubrir las labores de control, custodia y seguridad, y, por otro, la crisis económica, que ha llevado a la congelación durante varios años del empleo público, lo que ha supuesto una reducción preocupante de efectivos en las prisiones. En la ejecución de los programas de tratamiento puede tratarse de compensar la carencia de educadores y psicólogos en prisión mediante la colaboración del tercer sector al que abre la puerta el RP de 1996[147]. Sin duda la colaboración de las organizaciones no gubernamentales ha supuesto un aumento del tiempo real dedicado al interno, mejorando en muchos casos el alcance y contenido de la intervención, permitiendo además acceder a lugares y actividades donde la Administración no podía llegar. Pero no hay que olvidar el riesgo de desprofesionalización que puede suponer dejar en manos del tercer sector la ejecución de estos tratamientos, responsabilidad de la Administración penitenciaria, cuando además de ser un sector que ha sufrido también de manera importante la crisis económica su incidencia en las distintas prisiones es muy diferente.

La falta de personal necesario implica la imposibilidad de llegar más allá de la ejecución en sí del programa de tratamiento, esto es, de poder llevar a cabo las nece-

---

[146]   Una de las razones por las que la doctrina prácticamente de manera unánime se ha manifestado en contra de las penas de corta duración es precisamente, como señala CERVELLÓ DONDE-RIS, V., que "las penas cortas de prisión presentan como mayor inconveniente las dificultades que tienen para el tratamiento ya que el escaso tiempo de duración provoca su incapacidad para impartirlo, por otro lado ese escaso tiempo de estancia en la prisión no impide que los efectos nocivos como la separación familiar, el abandono de la actividad laboral o el contagio criminal puedan afectar al sujeto". "Los nuevos criterios de clasificación penitenciaria", ob. cit., p. 7.

[147]   Así, el art. 111.3 RP referido a las tareas de la Junta de Tratamiento y Equipos Técnicos en el diseño y ejecución de los tratamientos, señala que "se facilitará la colaboración y participación de los ciudadanos y de instituciones o asociaciones públicas o privadas".

sarias evaluaciones del desarrollo en cada individuo de esa actuación, en su revisión o refuerzo en un período temporal posterior y del seguimiento de cada uno de los casos[148]. La atención real y efectiva de las necesidades de tratamiento de la población reclusa y, dentro de ella, de los condenados por delitos de violencia de género, requiere la dotación de una plantilla de personal adecuada, ya desde el nivel del número de funcionarios de vigilancia que diariamente, a través de la observación, están en contacto en el módulo con los internos, pasando por los educadores responsables de cada módulo y programa y particularmente del número de psicólogos existentes por centro.

5.2. Programas de tratamiento en materia de violencia de género dentro de la prisión[149]

5.2.1. Programa de Intervención para Agresores (PRIA)

El actual programa específico para el tratamiento de los condenados por delitos de violencia de género en prisión es el Programa de Intervención para Agre-

---

[148] En el mismo sentido, afirma CUTIÑO RAYA, S. que "la práctica cotidiana de nuestros centros penitenciarios contradice las afirmaciones de la normativa y los programas no se desarrollan con las condiciones que los especialistas consideran adecuadas. Como hemos visto, los principios del art. 62 LOGP no se cumplen y faltan recursos materiales y personales, siendo la mayoría de estos dedicados al control y la seguridad, provocando un escaso contacto de los equipos técnicos con la población reclusa", "Algunos datos sobre la realidad del tratamiento en las prisiones españolas". *Revista Electrónica de Ciencia Penal y Criminología* 17-11 (2015), p. 34.

[149] Asimismo, la Administración penitenciaria ha configurado un programa específico de tratamiento para los condenados por estos delitos a los que se les han aplicado medidas alternativas a la prisión. Véase en este sentido la Instrucción 10/2011, *relativa a suspensiones y sustituciones de condena de penas privativas de libertad. Especial referencia a la intervención con agresores por violencia de género en medidas alternativas.* Además recientemente, el programa PRIA ha sido actualizado en el año 2015 dando lugar al Programa PRIA-MA, Programa de Intervención de violencia de género en Medidas Alternativas, para aplicar a penados a los que se les ha suspendido la condena o de penados condenados a pena de trabajo en beneficio de la comunidad, recordemos pena alternativa contemplada en los artículos 153, 171.4 o 172.2 CP. Este programa tiene una duración estimada de 10 meses, se realiza en formato de terapia de grupo o individual, según la evaluación inicial, y consta de tres fases: de motivación y evaluación, de intervención y de seguimiento. Más información sobre este programa específico en *http://www.institucionpenitenciaria.es/web/portal/PenasyMedidasAlternativas/programas/priama.html* y en PÉREZ RAMÍREZ, M., GIMÉNEZ-SALINAS, A., DE JUAN ESPINOSA, M.: *Evaluación del programa "Violencia de Género: programa de intervención para agresores" en medidas alternativas.* Ministerio del Interior, Instituto de Ciencias Forenses y de la Seguridad de la Universidad Autónoma de Madrid, 2012; SORDI STOCK, B.: de la misma: "¿Nuevos horizontes? En los programas de rehabilitación para agresores de violencia de género". *InDret* 1/2015; y en el caso de la experiencia en Cataluña, LARRAURI, E.: "Los programas formativos como medida penal alternativa en los casos de violencia de género ocasional". *Revista Española de Investigación Criminológica* n° 8 (2010).

sores (PRIA)[150]. Frente a su precedente, orientado fundamentalmente hacia una intervención clínica, con una metodología cognitivo-conductual, el PRIA integra los aspectos clínicos con otros de tipo educativo-motivacional bajo la perspectiva de género. A partir de la revisión de la experiencia del Programa de 2005, el PRIA pretende adaptar las estrategias de intervención hasta el momento utilizadas introduciendo, por un lado, la perspectiva de género y, por otro, circunstancias relacionadas con el tipo de condena y de la situación penitenciaria ya en régimen ordinario o abierto, o con las diferentes características del infractor penal con la intervención frente a diversos perfiles de agresores[151]. Su objetivo es la extinción de cualquier tipo de violencia dirigida hacia la pareja, así como todo tipo de actitudes y creencias de tipo sexista[152].

El programa se divide en cuatro fases[153]: la primera consistirá en una evaluación pretratamiento, a través de dos entrevistas semiestructuradas de evaluación previas al inicio de la intervención, con el objeto tanto de recoger información general sobre la anamnesis del sujeto (historial familiar, personal, social, laboral,...) como una entrevista psicosocial para recoger información específica relacionada con el delito cometido de tal manera que permita al terapeuta analizar la conducta de maltrato llevada a cabo por el participante y recoger parte de la información necesaria para los instrumentos de valoración del riesgo.

La segunda de las fases la constituye la intervención terapéutica. Esta se estructura en 11 unidades distribuidas en dos partes; la primera[154] se dedica al

---

[150]　Sus antecedentes se encuentran, en primer lugar, en la experiencia piloto realizada en los años 2001-2003 a partir del manual de referencia elaborado por el Profesor Enrique Echeburúa y, con posterioridad, en el Programa de Tratamiento en Prisión para Agresores en el Ámbito Familiar que pone en marcha la Dirección General de Instituciones Penitenciarias en 2005 para los internos que han cometido delitos de violencia de género (Publicado en Documentos Penitenciarios n° 2, Ministerio del Interior, 2005). RUIZ ARIAS, S., NEGREDO LÓPEZ, L., RUIZ ALVARADO, A., GARCÍA-MORENO BASCONES, C., HERRERO MEJÍAS, O., YELA GARCÍA, M., PÉREZ RAMÍREZ, M.: *Programa de Intervención para Agresores (PRIA)*, ob. cit., p. 5.

[151]　Según los autores del programa, son tres las características diferenciales respecto del programa anterior: la integración de los aspectos clínicos con la perspectiva de género; el énfasis en la necesidad de trabajar la motivación inicial de los agresores, el análisis de las diferentes conductas que integran la violencia de género, haciendo hincapié en la violencia psicológica y en la instrumentalización de los hijos. Ibidem., p. 29.

[152]　Ibidem, pp. 5 a 7.

[153]　Para explicar sus características, seguiremos lo referido en el documento de RUIZ ARIAS, S., NEGREDO LÓPEZ, L., RUIZ ALVARADO, A., GARCÍA-MORENO BASCONES, C., HERRERO MEJÍAS, O., YELA GARCÍA, M., PÉREZ RAMÍREZ, M.: *Programa de Intervención para Agresores (PRIA)*, ob. cit., pp. 61 y ss.

[154]　Que consta de las siguientes unidades: 1. Presentación y motivación al cambio; 2. Identificación y expresión de emociones; 3. Distorsiones cognitivas y creencias irracionales; 4. Asunción de la responsabilidad y mecanismos de defensa; 5. Empatía con la víctima.

trabajo sobre variables clínicas que el participante debe conocer y aprender a manejar antes de iniciar el análisis de las conductas violentas que se desarrollará en la parte segunda[155], dedicada a las diferentes manifestaciones de violencia de género (violencia física, sexual e instrumentalización de los hijos), junto con una unidad de tipo educativo sobre las diferencias de género y otra referida a la prevención de recaídas.

La tercera fase la constituye la evaluación post tratamiento, en la que se aplicarán los mismos instrumentos que en la fase pretratamiento. Y, por último, la cuarta fase consistirá en el seguimiento del penado.

Se prevé que la duración del programa pueda oscilar entre seis meses y un año, en función del perfil de usuarios, su nivel de riesgo de reincidencia, la duración de la condena, el medio en el que se desarrolle el programa y la evolución de los participantes en el mismo. Si bien se propone que el número de sesiones esté en torno a 25 en el programa básico, para un programa de mayor intensidad puede ser de 50. De forma estimativa, se realizará una sesión a la semana de dos horas y media de duración[156].

El programa propone que se lleve a cabo en grupos cerrados con el objetivo de que los participantes alcancen mayor cohesión grupal y se facilite con ello el trabajo terapéutico. No obstante, si se opta por grupos abiertos, el programa simplemente indica que deberán complementarse con sesiones individuales para trabajar con los participantes aquellos aspectos que no pudieron trabajar con el grupo con anterioridad.

En cuanto a los criterios de inclusión, el programa indica que se intervendrá con personas condenadas por delitos de violencia de género que no presenten un problema de drogodependencias activo sin abordaje terapéutico, psicopatología grave, baja capacidad intelectual o dificultades de comprensión del idioma, señalando como otros criterios de exclusión la falta de asistencia y la conducta disruptiva a lo largo de la intervención. En todo caso será el terapeuta el que, tras la evaluación del interno, decida si es más apropiado el trabajo individual o grupal con el mismo en función de las características del participante, su evolución y el riesgo presentado.

En todo caso, se trata de un programa prioritario para la Administración penitenciaria. Los datos sobre el número de establecimientos penitenciarios en

---

[155] Integrada por las unidades: 6. Violencia física y control de la ira; 7. Agresión y coerción sexual en la pareja; 8. Violencia psicológica; 9. Abuso e instrumentalización de los hijos; 10. Género y violencia de género; 11. Prevención de recaídas.

[156] Con una estructura que permita el comienzo con una explicación teórica del tema que va a ser trabajado, realizando después dinámicas y tareas para desarrollar los contenidos principales y finalizando con una reflexión. Se proponen también tareas intercesiones para que cada participante realice por su cuenta y que serán comentadas en la sesión siguiente.

los que está implantado, 52 en 2015, y de participación en el mismo, 1181 internos en ese mismo año[157], indican la amplitud de la intervención ofrecida[158]. Sin embargo, en este sentido es necesario reflexionar sobre el número relevante de internos que quedan fuera del programa por no cumplir los requisitos de acceso. En el Informe realizado en el 2010 se detectó que un amplio porcentaje de los internos a los que se les ha realizado la oferta institucional, 35.5%, queda excluido de la intervención por no cumplir los requisitos mínimos de acceso (al menos 12 meses de cumplimiento restante de condena, no padece una psicopatía grave, un mínimo de motivación, que no tengan sanciones de gravedad, que sepan leer y escribir y, de ser extranjero, dominar suficientemente el idioma)[159].

5.2.2. Programas de tratamiento para la mujer víctima de violencia de género y, además, reclusa

La articulación de los programas de tratamiento específicos para luchar contra la violencia de género dentro de la Institución penitenciaria no acaba con la actuación frente al agresor. La Administración Penitenciaria ha puesto en marcha, en colaboración con el Instituto de la Mujer y con otras asociaciones, un programa de actuación específico denominado "Sermujer.es", dirigido a la prevención de la violencia de género para las mujeres que estén en los centros penitenciarios[160].

Este Programa responde a la necesidad de intervenir ante una situación, como la violencia de género, que se ha detectado que han sufrido muchas de las mujeres que se encuentran en los centros penitenciarios españoles con anterioridad a su

---

[157]　Informe General de 2015. Ministerio del Interior, 2016, p. 39. En años anteriores la participación es también muy elevada: 1158 en 2014 (Informe General de 2014, p. 39); 1030 en 2012 (Informe General de 2012, p. 41); 968 en 2011 (Informe General de 2011, p. 45); 856 en 2010 (Informe General de 2010, p. 39).

[158]　Más detenidamente en relación con los análisis de los resultados obtenidos por estos programas véanse los siguientes trabajos: desde la Institución penitenciaria YAGÜE OLMOS, C. (coord.): *El delincuente de género en prisión. Estudio de las características personales y criminológicas y la intervención en el medio penitenciario*, ob. cit. y en la doctrina científica. SORDI STOCK, B.: "Programas para agresores de violencia de género en prisión: ¿de qué evidencia disponemos?". *Revista Española de Investigación Criminológica* n° 13, 2015; De la misma autora: "Programas de rehabilitación para agresores en España: un elemento indispensable de las políticas del combate a la violencia de género". *Política criminal*, vol. 10, n° 19, 2015, pp. 297 a 317.

[159]　YAGÜE OLMOS, C. (coord.): *El delincuente de género en prisión. Estudio de las características personales y criminológicas y la intervención en el medio penitenciario*, ob. cit., p. 50.

[160]　YAGÜE OLMOS, C. (Coordinación): *Programa de prevención de violencia de género para las mujeres en Centros Penitenciarios. Ser mujer.es. Programa de intervención con mujeres privadas de libertad*. Documentos penitenciarios n° 9. Manual para Profesionales. Ministerio del Interior.

ingreso y que se ha evidenciado, además, como uno de los factores que pueden haber interactuado en su proceso de exclusión social previo a la entrada en prisión[161].

En efecto, según un estudio realizado en la población penitenciaria femenina en Cataluña[162], el porcentaje de mujeres internas que han sufrido algún tipo de violencia ascendía al 88.4% del total de la población penitenciaria[163].

Como pone de manifiesto este informe, la suma entre el sufrimiento de esta violencia con todas las desventajas sociales que estas mujeres sufren por el hecho de pertenecer a sectores excluidos de la sociedad hace que sus oportunidades para desarrollar estrategias de supervivencia formales sean muy escasas lo que, indirectamente, les vincula con el delito, al margen de que normalmente el tipo de delitos por ellas cometidos está más visibilizado y, por ende, perseguido[164]. El estudio, realizado sobre la definición de violencia contra las mujeres de Naciones Unidas[165], diferencia entre violencia psicológica (sufrida por un 54% de la muestra), violencia sexual (68%, 41% de las cuales la sufrían de manera sistemática y 27% puntual), violencia física y social (ambos casos un 68%, siendo grave en el 74% de la violencia física y en el 51% de la social) y económica (42%, pero muy grave en el 94% de los casos)[166]. Respecto al origen de la agresión, en el 54.9% fue la pareja, en el 9.8% el padre y la pareja, en el 5.7% la madre y la pareja y en el 9.8 el hermano y la pareja[167].

[161] YAGÜE OLMOS, C. (Coordinación): *Programa de prevención de violencia de género para las mujeres en Centros Penitenciarios*, ob. cit., p. 6.
[162] Cuyos resultados se encuentran publicados en CRUELLS, M., TORRENS, M., IGAREDA, N.: "Violencia contra las mujeres. Análisis en la población penitenciaria Femenina". SURT, 2005. Para su realización, se hizo un estudio a partir de 199 entrevistas realizadas durante 2005 a 200 internas de tres centros penitenciarios catalanes.
[163] Cruzados estos datos con la variable de origen y étnica, se concluyó que las mujeres gitanas habían sufrido violencia en un porcentaje menor (81%) que las no gitanas (88%), mientras que las mujeres extranjeras prácticamente todas la habían sufrido (98%) frente a las de nacionalidad española (83%). Respecto a su carácter de consumidoras de drogas, el 87% de las consumidoras habían sufrido violencia, frente al 89% de las no consumidoras, lo que permite ver que el consumo activo no determina el hecho de sufrir más agresiones. En cuanto a la edad, los tramos en los que los porcentajes son más altos son entre 18 a 24 años, 25 a 31 años y 46 a 52 años. Ibidem, p. 15.
[164] Ibidem, pp. 4 y 5.
[165] Referida a todo acto de violencia sexista que tiene como resultado posible o real un daño físico, sexual o psíquico, incluyendo las amenazas, coerción o la privación arbitraria de libertad, tanto en la vida pública como en la privada. ONU A/48/49 (1993).
[166] Ibidem, p. 16. El estudio sí diferencia si la violencia había sido sufrida dentro de la familia, siendo en el caso de las agresiones físicas el 93% en el hogar y el 40% fuera del mismo —pues en muchos supuestos existía simultaneidad en la situación de violencia entre ambos planos—. En el 82%, la violencia física aparece de la mano de la violencia sexual (p. 21).
[167] Ibidem, p. 24.

Además hay que tener en cuenta que a los efectos devastadores de la situación de violencia vivida se suman al impacto psicológico que implica la privación de libertad[168]. El impacto psicológico es indudable: así, de las mujeres entrevistadas, el 53.1% declaraba haber intentado suicidarse alguna vez; el 94% habían pasado por situaciones de depresión y el 75% no se valoraba a sí misma y el 64.6% se atribuía la responsabilidad de las agresiones. A su vez, la situación de violencia genera aislamiento social: el 75% de las mujeres entrevistadas manifestaba haber perdido amigos. También se relaciona el consumo de sustancias tóxicas como un mecanismo de evasión en un número muy importante de los casos (un 49% creen que consumían sustancias para olvidar las situaciones de violencia).

La sobrerrepresentación de la condición de víctima de violencia en la población reclusa femenina española hace necesario, en consecuencia, la articulación de un programa como el aquí analizado para afrontar esta situación.

El Programa Sermujer.es tiene un doble carácter: por un lado, la prevención de la violencia de género para las mujeres privadas de libertad en un centro penitenciario; por otro, el tratamiento de aquellas internas que han sufrido esa violencia de género. Por ello la población diana para este programa la conforman tanto las mujeres que han vivido o estén viviendo situaciones de violencia de género, como la de aquellas que, sin haberla sufrido, estén interesadas por este programa. En consecuencia su objetivo principal es el de disminuir la vulnerabilidad de las mujeres privadas de libertad ante situaciones de violencia y/o dependencia, e intervenir sobre aquellas que han vivido o que están viviendo esta problemática. Para ello, como objetivos estratégicos, el Programa formula la realización de una intervención general y homogénea en los centros penitenciarios con mujeres, poniendo en marcha un programa e intervenciones individuales puntuales, desde una perspectiva de género, que permita abordar la problemática específica de violencia contra las mujeres. Son ocho los objetivos específicos del programa: 1) Favorecer la interacción, comunicación, expresión de emociones y vivencias personales entre las participantes del grupo, proporcionándoles una experiencia de encuentro interpersonal respetuoso, cálido y orientado al crecimiento personal y al aprendizaje grupal; 2) Conocer la presencia e incidencia del sistema sexo-género en nuestra sociedad actual y en la experiencia vital de cada mujer; 3) Favorecer una autoestima saludable que permita a las participantes conocerse y representarse a sí mismas como mujeres valiosas; 4) Promover una actitud de autocuidado a través del conocimiento e interiorización de hábitos saludables en su vida cotidiana; 5) Motivar la búsqueda de una sexualidad saludable a través del conocimiento de un concepto global de sexualidad y de la información y

---

[168]   Ibidem, pp. 25 y ss.

formación necesaria para la prevención de infecciones de transmisión sexual y de embarazos no deseados; 6) Profundizar sobre los estilos de relación, vínculos amorosos y la elección de pareja, así como conceptualizar, identificar y abordar las situaciones de violencia de género; 7) Dotar a las internas de habilidades y recursos personales para que puedan identificar, prevenir y afrontar las situaciones de violencia, así como superar los efectos y secuelas en caso de haberla padecido; y 8) Dar a conocer los recursos de protección, ayuda y atención que las Instituciones y Asociaciones ponen a disposición de las mujeres y de sus hijos e hijas, en caso de estar inmersos, o correr riesgo de estarlo, en una situación de malos tratos.

El Programa "Sermujer.es" se articula en siete unidades de intervención: construcción de las identidades de género; autoestima; sexualidad; relaciones de pareja y mitos del amor romántico; violencia de género; habilidades de competencia social; y prevención y recursos. Su desarrollo se prevé a través de 48 sesiones semanales de tratamiento grupal[169], si bien está previsto que estas sesiones puedan ser complementadas con sesiones individuales en casos puntuales si esto es necesario y cuya duración dependerá de las necesidades terapéuticas detectadas[170]. Asimismo se establece como premisa del Programa su carácter confidencial, para garantizar la seguridad y la intimidad de todas las internas que participen en el mismo[171].

---

[169] Como afirma el Manual para profesionales, el trabajo grupal en el medio penitenciario es una herramienta eficaz y eficiente para promover cambios en las actitudes, conductas y emociones. En este caso, son numerosas sus ventajas: el intercambio de percepciones, ideas y sentimientos permitirá comprender que su situación social o vital tiene mucho en común con la de sus compañeras; la participación en grupo le permitirá tener un rol activo; le devolverá, asimismo, una mejor imagen de sí misma, permitiéndole elaborar y relacionar su historia y condiciones de vida con la situación actual; el ser escuchada y apoyada y hacer lo mismo con otras internas les hará sentirse útiles, aumentando su propia autoestima; además, permite trabajar las características que constituyen la base del empoderamiento de las mujeres: confianza, flexibilidad ante las situaciones, conformar un proyecto propio, toma de decisiones,.... Si bien estos grupos, que contarán como máximo con 15 mujeres, serán cerrados, sin nuevas incorporaciones si está avanzado el programa, se permite que pueda dejarse abierta la posibilidad de aceptar nuevas participantes si las mujeres lo necesitan por cuestiones de tratamiento o si, por su reciente ingreso en prisión o detección a nivel de intervención prioritaria, se ha detectado la existencia de un historial de violencia de género que haga imprescindible su inclusión en el programa. Ibidem, pp. 8 y 9.

[170] Y que pretende la intervención psicológica para ayudar a la mujer víctimas de violencia de género para desarrollar una serie de estrategias y herramientas a nivel cognitivo, emocional y conductual que les permitan desarrollar su autonomía personal y llevar el control de sus propias vidas y tomar sus decisiones en libertad. Ibidem, pp. 16 y 17.

[171] Y ello porque, en primer lugar, debe garantizarse la intimidad de las mujeres que no quieren que sea de dominio público la situación vivida. Además, este programa también tiene lugar en centros penitenciarios donde conviven módulos de hombres y de mujeres, con lo que en ocasiones puede estar cumpliendo condena en el mismo centro la pareja. El conocimiento del hombre de

Se prevé que sea el Programa sea llevado a cabo por un equipo de intervención de naturaleza multidisciplinar, en el que se integren tanto los profesionales de los equipos técnicos del centro penitenciario, como profesionales del Instituto de la Mujer o de asociaciones u ONG´s que aborden aspectos relacionados con la problemática de género[172].

Este programa, que comenzó a elaborarse en 2009, se implantó en 2011. Durante ese primer año, se implantó en 12 centros penitenciarios, participando 159 internas[173]. En el año 2012 se llevó a cabo en 13 centros, con participación de 145 internas[174]; En el año 2013, se incrementó a 15 los centros penitenciarios en los que se desarrolló, no constando los datos totales de participación[175]; Durante el año 2014, se ha llevado a cabo en 19 centros penitenciarios, con la participación de 209 internas[176]. Los últimos datos disponibles son los del año 2015, en el que se ha llevado a cabo en 17 centros penitenciarios, con la participación de 207 internas[177].

6. PROHIBICIÓN DE LA MEDIACIÓN EN LOS DELITOS DE VIOLENCIA DE GÉNERO: SU INCIDENCIA EN LA EJECUCIÓN PENAL

La mediación como un eficaz instrumento de resolución de conflictos se está abriendo paso, despacio pero de forma firme, en el sistema penal y penitenciario español. Como un mecanismo más a través del cual se puede conseguir la justicia restaurativa, permite superar el paradigma de la justicia punitiva, dando entrada ya no solo a la averiguación del culpable de la infracción penal y a la consecuente imposición de la pena, sino a la satisfacción de las necesidades de la víctima concreta. Volviendo a personalizar el proceso penal a través del redescubrimiento y atención a la víctima, sin renunciar al monopolio estatal del *ius puniendi*, le devuelve un rol más activo en la respuesta frente al delito. Busca además, respecto

---

la participación de la mujer en este programa podría situarla en una posición de riesgo. Ibidem, p. 7.

[172] Lo que, como señala el propio Programa, permite por un lado disponer de un mayor nivel de efectivos de personal, optimizando recursos externos, al tiempo que, por otro, permite cubrir todas las áreas desde la parte personal, actitudinal y psicológica, hasta los aspectos socio-familiares, laborales, penales y penitenciarios. Ibidem, p. 20.

[173] Informe General de Instituciones Penitenciarias de 2011. Ministerio del Interior, p. 47.

[174] Informe General de Instituciones Penitenciarias de 2012. Ministerio del Interior, p. 43.

[175] Informe General de Instituciones Penitenciarias de 2013, Ministerio del Interior, p. 42.

[176] Informe General de Instituciones Penitenciarias de 2014, Ministerio del Interior, p. 41.

[177] Informe General de Instituciones Penitenciarias de 2015, Ministerio del Interior, p. 42.

al agresor, que afronte la reparación, la conciliación y la responsabilización por el hecho cometido, ya junto a la sanción penal, ya en lugar de la misma[178]. Este nuevo modelo de justicia restaurativa pretende situar el conflicto como un lugar de encuentro entre víctima y agresor donde la pretensión no es solo el castigo unilateral del delincuente o su readaptación social, sino también proteger el interés de la víctima a través del reconocimiento del daño causado[179].

Es la reforma del Código penal operada por la LO 1/2015, de 30 de marzo, la que formaliza su incorporación al sistema penal en el ámbito de las alternativas a la imposición de la pena privativa de libertad, en el proceso que realiza de remodelación de las figuras de suspensión y sustitución de la pena. Así, dentro de la posibilidad que introduce el art. 84.1 CP de condicionar la suspensión de la ejecución de la pena, una vez cumplidos los requisitos generales establecidos para su concesión[180], a una serie de prestaciones o medidas, formula como primera de ellas "el cumplimiento del acuerdo alcanzado por las partes en virtud de mediación".

En el ámbito penitenciario, si bien es cierto que todavía no se ha establecido el marco normativo, vía ley o vía reglamento, para dar cobertura o atribuir consecuencias penitenciarias directas a la participación de los internos en procesos de mediación, los programas ya cada vez más extendidos en los diferentes centros penitenciarios están introduciendo estos procesos tanto en su vertiente de resolución de conflictos surgidos entre internos, normalmente para superar procesos de incompatibilidades y evitar o reducir sanciones disciplinarias, como en su vertiente, hasta el momento más limitada, de mediación entre víctima y recluso[181].

---

[178]   RÍOS MARTÍN, J., PASCUAL RODRÍGUEZ, E., SEGOVIA BERNABÉ, J.L., ETXEBARRIA ZARRABEITIA, X., BIBIANO GUILLÉN, A., LOZANO ESPINA, F.: *La mediación penal y penitenciaria. Experiencias de diálogo en el sistema penal para la reducción de la violencia y el sufrimiento humano.* 3ª edición, Colex, Madrid, 2012, pp. 30 a 34.

[179]   CERVELLÓ DONDERIS, V.: "Los principios penales como criterio regulador de la selección de delitos mediables". *Criminología y Justicia*, nº 4, 2012, p. 35.

[180]   En concreto exige el art. 80.2 para la concesión de la modalidad ordinaria de suspensión de la pena privativa de libertad que el condenado haya delinquido por vez primera (no teniendo en cuenta anteriores condenas por delitos imprudentes, leves, antecedentes cancelados o que debieran haberlo sido ni tampoco, como novedad, antecedentes correspondientes a delitos que, por su naturaleza o circunstancias, carezcan de relevancia para valorar la probabilidad de comisión de delitos futuros); que la pena o suma de penas impuestas no sea superior a dos años, sin incluir el cómputo de la derivada del impago de multa; y que se hayan satisfecho las responsabilidades civiles que se hubieran originado y se haya hecho efectivo el decomiso acordado en sentencia.

[181]   Las experiencias más desarrolladas en esta última dimensión han tenido lugar en el marco de la denominada Vía Nanclares, en procesos de mediación entre terroristas de ETA y víctimas y familiares. Más detenidamente sobre los mismos son de interesante lectura las experiencias narradas en primera persona recogidas en PASCUAL RODRÍGUEZ, E. (coord.): *Los ojos del otro.*

La ejecución de las penas de prisión en los delitos de violencia de género...

519

Su incidencia en este último caso puede encauzarse a través de la concesión del acceso a las figuras penitenciarias de ejecución ya referidas. Así, en primer lugar, al tercer grado, puesto que el art. 72 LOGP incorpora como requisito, junto a los previstos en el CP, la satisfacción de la responsabilidad civil derivada del delito, señalando que deberá considerarse para ello, entre otras circunstancias la restitución de lo sustraído y la reparación del daño e indemnización de los perjuicios materiales y morales[182]. También la mediación puede ser tenida en cuenta en esa clasificación en tercer grado a efectos de exclusión del período de seguridad por parte del Juez de Vigilancia cuando este hubiera sido acordado por el tribunal sentenciador en penas superiores a cinco años (art. 36.2 CP) o para proceder a la clasificación inicial en régimen abierto, que requiere el análisis de las diferentes variables intervinientes en la clasificación penitenciaria, valorándose especialmente el historial delictivo y la integración social del penado (art. 104.3 RP). En segundo lugar, en el acceso a los permisos de salida, la asunción de la responsabilidad por los hechos cometidos puede ser tenida en cuenta a la hora de conformar el requisito de la buena conducta exigido para la concesión de los permisos ordinarios (art. 47 LOGP). En tercer lugar, la satisfacción de la responsabilidad civil derivada del delito es, como vimos, requisito para la concesión de la libertad condicional (art. 90 CP)[183]. Por último, también puede ser encauzado, siempre que se cumplan el resto de requisitos establecidos para ello, a través de la concesión del beneficio penitenciario del adelantamiento de la libertad condicional, donde como vimos para la modalidad cualificada se contempla expresamente la participación efectiva y favorable en programas de reparación a las víctimas (art. 91.2 CP)[184].

Como objetivos prioritarios de la mediación entre víctima y victimario se encuentran, en primer lugar respecto al interno, estimular su proceso de reso-

---

Encuentros restaurativos entre víctimas y ex miembros de ETA. Editorial Saltearre, 2013. Véase también PASCUAL RODRÍGUEZ, E., RÍOS MARTÍN, J.: "Reflexiones desde los encuentros restaurativos entre víctimas y condenados por delitos de terrorismo". *Oñati Socio-legal Series* v. 4, n° 3, 2014, p. 42 a 442.

[182] En el caso del terrorismo este precepto incorpora como una posibilidad de cumplimentar la exigencia de la colaboración activa con las autoridades, la petición expresa de perdón a las víctimas del delito.

[183] Como lo es, en el caso del terrorismo y delincuencia organizada, la colaboración con las autoridades, que puede manifestarse a través de esa petición expresa de perdón a las víctimas.

[184] Véase sobre ello RÍOS MARTÍN, J., PASCUAL RODRÍGUEZ, E., SEGOVIA BERNABÉ, J.L., ETXEBARRIA ZARRABEITIA, X., BIBIANO GUILLÉN, A., LOZANO ESPINA, F.: *La mediación penal y penitenciaria*, ob. cit., p. 83; y ALONSO SALGADO, C.: "Más allá de los muros de la prisión: la mediación penal entre víctima y victimario condenado a ingresar en centro penitenciario", *Justicia restaurativa y violencia de género. Más allá de la LO 1/2004*. Universidad de Santiago de Compostela, 2014, pp. 286 a 295.

cialización, en tanto la mediación se construye sobre el proceso individual de asunción del delito y de responsabilidad por el daño causado. Se busca con ello sensibilizar al penado con los intereses de la víctima y, a través de ello, conseguir la reparación, no solo económica, sino también moral y personal[185]. Solo en un segundo término y como consecuencia de tal evolución, podrá facilitar su acceso a figuras regimentales que impliquen su salida temporal (permisos de salida) o más continuada (tercer grado, libertad condicional) de la prisión. En segundo lugar, y respecto a la víctima, la mediación busca ayudarle a superar los efectos del proceso de victimización al que se ha visto sometida, a compensar los daños causados, a obtener una explicación, al tiempo que le devuelve un sentimiento de protagonismo en el proceso penal.

Sin embargo, la LO 1/2004, de 28 de diciembre, elimina categóricamente la posibilidad de mediación en su ámbito de regulación. En concreto, es su artículo 44[186], que formula la inclusión de un nuevo artículo 87 ter en la LO 6/1985, de 1 de julio, del Poder Judicial para atribuir competencias en el orden penal y civil a los Juzgados de Violencia sobre la Mujer que la misma Ley crea, concluye su apartado quinto afirmando que "en todos estos casos está vedada la mediación"[187].

En esta dirección, y acorde también con lo establecido en el Convenio de Estambul[188], el Pacto de Estado contra la violencia de género aprobado en el Congreso incluye como medida nº 116 "reforzar en la legislación y en los protocolos que se aprueben y revisen, la absoluta prohibición de la mediación en los casos de violencia de género"[189].

---

[185]   Como señala TAMARIT SUMALLA, J.M., la justicia reparadora aumenta la posibilidades de éxito del tratamiento penitenciario del penado, puesto que favorece la sensibilización sobre las consecuencias del delito, el desarrollo de la empatía y la asunción de responsabilidad, sirviendo como contrapeso de las estrategias de neutralización o de las distorsiones cognitivas que constituyen uno de los principales obstáculos para la adopción de actitudes prosociales. "La introducción de la justicia reparadora en la ejecución penal: ¿una respuesta al rearme punitivo?". *Revista General de Derecho Penal* nº 1, 2004, p. 16.

[186]   Esta prohibición no figuraba en el proyecto de Ley, sino que fue introducida durante su tramitación a través de una enmienda parlamentaria de CIU. BOGC, Serie A: Proyectos de Ley, nº 2-1, 1 de julio de 2004.

[187]   Prohibición que implícitamente se recoge por el Estatuto de la Víctima, aprobado por la Ley 4/2015, de 27 de abril, del Estatuto de la víctima del delito, en su artículo 15 al regular los servicios de justicia restaurativa, al referirse como uno de los requisitos para ello que "no esté prohibida por la ley para el delito cometido".

[188]   Que en su art. 48.1 establece que las partes adoptarán las medidas legislativas o de otro tipo necesarias para prohibir los modos alternativos obligatorios de resolución de conflictos, incluidas la mediación y la conciliación, en lo que respecta a todas las formas de violencia incluidas en el ámbito de aplicación del presente convenio.

[189]   De esta manera se quiere cerrar el paso a la posibilidad de hacer una lectura menos estricta del art. 44 de la LOVG, en el sentido de circunscribir la prohibición de la mediación en el ámbito

De esta manera, el legislador ha tomado partido en el caso de los delitos de violencia de género en el vivo debate sobre cuáles deben ser los delitos susceptibles de mediación y si debe haber, y en función de qué variables, restricciones a la mediación penal (y penitenciaria). En este sentido, esas restricciones pueden venir fundamentalmente de dos planos: el primero, en relación con el principio de ofensividad, se refiere a que haya delitos que por su especial gravedad o por la importancia de los bienes jurídicos a los que protegen requieran una intervención más intensa del Derecho penal y la aplicación total de la pena; el segundo, de corte criminológico, postularía que ciertas características de la víctima —como su estado psicológico, su posición respecto al agresor o su vulnerabilidad— pueden desaconsejar la mediación penal con el victimario[190]. Esta última es la razón por la que la LO 1/2004, de 28 de diciembre prohíbe la mediación en este ámbito. En este caso el legislador presupone que existe desequilibrio entre ambas partes y, con ello, la imposibilidad de llegar a acuerdos en el grupo de delitos de violencia de género a los que se dirige esta norma, sin permitir que sea el mediador quien analice en cada delito particular la disposición o no de las partes al diálogo[191].

---

penal a los asuntos que son competencia de los Juzgados de Violencia sobre la Mujer (instrucción de los delitos de homicidio, aborto, lesiones, lesiones al feto, delitos contra la libertad, delitos contra la integridad moral, contra la libertad e indemnidad sexuales o cualquier otro delito cometido con violencia o intimidación, siempre que hubiesen sido cometidos contra quien sea o haya sido su esposa, o mujer que esté o haya estado ligada al autor por análoga relación de afectividad, aun sin convivencia, así como de los cometidos sobre los descendientes, propios o de la esposa o conviviente, o sobre los menores o incapaces que con él convivan o que se hallen sujetos a la potestad, tutela, curatela, acogimiento o guarda de hecho de la esposa o conviviente, cuando también se haya producido un acto de violencia de género; y los delitos contra los derechos y deberes familiares, cuando la víctima sea alguna de las personas anteriormente señaladas), limitándolo a la fase de enjuiciamiento e imposición de sentencias pero no entendiendo que tal previsión se extendería a la fase de ejecución de la pena. En sentido contrario, por ejemplo, GUARDIOLA LAGO, M.J., entiende que dado que la ubicación del precepto que prohíbe la mediación está referida al ámbito competencial de los Juzgados de Violencia sobre la Mujer, que alude a la instrucción de determinados delitos y al conocimiento y fallo de las antiguas faltas, "conduce, a contrario, a poder admitir la mediación penal una vez concluida la fase de instrucción". "La justicia restaurativa en la violencia de género a debate: situación actual en España y reflexión de política criminal". *Justicia restaurativa y violencia de género. Más allá de la LO 1/2004.* Universidad de Santiago de Compostela, 2014, p. 319. Al contrario, entendiendo que la prohibición afecta también a la fase de juicio oral y a la de ejecución, por ejemplo, CUCARELLA GALIANA, L.A.: "La violencia de género ante el sistema judicial". *Violencia de género y Justicia.* Castillejo Manzanares, R. (Dir). Universidad de Santiago de Compostela, 2013, p. 445.

[190]　Sobre esta cuestión, véase CERVELLÓ DONDERIS, V.: "Los principios penales como criterio regulador de la selección de delitos mediables", ob. cit., p. 38.

[191]　Ibidem., p. 38.

Es verdad que la mediación debe construirse sobre la situación de equilibrio de ambas partes, víctima y victimario y que ese presupuesto no se dará en situaciones de asimetría entre la posición de los intervinientes. También lo es que en un gran número de supuestos de violencia de género en las relaciones sentimentales la víctima se encuentra en una posición secundaria, subordinada, condicionada por situaciones de dependencia emocional y/o económica con su agresor[192]. Obviamente en estos supuestos debe estar descartada la mediación como un mecanismo de resolución del conflicto, y ello por dos motivos fundamentales: en primer lugar, porque tal desequilibrio condicionaría absolutamente el éxito del resultado de tal mediación. La mediación podría ser un recurso utilizado por el agresor para amedrentar, presionar, engañar o condicionar nuevamente a la víctima o bien para obtener una respuesta más atenuada del Derecho penal ante su infracción. Pero en segundo lugar, y más importante aún, es el impacto que tal mediación puede tener en la víctima, ya situada en una posición muy vulnerable, y a la que la mediación puede implicarle un proceso de victimización secundaria, ponerla en una nueva situación de riesgo al ubicarla frente al agresor o al favorecer otra vez el contacto ya roto, además de ponerle un fuerte desajuste emocional[193].

Pero tampoco es impensable que esa posición de fragilidad y vulnerabilidad de la víctima frente a su agresor pueda cambiar a lo largo del proceso penal y, particularmente, de la ejecución de la pena de aquel[194]. La prohibición categóri-

---

[192] De hecho una de las características de la violencia de género, como nos recuerda MAQUEDA ABREU, M.L., es su carácter instrumental, pues lo que busca es garantizar la sumisión de la mujer y mantener la posición hegemónica del varón para someterla, convirtiéndola en un miembro dependiente, vulnerable de la unidad familiar. "La violencia de género. Entre el concepto jurídico y la realidad social". *Revista Electrónica de Ciencia Penal y Criminología*, 08-02-2006, p. 4.

[193] Así ya lo advertían respecto a uno de los mayores riesgos de los encuentros restaurativos entre víctimas y victimarios de ETA PASCUAL RODRÍGUEZ, E., RÍOS MARTÍN, J. al identificar el peligro de un posible descontrol emocional, que en el caso de asesinatos, lesiones y secuestros vinculados al terrorismo se multiplica y reclama especiales cautelas. Para ello, señalan estos autores están destinadas las fases iniciales del proceso, con la realización de entrevistas individuales que se encaminen a concretar y determinar el itinerario restaurativo personal a seguir, mediante la determinación de necesidades, la identificación de miedos y la evaluación de los riesgos, lo que requiere el respeto de los tiempos personales y la creación de espacios para sostener la intensa carga emocional. "Reflexiones desde los encuentros restaurativos entre víctimas y condenados por delitos de terrorismo", ob. cit., p. 437.

[194] En el mismo sentido subraya VARELA GÓMEZ, B., que no toda víctima de un delito de violencia de género "tiene por qué encontrarse siempre sumida en un síndrome de mujer maltratada y que tal síndrome, en el supuesto de que se produzca, no es siempre perdurable a lo largo del tiempo, pudiendo, en ocasiones, ser superado a través del paso del tiempo y de una asistencia adecuada". "Mediación penal y violencia de género". "Marco general de la mediación en su-

ca, sin excepciones en cuanto al tipo de delitos, tipo de víctimas o momento del proceso penal (juicio, ejecución de condena), impide que ese proceso pueda tener lugar cuando la víctima sí se encuentre preparada, o incluso lo demande, o que pueda ser en un momento bastante posterior a la agresión, ya cuando el agresor se encuentre cumpliendo condena, particularmente si es de larga duración[195]. Y en estos casos, también en los delitos de violencia de género, se ha referido cómo la participación en la mediación puede servir para dar un mayor protagonismo y autonomía a la mujer, facilitándose asimismo el reconocimiento del daño por el agresor[196]. Nuevamente nos encontramos ante el conflicto entre la posición tuitiva del Estado de la mujer, incluso en contra de lo que libremente esta decida, y la garantía de que sea la mujer la que resuelva desde amplia cotas de libertad cómo enfrentarse a la violencia[197].

---

puestos de violencia de género", *Justicia restaurativa y violencia de género. Más allá de la LO 1/2004*. Universidad de Santiago de Compostela, 2014, p. 396.

[195] También para aquellos casos en los que, después de la agresión haya sido necesario un distanciamiento entre agresor y víctima pero que, posteriormente, y una vez recuperada la víctima y con un pronóstico favorable de reinserción de aquel, sea preciso preparar escenarios futuros, sobre todo cuando existen hijos en común —lo que no implica necesariamente una reconciliación entre agresor y víctima sino la gestión de aspectos relacionales y familiares que pueden plantearse conforme se acerca el final del cumplimiento de la pena. Eso sí, la imposición obligatoria de las prohibiciones del art. 48.2 conforme al art. 57.2 CP pueden suponer un grave obstáculo para su realización. GUARDIOLA LAGO, M.J.: "La justicia restaurativa en la violencia de género a debate: situación actual en España y reflexiones de política criminal", ob. cit., pp. 320 y 321.

[196] CERVELLÓ DONDERIS, V.: "Los principios penales como criterio regulador de la selección de delitos mediables", ob. cit., p. 41.

[197] Debate que también se encuentra tras la polémica por la aplicación imperativa del delito de quebrantamiento de condena (art. 468.2 CP) o en el carácter preceptivo de las medidas de protección a las víctimas sin su consentimiento, o en contra de él, contempladas en el art. 57.2 CP. MAQUEDA ABREU, M.L.: "La violencia de género. Entre el concepto jurídico y la realidad social", ob. cit., p. 9. Como correctamente pone de manifiesto SÁEZ RODRÍGUEZ, M.C., las trabas y dificultades que el sistema de justicia penal de adultos ha puesto para aplicar la mediación penal a los delitos de violencia de género (prohibición de la LOVG y art. 57.2 CP) derivan de "un equivocado planteamiento estratégico en la lucha contra la violencia sobre la mujer con los contundentes pero limitados medios del Derecho penal, a partir de situarla en un plano de vulnerabilidad extrema —por su sola condición de mujer maltratada— que se intenta corregir con el tratamiento de excepcionalidad, integrado por supuestos privilegios y ventajas, que le obstaculiza —así ella lo desee o no— el ejercicio normalizado de los derechos y obligaciones ciudadanas, para el que precisa del complemento y del concurso de instituciones y recursos estatales, diseñados —eso sí— para su protección". "Marco general de la mediación en supuestos de violencia de género", *Justicia restaurativa y violencia de género. Más allá de la LO 1/2004*. Universidad de Santiago de Compostela, 2014, p. 385. En este sentido entiende VARELA GÓMEZ, B. que "la verdadera razón de la prohibición de la mediación es una visión de la mujer como víctima que impregna nuestra Ley Integral, y que la considera como incapaz y necesitada de hiperprotección frente a su agresor. Esta visión monolítica y paternalista de la

Por otro lado no hay que confundir posibilidad de introducir la mediación en delitos graves con la merma de los efectos preventivo generales de la pena o con aumento de la impunidad. Y ello porque en nuestra opinión hay que separar el plano de la posibilidad de mediación a partir de las características que deben darse para que esta sea posible y satisfactoria, del plano referido al espacio —entendido como momento procesal oportuno— y a los efectos que el sistema penal quiera dar al resultado de esa mediación.

En cuanto a lo primero, entendemos que no debería haber a priori delitos excluidos de la posibilidad de mediación. Esa es la posición seguida hasta el momento por el legislador español que, salvo la excepción de los delitos de violencia de género, no ha establecido prohibición de la mediación penal en función del tipo delictivo de que se trate, posibilitándose estas experiencias en delitos de extrema gravedad y con fuerte impacto en las víctimas como el terrorismo o los delitos sexuales. La posibilidad de llevar a cabo una mediación, por tanto, no debería basarse en el tipo delictivo cometido, sino en una serie de principios, referidos a la posición y expectativas de las partes y que, por otro lado, van a condicionar su posible éxito. Así, la mediación requiere que se den los siguientes presupuestos[198]: en primer lugar, que exista voluntariedad de las partes en la participación en el encuentro y también para la aceptación del acuerdo y su cumplimiento, lo que dejaría fuera los casos en los que su realización es buscada para limitar la libertad de las partes a través de actuaciones como la presión, intimidación, persuasión o amenazas. Para ello se requiere que las partes tengan una información adecuada tanto de la finalidad y de las fases del proceso de mediación como de sus posibles efectos —penales y penitenciarios—[199].

Y en segundo lugar, debe existir autonomía y equilibrio de las partes, pues son estas las que deben dirigir el proceso de mediación, bajo la supervisión —pero no el condicionamiento— del mediador, lo que solo es posible si se encuentran en situación de igualdad. La falta de este equilibrio, que puede presentarse con especial intensidad en delitos como los referidos a la violencia de género o a la

---

mujer es falsa cuando se predica para todos los casos, pues en ocasiones sí que pueden tener el control y pueden escapar de dicha situación abusiva". "Mediación penal y violencia de género", ob. cit., p. 397.

[198]   Y siguiendo en este punto la propuesta de CERVELLÓ DONDERIS, V.: "Los principios penales como criterio regulador de la selección de delitos mediables", ob. cit., pp. 43 y 44.

[199]   Véase también GUARDIOLA LAGO, M.J. quien establece a partir de las previsiones emanadas por instancias supranacionales (ONU, Consejo de Europa y UE), los siguientes principios que deberían regir la mediación penal también en el ámbito de la violencia de género: consentimiento libre e informado; asunción de responsabilidad por parte del ofensor; equilibrio de poder entre las partes; seguridad de la víctima; imparcialidad del mediador; acuerdo razonable y proporcional. "La justicia restaurativa en la violencia de género a debate: situación actual en España y reflexiones de política criminal", ob. cit., pp. 325 a 336.

violencia familiar, impediría la posibilidad de llevar a cabo la mediación. Pero ello debería ser, a nuestro juicio, analizado en cada caso concreto y en cada fase diferenciada, pues por un lado puede haber situaciones en las que ese desequilibrio no exista y, por otro, de haber existido, transcurrido el tiempo puede haberse superado y la víctima requerir, o incluso necesitar, cerrar su posición de víctima a través de un proceso de esta naturaleza[200].

En cuanto a lo segundo, al espacio y los efectos de esa mediación, obviamente la mediación no puede tener las mismas consecuencias, al menos penales, con independencia del delito cometido porque entran en juego los principios penales que delimitan la entidad de la intervención del *ius puniendi,* como el principio de ofensividad, el principio de culpabilidad y el principio de proporcionalidad. De hecho el legislador penal español ha limitado su eficacia en la reforma del 2015 en cuanto a la posibilidad de tener en cuenta el cumplimiento del acuerdo alcanzado por las partes en virtud de mediación contemplado en el art. 84.1.1° CP a efectos de suspensión de la pena a que se trate de penas privativas de libertad no superiores a dos años. Sin embargo, eso no es obstáculo para que la mediación pueda llevarse a cabo en delitos con penas de mayor gravedad y tenga sus efectos a otros niveles, como en la reducción de la penalidad a través de atenuantes como la de reparación del daño ocasionado a la víctima (art. 21.5) o, especialmente, en otros espacios y fases, como la de la ejecución penitenciaria de la pena. En este momento la mediación, vinculada directamente al proceso individualizado de resocialización, encontrará un cauce diferente no solo para su realización, sino también para el reconocimiento de sus posibles efectos, aunque se trate de delitos de mayor gravedad, a través de las figuras ya referidas con anterioridad y siempre con un carácter de mayor flexibilidad que contrasta con la rigidez de la fase de imposición de pena[201].

La prohibición categórica de todo tipo de mediación penal para todos los delitos conceptuados como violencia de género en la LOVG no permite discernir, en consecuencia, aquellos supuestos en los que existe esa imposibilidad de utilizar este instrumento de justicia restaurativa por la situación desequilibrada de ambas partes, de aquellos otros, identificados y tutelados por los profesionales que se

---

[200]   Así, como indica TAMARIT SUMALLA, J.M., la introducción de formas de justicia reparadora en la ejecución permitirá su aplicación, siempre que se considere adecuada para la víctima y para el infractor según el criterio profesional del facilitador, tanto en casos en los que la mediación no ha sido posible antes de la sentencia por diversas razones, como en los supuestos en los que la víctima percibe que, al cabo del tiempo, no ha superado los efectos del hecho. "La introducción de la justicia reparadora en la ejecución penal: ¿una respuesta al rearme punitivo?", ob. cit., p. 14.

[201]   En el mismo sentido, TAMARIT SUMALLA, J.A.: "La introducción de la justicia reparadora en la ejecución penal: ¿una respuesta al rearme punitivo?", ob. cit., p. 17.

encargarían de llevar a cabo tal mediación, en los que bien desde el inicio, bien en un momento posterior, se constata la simetría de sus posiciones y la voluntad informada de participar en un proceso de esta naturaleza. En estos casos se impide dar aquello que busca la mediación penal, que no es sino otorgar un mayor protagonismo a la víctima en el proceso.

A nuestro juicio la mediación penal no debería estar vetada de manera categórica para ninguna categoría delictiva, pues se ha demostrado como un instrumento de utilidad tanto para la víctima en su proceso de ruptura con tal condición, para evitar el estigma de una victimización secundaria y para conseguir la reparación del daño causado, como para el agresor, en su proceso de asunción del delito cometido y de resocialización. Las limitaciones deben venir no de las tipologías delictivas, sino de que no se cumplan las condiciones y presupuestos necesarios para poder llevarla a cabo, a juicio de los expertos que deben guiarla. Y en la determinación de estos supuestos es de utilidad el marco previsto en el propio Estatuto de la víctima, que además de partir del presupuesto del consentimiento libre e informado de la víctima y el previo reconocimiento de los hechos esenciales del autor, excluye la actuación de los servicios de justicia restaurativa en el caso en el que se detecte algún riesgo para la seguridad de la víctima o que pueda ser causa de cualquier otro perjuicio[202]. Son las Oficinas de Asistencia a las víctimas del delito las que, tal y como establece el RD 1109/2015, de 11 de diciembre, informan a la víctima sobre la posibilidad de aplicar las medidas de justicia restaurativa, proponen al órgano judicial la aplicación de la mediación penal cuando lo consideren beneficioso para aquella y realizan las actuaciones de apoyo a los servicios de mediación extrajudicial[203].

---

[202] En efecto, es el artículo 15 del Estatuto de la Víctima el que recoge los requisitos para el acceso de las víctimas al servicio de justicia restaurativa, con la finalidad de "obtener una adecuada reparación material y moral de los perjuicios derivados del delito" y que son que: "a) el infractor haya reconocido los hechos esenciales de los que deriva su responsabilidad; b) la víctima haya prestado su consentimiento, después de haber recibido información exhaustiva e imparcial sobre su contenido, sus posibles resultados y los procedimientos existentes para hacer efectivo su cumplimiento; c) el infractor haya prestado su consentimiento; d) *el procedimiento de mediación no entrañe un riesgo para la seguridad de la víctima, ni exista el peligro de que su desarrollo pueda causar nuevos perjuicios materiales o morales para la víctima*; y e) *no esté prohibida por la ley para el delito cometido*".

[203] Véase el art. 19 del RD 1109/2015, de 11 de diciembre que regula las funciones de las Oficinas de Asistencia a las Víctimas y, en concreto, en su punto 18: "la información sobre alternativas de resolución de conflictos con aplicación, en su caso, de la mediación y de otras medidas de justicia restaurativa". Es su artículo 37 quien concreta las funciones de las oficinas en materia de justicia restaurativa: "a) informar, en su caso, a la víctima de las diferentes medidas de justicia restaurativa; b) proponer al órgano judicial la aplicación de la mediación penal cuando lo considere beneficioso para la víctima; c) realizar actuaciones de apoyo a los servicios de mediación extrajudicial".

Eso sí, tal previsión se encuentra en la regulación actual no solo con el muro de su veto en la LOVG, sino también con la imposibilidad de su realización en la práctica en muchas de las ocasiones con la actual redacción del art. 57.2 CP que obliga a la adopción y mantenimiento de las medidas de protección sobre la víctima, con prohibición de aproximación o acercamiento[204]. La admisión de la mediación en este ámbito requeriría una reforma de este precepto penal.

Por último, consideramos necesario llamar la atención sobre la "aparente contradicción" que manifiesta el legislador cuando adopta medidas de sentido tuitivo que pueden llegar a ser calificadas de hiperprotectoras en la medida en que sean decididas contra la voluntad de la mujer, partiendo de su falta de capacidad de decisión y autodeterminación en el proceso una vez que este comienza (no retirada de denuncia, imposición obligatoria de medidas de alejamiento, prohibición de la mediación,...), con la posición que ha otorgado a la víctima en el proceso y, particularmente, en la ejecución penal, a través del Estatuto de la víctima.

7. LA PROTECCIÓN DEL MALTRATADOR EN PRISIÓN

La forma de comisión del delito, por su carácter especialmente violento o vejatorio o bien las características de la víctima, por ejemplo si existen menores de edad, puede situar al autor del hecho en una posición de riesgo de sufrir actuaciones de carácter violento por parte de otros internos que muestran de esta manera su rechazo por determinados delitos. La repercusión mediática que haya tenido el delito multiplica su impacto dentro de la prisión y no es una tarea sencilla evitar que pueda llegar a condicionar las relaciones entre internos dentro de la prisión.

Asimismo, el delincuente de género presenta un riesgo relativamente alto de realización de conductas autolíticas; unas se materializan tras la comisión del hecho delictivo y otras pueden llevarse a cabo ya dentro de la prisión cuando el autor del delito toma conciencia de la entidad del hecho cometido, de sus consecuencias futuras o sencillamente tras entender que ya ha llevado a cabo el fin que le movía y condicionaba.

En seguimiento del mandato constitucional del art. 25.2 CE, que por supuesto garantiza los derechos constitucionales, el primero la vida (art. 15), a las personas

---

[204] Críticamente sobre este escollo no solo para la mediación penal sino también en tanto acaba criminalizando, vía quebrantamiento de condena o de medida cautelar, los casos de reconciliación víctima-agresor y reanudación de la convivencia, CASTILLEJO MANZANARES, R.: "Problemas que presenta el tratamiento legal y jurisprudencial de la violencia de género", *Justicia restaurativa y violencia de género. Más allá de la Ley Orgánica 1/2004.* Castillejo Manzanares, R. (dir). Universidad de Santiago de Compostela, 2014, p. 59.

que se encuentran dentro de un establecimiento penitenciario, la LOGP en su artículo 3.4 afirma que "la Administración penitenciaria velará por la vida, integridad y salud de los internos". El ingreso de una persona en un establecimiento penitenciario, ya como detenido, preso o penado, determina el nacimiento de una relación de especial sujeción, eso sí, muy cuestionada por la doctrina, de la que una de sus manifestaciones es el nacimiento de una posición de garantía de la Administración y de sus funcionarios respecto a la vida e integridad de las personas privadas de libertad, que se encuentran en una situación de dependencia respecto a aquella[205].

En consecuencia, la Administración no puede permanecer inactiva, impasible, ante situaciones que, bien propiciadas por el propio interno, bien por la actuación de otros reclusos, puedan suponer un riesgo para la vida o la integridad de aquel. Es en este marco donde surge la obligación de la Administración de articular los mecanismos, protocolos y programas adecuados para prevenir, identificar y aplicar las medidas necesarias para evitar, reducir o tratar estas situaciones.

7.1. El Programa de prevención de suicidios

Las estadísticas recogidas anualmente sobre los homicidios y asesinatos de género evidencian que un número muy considerable de los autores se suicidan, o bien lo intentan, tras la comisión de su delito. Los datos existentes referenciados se disponen únicamente de los casos de violencia de género que se materializan a través del homicidio o asesinato de la pareja o expareja, pues son recogidos anualmente por la Delegación del Gobierno para la Violencia de Género para conformar las fichas estadísticas anuales. No se disponen en cambio ni del resto de delitos que pueden ser conceptuados como violencia de género ni tampoco de los delitos contra la vida en grado de tentativa.

Esa alta incidencia del suicidio posterior al homicidio y asesinato de género es precisamente una particularidad de este tipo de delitos, que los diferencia de ma-

---

[205] RODRÍGUEZ YAGÜE, C.: "Los derechos y deberes de los internos". *Derecho penitenciario. Enseñanza y aprendizaje.* De Vicente Martínez, R. (Directora). Tirant lo Blanch, Valencia, 2015, p. 60. Manifestaciones de la misma, en el ámbito del respeto a la vida e integridad física, es la posibilidad de la intervención médica coactiva en supuestos de urgencia vital (recuérdese las controvertidas sentencias del TC sobre los supuestos de alimentación forzosa en supuestos de huelga de hambre —SSTC 120/1990, de 27 de junio; 137/1990, de 19 de julio; 67/1991, de 22 de marzo—), la posición de garante de los funcionarios públicos en los delitos omisivos, la proscripción del maltrato y tratos degradantes y su castigo conforme a los delitos de tortura y contra la integridad moral (arts. 174 y 175) o de los delitos cometidos por funcionarios públicos contra las garantías constitucionales por imposición de sanciones o privaciones indebidas o uso de rigor innecesario (art. 533), la asistencia sanitaria o la prestación alimentaria e higiénica.

nera radical del resto de delincuencia, también de la delincuencia violenta extrema que se materializa en otros homicidios y asesinatos y donde es prácticamente excepcional y extraño que su comisión vaya seguida inmediatamente del suicidio del agresor[206]. La razón es que el agresor entiende que de esta manera resuelve violentamente un conflicto —normalmente en una decisión conjunta adoptada previamente y que obedece a un plan común de homicidio/asesinato-suicidio-, para el que no encuentra otras alternativas. Este conflicto no es sino la ruptura de su modelo o esquema vital construido sobre la base de una relación de dominio y control absoluto de su pareja, sin el cual no tiene sentido vivir y que puede precipitarse, como gran factor de riesgo, cuando se evidencia la decisión de ruptura por parte de la mujer[207].

Ello evidencia, por un lado, la escasa motivabilidad de estos sujetos y, en consecuencia, la dificultad de la efectividad de los instrumentos de tratamiento y su posible fracaso, y, previamente, la ineficacia de la amenaza penal como inhibidora de esta conducta una vez la resolución está adoptada. Y por otro lado explica que en la mayoría de los casos no haya apenas reacciones de autoprotección del agresor frente al sistema penal tras la comisión del hecho delictivo; de ahí que, de no intentar suicidarse, en la mayoría de los casos no huyan y normalmente se entreguen o esperen a su detención[208].

En cuanto a los datos disponibles, vemos que el número de agresores que, tras matar a su pareja o expareja, se suicida o lo intenta, sin éxito, oscila en los últimos siete años entre un 31.2% (2011) y un 43.4% (2017)[209]. También son muy significativos los datos disponibles cuando el agresor mata a menores en casos de

---

[206] FERNÁNDEZ TERUELO, J.G.: "Feminicidios de género: evolución real del fenómeno, el suicidio del agresor y la incidencia del tratamiento mediático". *Revista Española de Investigación Criminológica* nº 9, 2011, pp. 9 y 10. Veáse también en su estudio: *Análisis de feminicidios de género en España en el período 2000-2015*. Thomson Reuters Aranzadi, Cizur Menor, 2015, pp. 24 a 30.

[207] FERNÁNDEZ TERUELO, J.G.: "Feminicidios de género: evolución real del fenómeno, el suicidio del agresor y la incidencia del tratamiento mediático", ob. cit., pp. 14 y 15.

[208] Ibidem, pp. 11 y 16.

[209] Así, en el 2017 (a fecha de 3 de julio) con 30 mujeres víctimas, 8 agresores intentaron suicidarse tras la comisión de su delito (26.7%) y 5 lo consiguieron (16.7%); en 2016, con 44 mujeres víctimas, 7 agresores intentaron suicidarse (15.9%), y 9 lo consiguieron (20.5%); en 2015, con 66 mujeres víctimas, 6 agresores intentaron suicidarse (10%) y 16 lo consiguieron (26.7%); en 2014, con 54 mujeres víctimas, 4 agresores intentaron suicidarse (7.4%) y 16 lo consiguieron (29.6%); en 2013, con 54 mujeres víctimas, 12 agresores intentaron suicidarse (22.2%) y 9 lo consiguieron (16.7%); en 2012, con 52 mujeres víctimas, 9 agresores intentaron suicidarse (17.3%) y 13 lo consiguieron (25.%); en 2011, con 61 mujeres víctimas, 9 intentaron suicidarse (14.8%) y 10 lo consiguieron (16.4%); en 2010, con 73 mujeres víctimas, 16 intentaron suicidarse (21.9%) y 12 lo consiguieron (16.4%). Datos extraídos de las Fichas de víctimas mortales realizadas por el Ministerio de Sanidad, Servicios Sociales e Igualdad. Disponibles

violencia de género, donde el porcentaje en los últimos cinco años aunque oscila entre el 100% (2015) y el 0 (2016), las cifras medias son más elevadas (60% en 2013, 66% en 2014, 50% en 2017)[210].

Durante el período de 2003-2014, el Ministerio de Sanidad, Servicios Sociales e Igualdad señala en el VIII Informe del Observatorio estatal de Violencia sobre la mujer (2014), que el 18.8%, esto es, 144 agresores, consumaron el suicidio tras matar a su pareja o expareja. Un 13.4%, o sea 103 agresores, intentaron suicidarse, pero no llegaron a consumarlo. Los datos evidencian que el porcentaje de los agresores que se suicida, o lo intenta, incrementa conforme aumenta su edad, siendo los mayores de 65 años los que presentan porcentajes más altos tanto de suicidios consumados (30.2%) como de tentativas de suicidio (17.1%). Respecto a su origen, se suicidaron el 23.1% de los agresores nacidos en España y el 10.2% de los nacidos en el extranjero; se intentaron quitar la vida, sin conseguirlo, el 12.6% de los agresores nacidos en España y el 15% de los nacidos en el extranjero. Por último, es también significativo que el porcentaje de agresores que se suicidaron, o lo intentaron, disminuye según la fase de la relación en que se encontraban: un 34.8% cuando mantenían una relación de pareja, un 31.9% cuando se encontraba en fase de ruptura y 26.1% cuando la relación había finalizado[211].

En la comparativa con el número de suicidios en España, de los 28.677 hombres de quince años o más que se suicidaron entre 2003 y 2013, 128 lo hicieron tras dar muerte a su pareja o expareja, lo que constituye un 0.45% de todos los suicidios[212].

Siendo tan alta la incidencia del suicidio en los agresores de género, es evidente que puede tratar de reiterarse su intento dentro de la prisión, ya en los primeros momentos de su ingreso, ya durante el tiempo como preventivo o en el cumpli-

---

en http://www.violenciagenero.msssi.gob.es/violenciaEnCifras/victimasMortales/fichaMujeres/home.htm.

[210] Si bien los datos desglosados disponibles se vienen referenciando desde hace menos tiempo, en concreto, desde 2013. Así, en 2017 (a fecha de 2 de junio), con 6 menores víctimas, 2 agresores se suicidaron después de matar a su víctima (50%); en 2016, con un menor víctima, el único agresor no se suicidó ni lo intentó; en 2015, con 4 menores víctimas, 1 agresor intentó suicidarse (33.3%) y 2 lo consiguieron (66.7%); en 2014, con 4 menores víctimas, 1 lo intentó (33.3%) y otro lo consiguió (33.3%); en 2013, con 6 menores víctimas, 3 agresores se suicidaron después (60%). Datos extraídos de las Fichas de menores víctimas mortales realizadas por el Ministerio de Sanidad, Servicios Sociales e Igualdad. Disponibles en http://www.violenciagenero.msssi.gob.es/violenciaEnCifras/victimasMortales/fichaMenores/home.htm

[211] VIII Informe del Observatorio estatal de Violencia sobre la mujer (2014), Madrid, 2016; pp. 75 a 78.

[212] VIII Informe del Observatorio estatal de Violencia sobre la mujer (2014), ob. cit., p. 75.

miento de su condena. Por ello es necesario que la Administración penitenciaria tenga presente tal correlación en un doble sentido: por un lado, para la protección de los internos frente a sus propias conductas autolíticas con el fin de proteger su vida. Y, por otro, para incorporar actuaciones, dentro de los programas y protocolos de tratamiento previstos para este tipo de agresores, que incidan, directa o transversalmente, en neutralizar y remitir este riesgo.

En cuanto los datos disponibles sobre el número de suicidios en prisión, hay que señalar que son generales, referidos al número de suicidios y al lugar en el que han tenido lugar, pero sin desglosar posibles motivaciones ni tipología delictiva de base. Si bien en la última década se observa una tendencia a la disminución del número de suicidios, tanto en números absolutos como en la tasa por mil internos, es verdad que en algún año existen repuntes que alertan sobre la necesidad de seguir trabajando en su identificación y tratamiento[213]. Así, en 2004 se produjeron 40 muertes por suicidio en prisión, 33 en 2005, 25 en 2006, 27 en 2007, 19 en 2008, 27 en 2009, 23 en 2010, 15 en 2011 y 23 en 2013. Es en 2013 cuando el número aumenta preocupantemente hasta situarse en 40. La ratio vuelve a bajar en 2014, con 27 fallecidos por suicidio y 2015, con 26[214]., alrededor de 2700 en 2014 y 2.263 en 2015.

Para reducir las conductas autolíticas en prisión, la Administración penitenciaria ha desarrollado un programa de actuación específico, el Programa Marco de Prevención de Suicidios, que actualmente se recoge en la Instrucción 5/2014 de Instituciones Penitenciarias[215]. Este programa identifica como uno de los factores que puede propiciar la conducta suicida la comisión de estos hechos delictivos: "la afectación que la comisión del delito y de modo singular los delitos contra las personas, contra la libertad sexual y de violencia familiar, producen en al-

---

[213] Si bien España presenta una ratio de las más bajas del mundo. REDONDO ILLESCAS, S., POZUELO RUBIO, F., RUIZ ALVARADO, A.: "El tratamiento en las prisiones. Investigación internacional y situación en España". *La prisión en España. Una perspectiva criminológica.* Comares, Granada, 2007, p. 206.

[214] Datos ofrecidos hasta el 2012 por el Informe General de Instituciones Penitenciarias del Ministerio del Interior de 2012, p. 87. El resto son datos extraídos de los Informes Generales de Instituciones Penitenciarias del Ministerio del Interior de 2013 (p. 174), 2014 (p. 179) y 2015 (p. 174).

[215] Para ello previamente la Institución Penitenciaria realiza el seguimiento y estudio de la aplicación de los diversos programas de prevención suicida que se han puesto en marcha, analizando los casos que cada año tienen lugar. Así, en el estudio realizado a partir de los suicidios consumados y tentativas de 1999, la Central Penitenciaria de Observación concluye en su investigación que se mantiene, frente a otros años, las tipologías de delitos de homicidio y contra la libertad sexual como modalidades más representadas. "Prevención de la conducta suicida". *Estudios e investigaciones de la Central Penitenciaria de Observación.* Ministerio del Interior, Madrid, 2001, p. 45.

gunas personas, no sólo al iniciar su estancia en prisión, sino también cuando la prolongación de la conducta debilita los resortes del equilibrio emotivo"[216]. En función de la atención mediática que el delito haya despertado, mayor en los delitos de violencia de género y particularmente cuando hay víctimas menores, se añadirá al anterior un segundo factor que también ha sido identificado por las Instrucciones 14/2005 y 5/2014 como relevante en el riesgo de comisión de conductas autolíticas: "la resonancia que ejerce sobre el recluso ver publicada en los medios de comunicación su actividad delictiva"[217]. En el caso de los condenados por violencia de género, particularmente cuando su comportamiento violento se ha materializado en un delito contra la vida, se suman dos factores de riesgo, la comisión de un delito violento grave[218], con la tipología concreta de delincuente de género[219].

---

[216]   Fue su precedente, la Instrucción 14/2005, de 10 de agosto, relativa al *Programa marco de prevención de suicidios*, la que identificó este factor como prevalente en las conductas autolíticas.

[217]   Junto a otros que, ya independientemente, ya de forma acumulativa, pueden darse en el caso concreto, como son: el impacto psicológico de la detención y el encarcelamiento o del estrés cotidiano asociado a la vida de la prisión, que pueden exceder las habilidades de afrontamiento de los sujetos más vulnerables; el abatimiento que la reducción a un género de vida penitenciario produce en personas que han cometido delitos de carácter económico y ven esfumarse un prototipo de realidad económica largamente soñado y al que han dedicado muchos años de vida; la añoranza, separación, pérdida de los lazos familiares y del medio social ordinario. Frente a todas ellas, ya referidas en la Instrucción 14/2005, la revisión realizada por la Instrucción 5/2014 añade otras como: la repercusión que los cambios en la situación penal-procesal y penitenciaria pueden suponer en el equilibrio personal del interno; la enfermedad mental; el abuso crónico de sustancias, en particular de alcohol; y el historial previo, personal y familiar, de conductas suicidas.

[218]   Identificado por la doctrina como uno de los factores que aumentan el riesgo de suicidio. Así señalan NEGREDO LÓPEZ, L., MELIS PONT, F., y HERRERO MEJÍAS, O.: que "se ha encontrado una elevada correlación entre internos que han cometido delitos violentos y conductas suicidas". Añaden que en el caso de los delitos sexuales, los motivos que les llevan a estos comportamientos pueden ser las expectativas de una larga condena y la victimización que pueden sufrir por parte de otros internos; también el sentimiento de culpa y vergüenza por sus delitos. Al factor del delito grave/violento se añade el de una condena larga o incluso a perpetuidad. En: *Factores de riesgo de la conducta suicida en internos con trastorno mental grave*. Premio Nacional Victoria Kent 2010 (segundo accésit). Ministerio del Interior, Madrid, 2011, pp. 29 Y 30. De hecho, el estudio realizado por la Central Penitenciaria de Observación entre los años 2000, 2001 y 2002, identifica como delitos considerados habitualmente de mayor riesgo los delitos contra la libertad sexual o los del homicidio —aunque en estos años se detecta que aparecen con fuerza otro grupo de internos que hasta ahora habían pasado desapercibidos, que son los condenados por delitos contra la salud pública—. VALERO GARCÍA, V., GUERRA GONZÁLEZ, F., MATESANZ BERCIAL, J.A.: "El suicidio en la Institución penitenciaria". *Estudios e investigaciones de la Central Penitenciaria de Observación. Multiphasic sex Inventory y Suicidio en la Institución Penitenciaria*. Ministerio del Interior, Madrid, 2003, pp. 449 y 450.

[219]   En todo caso se observa en los últimos años una reducción de la aplicación del programa. Así, en 2015 han sido incluidos en el programa 2.263 internos, con una media de 392 internos;

Nuevamente cuando la Instrucción enumera las situaciones de riesgo especiales de realización de estas conductas, reitera como factor la tipología delictiva al referirse a la "imputación o comisión de delitos de violencia de género, en el ámbito familiar, contra las personas o contra la libertad o indemnidad sexual"[220]. Este factor, que estará presente durante todo el tiempo de privación, ya como detenido, preventivo y penado, entendemos que puede además incrementarse en determinados momentos en los casos de delitos de mayor gravedad, ya marcados por la repercusión en medios que pueda tener su ingreso, el juicio, condena o incluso cualquier cambio en su situación (permisos, acceso a tercer grado, cambio de establecimiento,...)[221], ya en cualquier modificación de la situación de cumplimiento[222] o su futura excarcelación[223].

El Programa articula los mecanismos para detectar e identificar las personas que tienen la voluntad de llevar a cabo un acto suicida en prisión y proceder a una intervención eficaz que evite su realización. Para ello subraya la necesidad de implicación en la estrategia que configura el Programa de todo el personal penitenciario, tanto de los que diariamente se encuentran con el interno y que tienen mayor conocimiento del mismo a través de la observación, escucha activa y diálogo, como de los profesionales encargados en la intervención desde las diferentes áreas (vigilancia, sanitaria y tratamiento).

En cuanto a lo primero, la detección de casos, se busca poder identificar los posibles casos de riesgo tanto al ingreso en el establecimiento, en los traslados y

---

[220] mientras que en 2014 fueron más de 2.700 internos, con una media de 562. Véanse datos en los Informes Generales de Instituciones Penitenciarias de estos años: (2015) p. 40; (2014) p. 40.
Junto a otras como son: los períodos con menor presencia de profesionales; estar sometido a limitaciones regimentales vía art. 75.2 RP, o en situaciones de aislamiento por aplicación del régimen cerrado o de una sanción de aislamiento o limitaciones regimentales; situaciones familiares o afectivas graves; la enfermedad mental, el abuso crónico de sustancias; momento de descenso de actividades e intentos de suicidio previos y conductas autolesivas.

[221] Prevista también como factor de especial riesgo: "la repercusión mediática de su ingreso en prisión, delito, condena o cualquier otra vicisitud penitenciaria: la aparición en los medios de comunicación de cualquier circunstancia que pueda determinar su estigmatización en prisión o en su futura vida en libertad".

[222] También la Instrucción se refiere a ello cuando identifica como situación de riesgo la "modificación de la situación de cumplimiento: será objeto de especial atención cualquier modificación en la situación de los internos tanto procesal-penal (comunicaciones con agentes judiciales o abogado) como penitenciaria (regresiones de grado de tratamiento, no autorización de permisos de salida, denegación de libertad condicional, resolución de expulsión para internos extranjeros), las cuales puedan ser vivenciadas de forma negativa".

[223] Igualmente como factor de riesgo la próxima excarcelación: "asimismo se valorará la proximidad de la excarcelación como situación de riesgo, incluidas las excarcelaciones temporales o parciales, como los permisos o el régimen abierto. La perspectiva de reencuentro con un escenario que pudo haber sido hostil en el pasado o que puede haber cambiado drásticamente en el presente, puede significar una situación traumática para el interno".

durante el cumplimiento. Para ello, en el ingreso, la Oficina de Gestión proporcionará a los profesionales que tienen responsabilidad en el programa para la prevención de suicidios una relación detallada de los internos que ingresan en el establecimiento y de los delitos cometidos o imputados que motivan el ingreso; una evidencia más de la importancia que la Institución Penitenciaria da al tipo de delito cometido como factor para identificar el posible riesgo de conducta suicida[224].

Si el ingreso procede de otro establecimiento —supuestos de asignación de nuevo destino, para la realización de diligencias judiciales, o ingreso en tránsito de conducción— se revisará la documentación que acompaña al interno para detectar la posible existencia de intentos previos de suicidio o su inclusión actual o anterior en el Programa de Prevención de Suicidios (PPS)[225] y evitar con ello que estos supuestos puedan pasar desapercibidos y que aprovechen los cambios para llevar a cabo su conducta suicida.

Esta información es conocida por los profesionales que, en los primeros 5 días de ingreso, entrevistan al interno en el departamento de ingresos con el fin de emitir el informe sobre la propuesta de separación interior, traslado a otro centro, así como su programa de intervención si se trata de un preventivo o de tratamiento si se trata de un penado. En el primero de los casos, será examinado por el médico a la mayor brevedad posible y entrevistado por trabajador social y educador. En el segundo, además, se añaden las entrevistas con el jurista y con el psicólogo (art. 20.1 y 2 RP). Esta diferenciación, que responde a la garantía del principio de presunción de inocencia respecto a los preventivos y, en consecuencia, la imposibilidad de aplicarles un programa de tratamiento en sentido estricto donde tiene que intervenir el psicólogo, entendemos que debe ser superada. La entrevista con el psicólogo, también en los supuestos de detenidos y preventivos que entren en prisión, no solo en los casos en los que previamente se haya identificado el riesgo de suicidio, sino como patrón de actuación general, permitiría identificar no solo más situaciones de riesgo de realización de estas conductas,

---

[224]   Precisamente para amortiguar el impacto del ingreso y acompañar a todos los internos en su incorporación a un medio tan particular como el penitenciario, Instituciones Penitenciarias ha elaborado un programa de acogida, en la Instrucción 14/2011, que incorpora entre otras medidas la necesidad de que los profesionales tengan una especial atención y consideración en la detección de determinadas situaciones y perfiles de internos que merezcan una actuación prioritaria y preferente, entre los que señala expresamente a los internos con riesgo de suicidio, a los enfermos mentales y a los discapacitados.

[225]   Para ello se prevé en la Instrucción que la inclusión de un recluso en el PPS debe figurar de forma clara y visible en la portada del expediente, en la historia clínica y en la documentación sanitaria de traslado de los internos que tengan que ser trasladados, debiendo el personal implicado en dicha intervención extremar su atención durante la misma y advertir de tal circunstancia a la fuerza conductora.

sino otras necesidades de intervención que puedan presentar estos internos, lo que a su vez agilizaría su tratamiento, sin tener que esperar a una derivación por parte de los otros profesionales.

Pero la detección no termina en el momento de ingreso sino que debe realizarse también durante el internamiento. En este sentido, una de las labores de los funcionarios es la observación de los internos, encaminada al conocimiento de su comportamiento habitual y de sus actividades y movimientos (art. 66 RP). Si en esta tarea tienen conocimiento de la existencia de ideaciones suicidas o de la manifestación de conductas de cualquier tipo que puedan aconsejar su inclusión en el PPS, la Instrucción señala que el funcionario lo pondrá en conocimiento inmediato de su superior jerárquico o de los profesionales de los Servicios de Salud o de Tratamiento adscritos al departamento y, en el caso de los funcionarios de vigilancia, del Jefe de Servicios o del Subdirector de Seguridad. En estos casos, el interno será valorado lo antes posible por el psicólogo y por el médico.

Tal necesaria previsión sin embargo se empaña ante la actual escasez de funcionarios, pues la ratio funcionario-interno se ha ido viendo progresivamente cada vez más mermada, no solo por la falta de convocatorias de reposición de nuevas plazas propiciada por la crisis económica, sino por la opción de construcción de centros penitenciarios, como los centros tipo, que para conseguir una rebaja de costes se configuran estructuralmente de tal manera que se reduzca el personal de vigilancia previsto para cada módulo, lo que va en evidente detrimento del conocimiento que puedan tener de las personas ingresadas en el mismo.

La detección del caso produce la inclusión del interno en el Programa por parte del Director del Establecimiento. El programa recoge tres conjuntos de medidas posibles para aplicar. Las primeras, de tipo organizativo, tienen una naturaleza preventiva y se refieren al funcionamiento del establecimiento[226]. Un segundo grupo

---

[226]   Tales como la correcta composición del equipo técnico de atención a ingresos y el buen funcionamiento del protocolo de acogida a internos al ingreso; la necesaria información y sensibilización de los funcionarios que prestan servicio en los departamentos de ingresos y tránsitos; la existencia de internos de apoyo, bien fijos o rotatorios, en el departamento de ingresos; la permanencia durante los ingresos en celda compartida, evitando situaciones de aislamiento; la entrevista por el psicólogo del Equipo Técnico en el departamento de ingresos cuando los internos ingresen de libertad; la no ubicación en módulos de respeto de alta exigencia de los internos con PPS; la remisión con 24 horas de antelación por el Director del centro de origen al de destino, en casos de traslados entre establecimientos, de un informe en el que se informe de la condición de PPS y de las medidas que tenga aplicadas el interno; la constatación clara en el expediente, en la historia clínica y en la documentación sanitaria de traslados de internos con la aplicación del PPS; la ubicación en celda compartida durante los tránsitos para evitar situaciones de aislamiento, especialmente en las situaciones de riesgo, manteniendo los funcionarios de vigilancia una observación directa lo más frecuente posible de los internos en tránsito; evitación del tiempo de permanencia en situación de aislamiento en los departamentos de ingresos

contiene las medidas provisionales urgentes, que buscan una intervención inmediata y ágil en los supuestos de un riesgo patente[227]. Y, por último, el grupo de medidas
programadas suponen ya el control por los servicios médicos[228], ya la intervención
desde los servicios de tratamiento[229], ya el control por las Unidades de vigilancia[230].
Junto a ellas pueden adoptarse una serie de medidas referidas al régimen de vida
del interno en prisión[231] o cualquier otra que el Equipo técnico estime pertinente.

La permanencia mínima de un interno en el programa PPS será, señala la
Instrucción, de dos semanas, estando su duración máxima condicionada por la
evolución en el mismo. Respecto a esto último sí establece la Instrucción que no
es deseable la cronificación de tal inclusión, aunque advierte de la necesidad de
evitar un levantamiento prematuro de las medidas aplicadas ante una aparente
modificación externa del comportamiento o la mera verbalización por el interno
de su mejoría. Por ello también señala que se procurará un levantamiento progresivo de las medidas. Sera el Director el que determine la baja del programa, a
propuesta de los subdirectores médico, de tratamiento y de seguridad.

7.2. *Medidas regimentales de protección*

Determinados delitos son especialmente repudiados por otros internos, lo que
puede generar situaciones de real riesgo para la vida o la integridad de sus autores. Esta situación se da particularmente frente a los delitos sexuales[232], pero

---

       y tránsitos más allá del tiempo imprescindible; se facilitarán las llamadas reglamentarias a las
       familias en el momento del ingreso y siempre que se considere procedente por razón de una
       circunstancia especial sobrevenida.

[227]   Dentro de las mismas se encuentran: la derivación urgente al hospital de referencia, en caso de
       urgencia psiquiátrica; la dispensa farmacológica mediante tratamiento médico directamente
       observado; la inmovilización terapéutica acompañada de observación; la asignación urgente de
       interno de apoyo; la retirada de material de riesgo; la vigilancia especial por los funcionarios; y
       la ubicación del interno en una celda especial.

[228]   Con medidas como consultas médicas programadas; derivación para valoración por especialis-
       ta en psiquiatría; dispensa farmacológica mediante tratamiento médico directamente observa-
       do; ingreso en enfermería para observación y tratamiento médico.

[229]   Con medidas como consulta psicológica programada; seguimiento directo por Educador; valo-
       ración por Trabajador social; y contacto y asesoramiento familiar.

[230]   Con medidas como vigilancia nocturna; vigilancia especial; retirada de material de riesgo; y
       ubicación en celda especial de observación.

[231]   Entre las que enumera el acompañamiento continuo, de 24 horas, por internos de apoyo; el
       acompañamiento por interno de apoyo en horas de cierre y actividades no comunitarias; el
       favorecimiento de comunicaciones, telefónicas o presenciales, con la familia y medio social; y
       la potenciación en la participación de actividades.

[232]   La propia Instrucción de Instituciones Penitenciarias que, como veremos, desarrolla la regula-
       ción reglamentaria de estas medidas, la 3/2010, sobre el *Protocolo de actuación en materia de*
       seguridad, señala que se prestará especial atención a los internos que "ingresen por la comisión

también es posible que se plantee frente a delitos de violencia de género en las relaciones sentimentales, cuando los hechos cometidos hayan reflejado una especial crueldad o violencia, si han sido muy mediáticos o bien si hay víctimas son menores.

También en estas situaciones en las que el riesgo para la vida e integridad del interno no proviene de sí mismo, sino del resto de reclusos, la Administración Penitenciaria tiene la obligación de arbitrar los mecanismos de protección necesarios para garantizar su seguridad, en cumplimiento, en el marco de la relación de especial sujeción, del mandato recogido en los artículos 15 y 25.2 CE y 3.1 LOGP.

Precisamente para solventar este tipo de situaciones, el Reglamento penitenciario prevé en su artículo 75 un mecanismo a través del cual se pueden establecer medidas que impliquen limitaciones regimentales para la protección personal del interno[233]. Es su segundo párrafo el que se refiere a las mismas: "en su caso, a solicitud del interno o por propia iniciativa, el director podrá acordar mediante resolución motivada, cuando fuere preciso para salvaguardar la vida o integridad física del recluso, la adopción de medidas que impliquen limitaciones regimentales, dando cuenta al Juez de Vigilancia".

En tanto tales limitaciones supondrán una afección a los derechos del interno correspondientes al grado de clasificación en el que se encuentre como penado —o a la modalidad de vida en régimen ordinario en caso de detenidos y preventivos—, la Instrucción 3/2010, que regula el *Protocolo de actuación en materia de seguridad*, al referirse a estos acuerdos de limitaciones regimentales para aseguramiento personal subraya que "deben tener siempre un carácter excepcional y su duración debe ser la imprescindible para salvaguardar los objetivos perseguidos, en la medida en la que no puedan serlo por otros medios menos restrictivos. De forma previa a la adopción del acuerdo, incluso si lo es tras petición del interno, se valorarán otras posibles alternativas o estrategias encaminadas a superar la situación problemática planteada".

Esas otras posibilidades, por tanto, que deben ser las prioritarias en cuanto se detecte una situación de riesgo personal, deben buscar evitar la afección a los derechos del interno objeto de amenaza y de su régimen de vida asignado tras su proceso individualizado de clasificación. Por ello, la primera de las opciones será, en primer lugar, la de realizar una separación distinta de internos dentro de los

---

de delitos relacionados con la libertad sexual con el fin de preservar la integridad física de estos frente a posibles agresiones de otros internos". Para ello, continúa, se establecerá un protocolo de actuación al ingreso para internos, detenidos, presos y penados por estos delitos.

[233] En concreto, señala su párrafo primero que "los detenidos, presos y penados no tendrán otras limitaciones regimentales que las exigidas por el aseguramiento de su persona y por la seguridad y el buen orden de los establecimientos, así como las que aconseje su tratamiento o las que provengan de su grado de clasificación".

módulos de la prisión, alejando físicamente a quien puede ser objeto de amenaza, de los internos que puedan implicar un riesgo para su persona[234] y respecto a los cuales se establecerá una situación de "incompatibilidad" y se determinará la imposibilidad de coincidencia en actividades comunes y en mismos espacios físicos dentro y fuera de la prisión. Una buena opción en este sentido es el destino a alguno de los módulos de respeto que tenga el centro penitenciario. La experiencia del funcionamiento de estos módulos, desde su origen como proyecto piloto en Mansilla de las Mulas, hasta su implantación en todos los centros penitenciarios dependientes del Ministerio del Interior nos muestra que es una opción muy positiva para tratar de integrar a este tipo de condenados, dada la escasa conflictividad que existe en los mismos y el aumento de la seguridad para los que en él habitan, habiéndose reducido en los mismos el arraigo de esa subcultura carcelaria que lleva a rechazar, incluso con la violencia, a determinados perfiles delincuenciales. Y ello porque se trata de un sistema de organización de vida en prisión, como una forma más de separación modular, cimentada sobre la exigencia del respeto estricto en las relaciones entre internos y de estos con los funcionarios, en el que la participación es voluntaria y el incumplimiento de las estrictas normas de conducta o de realización de actividades del módulo puede conllevar la expulsión del mismo. También es una buena opción para el tratamiento de este tipo de delincuentes, en tanto se pretende potenciar, mediante la incorporación de todos los internos en grupos de trabajo y la configuración de distintas comisiones a través de las cuales se fomenta su participación en la organización de la vida del módulo, la asunción e interiorización de hábitos conductuales y laborales en el recluso[235].

Otras opciones, como el destino a módulos que no están previstos para el cumplimiento en tiempo prolongado —como del departamento de ingresos— o para la vida en régimen ordinario —como el módulo de aislamiento o de régimen cerrado— deben ser a nuestro juicio rechazadas o, en su caso, admitidas únicamente para resolver una situación urgente y de manera totalmente provisional y excepcional hasta la búsqueda de la mejor opción para la situación del interno.

Cuando no sea posible una separación interior —o esta no sea suficiente para contener el riesgo para la vida o integridad del interno—, se adoptarán medidas que supongan una limitación regimental. Normalmente consisten en la limitación del tiempo y de la convivencia de estos internos con el resto, lo que no deja en la práctica de correr el riesgo de convertirse en una modalidad encubierta de régi-

---

[234] En este sentido señala la Instrucción 3/2010 que el art. 75.2 RP será de aplicación "cuando no exista otra posibilidad de clasificación interior, por carencia de departamentos adecuados que reúnan las condiciones de seguridad personal suficientes".

[235] RODRÍGUEZ YAGÜE, C.: *El sistema penitenciario español ante el siglo XXI*, ob, cit., p. 179.

men cerrado, más o menos laxo, no amparado legislativamente ni adoptado por una involución del sujeto que muestre especial peligrosidad o inadaptación y sin las garantías de un proceso de evaluación por parte de la Junta de Tratamiento como establece para los procesos de clasificación, progresión y regresión de grados la LOGP. La propia Administración penitenciaria es consciente del impacto que un régimen de vida similar puede tener en el interno, y por ello recoge la siguiente declaración de intenciones, en la práctica difícil de cumplir en grandes establecimientos, con horarios y actuaciones marcados y poco flexibles: "se procurará no interrumpir las actividades de distinto tipo que resulten compatibles con tal situación. Igualmente y sin necesidad de petición por parte del interno, se le facilitarán los medios de tipo cultural, informativo, deportivo y ocupacional que fueran posibles y adecuados".

Es en estos casos donde existe un mayor riesgo de afección a los derechos de los internos correspondientes al grado en el que están clasificados puesto que se crea una suerte de régimen de vida artificial, sin cobertura en los tres grados previstos en la ley, y que en la práctica va a parecerse más a la vida en régimen cerrado, pero sin que el sujeto se haya hecho merecedor de un régimen de tan singular dureza por su manifiesta inadaptación o peligrosidad, o bien en una suerte de sanción de aislamiento con ciertos privilegios cuando no han cometido ninguna infracción disciplinaria, no estando además sometida a los límites temporales máximos fijados para las sanciones en la legislación penitenciaria[236].

De hecho, los Jueces de Vigilancia penitenciaria así se han pronunciado, requiriendo que "no deben utilizarse las limitaciones previstas en el art. 75.2 del Reglamento penitenciario que pretendan la protección del interno como una sanción de aislamiento encubierta". Por ello subrayan que "la dación de cuenta al Juez de Vigilancia debe suponer una revisión por este de la resolución motivada del acuerdo de la Dirección adoptando tal medida"[237].

---

[236]   RODRÍGUEZ YAGÜE, C.: "Delincuencia sexual: reforma y ejecución penal". *ReCrim* 2013, p. 45. En este sentido llama la atención FREIXA EGEA, G. sobre los efectos que sobre el interno puede tener esta medida, aunque haya sido él mismo quien solicite la protección, en tanto queda excluido del resto de internos, no puede realizar actividades por miedo a encontrarse con antiguos compañeros, no pueden trabajar en los talleres productivos o en los destinos en módulos,..., además de aumentar la dependencia del sujeto respecto a la institución hasta el punto de hacerla crónica. "Régimen penitenciario/clasificación y artículo 75 del Reglamento penitenciario. ¿Es el art. 75 RP un nuevo régimen de vida?". *Revista Electrónica de Ciencia Penal y Criminología* 14-09 (2012), p. 19.

[237]   Como motivan en este criterio los Jueces de Vigilancia, "el art. 75.2 RP se refiere a limitaciones regimentales y medidas de protección personal con una clara finalidad: salvaguardar la vida o integridad física del recluso. Más allá de este límite, la medida se convierte en una sanción encubierta, al igual que en aquellos casos en que se prolonga en el tiempo más allá de lo necesario para su propia finalidad". Criterios de actuación, conclusiones y acuerdos aprobados por los

Precisamente para evitar ese riesgo de perpetuación de un pseudo-régimen, sin cobertura legal, y que no es propiciado por el comportamiento del interno, se prevé en el art. 75.3 que ya por acuerdo motivado del Consejo de Dirección si se trata de detenidos y presos, o de la Junta de tratamiento si son penados, se propondrá al Centro Directivo el traslado del recluso a otro centro penitenciario de similares características para posibilitar el levantamiento de las limitaciones regimentales exigidas por el aseguramiento de su persona. En estos casos, añade la Instrucción 3/2010, se estudiará el centro o centros más adecuados, en los que no se repitan las circunstancias que motivaron la autoprotección, no formulándose propuestas a centros sin determinar.

La adopción de medidas de protección puede ser solicitada por el propio interno o acordarse a iniciativa de la Institución penitenciaria cuando se detecte la situación de riesgo para aquel.

La competencia para acordar las limitaciones regimentales recae en el Director del establecimiento, debiendo en todo caso dar conocimiento al Juez de Vigilancia penitenciaria —o a la autoridad judicial competente en el caso de detenidos y presos—, y ello en tanto que implica una limitación de los derechos reconocidos en la legislación penitenciaria y una modulación del régimen de vida asignado a través de la clasificación no determinada suficientemente en la ley que queda en manos del Director[238]. Asimismo la Instrucción 3/2010 señala que el acuerdo de aplicación de estas medida adoptado por el Director se notificará al interno con la indicación de que pueda recurrirlo ante el Juzgado de Vigilancia Penitenciaria. El RP prevé también que se comunique a la autoridad judicial de la que dependan, de tratarse de detenidos y presos, y al Juez de Vigilancia penitenciaria, de ser penados, el traslado a otro establecimiento con el objeto de levantar el levantamiento de las limitaciones regimentales (art. 75.4).

Asimismo como garantía entendemos que debería preverse que el interno sea escuchado antes de la adopción de estas medidas, para valorar ya no solo la situación de riesgo, sino las posibles opciones que pueden ser adoptadas y su impacto sobre la situación regimental y de cumplimiento del mismo, particularmente cuando va a verse sujeto a importantes modulaciones de su vida en prisión por un tiempo indeterminado, o incluso va a poder ser desplazado de establecimiento penitenciario, sin posibilidad de elección por su parte.

Jueces de Vigilancia Penitenciaria en sus XVI Reuniones celebradas entre 1981 y 2007. Véase en *Revista General de Derecho Penal* nº 10, 2008, p. 53.

[238] Señala la Instrucción 3/2010 que la comunicación al Juzgado de Vigilancia penitenciaria se efectuará mediante remisión del acuerdo motivado adoptado, comunicándose igualmente el levantamiento de las limitaciones regimentales cuando estas se produzcan.

8. UNA REFLEXIÓN FINAL

La pregunta que formulamos al inicio de este trabajo sobre si la ejecución penitenciaria de las penas de prisión en los delitos de violencia de género es una asignatura pendiente no tiene una única respuesta.

Frente a las reticencias que en ciertos sectores parece que todavía plantea el tratamiento de los condenados por delitos de violencia de género, y el consecuente silenciamiento del ámbito de la ejecución penal, la Administración penitenciaria ha ido desarrollando instrumentos que le permitan realizar la función que le atribuye prioritariamente la LOGP en su artículo 1: "la reeducación y reinserción social de los sentenciados a penas y medidas penales privativas de libertad". Y ello sin necesidad de haber acudido, hasta el momento, por parte del legislador, a la formulación de un derecho penitenciario de excepción, sí existente frente a otras modalidades delictivas. En efecto, el marco legal existente dota a la Administración penitenciaria de instrumentos para ordenar la ejecución penitenciaria de tal manera que, al tiempo que permite el acceso a las distintas modalidades de cumplimiento enmarcadas en el sistema de individualización científica configurado por la Ley en su art. 72, pueda limitar su acceso a aquellos penados que presenten un riesgo de reiteración de la conducta delictiva y proteger con ello a la víctima.

En este sentido, la Administración penitenciaria ha trabajado en dos vías, que no deben verse como contradictorias: por un lado, en la elaboración y puesta en marcha de programas específicos de intervención para los maltratadores con el objetivo de erradicar estas conductas en la futura vida del agresor fuera de la prisión y, por otro, en mejorar los mecanismos de colaboración y coordinación con las Fuerzas y Cuerpos de Seguridad y las Unidades de Violencia contra la Mujer con el fin de tutelar y proteger a las víctimas al tiempo que contribuir al adecuado cumplimiento de las medidas cautelares o penas accesorias impuestas por los jueces con la misma finalidad.

Estos esfuerzos y los avances conseguidos por parte de la Administración penitenciaria nos llevarían a negar que la ejecución sea una cuestión todavía pendiente a resolver en la lucha contra la violencia de género.

Sin embargo, también hay importantes zonas oscuras, que deben llamar no solo a la reflexión, sino a una importante intervención y que permitirían contestar que a día de hoy todavía estamos ante una cuestión pendiente, al menos en la agenda de los poderes públicos. Invisibilizar el ámbito de la ejecución supone dar la espalda a la realidad penitenciaria que las diversas reformas penales operadas en los últimos años han creado, como es que la violencia de género sea la tercera causa de ingreso en un centro penitenciario en España. No dotar de medios suficientes para la intervención frente a los condenados por maltrato supone, además de desoír el mandato del art. 25.2 CE, mantener, cuando no incrementar, el riesgo para las víctimas, pasadas y potenciales, que tengan relación con el agresor cuando termine de cumplir su condena.

En este sentido se hace necesario incrementar la dotación, personal y material en la Institución Penitenciaria, en estos momentos con recursos personales bastante mermados, lo que puede condicionar ya no solo la puesta en marcha de los programas, sino su revisión, seguimiento y refuerzo posterior. Para ello sería necesario incorporar también este ámbito a las medidas de intervención que forman parte del Pacto, tanto en lo que se refiere a la dotación económica destinada a hacerlas factibles, ya en cuanto a la formación de los profesionales así como en relación al necesario seguimiento estadístico y elaboración de informes sobre las actuaciones llevadas a cabo con el objetivo de poder evaluar, implementar y mejorar las medidas de intervención para incrementar su eficacia.

Siendo un presupuesto por todos aceptado que la educación, como instrumento de prevención, es la única forma de erradicar el machismo, sobre el que está construida la violencia de género, renunciar al tratamiento, además de dotar a la pena de un mero valor retributivo y/o de escasa eficacia preventivo-general, es tanto como negar la finalidad resocializadora para un 7% de la población penitenciaria y desistir en la protección de las mujeres, víctimas o no, que en el futuro vayan a establecer una relación personal con quienes han sido condenados por violencia de género.

BIBLIOGRAFÍA

ACALE SÁNCHEZ, M.: *La prisión permanente revisable: ¿pena o cadalso?* Iustel, Madrid, 2016.
ACALE SÁNCHEZ, M.: "Ejecución de penas y tratamiento postdelictual del maltratador". *Tutela jurisdiccional frente a la violencia de género: aspectos procesales, civiles, penales y laborales.* De Hoyos Sancho, M. (directora). Lex Nova, Valladolid, 2009.
ALONSO SALGADO, C.: "Más allá de los muros de la prisión: la mediación penal entre víctima y victimario condenado a ingresar en centro penitenciario", *Justicia restaurativa y violencia de género. Más allá de la LO 1/2004.* Universidad de Santiago de Compostela, 2014.
CASADO FUNES, M.P.: "Violencia de género y Administración penitenciaria". *Enfoque* n° 5, Acaip, 2016.
CASTILLEJO MANZANARES, R.: "El estatuto de la víctima y las víctimas de violencia de género". *La Ley* n° 8884, 2016.
CASTILLEJO MANZANARES, R. (dir): *Justicia restaurativa y violencia de género. Más allá de la Ley Orgánica 1/2004.* Universidad de Santiago de Compostela. Santiago de Compostela, 2014.

CASTILLEJO MANZANARES, R. (dir): *Violencia de género y Justicia*. Universidad de Santiago de Compostela. Santiago de Compostela, 2013.

CASTILLEJO MANZANARES, R.: "Problemas que presenta el tratamiento legal y jurisprudencial de la violencia de género", *Justicia restaurativa y violencia de género. Más allá de la Ley Orgánica 1/2004*. Castillejo Manzanares, R. (dir). Universidad de Santiago de Compostela, 2014.

CENTRAL PENITENCIARIA DE OBSERVACIÓN: *Estudios e investigaciones de la Central Penitenciaria de Observación*. Ministerio del Interior, Madrid, 2001.

CERVELLÓ DONDERIS, V.: "Los principios penales como criterio regulador de la selección de los delitos mediables". *Criminología y Justicia*, n° 4, 2012.

CERVELLÓ DONDERIS, V.: "Los nuevos criterios de clasificación penitenciaria". *La Ley Penal* n° 8, 2004.

CRUELLS, M., TORRENS, M., IGAREDA, N.: "Violencia contra las mujeres. Análisis en la población penitenciaria Femenina". SURT, 2005.

CUCARELLA GALIANA, L.A.: "La violencia de género ante el sistema judicial". *Violencia de género y Justicia*. Castillejo Manzanares, R. (Dir). Universidad de Santiago de Compostela, 2013.

CUTIÑO RAYA, S.: "Algunos datos sobre la realidad del tratamiento en las prisiones españolas". *Revista Electrónica de Ciencia Penal y Criminología* 17-11 (2015).

DAUNIS RODRÍGUEZ, "La libertad condicional como forma de suspensión de la ejecución de la pena". *Revista General de Derecho Penal* n° 21, 2014.

DOVAL PAIS, A., VIANA BALLESTER, C: "El indulto, a revisión. Razones y propuesta para una modificación legislativa". *El Cronista del Estado Social y Democrático de Derecho* n° 43, 2014.

DOVAL PAÍS, A., BLANCO CORDERO, I., FERNÁNDEZ-PACHECO ESTRADA, C., VIANA BALLESTER, C., SANDOVAL CORONADO, J.C.: "Las concesiones de indultos en España (2000-2008)". *Revista Española de Investigación Criminológica* n° 9, 2011.

FARALDO CABANA, P.: "Suspensión y sustitución de las penas privativas de libertad para condenados por violencia de género. La situación tras la reforma de 2010", *Violencia de género, justicia restaurativa y mediación*. Castillejo Manzanares, R. (Dir). La Ley, Madrid, 2011.

FARALDO CABANA, P.: "Satisfacción de los intereses patrimoniales de la víctima y resocialización del condenado". *Estudios penales y criminológicos*, n° 26, 2006.

FERNÁNDEZ BERMEJO, D.: "La desnaturalización de la libertad condicional a la luz de la Ley Orgánica 1/2015, de 30 de marzo, de reforma del Código penal". *La Ley Penal* n° 115, 2015.

FERNÁNDEZ TERUELO, J.G.: *Análisis de feminicidios de género en España en el período 2000-2015*. Thomson Reuters Aranzadi, Cizur Menor, 2015.

FERNÁNDEZ TERUELO, J.G.: "Feminicidios de género: evolución real del fenómeno, el suicidio del agresor y la incidencia del tratamiento mediático". *Revista española de investigación criminológica*, artículo 1, n° 9, 2011.

FREIXA EGEA, G.: "Régimen penitenciario/clasificación y artículo 75 del Reglamento penitenciario. ¿Es el art. 75 RP un nuevo régimen de vida?". *Revista Electrónica de Ciencia Penal y Criminología* 14-09 (2012).

GARCÍA VALDÉS, C.: "Sobre la prisión permanente revisable y sus consecuencias penitenciarias". *Contra la cadena perpetua.* Arroyo Zapatero, L., Lascuraín Sánchez, J.A., Pérez Manzano, M. (dirs), Rodríguez Yagüe, C. (Coord.). Ediciones de la Universidad de Castilla-La Mancha, Cuenca, 2016.

GARCÍA VALDÉS, C.: "Tres temas de actualidad". *Revista de Estudios Penitenciarios* nº 258, 2015.

GONZÁLEZ COLLANTES, T.: "La convivencia de dos conceptos del tratamiento resocializador en el Ordenamiento penitenciario español". *Revista General de Derecho Penal* nº 22, 2014.

GUARDIOLA LAGO, M.J.: "La justicia restaurativa en la violencia de género a debate: situación actual en España y reflexiones de política criminal". *Justicia restaurativa y violencia de género. Más allá de la LO 1/2004.* Universidad de Santiago de Compostela, 2014.

GRUPO DE ESTUDIOS DE POLÍTICA CRIMINAL: *Una alternativa a algunas previsiones penales utilitarias. Indulto, prescripción, dilaciones indebidas y conformidad procesal.* 2013.

LAURENZO COPELLO, P.: "Violencia de género y Derecho penal de excepción: entre el discurso de la resistencia y el victimismo punitivo", *Estudios penales en Homenaje a Enrique Gimbernat,* Tomo II, Madrid, 2008.

LARRAURI PIJOAN, E.: "Los programas formativos como medida penal alternativa en los casos de violencia de género ocasional". *Revista Española de Investigación Criminológica* nº 8, 2010.

LARRAURI PIJOAN, E.: *Criminología crítica y violencia de género.* Trotta, Madrid, 2007.

LARRAURI PIJOAN, E.: "¿Es posible el tratamiento de los agresores de violencia doméstica?". *Dogmática y ley penal. Libro Homenaje a Enrique Bacigalupo.* Tomo I. López Barja de Quiroga, J. y Zugaldía Espinar, J.M. (coords), Marcial Pons, Madrid, 2004.

LEGANÉS GÓMEZ, S.: "La víctima del delito en la ejecución penitenciaria". *La Ley* nº 8619, 2015.

MADRID PÉREZ, A.: "Análisis de los indultos concedidos por el Gobierno español durante 2012". *Revista Crítica Penal y Poder* nº 6, 2014.

MAGRO SERVET, V.: "Particularidades de la medida de gracia del indulto frente a las decisiones del poder judicial". *La Ley Penal* nº 103, 2013.

MAGRO SERVET, V.: "La implantación de las pulseras electrónicas en la ejecutoria penal a penados por delitos de violencia de género que han cumplido la pena de prisión y tienen pendiente la pena de alejamiento". *La Ley* nº 7792, 2012.

MAQUEDA ABREU, M.L.: "La violencia de género. Entre el concepto jurídico y la realidad social". *Revista Electrónica de Ciencia Penal y Criminología* 08-02 (2006).

MUÑOZ DE MORALES ROMERO, M., RODRÍGUEZ YAGÜE, C.: *Terrorismo vs. Leyes y jueces. El reconocimiento de condenas penales europeas a efectos de acumulación. A propósito del caso Picabea.* Tirant lo Blanch, Valencia, 2016.

NEGREDO LÓPEZ, L, MELIS PONT, F., HERRERO MEJÍAS, O.: *Factores de riesgo de la conducta suicida en internos con trastorno mental grave.* Premio Nacional Victoria Kent 2010 (segundo accésit). Ministerio del Interior, Madrid, 2011.

NISTAL BURÓN, J.: "La participación de la víctima en la ejecución penal. Su posible incidencia en el objetivo resocializador del victimario". *La Ley* nº 8555, 2015.

PASCUAL RODRÍGUEZ, E., RÍOS MARTÍN, J.: "Reflexiones desde los encuentros restaurativos entre víctimas y condenados por delitos de terrorismo". *Oñati Socio-legal Series* v. 4, nº 3, 2014.

PASCUAL RODRÍGUEZ, E. (coord.): *Los ojos del otro. Encuentros restaurativos entre víctimas y ex miembros de ETA.* Editorial Saltearre, 2013.

PÉREZ RAMÍREZ, M., GIMÉNEZ-SALINAS, A., DE JUAN ESPINOSA, M.: *Evaluación del programa "Violencia de Género: programa de intervención para agresores" en medidas alternativas.* Ministerio del Interior, Instituto de Ciencias Forenses y de la Seguridad de la Universidad Autónoma de Madrid, 2012.

PLASENCIA DOMÍNGUEZ, N.: "Participación de la víctima en la ejecución de las penas privativas de libertad", *La Ley* nº 8683, 2015.

REBOLLO VARGAS, R.: "Algunos aspectos de la nueva regulación de la libertad condicional: algo más que conjeturas problemáticas". *Revista General de Derecho Penal* nº 26, 2016.

REDONDO ILLESCAS, S., POZUELO RUBIO, F., RUIZ ALVARADO, A.: "El tratamiento en las prisiones. Investigación internacional y situación en España". *La prisión en España. Una perspectiva criminológica.* Comares, Granada, 2007.

RENART GARCÍA, F.: "Del olvido a la sacralización. La intervención de la víctima en la fase de ejecución de la pena". *Revista Electrónica de Ciencia Penal y Criminología* 17-14 (2015).

RÍOS MARTÍN, J., PASCUAL RODRÍGUEZ, E., SEGOVIA BERNABÉ, J.L., ETXEBARRIA ZARRABEITIA, X., BIBIANO GUILLÉN, A., LOZANO ESPINA, F.: *La mediación penal y penitenciaria. Experiencias de diálogo en el sistema penal para la reducción de la violencia y el sufrimiento humano.* 3º edición, Colex, Madrid, 2012.

RÍOS MARTÍN, J.C.: *Mirando al abismo. El régimen cerrado.* Madrid, 2002.

RODRÍGUEZ YAGÜE, C.: *La ejecución de las penas de prisión permanente revisable y de larga duración.* Tirant lo Blanch, Valencia, 2018 (en prensa).

RODRÍGUEZ YAGÜE, C.: "Los derechos y deberes de los internos". *Derecho penitenciario. Enseñanza y aprendizaje.* De Vicente Martínez, R. (Directora). Tirant lo Blanch, Valencia, 2015.

RODRÍGUEZ YAGÜE, C.: "Delincuencia sexual: reforma y ejecución penal". *Tratamiento penal de la delincuencia sexual. Comparativa entre los sistemas norteamericano y europeo.* Roig Torres, M (Coord). Tirant lo Blanch, Valencia, 2014.

RODRÍGUEZ YAGÜE, C.: *El sistema penitenciario español ante el siglo XXI.* Iustel, Madrid, 2013.

RODRÍGUEZ YAGÜE, C.: "La tutela de la mujer contra la violencia de género en el derecho penal español". *Revista chilena de Derecho y ciencias penales* nº 2, 2013.

RODRÍGUEZ YAGÜE, C.: "Delincuencia sexual: reforma y ejecución penal". *ReCrim* 2013.

RUIZ ARIAS, S., NEGREDO LÓPEZ, L., RUIZ ALVARADO, A., GARCÍA-MORENO BASCONES, C., HERRERO MEJÍAS, O., YELA GARCÍA, M., PÉREZ RAMÍREZ, M.: *Programa de Intervención para Agresores (PRIA).* Documentos Penitenciarios nº 7. Ministerio del Interior, Madrid, 2010.

SAEZ RODRÍGUEZ, M.C.: "Marco general de la mediación en supuestos de violencia de género", *Justicia restaurativa y violencia de género. Más allá de la LO 1/2004*. Universidad de Santiago de Compostela, 2014.

SANTANA VEGA, D.: "Desmontando el indulto (especial referencia a los delitos de corrupción)". *Revista Española de Derecho Constitucional* nº 198, 2016.

SORDI STOCK, B.: "Programas para agresores de violencia de género en prisión: ¿de qué evidencia disponemos?". *Revista Española de Investigación Criminológica* nº 13, 2015.

SORDI STOCK, B.: "Programas de rehabilitación para agresores en España: un elemento indispensable de las políticas del combate a la violencia de género". *Política criminal*, vol. 10, nº 19, 2015.

SORDI STOCK, B.: "¿Nuevos horizontes? En los programas de rehabilitación para agresores de violencia de género". *InDret* 1/2015.

TAMARIT SUMALLA, J.M.: "La introducción de la justicia reparadora en la ejecución penal: ¿una respuesta al rearme punitivo?". *Revista General de Derecho Penal* nº 1, 2004.

YAGÜE OLMOS, C. (coord.): *El delincuente de género en prisión. Estudio de las características personales y criminológicas y la intervención en el medio penitenciario*. Ministerio del Interior, Madrid, 2010.

YAGÜE OLMOS, C. (Coordinación): *Programa de prevención de violencia de género para las mujeres en Centros Penitenciarios. Ser mujer.es. Programa de intervención con mujeres privadas de libertad*. Documentos penitenciarios nº 9. Manual para Profesionales. Ministerio del Interior.

VALERO GARCÍA, V., GUERRA GONZÁLEZ, F, MATESANZ BERCIAL, J.A. (coords): "El estudio del suicidio en la Institución penitenciaria". *Estudios e investigaciones de la Central Penitenciaria de Observación. Multiphasic Sex Inventory y Suicidio en la institución penitenciaria*. Ministerio del Interior, Madrid, 2003.

VARELA GÓMEZ, B.: "Marco general de la mediación en supuestos de violencia de género", *Justicia restaurativa y violencia de género. Más allá de la LO 1/2004*. Universidad de Santiago de Compostela, 2014.

Capítulo 16

LA DISPENSA DE LA OBLIGACIÓN DE DECLARAR EN EL CASO DE VIOLENCIA CONTRA LA MUJER. ¿UNA PARADOJA IRRESOLUBLE?[1]

TOMÁS BASTARRECHE BENGOA

Ex Fiscal Sustituto de Violencia de Género, Abogado penalista y Profesor ayudante de Derecho Constitucional
Universidad Autónoma de Madrid

SUMARIO: 1. INTRODUCCIÓN, EL PACTO DE ESTADO EN MATERIA DE VIO-LENCIA DE GÉNERO. 2. EL SENTIDO CONSTITUCIONAL Y JURÍDICO DE LA DISPENSA. 2.1. De la dispensa en general. 2.2 De la dispensa en el caso expreso de la Violencia contra la Mujer. 2.3. De la vulneración del artículo 24.2 a la vulneración del artículo 24.1 en favor de la víctima (STC 94/2010 de 15 de noviembre). 3. EL ACUER-DO POR EL PLENO NO JURISDICCIONAL DE SALA DE 24 DE ABRIL DE 2013 y la STS 449/2015 SALA 2ª, SECCION 1ª, DE 14 DE JULIO. 4. REFLEXIONES Y CONCLUSIONES. BIBLIOGRAFÍA.

1. INTRODUCCIÓN. EL PACTO DE ESTADO EN MATERIA DE VIOLENCIA DE GÉNERO

En diciembre de 2016, y en realidad casi como una consecuencia directa de las elecciones y el proceso de investidura, en el seno de la Comisión de Igualdad del Congreso de los Diputados se creó la Subcomisión para un Pacto de Estado en materia de Violencia de Género. Recientemente, se ha acodado por el Pleno de dicha Cámara, la prórroga de la entrega de sus conclusiones (informe) hasta el 30 de junio de 2017[2]. Dado que las subcomisiones se producen a puerta cerrada,

---

[1]   Artículo redactado en el marco del Proyecto de Investigación DIPUCR-16, Estudio Sobre la Violencia de Género y Violencia Doméstica en Castilla La Mancha. Dirigido por: María Martín Sánchez, Universidad de Castilla La Mancha.

[2]   Diario de Sesiones, Núm. 61, 14 de junio 2017, p. 51. *http://www.congreso.es/public_oficiales/L12/CONG/DS/PL/DSCD-12-PL-61.PDF* Además, tiene sesiones previstas de trabajo el 26, 27 y 28 de junio 2017.

sus trabajos tienen una publicidad menor. Y qué duda cabe, que del informe de la Subcomisión hasta el Pacto que quede finalmente aprobado, queda tiempo y debate. No obstante, creo que es posible afirmar que afortunadamente, y por las informaciones que han transcendido, así como las comparecencias ya ocurridas[3], todos los elementos o cuestiones sobre la mesa son aspectos fundamentalmente técnicos que pretenden mejorar la lucha contra la lacra que supone la violencia contra la mujer.

Tal y como señala la comunicación del Poder Judicial de 15 de febrero de 2017, desde el Observatorio contra la violencia doméstica y de género del Consejo General del Poder Judicial se han propuesto una serie de medidas[4], todas ellas de carácter esencialmente legislativo, que en nada afectan al positivo cambio político que ha producido la conciencia de este fenómeno desde el punto de vista penal. Si bien solo vamos a analizar más extensamente una de ellas, no me resisto a enunciarlas para que quede constancia de las mismas, de cara a un posterior Pacto.

La primera de ellas trata de ampliar el concepto de violencia de género —en línea con el Convenio de Estambul de 2011[5]— a supuestos como el de obligar a otra persona a prestarse a actos de carácter sexual no consentidos; los matrimonios forzosos; el tráfico o favorecimiento de la inmigración clandestina de mujeres con fines de explotación sexual; las mutilaciones genitales; el aborto y la esterilización forzosa; y el acoso sexual. Creo que se debe hacer constar, que ello no significa necesariamente un agravamiento de las penas. Cuestión secundaria. Mucho más importante es, a mi juicio, que todo ello supone el reconocimiento de un estatuto de la víctima propio, una fiscalía y unos juzgados especializados, y

---

[3]   Muy especialmente la de Doña Ángeles Carmona, Presidenta del Observatorio contra la violencia doméstica y de género, del Consejo General del Poder Judicial, a la que haremos referencia. Pero también de Doña Flor de Torres Porras, Fiscal Delegada de Andalucía de Violencia a la Mujer y contra la Discriminación Sexual y de Género, o de D.ª Blanca Hernández Oliver, Ex Delegada del Gobierno para la Violencia de Género, Letrada de las Cortes Generales y experta en temas de violencia contra la mujer. Todas ellas el 15 de febrero de 2017. Si bien precisamente se ha señalado en el seno de esta Subcomisión que estos trabajos sean públicos, y no a puerta cerrada, las comparecencias en esta Comisión, que han sido muchas, no están disponibles en la web del Congreso ni se recogieron en el Diario de Sesiones.

[4]   Comunicación Poder Judicial, 15 de febrero 2017, *http://www.poderjudicial.es/cgpj/es/ Poder-Judicial/En-Portada/La-presidenta-del-Observatorio-propone-al-Congreso-la-supresion-de-la-dispensa-de-la-obligacion-de-declarar-para-las-victimas-de-violencia-de-genero*.

[5]   Instrumento de ratificación del Convenio del Consejo de Europa sobre prevención y lucha contra la violencia contra la mujer y la violencia doméstica, hecho en Estambul el 11 de mayo de 2011, BOE Núm. 137 viernes 6 de junio de 2014 Sec. I. P. 42946.

precisamente, propiedades procesales que permitan una mejora en el tratamiento de estos delitos por este motivo.

La segunda de las propuestas pretende eliminar el atenuante de confesión, así como el de reparación del daño a la víctima. El segundo de los casos parece algo más claro, por lo menos en su posible aplicación, por cuanto esa es una obligación del condenado y no un atenuante de responsabilidad. Además, en los delitos de violencia de género, es difícil entender que la violencia sufrida pueda "repararse" por el agresor. Por otra parte, tampoco parece que el incentivo de reparación del daño como atenuante tenga gran operatividad en los delitos de violencia de género. Dada la disparidad de sujetos agresores, creo que de poco sirve un beneficio de ejecución de sentencia cuando no se puede prever, o incluso de hacerlo no se pueden establecer especiales dificultades, a priori, de que vaya a ser difícil la ejecución de la sentencia en términos económicos. No son delitos económicos o de corrupción política. En principio, los agresores no tienen sociedades pantalla, ni gran patrimonio oculto, ni cobran grandes cantidades de dinero en dinero que no se pueda rastrear etc. Por tanto, en principio la ejecución de la responsabilidad civil no tendría por qué presentar especiales dificultades y el cumplimiento voluntario de la misma, de una obligación que de igual modo se le hará cumplir, no debería tener la transcendencia de "suavizar" el cumplimiento de la responsabilidad penal.

En el primer supuesto, eliminar el atenuante de confesión es algo más complejo. Resulta preocupante la perspectiva mantenida desde el Observatorio de violencia de género cuando señala "la conveniencia de abordar la supresión de la atenuante de confesión en delitos con resultado de muerte en violencia de género cuando la ejecución del hecho o las circunstancias que lo rodean *permitan sin dificultad atribuir la autoría al varón de la pareja sentimental, haciendo inoperante, por tanto, la motivación que justifica la apreciación de dicha atenuante*". Con esta segunda apreciación se introduce un elemento valorativo, de apreciación judicial, que puede motivar conductas delictivas aún peores. Me refiero a la posibilidad de entender por parte del agresor la "necesidad" de, por ejemplo, esconder el cadáver y confesar más tarde, estableciendo las condiciones para que se pueda apreciar la atenuante, en lugar de acudir inmediatamente a confesar el crimen por miedo a perderlo. Creo que esta interpretación debe estar ceñida únicamente a los casos de delito flagrante, donde la confesión no aporta nada a la prueba, y no tener la tentación de extenderlos a las confesiones inmediatas so perjuicio de que se pierdan estas. Hemos de recordar que la confesión inmediata al menos alivia parcialmente el dolor de los familiares, que no tienen que verse sometidos a una investigación judicial exhaustiva, con el degaste físico y moral que ello conlleva.

La tercera de las propuestas de reforma, en línea con la primera, supone también reformas en el Código Penal que creen nuevos tipos de delito, en general relacionados con las nuevas tecnologías, que pasaría a denominarse "ciberde-lincuencia de género" y que abarcaría aquellos delitos cometidos a través de las redes sociales o medios electrónicos. Todo ello podría contemplarse en un nuevo Título de Código Penal, que los abarcase sistemáticamente y que tuviera como elemento esencial del tipo, su comisión a través del vehículo de los medios electrónicos. Se prevé además que el delito de "*sexting*", actualmente ubicado en el artículo 197.7 del Código Penal, así como los atentados al honor cometidos en las redes sociales y, como se ha dicho, todos los que tengan como instrumento o vehículo para el ilícito penal precisamente el uso de dichas redes, pudieran conte-nerse en este nuevo Título. Inclusive un nuevo delito de "*suplantación en la red*", no previsto como tal en nuestro Código Penal.

Por último, y tal como señala la Comunicación del Poder Judicial de 15 de febrero, "otras posibles reformas penales, señaladas por Ángeles Carmona en su comparecencia ante la subcomisión parlamentaria, apuntan a la preceptividad de la pena de alejamiento en las condenas por violencia de género, a la posibilidad de suspensión de la pena de alejamiento —cuando éste pueda ser perjudicial para la víctima—, a la irrelevancia del consentimiento de la víctima en los delitos de que-brantamiento y a la reforma del artículo 55 del C.P. para imponer la preceptividad de la pena de privación de la patria potestad en los casos de homicidio o asesinato, lesiones graves o violencia habitual, a fin de que el condenado no disponga de derecho alguno sobre los hijos/as". Ahora mismo comprobaremos que algunas de estas cuestiones guardan estrecha relación con el objeto de este trabajo.

Hemos dejado para el final la reforma más polémica y que es la que nos ocupa esencialmente, la eliminación de la dispensa de declarar del artículo 416.1 de la LECRIM en este tipo de delitos[6]. En su comparecencia, también de 15 de febrero de 2017 ante el Congreso, la Fiscal Delegada de Andalucía de Violencia a la Mujer y contra la Discriminación Sexual y de Género, Flor de Torres, subrayó el principal problema que plantea la dispensa: "*produce un vacío probatorio in-menso en los procedimientos*", en línea con la posición que ha venido mantenien-

---

[6] LECRIM Artículo 416: "*Están dispensados de la obligación de declarar: 1. Los parientes del procesado en líneas directa ascendente y descendente, su cónyuge o persona unida por relación de hecho análoga a la matrimonial, sus hermanos consanguíneos o uterinos y los colaterales consanguíneos hasta el segundo grado civil, así como los parientes a que se refiere el número 3 del artículo 261. El Juez instructor advertirá al testigo que se halle comprendido en el párrafo anterior que no tiene obligación de declarar en contra del procesado; pero que puede hacer las manifestaciones que considere oportunas, y el secretario judicial consignará la contestación que diere a esta advertencia*". Por cierto, se olvida a menudo la mención al artículo 707 LECRIM, pero se refiere a la dispensa expresa en el juicio oral al reiterar que "*Todos los testigos están obligados a declarar lo que supieren sobre lo que les fuere preguntado, con excepción de las personas expresadas en los artículos 416, 417 y 418, en sus respectivos casos*". Y, no obstante, como veremos, he aquí una de las soluciones que se apuntan.

do la Fiscalía de Sala Delegada para la Violencia sobre la Mujer prácticamente desde su creación —y como así se lo manifestó al autor de este trabajo Doña Soledad Cazorla, primera Fiscal en ese puesto[7]—. La Fiscal puso el acento en algo absolutamente cierto: "Desde la Fiscalía lo que traemos a la subcomisión es una radiografía del estado procesal de los procesos judiciales y la doble victimización de las mujeres y propuestas de reformas legislativas...porque produce auténtica esquizofrenia tener leyes tan modernas y garantes de derechos como la Ley Integral con leyes procesales del siglo XIX". No obstante, a tenor de las palabras de Doña Ángeles Carmona desde el Observatorio, no parece proponerse un gran cambio en lo que ya existe. Y nadie parece contradecir o matizar esa propuesta, que propone suprimir la dispensa de la obligación de declarar que actualmente se contempla para las víctimas de violencia de género, *"siempre y cuando sean denunciantes o estén personadas en la causa para ejercer la acusación particular".* Este matiz es esencial; pero la verdad es que ya existe en la jurisprudencia y viene aplicándose. Luego no es más que la consolidación de una práctica judicial, no una verdadera novedad. Lo iremos analizando a continuación.

2. EL SENTIDO CONSTITUCIONAL Y JURÍDICO DE LA DISPENSA

Con los datos en la mano hemos de afirmar que el recurso a la dispensa de declarar por parte de las víctimas es un fenómeno preocupante cuanto menos, y, además, muy constante.

Según los datos de la Memoria 2009 de la Fiscalía General del Estado, es decir, lo ocurrido en 2008, el 44% de las retiradas de acusación por parte de la Fiscalía tuvieron su origen en la dispensa de declarar. Según los datos de la Memoria de 2015, hubo 92 retiradas por esta cuestión, significando exactamente el mismo 44% del total de retiradas de acusación por la Fiscalía. Siguiendo los datos de la última Memoria disponible (2016), hubo 74 retiradas de acusación, al acogerse la víctima a la dispensa de declarar, es decir, 20 menos numéricamente que en 2014, pero alcanzando sin embargo un mayor porcentaje dentro del total: el 51,38%[8].

---

[7]   La Memoria de Fiscalía de 2008 ya recogía que con respecto a la dispensa: "sólo queda la posibilidad de una reforma legislativa que o bien suprima la excusa en caso de víctimas de los delitos o, preferiblemente, impida acogerse al beneficio a los que debidamente informados renunciaron a él".

[8]   A estos datos habría que añadir aquellos casos que aun habiéndose acogido a la dispensa la víctima, el Ministerio Fiscal continúa con la acusación sostenida en los llamados *"testigos de referencia"* —por ejemplo y en muchas ocasiones la propia policía que ha intervenido tras una denuncia anónima—, pero que después acabarán irremediablemente en absolución. Esos datos

2.1. De la dispensa en general

La dispensa está prevista en la propia Constitución en el artículo 24.2 de la CE. En su último párrafo el texto constitucional señala que: *"La ley regulará los casos en que, por razón de parentesco o de secreto profesional, no se estará obligado a declarar sobre hechos presuntamente delictivos"*.

Creo que, en primer lugar, ha de considerarse este precepto tal cual es. Un mandato al legislador al que le obliga a regular este instituto bajo dos importantes condiciones: a) El legislador podrá ampliar el catálogo de los sujetos con derecho a dispensa, pero no eliminar el parentesco o el secreto profesional; b) deberá, como es propio de los Derechos Fundamentales, respetar un contenido mínimo del derecho que no puede ser una delegación legislativa en vacío. Eso significa dar contenido mínimo a los sujetos enunciados en el propio precepto, como señalábamos en a), y no vaciar de sentido el precepto reduciendo el derecho de dispensa a un contenido no acorde con la CE. Y ese contenido mínimo, podemos obtenerlo, como es propio en la interpretación constitucional, por las conexiones sistemáticas entre los distintos preceptos de la CE. No cabe notar grandes aportaciones legislativas o jurisprudenciales sobre este contenido. Una de las pocas la encontramos en la STS 292/2009, de 26 de marzo, Sala 2ª (ponente Castro Varela, Luciano), cuando señala que: "El legislador, conforme a la pauta conferida por el constituyente (artículo 24 de la Constitución) exime de la obligación de declarar conforme al artículo 416.1 de la Ley de Enjuiciamiento Criminal al cónyuge del procesado y manda al Juez instructor que le advierta de tal derecho. La exención de la obligación de declarar se reitera en el artículo 707 para el momento del juicio oral.

La exención suele justificarse desde el principio de no exigibilidad de una conducta diversa a la de guardar el silencio. Tal fundamento es también el que justifica la exención de responsabilidad penal ante la eventual imputación de responsabilidad criminal a título de encubrimiento. Así resulta del artículo 454 del Código Penal […] La razón de la no exigencia de una conducta diversa del silencio por relevación de la obligación de testimonio se ha encontrado, según las circunstancias del hecho enjuiciado, ora en los vínculos de solidaridad entre el tes-

---

no están desagregados porque se encontrarían dentro del total de sentencias absolutorias. Además, "Durante el año 2015 hemos tenido conocimiento de 144 retiradas de acusación en juicios por Violencia contra la Mujer. En 58 de los casos, 40,27 % se fundaron en la presunción de inocencia del acusado, artículo 24 de la CE y de estas, en 17 ocasiones, el M. Fiscal consideró que la denuncia podía ser falsa, solicitando se dedujera testimonio contra la denunciante (29,31 %). En 74, (51,38 %) tienen su origen en la falta de prueba al acogerse la víctima a la dispensa del artículo 416 de la LECrim. Por último, en 12 casos se basó la retirada en otros motivos (8,33 %)", según Memoria 2016, última disponible https://www.fiscal.es/memorias/memoria2016/FISCALIA_SITE/index.html

tigo y el imputado, acorde a la protección de las relaciones familiares dispensada en el artículo 39 de la Constitución, ora en el derecho a proteger la intimidad del ámbito familiar, o asimilado, con invocación del artículo 18 de la Constitución.

En la Sentencia 1208/1997, de 6 de octubre, ya dijimos que, la ley establece determinadas exenciones a dicho deber de declarar, que, con exclusión de los imputados, son únicamente los testigos, y a ellos se refieren los artículos 416 y siguientes de la Ley Procesal. La Constitución dispone que la ley habrá de regular los casos en que por razón de parentesco o de secreto profesional no se estará obligado a declarar sobre hechos presuntamente delictivos —artículo 24.2 párrafo 2. °—. Se habilita pues al legislador para establecer casos de secreto procesal, aunque en realidad se legitiman los que estaban previstos con anterioridad, al no establecer la Constitución ningún paramento normativo para esta regulación. Y uno de ellos —artículo 416.1. ° Ley Enjuiciamiento Criminal— es el secreto familiar que tiene su fundamento en los vínculos de solidaridad que existen entre los que integran un mismo círculo familiar".

Es decir, el ponente se está ciñendo a lo que la propia CE establece en sus artículos 39 y 18. Porque a mi juicio, cuando la CE legitima "los que estaban previstos", no por ello ha dejado de constitucionalizar, es decir, de subir de grado, al instituto. No puede ser lo mismo que exista una regulación constitucional sobre un precepto, por mucha delegación o ausencia de parámetro normativo que tenga —lo que no es tan cierto como acabamos de ver—, que guardar silencio constitucional sobre la cuestión, como en el caso italiano[9].

La jurisprudencia además tuvo un primer acercamiento a este instituto, siguiendo claramente la interpretación sistemática del contenido del artículo 24.2 de la CE, al establecer sin temor que "a mayor abundamiento, la STS 331/1996,

---

[9]   En este sentido, con plena libertad para regular el instituto, lo ha limitado mucho más, impidiendo acogerse a la dispensa si han sido parte en el procedimiento, o si se ha sido víctima e inclusive, si se es familiar directo a su vez de quién ha sido la víctima, extendiéndose sin embargo el instituto a cónyuges o parejas de hecho ya divorciadas o separadas si los hechos se produjeron durante la convivencia familiar. Esta solución, por cierto, la de eliminar la dispensa a víctimas o denunciantes la califica de "discutible —en la misma sentencia citada— el Magistrado-Ponente Luciano Varela". Dejo la disposición. "*Art. 199 Codice di Procedura Penale: - Facoltà di astensione dei prossimi congiunti. 1. I prossimi congiunti dell'imputato non sono obbligati a deporre. Devono tuttavia deporre quando hanno presentato denuncia, querela o istanza ovvero essi o un loro prossimo congiunto sono offesi dal reato. 2. Il giudice, a pena di nullità, avvisa le persone predette della facoltà di astenersi chiedendo loro se intendano avvalersene. 3. Le disposizioni dei commi 1 e 2 si applicano anche a chi è legato all'imputato da vincolo di adozione. Si applicano inoltre, limitatamente ai fatti verificatisi o appresi dall'imputato durante la convivenza coniugale: a) a chi, pur non essendo coniuge dell'imputato, come tale conviva o abbia convissuto con esso; b) al coniuge separato dell'imputato; c) alla persona nei cui confronti sia intervenuta sentenza di annullamento, scioglimento o cessazione degli effetti civili del matrimonio contratto con l'imputato*".

de 11 de abril, dictada en supuesto absolutamente similar al presente, señala en su FJ. Primero que el precepto contenido en el artículo 416.1 de la LECrim *está concebido para proteger al pregunto culpable y no para perjudicarlo"* (STS 1587/1997, de 17 de diciembre, Sala 2ª (ponente Fernández-Cid, Ramón). Interpretación que creo, con modestia, se deriva sin duda de todo el artículo 24.2 y de los principios de un proceso con todas las garantías. No obstante, se va a ir matizando esa jurisprudencia para construirse en realidad como un derecho del propio testigo. Como señala el Magistrado-Ponente Castro Varela en la Sentencia citada, "en algún caso, como los de las Sentencias nº 1656/1996, de 17 de diciembre y en la nº 331/1996, de 11 Abril, se ha proclamado el **dudoso** principio de que el precepto contenido en el art. 416.1 LECrim. está concebido para proteger al reo y presunto culpable y no para perjudicarlo y de ello se desprende la ausencia de la obligación de declarar. Desde luego, pese a la ausencia de desarrollo específico de la previsión constitucional de exoneración de la obligación genérica del artículo 118 de la Constitución, no es cuestionable la conciliación de aquella con los compromisos derivados de la Convención Europea de Derechos Humanos y por ello está consagrada por el Tribunal Europeo en diversas sentencias (Casos Kostovski, TEDH S, 20 Nov. 1989; caso Windisch, TEDH S, 27 Sep. 1990; caso Delta, TEDH S, 19 Dic. 1990; caso Isgró, TEDH S 19 Feb. 1991 y caso Unterpertinger, TEDH S, 24 Nov. 1986). El TEDH, en este último caso, *para proteger a testigo evitándole problemas de conciencia*, considera que un precepto que autorice al testigo a no declarar en determinados casos no infringe el art. 6.1 y 3 d) del Convenio". Y más clara es en este sentido una posterior STS cuando señala que: "Sobre las razones de la existencia de este derecho ha sido pacifica la doctrina y la jurisprudencia al señalar que el fundamento de la dispensa no se encuentra en la garantía del acusado frene a las fuentes de prueba, sino de los propios testigos a quienes con tal dispensa se pretende excluir del principio general de la obligatoriedad de los testigos a declarar, para no obligarles a hacerlo en contra de su pariente, en razón a que no es posible someter al familiar del acusado a la difícil tesis de declarar la verdad de lo que conoce y que podría incriminarle, o faltar a la verdad y afrontar la posibilidad de ser perseguido por un delito de falso testimonio. Añade el Tribunal Supremo en sentencia de 22.2.2007, que la excepción o dispensa de declarar al pariente del procesado o al cónyuge, tiene por finalidad resolver el conflicto que se le puede plantear al testigo entre el deber de decir la verdad y el vínculo de solidaridad y familiaridad que le une con el procesado". (STS 160/2010, de 5 de marzo, Sala 2ª Ponente Berdugo Gómez De la Torre, Juan Ramón)[10].

---

[10] Por cerrar la cuestión de que es un derecho del testigo, así lo afirma con rotundidad la Fiscalía General del Estado cuando citando la STS 699/2014, de 28 de octubre, argumenta que de otro

Por tanto, no cabe duda de que, en una interpretación sistemática del artículo 24.2, este párrafo debe entenderse incluido entre las garantías procesales del derecho a un proceso debido (principio de *due process*, o con "todas las garantías" en la expresión más propia de nuestra doctrina). Pues si bien la STS 292/2009 matiza el principio de *"proteger al reo"* recogido en la STS 1587/1997, la primera (STS 160/2010) reproduce la misma jurisprudencia del TEDH para concluir en todo caso, lo que ya establecía la sentencia de 1997, "A efectos de mayor clarificación para el futuro de lo que es doctrina jurisprudencial de esta Sala, se debe recalcar que se trata de una simple excepción a la regla general que la jurisprudencia del Tribunal Constitucional y de esta Sala establece para los supuestos excepcionales en que se permite la lectura de las declaraciones del testigo en el plenario si aquél no comparece a tal acto; *pero nunca para los supuestos en que —como se señaló— comparece al juicio oral y no se somete, acogiéndose a una dispensa legal, al derecho a no declarar contra el acusado"*. Aunque las palabras de la sentencia sean confusas, el sentido de las mismas no es otro que, en cuanto a garantía procesal, la dispensa expresa en juicio oral no puede verse superada a efectos de prueba por la lectura de las declaraciones hechas en otro momento procesal, por vulnerar 1 del artículo 6 del Convenio en relación con los principios inherentes al apartado 3, d) del mismo precepto. Por lo tanto, esta doctrina debe ponerse en relación directa con otra más general y muy asentada desde la STC 31/1981 en orden a que, salvo determinados supuestos muy concretos, la única prueba apta para enervar la presunción de inocencia es la que se practique en el plenario o juicio oral (SSTC 76/1990, 138/1992, 303/1993, 102/1994 y 34/1996 entre otras). Y que, en todo caso, esos supuestos concretos —prueba preconstituída o anticipada— no pueden darse cuando el testigo en cuestión acude al plenario y se acoge al derecho de dispensa, sencillamente porque no se darán los requisitos establecidos para estos supuestos. Muy clara al respecto resultan las afirmaciones recogidas por el Magistrado y Ponente José Manuel Maza Martín, cuando señala "Y como se dijera ya, en idénticos términos, en nuestras Sentencias de 27 de Enero y 10 de Febrero de 2009, anteriores por cierto a la aquí recurrida: "La libre decisión de la testigo en el acto del Juicio Oral que optó por abstenerse de declarar contra los acusados, de acuerdo con el art. 707 de la LECr, en relación con el art. 416 de la LECr, es el ejercicio de una dispensa legalmente atribuida, in-

---

modo no tendría sentido plantearse la madurez emocional de los menores a la hora de ejercitar este derecho en sus declaraciones si no fueran los titulares del mismo. CONCLUSIONES DEL XII SEMINARIO DE FISCALES DELEGADOS EN VIOLENCIA SOBRE LA MUJER- AÑO 2016, Madrid (7 y 8 noviembre de 2016), Fiscalía General del Estado, disponible en *http:// web.icam.es/bucket/2016%20CONCLUSIONES%20DEFINITIVAS%20XII%20 JORNADAS%20ESPECIALISTAS%20VIOLENCIA%20SOBRE%20LA%20 MUJER.pdf*

compatible con la neutralización de su efecto mediante la valoración de la declaración sumarial. No haber hecho uso de esa dispensa en la declaración sumarial no impide su ejercicio posterior en cuanto mecanismo de solución de un conflicto entre deberes que bien puede subsistir y plantearse de nuevo en otra declaración, ni entraña renuncia a optar por la abstención de declarar como testigo en el juicio Oral, entre otras razones porque la distinta naturaleza que corresponde a la declaración sumarial, que no tiene carácter de actividad probatoria, y la que es propia de la testifical en Juicio Oral, que es verdadera prueba idónea para desvirtuar la presunción de inocencia, pone de relieve la posibilidad de usar de diferente manera la dispensa de declarar en testimonios de tan distintas consecuencias, que es lo que está presente en el fundamento de esa dispensa, concedida en función de las posibilidades de perjudicar con la declaración los intereses del pariente procesado o acusado". (Sentencia nº 459/2010 de TS, Sala 2ª, de lo Penal, 14 de Mayo de 2010)[11].

2.2. *De la dispensa en el caso expreso de la Violencia contra la Mujer*

Efectivamente la peculiaridad sobre las mujeres y de los delitos la Violencia contra la Mujer es que, en este supuesto, el testigo es siempre la víctima. Pues bien, la otra cara de la moneda de esta interpretación inmediatamente anterior —ésta sí en favor de las víctimas y concreta para los delitos de violencia contra la mujer—, es que "con independencia de lo que viene siendo habitual en la práctica judicial, la doctrina del Tribunal Supremo, entre ellas la sentencia nº 725/2007, de 13 de septiembre, considera que la declaración de la víctima tiene valor inculpatorio aun cuando sea la única prueba de la que intente valerse la acusación, ya que nadie debe padecer el perjuicio de que el suceso que motiva el procedimiento penal se desarrolle en la intimidad de la víctima y del inculpado, so pena de propiciar situaciones de incuestionable impunidad (sic), por lo que la sola declaración de la víctima tiene aptitud para provocar el decaimiento de la presunción

---

[11]   Y en otro momento de la Sentencia continúa: *"Ya que, de llegarse a la conclusión contraria, es decir, a la de afirmar la posibilidad de acudir al material sumarial para sustentar el pronunciamiento condenatorio, estaríamos negando a la Defensa, paradójicamente como consecuencia de una decisión adoptada por quien, en principio, abriga el deseo de no incriminar al acusado, la posibilidad del interrogatorio, contradictorio y a presencia del Tribunal, de un testigo esencial y, por ende, impidiéndole disponer de opción tan básica, para las garantías del enjuiciamiento, como la de intentar evidenciar ante los Juzgadores, por medio de sus preguntas, los posibles datos que pudieran desacreditar la credibilidad de la versión ofrecida en la denuncia.Semejante sacrificio de los derechos procesales del acusado no resultarían, en ningún caso, aceptables en el procedimiento penal propio de un Estado de Derecho, salvo en aquellos supuestos verdaderamente excepcionales y plenamente justificados, de verdadera imposibilidad fáctica de la práctica en el Juicio de la prueba".*

de inocencia (SSTS 434/99, 486/99, 862/2000, 104/2002, 470/2003, 593/2006, entre otras; así como del Tribunal Constitucional, SSTC 201/89, 160/90, 229/91, 64/94, 16/2000, entre otras muchas)"[12]. Lo cual es de una enorme transcendencia. Ahora bien, esta posibilidad no se extiende mucho más en relación a la dispensa. Porque, no obstante, esta interpretación favorece a las víctimas, pero ésta debe ser coherente con lo dicho en el último párrafo anterior, en la medida en que esta declaración bastará como única prueba de cargo sólo si reúne los requisitos de "plena credibilidad". Por lo tanto, en sentido contrario, y retomando la argumentación anterior, la testigo-víctima acogida a la dispensa en el juicio oral, haya manifestado lo que haya manifestado en fases anteriores, ha perdido ese requisito. Lo que, además, debe ponerse en relación con las interpretaciones sobre la prueba en cuanto a los testigos de referencia, pues de modo igual que, en la interpretación favorable a las víctimas en los delitos de violencia de género ha superado la ausencia de testigos de referencia para hacer valer únicamente el testimonio de la testigo-víctima como prueba de cargo, acogida a dispensa la víctima, el testimonio de los testigos de referencia no podrá superar el silencio de la víctima, inclusive aunque la víctima no se acogiera a la dispensa en fase de instrucción (STS 129/2009, de 10 de febrero, Sala 2ª, Ponente Prego de Oliver y Tolivar, Adolfo).

Qué duda cabe que el artículo 416.1 LECRIM, sin olvidar los preceptos directamente relacionados (art. 707 y 710 LECRIM —este último precisamente en relación a lo que acabamos de decir acerca los testigos de referencia—) tal y como está redactado y el uso real que del mismo se está haciendo por la víctima de violencia de género, "contribuye a que estos tipos delictivos acaecidos en el ámbito familiar sigan siendo considerados como delitos privados o semiprivados, y ello a pesar del tratamiento de delitos públicos que les confiere el Código Penal y de lo dispuesto en los artículos 105 y 271 de la LECrim, que imponen al Ministerio Fiscal la obligación de ejercitar la acción penal y civil cuando entienda que la con-

---

[12]   SIBONY, Ruby, SERRANO OCHOA, Mª Ángeles y REINA, Olga "La prueba y el derecho a la dispensa del deber de declarar por la testigo-víctima en los procedimientos de violencia de género", *http://noticias.juridicas.com/conocimiento/articulos-doctrinales/4652-la-prueba-y-el-derecho-a-la-dispensa-del-deber-de-declarar-por-la-testigo-victima-en-los-procedimientos-de-violencia-de-genero/*, 1-4-2011, (sin paginar en la web). Cabe considerar la excelente recopilación de Sentencias hasta 2009 en cuanto a la dispensa a ALCALÁ PÉREZ-FLORES, Rafael, "La dispensa del deber de declarar de la víctima de la violencia de género: interpretación jurisprudencial", III Congreso sobre Violencia Doméstica y de Género: Madrid, 21 y 23 de octubre de 2009, disponible en *http://www.poderjudicial.es/cgpj/es/Temas/Violencia-domestica-y-de-genero/Actividad-del-Observatorio/Premios-y-Congresos/III-Congreso-sobre-Violencia-Domestica-y-de-Genero--Madrid--21-y-23-de-octubre-de-2009*. Su magnífico trabajo ha sido de enorme ayuda.

ducta presenta indicios de criminalidad"[13]. Pero también es verdad que muchas veces lo hace, y por eso señalábamos (en la nota 7) las cifras que deben añadirse a los desestimientos de la Fiscalía con motivo de la dispensa de la víctima.

En mi opinión, más importante aún me parece que se haya pasado por alto que la dispensa no es un instituto concebido para no que no declare la víctima del delito (desde luego no en primer lugar), sino los familiares del investigado. Pero la paradoja de la violencia contra la mujer (y también en algunos casos de la familiar) es que el elemento de la relación de tipo afectivo o relación conyugal que define el estatuto de la víctima y tipo de violencia es el mismo que se extiende a la mujer relacionada con su agresor para acogerse al derecho de dispensa. Por eso, resulta un tanto extraño que, como hemos visto, la jurisprudencia haya tachado de *"discutible"* la solución italiana, y haya sin embargo aceptado sin mayor debate que la dispensa debe extenderse a la víctima (entre otras la STS 134/2007, de 22 de febrero, Sala 2ª, ponente Giménez García, Joaquín). Sólo en un pequeño límite parece repararse mínimamente en ello cuando se señala que *"en aquellos en los que el pariente es la propia víctima que denuncia los hechos, el alcance de la exención se relativiza"*, para continuar después citando la STS 625/2007 de 12 de julio (ponente Bacigalupo Zapater, Enrique) y recalcando que "el art. 416.1º LECr, que contiene una causa de justificación para aquellos que nieguen su testimonio respecto de hechos que se imputan a personas con las que está vinculados parentalmente, pero de cuyos hechos no son víctimas. Dicho de otra manera: el art. 416.1º establece un derecho renunciable en beneficio de los testigos, pero no de los denunciantes espontáneos respecto de hechos que los han perjudicado y que acuden a la Policía en busca de protección" (STS 319/2009 de 23 de marzo, Sala 2ª, ponente Marchena Gómez, Manuel).

Pues bien, hasta ahí llega el límite, o la diferencia con un testigo no víctima. Porque podría interpretarse de estas afirmaciones que hecha la denuncia espontánea se ha perdido para siempre la posibilidad de acudir al derecho de dispensa, o lo que es lo mismo, que se ha renunciado a ello para siempre. Nada más lejos de la realidad. La interpretación de esta jurisprudencia ha entendido que la denuncia *espontánea* en realidad equivale a perder la cualidad de derecho renunciable la dispensa y, por tanto, no se ve el funcionario policial en la obligación de informar a la víctima del derecho que le asiste. Es decir, el funcionario policial no tiene por qué informar del derecho a guardar silencio a quién de manera voluntaria y espontánea acude a hacer una declaración. No obstante, es evidente que tanto en fase de instrucción como en el plenario la cuestión de la espontaneidad, e inclusive la voluntariedad, se han perdido pues se ha de manifestar precisamente si se

---

[13] SIBONY, Ruby, SERRANO OCHOA, Mª Ángeles y REINA, Olga "La prueba y el derecho…", ob. cit. (sin paginar en la web).

desea ejercer el derecho a declarar o de acogerse al derecho de dispensa. Cuestión además que debe preguntar el instructor y el tribunal, so pena de nulidad de las diligencias o de la prueba ex artículo 11 LOPJ. E incluso, en una sentencia posterior, el TS se reafirmó en la excepcionalidad a la hora de apreciar la denuncia espontánea de la víctima, estableciendo en todo caso además las enormes dificultades que tiene para incorporarse al material probatorio. Haciendo un excelente y detallado resumen de las pequeñas discrepancias o diferentes interpretaciones de la jurisprudencia en esta materia, el Tribunal señaló, despejando muchas dudas, que "En resumen, la participación del testigo víctima se produce en tres momentos: uno primero, en la fase perjudicial, donde es necesario que se le informe de su derecho a no denunciar en virtud de lo dispuesto en el art. 261 LECrim, *salvo en algunos casos de "denuncia espontánea"*. Una segunda en el Juzgado instructor, donde se le debe informar del art. 416 LECrim. y una tercera en el Plenario, el que a tenor de lo dispuesto en el art. 707, deberá también hacérsele la información del derecho que recoge el artículo citado, bien entendido que el hecho que en alguna de estas declaraciones no utilice el derecho a no denunciar o no declarar, no supone ya una renuncia tácita y definitiva a su utilización en una ulterior fase". Y si bien parece que no existe la precisión de su excepcionalidad, inmediatamente después continúa y es más contundente afirmando en la misma sentencia que "En definitiva y atendiendo a la doctrina jurisprudencial expuesta se puede concluir: 1) Las citadas advertencias deben hacerse tanto en sede policial como judicial (instrucción y plenario). El pariente del acusado que esté incluido en el art. 261 ó 416 LECrim. no tiene obligación de conocer que está eximido de denunciar o declarar. Para renunciar a un derecho debe informarse de que dispone del mismo, nadie puede renunciar a algo que desconozca. En todo caso, el hecho de hacerlo *no supone una renuncia tácita a este derecho para declaraciones posteriores*; 2) La ausencia de advertencia a la víctima de su derecho a no declarar conlleva la nulidad de la declaración que haya realizado, no del juicio en sí. Así en tales casos el Tribunal debe verificarse con la prueba subsistente existe prueba de cargo suficiente para enervar la presunción de inocencia" (STS 160/2010, de 5 de marzo, Sala 2ª Ponente Berdugo Gómez De la Torre, Juan Ramón). En definitiva, y retomando el problema original que suscita todo este debate: acogida la víctima a la dispensa, no hay posibilidad de construir prueba de cargo —como por cierto sucede en fase de plenario...en el caso de la propia sentencia citada—.

2.3. De la vulneración del artículo 24.2 a la vulneración artículo 24.1 en favor de la víctima (STC 94/2010 de 15 de noviembre)

Lo que hemos estado hasta ahora analizando, incluso en relación a la víctima, ha sido la interpretación de legalidad ordinaria realizada con respecto a la dispensa, por su máximo intérprete, el Tribunal Supremo. En realidad, y espero que se haya entendido, la dispensa y su regulación —de nuevo de legalidad ordinaria— afecta al artículo 24.2 —y muy especialmente a la presunción de inocencia— en relación indirecta en cuanto a los requisitos o garantías para conformar la prueba de cargo —legalidad ordinaria— pero eso sí, establecida como no podía ser de otra manera, de modo conforme a los derechos del artículo 24.2 y los principios del *"due process"*.

Así lo establece el TC cuando señala que "En esas circunstancias la consideración de si la exención de la obligación de declarar conlleva o no la advertencia para su posible ejercicio, y si esa advertencia, explícitamente referida en el art. 416 LECrim al Juez de instrucción, puede entenderse extensible al órgano juzgador, es una cuestión de legalidad ordinaria, a la que desde la óptica constitucional no puede dársele la transcendencia que se pretende en la demanda de amparo". Y más adelante lo clarifica aún más, y nos lleva al segundo paso que he subrayado respecto al art. 24. 2 CE, al afirmar que "La tarea de este Tribunal con ocasión del presente recurso de amparo en el ejercicio de su jurisdicción no consiste, como es obvio, en interpretar o enjuiciar las interpretaciones efectuadas por los órganos judiciales de los preceptos legales que regulan la obligación de informar a determinados testigos de la dispensa de no estar obligados a declarar contra el denunciado (art. 261 LECrim), imputado o procesado (arts. 416 y 707 LECrim), al tratarse, en principio, de una cuestión de legalidad que compete a aquéllos en el ejercicio de la función jurisdiccional que les confiere el art. 117.3 CE… El Tribunal Supremo, **en una reiterada línea jurisprudencial constitucionalmente adecuada,** invoca como fundamento de la dispensa de la obligación de declarar prevista en los arts. 416 y 707 LECrim los vínculos de solidaridad que existen entre los que integran un mismo círculo familiar, siendo su finalidad la de resolver el conflicto que pueda surgir entre el deber de veracidad del testigo y el vínculo de familiaridad y solidaridad que le une al acusado. Y califica la información sobre dicha dispensa, en los supuestos legalmente previstos, como una de las garantías que deben ser observadas en las declaraciones de los testigos a los que se refiere el art. 416 LECrim, **reputando nulas y, en consecuencias, no utilizables las declaraciones prestadas contra el procesado sin la previa advertencia, al no haber sido prestadas con todas las garantías.** En cuanto a su práctica requiere que se informe a los testigos de la dispensa, si bien admite que su presencia espontánea puede entrañar una renuncia al derecho de no declarar contra el procesado o acusado, siempre que tal renuncia resulte concluyentemente expresada, lo que puede apreciarse en los casos en los que se trate de un hecho punible del que el testigo haya sido víctima (SSTS, Sala de lo Penal, núms. 6621/2001, de 6 de abril; 1225/2004, de 27 de octubre; 134/2007, de 22 de febrero; 385/2007, de 10 de mayo; 625/2007, de 12 de julio; 13/2009, de 20 de enero; 31/2009, de 27 de enero; 129/2009, de 10 de febrero; y 292/2009, de 26 de marzo)".

Ahora bien, en todos estos casos, la víctima se habría además acogido a la dispensa en un momento u otro del procedimiento, dando a fin de cuentas al traste con cualquier "declaración espontánea". En el caso de la presente sentencia, la Audiencia Provincial había declarado nulas las declaraciones de la víctima en todas las sedes, después de que efectivamente se observara que ninguna de ellas se había prestado bajo la advertencia de su derecho de dispensa; pero siendo los hechos procesales concretos que la víctima presentó denuncia, declaró siempre y en todo momento contra su agresor, se personó como acusación particular en el procedimiento, e inclusive, recurrió la Sentencia de condena a su marido por la absolución sobre dos delitos más graves que figuraban en el objeto de la causa, el TC por primera vez, discrepó del criterio de la Audiencia. Tal y como expresa el Tribunal Constitucional, "A la vista de la espontánea y concluyente actuación procesal de la demandante de amparo, la decisión de la Audiencia Provincial de tener por no realizada su declaración testifical al no haberle informado el Juez de lo Penal de la dispensa de prestar declaración reconocida en el art. 416 LECrim resulta, desde la óptica del derecho a la tutela judicial efectiva, desproporcionada por su formalismo, al sustentarse en un riguroso entendimiento de aquella facultad de dispensa desconectada de su fundamento y finalidad, que ha menoscabado, de conformidad con la doctrina constitucional expuesta en el fundamento jurídico 3, el ius ut procedatur del que es titular la demandante de amparo, lo que al propio tiempo determina su falta de razonabilidad.

FJ. 7. En consecuencia, con base en las precedentes consideraciones, ha de estimarse que la Audiencia Provincial ha vulnerado el derecho de la recurrente en amparo a la tutela judicial efectiva (art. 24.1), en la medida en que ha tenido por no realizada como prueba testifical su declaración en el acto del juicio".

Resumiendo, de manera absolutamente sintética, lo visto hasta ahora, podemos distinguir dos situaciones con respecto al derecho de dispensa y a la obligación de informar de este derecho a la víctima (por parte de todos los operadores jurídicos):

A. Si la víctima no mantiene una actitud absolutamente coherente (procesal) durante todo el procedimiento no podrá construirse con solidez ninguna, presunción de renuncia tácita al derecho de dispensa y, en el caso de haberse practicado alguna declaración sin la información sobre que el derecho que le asiste, ésta deberá declararse nula y no podrá aportarse al material probatorio en ningún caso. Es evidente que, en todo caso, prestadas las declaraciones bajo correcto apercibimiento de dispensa y decir verdad, ejercer el derecho de dispensa en el plenario tirará por tierra cualquier declaración anterior; y en caso contrario, dispensa primero y declaración en el plenario después, se enfrentará, si no hay otros elementos de prueba, a los

Tomás Bastarreche Bengoa

requisitos —duros y estrictos— de la "plena credibilidad", y habiendo sido incoherente, tendrá muchas posibilidades de no superarlos[14]. Todo aquello que se aparte de estas máximas tiene grandes posibilidades de incurrir en una vulneración del artículo 24.2 de la CE; inclusive, aunque sea por vulnerar la jurisprudencia asentada.

B. Si la víctima mantiene una actitud acusatoria (y por tanto procesal) absolutamente coherente y firme durante todo el procedimiento, se puede flexibilizar hasta el máximo la obligación de informar del derecho de dispensa a la misma por entenderse que existe una renuncia implícita a ese derecho tan clara que, incluso, de estar informada la víctima hubiera renunciado a él. En cuanto a los límites a esta circunstancia, deben tenerse en cuenta dos hechos por separado: 1. Que el TC es meridianamente claro sobre qué la posibilidad de renuncia tácita del derecho únicamente concurre en la víctima. El Tribunal rechazó de plano admitir las declaraciones de la hija, a quién tampoco se le informó debidamente de su derecho de dispensa, y todo ello, aunque igual que su madre, mantuvo un testimonio absolutamente coherente y firme (e incriminatorio) durante todo el procedimiento contra su padre. 2. Dados los hechos del caso, y de que precisamente no se admitieron los testimonios de la hija —que no era parte procesal—, cabe preguntarse cuántos de los elementos presentes del caso son necesarios para sostener que *"no puede sin embargo obviarse la continua y terminante actuación procesal de la recurrente"*. En el caso presente, ya lo hemos hecho notar, no se omitió nada: denuncia, personación procesal, acusación particular, recurrente de la sentencia de instancia (parcialmente condenatoria) y, finalmente, ejerció de recurrente en amparo ante la absolución de su agresor. Pero ¿y si faltara algún elemento? Es evidente que aquí entran en juego de nuevo derechos procesales de orden constitucional, y que la motivación de la sentencia resultará esencial.

3. EL ACUERDO POR EL PLENO NO JURISDICCIONAL DE SALA DE 24 DE ABRIL DE 2013[15] Y LA STS 449/2015 SALA 2ª, SECCIÓN 1ª, DE 14 DE JULIO

Es posible que la cuestión planteada hace unas líneas tenga su respuesta en la presente sentencia que analizamos en este apartado. Los hechos procesales del ca-

---

[14]   SIBONY, Ruby, SERRANO OCHOA, Mª Ángeles y REINA, Olga "La prueba y el derecho...", ob. cit. (sin paginar en la web).

[15]   El acuerdo puede encontrarse sin ninguna dificultad en: *http://www.poderjudicial.es/ cgpj/es/Poder_Judicial/Tribunal_Supremo/Jurisprudencia_/Acuerdos_de_Sala/ ci.Acuerdos_del_Pleno_No_Jurisdiccional_de_la_Sala_Segunda_del_Tribunal_Supremo_de_24_04_2013__sobre_la_interpretacion_del_art__416_de_la_LECrim_.formato3*

so, prescindiendo de los físicos, pueden resumirse fácilmente: en el presente caso, la víctima, no fue nunca debidamente informada de su derecho a no declarar, ni en base al artículo 416.1 LECRIM (fase de instrucción) ni desde el artículo 707 LECRIM (vista oral), pero el procedimiento se inicia conforme a su denuncia, que ratifica después en instrucción, personándose en el procedimiento como acusación particular, y muy importante, obrando en la fase de instrucción diversas peticiones de la Acusación Particular ejercida por la víctima en relación con la causa que se estaba instruyendo, y asimismo, resoluciones del Sr. Juez Instructor resolviendo peticiones de la Acusación Particular, si bien, un año después, realiza una nueva comparecencia para desistir de todo tipo de acciones penales y civiles contra su agresor.

Llegados a la vista oral, no siendo informada de su derecho de dispensa, la víctima declaró, valorando el tribunal sentenciador la declaración de la víctima en el Plenario —fundamento jurídico segundo de la sentencia— en los siguientes términos: "....Tales declaraciones resultan coincidentes con las vertidas en el Plenario y si bien en su actitud se refleja una tendencia de no perjudicar al acusado en correspondencia con la renuncia que formuló en la instrucción, mantuvo la ausencia en el relato fáctico consignado...". El tribunal se había limitado a informar sobre el derecho de dispensa a la víctima, preguntando únicamente sobre la existencia de cualquier clase de relación con el procesado, manifestando la víctima y, quedando recogido en la grabación, que la respuesta de la víctima señaló que *"ahora nada, era su compañera sentimental"*.

El Tribunal, en mi opinión, centró de manera precisa y sencilla el objeto de la cuestión que se le presentaba. La cuestión que planteó la recurrente se refería, en definitiva, "acerca de si la víctima de violencia de género puede acogerse a la dispensa de la obligación de testificar recogida en el art. 416 —1º LECriminal— en el mismo sentido, el art. 707 de la LECriminal. Una variante de la cuestión a decidir, es si la víctima de violencia de género que ella misma ha iniciado con una denuncia de actuación judicial puede ampararse con posterioridad en la dispensa de la obligación de declarar tanto durante la instrucción como en el Plenario, y enlazado con ello, qué validez puede tener la declaración incriminatoria de la víctima sobre su agresor sin haber sido previamente advertida de su derecho a no declarar". En este sentido, la cuestión no parece nueva. Pero fue más allá.

Renunciando a una recopilación de Sentencias para fijar la posición de Tribunal en esta paradójica cuestión, se avanzó un paso más, y aunque sorprende la ausencia de mención, lo hace en directa relación con la STC 94/2010 ya comentada. La Sala señaló que "Al respecto, la jurisprudencia de esta Sala no fue uniforme, contabilizándose diversas sentencias que llegaban a resultados diversos que no es el momento de citar, porque con la finalidad de dar seguridad jurídica a través de una interpretación uniforme acerca de esta cuestión, el Pleno no Jurisdiccional de

Sala de 24 de Abril de 2013 en relación a la interpretación que deba dársele a la exención de declarar prevista en el art. 416-1° de la LE Criminal, y partiendo de que la justificación de tal exención se encuentra en el conflicto existente entre el deber legal de decir la verdad y el derecho derivado del vínculo afectivo familiar o asimilado existente entre agresor y víctima, adoptó el siguiente Acuerdo que constituye la posición definitiva de la Sala en este aspecto, como último intérprete de la legalidad penal y procesal ordinaria".

El mencionado acuerdo es conciso y claro: "La exención de la obligación de declarar prevista en el artículo 416.1 de la LECrim alcanza a las personas que están o han estado unidas por alguno de los vínculos a los que se refiere este precepto. Se exceptúan:

a) La declaración por hechos acaecidos con posterioridad a la disolución del matrimonio o cese definitivo de la situación análoga de afecto.

b) Supuesto en que el testigo esté personado como acusación en el proceso".

Pues bien, interpretando este acuerdo y acogiéndose en sentido amplio, en mi opinión a lo que había sido recogido por el TC, el Tribunal determinó que "En este escenario debemos declarar que en la medida que la víctima...ejerció la Acusación Particular durante un año en el periodo de instrucción, aunque después renunció al ejercicio de acciones penales y civiles, tal ejercicio indiscutido de la Acusación Particular contra quien fue su pareja en el momento de la ocurrencia de los hechos denunciados, la convierte en persona exenta de la obligación de ser informada de su derecho a no declarar de acuerdo con el Pleno no Jurisdiccional de Sala de 24 de Abril de 2013.

Ciertamente renunció posteriormente al ejercicio de acciones penales y civiles y compareció al Plenario como testigo / víctima, pero en la medida que con anterioridad había ejercido la Acusación Particular, ya no era obligatorio instruirla de *tal derecho de no declarar que había definitivamente decaído con el ejercicio de la Acusación Particular.* Caso contrario y a voluntad de la persona concernida, se estaría aceptando que sucesivamente y de forma indefinida la posibilidad de que una misma persona, pudiera tener uno u otro status, a expensas de su voluntad, lo que en modo alguno puede ser admisible".

Es precisamente sobre esta cuestión, el dominio que producía el uso de la dispensa a voluntad de la víctima, lo que ya había preocupado en sentencias anteriores, dónde se había señalado el carácter pragmático de la dispensa, en el claro sentido que de que el familiar o víctima que no quiere declarar contra su agresor, lo más probable es que acabe incurriendo en un delito si se le fuerza a ello. El derecho sería por tanto una exención a la colaboración con la justicia a través de la no declaración. No obstante, esta situación no puede llevar a un privilegio procesal que permita acomodar en favor del testigo de un poder exorbitante, que le otorgue capacidad "mutar" de situación procesal, consiguiendo disponer en cierta medida del objeto del proceso, y más claramente sobre la "capacidad de selección de los elementos de investigación o de prueba que hayan de ser valorados por el Tribunal y que se hayan generado válidamente en el proceso" (STS 319/2009 de 23 de marzo, Sala 2ª, ponente Marchena Gómez, Manuel).

En esta misma línea, el TC acaba concluyendo que "En consecuencia, y si bien es cierto que, en el inicio de la causa penal, no se le informó de su derecho a no declarar ex art. 416-1º LECriminal con motivo de su declaración en sede judicial el día 7 de Julio de 2012. *El posterior ejercicio de la Acusación Particular, —y durante un año—, le novó su status al de testigo ordinario, el que mantuvo, aún después de que renunciara al ejercicio de la Acusación Particular,* por lo que su declaración en el Plenario tuvo total validez, aunque no fuese expresamente instruida de un *derecho del que ella misma había renunciado al personarse como Acusación Particular.* No hubo vacío probatorio de cargo, y la declaración de la víctima en el Plenario, junto con el resto a las que se refirió el Tribunal en su sentencia, constituyó prueba de cargo suficiente para provocar el decaimiento de la presunción de inocencia".

El cambio con respecto a la STC 94/2010 es notable. En la citada STC la víctima sostiene la acusación hasta el final, es parte del procedimiento en el acto de la vista (incluso recurre la Sentencia condenatoria por "blanda"). En la STS a la que hemos hecho referencia, la víctima *ya no es parte en el acto del plenario.* En la STC el Tribunal construye su argumentación para certificar una renuncia al derecho de dispensa implícita de manera clara, indubitada, por parte de la víctima. Y para ello asume la totalidad de la actividad procesal de la víctima. Esa renuncia implícita determina que el defecto de información sobre su derecho de dispensa no puede conllevar la nulidad de su declaración (so pena de vulnerar el artículo 24.1 CE). Durante el plenario, el derecho de la víctima persiste —inclusive constituida como acusación particular—, y la obligación del Tribunal de informarle sobre ello, por lo tanto, también. Sin embargo, la STS hace decaer el derecho de la víctima y, en consecuencia, la obligación del Tribunal de informarle sobre ello, aun cuando no estuvo personada como acusación durante la vista oral, dado que ejerció la acusación particular durante la investigación (fase de instrucción de los hechos). Momento procesal en el que, por cierto, tampoco fue informada de su derecho, entendiéndose que la denuncia espontánea, y la ya explícita declaración en fase de instrucción, suponen una renuncia implícita al derecho. Es verdad en este caso, que, fue asimismo corroborada por una posterior personación como acusación particular, aunque se retirara después. Y, por cierto, dado que las declaraciones se tomaron bajo renuncia implícita de la víctima a su derecho de dispensa pueden formar parte del material probatorio. A pesar de que no se constate que esas diligencias fueran confirmadas por la víctima en el juicio oral. Sino que más bien se trató *"de no perjudicar al acusado en correspondencia con la renun-*

cia que formuló en la instrucción". Y, además, no consta en la causa que, siquiera, la víctima fuera advertida del deber de decir verdad en su declaración como testigo, y es más que probable que mintiera a tenor de los términos de la sentencia.

Los cambios son muy notables. Lo que hizo la STC fue salvaguardar el derecho a la tutela judicial efectiva (art. 24.1 CE) de quien se veía privada de ella por un error judicial ni siquiera propio, no siendo éste constitutivo de nulidad. Lo que produce la STS es un cambio profundo de legalidad ordinaria a través de un cambio jurisprudencial —que no de ley— en la regulación de las garantías que afectan al artículo 24.2, y en especial, respecto de su último inciso. Personada la víctima como acusación particular en cualquier momento del procedimiento, pierde su derecho de dispensa para adquirir el estatus de testigo/víctima (no familiar) y, por tanto, con la obligación de decir verdad. Esa es la interpretación estricta que ha hecho el TS de su propio acuerdo.

Sin duda, el primer problema de esta solución es que la mejor defensa entonces del agresor, —si es que la víctima cambia de posición— sería que mienta en el acto del plenario (única prueba válida entonces). Y la víctima no puede hacer otra cosa, porque está obligada a declarar. Eso nos lleva directamente a un problema serio de penalidad sobre la víctima.

Pero el problema va más allá. Esta solución de legalidad ordinaria, como también afirmó el TC, qué duda cabe que afecta también a la presunción de inocencia, y es en este ámbito donde podrá entrar el tribunal a valorar esta misma sentencia y otras muchas en este mismo sentido. ¿Cómo se valoran, con respecto al canon constitucional de la prueba de cargo, las declaraciones de alguien que, personada como acusación particular, afirma una cosa en fase de instrucción —inculpatoria—, y después, personada como testigo y obligada a declarar, dice otra —exculpatoria?[16] Sinceramente, bajo este supuesto, creo que a priori difícilmente puede superar el canon constitucional y enervar la presunción de inocencia del artículo 24.2 CE.

En el fondo es una prohibición suavizada, porque para quien mantiene una actitud coherente durante todo el procedimiento poco le afecta su regulación. Sea

---

[16]   Como muy bien recoge RODRÍGUEZ CARBAJO, José Ramón, "El canon de constitucionalidad de las decisiones judiciales que inadmitan recursos de casación", Actualidad administrativa, ISSN 1130-9946, Nº 19, 2009, p. 2, "*La frase canon de constitucionalidad hace referencia a las reglas o criterios que el Tribunal Constitucional tiene en cuenta a la hora de efectuar el control que constituye su tarea; esas reglas varían en función del objeto del recurso ante el que nos encontremos pero, una vez aceptadas por el TC, han de aplicarse por todos los Jueces y Tribunales en virtud del mandato contenido en el art. 5.1 de la LOPJ*". En este caso nos referimos al canon de prueba de cargo. Sobre la misma, quizá sobre la explicación, pero es evidente que la apreciación de su cumplimiento por parte de los tribunales es una cuestión de legalidad ordinaria que debe estar en manos del TS. No obstante, el canon de constitucionalidad de prueba suficiente para enervar la presunción de inocencia pertenece al TC. Y por supuesto, puede recurrirse en amparo su falta de motivación.

para lo que sea, para acogerse a la dispensa o para negar los hechos *ad initio*. Es para las personas que se muestran "cambiantes" para quienes debe plantearse esta situación. Y a los problemas de la prohibición se enfrentan la víctima, el Ministerio Fiscal y la propia constitución de la prueba[17].

En mi humilde opinión, si se me permite la crítica, además existe un último problema. La personación como parte acusadora en el caso presente de la STS lo realiza la víctima *sin estar nunca informada de su derecho a la dispensa*. Y después, cambió de posición. Es distinto constituirse como parte acusadora estando informada del derecho dispensa que hacerlo sin estarlo. No permitir el ejercicio posterior del derecho en base a una posterior actuación procesal habiendo sido informado sobre él, inclusive habiendo informado de las implicaciones de su posible renuncia, es completamente distinto que no permitir ejercerlo sin haber informado nunca acerca de su disponibilidad. En el primer caso se renuncia a él, en el segundo no hay oportunidad de hacerlo. Me pregunto si eso no es una vulneración del artículo 24.2 del derecho que asiste al testigo.

Frente a estas dudas, cabe sin embargo hacer un inciso en este punto que creemos puede reforzar la interpretación de la Sentencia. En la sentencia, el TS interpretó inicialmente en sentido afirmativo, afirmando que, en principio, era un sujeto que podría acogerse al derecho de dispensa, señalando sin más la doctrina uniforme (y, en la actualidad, legislación): "Hay que recordar que el art. 416-1° de la LECriminal declara exentos de la obligación de declarar, entre otras personas a "la persona unida por relación de hecho 'análoga a la matrimonial' con el agresor". No pudo tener en cuenta la reforma operada por la Ley 4/2015, del Estatuto de la víctima del Delito, que reforma el artículo 261 de la LECRIM en apenas unos meses[18]. Según ha interpretado la Fiscalía[19], mediante su nueva

---

[17]   Entre ellos, a lo que mencionábamos antes. La necesidad de mentir. Por eso la Fiscalía de Violencia de Género, cuando propone "*Excluir de la dispensa al testigo pariente que sea el ofendido por el delito o cuando lo sean personas de su entorno familiar, sobre todo los menores que estén bajo su patria potestad, guarda o custodia, como lo hacen la legislación del Reino Unido o Argentina*", no se olvida, al mismo tiempo, de señalar "*sin perjuicio de arbitrar fórmulas que impidan iniciar procedimientos contra estos testigos que, teniendo la obligación de declarar, faltaran a la verdad*". CONCLUSIONES DEL XII SEMINARIO DE FISCALES DELEGADOS EN VIOLENCIA..., ob. cit. p. 14.

[18]   Artículo 261 LECRIM: "*Tampoco estarán obligados a denunciar: 1.° El cónyuge del delincuente no separado legalmente o de hecho o la persona que conviva con él en análoga relación de afectividad. 2.° Los ascendientes y descendientes del delincuente y sus parientes colaterales hasta el segundo grado inclusive*". El artículo fue redactado por el apartado cuatro de la disposición final primera de la Ley 4/2015, de 27 de abril, del Estatuto de la víctima del delito («B.O.E.» 28 abril), con vigencia el 28 octubre 2015. La sentencia es de julio.

[19]   CONCLUSIONES DEL XII SEMINARIO DE FISCALES DELEGADOS EN VIOLENCIA SOBRE LA MUJER- AÑO 2016, Madrid (7 y 8 noviembre de 2016), Fiscalía General del Estado, ob. cit. p. 12.

redacción, parece que el legislador quiere excluir de la dispensa al cónyuge, aun cuando subsista el vínculo legal, si no convive con el investigado. Y en sentido, se extendería, con mayor fundamento si cabe, al que nunca tuvo dicho vínculo. Como concurría, precisamente, en este caso. El problema fundamental es que, pese a que este precepto y el art. 416 estén íntimamente relacionados, el legislador no ha traslado una modificación equivalente en este último artículo. Y bien es verdad también que la jurisprudencia ha permitido mantener el ejercicio del mencionado derecho, aún finalizada la convivencia y disuelto el matrimonio, ya que puede persistir el conflicto existente entre el deber legal de decir la verdad y el derecho derivado del vínculo afectivo familiar o asimilado existente entre agresor y víctima de "solidaridad familiar". No obstante, en el caso que nos ocupa, y como delito público, si es que hay tomar en consideración esta afirmación, la víctima manifestó en el plenario haber terminado la relación. Pues bien, si puede renunciarse al derecho de dispensa, es más que razonable que éste quede limitado —en análoga regulación— a la del artículo 261. Porque, si finalizada la relación, ya no se está dispensado por parte de la víctima de la obligación denunciar un delito público, tan graves como los que ocupan a la violencia de género, menos se estará de no de decir verdad ante un Tribunal en sesión oral si es citada como testigo.

4. REFLEXIONES Y CONCLUSIONES

1. Tal y como ha señalado la Fiscalía de Sala de Violencia de Género recientemente sobre la citada STS 449/2015, este pronunciamiento sigue siendo único[20]. Y además, este pronunciamiento, "no ha resuelto todos los problemas que plantea la personación, especialmente cuando estamos ante juicios rápidos en que la intervención de la acusación produce pocos trámites y en un periodo de tiempo

---

[20] Existe, que me conste, otra posterior STS 270/2016, de 5 de abril, cuyo ponente es CARLOS GRANADOS PEREZ en la que se recoge que *"...la Jurisprudencia de esta Sala ha venido reiterando que se trata de un derecho irrenunciable en beneficio de los testigos, pero no de las personas denunciantes espontáneas, respecto de los hechos que les han perjudicado, y que acuden a la policía en busca de protección, como sucede en el presente caso. Ciertamente hay que distinguir cuando como denunciante se acude a las autoridades para denunciar hechos de los que ha sido víctima para que actúen e inicien una investigación de aquellos otros supuestos en los que se cita como testigo a una persona incluida en la esfera de aplicación del artículo 416 de la Ley de Enjuiciamiento Criminal, y así se ha pronunciado esta Sala, como es exponente la Sentencia 449/2015, de 14 de julio, en la que se declara que otra cosa sería contradictorio con la clara y libre iniciativa de ser denunciante de hechos de los que ha sido víctima"* Y añade *"Situación que es perfectamente compatible con el Acuerdo tomado por el Pleno no jurisdiccional de esta Sala, celebrado el 24 de abril de 2013, referido a la dispensa de la obligación de declarar".* Pero los hechos no son similares en absoluto. En este caso la testigo se acogió después a la dispensa en fase de instrucción y volvió a hacerlo en el plenario.

corto se llega al juicio oral; pese a ello, en nuestra opinión, el haber solicitado medidas cautelares y formulado una acusación con petición de pena es suficiente para entender que la acusación particular ha tenido una actividad relevante durante la instrucción a tales efectos, sin embargo, ésta no es la posición de la mayoría de las tribunales, lo que quizá haga necesario un nuevo pronunciamiento por parte del TS al respecto"[21].

2. El derecho de dispensa se relaciona directamente con la cuestión problemática de que las diligencias de investigación puedan ser consideradas verdaderas diligencias de prueba, de modo que, unidas a otras pruebas, sostengan la acusación en caso de dispensa; o incluso, si no se diera este derecho, en caso de que la testigo/víctima falte a la verdad y pueda acreditarse cierta la denuncia y la declaración depuestas en un momento procesal previo. Hemos de afrontar el hecho, de nuevo como señala la Fiscalía, de que "un 28,7% de las mujeres optan por retirar la denuncia según la Macroencuesta de 2015 realizada por el MSSI-, [...] tal precepto no protege a la víctima ni los vínculos familiares y, con frecuencia, el ampararse a tal dispensa se debe más a presiones de su entorno o del acusado que a su verdadera voluntad; en tales casos, se echa por tierra todo el avance que supuso la denuncia y todo el esfuerzo de los operadores a lo largo del proceso, lo que fortalece al autor a la vez que perjudica a la víctima y produce un sentimiento de impunidad difícil de comprender por la sociedad"[22].

3. Tal y como hemos venido argumentando en líneas precedentes creo que, con sus matices, en la STS 449/2015 se apunta hacia una buena solución, que, en realidad, tampoco sería del todo novedosa. Hay que recordar que, en el Anteproyecto de reforma procesal penal de 2011, en su art. 570, se establecían límites al ejercicio del derecho de dispensa de manera que, si no se hacía uso de la misma en fase de instrucción, se impide su utilización en un momento procesal posterior. De ahí que, tal y como manteníamos al principio de este trabajo, tampoco la propuesta del Observatorio contra la violencia doméstica y de género del Consejo General del Poder Judicial en la Subcomisión para el Pacto de Estado en materia de Violencia de Género implique, en si misma, una alternativa diferente. A mi juicio, lo más importante de esta propuesta, realizada ahora en sede parlamentaria, es que lleve a los cambios legislativos pertinentes para hacer efectiva esta nueva solución sobre la dispensa, con plenas garantías.

4. No se trata de una prohibición de acogerse al derecho de dispensa de plano. Incluso, me parece más razonable esta vía; que la víctima deba ser consecuente

---

[21]   CONCLUSIONES DEL XII SEMINARIO DE FISCALES DELEGADOS EN VIOLENCIA SOBRE LA MUJER- AÑO 2016, Madrid (7 y 8 noviembre de 2016), Fiscalía General del Estado, ob. cit. p. 12.

[22]   Ibídem.

con sus actos, y más aún el Estado representado en el Ministerio Público, con las informaciones que conoce, cuya obligación de perseguir y ejercitar *ius puniendi* del Estado es ineludible en este tipo de delitos ante la *notitia criminis*. Sería, por tanto, estrictamente necesario establecer, ante este supuesto, ya no sólo la obligación de informar del derecho de dispensa en fase de instrucción o en fase policial (salvada la denuncia espontánea), inclusive, si se va a aplicar esta jurisprudencia, de la renuncia "para siempre" a este derecho que supone la personación como acusación particular. Y aún no sería bastante si se pretende superar el canon de constitucionalidad de prueba de cargo, o inclusive la propia jurisprudencia del TS; pues por ejemplo existiría una franca contradicción con la STS 459/2010, sobre todo en cuestión de que el sentido de la dispensa se muestra "*incompatible con la neutralización de su efecto mediante la valoración de la declaración sumarial*" máxime, si en esa misma declaración, no se está informado del derecho. Y sobre todo, porque, aún bajo la primera premisa, los requisitos de prueba preconstituída y/o anticipada tendrían que flexibilizarse de modo que la declaración sumarial de la víctima, debidamente informada de los derechos que le asisten y practicada con contradicción, si resultare además coherente con la denuncia espontánea, a lo que debería sumarse al menos la personación como acusación particular, acompañada con actos sustantivos y no meramente formales, pudieran de este modo contrarrestar y sobreponerse en la valoración de la prueba por parte del tribunal enjuiciador a un testimonio contradictorio con los anteriores depuesto en sesión de juicio oral por parte la víctima.

BIBLIOGRAFÍA

ALCALÁ PÉREZ-FLORES, Rafael, "La dispensa del deber de declarar de la víctima de la violencia de género: interpretación jurisprudencial", III Congreso sobre Violencia Doméstica y de Género: Madrid, 21 y 23 de octubre de 2009, disponible en *http:// www.poderjudicial.es/cgpj/es/Temas/Violencia-domestica-y-de-genero/Actividad-del-Observatorio/Premios-y-Congresos/III-Congreso-sobre-Violencia-Domestica-y-de-Genero--Madrid--21-y-23-de-octubre-de-2009*

BETRÁN PARDO, Ana Isabel, "A propósito de la última interpretación jurisprudencial del Tribunal Supremo sobre la dispensa del deber de declarar de las víctimas de violencia de género. Comentarios a la STS 449/2015, de 14 de julio", Artículo Monográfico, octubre 2015, Editorial Jurídica Sepin. Este artículo no está citado porque no tuve acceso a él. Se cita por conocimiento de su existencia y aportación bibliográfica estricta.

Comunicación Poder Judicial, 15 de febrero 2017, http://www.poderjudicial.es/cgpj/es/Poder-Judicial/En-Portada/La-presidenta-del-Observatorio-propone-al-Congreso-la-supresion-de-la-dispensa-de-la-obligacion-de-declarar-para-las-victimas-de-violencia-de-genero.

CONCLUSIONES DEL XII SEMINARIO DE FISCALES DELEGADOS EN VIOLENCIA SOBRE LA MUJER- AÑO 2016, Madrid (7 y 8 noviembre de 2016), Fiscalía

General del Estado, disponible en *http://web.icam.es/bucket/2016%20CONCLU-SIONES%20DEFINITIVAS%20XII%20JORNADAS%20ESPECIALISTAS%20VIOLENCIA%20SOBRE%20LA%20MUJER.pdf*

Instrumento de ratificación del Convenio del Consejo de Europa sobre prevención y lucha contra la violencia contra la mujer y la violencia doméstica, hecho en Estambul el 11 de mayo de 2011, BOE Núm. 137 Viernes 6 de junio de 2014 Sec. I. P. 42946.

RODRÍGUEZ CARBAJO, José Ramón, "El canon de constitucionalidad de las decisiones judiciales que inadmitan recursos de casación", Actualidad administrativa, ISSN 1130-9946, Nº 19, 2009.

SIBONY, Ruby, SERRANO OCHOA, Mª Ángeles y REINA, Olga "La prueba y el derecho a la dispensa del deber de declarar por la testigo-víctima en los procedimientos de violencia de género", http://noticias.juridicas.com/conocimiento/articulos-doctrinales/4652-la-prueba-y-el-derecho-a-la-dispensa-del-deber-de-declarar-por-la-testigo-victima-en-los-procedimientos-de-violencia-de-genero/, 1-4-2011.

ÍNDICE DE SENTENCIAS

Tribunal Constitucional

Tribunal Supremo (todas ellas de la sala 2ª, Sala de lo Penal)

Capítulo 17

ANÁLISIS DE LA DOCTRINA DEL RIESGO PREVISIBLE Y EVITABLE EN LA EFECTIVIDAD DE LA DECLARATORIA DE ALERTA DE VIOLENCIA DE GÉNERO EN MÉXICO[1]

LAURA ALICIA CAMARILLO GOVEA[2], ANA LUNA SERRANO[3] VÍCTOR MANUEL PARADA PICOS[4]
Universidad Autónoma de Baja California

SUMARIO: 1. INTRODUCCIÓN. 2. ALERTA DE VIOLENCIA DE GÉNERO EN MÉXICO COMO INSTRUMENTO DE PROTECCIÓN DE LOS DERECHOS HUMANOS. 3. LA DOCTRINA DE RIESGO PREVISIBLE Y EVITABLE. 4. LA DECLARATORIA DE ALERTA DE VIOLENCIA DE GÉNERO. 5. CONCLUSIONES. BIBLIOGRAFÍA.

1. INTRODUCCIÓN

El primero de febrero de 2007 entró en vigor la LGAMVLV[5], cuyo objetivo principal es el de vincular la coordinación entre los diferentes niveles de gobierno para lograr prevenir, sancionar y eliminar la violencia hacia las mujeres[6]. Hoy a más de

---

[1]   Artículo redactado en el marco del Proyecto de Investigación DIPUCR-16, Estudio Sobre la Violencia de Género y Violencia Doméstica en Castilla La Mancha. Dirigido por: María Martín Sánchez, Universidad de Castilla La Mancha.

[2]   Es profesora de tiempo completo de la Facultad de Derecho Tijuana de la Universidad Autónoma de Baja California en México. Miembro del Sistema Nacional de Investigadores Nivel I.

[3]   Es profesora de tiempo completo de la Facultad de Derecho Tijuana de la Universidad Autónoma de Baja California en México.

[4]   Es licenciado en Derecho por la Universidad Autónoma de Baja California y actualmente se desempeña como asesor jurídico en el Instituto Municipal de la Mujer.

[5]   Ley general de acceso de las mujeres a una vida libre de violencia, Secretaría de Gobernación, México, 1 de febrero de 2007.

[6]   Instituto Nacional de las Mujeres (09 de agosto de 2015). Sobre la Ley General de Acceso de las Mujeres a una Vida Libre de Violencia. Recuperado de http://www.gob.mx/inmujeres/prensa/sobre-la-ley-general-de-acceso-de-las-mujeres-a-una-vida-libre-de-violencia

diez años de su implementación, la situación de violencia contra las mujeres en México se presenta de forma sistemática y estructural con cifras alarmantes. Según datos estadísticos de ONU MUJERES, hay siete defunciones diarias de mujeres con presunción de homicidio en México[7]. Ante esta realidad, resulta relevante identificar si la Alerta de Violencia de Género (en adelante AVG) es eficaz, si cumple con el propósito para el que fue implementado, y si cumpliría en todo caso con el estándar fijado por el Tribunal Europeo de Derechos Humanos (en adelante TEDH) relativo a la doctrina de riesgo previsible.

La LGAMVLV representó un parteaguas en el reconocimiento de los derechos humanos de las mujeres en México y estableció principios rectores encaminados a salvaguardar estos derechos enfocados en la mujer. Su creación es resultado del impulso incansable de las organizaciones de la sociedad civil que pugnaban por el reconocimiento del derecho de las mujeres a vivir una vida libre de violencia. La lucha de estas organizaciones comenzó a adquirir visibilidad, en contextos como el de Ciudad Juárez, en donde se evidenció un patrón de muertes violentas de mujeres, y el Estado dejaba fungir como garante de la seguridad de las víctimas, lo cual perpetró la impunidad de estos sucesos.

Ante estos hechos, el movimiento feminista en México, en alianza con algunas legisladoras federales[8], impulsan la propuesta de creación de una Comisión especial para dar seguimiento a las investigaciones sobre feminicidio en Ciudad Juárez, siendo aprobada el 8 de noviembre de 2001 por la LVIII Legislatura de la Cámara de Diputados[9].

La comisión especial, presidida por Marcela Lagarde[10], impulsó la aprobación de un marco normativo específico para la atención de la violencia de género: la LGAMVLV y la tipificación del feminicidio en el Código Penal Federal. Además de lo anterior, la LGAMVLV, adoptó un mecanismo sin precedente en el continente americano denominado AVG, estableciendo en el artículo 22 del instrumento, un mecanismo de emergencia tendiente a enfrentar y erradicar la violencia feminicida en un territorio determinado. Misma que ha sido aplaudida por la sociedad civil como una medida cautelar cuando los

[7] ONU Mujeres (febrero de 2016). Hechos y cifras: Acabar con la violencia contra mujeres y niñas. Recuperado de http://www.unwomen.org/es/what-we-do/ending-violence-against-women/facts-and-figures

[8] GARCÍA MARTÍNEZ, Anayeli, (1 de febrero de 2017). A diez años de la Ley general de acceso de las mujeres a una vida libre de violencia. Recuperado de http://www.somosmass99.com.mx/a-10-anos-de-la-ley-general-de-acceso-de-las-mujeres-a-una-vida-libre-de-violencia/

[9] LAGARDE, Marcela. *Por la vida y libertad de las mujeres, fin al feminicidio.* Gobierno del Estado de Puebla, Consejería Jurídica del Ejecutivo Estatal, 2008.

[10] LAGARDE, Marcela. "Del femicidio al feminicidio". *Desde el jardín de Freud. Revista de Psicoanálisis,* núm.6, 2006.

contextos de violencia feminicida rebasan la capacidad de respuesta institucional de los gobiernos locales.

Aunado a lo anterior, en esta misma época, se activa el carácter subsidiario de los órganos internacionales de protección de derechos humanos con el objetivo de que una instancia secundaria intervenga como sustituto o bien, como complemento de una instancia primaria cuando ésta última no ha logrado obtener el efecto que se busca[11]. Desde estas instancias, el sistema universal de protección de derechos humanos, comienza a realizar un sinnúmero de recomendaciones al Estado Mexicano[12] por el incumplimiento de las obligaciones contraídas en la CEDAW y en el Sistema Interamericano, se emite la primera sentencia de la Corte Interamericana de Derechos Humanos (en adelante CrIDH) que aborda violaciones a la CADH, en contextos de violencia feminicida en México, (Caso González y otras también llamado "Campo Algodonero")[13].

El precedente judicial emanado de la CrIDH fijó criterios para garantizar el acceso a la justicia para las mujeres víctimas de violencia en el Estado Mexicano, adoptándose estándares específicos para la debida prevención y atención de actos criminales, cometidos por particulares, en contra de los derechos a la seguridad y vida de las mujeres, en concordancia con los criterios fijados en la Convención Belem Do Para (en adelante CBDP). En los cuales la CrIDH evidencia la ausencia de una política específica para atender las muertes violentas de mujeres y analiza la doctrina del riesgo previsible y evitable en contextos de violencia de género.

El análisis de la LGAMVLV, desde estándares internacionales de protección de derechos humanos, puede aportar elementos importantes al contenido y efectividad de la *lex specialis* en atención de violencia de género en México, específicamente en lo referente a la AVG y su viabilidad como medida cautelar para la prevención, atención, sanción y erradicación de la violencia feminicida.

---

[11]   DEL TORO HUERTA, Mauricio Iván, "El principio de subsidiariedad en el derecho internacional de los derechos humanos con especial referencia al sistema interamericano", en Becerra Ramírez, Manuel, La Corte Interamericana de Derechos Humanos a veinticinco años de su funcionamiento, México, UNAM, Instituto de Investigaciones Jurídicas, 2007, pp. 23-61.

[12]   *Cfr.*: CEDAW, Comité. Observaciones finales del Comité para la Eliminación de la Discriminación contra la Mujer: México. CEDAW/C/MEX/CO/6, 25 de agosto de 2006,
CEDAW, Comité. Observaciones finales del Comité para la Eliminación de la Discriminación contra la Mujer: México, párr. 32, UN Doc. CEDAW/C/MEX/CO/7-8

[13]   RANGEL HERNÁNDEZ, Laura. Sentencias condenatorias al Estado mexicano dictadas por la Corte Interamericana de Derechos Humanos y sus implicaciones en el orden jurídico nacional. Revista IUS, 2011, vol. 5, no 28, p. 160-186.

2. ALERTA DE VIOLENCIA DE GÉNERO EN MÉXICO COMO INSTRUMENTO DE PROTECCIÓN A LOS DERECHOS HUMANOS

La alerta de violencia de género es definida por la LGAMVLV como "el conjunto de acciones gubernamentales de emergencia para enfrentar y erradicar la violencia feminicida en un territorio determinado, ya sea ejercida por individuos o por la propia comunidad"[14]. "Se trata de un instrumento, pues, diseñado para revertir la situación de violencia o discriminación"[15]. De acuerdo al reglamento la declaratoria de alerta de género se hará "a través de acciones gubernamentales de emergencia, conducidas por la Secretaría de Gobernación en el ámbito federal y en coordinación con las entidades federativas y los municipios"[16]. La AVG posee diversas características rigurosas tendentes a justificar la implementación de esta medida, tales como, la delimitación territorial, un problema concreto sobre la tendencia feminicida, una intervención de emergencia y la coordinación y participación de las instituciones gubernamentales que tengan las facultades para interactuar con el desarrollo y aplicación de la AVG[17]. Por lo que, analizando lo anterior se puede establecer que la AVG funge como "una intervención estatal acotada, focalizada, temporal y coordinada para resolver un problema urgente de violencia feminicida o de un agravio comparado"[18].

En esos términos, la implementación de la alerta de violencia de género como medida para la protección de los derechos humanos de la mujer efectuada en México, teóricamente establece una base sólida para garantizar a este sector de la sociedad el derecho a vivir una vida libre de violencia, no obstante, en la práctica, la culminación de este mecanismo se encuentra muy lejos de cumplir sus expectativas, tal afirmación obedece a que *v.g.* en el transcurso de 2017 al menos, hay 346 mujeres víctimas de feminicidio en el Estado de México y 145 mujeres víctimas de homicidio doloso como lo comprueban los informes presentados por la Fiscalía General de Justicia del Estado de México[19].

---

[14]   Ley general de acceso de las mujeres a una vida libre de violencia... ob. cit..., art.22.
[15]   PÉREZ CORREA, Catalina; RÍOS CÁZARES Alejandra, VELA, Estefania y CEJUDO, Guillermo. Alertas de género: consideraciones mínimas para la acción gubernamental (documento de discusión). México: Centro de Investigación y Docencia Económicas, CIDE, 2016, p. 4.
[16]   Reglamento de la ley general de acceso de las mujeres a una vida libre de violencia, Secretaría de Gobernación, México, 1 de febrero de 2007, art.30.
[17]   PÉREZ CORREA, Catalina; RÍOS CÁZARES Alejandra, VELA, Estefania y CEJUDO, Guillermo. Alertas de género: consideraciones mínimas para la acción gubernamental..., ob. cit., p. 5.
[18]   Ídem.
[19]   Fiscalía General de Justicia del Estado de México. Feminicidio y homicidios dolosos de mujeres. Recuperado de http://www.alertadegenero-edomex.com/descargas/documentos/cifras_feminicidio_y_homicidio_enero2017.pdf

Resulta evidente que la implementación de esta medida de protección como garante de la defensa de los derechos humanos de las mujeres no satisface los objetivos principales que busca obtener. Aunado a lo anterior, resulta imperativo hacer mención que el ámbito de su aplicación se ve limitado a un escaso sector social representado por las mujeres de ciertos Estados donde éste mecanismo se ha puesto en marcha tales como el estado de México, Nayarit, Morelos, Michoacán, Chiapas, etc.[20] limitando su aplicación a zonas territoriales específicas no solo por la gravedad en la que se presentan los actos en contra del desarrollo de una vida libre de violencia de la mujer en el territorio concreto si no, por la falta de respuesta efectiva o positiva por parte del gobierno de los Estados restantes. En la actualidad, la medida implementada se encuentra en un estatus de simple desarrollo, existen hasta ahora doce alertas de violencia de genero declaradas, siete en proceso de trámite y siete más en las que se ha decidido no declarar en los Estados respectivos a la solicitud de la alerta presentada[21].

La tesis de la inefectividad de la AVG en México quedó expuesta con la intervención del Comité para la Eliminación de la Discriminación contra la Mujer en las Observaciones finales para México de 2012. En general, el Comité manifestó su preocupación respecto a ciertas disposiciones que considera claves en la LGAMVLV que no se han aplicado, así como la falta de capacidad y recursos asignados al mecanismo nacional para hacer frente a la violencia contra la mujer. Una de las disposiciones que no se habían aplicado era precisamente la AVG. Una de las cuestiones planteadas de forma directa por el Comité, fue si este mecanismo había sido implementado, a lo que el Estado mexicano respondió que no, y que las dos solicitudes para activarlo habían sido desechadas. Ante esta respuesta, en sus Observaciones Finales, el Comité expuso que la preocupación respecto a la AVG consistía en las "ineficacias en el procedimiento que impiden la activación del Mecanismo de Alerta de Género"[22]. En ese tenor, el Comité exhortó al Estado mexicano a revisar, acelerar y dar prioridad al mecanismo con la finalidad de abordar y eliminar con antelación los obstáculos que limitaban la activación y funcionamiento de dicho mecanismo[23].

En el mismo sentido, a partir del Examen Periódico Universal realizado a México en 2013, el Consejo de Derechos Humanos emitió 176 recomendaciones a nuestro Estado. Específicamente, la recomendación 148.69, proveniente del

---

[20]   Instituto Nacional de las Mujeres Sobre la Ley General de Acceso de las Mujeres..., ob. cit.
[21]   Ídem.
[22]   Naciones Unidas, Comité para la Eliminación de la Discriminación contra la Mujer, *Observaciones finales del Comité para la Eliminación de la Discriminación contra la Mujer,* 2012, párr. 15.
[23]   *Ibidem,* párr. 16.

representante de España, consistió en "responder a los desafíos que impiden la aplicación eficaz del sistema de Alerta de Género"[24].

No obstante lo anterior, México no ha sido capaz de cumplir con estas recomendaciones a pesar de reformar su legislación interna para poder materializar las obligaciones derivadas de la CEDAW, en general el Estado mexicano habría de armonizar sus disposiciones de derecho interno a los estándares internacionales particularmente aquéllos plasmados en los tratados internacionales como el antes aludido y en todo caso a nivel regional (interamericano) con el cumplimiento de las obligaciones generadas en el art. 2 de la CADH que en suma se refieren al deber de adoptar disposiciones de derecho interno[25].

Si bien es cierto el objeto de este estudio es analizar la AVG a la luz del estándar europeo, resulta conveniente mencionar que los tratados de derechos humanos, son vinculantes no solo porque de la aceptación por parte del Estado deriva que ante el incumplimiento de la obligación internacional se configuraría responsabilidad internacional para este[26], sino también porque deben implementarse y adecuarse en la legislación vigente interna[27].

A partir de la reforma constitucional del 10 de junio de 2011, se estableció en el texto del artículo primero de la Constitución Política de los Estados Unidos Mexicanos que todas las personas gozarán de los Derechos Humanos reconocidos tanto en la Constitución como en los Tratados Internacionales que contengan disposiciones al respecto, dándoles así el rango jerárquico constitucional a los Tratados sobre la materia. Al mismo tiempo, se estableció que todas las autoridades en el ámbito de sus competencias debían cumplir con las obligaciones de prevenir, investigar, sancionar y reparar las violaciones a los Derechos Humanos.

---

[24] Naciones Unidas, Consejo de Derechos Humanos, *Informe preliminar del Grupo de Trabajo sobre el Examen Periódico Universal*, 2013, párr.148.

[25] Convención Americana sobre Derechos Humanos "Pacto de San José", Costa Rica, 1969, art. 2. *Deber de Adoptar Disposiciones de Derecho Interno.* Si el ejercicio de los derechos y libertades mencionados en el artículo 1 no estuviere ya garantizado por disposiciones legislativas o de otro carácter, los Estados Partes se comprometen a adoptar, con arreglo a sus procedimientos constitucionales y a las disposiciones de esta Convención, las medidas legislativas o de otro carácter que fueren necesarias para hacer efectivos tales derechos y libertades.

[26] DE LOS SANTOS, Miguel Ángel. (2008). "Derechos humanos: compromisos internacionales, obligaciones nacionales". *Reforma Judicial. Revista Mexicana de Justicia*, núm. 12, 2008.

[27] Comisión Nacional para Prevenir y Erradicar la Violencia contra las Mujeres (CONAVIM) (2014). Diagnóstico de la legislación penal mexicana sobre la recepción de los compromisos asumidos por el Estado mexicano frente a los tratados internacionales en materia de Derechos Humanos de las mujeres. Recuperado de http://www.conavim.gob.mx/work/models/CONAVIM/Resource/315/2/images/MARCO-JURIDICO-PARA-EL-ANALISIS-DE-DERECHO-COMPARADO.pdf

Por lo anteriormente expuesto, México tiene la obligación, tanto constitucional como internacional, de implementar todas las medidas necesarias para cumplir con lo establecido en la CEDAW y de esta forma garantizar la protección de los derechos humanos de las mujeres.

La AVG es un mecanismo relativamente nuevo que se encuentra en un proceso de solidificación, y de implementarse correctamente podría contribuir al cumplimiento de la obligación de prevención de las violaciones a los Derechos Humanos de las mujeres víctimas de violencia. Sin embargo, el mecanismo no había sido implementado sino hasta hace muy poco por presiones de organismos internacionales y la sociedad civil organizada, por lo que no ha logrado mermar significativamente estas trasgresiones. En gran parte se expone como motivo la falta de completa disposición y cooperación por parte del gobierno mexicano.

La CEDAW dispone que se garanticen los derechos de todas las mujeres, no solamente de un determinado sector territorial, es por ello que algunos autores sostienen que "se establece una obligación a cargo del poder legislativo para emitir lineamientos sobre la declaratoria de AVG no sólo en un sentido formal, sino que realmente puedan materializarse"[28], si el poder legislativo no regula la implementación del mecanismo de forma unificada en todo el país, resulta imposible garantizar la protección de las mujeres ante la violencia feminicida y los agravios comparados que impiden el pleno goce y ejercicio de sus derechos humanos.

A pesar del esfuerzo por parte del gobierno mexicano para garantizar el respeto a los derechos humanos de las mujeres a través de este mecanismo resulta evidente que aún falta camino por recorrer ya que las cifras de feminicidios y homicidios dolosos contra mujeres aún continúan. La disposición del Estado para garantizar el cumplimiento con la obligación derivada del tratado internacional es cuestionable debido a la negativa por parte de la Secretaria Ejecutiva, encargada de revisar el cumplimiento de los requisitos de la solicitud para declarar la Alerta de Violencia de Genero[29]. Una brecha importante entre la implementación y cumplimiento de la AVG reside en que a pesar de las leyes promulgadas, reglamentos y en general políticas publicas efectuadas como respuesta a ¨demandas ciudadanas, de grupos feministas, o bien de acuerdos internacionales firmados por México¨[30] se encuentran limitadas y no se efectúan como deberían, lo que

---

[28]   NARES HERNÁNDEZ, José J., MEDEL INFANTE, Ángel & CHICATTI MORENO, Claudia E., "Derecho humano de las mujeres a una vida libre de violencia y sus garantías de protección" en Universidad Autónoma Metropolitana, *Avances de las mujeres en las ciencias las humanidades y todas las disciplinas creatividad e innovación: Libro Científico Vol.II*, 2015.

[29]   Reglamento de la ley general de acceso de las mujeres..., ob. cit., art.32.

[30]   MELGAR, Lucia. "Tolerancia ante la violencia, feminicidio e impunidad: Algunas reflexiones". *La bifurcación del caos: reflexiones interdisciplinarias sobre violencia falocéntrica*. México: UAM-Xochimilco, 2011.

denota el carecer de una aplicación real y resalta su actuar exclusivamente mediático.

3. LA DOCTRINA DEL RIESGO PREVISIBLE Y EVITABLE

Por lo que hace a la doctrina del riesgo previsible y evitable ésta es creada por el TEDH en el caso Osman vs. Reino Unido, siendo reiterada en precedentes posteriores[31], este caso resultó detonante a partir de que un profesor, Paget-Lewis en 1999 disparó y mató a Ali Osman, el padre de su alumno Ahmet Osman, esto sucedió habiéndole precedido una serie de incidentes que podrían "sugerir" que el Estado anticipara esta situación. El TEDH resolvió por declarar que no había responsabilidad bajo el numeral dos del Convenio Europeo de Derechos Humanos, pero, dejó sentado el precedente de responsabilidad internacional por actos de particulares. El análisis tiene por objeto establecer criterios para una aproximación integral del deber de prevención de los Estados, en el marco de actos criminales cometidos por particulares; los cuales pudieran entrañar violaciones a derechos humanos o responsabilidad internacional, ante la falta de debida diligencia del Estado una vez que se tiene el conocimiento de una situación de riesgo para las víctimas[32].

La doctrina puede ser conceptualizada como una herramienta de control judicial sobre políticas públicas; en donde el papel de los jueces resulta decisivo, pues son los únicos que, a través de un análisis de fondo, pueden lograr que éstas políticas públicas se ajusten a los estándares internacionales de derechos humanos[33]. Desde el derecho local, en el abordaje de otras temáticas, se ha establecido como los tribunales constitucionales han tenido una aproximación a la exigibilidad de derechos, en los cuales su protección necesariamente entraña un carácter programático[34], que necesita materializarse en políticas sociales.

Ahora bien, a pesar de que, en el estudio de un determinado caso, a la luz de la doctrina del riesgo previsible y evitable, se plantea la posibilidad del estudio

---

[31]   Véase: Corte Europea de Derechos Humanos. Caso Kilic vs Turquía (Núm. 22492/93) Sentencia del 28 de marzo de 2000, párr. 63 y Corte Europea de Derechos Humanos Caso Opuz vs Turquía (Núm. 33401/02). Sentencia del 9 de junio de 2009, párr. 129.

[32]   Case of Osman v. the United Kingdom, The International Journal of Human Rights Vol. 3, Issue 2, 1999.

[33]   QUINCHE-RAMÍREZ, Manuel Fernado & RIVERA RUGELES, Juan Camilo. "El control judicial de las políticas públicas como instrumento de inclusión de los derechos humanos". Vniversitas, núm.121, 2012, pp. 113-137.

[34]   RODRÍGUEZ GARAVITO, Cesar, & RODRÍGUEZ FRANCO, Diana. *Juicio a la exclusión. El impacto de los tribunales sobre los derechos sociales en el Sur Global*. Siglo Veintiuno Editores, Argentina, 2015, p. 13.

de todo el ciclo de política pública y su idoneidad en el asunto determinado. No debe pasar desapercibido que el TEDH, desde su creación, ha resaltado que este deber de prevención no puede hacerse extensivo a la universalidad de conductas humanas, por la inviabilidad de predecir todas éstas. De manera que esta obligación no busca imponer sobre el Estado una carga desproporcionada o imposible, sino que el supuesto de responsabilidad internacional solo se configurará sobre el Estado:

"cuando haya un alegato de que las autoridades han violado su obligación positiva de proteger el derecho a la vida [...], debe ser establecido con claridad que al momento de los hechos las autoridades sabían, o debían haber sabido, de la existencia de un riesgo real e inmediato para la vida de un individuo o individuos identificados de ser víctimas de actos criminales de terceros, y que tales autoridades no tomaron las medidas dentro del alcance de sus atribuciones que, apreciadas razonablemente, podían esperarse para evitar dicho riesgo"[35].

En el sistema interamericano de protección de derechos humanos, la jurisprudencia constante de la CrIDH ha trabajado en el estudio del deber de prevención, desde su primer precedente *Velásquez Rodríguez vs. Honduras*. Luego en la sentencia de la Masacre de Pueblo Bello, "el criterio comienza a reforzarse ante el cúmulo de casos que analizan el conflicto armado colombiano y la aquiescencia del Estado en la operación de grupos paramilitares"[36].

El Juez Diego García Sayán, con su voto razonado en el caso "Campo Algodonero", establece que a pesar de que el deber de prevención es una obligación progresiva y de decidida prioridad dado el contexto de creciente criminalidad en la mayoría de países de la región, esto no entraña una responsabilidad ilimitada de los Estados frente a cualquier acto o hecho de particulares[37]. Por lo anterior se debe razonar sobre la responsabilidad estatal por actos de particulares toda vez que las "obligaciones del Estado proyectan sus efectos más allá de la relación entre sus agentes y las personas sometidas a su jurisdicción, pues se manifiestan también en la obligación positiva del Estado de adoptar las medidas necesarias para asegurar la efectiva protección de los derechos humanos en las relaciones inter-individuales. La atribución de responsabilidad al Estado por actos de parti-

---

[35]   Corte Europea de Derechos Humanos Caso Osman vs. Reino Unido, sentencia del 28 de octubre de 1998.

[36]   CrIDH. Caso de la Masacre de Pueblo Bello vs. Colombia, Sentencia de 31 de enero de 2006, serie C N° 140.

[37]   GARCÍA SAYÁN, Diego. Voto Concurrente del Juez Diego García Sayán, Corte Interamericana. González y otras (" Campo Algodonero") vs. México, Excepción Preliminar, Fondo, Reparaciones y Costas, Sentencia de, 2009, vol. 16.

culares puede darse en casos en que el Estado incumple, por acción u omisión de sus agentes cuando se encuentren en posición de garantes"[38].

No obstante, la responsabilidad del Estado por la ineficaz protección de los derechos humanos radica en el previo conocimiento por parte del mismo de situaciones que compliquen el cumplimiento y vulneren los derechos humanos que han de proteger. Es ante este conocimiento que urge en el Estado la implementación de las medidas necesarias para realmente garantizar la protección de los derechos humanos de las personas donde recae su jurisdicción de lo contrario su omisión establecería las bases para incurrir en responsabilidad internacional por el incumplimiento con las obligaciones internacionales derivadas de la aceptación de aquellos tratados internacionales donde se ha acordado proteger los derechos humanos de los connacionales del Estado parte.

Desde la doctrina, se señala como la posibilidad del Estado de evitar la consumación del riesgo es un elemento conflictivo del estándar. Para ello se debe partir del principio de razonabilidad en torno al riesgo y las obligaciones contraídas por los Estados en los instrumentos internacionales de derechos humanos. Por ejemplo, si de las obligaciones de la CBDP derivaba la adecuación normativa en materia de violencia de género. En este sentido, resulta razonable afirmar que el Estado no podrá invocar la imposibilidad de prevenir la consumación de un riesgo, si ha contribuido a ello por no adoptar medidas de garantía que la propia Convención establecía[39].

Partiendo de lo anterior, desde la doctrina del riesgo previsible y evitable, la imputación de responsabilidad internacional por incumplimiento a las obligaciones de la CADH requiere de un análisis pormenorizado para determinar si el riesgo atiende a situaciones en dónde el deber de prevención es factible para los Estados, según sus obligaciones convencionales; para ello, esta doctrina podrá ser utilizada si se encuentra ante alguno de estos supuestos:

"(i) que exista una situación de riesgo real o inmediato que amenace derechos y que surja de la acción o las prácticas de particulares; esto es, se requiere que el riesgo no sea meramente hipotético o eventual y además que no sea remoto, sino que tenga posibilidad cierta de materializarse en lo inmediato.

(ii) Que la situación de riesgo amenace a un individuo o a un grupo determinado, es decir, que exista un riesgo particularizado. Lo anterior supone un

---

[38]   CORONEL GAMBOA, Luis Eduardo, "Responsabilidad internacional del estado por agresiones a periodistas: un enfoque desde la teoría del riesgo". *Una voz pro persona*. Num.1. 2013, pp. 50-55.

[39]   ABRAMOVICH, Víctor. "Responsabilidad estatal por violencia de género: comentarios sobre el caso "Campo Algodonero" en la Corte Interamericana de Derechos Humanos". Anuario de Derechos Humanos, núm. 6, 2010, p. 167.

requisito más estricto que la sola existencia de un riesgo general o una situación extendida de inseguridad que afecta al conjunto de la comunidad.

(iii) Que el Estado conozca el riesgo o hubiera debido razonablemente conocerlo o preverlo. En tal sentido aquí cuenta tanto la evidencia que determina que las agencias habían obtenido información sobre la situación de riesgo, como también la previsibilidad del riesgo, esto es, la posibilidad de establecer cierta presunción de conocimiento de ese riesgo a partir de las circunstancias del caso, y que está muchas veces asociada al rol de vigilancia o monitoreo que la propia Convención o la CBDP impone al Estado.

(iv) Finalmente, que el Estado pueda razonablemente prevenir o evitar la materialización del riesgo. Para poder imputar responsabilidad se requiere entonces primero que el riesgo sea por sus características evitable, y que el Estado esté en condiciones de adoptar medidas capaces de paliar la situación y evitar la materialización del riesgo"[40].

Es importante resaltar que, desde el análisis de la *litis*, en el Caso Campo Algodonero[41] la Corte IDH, abordaba estos supuestos, ya que los peticionarios buscaban el pronunciamiento del tribunal por el contexto de violencia de género y la ausencia de una política de seguridad pública orientada a la prevención, la persecución y sanción de delitos, como aquellos crímenes contra mujeres que se conocía se venían cometiendo en Ciudad Juárez.

La CrIDH divide el caso en dos etapas la primera antes de que el Estado tuviera conocimiento de la desaparición de las víctimas en la ciudad y la segunda después de que la fiscalía tenía conocimiento de las desapariciones de las mujeres en ciudad Juárez. A lo que la CrIDH, desde el principio de razonabilidad, decide que la responsabilidad internacional se genera, una vez que el Estado tuvo conocimiento de los sucesos y no por el contexto generalizado de violencia hacia las mujeres. Lo anterior difiere con lo planteado por la petición, pues: "para los peticionarios la responsabilidad internacional se genera un paso antes, por la falta de prevención de las desapariciones de las mujeres, que no son más que la expresión de un patrón de violencia que afecta a todo el grupo[42]".

---

[40]   *Idem.*
[41]   Corte IDH. Campo Algodonero vs México.
[42]   Ver demanda de la CIDH, párrs. 161-176. Ver Escrito de los Peticionarios, página 133. Señalan los peticionarios: "Las autoridades mexicanas al momento en que ocurrieron las desapariciones de las víctimas tenían conocimiento de que existía un riesgo real e inmediato para la vida de estas. Debido a que los casos aquí expuestos forman parte del patrón de violencia contra mujeres, niñas, y el Estado no tomó las medidas necesarias con la debida diligencia para evitarlo", *cfr.*

Posteriormente en el caso más reciente, Yarce y otras *vs* Colombia[43] relativo *inter alia,* a la privación de la libertad y posterior asesinato de Ana Teresa Yarce a manos de grupos del actuar de grupos paramilitares en connivencia con la Fuerza Pública. La CrIDH sostuvo que, "[los] deberes [estatales] de adoptar medidas de prevención y protección de los particulares en sus relaciones entre sí se encuentran condicionados al conocimiento de una situación de riesgo real e inmediato para un individuo o grupo de individuos determinado y a las posibilidades razonables de prevenir o evitar ese riesgo", argumento que ha mantenido el tribunal interamericano en casos como Rodríguez Vera y otros (Desaparecidos del Palacio de Justicia) Vs. Colombia, y que en concreto, encierran tres supuestos para identificar si ese riesgo era previsible, en este caso, la Corte sostuvo que "la relevancia del conocimiento estatal de una situación general de riesgo; ello puede ser relevante para evaluar si un acto determinado es o no suficiente para generar en el caso el conocimiento por las autoridades de un riesgo real e inmediato, o la respuesta de las mismas al respecto.

Este análisis que hace la corte frente al actuar de particulares que luego derivan en responsabilidad internacional se encuentra íntimamente relacionado al concepto de debida diligencia para prevenir actos de particulares que atenten contra los derechos humanos, "así las cosas, un hecho ilícito que inicialmente no resulta imputable al Estado por ser obra de un particular, puede acarrear la responsabilidad internacional del Estado, no por ese hecho en sí mismo, sino por la vulneración de derechos humanos como consecuencia de su falta de diligencia para prevenirlo o impedirlo, siempre y cuando se hubiera tenido conocimiento previo de ese riesgo"[44].

Resulta interesante cómo la CrIDH analiza el contexto de violencia de género, en escenarios donde no existen políticas públicas en la materia. A este respecto señala: "finalmente, la Corte no puede sino hacer presente que la ausencia de una política general que se hubiera iniciado por lo menos en 1998 —cuando la CNDH advirtió del patrón de violencia contra la mujer en Ciudad Juárez—, es una falta del Estado en el cumplimiento general de su obligación de prevención"[45].

En este sentido, la CrIDH concluye el caso determinando que la ausencia de una política general que debió iniciarse en 1998, en el momento en que se tiene

---

[43]   Corte IDH, Caso Yarce y otras vs. Colombia, Sentencia de 22 de noviembre de 2016 (Excepción Preliminar, Fondo, Reparaciones y Costas), párr. 181-183.

[44]   MEDINA ARDILA, Felipe, *La responsabilidad internacional del Estado por actos de particulares: análisis jurisprudenic interamericano,* p. 8.

[45]   Corte IDH. Caso Fernández Ortega y otros. Vs. México. Excepción Preliminar, Fondo, Reparaciones y Costas. Sentencia de 30 de agosto de 2010 Serie C No. 215. Párr. 282.

conocimiento de estos hechos es una falta en el cumplimiento de su deber de prevención. En esta época aún no se concretizan las adecuaciones normativas correspondientes que existen en la actualidad en torno a la atención de la violencia de género. Pese a ello, no existen criterios jurisprudenciales desde el derecho internacional para analizar si las políticas públicas actuales atienden a la doctrina del riesgo previsible y evitable, a pesar de que violaciones a derechos humanos de las mujeres como en el precedente referido siguen sucediendo, en demasiadas veces en México. En este tenor, la siguiente sección abordará desde el estándar de protección si la AVG pudiera dar cumplimiento a estos criterios.

4. LA DECLARATORIA DE ALERTA DE VIOLENCIA DE GÉNERO

La AVG se ha emitido a nivel federal en el Estado de México, Michoacán y Morelos. La medida armoniza con la conceptualización básica del feminicidio, reconocido este como: "un crimen de Estado, ya que éste no es capaz de garantizar la vida y seguridad de las mujeres en general, quienes viven diversas formas y grados de violencia a lo largo de su vida[46] ". Es entonces que desde el mecanismo en comento se puede hacer un estudio interdisciplinario de contextos de violencia de género en un territorio determinado para materializarlo en políticas públicas.

Este mecanismo constituye un grupo interinstitucional de académicas que genera un informe del escenario de violencia de género en un territorio determinando. El informe hace recomendaciones pertinentes para implementar acciones preventivas, de seguridad y justicia que puedan abatir la violencia feminicida. Esto genera recursos presupuestales específicos, desde una perspectiva de género, para eficientizar la respuesta del sistema de procuración e impartición de justicia en torno al feminicidio; por ejemplo, a través de las fiscalías especializas en perseguir delitos cometidos contra las mujeres o la instalación de módulos itinerantes de asesoría jurídica gratuita para mujeres en cualquier tipo y modalidad de violencia.

Lo anterior, representa un mecanismo de emergencia que si se implementa conforme a lo establecido en el instrumento normativo puede llegar a abatir este problema público. Sin embargo, encontramos cómo en el planteamiento de su activación existen limitantes que hacen que el Estado no necesariamente armonice con sus obligaciones de prevención desde la doctrina del riesgo previsible y evitable.

---

[46]   RUSELL, Diana E. & HARMES, Roberta A. *Feminicidio: una perspectiva global*. UNAM, México, 2006.

En este sentido, del texto de la LGAMVLV se establece cómo la declaratoria de AVG sólo se emitirá cuando: "I. los delitos del orden común contra la vida, la libertad, la integridad y la seguridad de las mujeres, perturben la paz social en un territorio determinado y la sociedad así lo reclame; II. Exista un agravio comparado que impida el ejercicio pleno de los derechos humanos de las mujeres, y III. Los organismos de derechos humanos a nivel nacional o de las entidades federativas, los organismos de la sociedad civil y/o los organismos internacionales, así lo soliciten".

Partiendo de esta premisa, para la activación del mecanismo es necesaria la solicitud expresa de algún organismo de derechos humanos u organización de la sociedad civil. El instrumento normativo, condiciona la alerta y con ello disminuye o minimiza, a nuestro juicio, la doctrina del riesgo previsible y evitable y anula en determinado momento el conocimiento que tenga el Estado de una alta incidencia delictiva contra las mujeres en un territorio determinado.

Si no existe una solicitud expresa de estas organizaciones el mecanismo no podrá activarse para constituir el grupo interdisciplinario y hacer las recomendaciones pertinentes para emitir la declaratoria de AVG. Esta limitante incide en la efectividad que pudiera tener la medida en un territorio determinado, ya que, si en la entidad federativa no existen un movimiento de la sociedad civil organizada u organismos de derechos humanos que hayan estudiado el contexto de violencia feminicida, el proceso de la AVG no comenzará a implementarse.

En este sentido, desde el cumplimiento del Estado a sus obligaciones de la CADH, a la luz de los criterios la teoría del riesgo previsible y evitable, resulta pertinente plantearnos la activación de oficio de la declaratoria de AVG, ya que el conocimiento que se tiene de los delitos contra la seguridad y vida de las mujeres no sucede en el momento en que las organizaciones presentan la solicitud, sino desde que estos hechos comienzan a obrar en las fiscalías locales a través de reportes de desaparición, carpetas de investigación iniciadas por feminicidios y registros de muertes violentas.

Lo anterior, crea una "ficción jurídica" en torno al conocimiento que tiene el Estado de un escenario específico de violencia de género; ya que atendiendo a sus obligaciones establecidas en la CBDP y la CADH, no sería necesario las demandas de la sociedad civil para activar todo el aparato estatal en materia de seguridad y acceso a la justicia. Es decir, por el sólo hecho de que se tenga el conocimiento del alza en incidencia delictiva contra mujeres en un territorio determinado, se puede comenzar a adoptar las herramientas planteadas por la AVG. Atendiendo al rol que juega el Estado como garante de la seguridad y acceso a la justicia para las mujeres no es necesario someter a la movilización de la sociedad civil la implementación de estrategias de respuesta estatal para este problema público, puesto que debe ser un tema que necesariamente esté presente en la agenda política. Es por ello que se denota la carente participación del Estado para promover la protección de los derechos humanos de las mujeres sin la necesidad de la intervención de la AVG, la cual juega un papel importante para motivar al Estado a cumplir con las obligaciónes internacionales contraídas en los tratados de los que es parte así como las recomendaciones emitidas por los organismos internacionales que, precisamente, buscan la salvaguarda de los derechos humanos fundamentales que posee la mujer.

La implementación de la AVG atiende a un camino bifurcado ya que, por una parte, se emplea con el propósito de cumplir con las recomendaciones previamente realizadas al Estado mexicano quien como consecuencia evita incurrir en responsabilidad internacional, y por otra parte, despliega sus facultades para proteger a un sector vulnerable de la sociedad que, como garante de sus derechos y protector de sus nacionales, se ve obligado a mantener y proteger a quien se encuentra dentro del supuesto de protección. No obstante, la tendencia de protección no radica únicamente en la implementación de la AVG, realmente busca que se cumplan los objetivos establecidos por éste mecanismo, es decir, la implementación del instrumento de defensa a los derechos de la mujer debe necesariamente buscar satisfacer en su totalidad el acceso de la mujer a una vida libre de violencia en la práctica. Las cifras han demostrado que aún no se ha llegado al objetivo fundamental del mecanismo por lo que es necesario realizar una constante revisión de los avances y adecuar la legislación interna de tal modo que logre cumplir con las metas y propósitos vinculados con la normativa internacional.

5. CONCLUSIONES

La AVG es un logro político para el movimiento feminista mexicano que representa áreas de oportunidad para abatir la violencia de género. Su debida implementación visibiliza la situación estructural de violencia de género y activa todo el aparato estatal para su atención. Sin embargo, su planteamiento tiene algunas limitantes, como lo es la su solicitud únicamente por parte de organizaciones de la sociedad civil o de derechos humanos y no por el propio Estado una vez que tiene registro de muertes violentas de mujeres. Además de ello es una figura que por su naturaleza podría considerarse un avance en la protección de los derechos de las mujeres. Su creación responde a las recomendaciones hechas al Estado Mexicano y en principio es compatible con la CEDAW. En ese sentido es única en su tipo y se configura como una herramienta útil en contextos de violencia de género que se han presentado y se presentan actualmente en México.

Sin embargo, los requisitos que "condicionan" la emisión de alerta de género parecen distanciarse del propósito para el que fue creado, pues prácticamente

588 Laura Alicia Camarillo Govea, Ana Luna Serrano y Víctor Manuel Parada Picos

trasladan la responsabilidad de notificar de una situación de violencia de género a los organismos protectores de derechos humanos y a la sociedad civil. Si analizamos esta situación a la luz de la teoría del riesgo previsible y evitable, podemos observar que es incompatible e inconvencional. Ya la Corte Interamericana en el caso multireferido Campo Algodonero vs México, señaló que la obligación del Estado es prevenir los supuestos de violencia de género y en palabras más comunes con ello "anticipar" supuestos concretos de "feminicidios", si se toma en consideración la jurisprudencia interamericana y la doctrina de riesgo previsible, bien podrías deducir que la AVG queda como figura aislada y lo que es peor, la responsabilidad estatal en México de combatir la violencia de género a través incluso de la alerta quedaría desconfigurada. Es preciso en nuestra opinión matizar la AVG y "estandarizarla" a la doctrina del riesgo previsible y evitable.

A diez años de la implementación de este instrumento, no debe pasar desapercibido la oportunidad de adecuar el texto a los estándares internacionales del derecho internacional de los derechos humanos y hacer efectiva la protección de las mujeres en México.

BIBLIOGRAFÍA

ABRAMOVICH, Victor. "Responsabilidad estatal por violencia de género: comentarios sobre el caso "Campo Algodonero" en la Corte Interamericana de Derechos Humanos". Anuario de Derechos Humanos, núm. 6, 2010, p. 167.

CASE OF OSMAN V. THE UNITED KINGDOM, *The International Journal of Human Rights* Vol. 3, Issue 2, 1999.

CORONEL GAMBOA, Luis Eduardo, "Responsabilidad internacional del estado por agresiones a periodistas: un enfoque desde la teoría del riesgo". Una voz pro persona. Num.1. 2013, pp. 50-55.

DE LOS SANTOS, Miguel Ángel. (2008). "Derechos humanos: compromisos internacionales, obligaciones nacionales". Reforma Judicial. Revista Mexicana de Justicia, núm. 12, 2008.

DEL TORO HUERTA, Mauricio Iván, "El principio de subsidiariedad en el derecho internacional de los derechos humanos con especial referencia al sistema interamericano", en Becerra Ramírez, Manuel, La Corte Interamericana de Derechos Humanos a veinticinco años de su funcionamiento, México, UNAM, Instituto de Investigaciones Jurídicas, 2007, pp. 23-61.

GARCÍA MARTÍNEZ, Anayeli, (1 de febrero de 2017). A diez años de la Ley general de acceso de las mujeres a una vida libre de violencia. Recuperado de http://www.somosmass99.com.mx/a-10-anos-de-la-ley-general-de-acceso-de-las-mujeres-a-una-vida-libre-de-violencia/

LAGARDE, Marcela. "Del femicidio al feminicidio". Desde el jardín de Freud. Revista de Psicoanálisis, núm.6, 2006.

– Por la vida y libertad de las mujeres, fin al feminicidio. Gobierno del Estado de Puebla, Consejería Jurídica del Ejecutivo Estatal, 2008.

MEDINA ARDILA, Felipe, *La responsabilidad internacional del Estado por actos de particulares: análisis jurisprudencia interamericano*, Colombia: Ministerio de Relaciones Exteriores, 2009.

MELGAR, Lucia. "Tolerancia ante la violencia, feminicidio e impunidad: Algunas reflexiones". La bifurcación del caos: reflexiones interdisciplinarias sobre violencia falocéntrica. México: UAM-Xochimilco, 2011.

NARES HERNÁNDEZ, José J., MEDEL INFANTE, Ángel & CHICATTI MORENO, Claudia E., "Derecho humano de las mujeres a una vida libre de violencia y sus garantías de protección" en Universidad Autónoma Metropolitana, Avances de las mujeres en las ciencias las humanidades y todas las disciplinas creatividad e innovación: Libro Científico Vol.II, 2015.

PÉREZ CORREA, Catalina; RÍOS CÁZARES Alejandra, VELA, Estefania y CEJUDO, Guillermo. Alertas de género: consideraciones mínimas para la acción gubernamental (documento de discusión). México: Centro de Investigación y Docencia Económicas, CIDE, 2016, p. 4.

QUINCHE-RAMÍREZ, Manuel Fernado & RIVERA RUGELES, Juan Camilo. "El control judicial de las políticas públicas como instrumento de inclusión de los derechos humanos". Vniversitas, núm.121, 2012, pp. 113-137.

RANGEL HERNÁNDEZ, Laura. Sentencias condenatorias al Estado mexicano dictadas por la Corte Interamericana de Derechos Humanos y sus implicaciones en el orden jurídico nacional. Revista IUS, 2011, vol. 5, no 28, p. 160-186.

RODRÍGUEZ GARAVITO, Cesar, & RODRÍGUEZ FRANCO, Diana. Juicio a la exclusión. El impacto de los tribunales sobre los derechos sociales en el Sur Global. Siglo Veintiuno Editores, Argentina, 2015, p. 13.

RUSELL, Diana E. & HARMES, Roberta A. Feminicidio: una perspectiva global. UNAM, México, 2006.

Documentos legales

CEDAW, Comité. Observaciones finales del Comité para la Eliminación de la Discriminación contra la Mujer: México. CEDAW/C/MEX/CO/6, 25 de agosto de 2006.

Comisión Nacional para Prevenir y Erradicar la Violencia contra las Mujeres (CONAVIM) (2014). Diagnóstico de la legislación penal mexicana sobre la recepción de los compromisos asumidos por el Estado mexicano frente a los tratados internacionales en materia de Derechos Humanos de las mujeres. Recuperado de http://www.conavim.gob.mx/work/models/CONAVIM/Resource/315/2/images/MARCO-JURIDICO-PARA-EL-ANALISIS-DE-DERECHO-COMPARADO.pdf

Convención Americana sobre Derechos Humanos "Pacto de San José", Costa Rica, 1969.

Corte Europea de Derechos Humanos. Caso Osman vs. Reino Unido, Sentencia del 28 de octubre de 1998.

Corte Europea de Derechos Humanos. Caso Kilic vs Turquía (Núm. 22492/93) Sentencia del 28 de marzo de 2000.

Corte Europea de Derechos Humanos Caso Opuz vs Turquía (Núm. 33401/02). Sentencia del 9 de junio de 2009.

CrIDH. Caso de la Masacre de Pueblo Bello vs. Colombia, Sentencia de 31 de enero de 2006, serie C N° 140.

CrIDH. Caso Fernández Ortega y otros. Vs. México. Excepción Preliminar, Fondo, Reparaciones y Costas. Sentencia de 30 de agosto de 2010 Serie C No. 215. Párr. 282.

Fiscalía General de Justicia del Estado de México. Feminicidio y homicidios dolosos de mujeres. Recuperado de http://www.alertadegenero-edomex.com/descargas/documentos/cifras_feminicidio_y_homicidio_enero2017.pdf

CrIDH. Caso González y otras ("Campo Algodonero") vs. México, Excepción Preliminar, Fondo, Reparaciones y Costas, Sentencia de, 2009. Voto Concurrente del Juez Diego García Sayán.

CrIDH, Caso Yarce y otras vs. Colombia, Sentencia de 22 de noviembre de 2016 (Excepción Preliminar, Fondo, Reparaciones y Costas.

Instituto Nacional de las Mujeres (09 de agosto de 2015). Sobre la Ley General de Acceso de las Mujeres a una Vida Libre de Violencia. Recuperado de http://www.gob.mx/inmujeres/prensa/sobre-la-ley-general-de-acceso-de-las-mujeres-a-una-vida-libre-de-violencia

Ley general de acceso de las mujeres a una vida libre de violencia, Secretaría de Gobernación, México, 1 de febrero de 2007.

Naciones Unidas, Comité para la Eliminación de la Discriminación contra la Mujer, Observaciones finales del Comité para la Eliminación de la Discriminación contra la Mujer, 2012, párr. 15.

ONU Mujeres (febrero de 2016). Hechos y cifras: Acabar con la violencia contra mujeres y niñas. Recuperado de http://www.unwomen.org/es/what-we-do/ending-violence-against-women/facts-and-figures

Reglamento de la ley general de acceso de las mujeres a una vida libre de violencia, Secretaria de Gobernación, México, 1 de febrero de 2007, art.30.

PARTE CUARTA
ATENCIÓN INTEGRAL DE LAS VÍCTIMAS DE VIOLENCIA DE GÉNERO

Capítulo 18

LA UNIDAD DE FAMILIA Y MUJER EN EL CUERPO NACIONAL DE POLICÍA. OPERATIVA POLICIAL EN VIOLENCIA DE GÉNERO[1]

JOSÉ MIGUEL FERNÁNDEZ IMEDIO
Inspector del Cuerpo de Policía Nacional, Responsable de la Unidad de Familia y Mujer (UFAM) de la Comisaría Provincial de Ciudad Real.

SUMARIO: 1. INTRODUCCIÓN. 2. LA UNIDAD DE FAMILIA Y MUJER (UFAM) EN EL CUERPO DE POLICÍA NACIONAL. 3. OPERATIVA POLICIAL EN VIOLENCIA DE GÉNERO. 3.1. Tratamiento a la víctima. 3.2. Asistencia sanitaria. 3.3. Información sobre derecho a asistencia jurídica. 3.4. Información del resto de derechos de la víctima. 3.4.1. La Orden de Protección. 3.5. La dispensa de la obligación de denunciar y declarar. 3.6. La declaración de la víctima. 3.7. La Valoración Policial de Riesgo. 3.8. Entrevista de la víctima con su Policía protector. 3.9. Diligencias de comprobación y verificación de la denuncia. 3.10. Actuación con el presunto agresor. 3.11. Actividad documental y remisión a la Autoridad Judicial del atestado policial. BIBLIOGRAFÍA.

1. INTRODUCCIÓN

Lo primero que querría hacer en este trabajo es dar las gracias, en nombre del Cuerpo Nacional de Policía, en el del Comisario Jefe Provincial de Ciudad Real, y en el mío propio, a la Universidad de Castilla La Mancha, a la Facultad de Derecho de Ciudad Real y a los coordinadores y organizadores del Seminario interuniversitario sobre Violencia de Género, que se celebró en Ciudad Real el día 27/04/2017, por su invitación para participar en el mismo.

Mi intervención en este Seminario fue dirigida a que nos conociesen y supiesen dónde estamos y qué hacemos en el ámbito de la Violencia de Género, ya que,

---

[1] Trabajo realizado en el marco del Proyecto DIPUCR-16, Estudio Sobre la Violencia de Género y Violencia Doméstica en Castilla La Mancha. Dirigido por: María Martín Sánchez, Universidad de Castilla La Mancha. Y en el marco del Proyecto de I+D del Plan Nacional: Seguridad global y derechos fundamentales, referencia DER2015-65288-R.

cuando se habla de UFAM (Unidad de Familia y Mujer), muchas personas no conocen la existencia de esta especialidad del Cuerpo Nacional de Policía.

2. LA UNIDAD DE FAMILIA Y MUJER (UFAM) EN EL CUERPO DE POLICÍA NACIONAL

La Unidad Central de Atención a la Familia y Mujer (UFAM Central), dependiente de la Comisaría General de Policía Judicial, con sede en Madrid, se constituye, dentro de la Policía Nacional, como único punto de contacto y referencia en esta materia.

Dentro de la Comisaría Provincial del Cuerpo Nacional de Policía en Ciudad Real, adscrita a la Brigada Provincial de Policía Judicial como Unidad Territorial, se encuentra la Unidad de Familia Mujer que asume la investigación y persecución de las infracciones penales en el ámbito de la violencia de género, violencia doméstica y todos los delitos sexuales, con independencia de la relación entre víctima y autor, así como la protección de las víctimas, prestándoles una atención especializada, integral y personalizada. También asume la dirección de las actuaciones en las que se encuentren implicados menores de edad (infractores y víctimas).

En el desarrollo de sus funciones, con carácter exclusivo, los/las Policías adscritos a la Unidad de Familia y Mujer, realizan, unos, labores de investigación y, otros, funciones de protección.

3. OPERATIVA POLICIAL EN VIOLENCIA DE GÉNERO

Una vez sentadas las premisas anteriores, a continuación, se hablará de la operativa policial en Violencia de Género, dejando claro que este trabajo únicamente pretende que se conozca la labor policial en este ámbito de una forma muy genérica ya que, además de que la normativa sobre el tema es muy prolija, la casuística es innumerable, y cada uno de los casos diferente al anterior, un estudio exhaustivo requeriría el detalle al que este trabajo no aspira.

3.1. Tratamiento a la víctima

En Violencia de Género, en principio, e inmediatamente, todos los esfuerzos van a ir dirigidos al tratamiento que se le va a dar a la víctima (hay que evitar por todos los medios victimizar, de nuevo, a la mujer que va a denunciar un maltrato); y a minimizar el riesgo que pueda suponer, para ella y su entorno, su agresor.

El tratamiento que vamos a dar a la mujer maltratada va a ser prioritario, especial, y preferente, y ello porque la víctima de violencia de género no va a denunciar a alguien a quien no conoce, o con el que no tiene relación; va a denunciar a alguien a quien quiere, o ha querido; con quien en muchas ocasiones comparte hijos; y de quien, también en muchas ocasiones, depende económicamente, o sentimentalmente, o económica y sentimentalmente; y va a denunciar algo que, en otras tantas ocasiones, por suceder en el ámbito más íntimo de la persona (su domicilio), o en lugares en los que se encuentran solos el agresor y la víctima, no va a ser conocido, va a ser opaco, al conocimiento de círculo familiar y de amistades de la mujer; solo va a ser conocido por ella; y, además, va a contarle esto a alguien que no conoce: al Policía que va a tomarle la denuncia.

3.2. Asistencia sanitaria

Una vez que se tiene conocimiento policial de que se ha producido un episodio de Violencia de Género, inmediatamente, los Policías de la Unidad de Familia y Mujer se van a interesar porque la víctima, si lo necesitase, reciba asistencia sanitaria.

Pueden darse diferentes posibilidades:
a) La víctima, acompañada policialmente, es asistida de sus lesiones y le es expedido parte facultativo.
b) La víctima se persona en Comisaría con parte de lesiones.
c) La víctima no precisa, o no desea, ser asistida.

3.3. Información sobre derecho a asistencia jurídica

Seguidamente se informa a la víctima de Violencia de Género del derecho que tiene a ser asistida jurídicamente en las diligencias que sobre ella se realicen en la Comisaría.

Pueden darse diferentes posibilidades:
a) La víctima expresa su deseo de ser asistida jurídicamente, de forma gratuita y especializada (artículo 20.1 de la Ley Orgánica 2004 de Medidas de Protección Integral contra la Violencia de Género). En este caso se solicitará la presencia de un Letrado del Turno de Oficio especializado en Violencia de Género (Protocolo de actuación y coordinación de Fuerzas y Cuerpos de Seguridad del Estado y abogados ante la Violencia de Género).
b) La víctima acude a Comisaría acompañada de un letrado de su confianza o, una vez en dependencias policiales, expresa su deseo de ser asistida por un abogado de su elección (en este último caso se le facilitaría la comunicación con el mismo).

c) La víctima no desea ser asistida jurídicamente en sede policial.

Si se diesen las posibilidades a), o b), no se realizaría ninguna diligencia con la víctima hasta tanto se personase el Letrado que hubiese elegido. Evidentemente, a excepción de las que tengan que ver con su seguridad, e integridad, las de su entorno, el aseguramiento de pruebas y, en su caso, las que recayesen sobre el agresor.

3.4. *Información del resto de derechos de la víctima.*

Seguidamente, en cualquiera de los casos enumerados en el anterior epígrafe, se informa a la víctima, en presencia del Letrado que la asiste, si esta hubiese sido su elección, de los siguientes derechos:

a) Derechos como perjudicada, u ofendida —como cualquier otra víctima de delito— (previstos en los artículos 771.1ª, 109 y 110 de la Ley de Enjuiciamiento Criminal).

b) Derechos como Víctima de Violencia de Género (previstos en la Ley Orgánica 1/2004, de 21 de diciembre, de Medidas de Protección Integral contra la Violencia de Género).

c) En su caso, derechos como víctima de delitos violentos y contra la libertad sexual (previstos en la Ley 35/95, de 11 de diciembre).

d) Derechos que recoge el Estatuto de la víctima del delito (Ley 4/2015, de 27 de abril).

e) Si la víctima de Violencia de Género fuese extranjera, y se encontrase en situación irregular en España, se la informaría del derecho que tiene a que no se incoe procedimiento administrativo sancionador por ello y a que se suspenda el que se hubiese iniciado con anterioridad a la denuncia o, en su caso, a la ejecución de la expulsión o devolución.

Igualmente se la informará de su derecho a solicitar autorización de residencia y trabajo por circunstancias excepcionales, que podrá ser extensible a los hijos que cumplan determinados requisitos, tan pronto se haya dictado una orden de protección a su favor, o cuando el Ministerio Fiscal emita informe en el que se aprecie la existencia de indicios de Violencia de Género (Ley Orgánica de Extranjería 4/2000, de 11 de enero, artículo 31 bis —modificado por la L.O. 10/2011—, y artículos 131 a 134 del Reglamento de Extranjería, aprobado por Real Decreto 557/2011).

f) Derecho a solicitar una vivienda de acogida.

g) En todos los casos se la informaría del derecho que tiene a solicitar una Orden de Protección.

3.4.1. La Orden de Protección

La Orden de Protección (regulada por la Ley 27/2003, de 31 de julio), es una resolución judicial que confiere un estatuto integral de protección a la víctima, desplegando medidas cautelares penales y civiles y activando otras de asistencia social.

3.5. *La dispensa del deber de denunciar o declarar*

Una vez se ha informado a la víctima de todos sus derechos, en el caso de que no se hubiese personado de forma espontánea en las dependencias policiales, se la informará de la dispensa que del deber de denunciar y declarar prevén, respectivamente, los artículos 261 y 416 de la Ley de Enjuiciamiento Criminal.

3.6. *La declaración de la víctima*

A continuación, si este fuese su deseo, se oiría en declaración a la víctima.

En la declaración, entre otras, habría que tener en cuenta las siguientes cuestiones:

a) Habrá que recoger con el detalle que sea posible (teniendo en cuenta las condiciones en las que se encuentre la víctima) los hechos que hayan motivado la denuncia; los datos de la víctima, agresor y grupo familiar; y las circunstancias que se den, sin olvidar que este último episodio de violencia de género puede ser el que haya provocado la voluntad de denunciar en la víctima, y que puede haber otros anteriores por los que habrá que preguntar a la misma.

b) Habrá que tener en cuenta las circunstancias modificativas de la responsabilidad penal que hayan podido darse ya que, algunos de los tipos recogidos por el Código Penal y que tienen que ver con la Violencia de Género, ven agravadas sus penas cuando los hechos se producen ante menores; en el domicilio común, o de la víctima; utilizando armas; o quebrantando medidas cautelares, o penas.

c) También se procurará obtener todo el apoyo probatorio que pueda aportar la víctima: comunicaciones a través de redes sociales (whatsapp, line, facebook, telegram, etc.), grabaciones, llamadas, fotografías de lesiones anteriores o recientes, y cualquier otro.

d) Se le preguntará por la existencia de posibles testigos, directos, o de referencia.

e) Si la víctima presentase lesiones físicas visibles, se solicitará autorización de la misma para realizar un reportaje fotográfico/videográfico, que realizará la Brigada Provincial de Policía Científica, para que queden recogidas, de forma imperecedera, y puedan ser valoradas por la autoridad judicial y tenidas en cuenta por el ministerio fiscal.

f) Del mismo modo, si la víctima manifestase que en el domicilio, o lugar donde se ha producido el episodio de violencia de género, debido a ello, existiese desorden o rotura de efectos, se solicitaría autorización de la misma para efectuar una inspección técnico policial y reportaje fotográfico/videográfico, por parte de Policía Científica, a los mismos efectos que se han hecho constar en el párrafo anterior.

3.7. La Valoración Policial de Riesgo

Tras oír en declaración a la víctima se realiza la Valoración Policial de Riesgo (regulada por la Instrucción 7/2016, de la Secretaria de Estado de Seguridad), a través de un instrumento informático, que se alimentará empleando formularios normalizados aprobados al efecto por la Secretaría de Estado de Seguridad, a través del Sistema de Seguimiento integral en los casos de Violencia de Género (Sistema Viogen).

La Valoración Policial de Riesgo deberá realizarse siempre que se tenga conocimiento de un episodio de Violencia de Género y resulta imprescindible para:

a) Conocer el grado, o nivel de riesgo, de que se produzca una nueva agresión contra la víctima.

b) Determinar las medidas policiales de protección que deben ser adoptadas sobre la víctima, siempre de forma personalizada e individualizada.

Los diferentes niveles de riesgo que puede arrojar el Sistema Viogen son:
– No apreciado.
– Bajo.
– Medio.
– Alto.
– Extremo.

En función del nivel de riesgo y de las circunstancias específicas del hecho se adoptarán diferentes medidas de protección sobre la víctima, unas obligatorias y otras complementarias, que irán incrementándose a medida de que el nivel de riesgo sea mayor. Sirva como ejemplo decir que, en caso de que la valoración diese un resultado extremo, la vigilancia sobre la víctima sería permanente.

3.8 Entrevista de la víctima con su Policía protector/a

Seguidamente, en principio, la labor de los investigadores con la víctima habría finalizado y ésta pasaría a ser asistida por los Policías protectores (recuérdese que al principio de este trabajo se comentó que la Unidad de Familia y Mujer realiza labores de investigación y labores de protección).

Antes de que salga de la Comisaría, la víctima se entrevista con el/la Policía protector/a y, desde este mismo momento, será la persona que se encargará, de forma individual y personalizada, de su seguridad y, dependiendo, entre otras cosas, del nivel de riesgo que se de en el caso, y de las circunstancias de la víctima, podría acompañarla, si así lo aconsejase la situación, a cualquier diligencia judicial, administrativa o social que tenga que realizar.

3.9. Diligencias de comprobación y verificación de la denuncia

Los investigadores de la Unidad de Familia y Mujer, una vez asegurada la protección de la víctima por parte de los encargados de la misma, realizarán diferentes gestiones y diligencias encaminadas a dotar del mayor aporte probatorio a la denuncia interpuesta por Violencia de Género. Entre ellas podrían realizarse las siguientes (Protocolo de actuación de las Fuerzas y Cuerpos de Seguridad y de coordinación con los Órganos Judiciales para la protección de las víctimas de Violencia de Doméstica y de Género):

a) Declaración de testigos, que hayan conocido los hechos directamente, o los conozcan de referencia.

b) Inspección técnico policial, realizada por Policía Científica que se documentará, siempre que sea posible, mediante fotografías, vídeos, croquis, o cualquier otro medio técnico, que permitan a la Autoridad Judicial una mayor inmediatez en la apreciación de los hechos y las circunstancias concurrentes.

c) Informes vecinales, en los que se harán constar cuantos datos puedan ser de utilidad, tales como antecedentes de los hechos ocurridos; conducta del agresor; relaciones entre agresor y víctima y noticias sobre agresiones anteriores.

d) Informes elaborados por trabajadores sociales y psicólogos de los servicios sociales municipales, centros de atención a la mujer y oficinas de atención a la víctima, si no hubiesen sido aportados por ésta en el momento de su comparecencia en Comisaría. En este caso con su autorización.

e) Cualquier otro medio de prueba que conduzca al esclarecimiento de los hechos.

3.10.Actuación con el presunto agresor

El presunto agresor, una vez localizado, dependiendo del hecho denunciado, será oído en declaración en calidad de:

a) Denunciado por un delito leve, exclusivamente en los casos de vejaciones leves e injurias leves, una vez sea informado de sus derechos como tal.

b) Investigado, no detenido, asistido por letrado, una vez sea informado de sus derechos procesales.

c) Detenido, asistido por letrado, una vez sea informado de sus derechos constitucionales y procesales.

Igualmente se procederá a incautar cautelarmente las armas e instrumentos peligrosos que estén a nombre, o se encuentren en poder del presunto agresor, así como de las guías de pertenencia y licencias que las amparen, poniendo todo ello a disposición de la Autoridad Judicial.

3.11. Actividad documental y remisión a la Autoridad Judicial

Finalmente se confeccionará un documento, que se conoce como atestado, en el que se dará cuenta a la Autoridad Judicial de todas las diligencias, que puedan servir como indicio o medio de prueba para la averiguación y comprobación de los hechos denunciados, practicadas por los componentes de la Unidad de Familia y Mujer, y, en su caso, por Policía Científica, y el resultado de las mismas. Si se hubiese detenido al presunto autor de los hechos se pasará a disposición judicial junto a este documento.

Al atestado se acompañarán las declaraciones que se hayan tomado; las informaciones de derechos que se hayan efectuado; la solicitud de orden de protección, si se hubiese solicitado; la valoración policial de riesgo; las inspecciones técnico policiales que se hubiesen confeccionado; en su caso, las actas de intervención de las armas e instrumentos peligrosos que se hubiesen realizado; y los medios de prueba que se hubiesen conseguido (reportajes fotográficos, videográficos, partes de lesiones, etc.).

Como norma general, quien va a entender de la Violencia de Género denunciada va a ser, en horas de audiencia, el Juzgado de Violencia sobre la Mujer del domicilio que tenga la víctima en el momento de los hechos.

Si los hechos fuesen denunciados en lugar distinto; el presunto autor fuese detenido, igualmente en otro lugar; o si se estuviese fuera de las horas de audiencia del Juzgado de Violencia sobre la Mujer, entenderá de las actuaciones el Juzgado de Instrucción de Guardia a los efectos de decidir sobre la situación personal del detenido o, en su caso, sobre la Orden de Protección solicitada por la víctima.

BIBLIOGRAFÍA

Ley Orgánica 1/2004, de 28 de diciembre, de Medidas de Protección Integral contra la Violencia de Género.

Ley Orgánica 1/2015, de 30 de marzo, por la que se modifica la Ley Orgánica 10/1995, de 23 de noviembre, del Código Penal.

Ley Orgánica /1985, de 1 de julio, del Poder Judicial.

Ley de Enjuiciamiento Criminal.

Ley 4/2015, de 27 de abril, del Estatuto de la víctima del delito.

Ley 35/95, de 11 de diciembre, de ayudas y asistencia a las víctimas de delitos violentos y contra la libertad sexual.

Ley Orgánica 4/2000, de 1 de enero, sobre derechos y libertades de los extranjeros en España y su integración social.

Reglamento de Extranjería, aprobado por Real Decreto 557/2011.

Ley 27/2003, de 31 de julio, reguladora de la Orden de Protección de las víctimas de violencia doméstica.

Protocolo de actuación de las Fuerzas y Cuerpos de Seguridad y de coordinación con los Órganos Judiciales para la protección de las víctimas de violencia doméstica y de género, aprobado por la Comisión Técnica de la Comisión Nacional de Coordinación de la Policía Judicial el 28 de Junio de 2005.

Instrucción 7/2016 de la Secretaría de Estado de Seguridad por la que se establece un nuevo Protocolo para la Valoración Policial del Nivel de Riesgo de Violencia de Género (Ley Orgánica 1/2004) y de gestión de la seguridad de las víctimas.

Protocolo de actuación y coordinación de Fuerzas y Cuerpos de Seguridad del Estado y abogados, ante la violencia de género.

Orden INT/2678/2015, de 11 de diciembre, que modifica la Orden INT 28/2013, de 18 de enero, por la que se desarrolla la estructura orgánica y funciones de los Servicios Centrales y Periféricos de la Dirección General de la Policía, que crea la Unidad Central de Atención a la Familia y Mujer (UFAM).

Capítulo 19
ASPECTOS MÉDICO-FORENSE Y CLÍNICOS DE LA VIOLENCIA DE GÉNERO[1]

JESÚS Mª MARTÍN TABERNERO
*Jefe de Servicio de Patología Forense
del Instituto de Medicina Legal de Ciudad Real y Toledo
Profesor Asociado en la Facultad de Enfermería
Universidad de Castilla-La Mancha*

---

[1] Trabajo realizado en el marco del Proyecto DIPUCR-16, Estudio Sobre la Violencia de Género
y Violencia Doméstica en Castilla La Mancha. Dirigido por: María Martín Sánchez, Universidad de Castilla La Mancha. Y en el marco del Proyecto de I+D del Plan Nacional: Seguridad
global y derechos fundamentales, referencia DER2015-65288-R.

1. INTRODUCCIÓN

Es conocido de todos los profesionales que intervenimos en casi todos los casos de Violencia de Género —al menos en los que llegan a los Juzgado— que es necesario para abordar el problema y sus posibles soluciones, la colaboración de múltiples estamentos de nuestra organización como sociedad, es pues una cuestión multidisciplinar. El problema afecta como se sabe a todas las culturas, a todos los estratos sociales y en todos los tiempos., se ha hablado de una lacra social, o bien todo es expresión de la conducta humana, patológica o no, lo cierto es que cada día en nuestros diversos ámbitos profesionales, nos enfrentamos a estas situaciones.

Pretendemos en esta breve exposición, que no pretende ser un tratado ni tan siquiera un manual, cuál es la actuación del Médico Forense en estas conductas, en qué forma pueden mejorarse la detección y por supuesto como ha avanzado nuestra especialidad, a la hora de realizar una peritación, seria, rigurosa y detallada, que sirva al juzgador para abordar esta especial manifestación de la violencia.

Por otra parte, tal vez nuestra humilde experiencia, contribuya a conocer factores de riesgo, para poder enfocar una actuación preventiva a todos los niveles.

Agradecer una vez más a la Facultad de Derecho y Ciencias Sociales de la UCLM, la invitación a este Seminario y la sensibilidad y competencia de su personal que han sido claramente manifestadas, así como a los alumnos a quien en definitiva está dedicado este Seminario.

2. CONCEPTOS BÁSICOS EN MEDICINA FORENSE

Violencia domestica[2]:
La que se da dentro de los márgenes del hogar: cónyuge, conviviente, …
· Violencia de género:
  Es aquella que reciben las mujeres por el hecho de pertenecer al sexo femenino y se basa en una actitud de control y poder.
· Síndrome de agresión a la mujer (SAM):
  Agresiones sufridas por la mujer como consecuencia de los condicionantes socioculturales que actúan sobre el género masculino y femenino, situándola en una posición de subordinación al hombre, y manifestadas en los tres ámbitos básicos de relación de la persona: maltrato en el medio

---

[2]   LORENTE ACOSTA, Miguel, *Agresión a la mujer: maltrato, violación y acoso: entre la realidad social y el mito cultural.* Editorial Comares, Granada, 2008.

familiar, agresión sexual en la vida en sociedad y acoso en el medio laboral.
- Síndrome de maltrato a la mujer:
  Conjunto de lesiones físicas y psíquicas resultantes de las agresiones repetidas llevadas a cabo por el hombre sobre su cónyuge, o mujer a la que estuviese o haya estado unido por análogas relaciones de afectividad.
- Agresividad patológica:
  La resultante del diagnóstico del proceso o enfermedad en la que se enraíza y de la que surge la conducta violenta, y siempre considerando que pueden existir características de diferentes tipos de agresores en un mismo individuo.

3. SOPORTE JURÍDICO DE LA ACTUACIÓN MÉDICO-FORENSE EN VIOLENCIA DE GÉNERO

3.1. Legislación

En la Praxis médico-forense los dictámenes periciales, se ajustaron como el obvio, a las Leyes Procesales (Ley de Enjuiciamiento Criminal), siempre a requerimiento de la Autoridad Judicial, el Ministerio Fiscal o las partes implicadas, en este caso la víctima o su Representación Letrada.

Por otra parte, los Informes Médico-Forenses, intentarán, sin detrimento del rigor y el uso de la terminología médica, deberán ajustarse a los conceptos y contenidos jurídico-médicos del Código Penal en lo relativo a las conductas delictivas cuando el sujeto pasivo es la mujer por el hecho mismo de serlo.

Huelga decir que los artículos mencionados, únicamente pretenden ilustrar al lector, en ningún momento entraremos en temas de doctrina, ya tratada por juristas en el Seminario.

3.1.1. Ley de Enjuiciamiento Judicial (LECRIM)[3]

3.1.1.1. Artículo 456 LECRIM

"El Juez acordará el informe pericial cuando para conocer o apreciar algún hecho o circunstancia importante en el Sumario, fuesen necesarios o convenientes conocimientos científicos o artísticos".

---

[3]   LECRIM: Ley de Enjuiciamiento Criminal, actualizada Ley Orgánica 13/2015 de 5 de octubre.

3.1.1.2. Artículo 474 LECRIM

Antes de darse principio al acto pericial, todos los peritos, así los nombrados por el Juez como los que lo hubieren sido por las partes, prestarán juramento, conforme al artículo 434, de proceder bien y fielmente en sus operaciones y de no proponerse otro fin más que el de descubrir y declarar la verdad.

3.1.1.3. Artículo 478 LECRIM

El informe pericial comprenderá, si fuere posible: 1º Descripción de la persona o cosa que sea objeto del mismo en el estado o del modo en que se halle. El Secretario extenderá esta descripción, dictándola los peritos y suscribiéndola todos los concurrentes. 2º Relación detallada de todas las operaciones practicadas por los peritos y de su resultado, extendida y autorizada en la misma forma que la anterior. 3º Las conclusiones que en vista de tales datos formulen los peritos conforme a los principios y reglas de su ciencia o arte.

3.1.2. Código Penal[4]. DE LAS LESIONES

3.1.2.1. Artículo 147 del Código Penal

[…] El que, por cualquier medio o procedimiento, causare a otro una lesión que menoscabe su integridad corporal o su salud física o mental, será castigado como reo de delito de lesiones a la pena de prisión de seis meses a tres años, siempre que la lesión requiera objetivamente para su sanidad, además de una primera asistencia facultativa, tratamiento Médico o quirúrgico…

3.1.2.2. Artículo 148 del Código Penal

Las lesiones del artículo anterior podrán ser castigadas con la pena de prisión de dos a cinco años, atendiendo al resultado causado o al riesgo producido:

1º. Si en la agresión se hubieren utilizado armas, instrumentos, objetos, medios, métodos o formas concretamente peligrosas para la vida o salud, física o psíquica del lesionado.

2º. Si hubiere mediado ensañamiento o alevosía.

3º. Si le victima fuere menor de doce años o incapaz.

4º. Si la víctima fuere o hubiere sido esposa, o mujer que estuviere o hubiere estado ligada al autor por una análoga relación de afectividad, aun sin convivencia.

---

4   Código Penal. Ley Orgánica 1/2015 de 30 de marzo.

5°. Si la víctima fuera una persona especialmente vulnerable que conviva con el autor.

3.1.2.3. Artículo 153 del Código Penal

El que por cualquier medio o procedimiento causare a otro menoscabo psíquico o una lesión no definidos como delito en este Código, o golpeare o maltratare de obra a otro sin causarle lesión, cuando la ofendida sea o haya sido esposa, o mujer que esté o haya estado ligada a él por una análoga relación de afectividad. O persona especialmente vulnerable que conviva con el autor...

Será castigado con la pena de prisión de seis meses a un año o de trabajos en beneficio de la comunidad de treinta y uno a 80 días, privación de derecho a tenencia de armas e incluso inhabilitación para el ejercicio de la patria potestad, tutela, curatela, guarda o acogimiento....

Las penas previstas anteriormente se impondrán en su mitad superior cuando el delito se perpetre en presencia de menores, o utilizando armas, o tenga lugar en el domicilio común o en el domicilio de la víctima, o se realicen quebrantando una pena (residir o acudir al lugar del delito, aproximación o comunicación con la víctima) o una medida cautelar o de seguridad de la misma naturaleza.

3.1.2.4. Artículo 173 del Código Penal

El que infligiera a otra persona un trato degradante, menoscabando gravemente su integridad moral, será castigado con la pena de prisión de seis meses a dos años.

[...] 2.- El que habitualmente ejerza violencia física o psíquica sobre quien sea o haya sido su cónyuge o sobre persona que esté o haya estado ligado a él por análoga relación de afectividad, aun sin convivencia, o sobre los descendientes, ascendientes o hermanos por naturaleza, adopción o afinidad o sobre los menores o incapaces que con él convivan... Será castigado con la pena de prisión de seis meses a tres años, privación de la tenencia de armas. Y si así se estima por el Juez o Tribunal, inhabilitación para el ejercicio de la patria potestad, tutela, guarda o acogimiento por un tiempo de uno a cinco años...sin perjuicio de las penas que le pueden corresponder a los delitos o faltas en que se hubieran concretado los actos de violencia física o psíquica....

3.- Para apreciar la habitualidad, se atenderá al número de actos de violencia que resulten acreditados, así como a la proximidad temporal de los mismos, con independencia de que dicha violencia se haya ejercido sobre la misma o diferentes víctimas. Y de que los actos hayan sido o no objeto de enjuiciamiento en procesos anteriores.

3.1.3. Ley Orgánica 1/2004 de 28 de diciembre, de Medidas de Protección Integral contra la Violencia de Género.

3.1.3.1. Ámbito sanitario

- Sensibilización y formación del personal sanitario para la detección precoz.
- Inclusión en los planes de estudios, formación continuada en esta materia tanto de Diplomaturas como Licenciaturas.
- Creación de una Comisión contra la Violencia de Género dentro del Consejo Interterritorial del Sistema Nacional de Salud.

3.1.3.2. Ámbito jurídico

- Derecho a la información de las víctimas.
- Derecho a la asistencia social integral.
- Asistencia Jurídica gratuita.
- Creación de los juzgados de violencia sobre la mujer al menos uno en cada partido judicial.
- Creación de la figura de fiscal contra la violencia sobre la mujer.
- Especialización de Jueces, Fiscales y Médicos Forenses.
- Especialización de miembros de Cuerpos y Fuerzas de Seguridad del Estado.

3.2. La prueba pericial en la violencia de género/doméstica

Es un eslabón importante de la respuesta de la Administración de Justicia.

Únicamente es posible acercarnos a esa compleja realidad a través de un enfoque múltiple (multidisciplinar) y coordinado (interdisciplinar). Se crea el *Equipo Forense*.

3.2.1. Principios de actuación del médico forense en violencia de género[5]

La violencia doméstica es tan compleja en los factores, circunstancias y realidades personales que no parece posible que la prueba sea generada en soledad por la Medicina Forense. Es necesario, tal y como ya establecen nuestras leyes que se construya una labor interdisciplinar, en la que cada uno realice su papel y que

---

[5]   COBO PLANA, José Antonio. *Manual de actuación sanitaria, policial, legal y social frente a la violencia domestica: Guía de actuación y formularios*, Masson, S.A., Barcelona, 1999.

no existan solapamientos, pero sobre todo que no queden vacíos de investigación que puedan provocar casos "blancos", falsos negativos o falsos positivos.

Tratar de conseguir un medio de prueba de la máxima calidad con intervención de distintos profesionales, para proporcionar al juzgador la mayor cantidad de datos que faciliten sus decisiones tanto con respecto a las víctimas como a los agresores, así como ponderar el riesgo y poder adoptar medidas de seguridad proporcionadas para la víctima y las recomendaciones para el agresor en función de sus posibles alteraciones psicopatológicas o dependencia a sustancias.

4. LAS LESIONES

La violencia física, comprende cualquier acto no accidental que implique el uso deliberado de la fuerza, como bofetadas, golpes, palizas, empujones, heridas, fracturas o quemaduras, que provoquen o puedan provocar una lesión, daño o dolor en el cuerpo de la mujer.

En este apartado se recoge una clasificación de las lesiones por malos tratos, en base a experiencias propias y de otros/as médicos forenses.

4.1. Tipología. Lesiones físicas u orgánicas en las víctimas

4.1.1. Traumatismos

- En la cabeza y cuello: contusión-hematoma, tirón de pelo, heridas inciso-contusas (puños, objetos no armas), contusiones cervicales, zarandeos —esguince cervical—.
- En la cara: contusiones, erosiones, hematomas (órbita y pómulo boca, dientes y labios).
- En el tórax: contusión parrilla costal-hematomas, equimosis, heridas más o menos superficiales (a veces por armas u objetos peligrosos), fracturas costales.
- En el abdomen y pelvis: contusiones, heridas, mordeduras, quemaduras, patadas, puñetazos y utilización de objetos contundentes, lesiones en genitales y mamas (combinación con intento o consumación de agresión sexual).
- En los miembros superiores: contusiones, erosiones, arañazos y heridas más o menos graves (manos, puños, objetos domésticos y armas).

4.1.2. Causticaciones

Utilización de agentes corrosivos como son ácidos, combustibles o gases.

4.1.3. Envenenamientos e intoxicaciones

Mediante agentes tóxicos, medicamentos peligrosos, drogas o alcohol.

4.1.4. Lesiones combinadas

Utilización de varios agentes o mecanismos lesivos, "la gran paliza".

4.1.5. Lesiones por agresión sexual sola o combinada

- Sin lesiones por intimidación.
- Con lesiones por resistencia o extrema violencia del agresor / es.

4.1.6. Lesiones mortales

- Muertes inmediatas: disparos, apuñalamiento, estrangulación, ahorcamiento, precipitación, atropello, sumersión, sofocación, traumatismo cráneo-encefálico (por barras, palos), ignición o inhalación de gasolinas y/o gases.
- Muertes retardadas: Por actuación médica inmediata.
- Suicidio de la víctima o suicidio ampliado.

4.1.7. *Lesiones psíquicas y sus secuelas*

- Depresión.
- Ansiedad.
- Alteraciones del sueño.
- Trastorno por estrés postraumático.
- Trastorno de la conducta alimentaria.
- Ideación autolítica (intento de suicidio).
- Abuso de alcohol, drogas y psicofármacos.

4.2. *Características de las lesiones*

Las lesiones se caracterizan por cuatro propiedades:
- Diversidad.
- Multiplicidad.
- Distinta cronología o data.
- No visibles, poco aparentes o disimuladas.

4.3. Consecuencias del maltrato

4.3.1. Consecuencias en la salud física

- Lesiones diversas (contusiones, traumatismos, heridas, quemaduras).
- Deterioro funcional.
- Síntomas físicos inespecíficos (cefaleas).
- Peor salud.
- Dolor crónico.
- Síndrome de intestino irritable.
- Otros trastornos gastrointestinales.
- Quejas somáticas.

4.3.2. Consecuencias en la salud sexual y reproductiva

- Relaciones sexuales forzadas
- Pérdida de deseo sexual,
- Alteraciones menstruales,
- Sangrado y fibrosis vaginal
- Embarazos no deseados.

4.3.3. Consecuencias en la salud psíquica (apartado 4.1.7.)

5. PERFIL PSICOPATOLÓGICO DEL MALTRATADOR

El maltratador - enfermo mental.

Son muchas los trastornos mentales en los que pueden surgir conductas violentas hacia los miembros del entorno familiar.

1) Consumo de sustancias. Especialmente alcohol.

Puede ser en muchos casos el único factor de riesgo, el maltrato desaparece de forma espectacular si se consigue la deshabituación. El maltrato suele obedecer a comportamiento de celos patológicos

2) Trastorno delirante de tipo celotípico (Paranoia).

El enfermo en estos casos tiene normal toda su personalidad, y solo el tema del delirio (celos) altera su vida surgiendo el riesgo grave de maltrato u homicidio.

3) Trastornos adaptativos y situaciones de estrés.

Factores de estrés en relación a la violencia familiar: frustración personal, explotación laboral, demanda de separación o divorcio, desempleo o despido laboral.

4) Trastorno de personalidad.
En especial Trastorno Antisocial de la personalidad.

5) Trastornos depresivos y episodios depresivos del trastorno bipolar.
Puede surgir junto al riesgo de suicidio o autolesiones, el llamado "homicidio por compasión o suicidio ampliado". El enfermo intenta o consigue la eliminación de los seres más queridos, a veces con una extraordinaria violencia, seguida del suicidio".

6. LOS INFORMES PERICIALES MÉDICO-FORENSES EN LOS SUPUESTOS DE VIOLENCIA DE GÉNERO

6.1. El informe médico-forense en la víctima

Es de primordial importancia aún en el ámbito del Juzgado de Guardia, proceder a un reconocimiento lo más exhaustivo posible de la víctima, al objeto de proceder a su ingreso si fuera necesario y hacer un seguimiento posterior.

1) Informes y partes médicos tanto de Atención Primaria como de Atención Especializada. Teniendo en consideración, las analíticas, radiografías y otras pruebas de imagen, tratamientos médicos o quirúrgicos realizados (fuentes del dictamen pericial).

2) Atestados o diligencias elaborados por los equipos especiales de los cuerpos y fuerzas de seguridad del estado, —Servicio de Atención a la Familia de Cuerpo Nacional de Policía (S.A.F) y el Equipo de Mujer y Menor de la Guardia Civil (EMUME)— y policías locales.

3) Entrevista y exploración clínica de la víctima, lo más precoz posible, evitando reiteradas exploraciones (victimización secundaria) realización de esquemas o fotografías, respetando los derechos de la mujer a la discreción y confidencialidad dentro de los márgenes que la investigación exige (el equipo forense y el secreto profesional).

4) Emisión de diagnósticos médico-legales (delito de lesiones, y sus diversas modalidades según el Código Penal).

5) Juicio pronóstico y conveniencia de seguimientos médico-somáticos ginecológicos, psiquiátricos o psicoterapéuticos.

6) Indicios de situaciones de alto riesgo y sugerencia de medidas de protección.

6.2. El informe médico-forense en el agresor

Como es lógico, de forma previa o posterior a la toma de declaración al agresor, se realizará con su aquiescencia, un reconocimiento también superficial, tendente a evidenciar lesiones y alteraciones mentales.

1) Datos de filiación, edad, domicilio.
2) Antecedentes médicos y médico-legales: enfermedades, detenciones previas,...
3) Existencia de lesiones cruzadas: Victima-Agresor (Lesiones de Defensa).
4) Estudio Psicopatológico: Información familiares, informe psicosocial. Informes de la Policía, Servicios Psiquiátricos, etc.
5) Indicar si precisa tratamiento urgente (Enfermedad mental, alcoholismo, ...).
6) Grado de "Imputabilidad" con respecto a los hechos de que se le acusa.
7) Indicar si existe peligrosidad permanente.
8) Indicar las medidas más adecuadas, si se trata de agresor enfermo mental.

7. ALGUNOS DATOS DE CIUDAD REAL Y SUS PARTIDOS JUDICIALES

Es de común conocimiento la desproporción entre estas conductas delictivas (la violencia de género) y los medios tanto personales como materiales para su investigación y enjuiciamiento. De ahí, el que consideremos oportuno exponer en los siguientes gráficos la evolución de estos ilícitos penales en nuestro medio, otro tanto se puede decir y lo hemos constatado, en el resto de nuestro país.

En este sentido, comentar que a pesar de que la Ley 1/2004, menciona la necesidad de la creación de un Juzgado Específico de Violencia de Género en cada partido judicial, esto actualmente no es así (transcurridos 13 años). Solamente en Castilla-la Mancha existe un único Juzgado Específico, que tiene su sede en la ciudad de Albacete.

7.1. Relación de delitos. Gráfico 1

GRÁFICO 1. RESUMEN GENERAL POR TIPO DE DELITOS EN UN JUZGADO DE LA PROVINCIA DE CIUDAD REAL (EJEMPLO, AÑO 2016)

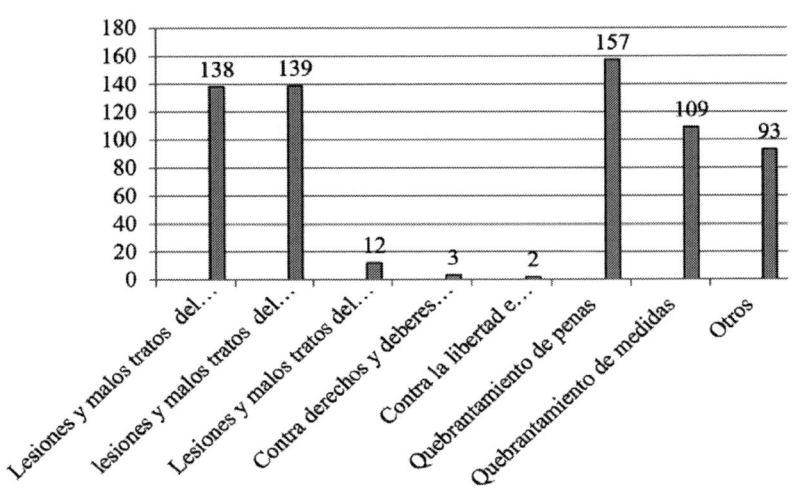

7.2. Datos de denuncias recibidas en un Juzgado mixto y de Violencia contra la Mujer en Ciudad Real y partido. Gráfico 2

GRÁFICO 2. RELACIÓN DE DENUNCIAS RELACIONADAS CON
VIOLENCIA DE GÉNERO RECIBIDAS EN UN JUZGADO DE
CIUDAD REAL Y SU PARTIDO JUDICIAL (EJEMPLO AÑO 2016)

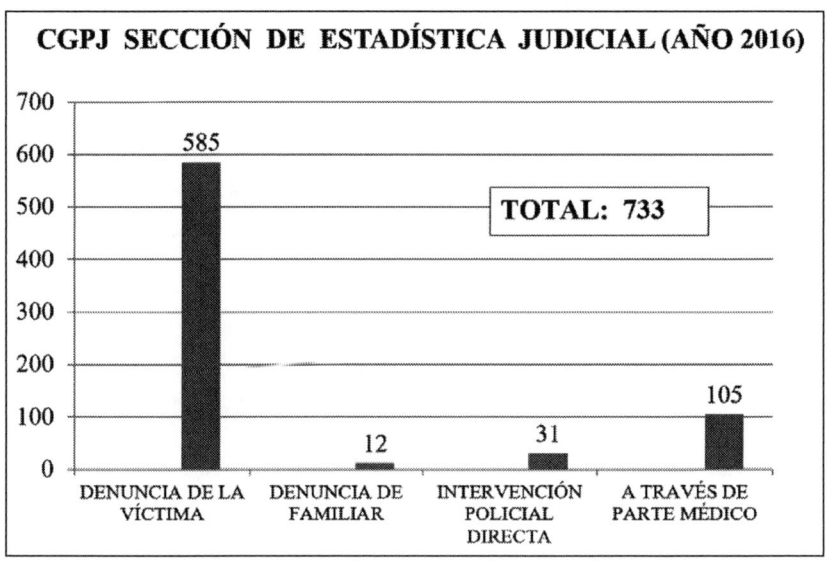

7.3. Casuística por tipo de asistencia en la provincia de Ciudad Real. Gráfico 3

GRÁFICO 3. DATOS DE MALOS TRATOS EN LA PROVINCIA DE
CIUDAD REAL (EJEMPLO AÑO 2005)

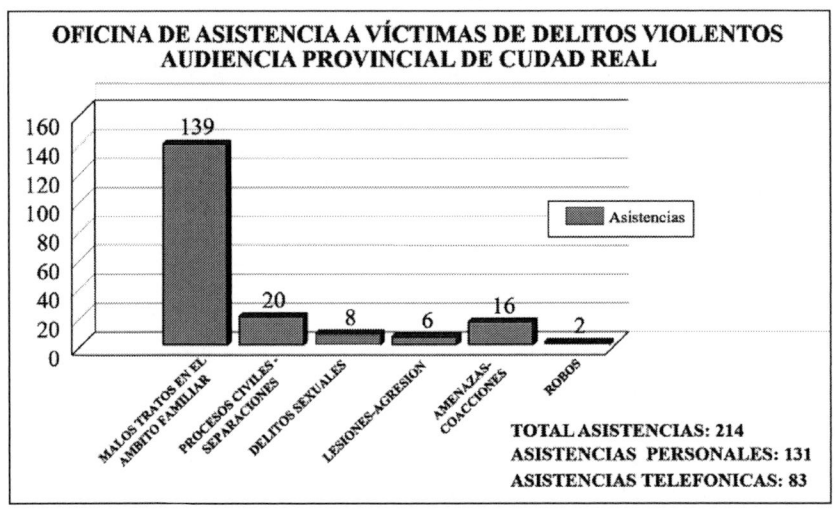

8. PROTOCOLOS DE DETECCIÓN EN EL ÁMBITO SANITARIO

En muchas ocasiones, es a nivel de la Medicina de Atención Primaria y Atención especializada, donde se detecta por primera vez una situación de violencia en la mujer, incluso antes de la intervención policial. Por ello, y siguiendo el precepto de la Ley 1/2004, se insta a las Autoridades Sanitarias a redactar protocolos lo más uniformes posibles, para después su envío al Juzgado de guardia, o bien, ante supuestos urgentes, la comunicación inmediata al Juez de guardia, al Ministerio Fiscal o al Médico Forense.

Se representa un algoritmo de dicho protocolo de actuación en el marco de Instituto de Medicina Legal. *Figura 1.*

Figura 1. Algoritmo del protocolo de actuación en el Instituto de
Medicina Legal (IML)

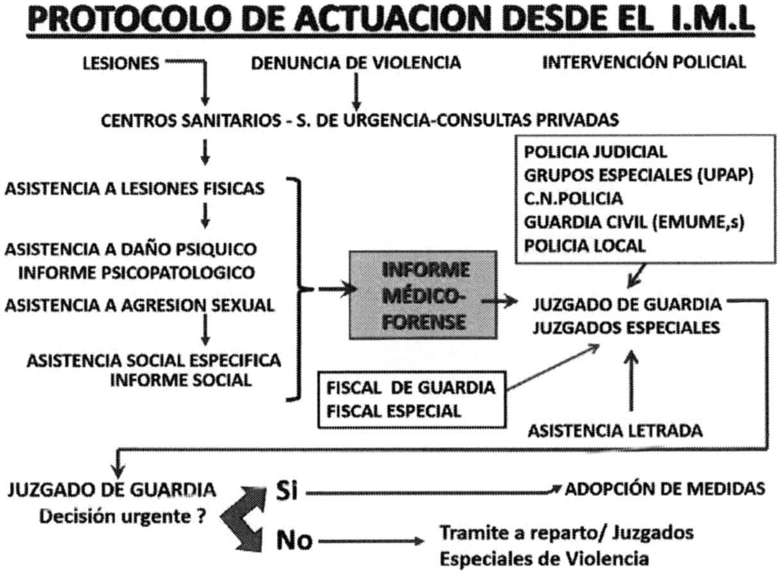

PROTOCOLO DE ACTUACION DESDE EL I.M.L

LESIONES → DENUNCIA DE VIOLENCIA   INTERVENCIÓN POLICIAL

CENTROS SANITARIOS - S. DE URGENCIA-CONSULTAS PRIVADAS

ASISTENCIA A LESIONES FISICAS

ASISTENCIA A DAÑO PSIQUICO
INFORME PSICOPATOLOGICO

ASISTENCIA A AGRESION SEXUAL

ASISTENCIA SOCIAL ESPECIFICA
INFORME SOCIAL

INFORME
MÉDICO-
FORENSE

POLICIA JUDICIAL
GRUPOS ESPECIALES (UPAP)
C.N.POLICIA
GUARDIA CIVIL (EMUME,s)
POLICIA LOCAL

JUZGADO DE GUARDIA
JUZGADOS ESPECIALES

FISCAL DE GUARDIA
FISCAL ESPECIAL

ASISTENCIA LETRADA

JUZGADO DE GUARDIA
Decisión urgente ?

Si ————————————→ ADOPCIÓN DE MEDIDAS

No ————————→ Tramite a reparto/ Juzgados
Especiales de Violencia

Gráfico 4

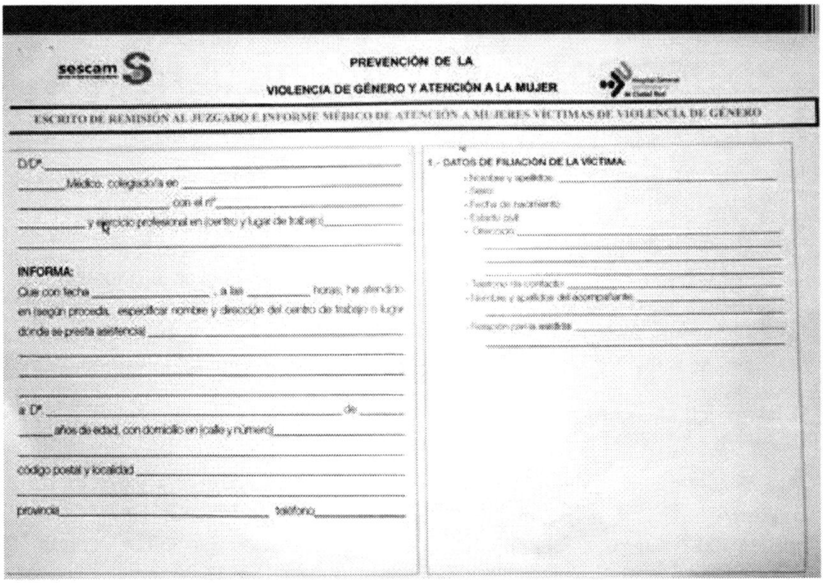
sescam
PREVENCIÓN DE LA
VIOLENCIA DE GÉNERO Y ATENCIÓN A LA MUJER
ESCRITO DE REMISIÓN AL JUZGADO E INFORME MÉDICO DE ATENCIÓN A MUJERES VÍCTIMAS DE VIOLENCIA DE GÉNERO

D/Dª ____________________
______ Médico, colegiado/a en ____________________
____________________ con el nº ____________________
______ y ejercicio profesional en (centro y lugar de trabajo) ____________________

INFORMA:
Que con fecha ____________, a las ________ horas, he atendido en (según proceda, especificar nombre y dirección del centro de trabajo o lugar donde se presta asistencia) ____________________

a Dª ____________________ de ______ años de edad, con domicilio en (calle y número) ____________________
código postal y localidad ____________________
provincia ____________________ teléfono ____________

1.- DATOS DE FILIACIÓN DE LA VÍCTIMA:
- Nombre y apellidos ____________________
- Sexo
- Fecha de nacimiento
- Estado civil
- Dirección ____________________
- Teléfono de contacto ____________________
- Nombre y apellidos del acompañante ____________________
- Relación con la víctima ____________________

Gráfico 5

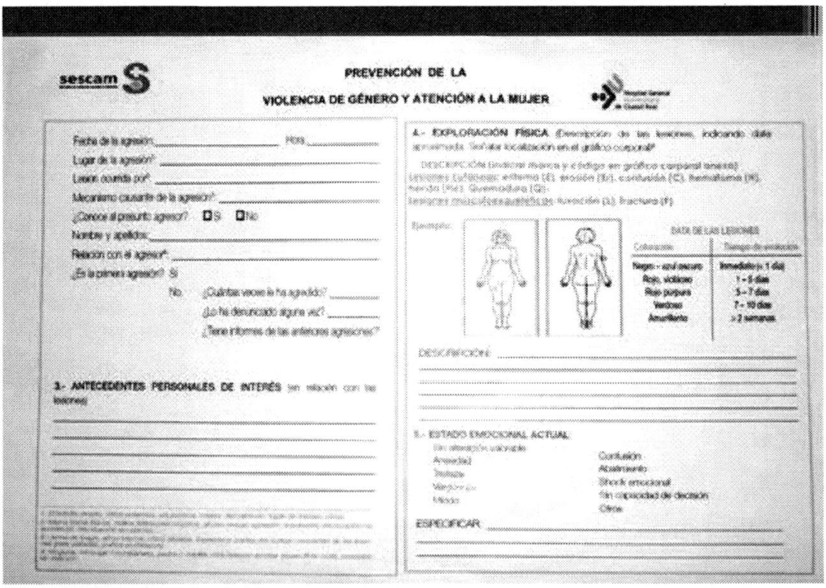
sescam
PREVENCIÓN DE LA
VIOLENCIA DE GÉNERO Y ATENCIÓN A LA MUJER

Fecha de la agresión ____________ Hora ________
Lugar de la agresión ____________________
Lesión ocurrida por ____________________
Mecanismo causante de la agresión ____________________
¿Conoce al presunto agresor? Sí No
Nombre y apellidos ____________________
Relación con el agresor ____________________
¿Es la primera agresión? Sí
No ¿Cuántas veces le ha agredido? ________
¿Lo ha denunciado alguna vez? ________
¿Tiene informes de las anteriores agresiones?

3.- ANTECEDENTES PERSONALES DE INTERÉS (en relación con las lesiones)

4.- EXPLORACIÓN FÍSICA (Descripción de las lesiones, indicando data aproximada. Señalar localización en el gráfico corporal)
DESCRIPCIÓN
Ejemplo:

Coloración	Tiempo de evolución
Negro - azul oscuro	Inmediato (< 1 día)
Rojo, violáceo	1 - 5 días
Rojo púrpura	5 - 7 días
Verdoso	7 - 10 días
Amarillento	> 2 semanas

DESCRIPCIÓN: ____________________

5.- ESTADO EMOCIONAL ACTUAL
Sin alteración valorable
Ansiedad
Tristeza
Vergüenza
Miedo
Confusión
Abatimiento
Shock emocional
Sin capacidad de decisión
Otros

ESPECIFICAR ____________________

BIBLIOGRAFÍA

ACUERDO DE COORDINACIÓN INSTITUCIONAL Y APLICACIÓN DE LOS PRO-
TOCOLOS PARA LA PREVENCIÓN DE LA VIOLENCIA DE GÉNERO Y ATEN-
CIÓN A MUJERES DE CASTILLA LA MANCHA. JCCM. Noviembre 2008.

ARCHIVOS DEL IML DE CIUDAD REAL Y TOLEDO. Subdirección de Ciudad Real.

ARCHIVOS DEL JUZGADO DE VIOLENCIA DE GÉNERO Y MIXTO Nº 5 DE CIU-
DAD REAL. ESTADISTISTICA JUDICIAL.

BLANCO DE LA RUBIA, Mª Jesús. Protocolos sanitarios en Violencia de Genero. Servicio
de Urgencias del Hospital General Universitario de Ciudad Real.

CASAS SÁNCHEZ, Juan de Dios y RODRÍGUEZ ALBARRÁN. MANUAL DE MEDICI-
NA LEGAL Y FORENSE. Ed: Colex 2000.

COBO PLANA, Juan Antonio. Guía y Manual de Valoración Integral Forense de la Violencia de Género y Domestica. Ministerio de Justicia.

CÓDIGO PENAL. - Ley Orgánica 1/2015 de 30 de Octubre.

DSM-IV, MANUAL DIAGNÓSTICO Y ESTADÍSTICO DE LOS TRASTORNOS MEN-
TALES. EDICIÓN EN ESPAÑOL, Ed: Masson.S.A 1995.

ESTUDIOS SOBRE VIOLENCIA FAMILIAR Y AGRESIONES SEXUALES. El maltrato
familiar en el Derecho Comparado. CEJ. Ministerio de Justicia. 2001.

GILBERT CALABUIG, VILLANUEVA CAÑADAS. MEDICINA LEGAL Y TOXICOLO-
GÍA. Ed. Elservier-Masson. 6ª Edición. 2004.

LEY 1/2004 de 28 de Diciembre. De Medidas de Protección Integral contra la Violencia de
Género. Legislación Consolidada.

LEY DE ENJUICIAMIENTO CRIMINAL, Ley Orgánica 13/2015 de 5 de Octubre.

LORENTE ACOSTA, José Antonio. Maltrato a la mujer. Editorial Comares 1999.

ANEXO I

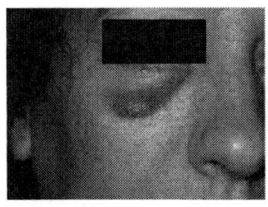

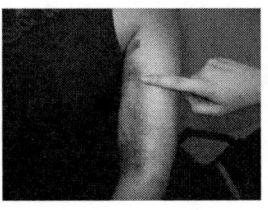

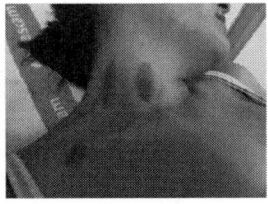

Figura 2
Hematoma orbitario

Figura 3
Contusión figurada

Figura 4
Sugilación

ANEXO II

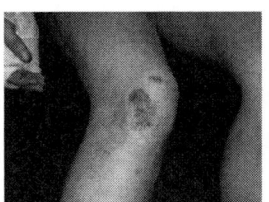

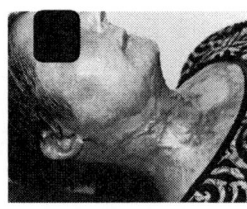

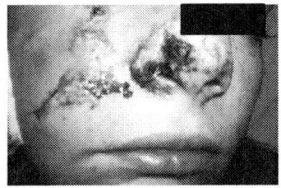

Figura 5
Abrasión por arrastre

Figura 6
Quemadura por ácido

Figura 7
Quemadura por pólvora
(disparo)

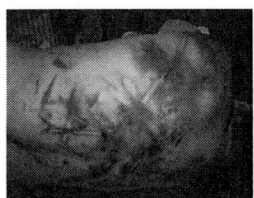

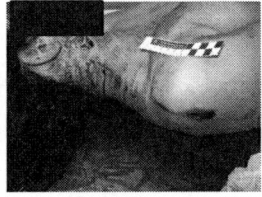

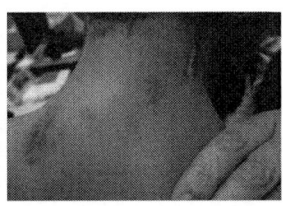

Figura 8
Contusiones múltiples
figuradas
Objeto contundente
romo

Figura 9
Disparo con revolver

Figura 10
Cicatrices inestéticas
Heridas por arma blanca

Capítulo 20

LA VALORACIÓN DE LAS RELACIONES INTERPARENTALES E INTRAFAMILIARES DESDE UNA PERSPECTIVA INTEGRAL E INTEGRADORA: VIOLENCIA DE GÉNERO VS. RELACIÓN DISFUNCIONAL[1]

Mª ISABEL HERRERA RODRÍGUEZ

Trabajadora Social del Instituto de Medicina Legal y Ciencias Forenses de Toledo y Ciudad Real, Subdirección de Ciudad Real

SUMARIO: 1. DELIMITACIÓN CONCEPTUAL AL TÉRMINO VIOLENCIA DE GÉNERO. 2. LAS UNIDADES DE VALORACION FORENSE INTEGRAL DE VIO-LENCIA DE GÉNERO. 2.1. Creación de las unidades de valoración forense integral de violencia de género. 2.2. Composición y niveles de intervención. 3. VALORACIÓN DE LAS RELACIONES INTERPARENTALES E INTRAFAMILIARES POR EL EQUIPO PSICOSOCIAL. 3.1. Objeto de la intervención: diferencias fundamentales con el ámbito clínico. 3.2. Víctimas y victimario. 3.2.1. Víctimas directas e indirectas. Protocolos de valoración. 3.2.2. Victimario. Protocolo de valoración. 3.3. Tipos de violencia en la pareja. 4. TIPOS DE MALTRATO. 4.1. Maltrato físico. 4.2. Maltrato sexual. 4.3. Maltrato psicológico: el maltrato invisible. 4.3.1. El ciclo de la violencia. 4.3.2. La rueda del poder y del control. 5. SÍNTOMAS PSICOSOCIALES ASOCIA-DOS AL MALTRATO. 5.1. Síntomas psicológicos. 5.2. Síntomas sociales. 6. CONSI-DERACION FINAL. BIBLIOGRAFÍA.

1. DELIMITACIÓN CONCEPTUAL AL TÉRMINO "VIOLENCIA DE GÉNERO"

Pese a que la violencia contra la mujer ha estado presente en la historia de la humanidad desde el principio de los tiempos, no ha sido hasta bien avanzada la segunda mitad del siglo pasado cuando los estados comienzan a plantearse la ne-

---

[1] DIPUCR-16, Estudio Sobre la Violencia de Género y Violencia Doméstica en Castilla La Mancha. Dirigido por: María Martín Sánchez, Universidad de Castilla La Mancha.

cesidad de luchar contra ese fenómeno, comenzando a considerarlo un problema de orden público de primera magnitud.

Ante la falta de consenso[2], en esta complicada empresa se comienzan a utilizar diferentes acepciones para referirse al problema, tales como violencia de género, violencia machista, violencia de pareja o violencia contra la mujer, utilizando incluso ocasionalmente el constructo "violencia doméstica", que si bien en determinados casos puede ser coincidente, no es puramente paralelo, dado que la violencia de género o machista no es exclusiva del ámbito doméstico, a la vez que en este ámbito se pueden dar otros tipos de violencia que en nada se parecen a la que se ejerce sobre las mujeres.

Nos encontramos por tanto ante la necesidad de acotar el concepto, necesidad que viene estando presente a la hora de emprender acciones institucionales que luchen contra este fenómeno social. Por ello a los efectos del presente capítulo vamos a fijarnos en la definición que aparece en el art. 1 de la Declaración de la Asamblea General de Naciones Unidas sobre la eliminación de la violencia contra la mujer[3].

El literal del mencionado artículo es el siguiente: "A los efectos de la presente Declaración, por *"violencia contra la mujer"* se entiende *todo acto de violencia basado en la pertenencia al sexo femenino* que tenga o pueda tener como resultado un daño o sufrimiento físico, sexual o psicológico para la mujer, así como las amenazas de tales actos, la coacción o la privación arbitraria de la libertad, tanto si se producen en la vida pública como en la vida privada".

Aunque parezca una obviedad, no podemos dejar pasar por alto lo que está en la base de este tipo de violencia, lo que la origina, más allá de las diferentes circunstancias que puedan desencadenar la aparición de las conductas violentas contra las mujeres, sean del tipo que sean. Lo que subyace en el pensamiento del agresor cuando la ejerce no es otra cuestión que la profunda creencia de la inferioridad de la mujer con respecto al hombre y, por tanto, su obligación de sometimiento a la voluntad de éste.

De este modo se expresa la L.O. 1/2004 de medidas de protección integral contra la violencia de género, al proclamar como objeto de la ley en su artículo primero "actuar contra la *violencia que, como manifestación de la discriminación, la situación de desigualdad y las relaciones de poder de los hombres sobre*

[2] SÁNCHEZ-LORENTE, Segunda, *Estudio longitudinal del impacto de la violencia de pareja sobre la salud física y el sistema inmune de las mujeres* (Trabajo de investigación), Universitat de València, Valencia, 2009.
[3] Organización de Naciones Unidas. Declaración sobre la Eliminación de la Violencia contra la Mujer. Resolución A/RES/48/104, de 23 de febrero de 1994. Disponible en: *http://www.bizkaia.eus/Gizartekintza/Genero_Indarkeria/pdf/dokumentuak/decl_vcmnu.pd*f (consultado el 08/10/2013).

las mujeres, se ejerce sobre éstas *por parte de quienes sean o hayan sido sus cónyuges o de quienes estén o hayan estado ligados a ellas por relaciones similares de afectividad,* aun sin convivencia"[4].

No podemos dejar de notar la precisión que la ley establece para delimitar las circunstancias que se deben dar para considerar que existe violencia de género a los efectos de su aplicación. En este sentido y como más adelante se explicará, no podemos considerar que cualquier situación violenta que se produzca en un contexto de pareja, está encuadrada dentro de esta ley. Por otro lado, las medidas de protección a las víctimas abarcan a aquellas mujeres que estén sufriendo situaciones de maltrato aun cuando la relación de afectividad, que no tiene por qué haberse desarrollado con convivencia, se haya extinguido, dado que las relaciones de poder del hombre sobre la mujer se pueden perpetuar más allá de la ruptura de pareja.

Nótese que la L.O. hace referencia a violencia de género, por lo que a lo largo del presente capítulo siempre que hablemos de violencia de género lo haremos en los términos estrictos que la ley establece.

2. LAS UNIDADES DE VALORACIÓN FORENSE INTEGRAL DE VIOLENCIA DE GÉNERO

2.1. *Creación de las Unidades de Valoración Forense Integral de Violencia de Género*

Una de las muchas novedades que introdujo la L.O. 1/2004 con el propósito de dar una respuesta lo más ajustada posible a todas aquellas situaciones de maltrato que se puedan denunciar fue la introducida en su disposición adicional segunda: la creación de las unidades de valoración forense integral (en adelante UVFIVG). Estas, desde su creación en los diferentes territorios del Estado, con la incorporación de las figuras del psicólogo y el trabajador social, han venido a completar la valoración que de las víctimas se venía realizando, la cual era necesariamente parcial, al contemplar únicamente el punto de vista sanitario con la intervención del médico-forense. Si bien es cierto que esta ley es vaga en cuanto a las funciones, tal como indica Rafael M. Bañón[5].

---

4   L.O. 1/2004, de 28 de diciembre de medidas de protección integral contra la violencia de género, *BOE núm. 313.,* de 29 de diciembre de 2004, p. 42168.
5   BAÑÓN GONZÁLEZ, Rafael M., "Protección a las víctimas y menores. El papel de las Unidades de Valoración Forense Integral", Ponencia presentada en la mesa redonda *Protección a las víctimas y a los/las menores,* VI Congreso del Observatorio Contra la Violencia Doméstica y de Género, Madrid, 3 y 4 de noviembre de 2016.

La UVFIVG de Ciudad Real, en la que me integro, inició su andadura en diciembre de 2005, adscribiéndose a la Subdirección de Ciudad Real del Instituto de Medicina Legal de Toledo y Ciudad Real, creado a su vez por Orden de Ministerio de Justicia 1516/2004 de 17 de mayo[6]. Más recientemente, tras la entrada en vigor de la L.O. 7/2015 de 21 de julio, por la que se modifica la L.O. 6/1985, de 1 de julio del Poder Judicial[7], este pasa a denominarse, Instituto de Medicina Legal y Ciencias Forenses.

Estas unidades van a trabajar única y exclusivamente para atender la petición, bien del Magistrado o Juez que entienda del caso, bien del Ministerio Fiscal. Nunca, por tanto, está contemplada una intervención de oficio. Por otra parte, es fundamental entender el papel de *asesores* de estos profesionales, cuya función última es la emisión de un *informe pericial* dirigido a los operadores jurídicos, con la voluntad de colaborar en la construcción de un sistema probatorio de calidad, no contemplándose en ningún caso la función asistencial de los mismos, debiendo ceñirse en sus respuestas al objeto de informe interesado:

- respecto de la/s víctima/s: existencia de lesiones, trastornos psiquiátricos, secuelas psicológicas y/o sociales;
- respecto del agresor: imputabilidad, estado psíquico del agresor/personalidad, alteraciones psicopatológicas, dependencias a drogas, dinámica de conducta...

2.2. Composición y niveles de intervención

Cada UVFIVG estará compuesta, como mínimo, por un médico-forense, un psicólogo y un trabajador social.

Dado que aparece un capítulo en este mismo trabajo elaborado por el Dr. D. Jesús Martín Tabernero, referente a los aspectos médico-forenses y clínicos de la violencia de género, me voy a centrar aquí en el trabajo que realiza el Equipo Psicosocial, integrado por las dos profesionales restantes (psicóloga y trabajadora social) de la UVFIVG.

La filosofía de trabajo que inspira a las técnicas que integran este Equipo Psicosocial (único existente en toda la provincia de Ciudad Real para dar respuesta a los diferentes órganos judiciales de la misma) es la de ofrecer una respuesta ajustada a la realidad que se pretende analizar, abarcando todos los aspectos de

---

[6]   ORDEN JUS/1516/2004, de 17 de mayo, por la que se dispone la creación del Instituto de Medicina Legal de Albacete, Cuenca y Guadalajara y el de Ciudad Real y Toledo, *BOE núm. 130*, de 29 de mayo de 2004, pp. 19906-19919.

[7]   Ley Orgánica 7/2015, de 21 de julio, por la que se modifica la Ley Orgánica 6/1985, de 1 de julio, del Poder Judicial, *BOE núm. 174*, de 22 de julio de 2015, pp. 61593-6660.

la misma, desde *una perspectiva integral e integradora.* Esto nos lleva en la práctica profesional a realizar *análisis y valoraciones conjuntas, emitiendo un único y consensuado informe* (también en el caso de que se realice la valoración integral junto con el médico-forense), al entender que el material con el que trabajamos, el ser humano, no es susceptible de ser parcelado cuando se trata de estudiar toda una serie de factores y circunstancias interrelacionados que llevan a un individuo, el victimario, a mantener un determinado tipo de conducta de dominación y control frente a otro individuo, la víctima, que se mantiene en esa situación de sometimiento.

El escenario ideal supondría que en todos los casos en los que se requiere la intervención pericial del Equipo Psicosocial se pidiera el análisis al menos de los dos agentes protagonistas de esta ecuación, aportándonos una información más amplia proveniente de estas dos fuentes diferentes y, en los procedimientos penales, enfrentadas, lo que permitirá, al contrastarla (como un elemento más de la metodología utilizada) valorar de un modo lo más aproximado posible las interacciones existentes durante y, en algunos casos, con posterioridad a la relación de pareja que han conllevado a la aparición y posterior mantenimiento de las conductas de maltrato. Sin embargo, los diferentes niveles de intervención van a responder exclusivamente a la petición recibida, a la que hay que ceñirse, en la que se indicará, por un lado, si se requiere valoración de la víctima-denunciante exclusivamente, valoración de víctima-denunciante y agresor o valoración de toda la unidad familiar, donde también estarán incluidos los hijos de la pareja; así como, por otro lado, la solicitud judicial incluirá el *objeto del informe* requerido, pudiendo este abarcar desde preguntas concretas y específicas (acerca, por ejemplo, de la presencia de lesiones y/o secuelas en la victima) a valoraciones psicosociales, que abarcarán todos los aspectos de la vida de la persona o núcleo familiar evaluados: sanitario, psicológico, formativo-laboral, económico, social, familiar…

3. VALORACIÓN DE LAS RELACIONES INTERPARENTALES E INTRAFAMILIARES POR EL EQUIPO PSICOSOCIAL

3.1. *Objeto de la intervención: diferencias fundamentales con el ámbito clínico*

Antes de hacer referencia a la metodología que emplea el Equipo Psicosocial para abordar el análisis de las interacciones existentes a lo largo de la historia de pareja es necesario apuntar que el hecho de encontrarnos en un ámbito forense supone una diferencia determinante con el ámbito clínico y/o asistencial en el que los profesionales de estas disciplinas (psicología y trabajo social) desarrollan su trabajo con más habitualidad, siendo un perfil profesional más ampliamente conocido que el pericial. La diferencia a la que hacemos referencia no es otra que la de enfrentarnos a la necesidad de *cuestionar* la información que nos aportan todas las partes intervinientes.

La función principal del Equipo Psicosocial dentro de la UVIFVG es la de colaborar en la construcción de un sistema probatorio para las sentencias en el ámbito penal y civil, a demanda de los operadores jurídicos implicados, analizando los aspectos que los mismos consideren relevantes en su petición. Por tanto, según se indica en la Guía y Manual de valoración Integral Forense de la Violencia de Género y Doméstica, *"La respuesta forense se dirige a construir un informe pericial de alta calidad en sus bases científicas y de metodología, que pueda responder a la petición que el juzgador considere en cada caso"*[8].

En base a lo anterior, al encontrarnos en un entorno forense es previsible que la persona que se somete a valoración tienda a mostrar una imagen socialmente positiva y adaptada de sí misma. Por otro lado, la información que se aporta en las entrevistas nace de la subjetividad y de la autopercepción del individuo entrevistado, pudiendo aparecer diferentes mecanismos de defensa ante la necesidad de someterse a una prueba que, por lo general, no ha solicitado[9].

En segundo lugar tenemos que tener presente nuestro objetivo como peritos, independientemente del objeto del informe propiamente dicho al que hacíamos referencia en el apartado anterior, en cuanto a que a la hora de realizar valoraciones en asuntos referentes a violencia de género nos debemos plantear un abanico de hipótesis que abarcarán desde la posibilidad de que la denuncia que da origen al procedimiento en el que se nos pide la intervención sea falsa, hasta el extremo opuesto, es decir que haya una historia de maltrato oculto más intenso que el que se ha denunciado en principio. Y ello es así porque para realizar nuestro trabajo y emitir conclusiones que realmente ayuden a los operadores jurídicos en su labor como asesores especializados en la materia es fundamental *constatar*, inicialmente, *la existencia de una historia de malos tratos*, a continuación comprobar la presencia de sintomatología a nivel psicológico y social en la supuesta víctima, para, finalmente, poder realizar el *establecimiento de un nexo causal entre el maltrato y la sintomatología detectada*.

---

[8]   COBO PLANA, Juan Antonio y cols., *"Guía y Manual de Valoración Integral Forense de la Violencia de Género y Doméstica"*, Secretaría General Técnica del Ministerio de Justicia, Centro de Publicaciones, Suplemento al Boletín núm. 2000, Madrid.

[9]   PONCE DE LEÓN ROMERO, Laura y MATEOS DE LA CALLE, Mª Jezabel, "Principales técnicas e instrumentos aplicados en trabajo social judicial", en María Jezabel Mateos de la Calle y Laura Ponce de León Romero (Coordinadoras), *El Trabajo social en el ámbito judicial*, de Colegio Oficial de Trabajadores Sociales de Madrid, 2016.

La emisión del informe final, en el que tanto a denunciante como a denunciado se tratarán siempre como supuestos víctima y maltratador por las razones que acabamos de indicar, con sus conclusiones responderá a una vocación obvia de imparcialidad, intentando, en la medida de lo posible, minimizar la introducción de sesgos metodológicos y/o ideológicos, resultando en este sentido una garantía la presencia de dos peritos (en el caso de valoraciones por el Equipo Psicosocial), o de tres (en el caso de las valoraciones por los tres profesionales integrantes de la UVFIVG), lo que, suponiendo un evidente esfuerzo para los mismos, enriquece las valoraciones y aporta respuestas consensuadas tras el análisis de la realidad psicosocial desde una perspectiva global.

Tampoco podemos olvidar en esta comparativa del ámbito forense con el clínico, la realidad a la que se enfrentan las mujeres (y en su caso los hijos de las mismas) a la hora de presentar denuncias por violencia de género y la necesidad de repetir en varias ocasiones la historia vivida conlleva inevitablemente el indeseado efecto de la *victimización secundaria*, el cual la mayoría de los autores tienden a describir como el efecto negativo sobre los usuarios del sistema judicial, sanitario, policial,... ante una mala o inadecuada atención, de lo que cabría deducir que una adecuada atención no provocaría dicha victimización, lo que en el sistema judicial no puede considerarse en términos tan categóricos, dado que las víctimas, siempre tratadas como presuntas (derivado del propio sistema procedimental) se ven obligadas a relatar en varias ocasiones unos hechos traumáticos, viéndose obligadas a revivirlo, sintiéndose al tiempo cuestionadas, dado que no podemos olvidar que la presunción de inocencia del investigado es el principio fundamental que rige cualquier acción judicial en el ámbito penal. Esta es otra de las circunstancias en las que pretende incidir las valoraciones conjuntas realizadas desde la UVFIVG de Ciudad Real, tratando de evitar que una misma persona se vea sometida a entrevistas en distintos momentos por dos o tres profesionales diferentes.

3.2. Víctimas y victimario

A los efectos de nuestra valoración, víctimas serán aquéllas personas sobre las que se ejerce la violencia, en este caso tanto las mujeres como los menores insertos en el núcleo familiar, y victimario la persona que ejerce la violencia.

3.2.1. Víctimas directas e indirectas. Protocolos de valoración

Cuando hablamos de víctimas de violencia de género, es fundamental comenzar indicando algo básico y que, debido a prejuicios sociales, es quizás desconocido o, simplemente, negado: *no existe un perfil general de mujer maltratada*. Todas las mujeres, sin distinción de *edad, clase social u origen étnico*, son susceptibles de ser víctimas de este tipo de violencia.

De otro lado, debemos tener presente que nos movemos dentro de los parámetros de la L.O. 1/04, por lo que se valorarán relaciones interparentales dentro de una relación conyugal o afectiva similar a la conyugal, incluso cuando no haya existido convivencia, así como aun en el caso de que la relación referida haya cesado y el hecho denunciado se haya producido tras esta ruptura.

Obviamente, estas mujeres son las principales y más directas víctimas de esta violencia, por cuanto así lo define la misma ley a la que nos referimos.

Esto parece tan claro y evidente que, cuando se oye hablar de *víctimas de violencia de género* a todos nos vienen inmediatamente a la cabeza las imágenes de mujeres sometidas a este tipo maltrato, olvidando más a menudo de lo que sería deseable la presencia de *otras víctimas*, habitualmente presentes y que sufren de forma indirecta y, en ocasiones, también directa las consecuencias del maltrato. Estos no son otros que los menores insertos en los núcleos familiares en los que la violencia del hombre hacia la mujer se instala como una dinámica relacional habitual y a los que en ocasiones el maltratador utiliza como un medio más para conseguir su objetivo final de sometimiento de la mujer.

El menor será víctima indirecta siempre, por cuanto cuando un menor crece en un entorno de violencia y conflictividad, su desarrollo psicoevolutivo y social se va a ver necesariamente afectado, pudiendo desarrollar todo tipo de alteraciones psicológicas, conductuales, sociales, etc… Estas consecuencias se van a ver acrecentadas en función de las características de personalidad propias del menor, así como de otros factores en los que la intensidad de la violencia será uno de los más determinantes. No podemos olvidar, por ejemplo, que detrás de los datos estadísticos que arrojan el número de mujeres que anualmente mueren a manos de sus parejas o exparejas, están los menores cuyo único progenitor vivo es el que ha acabado con la vida de su madre. Así mismo, en la memoria de todos están los casos conocidos mediáticamente en los que menores mueren a manos de sus padres, siendo así utilizados para dañar a sus madres después de la ruptura de pareja.

Como Equipo Psicosocial, al recibir la solicitud de emisión de un informe determinado, utilizamos diferentes *protocolos* tendentes a recabar la mayor información posible que nos permita establecer unas conclusiones lo más ajustadas posible a la realidad, si ello es posible. El protocolo es un plan de actuación que establece el período mínimo de la evaluación, una serie de orientaciones para la realización de las entrevistas, recomendaciones sobre aquellos instrumentos más adecuados, por su validez y fiabilidad, con el fin de alcanzar las conclusiones que finalmente se emiten.

En el caso de las mujeres víctimas de maltrato el protocolo utilizado comprende un conjunto de entrevistas, cuestionarios y escalas cuyo objetivo es constatar la existencia del mismo, de la forma en que se realiza y la presencia de un cuadro clínico característico en una persona sometida a violencia[10]. Esto nos llevará a establecer la existencia o no de conexión causal entre la historia de violencia que se denuncia y la sintomatología detectada, en su caso, al realizar una revisión de la trayectoria vital de la explorada para, de este modo, poder conectar la aparición de las desadaptaciones con la relación conflictiva relatada.

Por su parte, respecto de los menores, dado que han sido los grandes olvidados en este conflicto, no existen protocolos estandarizados, adaptando el modo de abordar estas exploraciones a la edad de los mismos y utilizando aquellas entrevistas, cuestionarios y escalas que, con la práctica profesional, vamos adecuando al objetivo de valorar el grado de afectación, indirecta y/o directa, en su caso, de la situación de violencia interparental y/o intrafamiliar estudiada en la que se encuentran inmersos.

3.2.2.   Victimario. Protocolo de valoración

Es bastante usual encontrarnos ante solicitudes de pericia en las que se pretende recabar nuestra intervención profesional a la hora de valorar si el investigado en un procedimiento de maltrato tiene el perfil típico del maltratador. Ante ello la respuesta es siempre la misma: *no existe un prototipo o patrón tipo de "maltratador"*, encontrando hombres que maltratan a sus parejas o exparejas en todos los estamentos sociales y edades. Sin embargo, sí podemos encontrar ciertas características de personalidad en este tipo de agresores, tales como baja autoestima, dificultad en el control de impulsos, baja tolerancia a la frustración, personas dependientes, celotipia,... que si bien, por sí mismas no van a determinar de forma inequívoca la tendencia a ejercer maltrato, sí nos van aportando datos que, en contraste con toda la información, nos lleven a considerar al hombre evaluado como una persona capaz de someter a su control y dominio a su pareja.

Por otra parte, para que se dé una situación de maltrato en la pareja, ambos miembros de la pareja se complementan en lo que respecta al funcionamiento patológico de la relación, por lo que no vamos a encontrar unas características puras para definir un perfil de maltratador. No obstante, todos los autores coinciden en definir al hombre que ejerce violencia sobre la mujer en base a diferentes factores en su conducta que podemos considerar de riesgo (p. ej. acoso reciente a la víctima o quebrantamiento de órdenes de alejamiento; historial de conductas violentas con una pareja anterior; historial de conductas violentas con otras personas; consumo abusivo de alcohol y/o drogas,...), al mismo tiempo que podemos

---

[10]   Navarro Góngora, J; Navarro Abad, E; Vaquero Delgado, E.; Carrascosa Miguel, A.M., *Manual de peritaje sobre malos tratos psicológicos*, Dirección Gral. de la Mujer de la Junta de Castilla y León, 2004.

encontrar otros factores considerados de protección (ausencia de los anteriores). Estos factores son los que utilizan las distintas escalas existentes que pretenden medir la predicción del riesgo de violencia. Sin embargo, en la valoración pericial los factores que introducen estas escalas[11] son sólo un elemento más, junto con otros muchos datos, como los factores de personalidad arriba reseñados, que a modo de puzle se van ensamblando para concluir en un sentido o en otro.

Al igual que comentaba en el caso de la valoración de menores, no se trabaja hasta la fecha con ningún protocolo estandarizado, sino que las técnicas del Equipo Psicosocial de Ciudad Real venimos aplicando una serie de entrevistas, cuestionarios y escalas, con la finalidad de contrastar la información aportada por la perjudicada, así como constatar la posible existencia de un sistema de valores y creencias acerca de la supremacía del hombre sobre la mujer en la relación sentimental, que nos permita determinar la existencia de compatibilidad de las historias de pareja objeto de estudio con relaciones circunscritas dentro de lo denominado violencia de género.

3.3. Tipos de violencia en la pareja

A la hora de valorar una relación de pareja de cara a establecer la compatibilidad de la misma con una historia de violencia de género, con las características que la propia ley indica en su artículo primero (que se trate de conductas violentas del hombre hacia la mujer con quien se comparta o haya compartido una relación sentimental, aun sin convivencia, basadas en la creencia de la superioridad del varón sobre la mujer), tenemos que tener en cuenta una serie de características que son las que definen en sí este tipo de conducta:

– El objetivo del maltratador es *imponer su autoridad y control*.
– La *violencia psicológica es* más bien *un patrón de relación a lo largo del tiempo* que un enfrentamiento ocasional debido a un problema específico.

En una situación de conflictividad interparental hay que diferenciar entre las parejas que se llevan mal, lo que en términos técnicos llamaremos una pareja con una baja satisfacción conyugal, fruto de la cual se puede llegar a producir determinado tipo de *violencia situacional*, de aquellas parejas donde se observa *violencia interpersonal de tipo controladora-coercitiva* (o terrorismo íntimo) como una forma habitual de relacionarse y solucionar los conflictos, ambos términos acuñados por Michael P. Johnson[12].

[11] PUEYO, Atonio Andrés y ECHEBURÚA, Enrique, "*Valoración del riesgo de violencia: instrumentos disponibles e indicaciones de aplicación*", Psicothema, 2010, vol. 22, n°3. Disponible en: *www.psicothema.com* (consultado el 31/05/2017).
[12] JONHSON, Michael P., *Intimate terrorism, violent resistance and situational couple violence*, Northeastern University Press, 2008.

Las parejas en las que encontramos baja satisfacción conyugal por parte de uno o ambos miembros de la misma se desenvuelven dentro de un contexto de frustración constante. Cuando este sentimiento de frustración se une a un déficit en la capacidad de resolver los conflictos podemos encontrarnos con situaciones puntuales de enfrentamientos violentos. Dichos enfrentamientos violentos responden a un clima de insatisfacción y se pueden dar en una sola dirección o incluso ser bidireccionales, es decir que la violencia puede ir del hombre a la mujer, de la mujer hacia el hombre o en ambos sentidos. Las valoraciones de mujeres que pueden llegar a ser víctimas de estas situaciones deben necesariamente responder en este sentido, dado que, pese a que se haya podido producir uno o varios episodios violentos hacia ellas, no podemos considerar que la historia a la que nos enfrentamos, independientemente de que la comisión de la conducta que se evalúe deba ser sometida a la correspondiente reprobación penal, se encuadre propiamente dicho dentro de lo que la ley nos indica que es la violencia de género, por cuanto adolecería de la característica básica que hemos señalado arriba.

Estaremos ante una situación puramente considerada de violencia de género cuando seamos capaces de encontrar elementos compatibles con la violencia interpersonal de tipo controladora-coercitiva, la cual es capaz de alcanzar distintas formas e intensidades como veremos a continuación.

4. TIPOS DE MALTRATO

Si bien existen clasificaciones sobre los tipos de maltrato muy pormenorizadas[13], voy a exponer aquí la que venimos utilizando en las valoraciones realizadas desde la UVFIVG de Ciudad Real, ya que entendemos que muchas de las formas de maltrato incluidas en estas clasificaciones (maltrato económico, aislamiento social y familiar, etc.) no son otra cosa que subtipos del denominado maltrato psicológico.

4.1. El ciclo de la violencia

No debemos caer en el error de pensar que en una relación la violencia, del tipo que sea, aparece de forma brusca y, por tanto, la mujer rápidamente la identifica y rechaza. Por regla general, en las primeras fases de la relación comienzan

---

[13]   SANCHO VALENTÍN, Mª Visitación y MARI-PINO ARIAS, Diana, "Los Juzgados de Violencia sobre la Mujer en la Comunidad de Madrid", en María Jezabel Mateos de la Calle y Laura Ponce de León Romero (Coordinadoras), *El Trabajo social en el ámbito judicial,* de Colegio Oficial de Trabajadores Sociales de Madrid, 2016.

a aparecer conductas *disfrazadas* bajo el falso manto del amor y el deseo de protección del hombre hacia la mujer. Dichas conductas, que podemos denominar *micromachismos* comienzan a ser toleradas y progresivamente interiorizadas, entrando así la pareja en una dinámica disfuncional en la que la mujer va a ser de forma gradual victimizada.

Es cuando la mujer comienza a presentar algún tipo de oposición a estos micromachismos o intenta mantener la iniciativa en determinadas áreas de su vida, cuando la presencia de las conductas de control y dominio se van a ir acrecentando, llegando a la violencia si el varón lo considera necesario para ejercer su posición de superioridad. De este modo se construye la historia de pareja sobre la base de la dominación de un miembro sobre otro, respondiendo por regla general a un patrón que se puede considerar similar en todas las relaciones y que la investigadora Lenore Walker describió en 1979, denominándolo ciclo de la violencia[14]. El ciclo de la violencia comprende tres fases diferenciadas:

– 1ª fase: acumulación de tensión. Durante esta primera fase la agresión psíquica y verbal va en aumento progresivo, pudiendo producirse incluso golpes menores. La mujer toma estos episodios como algo aislado que incluso puede controlar.

– 2ª fase: explosión o agresión. Tras la acumulación de tensión durante un periodo de tiempo variable, el maltratador estalla provocando una agresión física, psicológica o sexual (o una mezcla de varios tipos de violencia).

– 3ª fase: "luna de miel". Es el momento en el que se produce el arrepentimiento y afecto del agresor, quien pide perdón y promete no volver a repetirlo, si bien puede dirigir mensajes a la mujer culpándola de un modo indirecto de su reacción ("me llevas al límite", "sabes que me pone nervioso que hables con…", "si no hubieras hecho…", "si no hubieras dicho…"), quien va interiorizando estos mensajes de modo que en lo sucesivo intenta adaptar su comportamiento a los requerimientos del maltratador, con la falsa esperanza de que dejen de producirse los episodios violentos.

El ciclo de la violencia no se produce de forma exactamente perfecta a lo largo de toda la relación, sino que con el paso del tiempo las fases tienden a reducir su duración, llegando incluso a desaparecer la tercera fase, la del arrepentimiento del agresor.

4.1.1. Maltrato físico

El maltrato físico es, a priori, el más fácilmente identificable por la propia víctima que lo recibe, si bien en determinados momentos iniciales, cuando no se da con una intensidad alta, puede llegar a ser justificado por ésta.

---

[14]   WALKER, Lenore E. A., *The Battered Women*, Harper and Row Publishers, Inc. Nueva York, 1979.

Las conductas que suponen abusos físicos pueden alcanzar muchas formas, y van desde el golpe más leve hasta, en el extremo más grave, llegar al homicidio.

Independientemente de la valoración de las eventuales lesiones físicas que realizará siempre el médico-forense, dentro del protocolo aplicado durante la evaluación de las víctimas, el Equipo Psicosocial, utilizando como guía la *Entrevista Semiestructurada para Víctimas de Maltrato Doméstico*[15], indagará sobre las distintas formas de agresión física que hayan podido aparecer a lo largo de la relación de pareja: bofetadas, patadas, empujones, mordiscos, estrangulamientos.... Dejando que la propia entrevistada vaya aportando ejemplos de situaciones en las que se han podido producir ese tipo de conductas.

4.1.2. Maltrato sexual

El maltrato sexual se debe entender de forma más amplia que la violación, dado que en muchas ocasiones nos encontramos con mujeres que, negando el haber sido obligadas a mantener relaciones sexuales, relatan su desagrado ante la necesidad de someterse a prácticas sexuales que les resultan degradantes o no deseadas.

En los análisis de las historias de violencia que se realizan desde la UVFIVG se deben formular con extrema cautela las preguntas que indaguen sobre los aspectos de las relaciones sexuales de la pareja, dado que suelen ser los que más avergüenzan a las mujeres que han sido víctimas de maltrato. Y nos encontramos con una alta prevalencia ante una importante dificultad en estas mujeres a la hora de discriminar si realmente han sido sometidas por la fuerza a mantener este tipo de relaciones, dado que en multitud de ocasiones se encuentran inmersas en una dinámica de victimización de larga evolución que les lleva a someterse, sin negarse, a los deseos del victimario, por temor a las consecuencias para su integridad o, en ocasiones, la de sus hijos.

4.1.3. Maltrato psicológico: el maltrato invisible

La tercera forma de maltrato, pero quizás, la más impactante, es la que se denomina maltrato psicológico. Este es conocido también como el maltrato invisible por cuanto, sobre todo en sus estadios iniciales, es el más complicado de identificar tanto por la víctima como por terceras personas que puedan estar próximas a ella. Este tipo de maltrato no produce tanto impacto social como el físico (no mata, al menos directamente). Al ser más difícil su identificación también

---

[15]   Echeburúa, Corral, Sarasua, Zubizarreta y Sauca. 1994.

se tarda más en denunciar (pese a que suele aparecer en primer lugar) y produce un importante malestar en la víctima que ella misma trata de justificar.

4.1.3.1. La rueda del poder y del control

La denominada *"Rueda del Poder y del Control"* fue diseñada como una herramienta educativa a utilizar en un programa de intervención (Domestic Abuse Intervention Programs) dirigido a hombres que maltrataban a sus mujeres, partiendo de los testimonios de mujeres que habían sido víctimas de violencia interparental.

Además de servir como herramienta educativa en este programa en concreto, desde el punto de vista del análisis psicosocial de la violencia se tienen en cuenta las dinámicas descritas en esta "Rueda del Poder y del Control" para identificar las diferentes conductas que el maltratador ha podido ejercer para conseguir el sometimiento de la mujer y en qué medida han aparecido unas u otras, realizando una clasificación que las agrupa en 8 grandes grupos:
  – Intimidación.
  – Amenazas.
  – Aislamiento social.
  – Abuso emocional.
  – Abuso económico.
  – Utilizar los privilegios de ser hombre.
  – Utilización de los hijos.
  – Desvalorizar (a la mujer), negar (su conducta violenta) y culpar (a la propia mujer por la conducta violenta).

5. SÍNTOMAS PSICOSOCIALES ASOCIADOS AL MALTRATO

La violencia de género provoca, en la mayoría de los casos, un malestar psicológico y social en las víctimas que, en función de la duración de la relación y de la intensidad de maltrato ejercido, puede convertirse en crónico. El análisis psicosocial forense tiene por objeto, como ya se ha indicado, una vez que se considera que la relación analizada deviene de lo considerado estrictamente como violencia de género, detectar aquellos síntomas psicológicos y sociales que puedan haber derivado de tal situación y, por tanto, en última instancia, ser capaces de establecer un nexo causal entre el maltrato y la sintomatología detectada.

En general, en este tipo de valoraciones, nos vamos a encontrar con síntomas de uno y otro tipo dado que ambas esferas, la psicológica y la social, están íntimamente relacionadas, siendo inusual encontrar sintomatología psicológica aislada de la social y viceversa. Así, por ejemplo, una mujer con baja autoestima y ánimo depresivo generado por la violencia a la que se encuentra sometida tendrá dificultades a la hora de relacionarse socialmente, provocando aislamiento, mientras que a su vez el aislamiento, como uno de los objetivos principales del maltratador, puede generar en la víctima ánimo depresivo y baja autoestima.

5.1. Síntomas psicológicos

Lenore Walker describió por primera vez lo que se conoce como Síndrome de la Mujer Maltratada[16]. Si bien no podemos caer en el error de considerar que existe un síndrome como tal, reconocido por la comunidad científica y recogido en los manuales diagnósticos con ese nombre, sí podemos utilizar la descripción de la investigadora para aproximarnos en la comprensión de la relación del desarrollo de determinada sintomatología tras la vivencia traumática en el seno de una relación violenta.

Los síntomas psicológicos que podemos encontrar asociados al maltrato comprenden un amplio espectro, encontrando como los más significativos:

– Depresión.
– Baja autoestima/Autoestima pendular.
– Sentimientos de culpa.
– Estrés.
– Trastornos sexuales.
– Trastornos del sueño y de la alimentación.
– Trastornos psicosomáticos.
– Irritabilidad.
– Incertidumbre, desmotivación, ausencia de esperanza.

5.2. Síntomas sociales

Pese a que habitualmente en las solicitudes de valoraciones periciales de mujeres (y sus hijos en algunos casos) se pone el acento en solicitar una respuesta que contemple las secuelas psicológicas del maltrato específicamente, desde el Equipo Psicosocial de Ciudad Real tenemos el pleno convencimiento de que tanto o más significativas son las secuelas de carácter social (dada la interrelación a la que se ha hecho referencia) por cuanto una parte del maltrato se basa precisamente en limitar e incluso sesgar por completo las relaciones de la mujer con su entorno, de cara a hacerla progresivamente más dependiente de su agresor, lo que a la larga revertirá en una deficiente capacidad de interrelación de la víctima con los diferentes contextos sociales con los que se tenga que relacionar.

---

[16] WALKER, Lenore E. A., *El síndrome de la mujer maltratada*, Biblioteca de Psicología, Desclèe de Brouwer, 2012.

Si bien ha sido en el contexto de las valoraciones de menores víctimas de abusos sexuales, Marta Simón ha desarrollado el concepto de daño social[17], el cual se puede extrapolar a los casos de violencia de género, por cuanto la misma incide de manera directa en el deterioro de la capacidad de la víctima de interactuar con el entorno.

Entre los síntomas sociales más significativos que podemos encontrar asociados al maltrato en el seno de una relación sentimental tenemos:

– Aislamiento social.
– Aislamiento familiar.
– Ocio y tiempo libre.
– Dificultades a nivel formativo-laboral.
– Dificultades en la toma de decisiones /No toma de decisiones en pareja.
– Interiorizacion del machismo.
– Vivencia y transmisión de roles sexistas.

6. CONSIDERACIÓN FINAL

Ante el complicado y sensible material con el que trabajamos, cabe finalmente tener en cuenta una serie de consideraciones que resultan fundamentales siempre que nos encontremos ante una eventual víctima de maltrato, por cuanto el modo en que seamos capaces de acogerla ante las demandas que nos pueda plantear como profesionales debe estar encaminado siempre a trasmitir apoyo y confianza, de modo que se sienta arropada en su ardua tarea de salir de la historia de violencia, siempre que se sienta decidida para hacerlo. A modo de guión, expongo a continuación una serie de consejos a tener en cuenta para adoptar posturas positivas y evitar posturas de censura frente a estas mujeres.

Qué hacer:

– Escuchar.
– Facilitar la expresión de pensamientos, sentimientos y emociones.
– Crear un clima de confianza: comprensión y confidencialidad.
– No juzgar: lo ocurrido "no es culpa suya".
– Transmitirle que sus reacciones son normales y que no está sola.
– No puede cambiar el comportamiento del agresor.
– Insistir en su seguridad, transmitirle calma y sensación de protección.
– Ofrecer información sobre los recursos a su disposición.

---

[17]   SIMON GIL, Marta, *Bases Teóricas y Metodológicas del Trabajo Social Forense para la Evaluación de Lesiones y Secuelas Sociales del Abuso Sexual a Menores*, Servicio Central de Publicaciones del Gobierno Vasco, Vitoria-Gasteiz, 2014.

- Establecer coordinación con otros profesionales o instituciones.

Qué no hacer:

- No decirle lo que "debe hacer".
- No ofrecer falsas seguridades.
- Respetar sus decisiones.
- No presentar una actitud sobreprotectora.
- No expresar culpabilización ("*¿Por qué has aguantado tanto?* ").
- No quitar importancia.
- No emitir reproches ni críticas.

BIBLIOGRAFÍA

BAÑÓN GONZÁLEZ, Rafael M., "Protección a las víctimas y menores. El papel de las Unidades de Valoración Forense Integral", Ponencia presentada en la mesa redonda *Protección a las víctimas y a los/las menores*, VI Congreso del Observatorio Contra la Violencia Doméstica y de Género, Madrid, 3 y 4 de noviembre de 2016.

COBO PLANA, Juan Antonio y cols., "*Guía y Manual de Valoración Integral Forense de la Violencia de Género y Doméstica*", Secretaría General Técnica del Ministerio de Justicia, Centro de Publicaciones, Suplemento al Boletín núm. 2000, Madrid.

JONHSON, Michael P., *Intimate terrorism, violent resistance and situational couple violence*, Northeastern University Press, 2008.

NAVARRO GÓNGORA, J; NAVARRO ABAD, E; VAQUERO DELGADO, E.; Carrascosa MIGUEL, A.M., *Manual de peritaje sobre malos tratos psicológicos*, Dirección Gral. de la Mujer de la Junta de Castilla y León, 2004.

LEY ORGÁNICA 1/2004, de 28 de diciembre de medidas de protección integral contra la violencia de género, *BOE núm. 313.*, de 29 de diciembre de 2004, p. 42168.LEY ORGÁNICA 7/2015, de 21 de julio, por la que se modifica la Ley Orgánica 6/1985, de 1 de julio, del Poder Judicial, *BOE núm. 174*, de 22 de julio de 2015, pp. 61593-6660.

ORDEN JUS/1516/2004, de 17 de mayo, por la que se dispone la creación del Instituto de Medicina Legal de Albacete, Cuenca y Guadalajara y el de Ciudad Real y Toledo, *BOE núm. 130*, de 29 de mayo de 2004, pp. 19906-19919.

ORGANIZACIÓN DE NACIONES UNIDAS. Declaración sobre la Eliminación de la Violencia contra la Mujer. Resolución A/RES/48/104, de 23 de febrero de 1994. Disponible en: http://www.bizkaia.eus/Gizartekintza/Genero_Indarkeria/pdf/dokumentuak/decl_vcmnu.pdf (consultado el 08/10/2013).

PONCE DE LEÓN ROMERO, Laura y MATEOS DE LA CALLE, Mª Jezabel, "Principales técnicas e instrumentos aplicados en trabajo social judicial", en María Jezabel Mateos de la Calle y Laura Ponce de León Romero (Coordinadoras), *El Trabajo social en el ámbito judicial*, de Colegio Oficial de Trabajadores Sociales de Madrid, 2016.

PUEYO, Atonio Andrés y ECHEBURÚA, Enrique, "*Valoración del riesgo de violencia: instrumentos disponibles e indicaciones de aplicación*", Psicothema, 2010, vol. 22, nº3. Disponible en: www.psicothema.com (consultado el 31/05/2017).

SÁNCHEZ-LORENTE, Segunda, *Estudio longitudinal del impacto de la violencia de pareja sobre la salud física y el sistema inmune de las mujeres* (Trabajo de investigación), Universitat de València, Valencia, 2009.

SANCHO VALENTÍN, Mª Visitación y MARI-PINO ARIAS, Diana, "Los Juzgados de Violencia sobre la Mujer en la Comunidad de Madrid", en María Jezabel Mateos de la Calle y Laura Ponce de León Romero (Coordinadoras), *El Trabajo social en el ámbito judicial*, de Colegio Oficial de Trabajadores Sociales de Madrid, 2016.

SIMON GIL, Marta, *Bases Teóricas y Metodológicas del Trabajo Social Forense para la Evaluación de Lesiones y Secuelas Sociales del Abuso Sexual a Menores*, Servicio Central de Publicaciones del Gobierno Vasco, Vitoria-Gasteiz, 2014.

WALKER, Lenore E. A., *The Battered Women*, Harper and Row Publishers, Inc. Nueva York, 1979.

WALKER, Lenore E. A., *El síndrome de la mujer maltratada*, Biblioteca de Psicología, Desclèe de Brouwer, 2012.

Capítulo 21

VÍCTIMAS: PROTECCIÓN, COORDINACIÓN E INTERVENCIÓN EN LA EJECUCIÓN A LA LUZ DE ESTATUTO DE LA VÍCTIMA DEL DELITO APROBADO POR LEY 4/2015 DE 27 DE ABRIL EN VIGOR DESDE EL PASADO 27 DE OCTUBRE DE 2015 (1 AÑO DESDE SU ENTRADA EN VIGOR)

JESÚS GIL TRUJILLO
Fiscal de Violencia de Género de Ciudad Real

SUMARIO: 1. ANÁLISIS DEL CONTENIDO DE LA LEY 4/2015, DE 27 DE ABRIL, DE ESTATUTO DE LA VÍCTIMA DEL DELITO. 2. CONCLUSIONES. 3. JURISPRUDENCIA APLICABLE. 4. DOCTRINA CONSTITUCIONAL; ALCANCE CONSTITUCIONAL DE LA GARANTÍA DE CONTRADICCIÓN. 5. DOCTRINA DEL TRIBUNAL SUPREMO. BIBLIOGRAFÍA.

1. ANÁLISIS DEL CONTENIDO DE LA LEY 4/2015, DE 27 DE ABRIL, DE ESTATUTO DE LA VÍCTIMA DEL DELITO

El Título III de la presente Ley 4/2015, junto con su Disposición final primera de modificación de la LECrim (modificación, reforma sustancial y creación ex novo de algunos preceptos procesales de gran calado) a efectos de la transposición de algunas de las disposiciones contenidas en la Directiva 2012/29/UE del Parlamento Europeo y del Consejo de 25 de Octubre de 2012, por la que se establecen normas mínimas sobre los derechos, el apoyo y la protección de las víctimas de delitos, abordan cuestiones relativas a la protección y reconocimiento de víctimas, así como medidas de protección específicas para cierto tipo de víctimas. La finalidad última de dichas medidas es dotar de protección a la víctima para evitar el riesgo de victimización secundaria o reiterada. Todas estas medidas de protección se adoptan atendiendo: 1.- Al carácter de la persona; 2.- Al Delito y sus circunstancias; 3.- A la entidad del daño y su gravedad y 4.- Finalmente a la especial vulnerabilidad de la víctima.

El artículo 19 proclama el Derecho de toda víctima directa e indirecta, según el concepto integral ofrecido en el artículo 2, a ser protegida para preservar su vida, integridad física o psíquica, libertad, seguridad, libertad e indemnidad sexual, intimidad y dignidad. En el caso de menores regirá siempre el interés superior del menor a la hora de protegerle adecuadamente.

El artículo 20 establece como principio general el derecho a que se evite contacto entre víctima e infractor. Las dependencias en las que se desarrollen actos procesales, debe entenderse durante la instrucción y posteriormente el enjuiciamiento, como después veremos, estarán dispuestas de modo que se evita cualquier tipo de contacto directo e indirecto entre la Víctima y sus familiares y el investigado o acusado. Debemos entender cualquier tipo de contacto visual en la misma sala donde se esté desarrollando la actuación procesal (antes de la entrada en vigor del Estatuto nos viene a la cabeza la imagen en el acto de Juicio Oral del tradicional Biombo cuando así lo solicitaba expresamente el Fiscal o la Acusación Particular). Ya veremos como el presente Estatuto es más ambicioso en cuanto a la necesidad de adoptar una serie de medidas que ofrecen mayor seguridad y garantía a la víctima. Y a este respecto la **Disposición Final Primera** modifica el **art. 707** LECrim que queda regulado en el **inciso segundo y tercero** de la siguiente manera *"La declaración de los testigos menores de edad o con discapacidad necesitados de especial protección, se llevará a cabo, cuando resulte necesario para impedir o reducir los perjuicios que para ellos puedan derivar del desarrollo del proceso o de la práctica de la diligencia, evitando la confrontación visual de los mismos con el inculpado. Con este fin podrá ser utilizado cualquier medio técnico que haga posible la práctica de esta prueba, incluyendo la posibilidad de que los testigos puedan ser oídos sin estar presentes en la Sala mediante la utilización de tecnologías de la comunicación".*

Además, esta protección se hace extensiva a todo tipo de víctimas fuera de las del apartado anterior, pero se necesitará de evaluación inicial o posterior que determine la necesidad de esta medida de protección (**artículo 707 inciso tercero LECrim**).

El artículo 21 proclama en sus apartados a) - d) cuatro principios generales, a modo de recomendación, que deben regir la Protección de la Víctima durante la Investigación Penal:

a) Se reciba declaración a la Víctima, cuando resulte necesaria, sin dilaciones injustificadas. Su declaración será en todo caso necesaria en sede Judicial (como mínimo para el ofrecimiento de acciones en los términos del artículo 110 LECrim a toda persona ofendida o perjudicada por una infracción penal, bien sea para ratificar la denuncia, ampliarla, acogerse a la dispensa del artículo 416 LECrim, etc.). Más importancia tiene que se practique sin dilación, esto es, lo más próximo en el tiempo a la fecha de la denuncia en sede policial. Y aquí entramos en la necesidad de llevar el procedimiento en el marco de un DUD evitando la incoación de Diligencias Previas o la posible transformación del DUD en DP. Se trata de ofrecer una respuesta inmediata, eficaz y lo más rápido posible a la denuncia penal de una presunta víctima de Violencia de Género (por reconducir el tema a nuestra materia). La experiencia dice que cuanto más tardemos en tramitar el asunto menos eficaz será la respuesta penal. Con el transcurso del tiempo se va difuminando el asunto (hasta puede darse el caso de producirse una nueva violencia mientras se tramita las Diligencias Previas).

b) Se reciba declaración a las Víctimas, el menor número de veces posible, y únicamente cuando resulte estrictamente necesario para los fines de la investigación penal. Más afortunado me parece este segundo principio que viene a completar el anterior y que viene a resultar más importante aún si cabe cuando se trate de víctimas menores de edad con suficiente madurez para declarar o víctimas con discapacidad necesitadas de especial protección. Hay que evitar en la medida de lo posible que la víctima reviva la situación de violencia física o psíquica que ha sufrido a manos del supuesto infractor.

c) Las Víctimas puedan estar acompañadas, además de por su Representación Procesal y en su caso el Representante Legal, por una persona de su elección, durante la práctica de aquellas diligencias en las que deba intervenir, salvo que motivadamente se resuelva lo contrario por el funcionario o autoridad encargado de la práctica de la diligencia para garantizar el correcto desarrollo de la misma. Por tanto, aparte de su letrado (el de asistencia a la víctima o acusación particular) y del Representante Legal para el caso de menores o discapacitado (padres o tutor) parece ser que se permite para ofrecer una mayor protección a la víctima la presencia de una persona de su confianza a los efectos de acompañamiento policial o judicial que le ofrezca seguridad y confianza, con la excepción que dicha persona o su presencia pueda entorpecer el correcto desarrollo de la actuación procesal. Lo esencial es que la víctima no se sienta sola sino respaldada. Lo normal es que sea acompañada por el psicólogo que lo haya tratado. En ocasiones la víctima es capaz de contar cosas a esa persona de confianza que no lo hace a otras personas.

d) Los reconocimientos Médicos de las víctimas solamente se lleven a cabo cuando resulten imprescindibles para los fines del proceso penal, y se reduzcan al mínimo el número de los mismos. Por ejemplo, pensemos en las víctimas de Delitos de naturaleza sexual (Exploraciones ginecológicas). La duda me surge sin bajo esta proclamación general sería posible que la denunciante que ha sido víctima de lesiones a manos de su pareja y que acudió a Urgencias expidiéndose el oportuno parte médico podría evitar acudir de nuevo al Forense para su exploración en los casos de lesiones leves (constitutivas a simple vista de Delito Leve) y que el Forense a la vista del parte facultativo pudiera emitir informe de sanidad. Obviamente esto no cabría cuando a la vista del parte facultativo hubiese dudas de si la víctima precisa de Tratamiento Médico o Quirúrgico que cualificara el Delito del Maltrato del artículo 153 CP en Delito de Lesiones del artículo 148.4° CP. Fuera de este caso la víctima sería objeto de reconocimiento al menos en dos ocasiones (Centro Médico e Instituto de Medicina Lega). Lo habitual es una adecuada coordinación, y el día que venga a declarar judicialmente, sea atendida por los especialistas de la Oficina de Atención a la Víctima, y caso de sufrir lesiones por el Forense de Guardia de Juicios Rápidos. Señalar que este caso ya estamos "protegiendo a la víctima" desde una triple posición: judicial en su declaración ante el Juez de Instrucción, psicológica en la asistencia que recibe de la Oficina y finalmente médica desde el IML para el caso de resultar lesionada. Anteriormente ya habría participado en sede policial o de Guardia Civil (con solicitud o no de Orden de Protección) y atención en Centro Médico de Primera Asistencia en el caso de agresión física.

El artículo 22 recoge el derecho a la protección de la intimidad. Se trata de medidas necesarias para proteger la intimidad de las víctimas y de sus familiares para impedir la difusión de cualquier información que pueda facilitar la identificación de las víctimas menores de edad o con discapacidad necesitada de especial protección. A todo ello debemos añadir la protección específica de la normativa existente (LOG Protección Jurídica del Menor o Ley de Protección de datos). La disposición final primera añade el **artículo 301 bis LECrim** que completa el presente precepto *"el Juez podrá acordar, de oficio o a instancia del Ministerio Fiscal o de la Víctima, la adopción de cualquiera de las medidas a que se refiere el art. 681.2 cuando resulte necesario para proteger la intimidad de la Víctima o el respeto debido a la misma o a su familia".* Y el referido **artículo 681.2 LECrim** dice *"Asimismo, el Juez o Tribunal podrá acordar la adopción de las siguientes medidas para la protección de la intimidad de la víctima y sus familiares: a) Prohibir la divulgación o publicación de información relativa a la identidad de la víctima, de datos que puedan facilitar su identificación de forma directa o indirecta, o de aquellas circunstancias personales que hubieran sido valoradas para resolver sobre sus necesidades de protección; b) Prohibir la obtención, divulgación o publicación de imágenes de la víctima o sus familiares".*

En el párrafo tercero dice *"Queda prohibida, en todo caso, la divulgación o publicación de información relativa a la identidad de víctimas menores de edad o víctimas con discapacidad necesitadas de especial protección, de datos que puedan facilitar su identificación de forma directa o indirecta, o de aquellas circunstancias personales que hubieran sido valoradas para resolver sobre sus necesidades de protección, así como la obtención, divulgación o publicación de imágenes suyas o de sus familiares".*

En el artículo 23 se recogen los criterios que deben seguirse en la evaluación individual de las víctimas a fin de determinar sus necesidades especiales de protección. Esta evaluación tendrá lugar tras una adecuada valoración de sus circunstancias particulares, y tendrá en consideración:

1º.- Las características personales de la víctima, por tratarse de persona con discapacidad, menor de edad, víctima necesitada de especial protección junto con el parámetro que mida el grado de dependencia entre la misma y el supuesto autor del Delito. En especial cuando se trate de víctimas menores se tendrá en cuenta: su situación personal, necesidades inmediatas, edad, género, discapacidad y nivel de madurez.

2º.- La naturaleza del delito, la gravedad de los perjuicios causados y el riesgo de reiteración delictiva, valorándose especialmente las necesidades de protección de las víctimas en el siguiente elenco de delitos: el número 3º recoge los delitos de viogen o violencia doméstica. En total se trata de una relación de 7 delitos que por su propia naturaleza requieren de especial protección.

3º.- Las circunstancias particulares del delito, en especial si se trata de delitos violentos.

El artículo 24 se refiere a la competencia y procedimiento de evaluación. se recoge dos momentos procesales diferenciados: por un lado, durante la fase de investigación o instrucción del delito que corresponde al juez de instrucción o de violencia de género (allí donde exista éste de forma exclusiva). Y por otro lado durante la fase de enjuiciamiento, el Juez o Tribunal a los que correspondiere el conocimiento de la causa.

Aquí debemos añadir dos supuestos en la que la competencia sería del ministerio fiscal: por un lado, en el marco de la **LORPM 5/00** que como sabemos atribuye la Instrucción o Investigación del procedimiento al Ministerio Fiscal. Y por otro lado en la tramitación de las diligencias del **artículo 773 LECrim** párrafo segundo modificado en virtud de la Disposición Final Primera de la presente ley cuando dice *"El Ministerio Fiscal informará a la víctima de los derechos recogidos en la legislación vigente, efectuará la evaluación y resolución provisionales de las necesidades de la víctima de conformidad con lo dispuesto en la Legislación Vigente (…)"*.

La Resolución judicial que se adopte en alguno de estos dos momentos (necesariamente revestirá forma de Auto) debe ser motivada y reflejará cuál han sido las circunstancias valoradas para proceder a su adopción.

A continuación, remite a vía reglamentaria (que desarrollase la presente Ley) la tramitación, constancia documental, gestión y modificación del procedimiento de Evaluación.

Importante precisión del *artículo 24.2-inciso segundo* cuando dispone *"La víctima podrá renunciar a las medidas de protección que hubieran sido acordadas de conformidad con los artículos. 25 y 26"*. Este precepto habla de Víctima en general, sin distinguir el régimen aplicable en el supuesto de minoría de edad o persona discapacitada necesitada de especial protección que requeriría el consentimiento de sus Representantes Legales o Tutores, y en todo caso, audiencia del ministerio fiscal, que actuaría siempre salvaguardando el supremo interés del menor o persona discapacitada (qué ocurriría si mediara renuncia del menor o persona discapacitada con consentimiento de su Representante legal con informe contrario del Ministerio Fiscal por considerar imperiosa la medida de protección pese a la renuncia expresa de su titular salvaguardando siempre ese Supremo Interés del Menor (...). Así pues, y a tenor de este precepto, y con la salvedad de menores o personas discapacitadas, las medidas de protección que recoge el presente Estatuto tienen carácter dispositivo al ser posible su renuncia por la víctima. Este supuesto debemos ponerlo en relación con la facultad que tiene la misma para acogerse a la Dispensa del artículo 416 LECrim (ya sabemos todos lo que esto supone). Pero no debemos hacerlo extensivo al resto de medidas de protección penal que pudieran adoptarse al amparo del artículo 544 bis o ter de la LECrim cuando pudiera concurrir una situación de riesgo objetivo para la víctima que pudiera acreditarse con otros elementos o indicios probatorios distintos a su testimonio, declaración o voluntad de renuncia al mismo.

Los artículos 25 y 26 enumeran las Medidas de protección, según el momento procesal de ser adoptadas y atendiendo a las circunstancias personales del sujeto pasivo, con mayor protección si cabe cuando se trate de un menor de edad o persona con discapacidad necesitada de especial protección.

En primer lugar, todas las declaraciones que deba emitir la víctima durante la fase de Investigación, instrucción o sumarial vendrá protegidas de siguiente forma:

a) Respecto del lugar donde se preste, especialmente concebido o adaptado al tal fin.

b) Respecto de la cualidad de la persona que reciba esta declaración, debe tener una formación especial para reducir o limitar posibles perjuicios a la víctima.

c) Que todas las declaraciones que la misma víctima deba prestar sean tomadas por esa misma persona instructora dotada de esa formación especial del apartado anterior. Este mismo precepto recoge una doble excepción: que pueda perjudicar de forma relevante el desarrollo del proceso, o bien, deba tomarse la declaración directamente por un Juez o un Fiscal.

d) Finalmente, cuando se trate de víctimas de violencia de género, violencia doméstica o libertad e indemnidad sexual, la toma de declaración se lleve a cabo por persona del mismo sexo que la propia víctima, con la misma salvedad del apartado anterior (desarrollo del proceso o toma declaración directa por Juez o Fiscal).

Y en segundo lugar Medidas de Protección adoptadas durante la fase de enjuiciamiento, conforme a la LECrim:

a) Medidas que eviten el contacto visual entre la víctima y el acusado. Esta medida también puede adoptarse en la fase de investigación.

b) Medidas para garantizar que la víctima pueda ser oída sin estar presente en la sala de vistas, mediante la utilización de tecnologías adecuadas (videoconferencia).

Estas dos medidas puestas en relación con el **artículo 707-2° y 3° inciso LECrim.**

c) Medidas para evitar que se formulen preguntas relativas a la vida privada de la víctima que no guarden relación con el hecho enjuiciado. Esta medida también puede acordarse en la Fase de Investigación.

Esta medida puesta en relación con el anterior **artículo 301bis y 681.2° y 3° LECrim.**

d) Finalmente, la celebración de la vista oral sin presencia de público.

Esta medida puesta en relación con el **artículo 681.1 LECrim** *"El Juez o Tribunal podrá acordar, de oficio o a instancia de cualquiera de las partes, previa audiencia de las mismas, que todos o alguno de los actos o las sesiones del juicio se celebren a puerta cerrada, cuando así lo exijan razones de seguridad u orden público, o la adecuada protección de los derechos fundamentales de los intervinientes, en particular, el derecho a la intimidad de la víctima, el respeto debido a su persona, a su familia o resulte necesario para evitar a la víctimas perjuicios relevantes que, de otro modo, podrían derivar del desarrollo ordinario del proceso".*

Finalmente, el artículo 26 recoge Medidas de Protección específicas en el caso de menores y personas con discapacidad necesitadas de especial protección. En este caso además de las medidas del artículo anterior podrán adoptarse las del presente artículo tanto en la fase de investigación como en la de enjuiciamiento para evitar o limitar una nueva fuente de peligro para esta clase de víctimas, y en particular:

a) Las declaraciones en fase de Investigación serán grabadas por medios audiovisuales y podrán ser reproducidas en el acto del Juicio Oral en los casos y condiciones determinadas por la LECrim.

b) Y además estas declaraciones podrá recibirse por medio de expertos (persona especializado de la Oficina de Atención a las Víctimas).

Este precepto debemos ponerlo en relación directa con los **artículos 730 y 448 LECrim.**

En el primero de ellos se recoge *"Podrá también leerse o reproducirse a instancia de cualquiera de las partes las diligencias practicadas en el sumario, que, por causas independientes de la voluntad de aquéllas, no puedan ser reproducidas en el Juicio Oral, (y ahora se añade ex novo) y las declaraciones recibidas de conformidad con lo dispuesto en el art. 448 durante la fase de investigación a las víctimas menores de edad y a las víctimas con discapacidad necesitadas de especial protección".*

Y el segundo de ello de nueva regulación, artículo 448 LECrim, recoge el supuesto de la prueba anticipada o preconstituida *"Si el testigo manifestare, al hacerse la prevención del **artículo 446** (que se trata de la Obligación de comparecer para declarar de nuevo ante el Tribunal competente cuando sea citado para ello), la imposibilidad de concurrir por ausentarse del territorio nacional, y también en el caso en que hubiere motivo racionalmente bastante para temer su muerte o incapacidad física o intelectual antes de la apertura del Juicio Oral, el Juez instructor mandará practicar inmediatamente la declaración, asegurando en el todo caso la posibilidad de contradicción de las partes. Para ello, el Letrado de la Administración de Justicia hará saber al reo que nombre abogado en el término de 24h, si aún no lo tuviere, o de lo contrario, que se le nombrará de oficio, para que le aconseje en el acto de recibir la declaración del testigo. Transcurrido dicho término, el Juez recibirá juramento y volverá a examinar a éste, a presencia del procesado, de su abogado defensor, asimismo del Fiscal y del querellante, si quisieran asistir al acto, permitiendo a éstos hacerle cuantas preguntas tengan por conveniente, excepto las que el Juez desestime por impertinentes".* Y el último inciso añade *"la declaración de testigos menores de edad y de las personas con capacidad judicialmente modificada podrá llevarse a cabo evitando la confrontación visual de los mismos con el inculpado, utilizando para ello cualquier medio técnico que haga posible la práctica de esta prueba".*

De este modo la testifical de estos sujetos así practicada podrá leerse o reproducirse vía artículo 730 LECrim para introducirlas en el plenario y constituir prueba de cargo para enervar la Presunción de Inocencia del Acusado. Debemos añadir que el desarrollo de la testifical se haga bajo las medidas de protección del articulo 25 anteriormente expuesto en sus apartados a-d y tiene como finalidad el otorgar debido cumplimiento a los principios generales proclamados en el art. 21 letras a, b y c, ya que estos testigos se abstendrán de comparecer nuevamente al Acto de Juicio Oral dándose por reproducido su testimonio en los términos expresado por el artículo 730 LECrim. Cuestiones a debatir a tenor de estos preceptos:

1.- ¿Deben encontrarse estos sujetos (menores de edad o personas discapacitadas necesitadas de especial protección) en las condiciones generales del resto de testigos para pre-constituir o anticipar la prueba, esto es, ausencia del territorio nacional o motivo racionalmente bastante para temer su muerte o incapacidad física o intelectual antes del Juicio Oral? Ya sabemos que en los términos del artículo 730 LECrim es válida y surte efecto de prueba plena y suficiente para enervar la Presunción de Inocencia. La respuesta la da el **artículo 433-4º LECrim** (requisito de falta de madurez) que prevalecerá sobre el artículo 448 LECrim.

2.- ¿En caso contrario podría generalizarse la práctica de esta prueba en la testifical de menores con suficiente madurez o personas necesitadas de especial protección en cumplimiento del artículo 21 letras a, b y c del Estatuto? ¿Hacerse extensiva como regla general?

3.- ¿Sería también aplicable este régimen en Violencia de Género a las Víctimas mayores de edad, en las condiciones del artículo 448 LECrim o fuera de las mismas conforme al artículo 26 del Estatuto en relación con el artículo 25 y 21 anteriormente expuesto? Regla general Presencia en Acto Juicio Oral salvo el artículo 733 en relación con el artículo 448 LECrim.

4.- Este régimen no chocaría con la dispensa del artículo 416 LECrim ya que no se podría hacer uso del mismo en el Acto del Juicio Oral?

5.- Esto tendría efectos distintos para el caso del DUD que para las Diligencias Previas o Sumario por la duración del procedimiento.

Un paso más **el artículo 433-4º inciso** *"en el caso de los testigos menores de edad o personas con la capacidad judicialmente modificada, el Juez de Instrucción, podrá acordar, cuando a la vista de la falta de madurez de la víctima resulte necesario para evitar causarles graves perjuicios, que se les tome declaración mediante la intervención de expertos y con intervención del Ministerio Fiscal. Con esta finalidad, podrá acordarse también que las preguntas se trasladen a la víctima directamente por los expertos o, incluso, excluir o limitar la presencia de las partes en el lugar de la exploración de la víctima. En esto casos, el Juez dispondrá lo necesario para facilitar a las partes la posibilidad de trasladar preguntas o de pedir aclaraciones a la víctima, siempre que ello resulte posible".* Y añade un último inciso en el artículo 433-5º inciso *"el Juez ordenará la grabación de la declaración por medios audiovisuales".* De este precepto podemos extraer las siguientes reflexiones:

1.- Preceptiva grabación (para luego poder reproducir) de las exploraciones por medios audiovisuales. El juez ordenará (...) Con esta medida parece anticipar la no participación en el acto Juicio Oral con las finalidades antes previstas para someter a este tipo de personas al menor número de declaraciones posibles, aunque el punto de partida para estos sujetos con falta de madurez es que el Juez de Instrucción podrá acordar.

2.- Viene a suponer una importante excepción al régimen general de la prueba anticipada del artículo 448 CP para el caso de que se aprecie en la víctima falta de madurez que pueda ocasionarle graves perjuicios. En este caso siguientes cuestiones:

A) ¿Quién debe apreciar esa falta de madurez? ¿Debe ser susceptible de valoración por parte de la Oficina de Atención a la Víctima? ¿Se necesita Resolución Judicial que lo declare? ¿Debemos solicitarla nosotros?

B) Declaración siempre a través de expertos (miembros de la Oficina de Atención a la Víctima) y preceptiva intervención del Ministerio Fiscal. El artículo 448 dejaba a la voluntad del Ministerio Fiscal y Querellante, la posibilidad de asistir, se decía "si quisieran asistir al acto" aunque nuestra presencia será siempre preceptiva si queremos luego solicitar la aplicación del artículo 730 LECrim.

C) Práctica del interrogatorio entendemos a modo de interrogatorio guiado o entrevista semiestructurada "que las preguntas se trasladen a la víctima directamente por los expertos que le asistan". Será este experto quien guíe en todo momento la declaración, y a través del cual se puedan efectuar preguntas o aclaraciones. Nunca quebrantar la contradicción que pueda suponer merma de la Tutela Judicial Efectiva del artículo 24 CE.

D) Muy importante la posibilidad de excluir o limitar la presencia de las partes en el lugar de la exploración (piénsese, por ejemplo, en una sala el investigado su letrado y el de la parte con el Ministerio Fiscal y el Juez de Instrucción, y en otra la víctima con el experto a través de videoconferencia). Se está pensando principalmente en la separación física de la persona del investigado (cuya presencia requería el artículo 448), que de alguna forma con su presencia física (evitar contacto visual) pudiera coartar la Libertad de expresión de menor o discapacitado necesitado de especial protección en quien concurra una falta de madurez. "En estos casos, el Juez dispondrá lo necesario para facilitar a las partes la posibilidad de trasladar preguntas o de pedir aclaraciones a la víctima, siempre que ello resulte posible"). Necesidad de contradicción. Lo importante es que tras la exploración y en base a esa declaración, se puedan formular a través del experto preguntas o aclaraciones.

3.- De este modo podemos concluir que la grabación de esta prueba testifical en las condiciones anteriormente referidas puede luego reproducirse vía artículo 730 LECrim en el acto de juicio oral sin necesidad de que vuelvan a comparecer al referido acto. Las partes personadas han tenido la posibilidad a través de los expertos de formular las preguntas que tuviesen a bien para no cercenar sus posibilidades de defensa y/o acusación.

4.- Esta es la forma de trabajar en algunos asuntos en los que he tenido la oportunidad de intervenir directamente en el Juzgado de Violencia de Género de Ciudad Real, como referí en mi Memoria, para la toma de declaración de menores principalmente en la forma prevista anteriormente. Asistimos todas las partes, los letrados personados (Acusación y Defensa) y el técnico experto (miembro de la Oficina de Atención a la Víctima). Esto ha generado posteriormente en el ámbito del Juzgado de lo Penal (hay 3 en Ciudad Real) alguna reticencia sobre la necesaria comparecencia del menor en el Juicio Oral. No obstante, este criterio puede chocar con la postura mantenida por el Tribunal Supremo de inmediación, concentración, contradicción y necesidad de comparecer al acto del juicio oral.

2. CONCLUSIONES

1°.- Respecto de Testigos-Víctimas mayores de edad (violencia de género o domésticas) para poder leerse o reproducirse su testimonio vía artículo 730 LE-Crim permitiendo su ausencia al plenario y ser dicho testimonio prueba de cargo suficiente para enervar la Presunción de Inocencia del acusado (como prueba única o junto a otros elementos de prueba que puedan concurrir). Requisitos:

a) Motivo o causa independiente a su voluntad. (el no voy porque no quiero). Tenor literal del artículo 730 LECrim para esa lectura o reproducción.

b) Declaración prestada en los términos del artículo 448 LECrim. (ausencia del territorio español y motivo bastante para temer su muerte o incapacidad física o intelectual. Parece ser que estos son los motivos o causas independientes a su voluntad que deben concurrir según el artículo 730 LECrim). Y por otro lado presencia preceptiva del investigado y su letrado y, asimismo, potestativa del Ministerio Fiscal y letrado de la Acusación Particular o Asistencia de la Víctimas (habla de querellante) y dice textualmente, si quisieran asistir al acto. En la práctica tendrán que asistir. Habrá que reproducir en ese momento procesal las condiciones del plenario.

DEBATE:

1°.- Cabrían otros motivos o causas independientes distintas de las del artículo 448 LECrim (por ejemplo, que concurran motivos distintos de la ausencia del territorio o el temor por su vida o incapacidad física o intelectual, a efectos de evitar un hipotético daño o perjuicio irreparable para la víctima).

2.- Preceptiva o Potestativa intervención del Ministerio Fiscal.

3.- Y por encima de todo ello, pensemos que se ha practicado con todas las garantías en los términos legalmente establecidos, sería prueba de cargo suficiente (única o junto a otras) para el Juez o Tribunal dictase Sentencia Condenatoria.

2°.- Respecto Testigos-Víctimas Menores de edad o Personas Discapacitadas necesitadas de especial protección.

a) Regla general del artículo 730 en relación con el artículo 448 inciso primero LECrim, igual que la expuesta en el apartado anterior, pero añadiendo el párrafo 3° en cuanto al modo de practicar la declaración "evitando confrontación visual con el inculpado".

b) Regla especial del artículo 433 inciso 3° LECrim cuando concurra en los mismos "falta de madurez que resulte necesario para evitar grave perjuicio". Régimen aplicable:

1.- Preceptiva intervención de expertos y ministerio fiscal (antes potestativa).

2.- Exclusión o Limitación de la presencia de las partes en el lugar de la exploración de la víctima. En el sentido de entender "Separación física" (salas distintas). Sigue requiriendo la presencia del inculpado y su letrado, pero se va más allá en la protección específica de ese tipo especial de víctimas para evitar esa posible confrontación visual.

3.- Preceptiva Grabación de la declaración por medios audiovisuales. Será luego la que se reproducirá vía artículo 730 LECrim.

3°.- Finalmente y una vez dado por sentado lo anterior, como articular documentalmente para que órgano encargado de enjuiciar no tenga dudas de merma o menoscabo del Derecho a la Tutela Judicial Efectiva de las partes. Por OTROSIDICE en el Escrito de Acusación, en escrito aparte. Habrá que comprobar, en todo caso, que el soporte de grabación sea adecuado y se escuche adecuadamente. Incorporó el modelo que utilizo en mis escritos de acusación.

OTROSIDICE; Conforme a la LEY 4/2015 del Estatuto de la Víctima y su Disposición Final Primera de reforma de la LECRIM, y en relación a los artículos 730 y 448 de la Lecrim modificados por dicha Ley en virtud de la referida Disposición Final, el Ministerio Fiscal interesa la REPRODUCCIÓN de las grabaciones que constan en el folio 221 de las actuaciones como soporte de VÍDEOS (2) de las exploraciones de las dos hijas menores Nerea y Sofía Díaz Arribas, de 13 y 7 años de edad, respectivamente, y que fueron practicadas con todas las garantías el pasado día 13 de Febrero de 2016. Y en ello en cumplimiento de lo dispuesto en el art. 21b), 25.1a) y b), 25.2a) y b) así como el art. 26.1 y 2, todos ellos del Estatuto de la Víctima referentes a las Medidas de Protección de las misma cuando se traten de Menores de Edad que permiten la reproducción de las declaraciones así prestadas y grabadas a través del correspondiente dispositivo técnico vía art. 730 LECrim.

3. JURISPRUDENCIA APLICABLE

Medidas de Protección Específicas de Víctimas Menores de Edad (y por extensión personas discapacitadas necesitadas de especial protección) versus Principio de Contradicción como integrante del Derecho Fundamental a la Tutela Judicial Efectiva del art. 24CE (Derecho de Defensa y a un Proceso Público con todas la Garantías).

4. DOCTRINA CONSTITUCIONAL; ALCANCE CONSTITUCIONAL DE LA GARANTÍA DE CONTRADICCIÓN

A) STC 174/2011 (RTC 2011,74); Estimación de amparo por vulneración de Contradicción.

B) STC 57/2013 (RTC 2013, 57); Desestimación de amparo por no quebranto de Contradicción.

5. DOCTRINA DEL TRIBUNAL SUPREMO

A) STS 598/15 de 14 de Octubre (Sección 1ª) (RJ 2015/5028). No aprecia vulneración del derecho de Defensa y a la Contradicción. Desestima motivo de casación. Testifical de menores como Prueba Preconstituida con intervención de las partes a través de los expertos. Validez como prueba de cargo suficiente para enervar la Presunción de Inocencia.

B) STS 366/2016 de 28 de Abril (Sección 1ª) (RJ 2016/2031). Estima motivo de casación por ausencia de Contradicción ya que el acusado a través de su defensa, no ha podido, en ningún momento, ni directa ni indirectamente, dirigir pregunta alguna (interrogar o hacer interrogar). Colisión de Derechos Legítimos en el que debe prevalecer el derecho a un proceso Con todas las garantías que asiste de manera incondicional al acusado frente al de protección a la víctima. Se concluye diciendo que no hay prueba preconstituida porque la que se ha practicado no se ha celebrado con todas las garantías.

C) STS 750/16 de 11 de Octubre (Sección 1ª). Estima motivo de casación por entenderse vulnerado el Derecho a no sufrir Indefensión del art. 24.1CE, así como de Derecho de Defensa Letrada del art 24.2CE. Al impedir la intervención de la Defensa Letrada en la deposición del testimonio, la contradicción quedó anulada, el derecho de Defensa lesionado y también muy mermada la posibilidad del Juzgador para conocer cómo se desarrollaron los hechos. De modo que al haberse prescindido de la posibilidad de formular preguntas al menor que alejen dudas sobre la dinámica de la agresión que padeció, se impide llevar a cabo adecuadamente una calificación jurídica desde la perspectiva penal por indeterminación del presupuesto de hecho de la misma.

BIBLIOGRAFÍA

Normas jurídicas citadas

Ley 4/2015, de 27 de abril, del Estatuto de la Víctima del Delito.
Real Decreto de 14 de septiembre de 1882 por el que se aprueba la Ley de Enjuiciamiento Criminal.

Jurisprudencia citada

Sentencia del Tribunal Constitucional español núm.174/2011, de 7 de noviembre.
Sentencia del Tribunal Constitucional español núm. 57/2013, de 11 de marzo.
Sentencia del Tribunal Supremo español núm.598/15, de 14 de octubre.
Sentencia del Tribunal Supremo español núm. 366/2016, de 28 de abril.
Sentencia del Tribunal Supremo español núm.750/16, de 11 de octubre.

Capítulo 22
LIBERTAD DE AUTODETERMINACIÓN DE LA VÍCTIMA DE VIOLENCIA DE GÉNERO

ALMUDENA REY MARTÍN
Magistrada titular del Juzgado de Primera Instancia e Instrucción nº 5 de Toledo

1. REFLEXIÓN SOBRE EL PODER DE DECISIÓN DE LA VÍCTIMA SOBRE SU PROPIA CONDICIÓN

1.1. ¿Es la víctima un mero sujeto pasivo de su protección?

La protección de una víctima de violencia de género es una prioridad absoluta de todos los operadores jurídicos y policiales. El derecho penal, a diferencia de otros órdenes que intervienen en la lucha contra la violencia de género, social, educativo (...) es un derecho de víctimas. Interviene cuando ya se ha producido un acto de violencia de género, de ahí la importancia de proteger adecuada y eficazmente a la víctima.

No obstante lo anterior, y sin cuestionar en ningún momento que la protección de la víctima de violencia de género es y ha de ser una prioridad, no debe dar reparo en admitir interrogantes. ¿Es la víctima un mero sujeto pasivo, o tiene capacidad de autodeterminación?, ¿puede decidir si ha de continuar siendo protegida, o una vez se acuerda una medida de protección deja de tener poder de decisión sobre esta?, ¿la mujer que solicita una orden de protección, está renunciando a su derecho al libre desarrollo de su personalidad?

Desde un plano puramente teórico no hay problema en dar respuesta a tales interrogantes, basta con afirmar que la pérdida de autoestima que se produce en la mujer como consecuencia de la violencia ejercida sobre ella justifica la exclusión de la eficacia de su voluntad, que se presume por ello viciada, ya que puede provocar en el órgano judicial el error de convertir lo que no es sino la expresión patológica de un síndrome de anulación personal, en una fuente legitimante. De hecho, la exposición de motivos de la Ley Orgánica 1/2004, de 28 de diciembre, de Medidas de Protección Integral contra la Violencia de Género define esa como aquella *"violencia que se dirige sobre las mujeres por el hecho mismo de serlo, por ser consideradas, por sus agresores, carentes de los derechos mínimos de libertad, respeto y capacidad de decisión"*. Pero, con el máximo respeto a las víctimas de violencia de género, ello no siempre es así. En la paleta de delitos que se encuadran en la llamada violencia de género no puede a firmarse en todo caso que esta carece de una voluntad libre, que lleve a desprender a esta de su dignidad y su capacidad de decisión.

1.2. *Del plano teórico a la realidad de los Juzgados de violencia de género*

La realidad en los Juzgados de violencia de género nos muestra que no en pocas ocasiones la víctima durante el procedimiento solicita que se deje sin efecto la orden de protección acordada, y no acepta que no se acceda a dicha solicitud, generando en ella un sentimiento de frustración, cuando no de enfado abiertamente manifestado. El problema no suele darse en las diligencias urgentes, en las que transcurre poco tiempo desde que se adopta la orden de protección y se celebra el juicio oral ante el Juzgado de lo penal, sino cuando se trata de Diligencias Previas de Procedimiento Abreviado, incoadas directamente o por transformación de las diligencias urgentes. En estos casos, la instrucción puede durar años, y en estos la situación puede haber variado sustancialmente.

La casuística en los juzgados de violencia de género es variopinta, no pocas veces la mujer acude al juzgado incluso acompañada del denunciado, investigado, o ya imputado, solicitando "la retirada de la orden". En ocasiones no da razón alguna, pero en otras manifiesta abiertamente que ha vuelto a retomar su relación y convive con aquel a quien se ha prohibido acercarse y comunicarse con ella.

La cuestión no es solo teórica, sino que tiene consecuencias jurídico-penales. La mayor parte de las solicitudes de dejar sin efecto la orden de protección acordada llevan detrás situaciones consolidadas de convivencia entre víctima y presunto agresor. Y esta conducta está tipificada como delito de quebrantamiento de medida cautelar del artículo 468.1 y 2 del Código Penal. En tales casos, no obstante lo expresado por la víctima, si bien por un lado no se accede a dejar sin efecto la orden, se mira hacia otro lado, y no se persigue penalmente de oficio. Si por las Fuerzas y Cuerpos de seguridad, existiendo por ello múltiples procesos por quebrantamiento en los que hay una convivencia consentida, dirigidos contra el hombre, que plantean en los Juzgados de violencia de género situaciones difíciles, ya que en tales casos la víctima expresa su oposición frontal a la continuación del mismo. Aparte de las consecuencias jurídico penales que acompañan a dicho delito, y con carácter previo a la celebración del juicio, surge la cuestión de cómo proceder. Víctima y acusado cuando termina la tramitación del juicio rápido vuelven juntos de nuevo a su domicilio, sin que pueda utilizarse medidas coercitivas de carácter físico sobre la víctima.

1.3. Desproporción, e inidoneidad del mantenimiento a ultranza de la orden de protección contra la voluntad de la victima

Si pensamos en delitos graves la cuestión no se aprecia claramente (el término grave ha de ser entendido en sentido jurídico, esto es por la pena legalmente prevista, al amparo del artículo 33 del Código Penal). En delitos como lesiones graves del artículo 147. 3, artículo 148 y 150 del Código penal, homicidio en grado de tentativa, agresiones sexuales, etc no se va a conceder efecto excluyente alguno a la voluntad de la víctima dirigida a que cese la protección establecida a su favor. La duda surge en los delitos en los que la pena que finalmente se va a imponer en la sentencia condenatoria, o puede imponerse por preverse como alternativa, es multa, o bien trabajos en beneficio de la comunidad. Eso ocurre por ejemplo en algunos delitos como coacciones del artículo 171 del Código Penal, acoso del artículo 172 ter, o amenazas del artículo 171.4 delo mismo cuerpo legal.

En estos delitos cuyo reproche penal se salda con una multa o trabajos en beneficio de la comunidad, durante la tramitación del procedimiento la víctima del delito a favor de la cual se ha concedido una orden de protección, sufre precisamente ser beneficiaria de esta contra su voluntad.

Incluso el Estado como titular del poder punitivo prevé como pena accesoria de los delitos de violencia de género la prohibición de acercamiento y comunicación, si bien con un límite temporal. El máximo es 24 meses, plazo que a menudo se ve superado por la duración de la medida cautelar en la instrucción de las causas penales.

Además de desproporción en el mantenimiento de la orden de protección contra la voluntad de la víctima en relación al delito cometido, o más exactamente con la pena con la que dicho delito se castiga, mantener esta a ultranza y por sistema no es una medida idónea y eficaz a los fines pretendidos. Si lo que se persigue es la protección de la víctima, a quien se considera subyugada y anulada, presumiendo su voluntad viciada, no dejar sin efecto la orden de protección no significa que por ello deje de convivir con el imputado, sin que puede utilizarse medidas de coerción física que lo impidan. Solo la medida cautelar de prisión preventiva del imputado sería útil y eficaz a tales efectos.

Es por ello, que en algunos casos la víctima, se convierte en víctima de su condición de víctima.

2. VACÍO LEGISLATIVO EN RELACIÓN A LA EFICACIA DE LA VOLUNTAD DE LA MUJER PROTEGIDA

En los últimos años se han producido avances legislativos en materia de lucha contra la violencia de género, tales como la Ley Orgánica 11/2003, de 29 de septiembre, de Medidas Concretas en Materia de Seguridad Ciudadana, Violencia Doméstica e Integración Social de los Extranjeros; la Ley Orgánica 15/2003, de 25 de noviembre, por la que se modifica la Ley Orgánica 10/1995, de 23 de noviembre, del Código Penal, la Ley 27/2003, de 31 de julio, reguladora de la Orden de Protección de las Víctimas de la Violencia Doméstica; además de las leyes aprobadas por diversas Comunidades Autónomas, dentro de su ámbito competencial. Todas ellas han incidido en distintos ámbitos civiles, penales, sociales o educativos a través de sus respectivas normativas, pero ninguna prevé que la victima solicite que se dejen sin efectos las medidas de orden penal, y guarda silencio sobre la eficacia que ha de darse a la voluntad de esta.

2.1. La *Ley Orgánica 1/2004, de 28 de diciembre, de Medidas de Protección Integral contra la Violencia de Género*

La Ley Orgánica 1/2004, de 28 de diciembre, de Medidas de Protección Integral contra la Violencia de Género, enfoca esta de un modo integral y multidisciplinar. Tiene la vocación de ser el catálogo general de los derechos, procesales y extraprocesales, de todas las víctimas de delitos.

Tal y como se indica en esta se apoya a las víctimas a través del reconocimiento de derechos como el de la información, la asistencia jurídica gratuita y otros de protección social y apoyo económico. Proporciona por tanto una respuesta legal integral que abarca tanto las normas procesales, como normas sustantivas penales y civiles.

Entre ellas se encuentran las Medidas judiciales de protección y de seguridad de las víctimas, fundamentalmente previstas en el artículo 64, que se yuxtaponen a las previstas en la Ley de Enjuiciamiento Criminal, artículo 544bis y 5444 ter:

El Juez podrá ordenar la salida obligatoria del inculpado por violencia de género del domicilio en el que hubiera estado conviviendo, prohibir al inculpado que se aproxime a la persona protegida, prohibir al inculpado toda clase de comunicación con la persona o personas que se indique, bajo apercibimiento de incurrir en responsabilidad penal.

Ni la Ley de Enjuiciamiento Criminal a la que esta ley se remite en bloque para la solicitud y trámites de adopción, ni esta misma, contemplan en ningún caso la facultad de la víctima de decidir dejar sin efecto las medidas de orden penal acordadas para su protección.

2.2. La Ley 4/2015, de 27 de abril, del Estatuto de la víctima del delito

La Ley 4/2015, de 27 de abril, del Estatuto de la víctima del delito tiene la vocación de ser el catálogo general de los derechos, procesales y extraprocesales, de todas las víctimas de delitos, y por tanto también de las que lo son por violencia de género.

El Título preliminar recoge un catálogo general de derechos comunes a todas las víctimas, que se va desarrollando posteriormente a lo largo del articulado y que se refiere tanto a los servicios de apoyo como a los de justicia reparadora que se establezcan legalmente, y a las actuaciones a lo largo del proceso penal en todas sus fases —incluidas las primeras diligencias y la ejecución—, con independencia del resultado del proceso penal. En ese catálogo general se recogen, entre otros, el derecho a la información, participar activamente en el proceso penal, a un trato respetuoso, profesional, individualizado y no discriminatorio...

El artículo 24 de dicha ley admite que la víctima puede renunciar a las medidas de protección, que hubieran sido acordadas, pero solo las contempladas en los artículos 25 y 26, que se refieren a la forma en que ha de recibírseles declaración, en dependencias especialmente concebidas a tal fin, por profesionales que hayan recibido una formación especial para reducir o limitar perjuicios a la víctima, o con su ayuda, sin estar presente en la sala de vistas mediante la utilización de tecnologías de la comunicación adecuadas, celebración de la vista sin presencia de público,...

No se le reconoce la posibilidad de renunciar a la orden de protección una vez acordada.

3. EVOLUCIÓN DE LA JURISPRUDENCIA

La jurisprudencia ha evolucionado a partir de la conocida sentencia del Tribunal Supremo, Sala Segunda, sentencia 1156/2005 de 26 de septiembre. En dicha sentencia se reflexiona y da respuesta a la pregunta ¿Qué ocurre si la víctima reanuda voluntariamente la convivencia con su marido o ex-conviviente que tiene dictada una medida de prohibición de aproximación a instancias de aquélla?

"Si se opta por el mantenimiento a todo trance de la efectividad de la medida, habrá que concluir que si la mujer consiente en la convivencia, posterior a la medida cabría considerarla coautora por cooperación necesaria en al menos por inducción, ya que su voluntad tendría efectos relevantes cara al delito de quebrantamiento de medida del art. 468 CP, lo que produciría unos efectos tan perversos que no es preciso razonar, (...) Por otra parte, es claro que la vigencia o anulación de la medida no puede quedar al arbitrio de aquella persona en cuya protección se otorga, porque ello la convierte en árbitro de una decisión que no sólo le afecta a ella, sino también a la persona de quien se debe proteger, por lo que un planteamiento que dejara la virtualidad de la medida a la voluntad de la persona protegida, tampoco es admisible por la absoluta falta de seguridad jurídica para la otra persona, que prácticamente podría aparecer como autor del quebrantamiento según la exclusiva voluntad de la protegida, además de que ello supondría dejar la efectividad del pronunciamiento judicial a la decisión de un particular, lo que no le consiente la naturaleza pública de la medida.

En esta materia parece decisión más prudente, compatibilizando la naturaleza pública de la medida dando seguridad jurídica a la persona, en cuya protección se expide, y al mismo tiempo, el respeto al marco inviolable de su decisión libremente autodeterminada, estimar que, en todo caso, la reanudación de la convivencia acredita la desaparición de las circunstancias que justificaron la medida de alejamiento, por lo que ésta debe desaparecer y queda extinguida, sin perjuicio que ante una nueva secuencia de violencia se pueda solicitar y obtener".

Este asunto fue tratado en una reunión de pleno no jurisdiccional, de la Sala Segunda del Tribunal Supremo celebrada el 25 de noviembre de 2008, en la cual, por una mayoría de 14 votos frente a 4, se acordó que "el consentimiento de la mujer no excluye la punibilidad a efectos del art. 468 CP "; todo ello en base a la idea clave de la irrelevancia en derecho penal del perdón de la persona ofendida por la infracción criminal, principio que solo tiene su excepción en los llamados delitos privados, que es cuando expresamente la ley penal así lo prevé.

A partir de dicho pleno, la tendencia es negar eficacia del consentimiento de la mujer, considerando que ello no es una limitación de su capacidad de autodeterminación ni del ejercicio del derecho al libre desarrollo de su personalidad. La superación del criterio expuesto en la sentencia 1156/2005 supuso que los efectos psicológicos asociados a la victimización de la mujer maltratada, hacen aconsejable negar a ésta su capacidad para disponer de una medida cautelar de protección que no se otorga, desde luego, con vocación de intermitencia, afirmando o negando su validez y eficacia en función de unos vaivenes afectivos.

4. CONCLUSIÓN

La conclusión alcanzada por el Pleno, e igualmente el criterio mayoritariamente seguido por la jurisprudencia no debe ser entendida en absoluta desconexión con las circunstancias de cada caso concreto. La mujer que solicita una medida de alejamiento no renuncia de forma irremediable al ejercicio de su derecho al libre desarrollo de la personalidad, a la posibilidad de reanudar la convivencia, o incluso, de restablecer por propia voluntad los vínculos jurídicos dejados sin efecto por el proceso penal, por el mero hecho de ser objeto de tutela penal, sino que por respeto a esta han de valorarse las circunstancias concurrentes.

De igual manera que la mera presentación de una denuncia no lleva consigo de forma automática la concesión de una orden de protección, sino que precisa que el juez competente valore sin concurre como presupuesto básico la existencia de una situación objetiva de riesgo para la misma, así como la proporcionalidad, idoneidad y necesidad de la medida, ha de hacerse esta misma operación cuando la misma manifiesta su voluntad de que se deje sin efecto la misma.

BIBLIOGRAFÍA

Normas jurídicas citadas

Ley Orgánica 11/2003, de 29 de septiembre, de Medidas Concretas en Materia de Seguridad Ciudadana, Violencia Doméstica e Integración Social de los Extranjeros.
Ley Orgánica 15/2003, de 25 de noviembre, por la que se modifica la Ley Orgánica 10/1995, de 23 de noviembre, del Código Penal.
Ley 27/2003, de 31 de julio, reguladora de la Orden de Protección de las Víctimas de la Violencia Doméstica.
Ley Orgánica 1/2004, de 28 de diciembre, de Medidas de Protección Integral contra la Violencia de Género.
La Ley 4/2015, de 27 de abril, del Estatuto de la víctima del delito.

Jurisprudencia citada

Sentencia del Tribunal Supremo español núm. 1156/2005, de 26 de septiembre.